Y0-BEA-237

LA REINE ET LE GRAAL

DU MÊME AUTEUR

AUX MÊMES ÉDITIONS

Blanchefleur et le Saint Homme
ou la Semblance des reliques
coll. « Connexions du champ freudien »
1979

CHARLES MÉLA

LA REINE ET LE GRAAL

La *conjointure*
dans les romans du Graal
de Chrétien de Troyes
au *Livre de Lancelot*

ÉDITIONS DU SEUIL
27, rue Jacob, PARIS VIe

ISBN 2-02-006551-7

A la mémoire de Jean Frappier
et à D. Poirion en amitié.

Remerciements

J'exprime ma gratitude à D. Poirion, qui reprit à la mort de mon maître, J. Frappier, en 1974, la direction de la présente thèse déposée en 1965, et à A. Micha, qui me livra généreusement le fruit de ses travaux sur la tradition manuscrite du *Lancelot*. Les membres du jury, R. Dragonetti, J. Dufournet, P. Ménard, D. Poirion et H. Rey-Flaud furent mes premiers lecteurs : qu'ils soient aussi remerciés de n'avoir pas été, le 18 juin 1979, mes censeurs ! Je sais enfin ce que je dois pour la parution de ce livre, après remaniement de sa première partie, aux conseils de J.-L. Giribone et aux efforts de F. Wahl.

Ce furent aussi quatorze années d'assiduité au Séminaire de J. Lacan. Puissé-je avoir évité le sort de Panurge : «de mettre lunettes à l'oreille pour ouïr plus clair !».

à Pascale

Tread softly because you tread on my dreams.
W.B. Yeats,
He wishes for the cloths of Heaven, 1899.

Le roman c'est Elle : sans nom parce qu'elle en a mille, comme l'Isis mirionyme d'Apulée, sans visage puisque d'elle n'existent que des répliques. Par chance on la rencontre, par nécessité on la perd, par volonté on la retrouve, mais on y gagne de n'être plus le même.

L'animal enchanté qui en forêt vous mène à la Fontaine, c'est elle, mais aussi la vieille hideuse ou la vouivre aux lèvres rouges qui survient sitôt après : l'épouvante d'un baiser où vous croyez mourir fait revivre sa merveilleuse apparence et vous épousez la Belle qui vous consacre roi.

Sans doute en d'autres récits, une tache de *sang* sur un corps de femme vous rendra misogyne, mais le *sens* de votre tâche est d'en faire l'or de votre amour, rouge comme un soleil à son Orient.

La clef de cette métamorphose comme de cette transmutation est à chercher dans ce qui se joue et se transmet, symboliquement, entre père et fils.

Elle, c'est l'âme du roman, qui rend les mots ailés : le vol de la lettre vous guide depuis la mer a*mère* des aventures de Tristan jusqu'à la *mer*veille de Brocéliande sur les traces d'un héros sans *pair*. Le Graal n'est pas seulement le nom d'un précieux vase, mais le recueil écrit de ses secrets imprononçables, pareil au petit livre de l'Ange dans l'Apocalypse, qu'il faut bien que tu manges comme ta propre substance, de miel et d'amertume.

Février 1983.

Préambule

Ce qu'un récit met en jeu se laisse de place en place ou de temps en temps entrevoir, si on joue d'abord le jeu de la fiction suivant le fil des différents scénarios qui s'y recroisent. Mais ce qui est, dans l'entrelacs, véritablement aux commandes, n'opère que sous le couvert des mots, lesquels se miment et se riment effrontément, histoire sans doute de mieux résonner [1] ! L'écrit fait ainsi retour dans ce qu'on en lit. C'est, en littérature, la règle, celle du double jeu. Aussi convient-il d'être dupe pour devenir quelque peu entendu.

Dans la terminologie médiévale, on dirait que l'auteur a su tirer de sa *matière* une *belle conjointure*, telle l'âme qui gouverne un corps autrement informe ou démembré, telle encore la clarté que la lanterne doit à sa chandelle ; mais que, pour aller dans le droit *sens* de ce qu'on attendait de lui en haut lieu, il a mis *son cœur et sa peine* à bien rimer [2]. Son art, finement, se rappelle à l'attention sous les voiles de la fable.

On peut traduire ainsi : la grammaire d'un récit a l'allure d'un montage dont un vide est la cause ; sa logique obéit à une scansion dont l'effet est de perte ; encore faut-il le secret d'une rhétorique pour faire du leurre qui séduit l'heur(e) de la vérité !

Juin 1980.

1. «Tant à cause des amphibologies, équivoques et obscurités des mots...fut Apollo surnommé Loxias» (l'oblique), remarque Pantagruel dans le *Tiers Livre, XIX*. Je propose donc, à côté de la philologie, la *philoloxie*, en l'autorisant de Delphes ! Lire ce qui s'écrit, c'est entendre autre chose que ce qui se dit. A distinguer, notons-le, de l'allégorie qui est un dire autre chose (mais par l'opération de l'Esprit, non pas en vertu de la lettre – d'où les sens typologique, tropologique et anagogique), ainsi que de la métaphore, qui est un dire autrement (mais par substitution, non par détournement). Ajoutons, sur le chapitre de l'allégorie, qu'il suffit d'en feindre le théâtre pour que commence un nouveau style : la littérature allégorique.

2. Voir *Erec et Enide*, v.9-22 ; *Cligès*, v.704-716 ; *Charrette*, v. 21-29 et 6243-6251 ; *Conte du Graal*, v. 61-68 ; enfin un passage d'une traduction de la Genèse pour Marie de Champagne, signalé par E. Vinaver, dans le ms. B. N. f. fr. 12457, f° 4 v°.

Le regard et le lieu

Théorie en guise d'introduction

1. Que quelque chose parvienne à se faire entendre, sans être articulé, c'est le propre du fait littéraire ; d'où résulte notre émoi. « Résonance » analogue au charme qui émane d'un corps féminin, sans que l'œil qui détaille les parties puisse en rendre aucune responsable : ainsi, du moins, au IXe siècle, le maître de la poétique indienne, Ānandarvardhana, formulait-il sa théorie du *dhvani,* ce pouvoir de « faire retentir » (dhvan-), dans ce qui se dit, un sens autre que le sens exprimé et dont rien en celui-ci ne donnait idée ou figure : s'il survient comme en « écho », il le doit à son absence même, non qu'il y ait rien là d'indicible, seulement d'inattendu, en excès sur ce qui, aussitôt proféré, s'épuise, mais aussi bien déjà là, dans l'ombre, en attente d'être éclairé [1].

Le texte littéraire offre donc un sens qui se lit en toutes lettres mais qui ne va pas sans faire de l'effet, ou, dirions-nous en glissant sur les mots, qui ne laisse pas insensible. L'École l'a toujours su, puisqu'elle dénonçait l'ennui de la paraphrase ! Était-ce, cependant, une raison suffisante pour que, comme l'atteste le nom de philologie, on se prît d'amour pour cette parole, troublante, en vérité, au point de la croire divine par la grâce que nous en fait le créateur de l'œuvre ? Celle-ci s'ordonne tout entière, au terme d'un certain plaisir, autour d'un sens — sagesse ou vision, cohérence en tout cas — reconnu dans l'amour seul qui lui est voué comme à l'Intelligible de Platon, où s'efface le malaise sophistique qui d'abord a fourni la séduction de son vertige ! A quoi un autre âge de la critique objecta « l'art comme procédé », brisant là avec un langage compromis par l'admiration et empruntant à la linguistique un métalangage qui servît de rempart à son projet de science. La démarche, féconde, du Cercle de Prague a été de constater que, dans l'organisation de l'art, le signe prévaut sur le signifié et qu'il constitue donc l'objet principal de l'étude ; il forme système, pour l'analyse structurale, et cet ensemble de relations, homologue au système de la langue (grammaire = syntaxe et morphologie), doit être décrit et classé, le signifié-au-lecteur n'intervenant qu'au titre de résultat, d'effet, diversement interprété selon l'idéologie et l'époque. Quant au sens, il s'entend maintenant de la fonction qu'un élément (de forme ou de « contenu ») assure au regard de l'ensemble ; de la façon dont il entre en rapport avec les autres éléments et, ce faisant, dirige, oriente le lecteur. La nouvelle méthode, comme il apparaît ici, reflète, à sa manière, ce trait, inavoué (sauf chez Mallarmé), de la langue poétique, que l'intérêt porté au signe est plutôt le signe d'un désintérêt pour le sens !

Mais peut-être faut-il éluder le sens pour mieux l'entendre, sans plus le confondre avec ses énoncés. Place donc, un temps du moins, au pur jeu verbal, à la danse seule des signes ! Ce qui revient à se demander « quel est le pouvoir du Songe ! » (Mallarmé, *Hamlet,* Pléiade, p. 302) :

> Tout écrit, *extérieurement à son trésor,* doit, par égard envers ceux dont il emprunte, après tout, pour un objet autre, le langage, présenter, avec les mots, *un sens même indifférent (le Mystère dans les lettres,* Pléiade, p. 382; nous soulignons).

Autrement dit, dans l'usage littéraire, le sens ne vient jamais seul, mais hanté par son propre vide, ce « trésor » qui ne se supporte que du « rien », sensible dès lors qu'un mot se prête à tout sens. L'éclair du sens, si bien perçu par la poétique sanscrite comme l'heureuse surprise de trouver la jarre que révèle la lampe, dissipe à temps la nuit où était plongée la pièce mais la suppose tout autant. « Sens dans le non-sens », remarque Freud dans *Der Witz,* à propos du mot d'esprit, et qui rend acceptables le jeu sur les mots et son plaisir. Certaine façon « littéraire » de solliciter le *sens* découvre donc ce que celui-ci met *en jeu* et qui ne laisse pas de le travailler, à la recherche d'un assouvissement, mais non sans être, dans le même temps, mis en défaut, *déjoué* dans l'*écrit.*

2. Dans l'essai 5 du Livre III des *Essais,* « Sur des vers de Virgile », Montaigne s'en explique, jetant ainsi une pleine lumière sur l'acte d'écrire que le premier, avant Mallarmé, il interroge par son œuvre dans les termes mêmes de la modernité. Car on commenterait exactement son projet secrètement angoissé de se déchiffrer, c.à-d. de ressaisir, depuis la mort de La Boétie, les fragments éclatés du miroir d'amour qui réfléchissait son image[2], par cet hommage de Mallarmé à Villiers de l'Isle-Adam :

> C'est, ce jeu insensé d'écrire, s'arroger, *en vertu d'un doute* — la goutte d'encre apparentée à la nuit sublime —, quelque devoir de tout recréer avec les réminiscences, *pour avérer qu'on est bien là où l'on doit être* (parce que, permettez-moi d'exprimer cette appréhension, demeure une incertitude) (Pléiade, p. 481 ; nous soulignons).

Au seuil de son livre, Montaigne congédie son lecteur, pour qu'on sache sans doute que l'indigne aventure d'écrire le regarde seul et que la parole cherche ici le corps pour y insinuer, comme malgré lui, une étrange vacance, qui ressemble à une mémoire de la mort. J'écris, suis-je ? Ainsi se formulerait un *Cogito* qui livre moins l'être qu'une mise en regard de soi, par l'écrit, un : « être à côté ». Les essais du Troisième Livre oscillent de l'un à l'autre pôle et l'auteur s'en excuse : « mon thème se renverse en soy » (Villey, III, 13, p. 1069), puisque, s'il écrit de soi, force lui est d'écrire de ce que justement « il écrit ». S'il traite donc de son goût pour la poésie de Virgile, attendons que s'en éclaire sa propre forme de parler, scandaleuse en l'espèce (« cette sorte de parler scandaleux », p. 889), à l'instar de la scène évoquée par le poète latin « d'une jouissance dérobée » de Vénus et de Mars (Lucrèce, I, v. 33-40) ou, paradoxalement conjugale, de la même et de Vulcain (*Enéide,* VIII, v. 387-392 et 404-406). A certain moment du propos de « tout dire » (p. 845), l'inavouable ne manque pas de venir au centre de l'entreprise : « C'est une matière infuse par tout, c'est un centre où toutes choses regardent », ne craint-il pas d'avancer en maxime ! La vieillesse gagne, dans la dernière partie des *Essais;* la volonté de ne rien laisser échapper de soi dans le projet d'en cerner l'image vraie s'inquiète d'autant plus du corps, des sens et de leur volupté que la ruine s'en fait déjà sentir ; rejetant une sagesse qu'il devrait à l'impuissance et à la maladie (cf. « Du repentir »), Montaigne n'en finit plus désormais de réciter son corps. A quelle fin ? L'humeur amoureuse le met lui-même sur la voie :

> Que je me *chatouille,* je ne puis tantost plus arracher un pauvre rire de ce meschant corps. Je ne m'esgaye qu'*en fantaisie et en songe,* pour destourner par ruse le chagrin de la vieillesse (p. 842).

L'imagination dont la passion amoureuse met en branle le plaisir peut seule encore animer un corps près de s'éteindre et en raviver la sensation. Or telle est bien la visée d'un essai « licencieux », d'une prose qui fait fi de toute « superstition verbale », refusant par là cette maladie, propre à notre esprit, de renier notre être. Le parallèle découvre l'enjeu final des *Essais,* de frayer un ultime accès à une jouissance de soi comme de son être entier. A l'instar de l'amour, fût-il simplement un songe, en cet automne de la vie, l'*essai* réveille encore d'une torpeur sûre pourtant de vaincre, et remet celui qui se dit ainsi sans faux-semblant en possession de son corps. L'audace du propos garantit sa vérité :

> Me représente-je pas *vivement* ? Suffit ! J'ay faict ce que j'ay voulu : tout le monde me reconnoit en mon livre et mon livre en moy.

Auparavant, Montaigne citait Martial (X, 23, 7) :

> Hoc est
> *vivere bis,* vita posse priore *frui* (p. 842).

Mais cette reprise, chatouillement ou « titillation » (p. 877) comme s'exprime Montaigne, si elle est jouissance, supporte celle-ci d'une fiction, dès lors que s'y entremet le fait de la dire. En quoi l'*essai* ressortit à la même ambiguïté que la « fantaisie » voluptueuse, suivant l'impeccable formule de Montaigne :

> Qui n'a jouyssance qu'en la jouyssance... qui n'aime la chasse qu'en la prinse, il ne luy appartient pas de se mesler à notre escole... Sans espérance et sans désir, nous n'allons plus qui vaille (p. 880).

Et encore, au chapitre 9 :

> La jouissance et la possession appartiennent principalement à l'imagination (p. 975).

Le « parler scandaleux » fait effraction dans le corps qu'il anime dans l'exacte mesure où il nous en révèle absents. L'*essai* est bien le jouir, mais de ce qui se dérobe : il en est donc indissociablement le désir, « la soif » (p. 877) que perpétue, dans « la possession du vivre », sa fuite même (p. 1112). Ne nous trompons donc pas lorsque Montaigne affirme, en preuve d'une réconciliation finale :

> Quand je dance, je dance ; quand je dors, je dors (p. 1107)

puisqu'il raconte peu après :

> A celle fin que le dormir mesme ne m'eschapat ainsi stupidement, j'ay autresfois trouvé bon *qu'on me le troublat pour que je l'entrevisse* (p. 1112).

Où s'illustrent le propos et le tourment des *Essais !* Dire ouvre un interstice entre le corps et sa jouissance ; le chatouillement où celle-ci se rappelle prend place dans l'intervalle d'un réveil qui la suspend.

La question des vers de Virgile intervient donc au cœur de cette problématique et une théorie du langage poétique s'y esquisse en homologie avec les séries précédentes : la poésie est aux joies amoureuses ce que le songe, au soir de la vie, est à la volupté et l'« essai » à la « possession du vivre », soit ce qui met le corps dans un courant de jouissance, mais à l'ombre, égarée, du désir. Une Vénus virgilienne, qui s'offre en un souffle brûlant, celle de Lucrèce, dotée de mystérieux pouvoirs, donnent occasion à Montaigne de définir le plaisir poétique. La « lasciveté » de l'évocation s'accorde pleinement au ton d'un chapitre consacré, en toute liberté de parole, à l'« action génitale » : que les mots se fassent indiscrets, le corps aura chance d'exister... Montaigne crédite les deux passages d'un effet de présence :

> Vénus n'est pas si belle toute nue et vive, et haletante, comme elle est icy chez Virgile (p. 849).

Un contre-exemple montre que Martial, lui, « n'arrive pas à la faire paroistre si entiere » (p. 880). Le « sens » vient en excès aux paroles, mais comme ce qui les illumine :

> Le sens esclaire et produict les paroles ; non plus de vent, ains *de chair et d'os.* Elles *signifient plus* qu'elles ne disent (p. 873).

Ce « plus » se traduit comme une incarnation du Verbe : une « presque disparition vibratoire » a soudain donné corps à une image, a livré la chose même. C'est même là le fantasme avoué des *Essais,* de se communiquer, s'il eût été possible, « tout entier et tout nud » (« Au Lecteur »), et, au début de ce chapitre, en manière de boutade, mais avec la passion de qui souhaitait un ami de cœur : en ce cas, prévient-il, « je leur iray fournir des *essays en cher et en os* ». Montaigne explique cette vigueur de l'expression, en citant Plutarque qui dit : voir les mots par les choses. Effet d'illusion, sans doute, mais nous avons pris le temps de situer longuement ce commentaire pour qu'apparaisse ce que Montaigne, lecteur ou écrivain « furetant » en leur « magasin », attend des mots et des figures et la façon dont il l'image (la vie insufflée à la parole) montre que le corps en question est moins celui où s'incarne une ombre fictive que le sien propre : dire que les mots ont pris vie et chair transpose, en vérité, le sentiment d'un frisson qui « anime » son corps à soi — Vénus livrée nue... et quelque « fantaisie » réchauffe les membres glacés de la vieillesse. L'effet du sens que l'on commente d'une métaphore : la « chair » des mots, est plutôt — l'enjeu n'en est autre — de donner âme au corps.

Mais qu'en est-il, au juste, des « mots » eux-mêmes, et d'où leur vient ce pouvoir ? Montaigne se contredit-il quand il s'ordonne de « tout dire » en remarquant, plus loin, contre Martial, que « celuy qui dict tout, il nous saoule et nous desgoute » (p. 880) ? Pour que tout soit « montré », d'une gaillarde imagination, il faut ainsi que tout ne soit pas dit mais s'entende à demi-mot, laissant encore à désirer. Si le parler poétique signifie plus qu'il ne dit, c'est de dire moins, pour autant (il ne s'agit pas en effet ici de litote) qu'il dit autrement ou autre chose ; à preuve les exemples avancés par Montaigne : du tissu des métaphores jaillit une clarté, d'autant plus vive, du sens qu'il la doit à leur ombre même. Ce repli du langage sert de voile qui cache pour montrer mieux :

> Les peintres ombragent leur ouvrage pour luy donner plus de lustre ; et dict on que le coup du soleil... est plus poisant par reflexion qu'a droit fil *(ibid.)*.

Tromper l'œil afin qu'il ait chance de voir, c'est en quoi dire autrement s'interprète comme ne pas tout dire. Un mot pour un autre, cet échange fait mystère ; cela sent, d'après Montaigne, la « trahison », comme si rien de l'essentiel ne pouvait être saisi sinon à la dérobée, à la façon d'un « larcin » : justement, la métaphore, dérobant la scène, l'offre à notre convoitise. Pour définir l'effet poétique, Montaigne ne parle que le langage du désir et pose, dans la structure littéraire, l'existence d'un regard :

> Que portes-tu là, caché soubs ton manteau ? — Il est caché soubs mon manteau affin que tu ne sçaches pas que c'est. Mais il y a certaines choses qu'on cache pour les montrer.

En ce défaut de l'expression, « le signe » seul importe, comme le préambule en amour, « une œillade, une inclination, une parolle » *(ibid.)*, en ce qu'il procure à l'imagination la jouissance de retenir ce qui fuirait avec la jouissance même. A l'opposé de tel vers, trop direct, d'Ovide :

> Et nudam pressi corpus adusque meum (*Amours,* I, 5, 24),

les métaphores de Virgile et de Lucrèce, jetant sur la déesse, en cette action, l'ombre d'autres images (ce « rejicit, pascit, inhians, molli, fovet, medullas, labefacta, pendet, percurrit » que « rumine » Montaigne) en livrent le fantasme. Voici Vulcain :

> Ea verba loquutus
> Optatos dedit amplexus, placidumque petivit
> Conjugis *infusus* per membra soporem (*Eneide,* VIII, v. 404-406),

et Mars :

> Hunc tu, diva, tuo recubantem corpore sancto
> *Circumfusa* super, suaves ex ore loquelas
> Funde (*De natura rerum,* I, v. 38-40).

Montaigne goûte « cette noble *circumfusa,* mère du gentil *infusus* », et cette expression elle-même est, à son tour, révélatrice : chez Virgile, le corps du dieu est comme traversé de l'éclair, et l'être, dans la chaleur qui l'envahit, se défait, se dissout pour se perdre au sein de l'épouse dans la paix éternelle du sommeil : « infusus » évoque à la fois l'épanchement et l'absorption de l'un en l'autre corps, dans la douceur nocturne que répandent les sonorités du dernier vers. Chez Lucrèce, il ne s'agit plus de ce point de fusion où s'effondre toute résistance, mais d'une béance toujours plus vive, inscrite au cœur blessé du guerrier, dans la tension de qui cherche refuge et reste au supplice de ce bord où étancher sa soif : la nuit se fait encore avec ce « circumfusa », mais comme l'immensité sacrée qui baigne tout autour le dormeur, comme l'océan d'une jouissance où il s'immerge enfin. Montaigne nomme exactement le fantasme : *« circumfusa mère* du gentil *infusus » ;* l'univers fluide et maternel de la nuit accueille un corps qui, selon son vœu profond, se laisse anéantir. L'« ombrage » poétique de Virgile et de Lucrèce a signifié « plus » que la « conjonction charnelle », à savoir, par la mort qu'elle rejoint enfin, l'extase.

Rassemblons nos remarques sur ce va-et-vient entre l'effet sensible du sens et les significations qui s'en imaginent : le sens, qui survient au texte parallèlement à ce qu'il exprime, anime donc proprement le corps, c'est son effet, au travers d'une illusion donnée de présence (« Vénus nue et vive »), mais le pincement ou la piqûre que l'on doit aux jeux d'ombres et de silences des mots eux-mêmes, réveille l'inquiétude, le malaise soudain d'un manque que berce cependant la scène ouverte, dans l'espace littéraire, au fantasme (« circumfusa », mère). En d'autres termes : que je sois réveillé pour sentir que je dors... A la différence du simple lecteur, le critique ne s'en tient pas satisfait, puisque, à son tour, il écrit.

3. Tout part donc, dans cette forme littéraire du parler, de la lettre et y revient. « Lettre » s'entend du support signifiant — dont l'arbitraire ne cesse d'être mis en appel — de la signification, et cette dernière requiert, en ce cas précis, que le signe soit, comme tel, pris en compte. Dans l'ordinaire du langage, les signes linguistiques qu'intègrent la grammaire et le lexique s'effacent derrière l'information communiquée, ce qui d'ailleurs ne se passe pas aussi simplement, comme la linguistique s'en aperçoit maintenant, puisque le « message » s'accompagne d'un implicite qui est un exercice de pouvoir : emprise ou dérobade de celui qui parle. Dans le traitement littéraire de la signification, les signes sont dessaisis de leur fonction propre, occupent, dirions-nous par métaphore nécessaire, le devant de la scène, pour y jouer un rôle qui ne soit plus de simple figuration : comme dans une aire de jeu, sur les tréteaux de la représentation, dans ces espaces d'imaginaire que toute société se réserve, ce qui prend place se donne pour autre qu'il n'est et vaut comme signe pur, avoué tel, désamarré d'une réalité qui se rappelle, certes, mais obliquement. Les signes en prennent à leur aise avec le sérieux du « message », c.à-d. dans un champ où précisément l'on ne joue pas, ce qui ne veut pas dire qu'ils ne puissent y servir, voire s'y ranger. Mais comment le lecteur s'en avise-t-il ? Est-ce parce que l'emploi délibéré de l'« impropriété », vice excusable dans l'optique grammairienne des *Leys d'Amors* (t. III, p. 17), quand avec la figure en naît la poésie, révèle le corps des mots tel qu'il s'indique, alphabet mystérieux, en ce lieu où, au dire de Mallarmé, « l'homme poursuit noir sur blanc » ? Est-ce, dans le « langage de la fiction », l'évidence formulée par M. Blanchot dans *la Part du feu* (p. 80-91), que, ce que je sais, nul référent ici ne me l'apporte, mais le seul jeu des rapports qui se tissent à la lecture, pauvreté essentielle de la fiction « qui est de me rendre présent ce qui la fait irréelle, accessible à la seule lecture, inaccessible à mon existence » ? A travers les unités, éléments ou ensembles, de signification, d'étranges liens se nouent, en effet, à partir et autour des mots eux-mêmes, attirances réciproques ou abîmes, qui imposent peu à peu leur dessin et leur rythme et définissent une *règle,* qui est *d'écriture;* Chrétien de Troyes en appelle le résultat : « conjointure ». Qu'une chose, même ou surtout indifférente, puisse en signifier une autre[3], cette mise en avant du signe dans un procès sans visage qui se prête à tous masques est perçue, et pour cette raison, au moment même où s'indiquent le fait et la manière de l'inscrire et de l'ordonner, autrement dit le montage lui-même, ce qui suppose un lieu conçu à cette fin, un *lieu d'inscription,* support tangible, traversé d'un réseau symbolique (lois ou règles d'écriture) mais ouvrant un espace imaginaire. Le lieu destine l'élément qui fait sens, indifférem-

ment phonème ou lettre rendus à leur vérité oubliée, « figures » que contient (aux deux sens) la rhétorique, êtres de fiction (objets, lieux, personnages) qui ne s'éclairent que de leur fonction dans le récit, par la seule *place* qu'il lui assigne dans un ensemble aussitôt apparu que l'acte d'écrire devient sa propre fin. « Espace pur », selon la poétique mallarméenne (p. 380), il est l'événement du texte, puisque, en définitive,

> Rien n'aura eu lieu...
> que le lieu (*Un coup de dés,* p. 475).

Dans l'écrit, la suite ordinaire des mots est rompue ; « projetés », dit encore Mallarmé, « en parois de grotte, tant que dure leur mobilité ou principe, *étant ce qui ne se dit pas du discours :* prompts tous, avant extinction, à une réciprocité de feux distante ou présentée de biais comme contigence » (p. 386 ; nous soulignons). Cette dissémination (cf. p. 387) fulgurante, avant le retour du blanc, est, dans la signification qui s'en enlève, la part qui lui demeure étrangère — où s'avère l'impuissance de l'analyse linguistique du discours, aveugle à la virginale blancheur du lieu, à dire la « merveille qu'intime sa structure » (p. 380) ! Ecrire découvre que la parole est tributaire d'un lieu auquel elle se rapporte comme à ce qui lui est absolument hétérogène : il en subsiste cette mince trace, ou « brisure » (p. 387), qui fait bord entre les deux ; l'écrit, donc, qui, dans la signification, reste l'« insignifié » et différence pure (« Rien n'aura eu lieu... que le lieu... excepté... peut-être... une constellation », p. 476-477). Ce dessin forme constellation, mais en portant témoignage de distorsions et de coups de force incessants (« naufrage » et « gouffre ») : « le hasard, vaincu mot par mot » (p. 387), ne peut être, cependant, aboli ; à ce prix de violence, inscrite dans l'espacement, le Cygne se promeut Signe[4] pour le *regard* qui sait le capter mais qui n'en reste pas moins, indissociablement, leurré, car le Signe ne s'exalte que dans le destin glacé du Cygne. Coup d'aile du rêve, au baisser des paupières... Le délice de la chimère enfuie ferait ainsi volontiers oublier ce qui fut à son origine : le désir de voir que suscite la disposition plastique des mots, leur « configuration » ou « projection » « en parois de grotte ». Les voici qui, de leur mise à plat « sur espace pur », de la prise en considération du seul acte d'écrire (trace : cerne et déchirure), font un instant écran au sens, flamboient vivement, appellent le regard — et autrement, note Mallarmé (p. 380), que « le va-et-vient successif incessant... une ligne finie, à la suivante, pour recommencer » ; sinon : « que ne ferme-t-on les yeux à rêver ? ».

La pratique courante de la lecture relèverait peut-être du vœu profond de ne pas voir ! Un « semis de fioritures » (p. 381) accrochera donc l'œil. Mallarmé, comme Montaigne, situe au défaut du dire, d'où naît l'excès du sens, dès lors qu'il y est fait signe (« ce sera la Langue, dont voici l'*ébat* », p. 386), la présence d'un regard sans lequel, faute d'enjeu, nul effet ne pourrait être escompté. Mais cet ordre du regard ne se laisse pas aisément définir. En « ruminant », comme Montaigne, ces formes de parler ou en percevant, d'après Mallarmé, les entrelacs selon lesquels, « parmi les marges et du blanc » (p. 375), s'entrecroisent les mots[5], je discerne moins le signe tel quel que je ne suis, par son éclat, fixé et regardé[6]. Ce pourquoi justement je *veux* voir : cette brillance même fait ombre sur autre chose, mais ce qu'il m'est alors « donné à voir » (effet d'imaginaire propre à la Poésie) n'en est pas moins toujours autre que cet autre énigmatique, et mis comme à sa place. Le signe « ek-siste » donc à sa manifestation comme pure puissance à se poser en autre : ce qui me regarde se masque à mes yeux dans les figures du rêve. Le Signe « noir sur blanc » se rappelle à seule fin de s'effacer dans le Cygne hivernal, blanc sur blanc. Montaigne parle d'« ombrage » qui (dé) voile Vénus tout entière ; Mallarmé, de « candeur », parce que le signe serait seulement là pour rendre manifeste, disparue la chimère, le vide du lieu ; il a pourtant passé, emportant avec lui l'ombre d'un rêve dont voici la scène : une blancheur mortelle et stérile réverbère, dans l'absence et l'expiation, l'éclat fantomatique de ces rois d'Idumée en cet univers préadamique où, selon la Cabale juive, l'être se perpétuait sans rien devoir à nulle femme. Solitude virginale d'un côté, « horrible naissance » de l'autre, l'écrit qui se commente ne s'appréhende que sur la scène du fantasme : non plus, comme dans les vers latins, le retour à la nuit profonde de la Déesse, mais l'engendrement monstrueux, hors de la voie sexuelle, aux sources maudites de la jouissance :

> Virginité qui solitairement, devant une transparence du regard adéquat, elle-même s'est comme divisée en ses fragments de candeur, l'un et l'autre, preuves nuptiales de l'Idée (p. 387).

Cette blancheur, où seulement fait trace et « ébat » (p. 386) nuptial ce qui la sépare d'elle-même, divise à son tour le regard comme pur désir, à l'endroit où l'Idée s'abstrait, tel un corps subtil, de l'Idumée, et défaille : « rien au-delà ».

Sans doute Mallarmé prend-il, à nos yeux, figure de théoricien, mais au sens poétique du mot « théorie ». Poète, il prouve ainsi que rien ne se découvre du signe écrit sinon de l'intérieur même d'une mise en scène où accueillir le fantasme, et la goutte d'encre est « apparentée à la nuit sublime » (p. 481), au contraire de ceux qui « puisent à quelque encrier sans Nuit, la vaine couche suffisante d'intelligibilité que lui (le poète) s'oblige, aussi, à observer, mais pas seule » (p. 383). Étrange ténèbre où se préserve le mystère de ce « Fiat » (« L'encrier, cristal comme une conscience, avec sa goutte, au fond, de ténèbres, relative à ce que quelque chose soit », p. 370). Noirceur dans le cristal, nuit d'Idumée dans l'Idée : quelque ferveur innommable d'où arracher sans fin, par l'écrit, un désir, une transparence. Comme pour Montaigne entre éveil et sommeil, le va-et-vient se poursuit incessant du Signe à la Scène, du représentant (Repräsentanz) à la représentation (Vorstellung) et inversement : quand se projette sidéralement, éclatante, éclatée, la Constellation du Cygne, la retombée des dés corrige l'arbitraire du Signe, sans pourtant l'abolir, comme en témoigne le lancer lui-même[7].

4. Le plaisir du lecteur montre cependant qu'à ce temps l'apaisement l'emporte et le rêve, yeux clos, prévaut. L'inquiétude ne s'y glisse qu'au second temps, celui, critique, de la relecture, lorsque l'œil s'attarde aux signes plus que l'esprit au sens (ce pourquoi certains écrivains mettent déjà en garde contre le premier temps, en refusant le sens — dans le fantastique entre autres). Ce qu'il lit, pour le lire — entre les lignes (« intelligere ») —, le critique le récrit comme le signifia, naguère, le souci (illusoire ?) d'afficher, à titre de rupture, un métalangage. Ce qui, comme écrit et de l'écrit, vient faire signe, désignant un manque (désir, donc), s'appréhende du sein même de l'imaginaire qui s'en tisse, pour nous retenir dans sa toile. Le *lieu d'inscription* où se repèrent les tracés, leurs déplacements et leurs attractions — « travail et application » de l'écrivain, du rimeur, dit Chrétien de Troyes (« sa paine et s'antancïon », *Charrette,* v. 29) — se propose seulement au travers des lieux imaginaires qui intègrent objets et rôles (personnes) dans l'unité d'une fiction, et qui se parcourent selon le sens

qu'y imprime un *point de vue* privilégié (dans le roman, par exemple, une subjectivité)[8]. Cette cohérence, perçue la première, cette « conjointure » que la beauté qualifie en propre pour Chrétien :

> Et *tret** d'un conte d'aventure
> Une *moult bele* conjointure *(Erec et Enide,* v. 13-14),

couvre d'un voile de séduction imaginaire un jeu d'écriture (cette extraction à laquelle « tret » fait ici écho) que Montaigne, quant à lui, compare plus véritablement à une « marqueterie *mal jointe* » (III, 9, p. 963) : la « conjointure » ne prend effet que de son envers, où se remarquent les traces de la soudure, au disjoint des pièces assemblées, comme sur l'Épée de Perceval au château du Graal, dans la *Seconde Continuation* (éd. W. Roach, t. IV), subsiste, visible,

> An la jointure... une creveüre (v. 32557-32558),

ou, selon la variante d'un autre manuscrit : « une seule escriuture ».

Mais cette faille précisément sollicite le critique : à son tour, il taille dans le texte, il le retourne juste au point où quelque bouffée de rêve efface le hasard des lettres et où le sortilège masquait leur effet de vide. Il dénoue, du désir, le fantasme.

Mallarmé, encore, par le biais de l'humour, jalonne, dans le *Démon de l'Analogie* (p. 272-273), notre voie. L'humour, ici perçu par analogie, sans doute, avec la malice d'un tel démon (qui est joué en l'affaire, le narrateur, ou nous autres, lecteurs ?), nous fait passer de l'autre côté du mystérieux miroir littéraire, au détour d'une mise en scène où « le Surnaturel », « irrécusable » pourtant, ne prend pas, puisque mis à plat et démontré, comme effet pur du langage : « le doigt sur l'artifice du mystère » ; nulle profondeur, en effet, mais des glissements à la surface, fût-elle d'une page blanche ou d'une vitrine d'antiquaire ! Une voix (venue d'où ?) prononce : « La Pénultième est morte. » Ce non-sens[9] ne trouble cependant l'esprit que de la façon dont il s'avère être écrit :

> de façon que
>
> *La Pénultième*
>
> finit le vers et
>
> *est morte*
>
> se détacha de la suspension fatidique plus inutilement en le vide de signification (p. 272).

De cet écartement de la ligne, selon le jeu des blancs conforme à la versification, résulte une étrange coïncidence entre une phrase qui n'a pas de sens (« phrase absurde ») et un morcellement (« lambeaux ») qui donne sens à ce non-sens... non sans un malaise justifiant que ces « lambeaux » soient « maudits » : la « Pénultième », mise en fin de vers, détache à la place que désigne son propre signifié ce « nul » qui lui dicte, inéluctablement, son destin de mort. Là justement réside l'intolérable, d'autant que rien n'y fait : le narrateur a beau se bercer de mots (« psalmodie ») ou les tourner en tous sens, toujours revient à la même place[10] la cassure fatidique — « pénible jouissance », remarque-t-il. L'« angoisse », donc, surgit, à l'instant où les mots vivent soudain de leur propre vie, battent de leurs propres ailes, au gré des seuls signifiants, en dépit de sens, et aux dépens de « mon esprit naguère seigneur ». Mais ce qui crée ici un effet vraiment spécial d'étrangeté, au sens déjà freudien de « unheimliche » (« bizarre », odd, uncanny), soit l'effroi d'un dépaysement dont s'accompagne le retour du plus intime, est que la mort vienne à peser de tout son poids en cet affleurement, hors du moindre sens et comme par artifice, d'un son articulé, le signifiant « nul », oublié jusqu'alors, derrière la signification normale du mot qui le contient, mais pourtant là, à nous guetter, tel un oiseau de mort, dès que l'esprit a relâché sa propre prise sur le sens. Dans l'ombre enfouie du langage, se préserve donc, à mon insu, la mémoire d'un « deuil » que je suis « condamné à porter ». Mais de qui ou de quoi ? Freud le nommera ; le poète, lui, avec un sûr instinct, produit seulement la grotesque figure de la « Pénultième », histoire, sans doute, de dire, à propos de ce mystère, qu'il faut en faire son deuil ! Ici, donc, cette pointe d'humour déjà relevée qui désamorce l'imaginaire (« magie aisément déductible et nerveuse ») ou, plus exactement, puisque le thème musical court tout au long, en joue la partition sur quelque instrument vieillot et désaccordé : à l'instant précis d'une sensation qui ressortit au fantasme, quand, inextricablement liée à « l'effroi » du non-sens, surgit, dans le reflet que le vitrage renvoie d'une main caressante [11], l'illusion de *tenir* la voix même, se découvrent soudain, non plus par reflet mais par transparence dans la vitrine, les Antiquités de l'Imaginaire, bric-à-brac dérisoire de vieux luths et d'ailes mortes, écho sans âme ou triste analogie de cette « aile glissant sur les cordes d'un instrument, traînante et légère » et qui chantait cette phrase absurde : « La Pénultième est morte. »

Ce poème en prose fonctionne donc au rebours du texte littéraire et l'humour nous prive du fantastique qui devait en jaillir. Il part de l'écrit et déduit le rêve, quand, d'ordinaire, celui-là s'oublie derrière le (beau) mensonge de ses effets. Aussi bien est-ce du cœur même de la fiction, à partir des lieux imaginaires qui captent, au gré de multiples jeux de miroir, le regard, qu'opère le critique, dans l'espoir, sans cesse déjoué, de surprendre quelque « inexplicable » — trou dans le sens ou fuite de celui-ci — et de mettre « le doigt sur l'artifice » — ce qui ne résout rien, puisque à la fin, raconte Mallarmé, « je m'enfuis, bizarre »...

5. Ce qui s'imagine d'après ce qui se construit de fiction est l'aveu le plus sûr de la *difficulté* inhérente à ce qui est mis en question : les choses commencent à s'éclairer lorsqu'un rapport est établi entre cette efflorescence captivante et ce qui, en elle, se désigne et s'évite à la fois, à la façon dont Daphnis et Chloé, dans la *Pastorale* de Longus, écoutant le vieux Philetas, « furent ravis, comme s'ils avaient entendu *une belle histoire et non la vérité,* et ils demandèrent ce qu'était l'Amour, un enfant, un oiseau... » (*Romans grecs et latins,* Pléiade, p. 816). L'imaginaire aurait, en vérité, pour sens de situer ce qui se dérobe, de façon peu claire, à la prise. L'idylle vient à point nommé, dans notre dessein, nous distraire de l'obsession mallarméenne : « Ces Nymphes, je les veux perpétuer... », et introduire, mais d'un contraste avec la souffrance courtoise, le genre romanesque qui nous occupe. Elle se laisserait volontiers définir par l'élan réciproque de cœurs naissant à l'amour, selon l'alternance de voix qui se répondent : pour tout dire, un jeu d'écho. Il faut à semblable harmonie quelque décor de rêve, Lesbos amoureuse ou mélodieuse Arcadie, qui échappe à l'histoire et obéisse au seul rythme naturel du cycle saisonnier, dans la paix profonde des Travaux et des Jours. Ce monde, pourtant, semble seulement exister pour être démenti : a-t-il d'autre consistance que l'ombre du soir qu'y fait glisser Virgile ? E. Panofski saluait en effet le poète latin d'avoir inventé « la Tombée du Jour » (*l'Œuvre d'art et ses significations,* Gallimard, 1969, p. 284)... Ou encore,

l'écho ne suppose-t-il pas quelque solitude vide, où se nierait, en un chant pur, le souvenir d'une fureur panique ? où la virginité survivrait au traumatisme sexuel ? D'un côté, la mort en Arcadie, de l'autre, Pan parmi les Nymphes ! L'idylle est une certaine manière d'ajourner le réel.

Dans *Daphnis et Chloé,* une première dissonance survient au Livre III, après que le naïf chevrier eut été initié par certaine femme au nom de louve, Lycénion : « et souviens-toi que c'est moi qui, avant Chloé, ai fait de toi un homme » (chapitre XIX, p. 840). Lui sait désormais, et garde sa réserve quand l'innocente Chloé renouvelle leurs jeux charmants. N'est-il pas frappant que la scène suivante soit, pour Chloé, la découverte émerveillée du phénomène de l'écho et, pour Daphnis, l'occasion de lui narrer le mythe d'Écho (chapitres XXI-XXIII, p. 841-842) ? Entendant revenir de la terre le chant des marins et le bruit de leurs rames, Chloé se demande s'il y aurait derrière le promontoire « une autre mer et un autre bateau ». Elle cherche « qui répondait à leur chant ». Personne, justement, mais le rire de Daphnis s'agrémente d'un baiser. Suit, en guise de leçon, l'histoire de la nymphe Écho, mais Chloé pourrait-elle entendre la vérité que couvre une belle histoire ? Écho était « mortelle » ; ses danses et ses chants ne reculaient-ils pas l'heure du destin, comme s'ils rythmaient la fuite où elle préservait sa virginité ? Enfin : ce corps déchiré, ces membres épars (serait-ce le mythe inverse de celui d'Actéon ?), après que Pan eut envoyé aux bergers et aux chevriers, devenus chiens ou loups, « un accès de fureur ». Tandis qu'une pluie de baisers récompense le conteur, dont les paroles sont renvoyées par l'écho, Daphnis n'en continue pas moins de taire devant la jeune fille ce qu'il sait, pudique désormais, dans sa peur « de la faire saigner » (p. 43). Cet acte apparemment n'appartient pas à l'histoire, et ne se rejoint qu'à travers le cérémonial de l'hyménée : il est la fin de l'idylle, qui dissipe brusquement sa légèreté irisée :

> Et Daphnis accomplit ce que lui avait enseigné Lycénion et alors Chloé, pour la première fois, comprit que ce qu'ils avaient fait dans le bois n'était que jeux de bergers (IV, 40, p. 868).

Merveilleuse insignifiance de la pastorale, comme pour apprivoiser, en une impossible figure de rêve, le réel ! Pour savoir, il importait que l'on crût d'abord, le temps d'un conte, à l'existence d'un répondant, derrière l'écho, et que l'on oubliât, dans le corps joyeux de vivre, le corps détruit.

Toute construction imaginaire emporte en soi le signe de sa négation, qui rejaillit sur elle dans la mesure même où elle y trouve le ressort de son propre déploiement, poussé jusqu'à son point limite.

Pour suivre ce dessin, il convient donc de remonter à ce qui *règle* son cours et nous fait adhérer aux nouvelles données d'un monde autrement écrit, au gré des places qui s'y répartissent et des tracés qui les relient. Nous illustrons notre méthode d'un dernier exemple : *la Chartreuse de Parme* gravite autour de la fonction du signe et du présage. Faut-il s'étonner qu'aux yeux de Fabrice « l'abbé Blanès (fût) son véritable père » (Pléiade, p. 170) et que Balzac, suivant la logique de son contresens, souhaitât la disparition de celui-ci ? Le véritable pays qu'explore Stendhal n'est pas la cour et son prince, mais l'âme et la recherche du bonheur. D'où la valeur du signe : si le bonheur se définit par tout ce qui est « sensation de l'âme » (p. 490 et 168), celle-ci suppose que le héros rencontre quelque chose qui *parle à son âme :* ces forêts du lac de Côme « qui parlent le plus à l'âme » (p. 180) ou encore, à partir de sa prison, « cet horizon qui parlait à son âme ». Fabrice, à Waterloo, est seulement à l'écoute de ce qui, du réel, répondrait à son attente. La fumée ou le bruit du canon ont pour effet de provoquer cette exclamation : « Ah ! m'y voilà donc enfin au feu ! se dit-il. J'ai vu le feu ! *se répétait-il avec satisfaction.* Me voici un *vrai* militaire ! » (p. 64), ou la question : « mais ceci est-il une *véritable* bataille ? » (p. 65). Comme s'il fallait qu'il se prît lui-même à témoin et que cette répétition seule emportât le bonheur ! Celui-ci est ressenti dans l'écho et il n'y a d'écho que d'une parole. Que le monde réponde, un regard bienveillant enfin perçu, et « tout (semble) avoir changé de face » (p. 68). Toute-puissance du signe ! Le progrès du héros, souligné par la tendre ironie stendhalienne, consiste à laisser un monde dont les règles sont pareilles au jeu de whist et à reconnaître ailleurs le véritable lieu du bonheur ; Gina y prépare, c'est le « concert des cœurs », *à ceci près qu'un mot reste imprononçable,* « un mot indiscret » qui ferait de Fabrice son amant, « un mot trop significatif » dont elle aurait horreur *« comme d'un inceste »* (p. 158 et 159). Seule, Clélia y répond : la pensée profonde du regard, une certaine lenteur à s'émouvoir, ce calme analogue à la surface tranquille du lac Majeur témoignent du « regret de quelque chimère absente » (p. 272) et se résument ainsi : c'était l'*absence* et non pas l'impossibilité de l'intérêt pour quelque chose (p. 273). A regarder Clélia, Fabrice entend sa propre vérité, d'absence à soi-même et d'attente inquiète. Le roman représente cette mise en question du *je,* impossible à situer, de Fabrice, tour à tour fourvoyé, déçu, ravi. Or le ravissement ne trouve place que dans une prison, « à mille lieues au-dessus des petitesses et des méchancetés qui nous occupent là-bas » (p. 312), dans une « solitude aérienne » qu'évoquait déjà le clocher de l'abbé Blanès, ou encore au creux de cette nuit où « l'obscurité profonde » (p. 488) protège du regard mais autorise « une voix chérie » à se faire entendre. Il n'est donc pas de ce monde, mais, de chimère en merveille, au plus secret de la langue, il s'apparente déjà à la mort.

Ainsi peut se lire la loi suivant laquelle se recompose et se nie un univers fictif. L'isoler découvre ce qui s'y représente de désir.

I

LA JOUISSANCE ET LE HÉROS « PENSIF »

CHAPITRE I

A l'aventure, la merveille

La Joie de la Cour

« J'ignore totalement qui je suis et où je vais. »Telle est, dans le roman suisse-allemand d'Ulrich de Zatzikhoven (c. 1195 - 1200), la réponse du héros, Lanzelet (Lancelot), au chasseur qui s'apprête à l'héberger et à parfaire son éducation (v. 413 - 561). Mais l'adolescent qui sort d'une enfance charmée par les fées, au pays bienheureux de l'Ondine qui l'a nourri, sait le désir qui l'aiguillonne :

> Maintenant je voudrais voir des chevaliers et assister à leurs prouesses, et, si quelqu'un pouvait me dire où l'on se bat, je ne serais pas assez couard pour craindre de risquer ma vie pour mon honneur ou pour l'amour de quelque dame, que je doive fournir le vainqueur ou le perdant (trad. P. Pérennec, thèse dactylographiée, I, p. 9).

L'attrait de ce *jeu périlleux* (v. 5281) où s'exalte la vie d'un chevalier est fonction de l'ignorance où est laissé son nom. Il recherche l'extrême, parce que l'intime se dérobe. Il est toujours pour les autres comme pour soi le « Bel Inconnu », tandis que reste mystérieux ce à quoi sa beauté fait signe. Elle l'auréole de féerie et du même coup voile son origine. La question en est d'autant plus insistante dans le roman : Lancelot, ravi tout enfant à sa mère par la Fée du Lac, est, au seuil de ses aventures, interpellé par une autre femme merveilleuse, la Dame de Malehaut, qui lui demande :

> Que vous me dites qui vous estes et a coi vous baez*. (Roman en prose de *Lancelot,* éd. Sommer, III, p. 228, l. 25).

L'inconnue du nom est au principe de l'équation du désir ; ce qui se masque met le héros à l'épreuve de ce qu'il veut et la lumière n'est faite sur son identité que le jour où l'aventure livre le chiffre de son désir. Aussi voit-on certains, comme Tristrant chez Eilhart d'Oberg, adopter l'étrange coutume des chevaliers arthuriens, lorsqu'ils partent en forêt à l'aventure, de changer leurs armes, leurs signes de reconnaissance (ce qu'on appelle, en ancien français, des « connaissances »), afin de garder l'incognito (cf. éd. D. Buschinger, v. 5074 - 5079). Il en va de même pour les fameux tournois de trois jours. Le héros n'entend plus vivre de sa réputation ; il tait son nom pour en rejoindre l'énigme et rouvrir la voie qui fit son renom. L'orgueil commande donc sa conduite : sur le chemin qui l'affronte à lui-même, il doit s'affirmer le meilleur. La Fée de la Mer prédit ainsi à Lanzelet :

> Il te faudra auparavant imposer ta loi au meilleur chevalier qui fut jamais... Iweret de Beforet... Et tiens pour certain que ton nom te restera caché tant que tu ne l'auras pas vaincu. Tu le trouveras si tu te montres vaillant (*op. cit.,* p. 6, v. 307-349).

Mais, au pays d'Iweret de la Belle Forêt, ce qui attend le jeune homme c'est aussi un paradis amoureux, auprès d'Iblis la belle[1], « cette image rêvée de la perfection » (p. 69), fille du formidable champion. Armes et amour ont donc partie liée et la révélation du nom a été différée jusqu'à ce que soit accomplie cette mise à mort et rencontrée cette joie (p. 79-80, v. 4704-4705).

Il faut explorer plus avant la nature de ce lien. De la forêt touffue et toujours diverse des récits arthuriens, se dégage un scénario simple, identique à l'histoire qu'il arrive au héros, au hasard de son errance, de s'entendre conter : le roman semble par moments se proposer à soi-même son propre thème. Ainsi de deux épisodes, repris également dans deux œuvres apparentées qui traitent de Perceval, la *Seconde Continuation du Conte du Graal* (éd. W. Roach, t. IV) et le Didot-*Perceval* (même éd.) : Perceval a dû affronter un chevalier blanc qui monte la garde auprès d'un gué, dit « amoureux » (*Seconde Continuation,* v. 21956-22224) ou « périlleux » (*Didot,* l. 966-1114), et un chevalier noir, à côté d'une tombe (*Seconde Continuation,* v. 25070-25299 ; *Didot,* l. 1354-1374). Il apprend, après ses victoires, la raison de ces coutumes merveilleuses : le Blanc Chevalier avait quitté la cour d'Arthur pour mettre à l'essai sa prouesse ; invaincu après maints combats, il est, un soir d'orage, surpris par l'apparition d'une demoiselle sur une mule blanche, qui l'entraîne à sa suite dans un des plus beaux châteaux du monde, invisible pour les autres mortels :

> Et je m'eshardi tant le nuit que je l'amai et li requis s'amor*, et ele me dist qu'ele m'ameroit volentiers *par un covent* qu'ele i metroit.

L'amour de la fée est assorti d'une condition : un accord (*convent*) est passé entre eux. S'il reste avec la Fée Amante, le chevalier doit défendre le passage contre tout survenant. Qu'il s'y emploie avec succès jusqu'au terme fixé (un an ici, là sept années), il sera réputé le meilleur chevalier du monde et jouira sans partage des faveurs de sa belle amie. Ainsi peut-il consentir à des amours dont il aurait pu autrement craindre qu'elles ne lui eussent fait oublier toute chevalerie. Est-ce à dire qu'un pareil bonheur soit entaché de honte et que le chevalier errant qui se fixe auprès d'une fée devienne, s'il ne s'en inquiète, « récréant », c'est-à-dire un combattant qui abandonne la partie et un homme qui a renoncé à ce qu'il se doit ? Mais le corps de la fée ne lui était-il pas livré justement en raison de son prestige aux armes ? Le renom d'un Gauvain vaut à ce dernier l'amour de pucelles qui ne l'ont jamais vu, telles la sœur de Bran de Lis dans la *Première Continuation* ou celle du Petit Chevalier dans la *Seconde.* La valeur est donc promesse de jouissance mais s'en trouve aussitôt compromise, de sorte que la félicité, à peine conquise, doit être remise en jeu. C'est le sens du pacte conclu entre le chevalier et la fée. Si la plus belle est offerte en récompense, en « guerredon », au meilleur, celui-ci ne cesse de payer le prix de sa possession : sa valeur lui interdit cela même qu'elle lui obtient.

La situation qui se représente ainsi dans le « conte » dont le héros entend le récit correspond aussi bien à la sienne propre, dans le roman, mais elle y est autrement vécue, comme la traversée d'une crise. Dans *Erec et Enide,* l'œuvre vraiment inaugurale pour le roman arthurien, composée vers 1170, peu après la date probable pour la source française de *Lanzelet* (le « welschez buoch », mentionné v. 9341), le jeune fils du roi Lac tombe, après ses succès, sous le coup d'une accusation de « récréantise ». Ainsi se noue, dans le temps du roman, la problématique des Armes et de l'Amour. Erec est en droit de revendiquer la plus belle amie, puisqu'il s'est affirmé le meilleur en s'emparant de l'épervier, et cet exploit le conduit droit à la scène amoureuse de la « chambre » (v. 2035) et au faste de ses noces :

> Mes tant l'ama Erec d'amors
> Que d'armes mes ne li chaloit* (v. 2430-2431).

L'époux aime trop ardemment sa femme et l'on murmure à la cour. Enide l'apprend :

> Que recreant aloit ses sire*
> D'armes et de chevalerie (v. 2462-2463).

Elle finit, un jour où ils reposaient étroitement enlacés (v. 2471-2474), par le lui faire savoir. Ce qui relance la suite des aventures. Or, au moment où celles-ci touchent à leur fin, après la réconciliation et les retrouvailles des amants au château de Guivret le Petit, à Pointurie (de nouveau la scène du lit, v. 5199-5208), une dernière épreuve se présente devant Erec, comme l'image dans le miroir de sa propre aventure : c'est l'épisode de la Joie de la Cour, avec, d'un côté, le château de Brandigan et la cour du roi Evrain, de l'autre, le Verger Enchanté, aux murs d'air, et la sinistre rangée de pieux surmontés de têtes coupées ainsi que d'un cor qu'il faudrait faire retentir. Erec pénètre dans le jardin, seul, sans sa femme. La suite renoue avec la rencontre bien connue de la fée : un lit d'argent, richement couvert, l'ombre d'un sycomore, « et, sur le lit une pucele » (v. 5833). Le héros s'assoit à ses côtés, ce qui déclenche la fureur d'un grand chevalier rouge, aussitôt survenu : « tant ne valez » s'écrie-t-il « que vers li doiez aprochier* » (v. 5860-5861). Or l'histoire de ce dernier reproduit secrètement l'entreprise d'Erec, mais sous forme inversée. Pour jouir de l'amour de sa dite amie, Mabonagrain, c'est son nom, devait être prêt à combattre quiconque se présenterait : jamais, dit-il, il ne fut las de porter les armes ni il n'eut à se rendre à merci.

> Onques mes d'armes ne fui las
> Ne de combatre recreüz (v. 6055-6056).

« Recru de fatigue », cette seule expression nous reste de ce terme capital de l'ancienne chevalerie : « se recroire », « récréantise ».

Mabonagrain a donc préservé la tension nécessaire entre les Armes et l'Amour, tandis qu'Érec avait succombé. Le fait que son amie soit la cousine d'Enide souligne le parallélisme. Il fait pourtant figure de prisonnier, et Erec, de libérateur. Le roman, en effet, ne se contente pas de la figure du conte qu'il se propose comme en regard de soi ; il la rencontre plutôt comme l'énigme dont il attend la vérité. Qu'on ne puisse se satisfaire d'être comblé de bonheur n'est pas le dernier mot du roman ; si le héros devient le spectateur de sa propre aventure, c'est qu'il en cherche le secret. La structure se redouble ; un élément nouveau, de réflexivité, y intervient : de l'exigence à l'œuvre dans l'aventure, de ses impossibilités, un *savoir* est possible. Ce que dénote un simple glissement dans le vocabulaire : quand Erec s'engage dans l'ultime épreuve, sans doute continue-t-il de « querre l'avanture » (v. 5389), pour monter en honneur et en prix (v. 5574-5575). Est-ce là pourtant ce qui le séduit ? Bien plutôt, semble-t-il, le seul nom, mystérieux, de l'aventure :

> La Joie de la Cort a non (v. 5417).

Erec y réagit avec vivacité :

> Dex ! *an joie n'a se bien non**,
> Fet Erec, ce vois je querant...
> Rien ne me porroit retenir
> Que je n'aille *querre la Joie* (v. 5418-5425).

Précieux jeu de mots ! La substitution de *Joie* à *aventure* comme objet de la recherche détermine aussitôt celle-ci : la simple disponibilité le cède à la hantise. Le nom énigmatique paraît révéler le héros à lui-même :

> La Joie de la Cort demant*,
> Car nule rien tant ne covoit* (v. 5556-5557).

L'enjeu s'est déplacé : la joie ne renvoie plus aux délices de la fée qui s'effacent devant la parole qu'on désire entendre ; la poursuite de l'aventure est devenue la quête d'un savoir : Erec exige de Mabonagrain qu'il lui explique sa présence dans le verger :

> Savoir en vuel tote la fin*,
> Que ton non dïes et la Joie
> Que molt me tarde que je l'oie (v. 5977-5982).

La Joie *comme nom propre* emporte un secret qu'on désire forcer. Faut-il se déclarer déçu par l'explication donnée, que la joie serait celle de la cour, heureuse de recouvrer avec Mabonagrain le neveu perdu du roi ? Ce serait oublier l'autre jeu de mots, bien perçu par R.S. Loomis (*Arthurian Tradition,* p. 171-175), qui rétablit, sous « la Joie de la Cort », « la Joie del Cor ». Or Chrétien n'était pas sans savoir ce qu'il faisait et n'a pas manqué de rapprocher les termes dans son texte :

> Il a an cest vergier un cor...
> Hors de ceanz issir ne doi*
> Tant que *le cor* aiez soné,
> Et lors m'avroiz desprisoné*,
> Et lors comencera *la Joie* (v. 6092-6097),

commente Mabonagrain, qui ajoute qu'il n'est personne qui ne laissera de rejoindre la cour, aussitôt le cor entendu :

> Quant la voix *del cor* antandra,
> Que a la cort ne vaigne*, tost (v. 6100-6101).

Ce « cor » d'ivoire, familier aux chasseurs de la forêt arthurienne, en masque un autre, à la faveur des homonymies médiévales. A la cour de Brandigan, les dames joyeuses composent, après l'exploit d'Erec, un lai (poème narratif avec musique) appelé le *Lai de Joie* (v. 6136). Or, à la fin de l'histoire de Caradoc dans la *Première Continuation* (en partie comparable à celle de Gauvain et du Chevalier Vert, le célèbre poème anglais, c. 1360-1370), survient à la cour d'Arthur un riche chevalier, porteur d'un « cor », c'est-à-dire d'une corne à boire (Roach, I, v. 8528-8562), dont la merveilleuse propriété n'est pas seulement de changer l'eau en vin mais de se renverser sur celui dont la femme ou l'amie a trahi la foi. Le roi en sera le premier humilié. On sait qu'au XIIe siècle Robert Biket a écrit sur ce thème le *Lai du Cor*.

Ces coïncidences invitent dès lors à reconnaître, par- delà la Joie de la Cour et celle du Cor, la fameuse corne d'abondance du roi de Bretagne, *Bran* le Béni, cataloguée parmi les treize trésors de l'île selon la tradition galloise. Un dernier rapprochement est aussitôt suggéré : dans un autre épisode de la *Première Continuation,* Gauvain, parvenu au château du Roi Pêcheur, assiste au service du Graal ; fabuleusement suspendu dans les airs, le Graal va et vient devant les convives, et les mets se renouvellent (Roach, I, v. 13181-13305). La fécondité et la richesse de la corne à boire et du plat magique les apparentent ; de plus la corne, dans le *Lai du Cor,* atteint le roi dans son honneur viril et le Graal, d'autre part, passe devant un roi « méhaigné », infirme, par suite d'une blessure entre les jambes. Il est d'ailleurs curieux que le *Conte du Graal* débute, à la cour d'Arthur, par la scène où un chevalier rouge a renversé une coupe de vin sur la robe de la reine. Comme le Graal chez Chrétien fournit l'hostie dont se nourrit exclusivement le vieux roi, ce n'est pas sans raison que Loomis a supposé dans le nom du château fabuleux de Corbenic, d'après la *Queste del saint Graal,* la substitution du *Corpus Domini (cors)* à la Corne bénie de Bran (*Arthurian Tradition,* p. 173-174[2]) ! A condition de ne pas oublier non plus la présence, dans les scènes du Graal des *Continuations,* d'un gisant dont le cadavre, le « cors », est bruyamment pleuré de toute une foule. Du cor d'ivoire de la fée au corps de la veillée funèbre, dans l'attente d'un retour de la Joie, une série d'équivoques règle le jeu des aventures, sans que la prise se referme jamais sur le mystère de cet objet. Le *Conte du Graal* fait en tout cas écho à *Erec et Enide:* au désir d'Erec en présence de la Joie, répond celui de Perceval qui n'aura de cesse de combattre,

> Tant que il del graal savra
> Cui l'an an sert* (*Conte du Graal,* éd. Lecoy, v. 4711-4712),

et qui souhaite avec force savoir ce qu'il en est du Graal :

> Qui moult convoite del Greal
> A savoir (*Seconde Continuation,* Roach, IV, v. 32308-32309, ms. P).

L'expression de « querre la Joie » a donc préludé à celle de « querre le Graal ». Le héros en vit l'entreprise avec une intensité qui témoigne de ce qu'il en attend : sa propre vérité. Quand surgit, dans un des derniers romans du Graal, dénommé « la haute Escriture del Saint Graal » (*Merlin,* éd. Paris et Ulrich, t. II, p. 57), l'étrange bête qui porte en son sein une meute hurlante, le chevalier qui s'acharne à la poursuivre déclare au passage au roi Arthur :

Ha ! Dieus, je l'ai sivie un an entier et plus *pour savoir la vérité de li**... Et pour chou que* je voloie counoistre se j'estoie li meudres* de nostre lignage, pour chou l'ai jou si longuement sivie... si ne l'ai mie dit pour vantance de moi, *mais pour savoir la vérité de moi meesmes (op. cit.*, t. I, p. 151).

La matière arthurienne déroute le lecteur qui garde toujours l'impression d'avoir déjà lu telle histoire, sans pourtant l'identifier. Il semble que d'un roman à l'autre soient reprises les mêmes données fondamentales, mais chaque fois sous un autre jour, comme si chacun de ces auteurs si attentifs à se lire entre eux relevait dans ce fonds commun ce qu'un autre avait laissé dans l'ombre, et en variait ainsi l'apparence. Une œuvre ultérieure peut donc révéler ce que masquait la précédente, tout en en prenant le relais. En écrivant la *Seconde continuation du Conte du Graal* (c. 1205-1210), Wauchier de Denain connaît à fond l'œuvre de son devancier, Chrétien de Troyes, mais il se réclame aussi des contes du pays de Galles (Roach, IV, v. 29353, ms. P ; cp. v. 26086-26101). A travers lui s'apparentent des situations ou des motifs que Chrétien traitait séparément et il s'en ajoute d'autres qu'on n'avait pas soupçonnés ! Les aventures d'Erec, du « Bel Inconnu », de Perceval et de Gauvain (d'après le *Conte du Graal*) entrent, par l'usage qu'il en fait ou l'arrière-plan qu'il leur découvre, en connivence. Loin qu'il faille reconstruire un improbable archétype, mieux vaut saisir sur le vif l'art avec lequel furent combinés des matériaux proches dans le fond mais transmis sous des formes diverses, comme si l'auteur avait cherché à les interpréter les uns par les autres. Lire la *Continuation* de Wauchier doit nous permettre de cerner les enjeux du Graal et de nous familiariser avec un certain nombre de figures fondamentales du roman arthurien.

Le continuateur reprend les choses où Chrétien les avait laissées, à l'interminable errance d'un héros maudit qui, après son échec, s'est voué à la quête de la Lance et du Graal. Mais il les complique aussitôt par l'interférence d'autres objets de quête. D'abord une merveilleuse colonne, au sommet du Mont Douloureux, telle une pierre levée, où seul le meilleur chevalier du monde pourrait attacher les rênes de son cheval (cf. v. 19916-19929). Perceval se jure de n'avoir de cesse qu'il ne s'y soit essayé. Puis deux objets qui ont été volés au héros : la tête du cerf qu'il avait chassé pour le compte d'une fée et le précieux chien, le braque, que celle-ci lui avait confié à cette fin. Perceval fait serment, comme naguère pour le Graal, de ne passer plus d'une nuit au même lieu tant qu'il ne les aura recouvrés (v. 23124-23140). Nul espoir autrement de « jouir de l'amour » que lui octroyait la fée à cette condition (v. 20604-20605). Les faveurs de la fée, la consécration de la vaillance, la vérité sur le Graal et la Lance, les trois projets s'enchevêtrent dans le récit : jouissance, valeur, savoir. Quel est leur lien ?

Perceval accomplit d'abord la quête du braque qui, pour l'essentiel, donne forme au roman : le chien qu'il retrouve après plusieurs aventures va le guider jusqu'auprès de sa maîtresse. Il réussit ensuite l'épreuve du Mont Douloureux et parvient enfin, pour la seconde fois depuis Chrétien, au château du Roi Pêcheur. Celui qui a connu le sourire de la fée s'impose au monde comme le maître, sans pouvoir pour autant satisfaire pleinement aux exigences finales du Graal. Le récit du continuateur, lui non plus, ne s'achève pas. Deux autres suites (de Gerbert et de Manessier) viendront encore s'y greffer ! Ce trajet a un sens : la quête du Graal ne va pas sans l'égarement au pays de la fée, puisque le héros doit en passer par celle-ci avant de venir au Graal. Pourquoi? La clé en serait chez le Roi Pêcheur, s'il arrivait enfin que tout pût être dit. Ce n'est pourtant jamais le cas. Le savoir qu'on y attend ne s'y complète jamais et la raison des errances, du hasard de telle ou telle aventure n'en est pas éclairée. Or, l'enchaînement des épisodes ne manque pas d'être énigmatique : les écrivains médiévaux nous apprennent que ce qui fait mystère dans le Graal est moins peut-être l'objet lui-même que le parcours qui y conduit.

Ainsi, au début, Perceval est préoccupé par son désir de rejoindre la cour du Roi Pêcheur. Cependant, comme un nautonier, le passeur d'un fleuve, lui en indique la droite voie qui le mènerait « sans nul trestor » (détour), il s'en retourne vers un autre château dont la beauté l'avait de loin séduit, la demeure de la Fée à l'Échiquier magique (v. 20096-20106). Un peu plus loin, après la perte du braque qui maintenant l'obsède, il apprend de nouveau d'un vieux chevalier, frère du Chevalier Vermeil jadis tué dans le *Conte du Graal,* le chemin du Graal s'il ignore la peur. Curieusement il s'abîme dans des pensées qui lui font négliger sa voie: pour trop penser à son entreprise, le voilà qui s'égare (v. 21048-21065). Plus tard, après avoir récupéré le chien, il rencontre, au cours d'épisodes apparentés au Graal, une pucelle qui évoque, dans la crainte et le tremblement, les saints mystères et lui confie sa mule blanche pour s'y diriger ; mais un chasseur, Briol, son hôte dans la forêt, le persuade d'abord de faire ses preuves aux armes et l'entraîne dans un grand tournoi (v. 25975 *sq.*, 26232 *sq.*). Après quoi resurgit la pucelle qui réclame sa mule au héros confus de s'être ainsi attardé (v. 27566 *sq.*) : il ne lui reste, sur le conseil d'une voix, qu'à mettre à terre son chien et à se rendre au château de l'Échiquier. Cette fois, c'est la Fée Amante elle-même qui lui fait traverser la rivière et le met sur la route, sans détour, de la cour du Roi Pêcheur, mais il s'en écarte encore pour suivre un chemin de ronces, ce qui le conduit au Mont Douloureux (v. 28199 *sq.*, 28240 *sq.*).

Il est remarquable que l'aventure du Graal dévie, d'entrée, sur celle de la Fée Amante et surtout qu'il s'avère que cette dernière sait où trouver le Roi Pêcheur. Les êtres de l'Autre Monde entrent ainsi en connivence. Mais, pour le héros, la voie n'est jamais droite : il ne cesse de se perdre entre les différents termes de sa quête, qu'il soit séduit par un spectacle, absorbé dans sa pensée, retardé en cours de route ou qu'il prenne simplement la voie de traverse. Mal gré qu'il en ait, le détour est nécessaire, comme s'il ne pouvait esquiver certains recoins de l'aventure. Qu'il s'oublie, un moment, dans ses pensées signifie peut-être que son désir de savoir ne manque pas de l'absenter à lui-même. Ce n'est pas un hasard si la figure choisie est celle du Chevalier Pensif ; elle est par excellence celle du *fin amant,* de l'amant parfait : dans le *Conte du Graal,* Perceval rêvant à Blanchefleur devant le sang sur la neige confiait à Gauvain :

> Et je estoie si pansis
> D'un pansé qui mout me pleisoit (éd. Lecoy v. 4422-4423).

Lancelot, dans la *Charrette,* perd toute conscience de soi à la pensée de la reine :

> Et ses pansers est de tel guise
> Que lui meïsmes en oblie (v. 713-714).

Chez Wauchier, enfin, dans un épisode inspiré par Chrétien, Gauvain rencontre l'amoureux idéal, le Chevalier Pensif de la Forêt à la Pucelle, près de la Noire

Chapelle (v. 30638-30640). Aussi, quand la pensée du Graal dévoie Perceval de sa route vers le Graal, les représentations amoureuse et religieuse semblent à dessein se confondre, comme si elles participaient l'une de l'autre. La Noire Chapelle, d'ailleurs, appartient aux merveilles du Graal, mais l'auteur la mentionne à propos de la forêt d'amour et du Chevalier Pensif. La pensée de l'amant est une jouissance dans l'absence et la clarté du Graal emporte le savoir de ce manque.

La lettre du texte est ici révélatrice. Peu avant de revoir la Demoiselle de l'Échiquier, Perceval implore Dieu de le ramener à la cour du Roi Pêcheur *ou* au château de sa belle amie, dans lequel se trouvent « le bel eschaquier, et les eschas », les échecs précieux rehaussés d'or et de pierreries (v. 27601-27612). Le Graal, l'Échiquier : les deux termes s'équivalent dans le souhait du héros. Or, si on se reporte au *Conte du Graal,* Gauvain parvenu au seuil des Merveilles, au pied du château des Reines, aperçoit un mystérieux personnage à la jambe d'argent, cerclée d'or et de pierres précieuses. L'unijambiste qui semble un riche seigneur est désigné du mot d'« eschacier » (certains manuscrits portent même « eschaquier »), « qui avoit eschace d'argent » (Lecoy, v. 7399-7400). De surcroît, dans une aventure précédente, au château d'Avalon, auprès de la belle maîtresse des lieux, Gauvain avait fait usage d'un « eschequier » et même renversé à terre les « eschas » d'ivoire (Lecoy, II, p. 114). Wauchier confirmerait-il ainsi à la faveur de ce jeu de mots relevé par Loomis (*Arthurian Tradition,* p. 446), la mise en regard, chez Chrétien, du château du Graal et du palais des Merveilles, des aventures de Perceval et de celles de Gauvain ? Il faut y voir de plus près : dans la grande scène du Cortège de la Lance et du Graal chez Chrétien, le roi fait dresser une grande table d'ivoire : elle est donc montée, selon l'usage, sur des tréteaux, c'est-à-dire, dans le texte, des « eschaces » (Lecoy, v. 3255), faites de bois d'ébène. Le riche livre de R. Dragonetti sur *la Vie de la lettre au Moyen Age* (Ed. du Seuil, 1980) nous introduit au surprenant parcours de certains signifiants dans le corps du texte. On serait tenté, sur ses indications, de glisser par pur jeu phonique du Roi P*esch*eor à l'*esch*ace d'un autre infirme et de l'es*chace* de la table du Graal au *chace*or, au cheval de chasse que montait au départ le jeune Gallois et qui renvoie dans la tradition arthurienne à ces mystérieux chasseurs qui hébergent le héros (comme le Chevalier Vert pour Gauvain ou, dans le *Conte du Graal,* le roi d'Avalon). Mieux encore ! L'ivoire de la table et l'ébène des tréteaux forment à notre surprise le matériau des deux « portes » (c'est-à-dire des deux vantaux de la porte) qui commandent l'entrée du palais des Merveilles et qui sont décrites aussitôt après la mention du « riche eschacier » (Lecoy, v. 7424-7435) ! Le pas est vite franchi, qui nous permet d'identifier le passage des portes de ce royaume des morts où Gauvain retrouve des reines depuis longtemps disparues avec celui des portes des songes par où Anchise reconduit des Enfers son fils, Énée. Or, dans le roman médiéval d'*Eneas* (c. 1156), les portes d'ivoire et de corne sont désignées par les mots d'« éborine » et de « cornine » (v. 2997-3004) ; on sait qu'Énée s'en retourne « par l'éborine », l'ivoire des songes mensongers. La ruse de l'écrivain n'aurait-elle pas extrait de cette « éborine » l'idée de la porte d'« ebenus » ? Et la « corne » de la vérité aurait une fois de plus, sans être repérée, glissé sous le texte[3] !

Il convient dès lors de relire d'un autre œil l'aventure inaugurale de la *Seconde Continuation* : Perceval s'arrête, en effet, tout pensif, devant un puissant château, sis en un lieu sauvage, isolé (« an *gaste* leu », v. 19672, l'autre sens de « gaste » étant celui de « désolé », ce qui peut se rendre aussi par le double emploi du mot « désert »). La porte en est d'ébène mais s'y trouve suspendu, à un anneau, un cor, qui est en ivoire, plus blanc que neige. Comme dans la Joie de la Cour d'*Erec et Enide,* le héros souffle dans le cor et se désigne ainsi comme le meilleur chevalier au monde, après avoir affronté le seigneur du château, qui porte couronne royale et se dénomme « li Sires dou Cor » (v. 19805). C'est en cette occasion qu'il entend parler du Mont Douloureux et de son mystérieux pilier muni de crochets (« cros ») ou entouré de « croix » (v. 19916-19929). Mais, à peine sorti des terres du Cor, il débouche sur une large rivière qu'il identifie comme celle où il trouva jadis le Roi qui pêchait, alors qu'il souhaitait atteindre l'autre rive où il eût, du moins le croyait-il, rejoint le pays de sa mère (cf. éd. Lecoy, v. 2974*sq.*). Wauchier rapproche donc explicitement cette fois le Cor et le Graal. On sait que, chez Chrétien, Perceval reste sur la même rive, où il découvrira le château féerique du Pêcheur. C'est Gauvain, en revanche, qui, lui aussi mis en présence d'une rivière profonde, passe de l'autre côté, au pays verdoyant et giboyeux où se dresse le magnifique palais des pucelles et des reines (Lecoy, v. 6978*sq.*). Or Wauchier condense, à cette occasion, plusieurs épisodes du *Conte du Graal*: le château qui attend Perceval sur l'autre berge est celui de la Fée Amante, à l'Échiquier magique ; comme pour Gauvain, un nautonier le fait traverser, après qu'une perfide pucelle, près d'un manoir en ruine, a cherché à provoquer sa noyade. L'attitude de la jeune fille, assise sous un arbre et occupée à se peigner, rappelle exactement celle de la Mauvaise Pucelle (la « male pucelle ») dont la beauté séduit d'abord Gauvain. L'auteur prend-il plaisir à entremêler de la sorte les scènes de la *partie Perceval* et de la *partie Gauvain* du *Conte du Graal ?* Il nous apprend du même coup à lire le roman du maître champenois ! Il ne s'arrête pas là, puisqu'on nous révèle que la naufrageuse « ravissait ainsi les gens jusqu'à la cour du roi Brandigan » (cf. ms. A, v. 9953-9954) : la fin de l'épisode renoue donc le fil avec l'épreuve du Cor, en attestant, à l'arrière-plan, la présence de l'histoire de Brandigan et de la Joie du Cor mise en œuvre dans *Erec et Enide.* Le nom du roi est mentionné une dizaine de vers avant qu'on reparle de la cour du Roi Pêcheur : c'est une autre façon de les mettre tous deux en regard, comme si l'auteur unissait les caractéristiques des aventures d'Erec et de Gauvain pour en faire le premier volet de celles de Perceval, à quoi s'opposeront plus tard les saintes merveilles du Graal.

Brandigan, dont le royaume paraît bien être ici celui des morts, vu que la noyade y donne accès, et dont la cour se confond avec l'Autre Monde celtique, est aussi, apprend-on plus loin, l'aïeul de Gauvain (v. 28011-28012). On peut lire en surimpression l'aventure de la Joie de la Cour et celle de la terre de Gauvoie, dans la *partie Gauvain,* où le héros retrouve son aïeule, sa mère et sa sœur et qui ressemble au royaume d'où nul ne revient, la terre sans retour de Gorre dans *le Chevalier de la charrette !* Comme la Fée de l'Échiquier que Perceval va courtiser, une fois passée la rivière, avoue, vers la fin du récit, être la cousine de la femme de Brandigan et avoir longtemps fréquenté sa cour, avant de suivre Morgue la fée, la sœur du roi Arthur, et de recevoir de celle-ci le fameux échiquier (v. 28010*sq.*), il faut comprendre que l'épisode de la Fée Amante est à l'histoire du cor et de la cour de Brandigan ce qu'était le Verger Enchanté, enclos par l'air, des amours de Mabonagrain et de la cousine d'Enide au château de Brandigan et à la Joie de la Cour. Cet exemple doit suffire à prouver à nos lecteurs que le raffinement de l'écriture moderne n'est que balbutiement auprès du grand art médiéval ! Perceval tombe ainsi sous le coup d'amours merveilleuses, inéliminables de son itinéraire et cependant compromettantes, compromises aussi bien. Car la séduisante blancheur de la fée a toujours par quelque côté une allure fantomale :

La meschine*
Qui fu blanche con flor d'espine (v. 28179-28180),

a, d'après ses propres dires, plus de quarante-cinq ans. Au vrai, elle n'a pas d'âge, immémoriale comme les immortelles. Ce qui ne laisse pas d'intriguer également est de la voir, à son tour, au départ final du héros, le confier à une embarcation magique qui lui fera traverser la grande rivière et le remettre sur le chemin du Graal : ce faisant, elle ressemble à s'y méprendre à la jeune fille maligne qui avait cherché à noyer Perceval et qui, comme elle-même, paraissait liée à la cour de Brandigan. L'ombre de la mort se dessine toujours en filigrane des délices féeriques. Il est clair, de surcroît, que, contrairement à l'impression première du récit, la cour du Roi Pêcheur n'est pas située du même côté que le château de l'Échiquier, ce qui rejoint les données du *Conte du Graal.* Le Graal et l'Échiquier se tiennent de part et d'autre de l'imposante rivière.

L'aventure proprement dite de Perceval au château de l'Échiquier est en elle-même complexe, puisque le héros a affaire à deux femmes. C'est l'un des motifs clés de la matière de Bretagne. La belle demoiselle échange, en effet, son amour contre la tête du Blanc Cerf que son amant devrait aller chasser dans le parc du château et elle lui remet, à cette fin, son propre chien, un petit braque, blanc comme neige. Mais une autre demoiselle surgit qui se plaint du dommage causé par la mort du cerf, s'empare du braque en contrepartie et force Perceval à combattre un Chevalier Noir sorti on ne sait d'où, non loin d'une tombe qui présentait son effigie aux passants. Pendant la joute, un autre chevalier, frère du précédent, subtilise le braque et le trophée, tandis que la pucelle n'épargne pas au héros ses sarcasmes ou « rampognes » : nul doute que, la nuit venue, sa belle amie souffrira sa présence tout contre elle, dans sa couche ! Cet exemple permet de préciser le rapport de l'écrivain médiéval à la tradition des contes et au travail de ses devanciers. La chasse au Blanc Cerf en effet sert d'ouverture à *Erec et Enide,* mais Chrétien en a fait tout autre chose pour les besoins de son récit. Dans le *Conte du Graal,* d'autre part, Gauvain s'emploie vainement à poursuivre, lance au poing, la biche blanche, non loin du château d'Avalon. Wauchier, en soulignant que Perceval chasse de la même façon, sans flèches et sans arc (v. 20300-20303), signe l'allusion. Mais l'histoire du Blanc Cerf est par ailleurs bien connue : R. Bromwich, dans un article des *Études celtiques,* 9, 1961 (p. 439-474), a dégagé le schéma du conte dit « The White Stag and the transformed hag » (le Blanc Cerf et la métamorphose de la vieille). Ainsi Lugaid (probablement le dieu Lug, l'ancêtre mythique des Irlandais) a-t-il capturé le faon magique avant de s'unir avec une vieille et hideuse géante qui se transforme en une ravissante jeune fille et représente la Souveraineté d'Irlande dont la couronne revient au héros.

En clair, les deux figures féminines dont Perceval suit tour à tour les exigences (la chasse au cerf, la joute de la tombe) sont indissociables, comme l'endroit, charmant, et l'envers, sinistre, d'une même réalité. Le leurre merveilleux se double d'une horreur sous-jacente et ce n'est qu'au-delà que le héros accomplit sa destinée. L'épisode correspondant à Wauchier dans le Didot-*Perceval* dépeint d'ailleurs la seconde demoiselle comme une vieille qui se change, à l'occasion, en la plus belle des pucelles, et fait d'elle la sœur de la Fée de l'Échiquier (*Didot,*

l. 1374-1375[4]). Mais comment Wauchier a-t-il procédé? Il dote la seconde des traits de la Mauvaise Pucelle, «félenesse», «maudisante» et sarcastique qui ne cesse de harceler Gauvain en route vers Gauvoie, dans la seconde partie du *Conte du Graal,* et qui finit par l'arracher aux sortilèges du Palais maternel. Il l'appelle la «Pucelle de mal'aire» ou «de put'aire» (termes qui s'opposent à «débonnaire», de bonne race). Surtout, il ajoute une information essentielle, communiquée à Perceval par un vieux prud'homme, son hôte: le tracas du héros lui vient de ce qu'il avait, jadis, négligé de poser face au Graal la question libératrice et la voleuse du braque ne serait autre que la fille du Roi Pêcheur (ou du moins a-t-elle agi pour le compte de celle-ci — la tradition manuscrite restant ici un peu floue, cf. v. 20955-21008). N'eût-ce été pour le Graal, est-il affirmé, la jeune fille ne lui aurait pas causé ces tourments! Fin lecteur de Chrétien, Wauchier réunit en un même personnage la Demoiselle Hideuse (qui est sans doute, comme le confirme le roman gallois de *Peredur,* l'autre visage de la Porteuse du Graal) et l'Orgueilleuse de Logres, c'est-à-dire la Mauvaise Pucelle (l'«Orgeluse» du *Parzival* de Wolfram), soit les deux figures qui dans le *Conte du Graal* accablent de honte respectivement Perceval et Gauvain. Une fois de plus, les deux parties du roman de Chrétien se rendent, à travers le continuateur, réciproquement raison. Si au nom du Graal le trouble est ainsi jeté parmi les amours merveilleuses, c'est pour que quelque chose se sache de l'horreur qui secrètement y prévaut, car l'histoire de la sépulture dans la lande fait exactement pendant à celle du bel Échiquier: pour s'être épris d'une ravissante pucelle de l'île d'Avalon, le Chevalier Noir fut, en échange de ses faveurs, mis dans la Tombe, d'où il revenait répondre au défi des passants (v. 25241-25270). Pas de château de féerie sans une tombe proche, ni non plus de verger enchanté sans la rangée des décapités! Mais c'est au Graal que le mystère s'en cristallise.

Il suffit maintenant de suivre le film des événements pour s'apercevoir que l'écrivain médiéval est aussi un architecte. Il a le sens des proportions, procédant avec rigueur, par reprises et contrastes, là où l'«indiligent lecteur» ne voit que prolifération extravagante. Ces treize mille vers sans vrai début ni fin se répartissent en deux temps, d'importance sensiblement égale. La première partie est dominée par l'intervention de la «Pucelle de mal'aire» qui voue le héros à la recherche du chien perdu: le Graal se rappelle à la jouissance, pourrait-on dire, en y mettant obstacle et en empêchant le héros. Wauchier a, semble-t-il, voulu réintroduire dans son récit les moments qui marquèrent l'aventure de Perceval chez Chrétien: la traversée initiale du fleuve remet le héros en présence des lieux du Graal et c'est dans ce contexte qu'interviennent les épisodes du Cor et de l'Échiquier; le vieillard qui ensuite lui révèle la complicité de la pucelle malintentionnée et de la cour du Roi Pêcheur se dit le frère du Chevalier Vermeil tué d'un javelot, voilà dix ans, par le jeune Gallois. Le passage est d'ailleurs précédé d'une courte et étrange scène, une véritable chasse à l'homme où un jeune homme en sang, un «valet» (du terme qui désignait Perceval chez Chrétien: «le vallet gallois»), frappé d'un javelot, tente d'échapper à un chevalier en armes et à son chien hurlant. L'algarade qui s'ensuit avec Perceval rappelle de près la scène du Chevalier Vermeil (cf. 20869-20874). Il faut noter que dans l'esprit de Wauchier l'histoire du Chevalier Vermeil et celle du Roi Pêcheur doivent avoir quelque rapport, pour être ainsi reliées (sans doute par l'entremise du javelot). Sont à grouper dans le même ensemble crypto-graalien les deux épisodes suivants où le héros pénètre dans des châteaux d'abord déserts, hostiles avant d'être hospitaliers: dans le premier, il affronte, comme Gauvain, un lion, puis un chevalier redoutable, Abrioris, qu'il avait aperçu allongé sur un lit (certains détails évoquent la fameuse scène du Graal, comme le rôle des quatre sergents, le fait de parler avec l'hôte «d'un et d'el», d'une chose et de l'autre, ou de se retrouver seul au réveil dans la pièce). Il s'agit d'un géant, dans le second cas, persécuteur d'une jeune fille, mais on relève juste avant l'anecdote du chevalier mort, étendu sous un chêne, un tronçon de lance à travers le corps et une épée dans le crâne, et de la belle jeune fille qui le pleure (sur le modèle de la pucelle et son mort, chez Chrétien, aussitôt après la nuit du Graal), ainsi que, dans l'épisode même, la table d'argent richement pourvue en vue d'un festin. L'auteur ne cesse de varier les figures de l'hospitalité dans la série desquelles s'inscrit l'aventure du Graal.

Cette première séquence s'achève sur le récit du Blanc Chevalier du Gué Amoureux et la rencontre de Perceval et du Bel Inconnu, Guinglain, le fils de Gauvain : est-ce une façon de renvoyer le héros à lui-même ? On sait que Perceval était aussi, au début de son histoire, un «bel inconnu». D'ailleurs, selon J.-C. Lozachmeur (*Études celtiques,* 16, 1979, p. 279-281), «Guinglain» serait la transcription approximative des mots gallois *gwan,* «perce», et *glyn,* «val». Curieusement, avant d'arriver au Gué Amoureux, Perceval voit s'enfuir un homme à pied, qui était «gallois» et qu'avait effrayé ce matin-là «un serpent crestus» (v. 21963-21965). Or l'aventure propre du Bel Inconnu dans le roman de Renaut de Beaujeu (c. 1190-1200) est celle du Fier Baiser à la Vouivre, à l'horrible serpente qui est aussi la fiancée lointaine. Ces coïncidences ne relèvent pas du hasard, d'autant que l'histoire du Blanc Chevalier qui clôt la première série a pour parallèle celle du Noir Chevalier, à la fin de la seconde (cf. v. 25109*sq.*). Le nom complet de ce dernier est «le Noir Chevalier de Valdone» (v. 25291). Or, chez Chrétien, Valdone, où Loomis a reconnu le mont gallois de Snowdon, est le nom des défilés de la montagne boisée où a grandi Perceval (Lecoy, v. 296). C'est aussi celui de la Gaste Cité, dans *le Bel Inconnu,* le pays de la blonde fiancée métamorphosée par Guinglain !

La seconde séquence de cette première moitié de l'œuvre débute par le retour du héros auprès de Blanchefleur, à Beaurepaire (v. 22552*sq.*), et le château magnifique aux quatre tours d'angle de couleur blanche, avec, au milieu, une cinquième tour toute vermeille (soit les couleurs typiques de la féerie), est symétrique du puissant château du Cor, à la porte noire et au cor plus blanc que neige. C'est le troisième rappel des aventures passées et Wauchier se souvient de la scène du sang sur la neige, à la semblance des belles couleurs de la femme aimée : la rose à peine éclose à laquelle elle est comparée est son exacte apparence. Or, la suite présente à Perceval le spectacle grotesque du «Beau Mauvais», un chevalier de valeur pourtant, mais amoureux fou du plus hideux des laiderons. Qui est ce chevalier ? Le fils du comte de Gauvoie ! Et le nom de celle qu'il aime «par fine amor» est Rosete... (v. 23329-23359). Mais, à la cour d'Arthur, elle retrouvera sa merveilleuse beauté :

> Ce ne sai ge s'elle iert* faée (v. 23532),

conclut l'auteur, d'un trait charmant de scepticisme ! La belle rose et Rosete la hideuse se sont succédé comme la Fée de l'Échiquier et la Mauvaise Pucelle : la structure du récit les met en regard. L'alternance des deux femmes est au cœur des récits arthuriens.

Dans le tableau des épisodes qui peu à peu se précise, un quatrième rappel du passé va répondre au second, celui du Chevalier Vermeil, quand Perceval revient à la Gaste Forêt de son enfance et au manoir maternel. Wauchier lui invente une sœur, en s'autorisant d'ailleurs de l'exemple de Chrétien qui lui découvrait en cours de récit une cousine germaine, nourrie avec lui dans la maison de sa mère (cf. Lecoy, v. 3582-3587), mais il la décrit comme

> Un molt tres belle pucelle,
> Blanche con fleur de lis novelle (v. 23599-23600),

et

> Qui de biauté resambloit fee (v. 23756).

L'entourage s'indigne à la vue des baisers que la pucelle prodigue à l'étranger. L'auteur s'inspire d'une scène de la *partie Gauvain* entre le frère et la sœur, qui prête semblablement à équivoque. Cette technique de surimpression qui nous laisse reconnaître derrière la sœur de Perceval les visages de Blanchefleur, sa belle amie, et de Clarissant, sœur de Gauvain, baigne d'une douceur toute sororale les amours du héros et de la maîtresse de Beaurepaire. A n'en pas douter, l'auteur sait ce qu'aimer veut dire. Après quoi, la jeune fille accompagne son frère chez l'ermite son oncle, qui leur accorde une sainte hospitalité et prévient Perceval que tuer des hommes n'assure pas le salut de l'âme (discrète annonce du semi-échec du héros à la fin de la *Continuation).* La vie du saint homme est comparable à celle du vieux roi du Graal chez Chrétien, puisqu'un ange subvient à ses besoins et qu'il ne vivait « se de la gloire de Dieu non » (v. 24046, reprise textuelle d'ailleurs du *Conte du Graal,* Lecoy, v. 6095-6096). Perceval s'arrache enfin aux bras de sa sœur comme il avait dû le faire avec Blanchefleur, mais pour arriver dans un étrange château, désert comme précédemment celui du géant, en réalité peuplé uniquement de femmes, le château des Pucelles, conforme à la tradition celtique du pays bienheureux (Kaer Siddi, le « château des Fées », ou Kaer Wydyr, le « château de Verre »). Comme l'Échiquier magique s'offrait naguère à lui dans la grande salle vide, un maillet de fer suspendu à une chaîne d'argent attend l'audacieux qui en fera résonner une table d'airain et forcera la venue des fées, mais la Dame des lieux, quand elle apparaît, éblouit Perceval, à l'instar de la Dame de Beaurepaire, car elle est

> blanche con fleur de lis
> Et de vermoil miauz* coloree
> Que n'est an mai la matinee
> Rose de novel espanie*,
> Quant la rosee l'a moillie (v. 24530-24534).

Aussi bien à son réveil, dans une autre scène caractéristique de la féerie arthurienne (le pavillon au pommeau d'or, près de l'arbre au généreux ombrage, avec un lit somptueux et une belle pucelle), le héros récupère-t-il contre un Blanc Chevalier le braque et le trophée volés dont il espérait la jouissance de la Fée de l'Échiquier.

La seconde partie de l'œuvre que sépare nettement une intervention de l'auteur (v. 25432*sq.*) comporte aussi deux séquences, avec, en outre, s'intercalant à l'intérieur de la seconde, une quête entreprise par Gauvain. Elle est imprégnée par les merveilles qui signifient le grand secret du Graal, comme l'attestent un certain nombre de scènes entre lesquelles un même motif, repéré par Brugger, a été éclaté, celui de l'arbre à la grande clarté et de l'arbre à l'enfant (cf. E. Brugger, *The Illuminated Tree in Two Arthurian Romances,* New York, 1929). En pleine forêt, par nuit noire, Perceval, qui tient compagnie à une pucelle montée sur une mule blanche, entrevoit au loin « une clarté » comme celle d'un « cierge embrasé » (25608 *sq.*) qui très vite envahit de lumière la forêt et dont la flamme « toute vermeille » donne l'impression de « toucher aux nues ». Comme il s'interroge sur l'origine de cette grande clarté, une tempête survient, vent, pluie, tremblement de terre, destruction imminente de la grande forêt. Quel est ce mystère ? La jeune fille retrouvée le lendemain révèle que « le feu qui était si haut signifiait que le Graal où fut recueilli le clair et précieux sang du roi des rois quand il fut pendu à la croix » avait été transporté cette nuit-là dans la forêt où le « riche roi qui est pêcheur » et qui réside dans les environs avait établi son camp (v. 25783 - 25811).

Plus loin, Perceval, désorienté, entend une voix qui vient d'un arbre de grande et imposante taille, lui conseillant de mettre à terre son braque et de le suivre jusqu'où il s'en ira (v. 27601 - 27633). La troisième fois, il approche du Mont Douloureux et aperçoit sur un arbre très élevé un petit enfant de cinq ans, richement vêtu, haut perché sur une branche et tenant une pomme à la main. Aux questions du héros sur le Roi Pêcheur, l'enfant refuse de répondre mais le rassure sur son sort au Mont Douloureux qu'il atteindra le lendemain. Puis, montant lestement de branche en branche, il parvient au sommet et s'évanouit dans les airs (v. 31430 - 31505). Le Roi Pêcheur expliquera plus tard à ce sujet que « c'était chose divine », que l'enfant refusa d'en dire plus par haine des « grands et criminels péchés » dont Perceval était entaché et que son ascension en le forçant à regarder vers le ciel lui signifiait son devoir de penser au Créateur (v. 32442- 32489). Juste auparavant, sur le chemin du Graal, le chevalier, errant à la lune, après une forte tourmente, voit devant lui un arbre à la vaste ramure, illuminé par plus de mille chandelles aussi claires que des étoiles. Mais plus il se rapproche, plus s'amenuise « la grande clarté » ; comme elle disparaît, il découvre une chapelle mortuaire avec un gisant sur l'autel. Survient on ne sait d'où une grande clarté, avant que n'éclate un fracas de tonnerre et qu'une « main noire » ne mouche la chandelle de l'autel (v. 32070 - 32147). Ces apparitions resteront inexpliquées.

Le récit est donc scandé par ces quatre scènes disposées en chiasme : le feu en forêt et l'arbre aux chandelles encadrent la voix et l'enfant dans l'arbre. Les deux extrêmes touchent directement aux redoutables secrets du Graal, les deux intermédiaires préludent, dans un cas, au retour auprès de la Fée de l'Échiquier et à l'histoire de Morgue la Fée et de son jeu magique ; dans l'autre, à la venue au Pilier du Mont Douloureux et au récit de son origine par les sortilèges de Merlin le devin. Cette disposition est déjà le signe d'une volonté de resituer la féerie et la magie dans la sainte perspective du mystère chrétien mais aussi bien de nourrir celui-ci de la substance de celles-là. D'ailleurs, dans la première partie, à l'occasion du Gué Amoureux, Wauchier donnait une autre version du motif de l'arbre : jadis, nous dit-on, vécurent sous cet arbre, en bordure du gué, dix pucelles qui s'y fixèrent pendant huit ans (22107 *sq.*). Le manuscrit P porte même le mot « *Enson* cel arbre », c'est-à-dire *sur,* au sommet de l'arbre. Dans le *Didot-Perceval,* une volée d'oiseaux qui sont des fées de l'île d'Avalon s'abat soudain sur Perceval pour venir en aide au Blanc Chevalier (l. 1064 - 1114). Ce récit confirme l'opinion de Brugger qui rapprochait, d'après la tradition bretonne, l'arbre aux chandelles de l'arbre aux fées, car les fées, *fatae,* séduisent les chevaliers, les détournent de leur voie, comme les *ignes fatui* (feu follet, « chandelles errantes », feux Saint-Elme, *Elflichter*) induisent en erreur et créent l'illusion, âmes de l'Autre Monde et oiseaux de l'amour. L'enfant dans l'arbre, quant à lui, ressortirait plutôt à la tradition voisine, gaélique et galloise, de la « basse gent » de l'Autre Monde et du roi nain, à rapprocher de celle du roi des Elfes ou des Aunes, Alberich ou Aubéron. Celui-ci, le petit roi de Féerie, a pour sœur ou pour mère Morgue la Fée, on le retrouve dans *Erec et Enide* sous les traits de Guivret le Petit ou, chez Wauchier lui-même, du Petit Chevalier dont la sœur merveilleuse est éprise de Gauvain. De grande beauté et de grande force malgré sa taille, ce personnage semble, dans le roman arthurien, venir en contrepoint de l'autre figure, celle de Bran, qui hante la royauté du Graal : dans *Erec et Enide,* les amants se rejoignent au château de Pointurie chez Guivret et ses sœurs guérisseuses, et se séparent devant celui de Brandigan ; dans la *Seconde Continuation,* il est remarquable que le Petit Chevalier monte dans la lande la garde d'un Écu magique dont la propriété, semblable à celle de la corne à boire dans le *Lai du Cor,* est de tester la fidélité de l'amie. Loin de séparer les motifs dans l'étude et de les traiter séparément, dans la perspective des folkloristes, il convient au contraire de retrouver les fils par lesquels l'écrivain médiéval s'ingénie à les relier.

Wauchier tente donc avec l'arbre la même opération que Chrétien avec le plat d'abondance, l'assiette assez large nommée « graal » : l'hostie déposée dans ce dernier fraie la voie à l'imagination des reliques de la Cène que d'autres exploiteront. Or l'arbre illuminé, plus tard l'arbre de Noël riche des traditions de l'arbre de mai, rencontre une autre légende qui favorise la christianisation : celle du fils d'Adam, Seth, chargé par son père de retourner au Jardin d'Éden chercher l'huile de miséricorde tirée de l'Arbre de Vie. Au reste, dans la forme finale de la légende (c. 1260), lors de la vision qui lui est accordée de l'Arbre du Paradis, Seth aperçoit sur la cime de ce dernier un enfant nouveau-né, le fils de Dieu qui rachètera les péchés des hommes. Il repart enfin, muni d'un rameau ou de graines de l'autre arbre, celui de la Connaissance, qui servira à la Croix du Salut. Dans la littérature du Graal, ce thème ne recevra son plein développement que vingt ans après Wauchier avec la *Queste del Saint Graal,* mais Wauchier a clairement en vue une tradition comparable de l'Arbre de la Croix[5], comme l'indique son interprétation allégorique. Faut-il s'étonner s'il remonte aux origines du péché à l'instant où on impute à Perceval de « criminels péchés » ?

Mais les deux pôles du récit, féerique et religieux, celtique et biblique, ne tiennent que l'un par l'autre et se renvoient l'un à l'autre. Pour marquer le parallélisme avec la première partie, l'auteur introduit ainsi la pucelle à la blanche mule, messagère du Graal, et, si Perceval était en quête du braque dérobé à l'instigation de la Mauvaise Pucelle, c'est en revanche la blanche mule qui doit le guider dans sa quête du Graal. Wauchier oppose même le braque et la mule, quand la jeune fille réclame celle-ci au héros qui s'était attardé et que Perceval reçoit le conseil de suivre le chien qui le ramène chez la Fée de l'Échiquier.

Si la seconde partie est en effet dominée par les merveilles et les épouvantes du Graal, la quête du héros ne cesse en revanche d'en passer par d'autres chemins, tout comme, dans la première, son désir de connaître l'amour de la fée devait compter avec les obstacles provoqués par l'envoyée du Roi Pêcheur. La jouissance avait été différée par le Graal ; le moment de savoir est maintenant ajourné jusqu'à ce qu'ait été consacrée la valeur du héros. Deux épisodes le confirment : le triomphe de Perceval au tournoi du Château Orgueilleux contre la Table Ronde (v. 26825-27373) ; son succès dans l'épreuve du Pilier du Mont

Douloureux (v. 31513-32027). Dans le premier, l'hôte du héros, nommé Briol, qui tient dans la composition une place comparable à Abrioris, l'avertit en effet que, s'il souhaite aller à la cour du bon Roi Pêcheur, il lui faut « de chevalerie / Avoir lou pris et la mestrie », donc s'imposer comme le maître aux armes (v. 26238-26240). Dans le second, on l'a vu, l'enfant à la pomme refuse de parler du Graal, mais évoque le Mont Douloureux. Comment l'interpréter ? L'identification de Briol pourrait mettre sur la voie. Il porte un cor d'ivoire richement incrusté, emmène deux lévriers, et sa mise est celle d'un chasseur ; il propose au héros de l'héberger pour la nuit, sonne par deux fois du cor et sa cour aussitôt se remplit de monde ; pour hâter le repas, il laisse sa très charmante épouse tenir compagnie à Perceval, bientôt relayée par leur fille, belle comme une sirène ou une fée (v. 26365), et les jeunes gens se mettent à parler de l'amour. Au petit matin, Briol conduit Perceval jusqu'à un pont dont il doit tenter la terrifiante aventure. En clair, un chasseur a offert au héros une hospitalité dont l'agrément est aussi amoureux pour l'entraîner dans une terrible épreuve au péril de sa vie. Cette aventure, qu'il faut aussi lire en filigrane de celle de Gauvain chez le roi d'Avalon dans le *Conte du Graal,* caractérise en propre l'histoire de Gauvain et du Chevalier Vert. L'hôte s'appelle « Brios de la Forest Arsée », autrement dit de la forêt brûlée, dévastée, et, dans *Gawain and the Green Knight,* son nom est Bertilak de Hautdesert.

Ces indices sont, il est vrai, ténus, mais il en est d'autres qui disent l'importance du passage : Briol raconte au héros l'histoire de cet étrange pont, qui commence par une chasse au sanglier, et la venue du chasseur en pleine nuit à la porte d'un manoir où il appelle en tirant trois longues notes de son « moienel » (cor de chasse). Or, quand Perceval approche de la cour du Roi Pêcheur, il entend aussi trois longs appels de cor (d'un « moienel », justement, cp. v. 26642-26643 et 32170-32176) et voit surgir des chasseurs à la poursuite d'un grand sanglier. Aucun détail n'est gratuit dans un récit médiéval et ce rapprochement donne à Briol une autre stature : c'est après tout au pied de sa riche demeure que Perceval, se promenant, le soir, avec la merveilleuse hôtesse, regarde les poissons nager dans l'eau... Mais revenons à son récit : le chasseur égaré dont il parle et qui habitait jadis cette même forêt où il vit avait été en fait conduit par le sanglier jusqu'au logis de la fée qui, à son insu, depuis longtemps l'aimait (26552-26793). Le sanglier magique n'est qu'une variante du Blanc Cerf, et c'est la même histoire, toujours recommencée, de *Guigemar* et de *Lanval,* de *Guingamor* et de *Graelent,* pour citer des *lais* connus (voir les traductions dans *le Cœur mangé* par D. Régnier-Bohler, Stock Plus, 1979), en écho à l'aventure de Perceval au château de l'Échiquier. Mais le chevalier mourut d'un coup de lance et la fée laissa inachevé le pont qu'elle bâtissait par magie pour qu'il pût triompher de ses ennemis du Château Orgueilleux. Tel est le pont « où nul ne passe » (v. 26251) et qui pourtant doit consacrer comme le meilleur chevalier du monde l'audacieux qui le franchirait. On rêve parfois de ponts trop courts, remarquait Freud, félicitant Ferenczi d'avoir élucidé en 1921-1922 le symbole du pont ! Or, Perceval qui était déjà passé, sans faiblir, sur le Pont de Verre, au-dessus de l'eau tempétueuse, s'élance une nouvelle fois, tandis que jaillit du pont ouvert sur l'eau profonde un cri inhumain (« un bret », v. 26797) et que le pont pivote sur sa pile de cuivre pour porter le héros de l'autre côté.

La succession des épisodes parle maintenant d'elle-même : Perceval affronte en vainqueur au Château Orgueilleux la cour arthurienne, puis, comme par un rappel de l'épisode du Noir Chevalier de la Sépulture, est jeté dans une tombe, mort symbolique assurément, mais qui l'effleure à peine puisque tout s'aplanit sous ses pas. Au terme, la nuit d'amour avec la Fée de l'Échiquier. Ainsi, deux fois vainqueur, repart-il vers le Graal, le front « rouge encor du baiser de la Reine ». Son aventure ne semble plus à la mesure du monde : bientôt, au Mont Douloureux, une belle dame vient s'humilier devant lui et l'adore tel un dieu, comme il se tient à côté de la Colonne de Cuivre interdite aux hommes dans un cercle de pierres dressées en forme de croix. L'apothéose de Perceval a néanmoins été bordée d'abîmes : c'est le chevalier qu'il avait un instant remplacé dans la tombe qui lui avait désigné le chemin vers le Mont Douloureux (v. 27489-27490), puis il avait appris d'un autre chevalier pendu à un arbre, Bagomedès, que ceux qui s'approchaient du Mont Douloureux le quittaient frappés de folie (v. 28309*sq.*). La mort, la démence : l'aventure impossible touche au plus intime. En saura-t-on davantage ? Merlin, apprend-on, a édifié le lieu à l'époque d'Uterpandragon (v. 31789*sq.*). L'allusion est limpide : il s'agit de Stonehenge (la « carole aux géants », disait-on), que le devin avait transporté d'Irlande, d'après le *Roman de Brut* de Wace (v. 8173-8178), en guise de monument aux morts que firent jadis dans les rangs des Bretons les traîtres saxons munis de couteaux (« saxons » d'après le mot « sexes », couteaux !), et haut lieu de la catastrophe arthurienne. Sans doute Wauchier change-t-il la géographie, mais nul ne s'y tromperait. Il a cependant ses raisons : il nous reporte à la naissance du roi Arthur et aux « trois Dames » qui y présidèrent (les trois fées à la naissance, les femmes du Destin, cf. v. 31797). L'enfant devait devenir le plus glorieux roi de la chrétienté et rassembler la plus vaillante compagnie de chevaliers. C'est alors qu'Uterpandragon, son père, demanda à Merlin le moyen de connaître le meilleur chevalier du monde et que le devin, « par art de nigromance », éleva les croix et la colonne. L'aventure de Perceval est ainsi mise en relation avec le secret d'une origine, placée sous le signe des fées mais néanmoins pécheresse, Merlin s'étant prêté à l'entreprise adultère d'Uterpandragon qui suit le même scénario que pour la naissance d'Héraklès.

L'exaltation de Perceval n'est cependant pas le dernier mot de la *Continuation* : la transgression du Pont et la souveraineté de la Colonne, autrement dit jouir de la fée et s'imposer comme le maître, ce double triomphe ne va pas sans qu'à l'ultime moment le Graal de nouveau se refuse. Au seuil des révélations dernières, le Roi Pêcheur propose au héros l'épreuve des deux morceaux de l'épée qu'il doit ressouder. Apparemment il y parvient, à ceci près que là, juste

an la jointure
Fu remese* une creveüre (v. 32557-32558),

c'est-à-dire, la simple ligne, encore visible, de la fracture. Le manuscrit U porte « brisure », mais surtout le manuscrit P donne une variante plus riche encore :

Avoit une seule *escriuture.*

Cette mince « écriture » suffit à ce que Perceval venu pour savoir continue de manquer à savoir. Peut-être lui faut-il voir dans cette fêlure le secret de son désir qui fait sa vérité et devons-nous entendre par cet exemple et par ce mot que l'écriture n'est rien d'autre que la ligne de faille du savoir.

Le miroir de chevalerie

Nous avons négligé dans notre analyse de la *Seconde Continuation* un certain nombre de scènes qui se répètent au long du roman et qui prennent place à la cour du roi Arthur : le Seigneur du Cor, Abrioris, le Blanc Chevalier, le Beau Mauvais, le frère du Noir Chevalier, Bagomedès : tous s'y présentent au nom de Perceval, font retentir la cour du bruit de ses exploits et entrent au service du roi. Aussi bien est dévolue à la cour d'Arthur une fonction romanesque, d'offrir à nos regards l'émerveillement de l'aventure qu'elle accueille. La figure légendaire de ce roi est indispensable au dispositif romanesque. Tout commence à sa cour, pourvu qu'en soit respectée la coutume. Une simple phrase, tirée du *Livre de Lancelot* (éd. Sommer, III, p. 271), suffit à définir le rôle d'Arthur :

> Li rois Artus... se pena moult de sa gent honerer. Si tint les grans festes et les riches cours et doune assez plus que il ne seut*.

A Logres, Camaalot, Caerlion ou encore Carduel (Carlisle), il convoque chevaliers et barons de sa terre, pour chaque grande solennité religieuse : Toussaint, Noël, Pâques, Ascension, Pentecôte, mais aussi la Chandeleur, la Saint-Jean (24 juin) et la mi-août. Il porte alors sa couronne, déploie un grand faste et organise des tournois. Honte à lui s'il néglige « par pereche » (paresse), comme dans un épisode de la *Première Continuation* (Roach, I, v. 8790), de maintenir l'honneur de sa maison : il prive ses hommes de leur soutien matériel, mais aussi du sentiment de leur gloire, car leur valeur exige d'être consacrée par le regard de leurs pairs, parmi la fleur de la chevalerie. Pis encore, la défaillance royale compromet l'aventure, donc l'ordre romanesque lui-même :

> Nule aventure n'avenoit mes a sa cort,

lit-on dans le prologue de *Perlesvaus*.

La cour, en effet, se réunit pour qu'y retentisse le défi du monde aventureux. En contraste avec la fête courtoise et la Joie de la Cour, surgit comme une menace l'événement ou la nouvelle étrange. Aussi bien, dans la tradition, Arthur refuse-t-il que le sénéchal commence le service de table,

> Devant que* estrange novele
> Ou alcune aventure bele
> I soit, voiant toz*, avenue.
> La costume ai ensi tenue
> Toute ma vie dusque chi* (Roach, I, v. 3322-3331).

La coutume d'Arthur introduit une manière de vivre l'attente à l'état pur : un moment, la scène se fige, le geste est suspendu pour que soit vécu quelque chose d'un autre ordre, venant d'ailleurs, d'une autre scène et qui fasse irruption en jetant le trouble. Pourtant, même en cas d'agression et d'humiliation, le roi paraît frappé d'impuissance, et l'on tarde autour de lui à se jeter dans une aventure de terrible apparence[6]. Aussi bien la hâte ne convient-elle pas : la cour reste immobile parce que la décision ne lui revient pas. Arthur n'est dépeint en majesté que dans l'attente que se passe ce dont personne n'est maître. L'aventure requiert seulement l'élu qui doit se faire connaître. Le *Siège Périlleux* qui reste en attente à la Table Ronde, dans la tradition issue de Robert de Boron (cf. Didot-*Perceval),* peut-être pris pour le symbole de cette place qui reste à pourvoir dans le dispositif du roman. A l'impuissance de la cour se mesure le privilège de la destinée romanesque.

Que le héros occupe une situation à part se démontre dans le fait qu'il se tient à l'écart de la cour, en retrait, voire en dehors. Les différentes ouvertures des romans de Chrétien de Troyes en sont autant d'illustrations. Au début du *Chevalier de la charrette,* Arthur tient une cour magnifique à l'Ascension. Rien ici n'interrompt le repas ; pourtant, un chevalier étranger surgit alors que la compagnie est encore rassemblée.

Sa morgue humilie le roi — « nel salua pas » (v. 50) — et ses propos défient la cour. L'aventure ne se distingue par aucun caractère fabuleux et la scène ne se départ pas d'une certaine vraisemblance. Mais cette arrivée demeure énigmatique et l'on se défend mal d'un sentiment de malaise : quel est ce chevalier mystérieux dont le pays n'est pas nommé ? D'où lui vient son assurance ? Pourquoi le roi subit-il l'outrage comme s'il était victime d'un charme ? Impuissant à briser le sort qui l'accable, il s'abandonne au chagrin (v. 61 - 63). Chrétien mentionne seulement plus tard l'étrange coutume du pays dont nul ne revient (v. 641) comme la grande taille de Méléagant (v. 558 et 638). Les silences du récit suffisent, on le voit, à insinuer la merveille.

Mais voici qu'éclate, inattendu, un coup de théâtre : la colère du sénéchal Keu. Chrétien, en virtuose du récit, se sent à son affaire : on ne doute pas que cette « ire » soit en rapport avec le défi du chevalier ; or, en apparence, il n'en est rien ; pourtant, si ! au plus grand dam du roi et de la cour. La surprise rebondit sans cesse ; le conteur dément l'attente pour mieux captiver. Mais ce jeu n'a rien de gratuit : la gesticulation du sénéchal, son outrecuidance n'occupent le devant de la scène que pour combler un vide ; elles ne tardent pas à le rendre plus manifeste : il ne s'est trouvé personne pour relever le défi, sinon un orgueilleux que sa présomption voue, chez Chrétien, aux plus cuisantes leçons. Pis, la cour se résigne à sa honte ; n'était Gauvain — mais prétend-il à autre chose que de sauver l'honneur ? —, nul n'aurait réagi au départ du sénéchal et de la reine (v. 222 - 224). Personne ! Ainsi s'évoque, dans le sentiment de son absence, la figure irremplaçable du héros manquant.

Mais que signifie sa disparition ? La remarque de la reine, au moment de partir (v. 209 - 211), a plus de portée si l'on suit le texte de l'édition Foerster (v. 211 - 213) :

> Ha ! Ha ! se vos le seüssiez,
> Ja, ce croi, ne me leississiez
> Sanz chalonge mener un pas*.

Elle en appelle tout bas à l'homme qui fait si cruellement défaut ; elle rend, de façon explicite, pour la première fois, présente son absence. Mais surtout, de ne rien dire qu'à demi-mot, elle apparaît de connivence avec lui, éclairant d'un nouveau jour sa mystérieuse identité : l'aventure est réservée au chevalier absent pour autant qu'il demeure incognito ; si le privilège n'en revient qu'à lui seul, peut-être cette affinité est-elle inavouable...

Dans *Erec et Enide,* nul messager d'étrange terre ne vient troubler la cour royale, au jour de Pâques. Paradoxalement, c'est Arthur lui-même qui met en péril la paix de son royaume en relançant la chasse au Blanc Cerf. Comme dans la *Charrette,* l'intervention inattendue a lieu avant que la cour ne se sépare (v. 35). Que le roi en soit responsable n'altère en rien le sens de ce qui arrive : le Blanc Cerf vit au cœur de la « forêt aventureuse » et l'on s'attend à une chasse « merveilleuse » (v. 65-66). D'autre part, l'aventure compromet le monde arthurien :

> Maus* an peut avenir molt granz (v. 49).

Les craintes de Gauvain font d'ailleurs écho à l'affront que subit la cour quand survient l'aventure. L'attitude du roi, son obstination jettent en fin de compte une lumière plus vive sur son rôle véritable : de ne fonder un ordre que pour l'exposer à la force qui le défie, comme sa négation même ; de ne l'assurer qu'en le remettant indéfiniment en question.

Le récit, on le voit, pour varier d'allure, ne s'ordonne pas moins suivant un dessin fondamental. On retrouve ici la même situation du héros : par rapport à l'action qui s'engage, il se tient en retrait ; le conteur anime les préparatifs de la chasse, mais pour introduire aussitôt quelqu'un qui n'y participe pas et dont le nom comme le portrait hyperbolique nous avertissent qu'il s'agit bien du héros : « Erec a non » (v. 82). Mais Chrétien redouble l'effet de surprise : pourquoi ce chevalier, qui survient en hâte comme pour rattraper son retard, monte-t-il un cheval de bataille et non de chasse ? Dédaignerait-il l'aventure du Blanc Cerf ? Il n'est pas en retard, mais à l'écart : il affirme à la reine qu'il rejoint qu'il souhaitait seulement lui tenir compagnie (v. 109-110). Mais l'exaltation de sa valeur, dans la description qui précède, interdit de voir dans ce combattant fièrement campé sur ses étriers un simple figurant ; on pressent, à la vue de l'épée qu'il porte au flanc comme du destrier qu'il maîtrise, qu'il est à part des autres précisément parce que l'aventure lui est réservée. De ce fait, l'aventure que l'on attend maintenant se distingue de celle à laquelle on s'attendait. Aussi bien requiert-on du héros des faits d'armes : les arcs et les flèches comme la cotte ajustée sont ici déplacés ! Ce détail a d'ailleurs suffi à Chrétien pour ramener la fabuleuse poursuite du Blanc Cerf par un chevalier errant, méconnaissable après tant de combats livrés au péril de sa vie, aux dimensions d'un divertissement aristocratique. Une présence féminine comme celle qui retient Erec est, à coup sûr, plus propice au climat aventureux.

Mais, si le héros porte les insignes de l'aventure, il n'est pourtant pas équipé pour combattre : le « mantel » caractérise en effet le costume de cérémonie du chevalier désarmé. Ainsi le héros paraît-il être destiné à une aventure à laquelle il ne serait pourtant pas en mesure de répondre. On admire, au passage, l'art avec lequel Chrétien suscite une attente et compose avec elle. Au fil des questions que le récit invite à se poser, il est suggéré une complicité fondamentale entre le héros et l'aventure, une convenance énigmatique qui renvoie au désir de l'un comme au secret de l'autre.

L'ouverture du *Chevalier au lion* est précisément construite pour traduire l'entraînement irrésistible qui gagne le héros devant la tentation de l'aventure. Chrétien recourt, pour ce faire, à un artifice qui prouve de sa part une étonnante conscience des pouvoirs de la littérature : on dirait que sa propre activité se prend elle-même à témoin, se redoublant dans la mesure où elle se met en scène.

Ce jour-là, en effet, à Carduel, pour la Pentecôte, un événement merveilleux surprend « après mangier » (v. 8) la cour rassemblée :

> Mes cel jor molt se merveillierent… (v. 42).

Laissons ici, un instant, le vers en suspens, pour respecter l'effet de rejet voulu par le conteur : l'aventure qu'on attend ne vient pas, mais un autre prodige, jamais vu (v. 46) ; le roi a rejoint sa chambre pour dormir, perdant, auprès de la reine, le sentiment de ce qu'il se doit : ce jour-là, le roi faillit à sa coutume. Tout est désormais suspendu par le sommeil royal ; dans l'intervalle, pourtant, l'appel venu d'un autre monde ne manque pas de se faire entendre : l'aventure se propose mais par le biais d'« un conte » (v. 59). Dans le Prologue, déjà, le public de Chrétien à la cour de Marie de Champagne se reconnaissait dans cette évocation de la vie courtoise dont la femme, objet des propos d'amour, est le centre ; et Calogrenant tient en haleine son auditoire à la manière de Chrétien lui-même. Chacun se trouve par ce jeu de reflets intégré à la scène idéale qu'est la cour d'Arthur, mais pour être renvoyé à lui-même : d'être pris à la ruse de la fiction pose la question de ce qu'on y cherche. Le conte devient pour le participant ce que l'aventure est au chevalier. Chrétien rend sensible ce point en introduisant une petite scène de comédie : par ses propos peu amènes, le sénéchal interrompt Calogrenant et cette « tançon » compromet la suite du récit ; le conte aura-t-il lieu ? Notre attente, agacée, n'en est que plus vive, léger recul qui nous rend plus réceptifs à l'avertissement de Calogrenant :

> Et qui or* *me* voldra *entandre*
> Cuer et oroilles me doit randre
> Car *ne vuel* pas parler de songe*
> *Ne de fable ne de mansonge* (v. 169-172).

A qui s'adresse-t-il ? Qui parle ici et dit « je » ? Dans cette distance prise à l'égard du fait littéraire au cœur même de la fiction, le conteur met son auditoire, comme l'écrivain son lecteur, à l'écoute de son propre désir : que le jeu de l'illusion ne vous masque pas l'enjeu de la vérité ! De ce conte d'aventure, vous êtes, à votre corps défendant ou non, partie prenante.

Suit l'étrange récit de ce qui se passa « en Broceliande » (v. 187) ; il remplit un rôle analogue à l'événement merveilleux qui, en pareille occasion, trouble la cour d'Arthur : même évocation des puissances magiques de la forêt, même valeur de défi et d'humiliation ; la réticence préalable de Calogrenant, la « honte » qu'il avoue après sept ans de silence en tiennent lieu ; enfin le monde merveilleux garde son secret : le chevalier errant avait seulement abordé aux rivages de l'inconnu ; la fontaine mystérieuse hante désormais l'imagination. Mais il n'est pas indifférent que l'aventure se soit présentée sous la forme d'un « conte » ni que l'œuvre se redouble ainsi elle-même : le lecteur s'y laisse fasciner et l'aventure lui parle comme au héros resté dans l'ombre encore, mais dont la tension intérieure est pressentie parce qu'éprouvée. Notre attente devient la métaphore de la sienne. L'injonction de l'aventure est déjà entendue quand Yvain apparaît pour revendiquer le droit à l'aventure au nom d'un lien de sang qui lui en assure le privilège. Ce que l'on ignorait se découvre ainsi seulement aux vers 581 *sq.* : l'aventure lui était prédestinée. Mais cette marque par laquelle se singularise le héros ne suffit pas à Chrétien : il donne encore à vivre de l'intérieur la décision où celui-ci s'affirme différent des autres.

Arthur s'est réveillé et sa présence est nécessaire pour avaliser l'aventure, mais le brouhaha joyeux de la cour s'offre en contraste avec l'inquiétude silencieuse de celui qui reste seul. Le héros s'engage autrement dans l'aventure et on songe au moment sublime du *Conte du Graal* où Perceval « redist tout el* » (v. 4727) ; lui seul mesure le sérieux de ce qui s'annonce. Ainsi faut-il s'arrêter à ce passage inclus entre les vers 677 et 722 : le mouvement du texte suit la vibration intime des états d'âme d'Yvain — étreint par l'angoisse (v. 677 - 690), dilaté jusqu'à l'ivresse comme par une bouffée du désir où se résume tout son être (v. 691 - 717), replié sur soi-même dans la solitude d'un choix essentiel. La distance que le conteur prend au début vis-à-vis de son héros pour fixer son attitude mesure aussi bien son éloignement de l'allégresse générale ; mais la construction reste affective : la redondance du vers 680 comme le rejet du vers 681 insistent sur ce qu'il ressent ; surtout, la réaction d'Yvain est évoquée avant qu'en soit détaillée la raison ; une suite de touches vives, précédant le commentaire, suggère un malaise intolérable ; le glissement au style indirect libre (avec le changement de temps du vers 688) correspond à l'effacement du narrateur. On vit désormais de l'intérieur l'émotion d'Yvain, tandis qu'il ne cesse, obstiné, mais pour se heurter au même refus (v. 686 et 690), de revenir sur la décision royale. Une reprise s'amorce pourtant, préparée d'ailleurs par l'emploi du futur au vers 688, sur un « mes » de colère et d'impatience (v. 691) : révolte, affirmation de soi, défi de la mort dans l'acceptation du risque, aveu d'impatience, incertitude de la quête préludent au vertige qui le saisit, alors que défilent à une folle cadence, et comme s'entrechoquant, une série d'images éblouissantes, d'instantanés commandés par le mot magique : « Broceliande ». L'anaphore, la valeur sémantique du verbe « voir », la force du désidératif et même un temps d'arrêt comme un rêve léger autour du visage de la courtoise demoiselle (cf. v. 704) emportent toute la charge du désir dont la brûlure tourmente Yvain : « cusançoneus » (v. 700) ! Le spectacle anticipé des éléments déchaînés n'est pas sans répondre, par sa violence, à la véhémence de sa passion. Vient enfin le silence, dans un mouvement final de fermeture ; mais il recouvre une décision qu'il rend d'autant plus terrifiante, celle de tout risquer, son honneur comme sa vie, en un mot, d'affronter, solitaire, la mort. Le héros est, désormais, placé face à son destin, c'est-à-dire à soi-même, et le vers 722 résonne comme un « alea jacta est ».

Différent, le héros l'est parce qu'il ne cède pas sur son désir. Qu'on lui contredise l'aventure l'engage seulement plus avant, comme si la forêt ténébreuse ne cachait que sa propre obscurité. L'enquête se transforme en une quête intérieure et la question inaugurale : « Qu'est-ce que c'est ? » se retourne en une interrogation fondamentale : « Qui suis-je ? ». Un roman plus tardif comme *l'Atre périlleux* (c. 1250) l'entend même à la lettre : on a volé son nom à Gauvain et, quand on l'interroge, celui qui n'avait donc plus de nom (v. 4064) répond :

> Je ne vous puis le mien non dire,
> Fait Gavains, que* je l'ai perdu,
> Si ne sai qui le m'a tolu*.
> Or le me couvient aler querre,
> Mais ne sai u* ne en quel terre (v. 3450 - 3454).

Il existe, dans l'entourage du roi, deux personnages antithétiques qui ont un rôle à jouer vis-à-vis de l'aventure du héros : le sénéchal Keu, mauvaise langue, et Gauvain, le neveu préféré, aux propos toujours fort civils. Le premier fait l'objet d'incessantes remontrances royales mais n'en garde pas moins la faveur d'Arthur ; le second, modèle vivant de la courtoisie, est l'honneur de cette cour. Ils apparaissent clairement comme des figures obligées du roman. Quelle est donc leur fonction ?

Par ses propos chargés d'épines et ses railleries acides, ses « rampognes », Keu tourne en dérision le héros qui relève le défi de l'aventure. Présomptueux, il en réclame souvent l'honneur pour lui-même. Personnage de comédie, il étale sa discourtoisie dès l'ouverture du récit. Ainsi, dans *le Chevalier au lion*, à l'instant où Yvain se distingue des autres barons par la vivacité de son intervention (v. 580 *sq.*), le sénéchal daube à plaisir sur son compte, imputant à l'ivresse pareille témérité (v. 590-611). Le héros s'affirme-t-il différent, le sénéchal le montre du doigt. L'un prend ses distances quand l'autre mesure ironiquement l'écart. Du coup, il met le héros au pied du mur, lui interdisant désormais de reculer ou de se dérober. Sa raillerie sert d'aiguillon à la prouesse. Lorsque, plus tard, prisonnier du monde enchanté, Yvain craint d'en rester sur une victoire incomplète, c'est le souvenir de Keu qui fouette son orgueil :

> Males rampones a sejor*
> Li sont el cors batanz et fresches (v. 1358-1359).

La moquerie du sénéchal n'est que le sérieux de l'aventure : Yvain ne pourra pas comme Calogrenant son cousin (mais ce nom justement, d'après Loomis, cache celui de Kai/Keu « le grenant », le grognon !) garder sept ans le silence sur sa mésaventure. Il doit aller jusqu'au bout, sans demi-mesure, pour la plus grande gloire ou la pire des hontes (cf. v. 720-722). La prétention de Keu est, certes, risible ; elle n'en souligne que mieux ce qui ne l'est pas : la véritable destinée romanesque. Une scène du *Conte du Graal* est, à cet égard, révélatrice. Alors que Clamadieu, un chevalier redouté vaincu par Perceval, rejoint la cour et qu'on s'apprête à servir le repas :

> Et Kex parmi la sale vint... (Lecoy, v. 2791).

Sa présence suffit à glacer l'assistance que tout, un jour de fête exceptionnelle, invitait à la joie ; sa beauté, sa prestance eussent pourtant justifié qu'on s'arrêtât pour l'admirer. Mais le silence se fait quand il entre, et le vide, comme il avance : on craint en effet sa mauvaise langue, et à juste titre (v. 2812 *sq.*) ! La méchanceté fait mal, parce qu'elle touche au point vif ; la vérité a le goût de l'amertume. Le sénéchal ignore la complaisance, son agressivité n'est pas de bonne compagnie : il prend au mot l'audacieux, rappelle au malchanceux sa honte. A ce jeu, personne n'est à l'abri. Le sarcasme d'un autre met aux prises avec soi : dans l'insulte et le rire de Keu, le héros prend la mesure de son engagement et brise son lien avec le monde arthurien (cf. v. 1240-1244). Le sénéchal a pour fonction de ravir à la cour celui qui ne l'illustrera que pour l'avoir quittée ; l'aventure survenue, il l'a jetée au visage du héros comme un défi cinglant, tel le coup de fouet qu'Erec reçoit du nain, et cette blessure est désormais ce qui motive celui-ci au plus profond.

Si Keu exclut le héros de l'assemblée, Gauvain au contraire a charge de l'y réintégrer[7]. Aussi bien, que tout commence avec la cour d'Arthur signifie que tout doit y revenir. Dans les récits en prose du XIIIe siècle, on spécifie que le chevalier errant dira, à son retour, la vérité sur tout ce qu'il aura trouvé dans sa quête (ex. : *Livre de Lancelot,* Sommer, III, p. 307 ; *Merlin,* Paris, II, p. 98). Ainsi sera connue à sa juste valeur la prouesse de chacun. Celle-ci ne compte en effet que par l'estime dont elle s'entoure. La cour d'Arthur représente le lieu où accueillir et consacrer la renommée. Réservée à l'élite de la chevalerie, elle tend au monde entier le miroir où apprécier la juste mesure des choses, ce qui donne, en ancien français, au mot « miroir » le sens de modèle : « Vos estes li mireoirs au siecle de bien fere o de mal », dit-on à Arthur dans *Perlesvaus* (Nitze, I, p. 50, l. 645).

La cour s'organise dès lors pour que la gloire ne cesse d'y (et d'en) rayonner. Il appartient au roi d'y instaurer toute une économie du désir et de savoir en répartir les places. Sa « largesse » est sa vertu principale ; en elle se résume l'art de gouverner. Arthur s'en explique dans deux passages de la *Première Continuation* (Roach, I, v. 3249-3271 et 8780-8798) : il doit mener grande cour et tenir riche fête pour récompenser les preux dont l'errance et les travaux sans fin ont fait le renom de son règne. Ainsi procède l'échange : ce qui fait la gloire de la cour est ce par quoi elle rend possible la gloire. Que la Pentecôte soit privilégiée parmi les fêtes se justifie également par la rime qu'elle appelle, selon le Prologue du *Chevalier au lion* (v. 5) :

> A cele feste *qui tant coste**
> Qu'an doit clamer la Pantecoste,

Arthur donne sans compter, mais, certains textes le précisent, il y faut aussi du discernement. Selon le code fixé dans le *Livre de Lancelot* (Sommer, III, p. 219-220), aux gentilshommes pauvres, aux « bacheliers » (non mariés) valeureux, « a preudome bacheler errant », on offre chevaux, deniers et armes ; aux vavasseurs (arrière-vassaux) déjà fieffés, vêtements, palefrois et, au besoin, rentes et nouvelles terres ; les cadeaux pour les grands personnages, rois, ducs, comtes et barons, relèvent de l'agrément et du plaisir : joyaux, riches étoffes, vaisselle de prix, oiseaux, chevaux. Mais l'essentiel a trait à la « Table Ronde » elle-même et à l'honneur d'y siéger. Dans le *Tristan* de Béroul, on en parle comme de

> la Table Reonde
> Qui tornoie conme le monde (v. 3379-3380).

Où est le roi, demande-t-on ? « Il sit au dois », il est assis à la table d'honneur (« dais ») et « sa mesnie sit environ », les chevaliers de son hôtel (« sa maison ») siègent tout autour (v. 3377 et 3381). Quant au *Brut* de Wace, plus ancien, il y est dit qu'Arthur fit faire la Table Ronde en l'honneur de ses barons dont chacun pouvait prétendre à la première place : ainsi conçue, la table les mettait tous à égalité (éd. Arnold/Pelan, v. 1207-1220). Raffinant sur cette tradition, l'auteur de la *Première Continuation* distingue plusieurs tables selon un étagement propice à éblouir les regards : « al maistre dois », à la table royale, surélevée, s'installe Arthur, visible de tous ; les autres tables, réservées aux barons, sont disposées autour (cf. ms. L., Roach, III, v. 3397-3398) : est mentionnée d'abord la Table Ronde avec ses quatre cents chevaliers ; une seconde table est désignée à l'attention, où siègent « les trente pairs » ; le reste est réparti parmi la salle, à d'autres tables ou par terre (les nappes posées à même le sol). Suivant la *Seconde Continuation,* qui précise que huit rois et des prélats mangeaient à la table royale, ce sont les « chevaliers mamelot », c'est-à-dire ceux qui ne se sont pas encore abandonnés à l'aventure, à ses périlleux passages, qui n'ont pas secouru une demoiselle infortunée ou leur seigneur en danger, qui s'assoient de la sorte en bout de salle (cf. Roach, IV, v. 28523-58575 ; pour la *Première Continuation,* Roach, I, v. 8847-8859). Tout obéit donc à la nécessité du regard. Qu'on imagine le moment où un héros est admis à la Table Ronde ! Dans le *Livre de Lancelot,* on voit ainsi se distinguer Banin, le filleul du roi Ban de Benoïc qui est le père de Lancelot : la coutume d'Arthur réservait au vainqueur du tournoi l'honneur de servir le premier mets à la Table Ronde, puis de s'asseoir à la table même du roi, non pas en vis-à-vis, mais à ses côtés, « por estre miex conneus de toutes gens ». Banin rougit de confusion « de che que il estoit assis autresi *comme mereoirs à toutes gens* » (Sommer, III, p. 109, Micha, VII, p. 240). Miroir et modèle, puisque quiconque le regarde est comme renvoyé à ses propres imperfections. Mais cette graphie du mot le rapproche curieusement de ce qui aussi bien fait « mérite » et vaut récompense (« merir », c'est récompenser, payer de retour : « Dieu le vous mire ! », « Que Dieu vous en récompense ! », cf. *Chevalier au lion,* v. 5169).

Mais un héros se laisse-t-il prendre à ce jeu de miroir ? Uniquement au sens où celui-ci captive son désir : la cour figure un lieu où quelque chose manque. Elle ne se suffit pas à elle-même. C'est pourquoi, sans l'absorber, elle attire le héros : nulle part il n'entendrait aussi impérieusement l'appel de l'aventure. Les dons royaux s'échangent contre les efforts et les peines que coûte le service d'Arthur : le héros en paie le prix, si par ailleurs le roi est prodigue de ses biens ! Il n'occupe une place à la Table Ronde que pour la laisser vacante ; à peine accueilli, il est happé par l'Autre Monde. La cour est seulement l'endroit dont l'errance est l'envers : que désire d'autre le héros sinon cela même qui fait défaut à la cour, à travers l'impuissance du roi, et qui passe, tel un mirage, dans le miroir arthurien ? En comblant le héros, le roi suscite le manque en lui : c'est le secret de l'incomparable attrait de sa cour.

Nous voici renvoyés, au-delà de l'identification glorieuse à la cour d'Arthur, à l'autre pôle, celui de l'errance au pays des merveilles où le corps de la fée s'offre en retour de la prouesse. Une remarque de la reine Guenièvre dans *Erec et Enide* met en évidence cette formule du roman :

> Bien doit venir *a cort de roi*
> Qui par ses armes puet conquerre
> Si bele dame *en autre terre* (v. 1721-1724).

Simplement, le héros ne saurait pas plus rester à la cour qui l'admire que se satisfaire de la fée qui le met au paradis ! D'où, en contraste avec la Joie que sa venue rend à la cour, motif amplement développé dans la description des fêtes courtoises dans *Erec,* la tristesse où son absence abîme le roi Arthur, scène également fréquente dans le roman (cf. *Erec,* v. 6368-6371 ; *Première Continuation,* Roach, I, v. 8864-8875 ; *Seconde Continuation,* Roach, IV, v. 28576-28581 ; *Livre de Lancelot,* Sommer, III, p. 271-272). Regardant vers la Table Ronde, Arthur voit le lieu vide qu'aurait dû occuper son chevalier, et s'oublie dans ses pensées. Gauvain, dont c'est le devoir de veiller à l'honneur de la cour, en fait la remarque à son oncle. Mal lui en prend, puisque le roi accuse aussitôt ses hommes d'avoir trahi leur parole et d'être devenus « faillis et récréants », faute de s'être consacrés à la recherche du héros qui incarne toute la prouesse de ce monde. Alors commence une autre quête, tout particulièrement dévolue à Gauvain, celle du Disparu qui, parfois, est aussi bien l'Inconnu. Ainsi Gauvain parvient-il seul dans le *Conte du Graal* à ramener à la cour celui qu'en avait chassé le sénéchal Keu ; c'est lui encore qui, dans le *Livre de Lancelot,* en appelle à ses frères d'armes pour retrouver le chevalier mystérieux :

> Qui ore voldra entrer *en la plus haute queste qui onques fust après celi del Graal,* si viegne après moi (Sommer, III, p. 226).

Propos repris de la grande scène décrite dans la *Seconde Continuation* (v. 28996-29157), où il emmène à sa suite quarante chevaliers d'élite pour une aventure qui s'intercale précisément entre les deux épisodes du Mont Douloureux : la folie du sénéchal Keu et l'élection de Perceval. Pour Gauvain, les deux entreprises de « querre Perceval » et de « querre le Roi Pescheor » sont égales en dignité, comme auparavant, pour Perceval, la quête du braque et celle du Graal se partageaient ses désirs.

L'amer et la mort

« Quid non audet amor ? Quelles audaces l'amour n'a-t-il pas ? » peut-on lire au-dessus de la grille d'or qui sert d'entrée à la tente fabuleuse offerte en présent à Lanzelet et à Iblis, sa belle conquête, par une jeune fille venue sur une mule blanche du Pays des Pucelles pour révéler au héros son nom et sa parenté (*Lanzelet,* v. 4661-4926). Ainsi est établi un lien entre la conquête de la fiancée lointaine et l'enfance au pays des fées, puisqu'une fée de la mer, une ondine, avait à la mort du père, le roi Pant de Genewis (Ban de Benoïc / li Beneïs - le Béni), ravi à sa mère le petit enfant, âgé de deux ans. La même histoire est reprise dans *le Bel Inconnu* de Renaut de Beaujeu et les deux œuvres donnent bien des clés pour l'intelligence des récits arthuriens. Deux schémas sont combinés dans le roman de Renaut. D'une part est ménagée la rencontre de celui qui ne sait rien de son nom avec la Fée Amante qui règne sur l'Ile d'Or, appelée dans le poème anglais correspondant (*Lybeaus Desconus*) la Dame d'Amour, et chez Renaut, encore, la Pucelle aux blanches mains (v. 1941). L'épisode étant suivi par l'épreuve du Fier Baiser (avec la métamorphose de la Serpente en une merveilleuse fiancée) et le héros ayant été conduit jusqu'à celle-ci par les soins de la fée de l'Ile d'Or, à son insu comme au nôtre (cf. v. 4985-5000), il est clair que l'ensemble suit le scénario déjà repéré à propos de la chasse au Blanc Cerf : le chemin qui conduit au mariage passe par la double expérience de la merveille et de l'épouvante. Mais d'autre part le partage du héros entre deux figures féminines, la Dame d'Amour qui a présidé à sa destinée et la belle conquête qui en est la récompense, ressortirait plutôt à la tradition de l'enchanteresse qui retient le héros dans ses lacs et de la femme promise à celui-ci s'il sait s'arracher à la première. Soit l'itinéraire d'Enée qui doit quitter Didon pour trouver Lavinie ou celui de Tristan qui aurait dû oublier Yseut la blonde auprès d'Yseut aux blanches mains. C'est d'ailleurs net si on prend le poème anglais *Lybeaus Desconus* (c. 1300) ou le *Carduino* italien d'A. Puci (c. 1375) : l'aventure avec la Dame d'Amour ou la nuit chez la magicienne ne sont qu'une péripétie avant l'accomplissement de la mission héroïque (voir G. Paris, dans *Romania,* 15, 1886, p. 1-24). Mais Renaut de Beaujeu fait revenir son héros auprès de la fée de l'Ile d'Or et tout dépendra de celle-ci, notamment la révélation de l'identité du fils de Gauvain. Guinglain ne peut oublier celle qui l'a séduite, revient auprès d'elle comme en songe (v. 4711) et se réveille, un matin, seul, dans la forêt, en l'ayant définitivement perdue (v. 5397 *sq.*). Mais entre-temps la pucelle a tenu ses promesses :

> Ahi ! Sire, fait la pucelle...
> Cest songe ferai averer (v. 4717).

La phrase pourrait servir d'épigraphe au roman dont l'artifice vise justement à donner corps à la vérité du songe.

Renaut tire donc son héros du côté de Tristan plus que de celui d'Enée et semble vouloir le fixer sur une image inoubliable. Sur le secret de la *fine amor,* le voile, un instant, paraît être levé, car la mère de Guinglain était elle-même une fée, « Blancemal le fee » (v. 3237), et depuis longtemps la fée de l'Ile d'Or chérissait cet enfant qu'elle visitait souvent tandis qu'il vivait seul, comme Perceval, avec sa mère. Comment dès lors distinguer (cf. v. 4970 - 4971) ? Quant à l'aventure étrange du Fier Baiser, elle a aussi sa raison cachée, puisque, en ce pays de Galles, à Snowdon où vivait « la fille au bon roi Gringras » (v. 3309), un enchanteur survint à la mort du père, le sinistre Mabon, avec son frère Evrain (rappelons-nous, dans *Erec,* Mabonagrain et son oncle Evrain, roi de Brandigan !). Ils changèrent en vouivre la jeune reine et firent de la riche cité une « Gaste Cités » (v. 3390), c'est-à-dire toute dévastée. Lorsqu'un diable double ainsi le père et que la monstruosité s'attache au corps de la fille, l'analyse décèle souvent une relation incestueuse (du *Lai des deux amants* de Marie de France à *la Fille sans mains* de Grimm) ; or l'aventure est proposée à celui qui doit désensorceler la jeune fille : s'il lui revient de dissiper l'ombre qui entache l'objet d'amour, n'est-ce pas plutôt pour exorciser celle qu'il portait en soi et dont la figure ferait ainsi retour dans la malédiction éprouvée par une autre ? Quoi qu'il en soit, le héros ne saura qui il est qu'après avoir désenchanté la serpente, sans pour autant parvenir à effacer le fantasme de l'Ile d'Or qui l'a charmé lui-même. Où donc situer la féerie sinon quelque part « entre la brume et les étoiles », comme il est dit dans *Brigadoon,* comédie musicale mise en scène en 1954 par V. Minnelli ? Au reste, dans ce film, le pays *de nulle part* avait surgi aux yeux des deux chasseurs américains de la brume d'une forêt écossaise, dans la chaude lumière dorée d'un décor irréel de chants et de danse, et Fiona (Cyd Charisse) apparaissait devant Tommy Albright (Gene Kelly), inconnue de lui mais reconnue de son cœur. Tout doit pourtant un jour s'évanouir pour que le héros s'interroge : « Pourquoi devons-nous perdre les choses pour découvrir ce qu'elles veulent vraiment dire ? » Mais la question ne se pose avec cette acuité que chez le romancier qui a su créer une perspective subjective en inaugurant la quête à travers le regard du héros. Chrétien de Troyes, entre tous, s'est employé à construire ce point de vue grâce auquel le récit gagne en profondeur et les situations prennent sens d'événements.

Dans ce que le maître champenois appelle « li premiers vers », la première strophe ou partie de son roman d'*Erec et Enide,* les épisodes qui s'entremêlent, si différents soient-ils par leur place, leur traitement, leur fonction, n'en ont pas moins un air de ressemblance. Ils varient apparemment une seule et même figure, où l'on reconnaît la situation fondamentale du conte d'aventure : la joie amoureuse implique le *jeu périlleux* ; la « coutume » (v. 579) de l'épervier suppose un temps d'épreuve :

Qui l'esprevier voldra avoir,
Avoir li *covendra* amie*...
S'il i a chevalier si os*
Qui vuelle *le pris* et *le los**
*De la plus bele desresnier**,
S'amie fera l'esprevier
Devant toz a la perche prandre,
S'autres ne li ose desfandre (v. 570-578).

Que son amie soit la plus belle, cette prétention sonne de la part du chevalier comme un défi, dans l'espoir de s'affirmer comme le meilleur. Après deux ans de victoires, il suffisait à l'adversaire d'Erec de l'emporter une dernière fois pour devenir sans conteste, selon le récit gallois de *Gereint et Enid* (J. Loth, II, p. 132), « le Chevalier à l'Epervier ». Avoir une amie enferme une exigence redoutable.

Or, la coutume du Blanc Cerf disait-elle autre chose ? Gauvain, inquiet, avertit le roi :

Nos savomes bien tuit piece a*
Quel costume li blans cers a (v. 43-45)

L'élection de la plus belle jeune fille de la cour, par le Baiser (cf. v. 47-48), engage l'honneur des chevaliers arthuriens ; elle les rappelle à l'obligation d'égaler leur vaillance à leur amour :

Chascun vialt par chevalerie
Desresnier que la soe amie
Est la plus bele de la sale (v. 295-297).

Personne n'évoque impunément la beauté, car celle-ci fait l'objet d'un débat par les armes. La chevalerie est, par ce choix, mise en question dans son essence et comme confrontée à elle-même. La coutume du Blanc Cerf, celle de l'épervier parlent le même langage ; elles satisfont à la condition que la fée, en terre aventureuse, met à son offre d'amour. Au reste, la chasse de l'animal prestigieux comme la cuisante rencontre du nain sont situées au sein de la « forest aventureuse » (v. 65 ; cf. v. 116 et v. 126).

Mais le jeu des analogies se poursuit : l'orgueilleux inconnu que cherche à aborder Erec chevauche en compagnie d'une pucelle de fière allure ; pourquoi garde-t-il le silence et se fait-il précéder par un nain discourtois ? Mais aussi bien pourquoi l'amie du Beau Mauvais, dans la *Seconde continuation du Conte du Graal,* effrayait-elle par sa laideur, au point que les attentions de son amant parussent ridicules ? La présence de la femme aimée est assortie d'une épreuve ; la hideur, dans un cas, l'arrogance et l'injure, dans l'autre, provoquent le combat ; elles ont pour seule fonction de rendre dangereuse la vie du chevalier. Plus tard, Ydier, vaincu dans la bataille pour l'épervier, avoue son dessein :

Hui matin ne cuidoie mie*
C'uns seus hom par chevalerie
Me poïst* vaintre ; or ai trové
Meillor de moi et esprové (v. 1043-1046).

La même démesure habite tout chevalier errant, le regard de l'amie invite à la même déraison. La vue d'Enide ne ranime-t-elle pas la force d'Erec? «Son amour et sa beauté» (v. 911) lui remettent apparemment en mémoire la honte naguère subie sous le fouet du nain pour qu'il n'en puisse supporter, un instant de plus, le souvenir (v. 907-916).

Mais qui est Enide? L'obscure fille d'un vavasseur ruiné par la guerre, ce qui expliquerait la pauvreté de sa mise, comme la dureté de sa condition? A vrai dire, il paraît anormal qu'elle en soit réduite aux travaux ignobles d'un valet d'écurie (cf. v. 459*sq.* et cp. v. 358-359)! Cet excès fournit peut-être un indice. Enide n'est-elle pas la pucelle d'une beauté incomparable qu'un chevalier en quête d'aventures, pour sa gloire ou sa honte, ne manque pas de rencontrer, après avoir pénétré dans la forêt aventureuse? La présentation d'Enide signifie plus qu'elle ne dit; la *place* que lui assigne le récit l'apparente à ces femmes merveilleuses dont l'amour surprend le héros «en autre terre». Comme la «Dame de la Fontaine» dans *le Chevalier au lion,* Enide est appelée d'un nom qui porte trace d'aventure et de merveille: à trois reprises, aux vers 1071, 1339 et 1613, le conteur la désigne comme «la pucelle au chainse blanc». Ce «chainse» qui est une blouse sous le vêtement comporte un mystère: l'habit est incomplet, pis, en piètre état; où est le bliaud (la tunique d'apparat) ou le manteau somptueux de Blanchefleur, dans le *Conte du Graal* (v. 1798*sq.*)? La jeune fille n'est pas parée des atours qui reviennent de droit à sa beauté; ce défaut contredit à l'ordre des choses; il met au défi le chevalier de rétablir son amie dans sa dignité et ses droits. L'explication avancée par le père d'Enide demeure ambiguë; elle est remise en question par la concession des vers 518 *sq.*:

> *Et ne porquant* bien fust vestue*
> Se ge sofrisse qu'el preïst
> Ce que l'an doner li vosist* (v. 518-520).

Quelle «male coutume», serait-on tenté de dire, contraint ainsi la jeune fille à une misère que la nécessité matérielle ne justifie pas en fin de compte? Son père avoue encore qu'il attend

> Que *avanture* li amaint*
> Ou roi ou conte qui l'an maint (v. 531-532).

La condition inférieure de la jeune fille baigne dans la lumière étrange de l'aventure, au hasard de laquelle le héros est prédestiné; la présence d'un destin s'affirme en effet au cœur de l'attente incertaine. Ce trait caractérise l'aventure. A la fin du roman, faisant retour sur le passé, devant sa cousine, Enide rejoint la lignée de ces pucelles «déconseillées» (cf. v. 6260-6262) qui hantent le monde aventureux et dont le malheur incite le chevalier errant aux plus glorieux exploits.

Le chainse rapiécé, le nain félon, la laideur de l'amie, l'escorte périlleuse d'une jeune demoiselle comme le veut «la coutume», selon *le Chevalier de la charrette* (cf. v. 1302-1321), inscrivent au cœur d'Amors la loi des Armes.

Ce schème narratif anime de l'intérieur les divers événements qui s'enchaînent dans le récit; il établit entre eux une correspondance, un jeu de reflets et de variations autour d'une même image, tout à la fois évidente et obscure d'être indéfiniment reprise. La voie qui conduit à l'amour paraît bien étroite et le héros se conforme à cette exigence, mais en a-t-il compris le sens ? La première partie d'*Erec* propose un parcours dont nul ne sait encore qu'il doit être *répété* pour que soit enfin découvert ce qu'il veut dire. Le conte d'aventure « insiste » dans le roman comme un texte énigmatique à déchiffrer ; il est pris dans une « conjointure » qui en réfléchit la donnée, au sens où ce reflet comme ce redoublement ménagent un temps de réflexion. Ce n'est pas un hasard si le roman se définit par une conscience qui interroge : la subjectivité romanesque est déjà impliquée dans cette forme particulière d'un récit qui n'avance qu'à faire retour sur soi ; il suffit qu'un personnage privilégié vienne à supporter ce regard. Encore faut-il savoir l'amener à sa place, lui donner corps et présence. La voie qui s'offre à celui-ci, le sens qu'elle recèle se projettent alors sur l'écran d'une vie intérieure faite d'attente, d'extase, d'angoisse, de recherche et d'incomplétude. Cette profondeur donnée au récit ressort nettement d'une comparaison entre les premiers épisodes qui met en valeur non plus l'identité d'une situation fondamentale, mais des fonctions différentes. Le rôle dévolu à chacun ne permet pas, en effet, de les situer sur le même plan comme notre première lecture le laisserait croire. Le même devient ainsi différent de soi, en étant réfracté par le prisme d'une conscience. La chasse au Blanc Cerf semble lourde de menaces, en l'absence d'un héros qui se distingue ; le trio rencontré dans la forêt aventureuse intrigue d'autant plus qu'il défie un héros impuissant ; le spectacle du chainse blanc se creuse d'une impérieuse demande ; l'épervier, enfin, provoque un combat sans merci. Autant de moments qui inscrivent les variations aventureuses dans le jeu d'un désir et impliquent pour tout événement la médiation d'un regard.

Le début du roman définit négativement la présence du héros, et le mouvement progressif par lequel celui-ci se détache d'un ensemble, comme son silence d'une rumeur, est d'un bel effet : une cour nombreuse, les propos de Gauvain qui se font l'écho du bruit des querelles et des armes, l'animation des préparatifs, le tumulte d'une chasse qui se perd au loin (cp. v. 119*sq.* et v. 131*sq.*) jusqu'à ce que le silence se fasse dans la forêt, toute cette agitation n'occupe la scène que pour disparaître et compose la toile de fond d'où surgit le héros. Celui-ci manque à sa place quand le désordre menace de gagner le monde arthurien, mais aussi quand l'« aventure » est seulement entreprise par des chasseurs, munis d'arcs et de flèches ; il paraîtrait plutôt que cette aventure n'en soit pas et que cette piste nous égare : que l'on songe à la *Seconde Continuation du Conte du Graal* ! Perceval y poursuit le Blanc Cerf, puis le chevalier qui a ravi le brachet et la tête du cerf, armé de toutes ses armes. Quand Erec apparaît, monté sur un destrier, l'épée ceinte, et que le conteur trace le portrait hyperbolique de sa valeur, on pressent une aventure différente de cette chasse à laquelle il ne participe ni même n'assiste. Aussi bien la reine rapporte-t-elle plus loin, devant le conseil d'Arthur,

> *l'avanture...*
> Qu'an la forest avoit trovée
> Del chevalier que armé vit
> Et del nain felon et petit, etc. (v. 324-326).

L'épée, le destrier présagent l'aventure véritable ; ils en sont les insignes. Mais l'armement est incomplet : est-ce déjà dire que le chevalier ne saurait répondre à ce qui l'attend ? Faut-il pour autant conclure que la chasse du Blanc Cerf n'est qu'un leurre pour mieux nous surprendre, une manière pour le conteur de ménager ses effets ? Ce qui s'annonce, dans la réplique de Gauvain, n'est pas sans intérêt pour la suite : la poursuite du cerf ne vaut que pour sa conséquence, ce baiser accordé à la plus belle pucelle de la cour ; le rayonnement d'une amie, la présence de la beauté sont ainsi requis au principe de la chasse. Mais, si la cour est menacée par l'absence du héros, celui-ci n'est-il pas mis hors jeu en l'absence d'une amie ? « Le meilleur » fait défaut à la cour dans la mesure même où il ne s'est pas encore imposé par la conquête de « la plus belle ». Le baiser évoque l'amour dont le héros ne peut se réclamer, comme le prouve qu'il ne soit là. D'emblée est fixé le terme qui oriente le « premier vers » : la rencontre d'amour. La première partie du roman, qui comprend encore les vers 1797-2429, à la gloire d'Enide enfin nommée, centre de tous les regards et de toutes les activités, est placée sous le signe de l'« amie ». Le héros manque à sa place, mais parce qu'il manque à l'amour ; le coup de fouet du nain le convoque précisément à ce rendez-vous.

Mais, quand survient, dans la hâte d'un galop, ce chevalier de fière allure (cf. v. 101) qui « Erec a non » (v. 82), l'insuffisance de son armement lui réserve une cruelle injure. Il doit, sans encourir de blâme (cf. v. 238-239), renoncer pourtant à la bataille. Dans la mise en place du personnage central, quelque chose reste inachevé. Le récit souffre apparemment d'une nouvelle carence, mais ce suspens met au jour une nouvelle exigence que le jeune homme formule lui-même, comme s'il en éprouvait le caractère absolu. Il engage désormais sa vie dans la voie périlleuse des armes ; lui qui a reculé, jure, au même moment, de ne jamais renoncer : « récréant » de force, sa loi est de remettre, sans fin, sa vie au sort des armes. Le serment qu'il prononce est l'acte de naissance du héros : il vengera sa honte ou bien la redoublera (v. 244-246). Ce hasard, qui l'a surpris malencontreusement, résonne de l'appel du destin. Sa vie n'échappe plus à l'alternative de la gloire ou de la mort. Ultime séparation du héros avec ce qui le rattachait à la cour arthurienne :

> Erec se part* de la reïne,
> Del chevalier sivre ne fine* (v. 275-276).

Il s'avance désormais seul, s'imposant à notre imagination. Le coup de fouet qui s'imprime dans sa chair l'a aussi bien singularisé : l'individu se dresse, dans le défi.

Conjointement à cette transformation, notre perception des événements se modifie : au début, le conteur met directement sous nos yeux les scènes qui se succèdent, les personnages qui évoluent ; il montre son habileté à choisir et à fixer ses plans, mais le film de l'action se déroule de façon objective ; un glissement se produit déjà quand, avec le petit groupe de la reine, nous prêtons l'oreille au bruit lointain de la chasse (cf. v. 133) ou découvrons, par leurs yeux, le chevalier orgueilleux, son amie et le nain :

> Mes molt i orent po* esté
> *Quant il virent* un chevalier... (v. 138-139).

Notre surprise est commandée par la leur, nous adhérons à leur regard comme à leur sentiment ; nous percevons les événements de façon médiate, mais du même coup nous sommes profondément impliqués dans l'action.

Toutefois, s'il existe à ce moment du récit un point de vue privilégié, il n'est pas encore exclusif ni singulier. L'unité de ce groupe reste indifférenciée et nous assistons peu après, en spectateurs, à la mésaventure d'Erec. Le tournant est véritablement pris dès que celui-ci, après des propos lourds de sens, part, seul, à la poursuite du chevalier inconnu (v. 342-343, cp. 368). Notre vision coïncide désormais étroitement avec la sienne : nous sommes partie prenante du spectacle qui s'offre à lui, nous marchons à son pas et voyons par ses yeux ; le moindre détail se charge d'une valeur subjective, le récit s'intériorise : que personne ne l'accueille, laisse un certain malaise ; ne peut-il se comparer à l'autre chevalier (cf. v. 365-367) ? Qu'il touche au but avec satisfaction (v. 371), annonce la réhabilitation, mais, que le vavasseur paraisse songeur, intrigue. Que recèle, en fin de compte, un tel accueil ? Remarquons en outre que le héros, privé d'armes, ne peut rien faire : il se manifeste seulement par le regard qu'il jette autour de lui ; il est ce regard et se définit par l'attente. Curieusement, le chevalier en quête d'aventure n'échappe pas à une certaine passivité ; il est voué, par sa décision même, à être surpris, à subir l'inattendu qu'il appelle de ses vœux. De ce fait, il est prédisposé à l'attitude contemplative propice au ravissement amoureux, mais aussi, comme le montre *le Chevalier au lion,* à la soumission qu'impose la *fine amor.* La présence du regard promet un héros ébloui. La femme aimée surgit toujours avec la force d'une apparition. Le transport qui saisit le chevalier pare la jeune fille d'une auréole féerique. Ainsi Chrétien n'éprouve-t-il pas le besoin de situer la Dame d'Amour dans une Ile d'Or, au cœur d'un palais resplendissant de lumière ; il suffit d'avoir créé, dans le récit, cette attente du regard pour susciter l'émerveillement d'une vision ; ironie du conteur à l'égard de sa matière, la pauvre fille d'un vavasseur tient le rôle de la plus merveilleuse des fées. Chrétien efface les contours de l'Autre Monde, pour l'avoir fait revivre au plus profond de la conscience :

> La féerie est devenue un enchantement intérieur, le merveilleux de la légende, un émerveillement du cœur (J. Frappier, *Le Concept de l'amour,* BBSIA, XXII, p. 132).

Voici comme apparaît Enide, par la surprise d'un rejet et la grâce d'un instant d'éternité :

> La dame s'*en est hors issue*
> *Et sa fille...* (v. 401-402).

Quarante vers plus loin, le récit, suspendu, reprend :

> *Issue fu* de l'ovreor* (v. 442).

Cette reprise du même mouvement, la rapidité du geste, la valeur ponctuelle de la scène contredisent l'interminable durée d'une description qui s'installe hors du temps, dans l'éblouissement du cœur :

> Erec d'autre part *s'esbahi*
> Quant an li si grant biauté vit (v. 448-449).

Ebahi, comme au sortir d'un rêve, qu'a-t-il vu ? La description de la jeune fille (v. 401-441) présente un contraste et vibre d'une tension secrète ; le portrait physique débute par le comble de l'hyperbole (la Nature s'étonne devant son œuvre, est prise à témoin, etc., v. 413 *sq.*), non sans une touche d'humour (le décompte des surprises de Nature, v. 415 !) dont le sourire justifie en fait l'exagération des termes. Comment exalter encore la beauté, après un tel éloge ? Un recours littéraire paradoxal (« Iseut la blonde » n'est rien auprès d'elle !), l'usage d'une comparaison bien connue (la fleur de lys et la blancheur du teint : Blanchefleur, déjà !), mais qui ne saurait si bien se dire que de la plus belle en ce monde, la clarté des étoiles pour évoquer le regard, comme si la création se concentrait en une seule personne ou que l'univers existât seulement comme hommage à sa beauté, l'impuissance de Dieu à mieux faire, et du conteur devant l'ineffable (v. 437) (faut-il croire qu'il n'ait encore rien su dire d'approchant ?), toutes ces ressources de l'expression composent l'image idéale de la femme dont l'éclat immatériel vient d'ailleurs, comme d'une infinie distance, offerte au regard qui contemple, ébloui :

> Ce fu cele por verité
> Qui fu *fete por esgarder**
> Qu'an se poïst* *an li* mirer*
> Ausi com an un *mireor* (v. 438-441).

Le « mirahl » des troubadours n'est pas invoqué en vain : il s'agit peut-être moins du « modèle » qui permet d'estimer toute beauté (cf. « de totes dames mireor », dans *Troie,* v. 5120-5121) que de la transparence fatale à l'amant qui se perd en elle, suivant le poème de Bernard de Ventadour (« Can vei la lauzeta mover... », 3e strophe) ; si l'on meurt de se mirer en ce miroir des yeux de la Dame, ce n'est pas de s'y refléter, mais de reconnaître, au sein de cette limpidité inabordable, le désespoir de son désir (« li sospir de preon* », dit Bernard de Ventadour), de ressentir le manque inhérent au regard, d'approfondir une pure transparence. La Dame ne livre jamais dans le miroir que son inaccessibilité.

Erec, a vrai dire, n'est pas encore Yvain et, de toute façon, n'est pas Lancelot ; s'il n'en finit pas de regarder Enide, aux vers 1466 *sq.*, cette vue le régénère (cf. v. 1470) et le rassérène. Il éprouve, dans l'amour, une plénitude, non une dépossession, mais cette ambivalence précisément donne la clef de la *fine amor*[8].

Dans le cours de ce portrait, une autre image se précise, sensuelle et troublante : l'incarnat et la fraîcheur du teint promettent, dans leur frémissement, un plus secret bonheur et leur vivacité sera liée par Balzac, dans *la Peau de Chagrin,* « aux heures les plus amoureuses de la journée ». Ne faut-il pas entendre comme un aveu dans cette rougeur pudique qui saisit la jeune fille à la vue d'Erec, et sa charmante réticence ?

> Vergoigne en ot et si rogi (v. 447).

Regardée, elle se surprend elle-même comme l'objet d'un désir dont sa honte avoue l'atteinte. Sa pudeur est le signe lisible d'une jouissance qui ne peut se dire.

Au spectacle de la beauté idéale (cf. v. 449), Erec est frappé de stupeur ; l'amant ne s'appartient plus désormais. Effacée et tendre comme une jeune fille qui attendait son prince et son maître, Enide ne préside pas moins, comme un astre de lumière, aux destinées du héros ; elle est déjà la Dame qui apaise, de sa douceur (cf. v. 1474), mais blesserait d'un coup mortel un cœur tout à sa dévotion ; elle est aussi la femme, et ce corps qui désaltère la soif et rassasie l'affamé (cf. v. 2027 *sq.*) :

> S'orroiz* la joie et le delit*
> Qui fu en la chanbre et el lit,
> La nuit, quant asanbler se durent (v. 2017-2019).

Au seuil de l'ouvroir, dans l'instant éternel de l'extase, Erec accède au royaume de la *fine amor,* et le récit se déploie comme dans un espace intérieur ; il est devenu le miroir d'une âme, ou encore cette plaque sensible qu'impressionnerait la fulgurante beauté de la femme aimée.

Tandis que, dans le regard, son être se partage entre la joie et le désir, Erec demeure sans voix, mais son effacement du récit (cf. v. 450 *sq.*) le rend d'autant plus présent à la scène, d'une présence tout intérieure, faite d'absence à ce monde, abîmée dans la contemplation ; comme en un rêve au-delà des mots, il se laisse guider par la main de la jeune fille (v. 474) et le dépouillement du style témoigne pour une vie profonde, infiniment riche :

> Erec/la pucele/ot* lez* soi//
> Et li sires de l'autre part (v. 482-483).

Les pauses de la voix suffisent à détacher ce qui seul compte, cette proximité, source d'une joie ineffable, de « la pucele », si étroitement unie à « Erec » selon l'ordre des mots.

Aurions-nous, pourtant, quelque peu forcé le sens courtois du portrait d'Enide ? S'il s'ouvre à la *fine amor,* Erec n'en saisit pas, comme Yvain à la vue de Laudine en larmes, le paradoxe intime, les tourments délicieux. Il existe plutôt une contradiction extérieure, mais qui ressortit au principe même de l'aventure, entre la beauté de la pucelle et sa pauvreté :

> Povre estoit la robe dehors
> *Mes* desoz* estoit biax li cors (v. 409-410).

Le « conte d'aventure » déplace la problématique de la lyrique courtoise : l'amie n'est pas en même temps l'ennemie, la Joie n'a pas pour envers la mort ; les faveurs de la fée sont pourtant liées aux périls de l'aventure et le chevalier ne cesse pas de risquer sa vie à son service. Les rigueurs de la Dame, les pièges de la fée disent au fond la même chose : qui aime vraiment, n'aime pas impunément.

En suivant le chevalier inconnu dans la forêt aventureuse, Erec parcourt une première fois le chemin qui conduit à l'amour et, lentement, dans l'intimité d'une soirée agréablement passée à converser devant le feu qui brille (cp. plus loin, v. 694, « les paroles », et, v. 708, « les armes »), comme le héros questionne son hôte, les événements passés, la situation présente forment un tout et prennent un sens ; ce que l'artifice d'un maître du récit avait séparé comme autant de moments distincts retrouve, dans la conscience d'Erec, une unité nécessaire. Voici comme les questions s'enchaînent, sans rapport apparent entre elles mais suivant un ordre inverse de la chronologie : pourquoi la pucelle, si belle, est-elle si mal vêtue (cf. v. 505-508) ? Pourquoi une si nombreuse chevalerie assemblée en ce bourg (cf. v. 550-554) ? Qui est ce chevalier aux armes d'azur et d'or, accompagné d'une pucelle et d'un nain bossu (cf. v. 584-589) ? Or, les réponses du vieil homme renvoient au héros l'écho de son désir ; comment comprendre autrement l'étrange exaltation amoureuse des propos d'un père sur sa fille, aux vers 543-546 ?

> C'est mes deduiz*, c'est mes deporz*
> C'est mes solaz* et mes conforz
> C'est mes avoirs et mes tresors
> Je n'ain tant rien come son cors*.

Ces paroles prennent relief pour l'amant qui les écoute : l'anaphore, dans la bouche du père, exprime l'allégresse dans le cœur du héros, comblé de joie, et teinte d'une nuance un peu plus trouble son éveil amoureux. De même, l'évocation de l'épervier et de la coutume du lieu, ou encore de la valeur du champion, appelle Erec à combattre, à relever le défi. Le père d'Enide a parlé d'Amors et d'Armes et le héros, dans l'instant qui suit, lui demande un double don : avoir des armes (v. 603), avoir une amie (cf. v. 571). Erec ne savait rien d'Amour, aussi ne pouvait-il affronter le chevalier inconnu : privé d'amie comme d'armes, il ressentait, dans le coup de fouet, l'exigence de valoir, comme, à la vue d'Enide, le bonheur d'aimer ; à suivre l'Orgueilleux et son nain il rencontrait Enide, à regarder « la pucelle au blanc chainse » il pressentait l'aventure ; la coutume de l'épervier noue enfin les fils qui se tressaient : l'injure du nain ne peut être vengée que si l'amie est présente pour que l'épervier soit disputé. Erec a été humilié pour qu'il trouve, en terre aventureuse, l'amour, mais en risquant sa vie dans l'aléa d'une bataille.

Ainsi, par le jeu des questions et des demandes, au soir de la quête, à la veille de l'épreuve, la conscience réfléchit l'événement et appréhende un sens dont elle n'interroge pas encore l'évidence. Qu'il en soit ainsi (premier temps) laisse encore en suspens de savoir s'il doit en être ainsi (deuxième temps) et, *a fortiori*, pourquoi (troisième temps ?). Il est, en tout cas, significatif que le héros choisisse ce moment pour se nommer, avec un bel orgueil (cf. v. 647-654) ; sa décision de combattre pour la jeune fille scelle son destin : il peut dire qui il est, il affirme, avec force, son identité. Ce héros, tour à tour absent, honni, ravi, silencieux et conscient, cet être de désir acquiert, dans la scène qui suit, une véritable présence physique : on assiste, comme en un rituel, à tous les temps de son armement (v. 708-726) ; il paraît naître à la chevalerie, rejoindre enfin sa vérité de chevalier errant. Et, comme il chevauche, ayant à ses côtés la pucelle mal vêtue, il est l'objet de tous les regards, de l'admiration de tout un peuple (v. 749-751). Nous voici spectateurs de sa prestance, de sa fière allure (cf. v. 765 *sq.*) : si la distance est ainsi rétablie entre lui et nous, c'est pour dire que son défi et son audace ne s'évaluent pas selon la mesure commune ; il est le héros, et il prend corps, sous nos yeux : seul un héros en effet sait, avec superbe, abandonner son corps aux coups mortels, au « chaple des espées » (v. 881). Si le combat est solennellement préparé, s'il se déroule avec une telle âpreté et s'il reste indécis, il manifeste ainsi à quel point le *jeu périlleux,* conçu comme service d'amour (cf. v. 894), exalte l'être du chevalier, réalise son essence. Aussi faut-il marquer l'importance de cette pause en cours de bataille pendant laquelle Erec se tourne vers son amie *et* se remémore l'affront subi devant Guenièvre (v. 907-916). L'asyndète curieuse du vers 913 invite précisément à définir quel lien unit ces sentiments contrastés du héros ; leur ordre d'apparition tient déjà lieu de connexion : le spectacle de la jeune fille en pleurs vient en premier et, dans l'amour, le chevalier puise une nouvelle force, oublie toute fatigue. Alors seulement la honte passée se rappelle à sa mémoire. Le désir de se réhabiliter devient, pour lui, pressant au moment où sa gloire est compromise sous les yeux de son amie; le mouvement de haine est subordonné, en fait, au sentiment amoureux. Le motif ordinaire, en pareil cas, montre le combattant sensible à l'amour de son amie et comme humilié d'avoir tant tardé à vaincre devant elle. Mais, si Chrétien substitue le souvenir du coup de fouet à la honte d'être tenu en échec, c'est qu'il entend souder étroitement des moments séparés du récit, comme si, au regard d'Enide, le fouet marquait encore la chair d'Erec; aussi bien le geste de ce nain maléfique, donnant son sérieux à l'aventure, a eu pour seule fin d'accorder la jeune fille réputée la plus belle au chevalier reconnu le plus vaillant (rappelons qu'Yder n'avait jusqu'ici jamais trouvé son maître, cf. v. 1042-1043).

Dans l'économie des aventures réinterprétée selon le dessein romanesque, le nain félon a pris place entre Erec et Enide, comme cet affront permanent auquel une fée soumet son chevalier en lui dictant de défendre un gué sans cesse franchi, ou en jetant, par sa laideur d'emprunt, le ridicule sur leur amour.

Dans *le Chevalier au lion,* Chrétien ne trace pas de la même manière le parcours du héros — qu'il se soit, entre-temps (ou dans le même temps ?), attaché à la figure du *fin amant,* à l'amour de Lancelot pour la reine, en est peut-être cause. Le récit suit pourtant le même fil, et l'on dirait d'Yvain comme d'Erec qu'il ne savait pas qu'il cherchait la Joie, non pas celle de la cour, comme Chrétien veut qu'on l'entende à la fin d'*Erec et Enide,* mais celle que souhaite à Lancelot la pucelle à la mule:

> Dex te mete
> Chevaliers, *joie el cuer parfite**
> *De la rien qui plus te delite** (v. 2790-2792).

La quête de l'aventure est obscure à elle-même; son objet véritable est comme masqué par le mobile apparent du chevalier, l'appétit de gloire; il n'est reconnu qu'après coup, dans l'imprévu de la rencontre amoureuse. Le baiser dû à la plus belle orientait la prouesse dans la direction de l'amour, mais précisément Erec n'avait, semblait-il, rien à faire avec la chasse du Blanc Cerf ! Avant que l'aventure débutât, l'amie était requise, sa présence était évoquée, mais sans que le héros l'eût pressenti. Le chevalier qui rêve d'aventure poursuit, en vérité, un rêve d'amour qu'il ignore et l'inconnu le séduit comme un leurre pour qu'il soit pris au propre piège de son cœur, illuminé de cette joie parfaite que dispense la femme aimée. Un désir dont l'objet échappe est d'autant plus vif qu'il reste indéterminé; de ne poursuivre aucune fin précise, il semble infini, comme la poursuite même. Il ne tire pas sa raison d'un *objet* extérieur, il ressortit donc à un manque intérieur, essentiel; il définit l'être même du *sujet.* Mais, quand il trouve, comme par grâce, son objet, celui-ci n'a plus de prix, puisqu'un désir infini en donne seul la mesure ! L'attente, l'extase cernent une vérité de malaise, de défaut; elles décentrent le héros de soi-même, le situant d'Ailleurs (...« en autre terre »), le rapportant à l'Autre (« si belle dame... », cf. *Erec,* v. 1724).

Mais, si Erec et Yvain partagent un même sort, ils le vivent différemment; ils suivent, pour se reconnaître eux-mêmes, des voies qui ne se confondent pas. Même si, en effet, dans la première partie d'*Erec et Enide,* le héros rencontre, au détour de l'aventure, l'amie sans laquelle il n'est pas de chevalerie, le récit met peut-être plus l'accent sur « Armes » que sur « Amors »; le meilleur, seul, pouvait prétendre à la plus belle. Au tournoi de Tenebroc, sa prouesse éclipse tous les autres chevaliers, et le bruit des armes compose un hymne immortel à sa vaillance (cf. v. 2197-2214). Yvain, en revanche, tombe amoureux d'une dame, non de la fille d'un vavasseur ruiné ; il lui doit une terre qui vaut royaume ; loin de la conquérir, il s'avoue vaincu et se met à sa merci. Qui, d'autre part, assista à son exploit ? N'est-il pas, en outre, frustré de sa victoire ? Yvain craint, à juste titre, les sarcasmes de Keu et le combat apparaît comme inachevé. La dame, enfin, demeure étrangère à la cour d'Arthur ; le roi des rois l'honore, non pas en la plaçant, comme Enide, à sa droite, devant sa cour (cf. v. 1718), mais en se rendant chez elle et en devenant son hôte.

La femme aimée n'a donc pas le même statut dans ces deux romans, ni le fait d'armes la même importance. Si le récit met toujours en œuvre la figure d'un manque, l'accent est déplacé ; l'amant prend le pas sur le chevalier ; il est assujetti à la Dame plus qu'il n'est maître aux armes ; il vibre moins de l'exaltation du *jeu périlleux* qu'il ne vit la révélation de la *fine amor*.

D'autre part, dans *le Chevalier au lion,* l'aventure est, plus étroitement que dans *Erec,* mise dans la dépendance d'un désir ; l'intensité de l'écoute ou du regard transforme l'événement en moment d'une vérité intérieure. Mais il ne semble pas que nous adhérerions pleinement à celle-ci si Chrétien, de façon profonde, n'appuyait, avec humour, certains contrastes. Une manière de dérision côtoie, en effet, le sublime, mais afin, précisément, que nous n'ayons plus à douter ! Si elle l'allège, à vrai dire, ce serait plutôt à notre usage, comme si nous ne pouvions, à l'instar du Bel Inconnu, entendre la vérité, sinon dans l'écho d'un rire : peut-être ne s'agissait-il que d'une chimère (cf. v. 172) :

> Mes tost deïst, tel i eüst*
> Que je vos parlasse de songe (v. 5386-5387).

Mais saurions-nous justement nous prévaloir d'autre chose ? Le recul pris dans le rire n'est que l'aveu du rêve dont nous subsistons, ou de la déraison qui nous fait être (cf. *Bel Inconnu,* v. 4867-4872).

Chrétien aime ainsi à surprendre : si le sommeil du roi compromet l'aventure, si, en échange, le conteur y va d'une petite scène de la vie de cour, plaisamment animée par un grotesque du monde courtois, serait-ce qu'il nous faille désirer le récit pour lui prêter l'attention du cœur et appréhender « un songe », « une fable » comme la vérité elle-même ? Contrastant avec une certaine image de la vie quotidienne qu'offrait la comédie tout humaine de la cour, l'histoire de Calogrenant éveille au rêve, ouvre à la présence fabuleuse de l'Autre Monde et provoque ce qu'on voudrait appeler « l'épanchement du songe dans la vie réelle » : à peine esquissée, voici, dans les profondeurs obscures de la forêt (v. 179), mais embrasée de désir (v. 175), la silhouette du chevalier errant qui porte toutes ses armes comme un défi à la mort (cf. v. 176-177) et le nom de Brocéliande suffit à évoquer l'appel envoûtant de l'inconnu. Plus tard, quand le farouche gardien demande au chevalier ce qu'il y cherche :

> — Et que voldroies tu trover (v. 361) ?

la réponse superbe :

> — Avanture, // por esprover
> Ma proesce et mon hardement (v. 362-363),

détache assez le premier terme pour qu'on sente la fascination qu'exercent l'étrangeté et la merveille. Aussi faut-il correctement accentuer la phrase : le chevalier cherche moins dans l'aventure une occasion d'essayer sa valeur qu'il ne cherche, pour elle-même, l'aventure, soit ce qui vaille la peine de risquer sa vie et de mettre sa vaillance à l'épreuve. La réponse préserve donc le mystère et déplace seulement la question : dans son désir de voir ce que nul ne vit jamais ou d'entendre l'inouï, qu'attend-il de l'aventure merveilleuse qui le comblerait enfin ? Bien qu'il n'y fût pas destiné, Calogrenant a frôlé, un court instant, la vérité de l'aventure ; du moins son passage chez l'hôte hospitalier préfigure-t-il ce qu'il sera donné à Yvain de découvrir :

> Et je vi que vers moi venoit / (v. 224),

une légère pause de la voix est ici requise pour que, dans la stupeur d'une rencontre inespérée, surgisse, imprévisible, comme une apparition :

> Une pucele bele et gente (v. 225).

Exagérerions-nous pourtant la portée de cette entrevue ? Il ne s'agit, après tout, que de la fille d'un vavasseur et les marques de courtoisie dont elle honore un chevalier n'offrent rien d'exceptionnel dans le cours de nos romans. Mais pourquoi, en ce cas, tant d'insistance de la part de Calogrenant ?

> En li esgarder* mis m'antente,
> Qu'*ele estoit bele et longue et droite (v. 226-227).

Le ravissement d'un amant perdu de contemplation, l'ivresse qui le gagne au rythme d'un vers qui témoigne d'un élan du cœur seraient-ils imputables à une beauté autre qu'enchanteresse ? Cette jeune fille qui conduit le chevalier dans le pré le plus beau du monde, et, semble-t-il, réservé à eux seuls (cf. v. 236-238), a tout le charme, à vrai dire, de ces fées de l'Autre Monde. Le chevalier se laisse envahir par la Joie et lui, qui poursuivait sans fin l'aventure, ne paraît, en un tel moment, plus rien désirer (v. 242-244). Le souci de toute quête s'efface auprès de l'amie, et déjà, pour qui saurait l'entendre, est ici pressenti l'oubli de toute peine (« de nul enui », v. 6796, éd. Foerster), dans lequel le héros vivra, à la fin, une éternelle béatitude. N'est-ce pas là d'ailleurs ce que présage, plus loin, l'embellie qui suit la tempête, et réjouit Calogrenant ?

> Que joie, s'onques la connui*,
> *Fet tot oblier grant enui* (v. 457-458).

Mais le récit de Calogrenant retrace trop longuement l'horreur comique devant le terrible bouvier et le surprenant dialogue qui s'engage, ou encore le défi du défenseur de la fontaine et les détails d'une lutte inégale qui pourraient pallier sa honte (cf. v. 527), pour ne pas retomber, en fin de compte, d'un merveilleux exaltant dans les tribulations d'une mésaventure ! Le ton du conteur traduit une certaine résignation ; l'affaire était close, même si elle pesait lourdement sur sa conscience ; il n'en a parlé qu'à contrecœur et peut-être devine-t-on quelque nostalgie d'être passé à côté de la merveille. Mais ce passé est-il vraiment révolu ? Le récit reçoit son sens d'une question implicite : à qui est-il destiné, pour rouvrir ainsi la voie perdue de l'aventure ? Pour qui l'échec aura-t-il valeur de défi ? Le récit se creuse comme en abîme d'un désir qui doit venir au jour, s'il est du moins quelqu'un pour l'entendre avec son cœur ; ce conte étrange, cette histoire inachevée révèlent, par un effet de rupture au sein de cette petite comédie de cour qui précédait, comme une *place vide,* qu'un héros est enfin sommé, à l'heure de la vérité, d'occuper : avant même que le motif ne s'en présentât, le *siège périlleux* existait déjà en puissance, attendant le chevalier exceptionnel.

Avec une brusquerie qui le distingue, comme s'il ressentait seul l'urgence d'un appel qui, sans cette hâte, aurait vainement retenti, Yvain prend la parole, pour sceller son destin. L'Aventure, par la bouche de Calogrenant, faisait entendre une voix qu'il a, seul, reconnue. Le moindre des propos tenus formulait une invitation pressante. Ce que le conte, sans rien en dire, sollicitait de rêve, façonnait de désir, en constituait exactement le sens. Où l'on voit que celui-ci ne prend effet que d'une résonance subjective — et d'une adresse !

Le héros se définit ainsi à partir d'une écoute qui donne sa vraie portée aux scènes précédentes, et lui-même rompt avec la comédie qui suit comme avec la cour. Mais, dans les songes de sa solitude (v. 677 *sq.*), il revit, d'une vie imaginaire, l'aventure qui s'est offerte, et le passage témoigne de ce qui anime vraiment Yvain : le désir de voir. Il part, sans nul doute, pour venger son cousin, mais à la découverte d'un autre monde. Ainsi se révèle l'intéressement profond du héros dans ce qu'il poursuit ; s'il ne s'ignorait soi-même dans ce qu'il cherche, il n'éprouverait pas l'envie si poignante de forcer les frontières de l'inconnu. Mais il semble que la suite contredise son attente, en tout cas la déçoive, la laissant sans réponse. Le récit est pourtant agencé de manière à suggérer l'impatience du héros (v. 723-817) : il a beau faire diligence, il est toujours en retard sur son désir ! Grâce ne lui est faite d'aucun préparatif, d'aucune précaution, d'aucune étape de l'aventure elle-même ! L'accumulation des faits et gestes entrave autant la marche qu'elle en traduit la vivacité. Le passage est construit sur l'alternance de deux verbes :

> Et vint / si vit (cf. v. 793-794).

Il doit, malgré qu'il en ait, en passer par ce qu'il connaît déjà pour l'avoir appris, mais aussi imaginé. En racontant trois fois la même aventure, Chrétien n'a cessé d'en varier la tonalité subjective : la naissance silencieuse d'un désir, son embrasement dans la vie du rêve, son exacerbation dans l'impatience du réel. La quête entreprise se présente ainsi comme une interrogation passionnée de l'aventure. Mais Yvain le sait-il ? Qu'il désire voir la fontaine et combattre son défenseur ne le rend pas pour autant conscient de ce qui lui manque pour qu'il éprouve pareil désir. Quels que soient les mobiles profonds que son attitude nous découvre, il ne connaît d'autre motif à son action que la volonté de venger Calogrenant (cf. v. 748-749 et v. 897-899) et de réduire Keu au silence (cf. v. 892-895). L'objectif est pauvre, au regard de l'attente ! L'issue du combat reflète cette contradiction : quoique Yvain ait vaincu, après une bataille âpre, mais d'autant plus belle, où sa vaillance s'est pleinement illustrée, la victoire lui échappe. Blessé à mort, l'autre fuit pourtant. Le héros ne gagne à cette aventure que d'être insatisfait ; la comparaison avec le rapace, auquel sa proie se dérobe (cf. v. 882 *sq.*), est à l'image d'un désir insatiable, faisant surgir la question de ce qui l'apaiserait enfin.

Il apparaît, en effet, qu'Yvain n'en peut être quitte pour un exploit guerrier. Mais où le fuyard entraîne-t-il son vainqueur ? En d'autres termes, au bout de l'aventure, que doit-on trouver ? La fuite conduit ainsi à s'interroger sur ce qui vient après; l'imprévu de cette chasse figure concrètement une nécessité du récit: le héros doit aboutir quelque part où se découvre enfin ce qu'il cherchait sans le savoir. Le récit s'enchaîne précisément de manière à formuler ce qui ne se sait pas encore; s'instituerait-il comme l'inconscient du héros? Mais, avant d'en savoir plus long, il faut qu'Yvain subisse une transformation qui affecte non seulement sa situation, mais encore son être.

Etrangement, de poursuivant, il devient traqué, l'oiseau de proie est lui-même pris au piège:

> Ensi fu mes sire Yvains pris.
> Molt angoisseus et antrepris*
> Remest* dedanz la sale anclos... (v. 961-963).

Un ingénieux mécanisme réduit le combattant à un état de pure passivité et apporte à ce conte une nouvelle dimension: parvenu, grâce à sa prouesse, au seuil d'une révélation décisive, le héros est frappé d'impuissance; il est, face à son destin, désarmé. Au terme d'une action impatiente de tout obstacle, le voici contraint d'attendre, sans plus agir. Vainqueur, il est privé de sa liberté. Dans l'épreuve qui se prépare, il part perdant. Mais le combat qu'il doit désormais livrer est d'un autre ordre: s'il n'est plus le maître, son sort serait-il d'être soumis? Et, s'il est fait prisonnier, de tomber à la merci? Et, s'il a peur, de vivre d'angoisse? Le retournement est riche d'enseignement; encore faut-il, pour que la leçon soit entendue, que le héros, bizarrement, craigne, puis désire sa défaite, sa honte, sa réclusion.

Au principe de cette illumination intérieure, un artifice qui paraîtrait une facilité: l'anneau magique de Lunete. Mais le factice sert, chez Chrétien, à pourvoir le récit d'une profondeur nouvelle. En l'espèce, Yvain est placé en position de voir sans être vu; il n'a d'autre existence que celle d'un corps subtil, à vrai dire d'un pur regard. Ce privilège favorise une disposition intérieure propice à la contemplation et à l'émerveillement, il annule toute vie qui ne soit pas d'extase. Rien, pourtant, ne s'annonce de tel! La scène qui suit est plutôt cocasse, avec ces gens qui s'agitent en tous sens, comme des forcenés, cramoisis de rage (cf. v. 1132), dégouttant de sueur (cf. v. 1188). Qu'un chevalier errant, jusqu'ici épargné, finisse par recevoir force coups de bâton (cf. v. 1192-1193) relève de la farce! Si la Dame apparaît, d'ailleurs, ne s'enlaidit-elle pas à mener un deuil avec une telle frénésie (cf. v. 1150-1165)? Aussi bien le conteur ne nous dit-il rien des sentiments de son héros, sinon qu'il entendit ces cris (v. 1173) et resta coi (cf. v. 1194). Non sans humour pourtant — mais chez Chrétien, comme chez Minnelli, l'humour exagère pour que soit rejetée toute commune mesure entre le rêve et la réalité, la vérité et le mensonge, la merveille et la mascarade —, le péril encouru, l'enlaidissement de la Dame, l'effacement du héros s'interprètent, à l'inverse de ce qu'ils disent, comme la certitude de la vraie vie, le miroir de toute perfection, l'absolue présence; dans ce comique s'inscrit, en creux, l'éloge hyperbolique d'un amour sublime. Quelle n'était la beauté de la Dame, la fulgurance de son apparition, pour laisser, au spectacle de son deuil et au cœur du plus grand péril, le héros muet d'extase (cf. v. 1590-1592)! L'émoi d'Yvain n'est révélé qu'après coup, mais d'autant plus vivement: Chrétien ne prend pas moins de trois cents vers (v. 1258-1592) pour analyser le trouble qui s'est emparé de son héros et soutenir les paradoxes de la *plaie d'Amors* (v. 1377).

Ce développement contraste donc avec le silence précédent, mais conduit aussi bien à en réévaluer le sens : Yvain avait disparu de la scène, parce qu'il n'était plus de ce monde ; s'il n'avait d'autre présence que celle d'un corps roué de coups, ravie était son âme ; installé dans l'absence, il vivait de la seule vie du regard, pour contempler, à l'infini. Pour traduire la vision ineffable, le conteur a dû se taire, n'occupant l'intervalle de son récit que de bruits matériels, et d'un remue-ménage trop réel. Ces gens ne voyaient rien, parce qu'aussi bien, tout engagés dans la matière, ils étaient aveugles à la merveille, qui est l'affaire du cœur et de son seul ressort. Il n'existe, encore une fois, d'Autre Monde qu'intérieur, d'étrangeté qu'intime. Mais, qui se heurte aux escabeaux (v. 1145), ne peut invoquer que les maléfices extérieurs des démons (v. 1131 ou v. 1202) ! Et, parmi tant de contorsions à même la terre, quand survient une créature de rêve, qui seulement s'en apercevrait ?

> Que qu'*il aloient reverchant*
> Desoz liz et desoz eschames*,
> Vint une des plus beles dames
> C'onques veïst riens terrïenne* (v. 1144-1147).

Mais — à la différence d'*Erec et Enide* —, dans *le Chevalier au lion,* Chrétien ne se contente pas d'avoir donné à la venue de la Dame la force d'une apparition. Il montre encore ce qui change dans l'âme du héros et comme il s'ouvre à la vérité ainsi révélée, celle de la *fine amor*. Avant qu'il ne soit reçu de sa Dame, l'amant aura appris à espérer comme à craindre, à croire comme à douter, à s'exalter comme à souffrir d'angoisse. S'il est comblé, ce sera par l'effet d'une grâce et dans la mesure où il n'aura cessé de désirer, car la Joie récompense celui-là seul qui meurt pour elle. Mais, pour qu'on entende ce qu'il dit, Chrétien semble, comme Lunete, parler « par coverture » (v. 1940), jouant à merveille de l'équivoque et de la double entente ! Parler à mots couverts, pour prendre au mot (cf. v. 1705) comme au piège (v. 1704), tel est le « jeu de la vérité » auquel la suivante de Laudine excelle (v. 6624) : nul ne se méfie d'un mot que l'on avance et qu'il croit comprendre ; mais qu'il s'y prête tant soit peu, le voici surpris par un sens imprévu qui lui interdit toute esquive et, quoi qu'il en ait, l'affronte à sa vérité. Ce jeu gouverne aussi bien la vie psychologique des personnages que l'écoute du public ; comme Calogrenant portait la parole de Chrétien, en guise d'avertissement, le savoir-faire de Lunete est à l'image d'une technique narrative ! Sans qu'on y prenne garde, Chrétien fait ainsi tenir à la Dame en deuil un langage ambigu : elle apostrophe le chevalier invisible en ces termes :

> Coarz est il, quant il me crient*...
> Quant *devant moi mostrer ne s'ose...*
> Por qu'ies* vers moi acoardie
> Quant vers mon seignor fus hardie ?
> Que ne t'ai ore *en ma baillie* ?*
> Ta puissance fust ja faillie (v. 1223-1230) !

Ce défi a valeur d'injonction et jette comme un sort sur le héros ; celui-ci, sommé d'apparaître, ne peut se soustraire à son destin. Mais lequel au juste ? Faire face à la Dame ou au défenseur de la fontaine a-t-il le même sens ? Ces menaces semblent préjuger de la suite : sans peur dans le combat, abordera-t-il en tremblant cette nouvelle épreuve ? Vainqueur la première fois, doit-il maintenant tomber au pouvoir de son ennemie ? Mais ne sent-on pas ici comme les mots sont glissants, étrangement sollicités, comme ils se chargent de résonances inattendues ? Le chevalier est audacieux, timide est l'amant ; l'un ne connaît pas son maître, l'autre a coutume de rendre les armes. Dans la différence, un parallèle s'esquisse entre deux formes de combat dont l'un s'entend au propre, l'autre au figuré. Quand c'est la Dame qui défie l'adversaire, le langage des *Armes* évoque, par métaphore, la figure d'*Amors*.

Plus loin, le conteur lève nos derniers doutes en commentant la *plaie d'Amors* (v. 1377) et ce coup qui frappe en plein cœur, plus efficace

> Que cos de lance ne d'espee (v. 1374).

S'agirait-il seulement d'un lieu commun de l'amour courtois ? Non pas, s'il est vrai que Chrétien nous « agueite* » (v. 1704) et nous invite à prendre ce qu'il dit au pied de la lettre ! La Dame est l'ennemie réelle du héros, elle vengera cruellement la mort de son mari, elle poursuit de sa haine un meurtrier qui est bel et bien en prison, sans espoir de vie sauve ! L'ambiguïté, se poursuivant ainsi tout au long, interdit de prendre à la légère la métaphore de la guerre d'Amour. Ce n'est peut-être pas là simple façon de parler. A preuve le petit manège de Lunete qui, pour s'en étonner, feint de ne pas comprendre...

> Por Deu, dites vos voir ?
> Comant puet donc bon siegle avoir*
> Qui voit qu'an le quiert* por ocirre ?
> *Cil ainme sa mort et desirre* (v. 1555 - 1558)

... ce qu'elle sait trop bien !

> Ne sui si nice* ne si fole
> *Que bien n'entande une parole* (v. 1567 - 1568, et cf. v. 1565 - 1566).

On ne saurait être plus clair ! Mais comment ferait-elle entendre ce paradoxe de l'amour, si elle ne jouait sur les mots pour qu'on les prît au sérieux ? La mort n'est pas, ici, un vain mot ; c'est pourquoi la chérir heurte à ce point le bon sens, mais l'amour, justement, ne s'accommode pas des évidences communes et mystérieusement déraisonne : on se plaît à sa propre mort, on souhaite sa maladie (cf. v. 1377 - 1378), on aime qui vous hait (v. 1364 - 1365). A entendre au pied de la lettre ! Il faut s'astreindre à cette discipline pour être initié aux mystères de la *fine amor*. La métaphore dit la vérité, mais celle-ci, trop insolite, ne se dévoile, semble-t-il, qu'à travers celle-là, toujours suspecte (aussi n'existe-t-il de langage amoureux que métaphorique) : qui cherche la Joie côtoie sa mort ; en découvrant soudain ce après quoi il allait béant, il reconnaît au cœur de soi-même une béance, la *plaie d'Amors,* que ne cessent de rouvrir les tourments délicieux, les rigueurs désirées. L'amour est l'instrument privilégié de cette expérience intérieure, car l'amant y dépend absolument de l'autre, ce qui démontre assez en vertu de quelle faille s'identifie son être. Si Amour s'empare ainsi de lui et commande en maître :

> An ce voloir l'a Amors mis (v. 1427),

il apparaît qu'il ne peut être au principe de soi-même et qu'il n'a pas pouvoir sur soi.

Le débat qui s'installe dans le cœur d'Yvain (v. 1432 - 1510) est le moment de cette découverte où le héros se surprend à perdre la raison, sans cesser de s'en justifier ! Dans ce monologue, il se fait constamment écho à soi-même, se prend à témoin ou à partie de ce qu'il dit ou ressent, se reprend jusqu'à se contredire et faire fi de toute raison, mû par une force qui le dépasse, comme s'il était guetté à chaque détour des mots ! Ainsi n'est-ce pas folie que de poursuivre un rêve (v. 1432) ? Bien plutôt d'en désespérer (v. 1444) ! Ce revirement obéit au rebond inattendu des mots eux-mêmes (« pour l'instant », « peut-être ») tant il est vrai que la labilité du langage fait le jeu du désir ; la logique vient après les surprises du langage, aberrante, pourtant, d'autoriser d'un trait de misogynie (femme varie !) l'espoir d'un amour absolu ! Mais, s'il tire ainsi quelque peu sur la chaîne, c'est pour y croire et s'y river à jamais. Suit, en effet, l'apologie de la loyauté à l'égard d'Amour ; ici, la passion, si vive dans l'insistance du vers 1451, « Et je di... », emprunte sa voix à la raison, avant de conclure sur le terme de « joie » (v. 1452). Le second mouvement, d'un raisonnement subtil, ruse encore avec la lettre des mots pour que leur sens se conforme au désir : il suffit d'inverser les termes ! qu'elle doive l'appeler son « ami »... puisqu'il l'aime, c'est déjà conjurer sa haine ; il est moins grave, en effet, qu'il ait, lui, à l'appeler son « ennemie », d'autant qu'il éprouve un secret plaisir à formuler le paradoxe courtois par excellence :

Toz jorz amerai m'anemie (v. 1454).

L'adverbe, qui engage tout l'avenir, transforme l'appréciation objective en un appel éperdu à ces tourments si chers au cœur de l'amant pour lui frayer, à travers le désir, le chemin de la Joie. La fin du passage est consacré au portrait de la Dame : faut-il relever l'hyperbole élogieuse d'une beauté sans pareille, quoique en pleurs, ou plutôt la tendresse passionnée avec laquelle Yvain voudrait protéger le corps de son « ennemie » ? Il importe surtout que ce soit lui qui décrive ce qu'il voit, comme s'il devait lui-même se faire poète pour qu'on connût son enthousiasme. La dialectique, le paradoxe, la poésie ? Il ne s'agit jamais que de donner corps au rêve.

Dans sa première partie, à la différence d'*Erec et Enide, le Chevalier au lion* propose moins le parcours aventureux du chevalier errant que l'itinéraire spirituel de l'amant courtois ; en contraste avec une égale beauté, les larmes de Laudine répondent, en s'y opposant, à la pauvre mise d'Enide. Dans les deux cas, l'amour ne s'offre point sans péril au héros, mais ce dernier met ici en aventure son cœur, outre son corps (cf. v. 1924 - 1926) : muet d'extase, ivre d'espoir, sans force à force de rêve (v. 1551), professant sa folie contre toute raison (cf. v. 1544 et 1929), il est encore saisi de crainte et de tremblement au moment d'approcher la Dame (cf. v. 1948 - 1959). Dira-t-on, vu sa situation, qu'il a peur pour sa vie ? Non pas, mais de vivre, privé de Joie, dans la nuit, maudit de son Dieu. La métaphore est d'ailleurs explicite, quand le conteur commente les propos de Laudine :

Que sanz prison n'est nus* qui ainme (v. 1944).

Et que craindrait le plus l'amant, sinon d'être mal reçu de sa Dame ?

Si crient* il estre mal venuz (v. 1948).

Le sens de cet accueil est éclairé par le vers qui précède :

La ou il iert* molt chier tenuz (v. 1947).

Il redoute d'être trahi, mais au regard de sa Joie. Mais pourquoi ce sentiment ? A cause de

La dame qui ne li dist mot (v. 1955),

car la femme est sphinge, son silence, insondable ; elle décide souverainement de la vie ou de la mort, et l'amant, dans l'angoisse, attend le verdict. La Chambre de la Dame (cf. v. 1962) ressemble au Saint des Saints ; le fidèle s'agenouille, les mains jointes (cf. v. 1974 - 1975), adorant celle qui est Dieu. L'effroi d'Yvain a quelque chose de religieux, mais n'irait-on pas douter ou sourire, quand on ne sait plus aimer (cf. le Prologue) ? Aussi faut-il donner à pareille vérité quelque apparence sensible : les murs de la prison comme le pouvoir de la Dame sont bien réels ! L'ambiguïté facilite la compréhension : si l'amant doit mourir, ce sera, certes, d'amour, mais non pas une métaphore ! Le corps ne survit pas à la mort de l'âme. Il faut encore baigner la scène d'un certain humour, afin que nul, d'avoir souri, n'en soit tenu pour quitte ; force est de l'admettre *quand même*, dès lors que le récit prévient la réaction :

En ça vos traiez*
Chevaliers, ne peor* n'aiez
De ma dame qu'el ne vos morde (v. 1967 - 1969),

s'écrie Lunete, qui sut si bien régler ce jeu de l'amour et du hasard. Qu'il soit permis d'en rire, autorise à y croire : dans l'image, tant soit peu ridicule, de l'amant transi, sachez reconnaître la sublime figure de l'amant ravi, et entendre ce qu'il dit, « come verais amis » (v. 1976) : ultime moment, celui de l'aveu, dans la tension admirable d'un dialogue conduit jusqu'au cri (v. 1977 - 2038), où l'amant ne cesse de faire l'offrande de sa vie et de soi tandis que la Dame le soumet à son interrogatoire et jouit de son pouvoir. Sans doute s'agit-il de juger et d'acquitter selon le droit (cf. v. 2007 !) le présumé coupable, mais l'affaire était déjà entendue (cf. v. 1770 - 1774) ; ce qui est placé au centre du débat (v. 1997 - 2009) est en fait secondaire. Avant tout, la Dame, par ses questions ironiques ou pressantes, force le parfait amant à déclarer un amour trop précieux pour être divulgué, trop audacieux pour n'être pas tu. Cet amour est fait d'abandon, de réserve aussi : l'un est gage d'obéissance, l'autre de fidélité ; mieux, la discrétion témoigne de la qualité d'un amour qui n'engage que soi, mais absolument. Feignant l'étonnement, pour que les mots redisent ce miracle d'aimer, Laudine mesure ainsi, à plaisir, l'étendue sans limites de sa toute-puissance.

Voici comment parle l'ami vrai, effrayé de joie, tout à sa dévotion infinie : non sans préciosité, il se livre à la merci de la Dame, non pour lui crier merci, mais pour la remercier de tout ce qu'elle jugera bon de lui faire (v. 1977 - 1979),

Que riens ne me porroit despleire (v. 1980).

La litote garde cette retenue où s'exalte le désir !

Mais, quand la Dame répond, au vers 1981, avec la désinvolture du caprice et la cruauté du bon plaisir, ce que l'on traduirait volontiers ainsi, en écho au « déplaire » du vers précédent : « Croyez-vous ? Même s'il me plaisait de vous tuer ? », alors un certain lyrisme enfle la voix de l'amant :

Dame, nule *force* si *forz*... (v. 1988),

tandis qu'il répète, à satiété, pour dire sa ferveur, son vœu de soumission. Passé l'intermède du jugement, Laudine renoue le fil du dialogue pour remonter au principe de cette « force » si impérieuse qui a dompté le chevalier ; mais, plus elle avance dans son secret, plus la réponse reflue vers elle comme à la source de vie, immanente et transcendante à la fois, jusqu'à éclater en un cri :

Vos, Dame chiere (v. 2025),

et se répercuter sans fin, au long d'une anaphore, en un chant inspiré d'actions de grâces (v. 2027-2034). Il est beau d'y entendre l'amant jurer à sa Dame que son cœur n'habite nulle part ailleurs qu'en elle,

En tel que de vos ne se muet*
Mes cuers*, n'onques aillors nel truis* (v. 2028-2029).

C'est encore dire qu'il n'est vraiment lui-même que hors de soi, ou mieux qu'elle est pour lui cet « Ailleurs » qu'il porte au cœur de soi, comme soi-même ; ainsi s'en remet-il, désormais, à l'entière discrétion de l'Autre :

En tel que plus vos aim que moi (v. 2032).

Pour avoir su mourir à soi-même, il voit s'ouvrir devant lui les portes de la vraie vie.

Quand s'achève la première partie de ces deux romans, à la gloire du héros, revenu comme Erec au pays natal où on honore la noblesse d'âme d'Enide (cf. v. 2423-2429), installé comme Yvain en terre fraîchement conquise, où Arthur et ses compagnons s'adonnent, en invités, aux jeux courtois et aux plaisirs de la chasse (cf. v. 2472-2477), tout ne semble-t-il pas avoir été dit ? La crise qui éclate surprend par son abrupt. Au faîte de l'honneur, au cœur de la Joie, le héros s'attire la honte d'une faute qu'on comprend mal. Comment imaginer qu'Erec, ce lion de la chevalerie (cf. v. 2212), ait oublié la chevalerie, ou Yvain, « le fin amant », sa Dame ? La pleine affirmation de soi, chez l'un, l'illumination intérieure, chez l'autre, interdisent d'imputer cet étrange oubli à la légèreté ou à l'incompréhension. Erec n'avait-il pas, au lendemain des Noces, brillé au tournoi de Tenebroc ? Yvain n'avait-il pas, en partant, plein de tristesse, laissé son cœur auprès de sa Dame (cf. v. 2641 *sq.*) ? Leur manquement est contredit par tout ce qui précède, loin ou près. Aussi le recours à la psychologie n'offre-t-il ici qu'un appui médiocre, sauf à se nourrir d'illusion rétrospective : que le héros sorte moralement grandi, voire mûri, d'une épreuve nouvelle, n'implique pas qu'il faille rabaisser l'expérience première ou la soupçonner de quelque insuffisance. La culpabilité, trop soudaine, du héros en serait, il est vrai, mieux éclairée, mais rien, avant, ne décelait en lui quelque faiblesse.

Faut-il alors incriminer le conteur qui devait bien relancer son récit ? Ceci n'explique rien, ou plutôt renvoie à une nécessité qui, elle, fait toujours problème, comme si le héros, quoi qu'il en eût, *ne pouvait pas ne pas* oublier et que le conte s'enchaînât suivant cette fatalité qui veut qu'une parole soit donnée pour être trahie (Yvain) ou que le comble du bonheur en signifie aussitôt l'excès, coupable : Erec l'aimait *tant* d'amour qu'il n'avait plus souci des armes (cf. v. 2430-2431) ! Décidément inexplicable, l'oubli apparaît, à l'évidence de ce fait, inévitable. Il ne pouvait en être autrement (mais au regard de qui ? qui savait ?) : celui qui avait trouvé la Joie *devait,* pour cela même, la perdre, et irréparablement ! L'ordre du récit a force de loi : que le héros soit l'élu de l'Autre Monde *avant* d'en être le banni, dit aussi bien qu'il y est appelé *pour* s'en savoir exclu. Dès l'origine, la malédiction pèse sur lui ; elle préexiste à son avènement, comme la vérité, obscure, à laquelle il doit se heurter pour la reconnaître. Le récit est conduit jusqu'à ce point pivot où tout brusquement se renverse, où le héros affronte la Loi — car de quel autre nom appellerait-on cet effet de pure contrainte, dommageable à tout coup, indéchiffrable pourtant ? Qu'il y soit assujetti, et de toujours, le temps est venu (mais seulement dans l'après-coup) qu'il le sache.

Aussi bien, le moment décisif où la parole de malheur, « la mortelle parole empoisonnée » (*Erec,* v. 4609), frappe le chevalier est-il précédé d'un éveil, symbolique, de celui-ci, qu'il soit, comme Erec, réellement endormi ou qu'il ait, tel Yvain, laissé le souvenir en sommeil — pris, en tout cas, au dépourvu à l'heure de la vérité.

Voici Yvain « de panser sorpris » (v. 2700) et de la nuit de sa conscience surgit, comme la figure du remords (cf. v. 2701 : « bien savoit »), la messagère inexorable qui d'abord le dénonce à tous, sans s'adresser à lui (cf. v. 2718 *sq.*), débat ensuite de l'idéal d'amour (v. 2731 *sq.*), apostrophe enfin le coupable, écrasé de honte (cf. v. 2748 *sq.*) : comme elle parle, il peut, tour à tour, sentir son néant, sa déchéance, son crime. Si la demoiselle (peut-être la Demoiselle Sauvage du vers 1624) n'est pas venue réclamer justice (cf. v. 2766) à la cour du roi, comprenons par là qu'au tribunal de la Dame le verdict est déjà tombé, sans appel. Yvain sait désormais — l'instant d'avant, il ne le savait déjà que trop — qu'il a, par sa faute, perdu la Joie irrémédiablement et qu'il s'est, à jamais, comme retranché de la vie (cf. v. 2794 et 2797).

Dans *Erec et Enide,* la crise est aussi soudaine, mais l'atmosphère, plus oppressante (v. 2430-2503) : l'imminence de l'instant fatal est d'autant plus redoutée qu'une longue évocation de l'amollissement d'Erec et du désarroi d'Enide en retarde toujours plus l'échéance. Stylistiquement, d'ailleurs, la reprise d'un même tour syntaxique, « tant... que... », combiné à l'aspect ponctuel du passé simple, pour introduire un effet de rupture, ne cesse de formuler l'événement dont la venue est constamment reculée :

v. 2430 : Mes tant l'ama Erec d'amors / Que...
v. 2459 : Tant fu blasmez de totes genz... / Qu'Enyde l'oï...
v. 2469 : Tant li fu la chose celee / Qu'*il avint...*

puis :

v. 2481 : Tel duel en ot.../ Qu'*il li avint...* qu'ele dist lors une parole...

Mais cette parole n'est effectivement prononcée qu'au terme d'une lamentation qu'Enide se murmure à elle-même, comme le suggère l'opposition entre :

> Lasse, *fet-elle,* con mar fui* (v. 2492) !

où l'incise se traduirait : « se dit-elle à elle-même », et :

> Lors *li dist* : Amis con mar fus (v. 2503) !

où le propos est, cette fois, adressé à l'autre et l'atteint mortellement : « Ce fut pour ton malheur ! » Ce mot renvoie à l'heure d'une naissance placée sous le signe de la malédiction ; le héros est l'homme venu au monde pour connaître le malheur (« mar » = « mala hora »). Erec dort, à ce moment, mais le sommeil n'est pas assez profond pour qu'il pût croire à un mauvais rêve (cf. v. 2531) :

> La voiz oï* tot en dormant ;
> De la parole s'esveilla... (v. 2506-2507).

Mais à quoi s'éveille-t-il ? Au savoir, comme la suite le dit et le répète :

> Certes, *je le savrai,* mon vuel*...
> Por qu'*avez dit que mar i fui (v. 2514-2517).

Le retour à l'état de veille vibre de l'inquiétude d'un désir, qui est de savoir. Sa femme ne peut s'excuser ni le payer de mensonges ; le héros n'élude pas « la vérité » (cf. v. 2537), et la vérité, par la bouche, imprudente, d'Enide, dit qu'il est « récréant » : son âme s'est aveulie auprès d'une femme qui l'a pris dans ses lacs (cf. v. 2559-2560). A la nuit où les amants s'unirent pour la première fois (cf. v. 2017-2019), succède ce matin fatidique (cf. v. 2470), où leurs corps, dangereusement attardés (cf. v. 2443), nient le cours sacré des choses (cf. v. 2442), en un défi au jour qui s'est levé. Il apparaît ainsi que l'amour participe de la honte, puisque sa possession se paie du prix d'une prouesse toujours plus haute. L'insatisfaction est de règle, et la Joie, si préçaire, l'exception : l'unité, contradictoire, d'*Armes* et d'*Amors* (cf. v. 2430-2431) est néanmoins indissoluble ; l'amour se ressent toujours de l'exigence des Armes, mais en ravive, par là, le sentiment. En ce sens, la parole proférée par Enide cingle l'orgueil d'Erec comme, naguère, le coup de fouet du nain ; aussi bien, l'humiliation première présageait-elle le blâme de « récréance » ; par cette menace, le héros était averti de son destin : il ne connaîtrait pas de cesse à son désir ! La *marque* d'ignominie ne s'oublie pas ; elle contraint à s'engager toujours plus avant, sans qu'il soit possible de renoncer, ni même de s'arrêter : que l'amour apporte l'infamie, après avoir été conquis sur celle-ci, ne laisse au héros d'autre issue que de vivre, en poursuivant la gloire, un *manque* essentiel. Malheur à qui a cru pouvoir, un seul instant, s'abandonner à l'aise d'aimer (cf. v. 2438) ! A moins qu'il ne gagne, à être châtié, de savoir son malaise.

Le cas d'Yvain est plus complexe, quoiqu'il s'annoncât, au début, en des termes semblables. Déjà, au moment où Esclados le Roux était mis en terre, Chrétien relevait, dans l'âme de son héros, deux sentiments distincts, mais dont les effets se rejoignaient (cf. v. 1343 *sq.* et v. 1529 *sq.*) :

> Qu'*Amors et Honte* le retiennent (v. 1535).

S'il part, il perd son honneur et encourt les railleries de Keu, mais, s'il reste, c'est pour la Dame qu'il désire revoir. L'amour prend donc le relais de la « honte », mais aussi le pas sur elle : Yvain se soucie moins de ramener des preuves que d'obtenir la faveur de la Dame (cf. v. 1542). La *plaie d'Amour* efface le souci de l'aventure ; autrement dit, être possédé par l'amour ne conduirait-il pas à être oublieux de la chevalerie ? Du moins, Gauvain, plus tard, fait-il en ces termes la leçon à son ami :

> Comant ! seroiz vos or de çax*...
> Qui por leur fames *valent mains** (v. 2486-2488) ?

Gagner en valeur, retarder la Joie d'Amour (v. 2521), ne jamais renoncer aux Armes (« récréant », v. 2563), ces raisons contraignent absolument le héros et, quoi qu'il lui en coûte, l'arrachent à la Dame. Mais aurait-il autrement trouvé grâce auprès d'elle ? Rappelons l'argument majeur de Lunete :

> Que *mialz valut** cil qui conquist
> Vostre seignor que il ne fist (v. 1709-1710 ; cp. v. 1614-1615).

Si Laudine repousse avec une telle horreur ce mot, c'est qu'il la dévoile à elle-même et qu'il emporte sa vérité : comme la fée, la femme s'enflamme d'amour pour qui s'avère, en défiant la mort au jeu des armes, le maître :

> C'est cele qui prist
> Celui qui son seignor ocist (v. 1811-1812).

Mais le mot est défendu, pour que la chose soit permise : c'est la manière d'une femme de sauver son désir !

> Bien i pert* que vos estes fame (v. 1654) !

s'exclame Lunete. Les mises en scène ne manquent pas pour que l'abandon ressortisse à la contrainte.

Mais, dans *le Chevalier au lion,* Chrétien explore le versant opposé à celui d'*Erec et Enide.* Yvain ne poursuit pas l'expérience d'un manque dans la fortune des armes, mais dans l'infortune d'amour ; il est moins « récréant » qu'il n'est parjure. Les propos de Gauvain provoquent la séparation, non pas la crise. Pourtant, comme Erec, Yvain est coupable d'avoir mis fin à son état de désir. La Dame lui a donné, au moment de partir, un anneau merveilleux, au pouvoir symbolique, puisqu'il ne protège que l'amant qui se souvient :

> Mes essoines* ne vos atant
> *Tant con* vos sovanra de moi* (v. 2600-2601).

Le sens apparaît mieux, plus loin, dans le texte établi par Foerster :

> Mes qu'*il le port et chier le taigne*
> *Et de s'amie li sovaingne,*
> Ençois* devient plus durs que fers (v. 2607-2609, éd. Fœrster).

Ainsi verra-t-on le prodige d'un corps privé de son cœur, quoiqu'il ait gardé le souffle de vie (cf. v. 2642-2659). Yvain s'élèverait-il à la sublime hauteur de Lancelot, l'amant « pensif », trop absorbé dans son rêve intérieur pour que sa présence au monde ne soit pas faite irrémédiablement d'absence ? Il n'entend pas, plus tard, de la bouche de l'impitoyable messagère, d'autre reproche :

Yvain, molt fus or oblianz*... (v. 2748).
Car qui ainme, il est en espans* (v. 2758).

Sacrilège, il n'a su conserver, au fond de soi, comme une relique précieuse, le cœur de son amie (cf. v. 2737 et 2743) ; oublieux, il n'a pas, dans l'angoisse du souvenir, résisté au temps qui passe (cf. v. 2758-2761). Il s'est contenté des armes, comme Erec de l'amour, quand il aurait dû éprouver le tourment d'aimer, comme Erec la souffrance des combats. Dans les deux cas, c'est à l'homme qui vit de désir que s'offre la Joie d'Amour, puis elle se retire pour qu'il meure de désir.

La différence entre les deux moments tient à ce que, maintenant, il sait : s'il ne savait pas qu'il cherchait la Joie, il sait qu'il l'a perdue. Le savoir et la Joie s'excluraient-ils donc réciproquement ? Comme si le héros trouvait à son insu la Joie et qu'il la perdît pour qu'il sût ! Car, s'il avait découvert dans ce qui le comblait ce à quoi il manquait, en être privé lui apprend qu'il ne saurait — pour son malheur — se satisfaire de rien d'autre : il désire l'impossible, ce qui révèle le désir à soi-même. Le sens du récit s'inverse par là-même : orienté, dans le premier temps, vers l'objet inconnu d'une quête non consciente de sa fin, il se retourne, quand disparaît l'objet, vers le sujet lui-même, en proie à son manque. Le schéma du roman peut ainsi s'écrire :

(1) Désir ——► (objet)   (2) Ob̸jet ——► désir

la flèche indiquant la quête ; la parenthèse (de l'inconnu) et la barre (de l'interdit) cernant la vérité du sujet, toujours en défaut par rapport à son objet. Mais le désir se nuance différemment, avant et après, puisque, s'il s'inquiète d'abord de ce qu'il cherche, il s'interroge ensuite sur soi. Que se dévoile « a coi vous baés » ne dit pas encore « qui vous estes », ou plutôt en pose la question ! La Joie interdite, voici le héros aux prises avec la Loi, car l'évidence de celle-ci demeure obscure ; elle a valeur d'énigme. S'il sait l'impossible du désir, encore désire-t-il savoir pourquoi. Autrement dit, de savoir ce qu'il cherchait, pour l'avoir perdu, transforme la nature du désir. L'inconnu exigeait qu'on levât le voile sur ce qu'il recélait ; il suscitait le *désir de voir* ; l'interdit, se faisant connaître, anime une inquiétude nouvelle, le *désir de savoir*. La Loi surgit, opaque : nul qui ne s'y heurte, à son dam, comme à ce qui n'a pas de raison, mais somme d'en trouver une. Ainsi commence, dans l'intervalle d'une perte irrémédiable et d'un retour impossible, la quête proprement dite, comme une mise en question radicale de soi et l'exigence désespérée d'un sens.

On objecterait toutefois que seul Yvain commet une faute irrémissible ; Erec, en revanche, dispose lui-même de son sort et peut, semble-t-il, à son gré décider de la suite. D'autre part, s'il paraît poursuivre un but dont il préserve le secret, il n'en est pas de même d'Yvain : ce dernier perd la raison, subit l'événement et ne recherche apparemment rien. N'aurions-nous pas forgé un schéma idéal qui emprunterait au *Chevalier au lion* le sentiment de l'irréparable et à *Erec et Enide* la voie d'un questionnement ? Ces romans ne suivraient-ils pas plutôt deux directions différentes, l'une, plus fervente, qui rappellerait *le Chevalier de la charrette,* l'autre, plus exigeante, qui annoncerait le *Conte du Graal ?* Yvain, Lancelot, d'une part, Erec, Perceval, de l'autre ? Ces héros impriment, en effet, à leurs aventures respectives un style qui les distingue. Pourtant Erec obéit également à une injonction toute-puissante dont il n'est pas maître ; en témoigne d'abord sa hâte,

> Que trop me fet demorer si (v. 2664, et cf. v. 2757).

Il n'a plus le droit de s'attarder, celui qui a appris, trop tard, ce que requérait la Joie. J. Frappier[9] a montré comment, revêtant alors son armure (v. 2620-2659), Erec renaît à la chevalerie : la « symbolique » du léopard, le « symbolisme » du haubert d'argent, à jamais vierge de rouille (v. 2640-2641), traduisent l'engagement du héros de renouer avec la prouesse et garantissent, en leur miroir, la promesse d'une gloire retrouvée. Il sait ce qu'il est et ce qu'il se doit ; partant seul à l'aventure, il se renie comme fils de roi (cf. v. 2706) et s'assume comme chevalier errant :

> Sire, fet il, ne puet autre estre (v. 2715).

Il le répète au vers 2733 :

> Sire, ne puet estre autrement.

Ainsi oppose-t-il aux alarmes et aux prières l'inexorable loi : suivant l'expression cornélienne, la gloire l'en prie. Son voyage aventureux perd, peut-être, de son sens s'il n'y faut voir qu'une péripétie de son amour. Car, si Erec a, de son propre aveu (v. 4883 *sq.*), cherché dans le danger à éprouver en tous points l'amour d'Enide afin qu'ils ne doutent plus l'un de l'autre (cf. l'harmonie des sentiments, v. 1478-1496), quelle autre preuve pouvait-il encore demander après qu'Enide l'eut sauvé du comte Galoain :

> Or ot Erec que bien se prueve
> Vers lui sa feme lëaumant* (v. 3480-3481),

et qu'il eut lui-même, un peu plus loin, renoncé à son ressentiment ?

> Ele li dit ; il la menace
> Mes n'a talant* que mal li face
> Qu'*il aparçoit et *conuist bien*
> *Qu'ele l'ainme sor tote rien**
> *Et il li* tant que plus ne puet* (v. 3751-3755).

Si tel était bien son propos, pourquoi ne s'arrête-t-il pas ? A moins qu'il n'en soit pas libre ou qu'il cherche à savoir autre chose. Aussi bien, un élément nouveau est-il introduit : il n'est plus, semble-t-il, question d'imposer à Enide de se taire ou de chevaucher en tête, mais, quoi qu'il arrive, Erec refuse de dévier de sa route ou de tolérer le moindre contretemps. Sérieusement blessé au cours de son combat contre Guivret, il rejette l'offre de son nouvel ami, reprend aussitôt son chemin (v. 3911) :

Einz* ne fina de cheminer... (v. 3914).

Déclinant ensuite, en dépit de ses souffrances, l'hospitalité au camp d'Arthur, il invoque la nécessité qui le presse dans la tâche entreprise :

Ne savez mie *mon besoing**
*Ancor m'estuet** aler plus loing :
Lessiez m'aler, *car trop demor*
Assez i a encor del jor* (v. 3991-3994, et cf. v. 4082-4087, 4214-4220, 4230-4232).

Gauvain sait admirer le héros qui sacrifie le repos ou l'invitation royale à son errance (cf. v. 4097-4102). Erec incarne, avant Perceval, la figure de ce chevalier en proie à la quête ; mais s'il n'interroge plus le cœur d'Enide, qu'attend-il de sa périlleuse chevauchée ? Sans doute, à travers l'amour, est-ce plus profondément soi qui est en cause.

Plus introverti, *le Chevalier au lion* montre l'instant crucial où le héros, confronté à soi-même, ne peut soutenir la vérité. La haine qu'il se porte traduit cet état intérieur de division que la folie, peu après, consomme : s'esquivant de la cour, il se fuit en réalité, devenu brusquement étranger à soi, amnésique, parce qu'il ne veut rien savoir de soi, abêti, pour ne plus s'éveiller au désir. Ce qu'Yvain, inconsciemment, nie, apparaît aussi bien comme ce qu'Erec, avec orgueil, cherche à reconnaître : cette ligne de fracture, dessinée au cœur de soi, mais devenue apparente quand le sujet est venu se briser sur la Loi. L'image du *léopard* avec lequel Erec, en s'armant, paraît se confondre, engage la quête sur la voie du désir, comme si le héros était, de la sorte, appelé à soutenir celui-ci, à en vivre l'épreuve, à l'avérer enfin. Le voyage mérite le nom de quête parce qu'il est mis quelque chose en attente, soi. Au lieu de la merveille de l'aventure, l'énigme d'un manque ; non plus naître au désir, mais le reconnaître. Or, au moment où Yvain, sorti de sa torpeur, combat le comte Allier, le chœur d'un peuple (v. 3195-3238), qui chante sa louange, le compare au *lion* parmi les daims (v. 3199) ; ainsi n'est-il pas revenu à la conscience sans qu'elle résonne aussitôt de l'écho d'un désir qu'il ne doit plus cesser d'entendre :

Veez or* comant cil se prueve,
Veez com il se tient el ranc*, etc. (v. 3208-3209).

A travers l'identification au léopard (Erec) ou au lion (Yvain), le héros, mis en présence de ce qu'il est, se propose à soi en problème : « Qui suis-je ? » La question est sous-jacente à la quête, mais affleure quand, à l'instar d'Yvain, le héros jette comme un interdit sur son nom :

Gardez que* l'en ne m'i connoisse*.
— Sire, certes.../ Vostre non ne descoverroie (v. 3725-3727).

Préservant son incognito, il participe, aux yeux des autres, de cet inconnu qui est sujet d'étonnement et d'interrogation. Il fait parler de lui (cf. v. 4740 *sq.*), mais il s'efface jusqu'à disparaître ; étrangement, il devient lui-même l'objet d'une quête (v. 4809-4816), au cours de laquelle sont redits ses exploits. Ironie du récit, dirions-nous, interrogation à rebours qui laisse à entendre, quand d'autres partent à sa recherche, qu'il est lui-même en question : « Qui est-il ? » demande l'autre comme en écho à cette mise en suspens de soi qui se formule d'un « Qui suis-je ? ». Le récit situe lui-même, dans sa propre réflexivité, le point d'avènement d'une conscience romanesque, qui est la conscience de soi comme d'un manque.

N'est-on pas forcé, par exemple, de s'interroger sur ce que poursuit Erec, au moment où, en compagnie d'Enide, il surgit, mystérieux, devant Keu :

> Tant que par avanture avint
> Qu'Erec a l'ancontre li vint (v. 3947 - 3948),

comme autrefois, devant la reine et lui, le chevalier inconnu et sa pucelle ?

> Mes Keus pas lui ne reconut,
> Car a ses armes ne parut
> Nule veraie conuissance* :
> Tant cos* d'espees et de lance
> Avoit sor son escu eüz*
> Que toz li tainz* en ert cheüz* (v. 3951 - 3956).

Il affiche pour seul blason des armes usées par les combats ; le silence de son nom n'a d'égal que l'éloquence du désir qui l'étreint et le marque comme de stigmates. La reprise, inversée, de la situation de départ du roman fait office de révélateur. Que veut dire qu'il ne veuille se faire connaître ni s'arrêter auprès d'Arthur ? Dans ce comportement de défi, proprement insensé, quelque chose se cherche, qui intéresse l'être du héros. Celui-ci, dans l'aventure prise comme « fonction », tient maintenant la place de l'« inconnue ».

Sans doute, à l'horizon de sa démarche, la Dame se profile-t-elle toujours ; le second mouvement du récit part d'elle, mais dans la nostalgie de ce premier temps qui conduisait auprès d'elle. L'entreprise du chevalier vise donc ce qu'il ne connaît que trop ; aussi bien sa quête porte-t-elle plutôt sur la façon dont il y atteindrait : quelle condition remplir ou payer quel prix ? Pour qu'il le sache, il doit repasser sur ses propres traces et reparcourir le chemin de l'aventure. Mais cette répétition ne se conçoit que dans la différence, puisqu'elle implique l'amertume d'un savoir : la Joie qu'on cherche en le sachant est celle qui s'est révélée interdite. Ainsi, la chevauchée d'Erec en compagnie d'Enide après la crise rappelle la première, pour la conquête de l'épervier (cf. v. 747 - 748), mais s'en distingue, et certains détails le font ressortir : la jeune femme ne chemine plus à ses côtés, mais en avant de lui ; ils ne sont pas l'objet de tous les regards, ils sont partis dans la solitude ; elle n'est pas vêtue d'un pauvre chainse, mais parée de ses plus beaux atours (v. 2608 - 2609). N'est-ce pas dire qu'il y expose ce qu'il a de plus cher ; dans ce défi, il met en jeu sa Joie ; il s'en interdit la possession tranquille ; il n'y a plus droit, quoiqu'il ne tienne à rien d'autre. Ainsi le spectacle suscite-t-il la convoitise des voleurs (v. 2805), puis la concupiscence d'un comte (v. 3282 - 3283). Or, le silence imposé à Enide, et qui contredit sa présence, reflète précisément cette Loi qui contraint Erec à perdre ce qui fait sa Joie : qu'elle soit là dit assez que rien n'advient dont elle ne soit à la fois la cause et l'objet ; qu'elle doive se taire tandis qu'Erec s'absorbe dans ses pensées (cf. v. 2841 et v. 3748 - 3749) montre ce qui les sépare. Enide ne peut s'empêcher de parler parce qu'elle s'inquiète pour la vie de son seigneur ; sa parole est empreinte d'amour, mais, pour cette raison même, Erec ne peut la souffrir

(v. 3006) : l'amour l'a fait « récréant » et c'est de la bouche d'Enide qu'il l'a appris ; toute parole d'amour le renvoie à sa honte. D'ailleurs, l'avertir du danger, n'est-ce pas douter de sa valeur ? Proches l'un de l'autre, mais dans l'impossibilité de se rejoindre, l'étrange condition mise à leur chevauchée commune est faite pour le dire. Quand à force d'amour d'une part et d'exploits de l'autre elle n'est plus de rigueur, une autre exigence en prend la relève qui interdit, nous l'avons vu, au chevalier errant de perdre sur la voie de l'aventure son temps ou son chemin ! Il est remarquable que la nuit les éloigne l'un de l'autre comme, de jour, le silence : au matin de la crise, la scène était ainsi décrite :

> Cil dormi et cele veilla (v. 2475)

Le motif se répète, au premier soir de l'aventure : « cil dormi et cele veilla » (v. 3093), et chez le comte Galoain, comme le note soigneusement le conteur :

> An une chanbre recelee*
> Furent *dui lit** a terre fet
> Erec *an l'un* couchier se vet* ;
> *An l'autre* est Enyde couchiee (v. 3432 - 3435).

Mais quand de leur fait rien ne s'opposait à leur réunion, Arthur isole pourtant Erec en raison de ses blessures :

> Li rois avoit Erec molt chier,
> An un lit le fist seul couchier...
> An une chanbre par delez*,
> Enyde avoeques la reïne... (v. 4243 - 4249 *sq.*).

Au troisième jour d'épreuve, le hasard d'un cri de détresse, puis la mort du héros (cf. v. 4906) maintiennent comme une infranchissable distance entre eux : cette fois, Enide est restée seule. Ainsi, quand le héros n'est reparti que pour revenir, il n'a cessé de vivre ce retour comme impossible ; entre sa Joie et lui s'était dressée une barrière.

Dans *le Chevalier au lion,* l'aventure se creuse d'un même abîme, car la Dame, à jamais disparue, n'en est pas moins, dans la vie du souvenir, douloureusement présente :

> Et lui est molt tart* que il voie
> Des ialz* *celi* que ses cuers voit*
> *En quelque leu qu'ele onques soit* (v. 4338 - 4340).

Ici encore, une même visée, interdite, oriente l'errance du chevalier. Mais ce qu'Erec affirme, dans l'instant terrible d'une décision, Yvain, au sortir de son inconscience, est d'abord invité, comme par hasard, à en prendre connaissance ; il faut un certain temps, celui d'une prise de conscience que sollicite l'événement, pour que surgisse « le Chevalier au lion » et que sa chevauchée ait la cohérence qu'Erec avait, dès le départ, donnée à la sienne. Voici que s'offre, en effet, aux yeux du héros comme le miroir de son aventure première : la Dame de Norison rappelle la Dame de la Fontaine, comme sa suivante si dévouée au chevalier, Lunete. Mais surtout ses gens ne souhaitent-ils pas, comme naguère pour la fontaine à défendre, que pareil chevalier — un vrai lion au combat (cf. v. 3199) — épousât leur Dame et gouvernât sa terre (cf. v. 3248 - 3250) ?

Et dïent que buer* seroit nee
Cui* il avroit *s'amor* donee,
Qui si est *as armes* puissanz... (v. 3239-3241).

L'écho est cruel pour celui dont la Dame de la Fontaine eut à maudire l'amour ! Si la situation est analogue, la conclusion diffère : Yvain ne s'attarde pas un seul instant auprès de celle qui le récompensait déjà de son amour (cf. v. 3310-3336). Ainsi la relation que l'aventure établit entre la prouesse et la Joie est celle-là même dont il se sait exclu :

Mes sire Yvains *pansis* chemine
Par une parfonde gaudine* (v. 3337-3338).

Abîmé dans une pensée qui signifie le vide de toute joie, il n'a mérité qu'on l'appelât « lion » que pour éprouver l'angoisse d'être banni de sa Dame. Le récit suit aussitôt après cette double direction : Yvain se précipite au secours d'un lion dont la compagnie témoigne de la droiture de son âme, mais revient à la fontaine où il s'évanouit de douleur au souvenir de sa Dame : le lion, la Dame, ces deux figures s'équilibrent dans une certaine tension ; être lion, c'est se rendre digne de la Dame, mais, devant elle, Yvain ne peut reparaître. Aussi, comme il demande à Lunete de taire son nom (v. 3725), il prend, devant le beau-frère de Gauvain, le surnom de « Chevalier au lion » (v. 4285-4286). Erec impose le silence à Enide, Yvain, à soi : il devient un autre parce qu'il est, lui, interdit de séjour au royaume de la Dame, et pour en forcer néanmoins l'accès ; sous ce nom d'emprunt, et s'il le rend illustre (cf. v. 4614), il lui est permis d'approcher de la Dame et comme d'exister pour elle, mais aussi bien ne peut-il laisser tomber le masque ni retrouver son identité. Tel est le sens du passage où, après avoir sauvé Lunete, il est mis en présence de Laudine : à la fois si près et si loin d'elle (v. 4577-4628) ! Il est contraint d'être à jamais un autre, alors qu'il s'est fait autre pour dire qu'il n'a jamais cessé d'être le même :

Tant que me dame me pardoint*
Son mautalent et son corroz.
Lors finera* mes travauz toz (v. 4584-4586).

Le Chevalier au lion s'est mis en peine de gloire pour crier l'amour qu'Yvain doit taire ; tant de constance dans l'épreuve ne lave-t-elle pas le malheureux du reproche de déloyauté et de trahison ? Ne jamais laisser sa prouesse en repos est une façon de prouver que l'on ne cesse de penser à la Dame.

Aussi nous faut-il avancer encore d'un pas et énoncer, quand l'entreprise du héros se fonde ainsi sur l'impossible d'un retour, que s'exposer au plus grand péril constitue l'acte par lequel il se signifie à soi-même qu'il est mort à la Joie. C'est aussi bien l'acte de naissance du sujet romanesque, de celui qui s'est reconnu comme pure essence de désir. Vivre, c'est se désigner son manque : après ses exploits contre Harpin et le sénéchal et ses frères, Yvain murmure :

Dame, vos en portez la clef,
Et la serre* et l'ecrin avez
Ou ma joie est, si* nel savez.
— Atant s'an part *a grant angoisse* (v. 4626-4629).

Une différence essentielle apparaît dans l'attitude du héros, avant et après la crise. Sans doute, a-t-il pour trait principal de ne pas compter avec la vie, mais, au début, il est seulement indifférent à la mort; plus tard, il la provoque et, semble-t-il, la recherche.

Ainsi Erec pousse-t-il en avant Enide comme pour s'attirer les épreuves; il met son point d'honneur à poursuivre son chemin jusqu'aux limites de ses forces et au-delà; blessé, il repart aussitôt au-devant du danger. Cette obstination a quelque aspect suicidaire! Erec aboutit d'ailleurs à la mort, du moins tous, Enide la première, s'y trompent-ils!

> Fuiez, fuiez, veez le mort!

s'exclame-t-on plus loin (v. 4840). Il est remarquable que son voyage s'achève comme aux portes de la mort: étreignant enfin Enide entre ses bras (v. 4881-4882), il se remet en son pouvoir, comme il l'était naguère (v. 4889). L'épisode a eu lieu au château de «Limors», c'est-à-dire du Mort! L'errance aventureuse prend fin et Guivret le fidèle survient à point nommé pour que les amants retrouvent à Pointurie un bonheur sans mélange. Erec ne pouvait pas ne pas partir, il n'était pas non plus libre de s'arrêter.

> Erec s'an va, sa fame en moinne,
> *Ne set ou, mes en avanture* (v. 2762-2763).

Il ne sait qu'une chose: qu'il doit hasarder sa vie et la Joie qui en a fait le prix; il n'entend qu'une exigence: aller toujours plus loin. Mais l'itinéraire a pris place dans l'intervalle qui sépare la malédiction de la mort, comme le seul espace où se déploie une vie humaine. La mort d'Erec est présentée, dans les lamentations d'Enide, comme l'effet direct, inéluctable, de la parole porteuse de mort qu'elle se repent d'avoir prononcée:

> ...la parole ai manteüe*
> Don mes sire a mort receüe,
> La mortel parole antoschiee* (v. 4607-4609 et cf. v. 4588-4591).

Mais, fera-t-on remarquer, le ton est moins grave et ce cri: «Voici le mort!» est d'un effet plaisant; après tout, il s'agit d'une fausse mort, ce qui ressortit à la comédie. Chrétien garde son humour. Il ne verse pas pour autant dans l'insignifiance! Le sourire qui souligne l'artifice d'un récit, son contour exagéré, dégage, par là même, l'effet de sens qui en résulte: n'est-il pas piquant, par exemple, que la rencontre d'Yvain et du lion, son combat contre le serpent soient narrés sur le mode héroï-comique? Le lion en posture ridicule (v. 3345), la gueule du monstre comparée à une marmite (v. 3364), l'acharnement d'Yvain à débiter le serpent en tranches (v. 3375*sq.*), ce bout de queue du lion, sacrifié, mais au plus juste (v. 3383), les mimiques plutôt drôles du noble animal, ces traits ôtent à l'aventure son prestige fabuleux ou son aspect terrifiant, aussi bien eût-ce été de l'anecdote! Le choix moral d'Yvain, la valeur symbolique de la compagnie du lion n'en ont pas moins tout leur sérieux, c'était là l'essentiel. L'esprit est moins subjugué par le conte qu'il n'est invité à juger de sa portée; Le recul pris vis-à-vis de la fiction le met plutôt en garde de n'en pas sourire en vain! «Voici le mort», le comique d'une surprise naïve rend seulement manifeste qu'Erec, dans l'aventure, soit allé au-devant de sa mort.

Le comportement du Chevalier au lion le confirme, mais l'expérience de la mort est intériorisée et se charge d'une résonance sacrificielle; par deux fois, devant Lunete, puis la famille de Gauvain, il se déclare prêt

De *metre* an vostre delivrance
Mon cors, si con je le doi feire (v. 3720-3721).

Je *m'an metroie* volentiers
En l'aventure et *el peril* (v. 3838-3839).

L'expression implique un engagement total, presque un abandon, de soi dans l'épreuve: il n'accepte pas seulement le risque de mort; il y sacrifie, comme en offrande, son corps. Il s'offre à la mort, après qu'il a de nouveau désespéré à la vue de la fontaine:

Qui pert sa joie et son solaz*
Par son mesfet et par son tort
Molt se doit bien haïr de mort.
Haïr et ocirre se doit (v. 3536-3539).

Dans cet état morbide, il entend la plainte de Lunete et tous deux, alors, *comparent* leur détresse:

Je suis, fet ele.../ La plus dolente riens qui vive (v. 3568).

— Mes por ce ne fet mie a croire*
Que vos aiez *plus mal de* moi* (v. 3582-3583).

Or, le seigneur menacé par Harpin se lamente dans les mêmes termes:

Mialz de moi ne se doit nus plaindre
Ne duel* feire ne duel mener;
De duel devroie *forsener*...* (v. 3854-3856).

Ainsi Yvain se détache-t-il de sa douleur dans la mesure exacte où l'autre, par son malheur, y fait écho; son propre sacrifice résonne toujours d'une mort à soi-même. Il s'ouvre à l'autre pour s'être perdu lui-même et dans cette offre de soi se fait entendre son angoisse. Il ne secourt avec une telle constance l'infortune que pour se renvoyer le reflet d'une détresse sans fond, mais aussi pour y trouver comme un recours contre soi et peut-être encore dans l'espoir inavoué qu'une autre lui vienne un jour en aide. Ce n'est pas un hasard s'il définit son entreprise d'un terme qui signifie le tourment, voire le supplice: « mes travauz » (v. 4586); s'il se met à la gêne, ce mot l'indique, c'est pour que lui soit arraché par la torture l'aveu désormais interdit. Le sacrifice se conçoit comme une dette qu'il paye: à cette parole de Laudine,

Et vostre non /...nos dites,
Puis si vos en iroiz toz quites (v. 4600-4602),

il réplique:

> Toz quites, Dame ? Nel feroie ;
> *Plus doit que randre* ne porroie (v. 4604),

et se nomme alors, devant sa Dame, « le Chevalier au lion ». En chargeant le Chevalier au lion de la croix des souffrances humaines (cf. v. 5774 - 5777), Yvain ne cesse de faire retour sur soi, dans l'angoisse d'avoir été chassé du paradis de sa Joie (cf. v. 4626 - 4628) et d'expier, en cette vallée de larmes, son péché (cf. v. 4629).

Pour Erec comme pour Yvain, une aventure unique, au début, ouvrait le désir sur la jouissance ; la série des aventures suivantes le referme sur la mort. La première fois, la merveille se proposait au héros, le sollicitait ; dans le second temps, sa résolution provoque le retour en chaîne de l'aventure, sa conduite est elle-même répétitive, accumulant les épreuves jusqu'à l'épuisement, comme s'il n'avait d'autre fin que de réaliser la malédiction qui le vouait à la mort et de sceller dans la mort son être de désir. Mais l'insistance mise à s'éprouver comme désir, comme « être pour la mort », à se heurter à cette borne ou à se reconnaître dans cette impasse, semble comme une manière d'interrogation : cela a-t-il *un sens* ? Ainsi se précise l'exigence que ça veuille dire quelque chose ! Mais l'acte que pose un héros ne relève d'aucun ordre spéculatif : il ne cherche pas le sens de la mort, il fait plutôt de sa mort un sens. C'est à en mourir qu'il fait prévaloir son désir de savoir mais qu'il se met aussi en droit d'exiger la réponse. S'il est venu au savoir en mourant à la Joie, il se signifie cette mort jusqu'à en perdre la vie pour savoir. La répétition vibre de l'angoisse d'un sens ; il manque à la vérité où s'est reconnu le héros un savoir !

N'est-il pas significatif qu'au moment où se boucle dans la mort d'Erec la malédiction qui l'a jeté dans l'aventure surgisse, sur la voie du retour, l'inquiétante merveille du château de Brandigan ? Ainsi la chevauchée d'Erec prend-elle place entre le réveil du héros qui exige de sa femme de savoir la vérité et sa surprise devant un spectacle, et un nom, qui éveillent en lui le désir de savoir. Cette notion a d'ailleurs été introduite au début de ce chapitre, à l'aide précisément d'une partie de cet épisode, le Verger Enchanté. Mais la démonstration doit être reprise pour l'ensemble. Fait notable, Chrétien préserve ici le caractère proprement merveilleux de l'aventure. Celle-ci n'occupe donc pas seulement une place à part, décisive puisque ultime, elle diffère encore de nature avec le reste : la citadelle qui se dresse soudain, sise en une île (v. 5349), vraie terre d'abondance (v. 5350*sq.*), où se passent des choses étranges, est comme enveloppée de la mystérieuse présence, tout à la fois séduisante et angoissante, de l'Autre Monde ; le château a fière allure (v. 5323), mais il est « clos » de toutes parts ; il enferme un secret, comme une menace ; il sollicite les regards dont aussi bien il se préserve :

> Erec an l'esgarder s'areste,
> Por demander et por savoir... (v. 5328 - 5329).

Situation inaugurale de l'aventure, mais qu'on trouve en fin de parcours, comme s'il fallait recueillir, une dernière fois, toute la charge du désir pour que la question à venir en acquît une force irrésistible. Dans le suspens de ce regard s'est resserré le mouvement entier d'une quête. Or ce temps du récit n'a pas valeur de réitération mais de reflet ; l'épisode est en forme de miroir, non de boucle. Il offre au héros l'image de ce qui fut son drame pour qu'il y reconnaisse la figure de son destin : n'est-il pas étonnant que l'aventure qui a « la Joie » pour nom s'annonce âpre et périlleuse (v. 5384) ? Promesse faite d'incertitude. Aussi bien à ce mot de Joie Erec réagit-il en se livrant lui-même :

> Ce vois je querant (v. 5419).

« C'est là précisément ce dont je suis à la recherche. » S'il est, en ce château, un « molt mal trespas » (v. 5374), il évoque à lui seul tous ceux que le héros, en poursuivant la Joie, a traversés. Ainsi la Joie s'affirme-t-elle inséparable de la mort, et le chœur des lamentations en redit le paradoxe (v. 5461 - 5477 et 5655 - 5671) : tu demandes la Joie, elle fera ta douleur, elle causera ta honte et ta perte :

> Ceste chose est molt dolereuse
> Car dolant a fet maint prodome (v. 5562 - 5563).

> Car la Joie vanra par tans*
> Qui vos fera dolant, ce pens* (v. 5775 - 5776).

« Querre la Joie » (v. 5425) est synonyme de « mort et duel querre » (v. 5658). La Joie signifie le deuil, elle est elle-même maudite :

> Ceste Joie, Dex* la maudie (v. 5660).

Le nom propre recèle une énigme que le nom commun résoudrait aussitôt : la joie est chose connue ! Chrétien sait jouer du cristal de la langue ; quand les mots bifurquent, à l'improviste, la vérité à quelque chance de se laisser entendre :

> Joie t'a traï (v. 5656),

le temps du verbe est celui du fait accompli ; la Joie d'Amour, en effet, a livré naguère le héros à la honte ; l'expression, ramassée, est cruellement vraie. Surtout, à ce moment précis, retentit la terrible parole, autrefois proférée par Enide,

> Car tuit disoient : *mar i fus* (v. 5666).

La Joie porte en soi la malédiction et celui qui l'a par sa valeur approchée est né pour son malheur. Voici d'ailleurs, parlant à l'imagination, ce tableau saisissant où s'oppose au chant ravissant des oiseaux,

> Qui *la Joie* li presentoient,
> *La chose a coi il plus baoit* (v. 5722 - 5723),

la sinistre rangée des pieux qui lui désignent sa mort (v. 5724 *sq.*). Mais, cette fois, le héros maintient ouverte l'exigence de son désir ; comme Evrain l'invite à abandonner la partie (« a recroirre », v. 5568), il se déclare étranger à toute « récréantise » (v. 5606) ; aussi bien le péril lui agrée (v. 5399), il ignore la peur (v. 5481 et v. 5674 - 5675), il s'avance sans personne à ses côtés, car l'aventure le concerne seul, dans l'espoir de lever enfin l'énigme de la Joie :

... Molt *li est tart**
Que *il voie* et *sache* et *connoisse*
Dom* il sont tuit an tel angoisse,
An tel esfroi et an tel poinne (v. 5676-5679).

L'île du roi Evrain retentit tout entière du chant amer de la Joie et le secret qu'enferme son château n'est pour le héros que son secret. Ce qui se dit est ce qu'il a vécu, et affirme la nécessité de ce qui se présenta comme hasard, soit chance ou infortune. Cinglé en plein visage d'un coup de fouet, accusé plus tard de récréance, il ne savait ni ce qui l'attendait dans le premier cas, ni où cela le conduirait (cf. v. 2763) dans le second, mais la réponse qui se forgeait dans l'enchaînement du récit était déjà inscrite quelque part au cœur de ce qui n'est pas de ce monde : il était à la poursuite de la Joie, il s'avançait vers la mort. Dans l'effet de miroir, se manifeste ce qui à l'insu du héros se sait ; celui-ci advient au lieu où sa quête se réfléchit elle-même et se déchiffre. Quelque part il se sait que la Joie est interdite ; il y a là comme la pensée de ce sur quoi l'être du héros s'est brisé. Qu'il laisse d'ailleurs Enide derrière lui (v. 5815-5816) pour connaître ce qu'est la Joie a encore valeur de symbole. Le Savoir et la Joie s'excluent l'un l'autre ; il a perdu la Joie pour qu'il sache qu'elle doit être perdue.

Mais cela suffit-il ? Abattant la seule carte dont il dispose, mais elle est maîtresse : celle de sa propre vie, le héros engage le pari ultime que cela ait un sens, que la Loi soit fondée en raison. Il recouvrerait ainsi sa mise, mais surtout qu'il l'eût risquée trouverait justification. Or le roi Evrain ne semble-t-il pas, par sa présence, fait pour le garantir ? S'il ne s'était proposé au héros que l'aventure du Verger Enchanté, à l'image de ce que fut sa propre aventure, il aurait été simplement renvoyé à lui-même : il y aurait lu son destin. Mais *quelqu'un* d'autre est là pour attendre que le destin s'accomplisse et inscrire l'acte du héros dans une finalité : nous avons déjà dit la suite, où comme en germe s'annonce toute la dialectique des romans à venir du Graal ; le héros avait une mission : mettre fin à l'enchantement et rendre la Joie au Roi. L'énigme dont le héros a ressenti dans son être l'atteinte mortelle intéresse l'ordre du monde. Le dire sera l'office de Merlin : n'est-il pas celui qui sait que ça se sait ou qui, du moins, le garantit ?

Le château de Brandigan ne fait pas exception dans l'œuvre de Chrétien : au déclin du jour, comme au soir de l'errance aventureuse, un accueil semblable attend le Chevalier au lion, au château de Pesme Aventure (cp. *Yvain,* v. 5105, *Erec,* v. 5320). Ici comme là le héros a repris le chemin de la cour d'Arthur : c'est avant le retour l'ultime épreuve « en autre terre » ; elle vient de surcroît quand la conclusion semblait proche. A la différence des autres, elle paraît au seuil de la nuit nimbée de merveille et d'étrangeté ; l'hospitalité est assortie d'une « male coutume » ; ce lieu tombe sous le coup d'une emprise maléfique (cf. v. 5461-5463). Comme le héros approche, un même cri maudit sa venue et le dissuade d'entrer :

Mal veigniez, sire, mal veignez (v. 5109) !
Hu ! Hu ! *Maleüreus,* ou vas (v. 5125) ?

« Où vas-tu ? » Le héros veut justement le savoir. Où le conduit son entreprise ? Que lui est-il, à la fin, proposé de reconnaître ? La menace, en écho à son triste destin, attise son envie de savoir :

Mes *mes fos cuers** leanz* me tire
Si ferai ce, que mes cuers viaut* (éd. Fœrster v. 5176-5177).

L'aventure se présente aussi en miroir de la sienne et, de même qu'au départ de la quête, chez la Dame de Norison, l'exploit suivi de l'amour évoquait pour Yvain le retrait de toute Joie, la charmante scène du verger (v. 5354 *sq.*) succède au spectacle diabolique de l'ouvroir comme les délices promises au lendemain de la victoire. Est-ce à dessein que l'on s'attarde quelque peu auprès d'une beauté qui eût enflammé le dieu d'Amour lui-même (v. 5371) ou qu'on regrette de n'en dire plus sur la *plaie d'Amour* ou sur l'amour loyal (Fœrster, v. 5385-5396) ? Comme s'il fallait que le fer se retournât de nouveau dans la blessure incurable d'Yvain pour que s'avivât plus encore la douleur du souvenir (cf. v. 5740-5741). Mais, dans cet épisode comme pour la « Joie de la Cour », quoique nous en remettions l'étude à plus tard, l'angoisse d'Yvain se compense par l'avènement d'un sens ; au moment même où il se sait plus que jamais dépourvu, se dessine au travers de son acte la figure d'une providence.

Pesme Aventure, Brandigan : *le Chevalier au lion, Erec et Enide* s'achèvent où commence le *Conte du Graal*. Dans ces châteaux de l'Autre Monde, où survient, pour poser la question d'un sens, celui que la vérité pousse au désir de savoir, transparaît le château du Roi Pêcheur. Mais, avant de s'engager sur les chemins de la *senefiance,* il ne faut pas perdre de vue leur point de départ ni ce que leur parcours cherche à conjurer, voire à combler : ce vide qui dévore la subjectivité romanesque, dans l'absence ou l'interdit de la *jouissance.* Le dernier mot appartient à Yvain ; quoi qu'il en fût en effet de sa mission, ce chevalier

Sanz retor
Avoit son cuer mis en Amor* (v. 6501-6502),

et si vivre n'était pour lui que payer chèrement le prix de n'avoir pas su (cf. v. 6772 : « comparé ai mon non savoir ») être enfin, ce n'était rien d'autre que d'oublier :

Ne li sovient* de nul ennui ;
Que* *par la joie* les *oblie*
qu'il a de sa tres chiere amie (éd. Fœrster, v. 6806-6808).

CHAPITRE II

Le savoir en souffrance

Père ! Ce val...

« Réaliser le contact imperceptible de l'homme avec ce qui ne lui appartient pas, avec son inconnu » (A. Malraux, émission télévisée, octobre 1972), ce pourrait être la définition de l'art de Chrétien dans le *Conte du Graal,* et cette proximité essentielle rejaillit sur la structure du livre. J. Frappier y relevait « les énigmes, les ombres, les lacunes concertées du récit » (*Chrétien de Troyes et le mythe du Graal,* Paris, SEDES, 1972, p. 66), comme si écrire y devenait une expérience de la limite, une manière de comprendre ce qui d'origine comme au terme reste disjoint. Paradoxe déjà d'une « conjointure », au reste d'autant plus captivante que le récit s'arrête en chemin, après s'être dédoublé entre Perceval et Gauvain. La richesse s'en démontre à travers les études qui se sont succédé ces dernières années : elles divergent sans doute par les thèses qu'elles affichent mais s'emploient toutes à mettre au jour de nouvelles relations au sein de l'œuvre. Ainsi, J. Frappier a-t-il analysé le clivage entre le visible et l'au-delà de l'apparence qui structure la grande scène du Graal : « Chrétien a construit cette scène sur une opposition entre un premier plan, très apparent, fascinant même, et un arrière-plan mystérieux que Perceval n'a pas mérité d'entrevoir » (*op. cit.,* p. 115). Partant des aventures au château du Graal pour remonter dans la tradition, R. S. Loomis avait, en 1949, suivi deux directions, confirmées par la comparaison entre des textes voisins : la première ressortit à la métamorphose et au désenchantement, à travers l'hospitalité divine accordée à un mortel, et se rattache à la figure de la Souveraineté d'Irlande, ainsi qu'au motif gallois de la Terre *Gaste* et de la blessure qui rend le roi impuissant ; la seconde, à la tradition de la *faide,* de la vengeance familiale, autour des motifs de la jeune fille pleurant un mort, des funestes chevaliers rouges et du meurtre du père (*Arthurian Tradition,* p. 371 - 414). Mme Le Rider a choisi une autre voie, également féconde, celle du folklore, suivant le Conte des bons conseils dont la trame narrative relie au conseil donné un étrange spectacle au cours d'un repas, une question à poser ou à ne pas poser et le soulagement qui en résulte pour un être (*le Chevalier dans le Conte du Graal,* SEDES, 1978, p. 57)[1]. Elle rapproche en outre Perceval « le nice » du type littéraire de l'ingénu, revalorise le personnage de Gauvain et suggère, à juste titre, l'influence des vies de saints (l'incestueux saint Grégoire, le parricide saint Julien). J. Roubaud s'était d'ailleurs demandé si la généalogie des Rois Pêcheurs ne visait pas à dissimuler une relation incestueuse dont l'inceste d'Arthur avec sa demi-sœur Morgue la Fée serait le contrepoint explicite, sans parler de la situation équivoque de Gauvain auprès de Clarissant sa sœur dans le *Conte du Graal* (voir *Change,* septembre 1973, p. 228 - 247 et 348 - 365). D'autres lectures, comme celles de J. Ribard, ont encore cherché des correspondances au sein du récit entre les couleurs, les objets, les chiffres (voir *Marche romane,* 25, 1-2, 1975, p. 71-81, et l'*Anthologie thématique du Conte du Graal,* Hatier, 1976). Nous avons nous-même, dans un livre centré sur la question du père (*Blanchefleur et le saint homme,* Seuil, 1979), présenté l'épisode de la rencontre avec le Roi Pêcheur comme le miroir où se reflètent, pour le héros, ses aventures passées ; le château du Graal est le lieu où celles-ci demandent à être interrogées et interprétées, car le secret que le héros doit percer n'est autre que celui de sa propre histoire, et les objets mystérieux du Cortège cristallisent en eux l'énigme de ses errements.

Aussi bien le nom du héros est-il le chiffre de son aventure : quand le jeune Gallois enfin promu Chevalier Vermeil, mais toujours ignorant de son nom, tel le Bel Inconnu, aperçoit dans une barque sur l'eau profonde le Roi Pêcheur, au cours d'une scène qui prête aisément au symbolisme évangélique, ce dernier lui offre l'hospitalité pour la nuit et lui indique, comme passage, une brèche, une « frete », taillée dans le rocher (Lecoy, v. 3023). Par cette percée, il découvrira devant lui « en un val » (v. 3026, 3044) le manoir royal : « perceval », faut-il déjà traduire, par un jeu sur le nom que le troisième continuateur, Gerbert de Montreuil, explique en toutes lettres :

> A drois* avez non Perchevaus
> Car par vous est li vaux perchiez (éd. M. Williams, v. 5668-5669).

Mais le lecteur garde encore à l'oreille la prière que, l'instant d'avant, le héros adressait

> Au roi de gloire, le suen* *pere*
> Que il li doint* veoir sa mere (v. 2975-2976).

Or, quand la salle du château s'emplira de l'absolue clarté du Graal, l'invité oubliera l'hôte infirme qui gît à ses côtés, dans l'ombre du récit, mais dont la souffrance, en silence, le regarde, dans l'espoir d'une parole à entendre : frappé d'immobilité sous le charme de l'apparition fascinante, le héros tout à sa vision refrène la question qu'appelle le mouvement par lequel le fabuleux Cortège passe et repasse sous ses yeux, d'une chambre à l'autre. Pourtant si le roi hospitalier s'est retiré en ce « re*pere* » (v. 3515) où ses hommes peuvent chasser et lui-même pêcher, c'est qu'il fut blessé et « mahaignié », mutilé, au cours d'une bataille, par un javelot qui l'atteignit « par mi les hanches », ou « les jambes », ou « les cuisses », selon les manuscrits. Wolfram d'Eschenbach, dans *Parzival* (c. 1209-1214), est, quant à lui, explicite : « durch die Heidruose » (dans ses parties viriles, voir trad. Tonnelat, II, p. 44, et *Romania,* 1960, p. 37-43). Mais l'atroce réalité s'efface derrière la brillance du Graal, de même que le funeste pouvoir de la Lance où perle une goutte de sang comme une larme (cp. v. 3186 et 5961) le cède à la beauté plastique du vermeil sur fond de blancheur, à la façon d'une enluminure (cf. v. 4428). La beauté se fait ainsi voile de la mort. De l'« Amor » aussi bien puisque l'alliance du rouge et du blanc s'offrait déjà comme une promesse de joie sur le visage de Blanchefleur (v. 1822-1823).

> Por anbler* san* et cuer de gent,

précisait le narrateur (v. 1824). Les mots ici s'appellent réciproquement, s'aiment les uns les autres, comme la semence que sème Chrétien par son roman

(v. 7-8), en y appliquant son sens, en y mettant son cœur, à l'instar de son héros qui ouvrait ses yeux et son cœur à l'enseignement de Gornemant, son maître d'armes (v. 1463) : « embler » et « sens » s'unissent bientôt en une « sanblance », celle du sang sur la neige, c'est-à-dire une apparence enchantée, qui s'anime aussitôt de toute « la vie de la lettre » ; la vision évanescente a tôt fait de « s'embler », de s'envoler (cf. v. 8673) ; elle était couleur de « sang » et « blanche », comme Perceval, chevalier vermeil sur la plaine enneigée, comme le « sang » de la « Lance » blanche qui s'impose à la rime (v. 4177). Mais la vision qui lentement s'évide sous nos yeux a pour contrepartie les orbites creuses de la Hideuse Messagère qui surgit en pleine cour d'Arthur pour dévoiler à Perceval, à travers le rappel du fabuleux spectacle, toute l'étendue de sa faute :

Si œl* estoient com dui crot* (v. 4600).

L'aventure du Graal a donc une double face, de merveille et d'horreur, renvoyant tour à tour le héros à la joie amoureuse pressentie chez Blanchefleur à Beaurepaire et au deuil de la Veuve Dame qui pleure au début du récit ses fils morts, aux yeux crevés par les corbeaux et les corneilles (oiseaux de mort auxquels s'opposent l'oie sauvage, la « gente », v. 4152, comme Blanchefleur « la gente », v. 2931, la gracieuse, et le faucon chasseur, comme Perceval lui-même), ainsi que le père du jeune héros, lui aussi blessé jadis « par mi les jambes » (v. 434), « méhaigné » de son corps (v. 435) et emporté en litière dans un manoir retiré, à l'instar du Roi Pêcheur (v. 448-452). Ce n'est donc pas un hasard si le signifiant « pere » est audible dans le nom de Perceval, dont le héros a la révélation aussitôt après l'épisode du Roi Pêcheur. Les fils du récit se relient avec une extrême subtilité : apparemment en effet le Roi Pêcheur pâtit de la Lance qui saigne, puisque, si Perceval avait demandé la raison de ce phénomène et de la destination du Graal, l'infirme eût été guéri et sa royauté, restaurée (v. 3538-3576). Cependant, un javelot fut cause de sa blessure (v. 3498). Mais le puzzle qui nous est ainsi proposé est intentionnel : au tout début, en effet, le sauvageon qui vit dans la forêt de sa mère et lance aux quatre coins ses javelots pose au maître des chevaliers soudain apparus, qui lui semble Dieu parmi ses anges, les questions intempestives qu'il oubliera plus tard de formuler devant le Cortège du Graal. Quel est le nom de cet objet que le chevalier tient au poing ? Une lance. Faut-il comprendre, poursuit-il, qu'elle se lance comme un de ses javelots ? Non, on la tient contre soi en chargeant. Mieux vaut alors un javelot, rétorque-t-il ! (cf. v. 184-205). C'est d'ailleurs d'un jet de son javelot qu'il va, par la suite, tuer le Chevalier Vermeil, touché en plein œil (v. 1110-1115). Résumons-nous : le Roi Pêcheur a été frappé d'un javelot, comme le Chevalier Vermeil ; il a présenté au jeune Gallois le spectacle d'une Lance qui le fascine, comme, dans la *Gaste* Forêt, le Chevalier Dieu ; il a été sexuellement mutilé comme le père du héros.

Cette relecture du *Conte du Graal* suivant les fioritures de sa lettre, ces fleurs de sens qui font efflorescence, s'inscrit dans le sillage du récent livre de R. Dragonetti sur *la Vie de la lettre au Moyen Age*. Son audace nous délivre de ce qui nous retenait encore sur la pente des rythmes qui font l'ébat de la langue et dont J. Frappier avait le sûr instinct, quoiqu'il ne se le fût pas permis, lorsqu'il parlait, à propos de la richesse sonore et plastique de certains vers de Chrétien, de « l'art de l'hiéroglyphe » (*op. cit.*, p. 272). Pourquoi Chrétien de Troyes ne tirerait-il pas parti, par exemple, de son propre nom, comme l'établit R. Dragonetti ? N'est-il pas avéré que, quelques années après lui, Jean Renart, qui avait su le lire, jouait à plaisir sur le sien? Il est curieux également que l'auteur de la *Mule sans frein,* dont le prologue calque à l'évidence celui d'*Erec et Enide,* se dénomme « Paiens de Maisieres », à l'inverse du « Chrétien de Troies » : chiasme plein d'humour puisque Maisières est bien un nom de localité champenoise! Or les aventures qu'il nous raconte intéressent le seul Gauvain, mais pourraient être aisément interprétées comme une version non christianisée de celles qui attendaient Perceval au Graal (la Demoiselle à la Mule, le Château Tournoyant, le Gisant mystérieux avec la blessure dans son corps). Mais pourquoi « Chrétien », lui, se réclamerait-il orgueilleusement, sous l'homonymie, de la ville de Troie? On sait que dans *Cligès* il revendique la *translatio studii* (et *imperii*), clergie (et chevalerie) de la Grèce, puis de Rome à la France (v. 28-33). De surcroît, croyons-nous, le schéma du Bel Inconnu, d'origine celtique, a rencontré (ou a été informé par?) celui d'Enée, dans le *Roman d'Eneas* dont les descriptions amoureuses ont marqué la sensibilité courtoise des romans ultérieurs. Le tracé idéal du roman est celui du « roman nuptial » où prendre femme veut dire, tel est le ressort secret de la crise, succéder au père. *Erec* est, à cet égard, significatif. Or, comme le souligne R. Dragonetti, sur la fin du roman, Chrétien nous décrit l'œuvre d'un sculpteur breton qui représente, gravée sur les arçons d'ivoire de la selle de l'alezan offert à Enide, l'histoire d'Eneas: parti de Troie, accueilli par Didon dans la joie à Carthage, puis délaissant son amante qui en meurt et conquérant le royaume de Lombardie (v. 5289-5305). Le motif ornemental a valeur structurale, d'autant que le présent vient de Guivret le Petit et qu'Enide montée sur ce palefroi arrive aussitôt après, en compagnie du Petit Roi et d'Erec, en vue du château de Brandigan. La matière antique, comme enserrée dans la matière celtique, lui imprime son orientation et fixe son sens.

Que penser dès lors du souhait de la vieille reine, à la fin des aventures de Gauvain dans le *Conte du Graal,* de voir celui-ci épouser Clarissant dont elle est la grand-mère, comme le fit Enée de Lavinie (v. 8785-8787)? Or cette voie vraiment royale pour le héros comme pour le roman est justement interdite, puisque les deux jeunes gens sont frère et sœur (v. 8788-8799)! Il est, au reste, piquant de relever, d'après Loomis *(Arthurian Tradition,* p. 458), que le nom de Clarissant-Clariant (« clair » et « riant »? Comme les yeux du jeune Gallois à la cour d'Arthur, v. 972-973?) pourrait bien cacher une « mauvaise lecture » de celui d'Hélène, puisque dans *Lanzelet* se nomme Clarine la mère de Lancelot que le roman en prose du XIIIe siècle désigne par le nom d'Elaine, et que, dans le Didot-*Perceval,* la sœur de Gauvain qui s'éprend de Perceval s'appelle Elainne (l. 104-106). Ce qui nous renvoie au début du *Roman d'Eneas* où l'histoire d'Hélène et de Pâris, mise en exergue, sert de repoussoir à celle de Lavinie et d'Eneas, au dénouement, comme le prouve la comparaison explicite entre les deux couples (éd. Salverda de Grave, v. 4176-4179) et la subtile correspondance entre la pomme d'or aux lettres grecques du jugement de Pâris (v. 105-109) et la flèche, accompagnée d'un message d'amour, en latin, adressée par Lavinie à Eneas (v. 8807-8870). D. Poirion, qui en a fait la remarque dans son séminaire (le 21-4-1978), a, en outre, attiré l'attention sur le fait que le *Roman de Thèbes* s'achève sur le motif de « la Terre *Gaste* » (cf. éd. Raynaud de Lage, v. 6949 et 10549), par lequel débute le *Roman d'Eneas* (v. 3). Ainsi, « par la médiation de la Terre *Gaste,* met-on en rapport l'histoire d'Œdipe et l'histoire d'Hélène » (D. Poirion). Œdipe, Enée, Tristan, le Bel Inconnu, les fils se recroisent et la Terre *Gaste* sert à les nouer!

Que Gauvain ne puisse aimer la jeune fée du pays des Merveilles, telle Iblis pour Lanzelet, comme Enée le fit de Lavinie pour devenir roi, signifie que l'inceste en barre la voie. Peut-être l'ultime roman de Chrétien de Troyes ne s'achève-t-il pas, parce qu'il rencontre son impossibilité. Mais, comme toujours, il faut prêter attention à la lettre du texte : la vieille reine se trompe en supposant amoureuse l'amitié de Gauvain et de Clarissant ; elle n'en éprouvera pas moins une grande joie, mais différente, tout comme la mère du héros, quand elle saura qui il est :

> Qant ele de fi* le savra
> Qu'ele est sa suer et il ses frere*,
> S'an avra *grant joie sa mere*
> Autre que ele n'i atant (Lecoy, v. 8796-8799).

Une oreille exercée aux homonymies du *Tristan* de Thomas et du *Cligès* de Chrétien reconnaît vite sous la joie promise cette autre joie « amère », qui est d'amour. Qu'on se reporte justement au début du *Conte du Graal,* lorsque la mère du jeune Gallois évoquait la figure de son père mort, dans des termes qui appellent la représentation à venir du Roi *Méhaigné* du Graal : après la mort de ses fils aînés, l'infirme n'avait pas survécu à son chagrin,

> Del duel des filz morut *li pere*
> Et je ai vie mout *amere*
> Sofferte puis que* il fut morz (v. 479-481).

Au seuil du Graal, Perceval priait Dieu le père de le reconduire auprès de sa mère ; à l'orée des aventures, le souvenir du père revit à travers les larmes amères de la Veuve Dame. Mais ce jeu entre les signifiants transparaît à d'autres endroits : les lignages des deux parents furent, nous dit-on, célèbres dans leur pays d'origine : les Iles de mer. Il n'y eut, dit la mère à son fils, de chevalier plus redouté que son *père* dans toutes les *Iles de mer* (v. 416-417). La figure du père, portée par la parole de la mère, est comme circonvenue par l'omniprésence de celle-ci. Comment pourrait-elle en émerger, comme les tours du château de Gornemant qui semblent naître de la roche surplombant la mer (v. 1320*sq.*) ? Le prud'homme qui va octroyer l'ordre de chevalerie au jeune Gallois lui interdit désormais de se réclamer de sa mère dans ses faits et gestes ; or il s'appelle Gornemant de *Goort* (v. 1544), mais le mot qui désigne dans l'ancienne langue l'embouchure du fleuve, comme il est ici précisé, est « gort » ou « regort » (v. 1320, 1328) et, nous dit-on, une barbacane était dressée face à l'embouchure de la rivière dont les eaux affrontaient les vagues de la mer :

> Le *gort* / Qui a la *mer* se conbatoit,
> Et la mers au pié li batoit (v. 1328-1330).

(L'antécédent peut être, en effet, comme le suggère en note de sa traduction J. Ribard, ou le « gort » ou la « barbacane ».)

Ainsi une oscillation, conflictuelle ou complémentaire selon les moments, renvoie d'un terme à l'autre. Le paradoxe de l'histoire de Perceval est celui d'un héros qui ne peut répondre à son destin sans commettre, par là même, la faute qui lui en interdit l'accomplissement. Aussi bien est-il rivé au savoir qui lui échappe. La mère qui exalte les armes du père pour en refuser au fils la carrière ou qui évoque « dames et pucelles » pour lui défendre le « surplus » signifie encore par sa mort que passer outre sera, nécessairement, pécher et, comme Œdipe, s'en aveugler. L'ermite qui l'apprend plus tard à Perceval est le frère du père du Roi Pêcheur, ainsi que de la Veuve Dame : tout se déclenche sur un mot, lorsqu'il prie Dieu, devant Perceval, de prendre en pitié l'âme du pécheur. Le héros confesse aussitôt sa faute chez le Roi Pêcheur : « Pecheor », « Pescheor » (v. 6159-6160). Le nom du Roi Pêcheur, de l'oncle maternel de Perceval, lui renvoyait donc à son insu son péché, lequel, suivant l'énergique expression de l'ermite, « lui trancha la langue » devant le Cortège de la Lance et du Graal (v. 6193). Quel péché ? Celui d'avoir causé, pour devenir chevalier, la mort de sa mère (v. 6176-6186). Mais « le péché de la mort de la mère » se prête, nous le savons, avec un peu d'oreille, à bien des sens ! N'est-ce pas après tout le jeune Gallois qui confie à la trop belle endormie de la tente, en lui volant des baisers, qu'il la préfère aux chambrières de « la maison de *sa mère* », parce qu'elle n'a pas « la bouche *amère* » (à la rime, v. 725-726) ? Mais quel est « ce val » qui préfigure pour lui les syllabes de son nom ? Il y accède, avons-nous remarqué, par une percée, une « frete » dans la roche. Or, quand il rencontre sa cousine pleurant son ami décapité[2], celle-ci, en apercevant l'épée encore vierge qu'il porte à gauche, en plus de la sienne (il est donc « le chevalier aux deux épées »), l'assure qu'elle le « trahira sans faille » (sans faute) et se brisera entre ses mains. Le mot qui désigne cette fracture est le verbe « fraindre », à la forme participiale : *frete* (v. 3657) ! Le seul forgeron qui saura la réparer, si l'aventure y mène Perceval, s'appelle « Trabuchet » (v. 3665). Mais lorsque Yvain, après l'aventure de la Fontaine, poursuit jusque dans son château son ennemi mortellement blessé, deux « trabuchets » (trébuchets ou supports qui basculent, une fois heurtés) font brusquement tomber sur lui une porte coulissante et tranchante qui coupe en deux son cheval et l'arçon arrière (cf. v. 907-953) ! Celui qui a percé le val est-il exposé à pareille coupure ? La tradition nous réserve quelque surprise. Dans l'édition de Roach (p. 115), l'épée reçue chez le Roi Pêcheur se brise justement dans le combat qui oppose le héros à l'Orgueilleux de la Lande, meurtrier de l'ami de sa cousine et seigneur jaloux de la demoiselle de la tente, naguère violentée par le Gallois : la scène du pavillon comme les propos du jaloux prêtent, on le sait, à une représentation brutale de la « mêlée » sexuelle et la jeune fille, répétons-le, n'avait pas « la bouche amère »... cette bouche qu'il suffit d'abandonner pour en venir au « surplus » interdit par la mère (v. 3845-3846) ! D'autre part, l'auteur du prologue en vers d'une traduction en prose des *Vies des Pères* (à noter que Wauchier de Denain a traduit des vies de Pères, cf. Woledge/Clive, *Répertoire,* p. 125), qui s'en prend « aux romans de vanité » et conseille à Blanche de Navarre de laisser

> Cligés et Perceval
> Qui les cuers tue et met à mal,

ou, var., « Qui les cuers *perce* et trait *a val* » (c'est-à-dire conduit à la chute), accuse directement les autres dames de ce monde qui font ainsi rimer des mensonges, parce qu'elles « plus pensent *aval* qu'amont ». Il est inutile d'en dire plus. Aussi bien, dans le *Roman de Dolopathos* de Herbert (qui traduit Jean de Haute-Seille), le jeune Lucimien qui était parti chercher la science auprès du sage Virgile revient muet chez le roi son père, événement qui coïncide avec la douleur causée par la mort de sa mère, tandis qu'une trop séduisante belle-mère promet de lui rendre la parole, avant de jouer, par dépit et fureur, le rôle de la femme de Putiphar.

Mais ce retour à la Bible devrait nous faire remonter plus haut encore, au péché originel, dont Marie de France, dans le *Lai d'Yonec,* rend compte en ces termes :

Jeo crei* mut bien el Creatur
Ki nus geta de la tristur
U Adam nus mist, nostre *pere*
Par le mors* de la pumme *amere* (v. 149-150).

Toutefois, dans le *Conte du Graal,* le péché de la mort de la mère en masque un autre, car Perceval, fasciné par le Chevalier Dieu, tue sa mère de chagrin pour aller s'identifier avec le Chevalier Vermeil dont il revêtira les armes et saisira l'épée, après l'avoir abattu mort de son javelot. Il provoque la mort de sa mère pour accomplir un meurtre. Cette couleur vermeille, dont l'éclat solaire passe par la mythologie celtique, est faite pour donner présence à ce que Hölderlin, dans ses *Remarques sur Œdipe* (« 10/18 », p. 62), nomme « l'insoutenable » (das Ungeheure), cet « accouplement du Dieu-et-homme », cette fureur où la puissance et l'homme « deviennent Un ». Perceval est renvoyé, en deçà du récit où commence sa vie romanesque, au Chevalier des Iles de mer, son père « méhaigné » et mort lui aussi du deuil de ses fils, et, au-delà de sa vision de la Lance sanglante et du Graal éblouissant, au vieux roi invisible dont le Riche Pêcheur, cousin du héros, est le fils. Le vieux roi du Graal vit comme un pur esprit (v. 6210) de la seule gloire de Dieu. Mais le récit, qui ne baigne pas encore dans la lumière de la Grâce, résonne de ce cri, défi et plainte à la fois, dont est porteur le nom du formidable adversaire qui persécute Blanchefleur et dévaste sa terre : « Clamadieu des Iles » (v. 2774), ce que Loomis traduit : « Cry to God ». Sa défaite est commentée par son sénéchal dans les mêmes termes dont usait la Veuve Dame pour évoquer les malheurs qui suivirent la mort d'Uterpandragon :

Mes il meschiet* a maint prodome (v. 2778, cp. 427-428 et 432).

Ainsi Perceval, dont l'aventure est profondément marquée par l'image douloureuse de la mère, est-il appelé par le père au lieu d'une royauté toute spirituelle. Gauvain, à l'inverse, accusé, en pleine cour, du meurtre du père du roi d'Avalon, s'engage, par compensation, dans une quête de la Lance qui lui fait rejoindre le monde des morts où l'attendent les Mères, les trois femmes du Destin, en plein climat de féerie. Chrétien a donc disposé en chiasme les aventures de ses deux héros[3] : la *partie Perceval* s'ouvre avec la Veuve Dame, la *partie Gauvain* se referme sur la joie de la mère de Gauvain. Le château du Graal s'entoure d'images de deuil et de douleur, mais ouvre la perspective religieuse du salut et de la Vie ; le château des Reines se pare de tous les prestiges de la féerie mais n'échappe pas à l'emprise de la mort (la voie sans retour). Toutefois, par un effet de contraste inverse, Perceval paraît vouer au malheur le royaume du Riche Pêcheur : les terres seront dévastées, les liens symboliques entre les hommes, rompus (dames sans maris, pucelles sans pères, terres sans loi, guerres meurtrières). Gauvain en revanche semble appelé à rétablir au pays enchanté ces mêmes liens : marier, armer (adouber), hériter, c'est la Loi dans toute son extension qui doit être restaurée en ce palais maternel où elle restait en souffrance (cp. éd. Lecoy, v. 7313-7352 et 4651-4659). Mais cette opposition est à son tour incluse au sein d'une autre, plus vaste, entre un passé maudit et un avenir sous la menace, puisque, aux temps qui suivirent la mort d'Uterpandragon (l'époux d'Ygerne, la vieille reine qui accueille Gauvain), le royaume de Logres fut détruit (v. 440-447), et que, par la Lance qui saigne, dont la quête est imposée à Gauvain, ce même royaume d'Arthur sera, comme il est écrit, détruit

(v. 5962-5965). Chrétien n'ignore donc rien de « la mort Artu », et le désastre préexiste au récit comme il lui fera suite. La Lance met en même temps en relation le sort du royaume mythique et celui du royaume historique (comme la figure du Roi Pêcheur, avec le Graal, correspondait à celle du roi Arthur, avec sa coupe d'or). Elle rattache enfin l'aventure de Gauvain à celle de Perceval, en renvoyant simultanément aux deux cours dont les exigences se font ainsi reconnaître, celle du roi d'Avalon et celle du Roi Pêcheur. Il fallait, dans ces conditions, prêter plus d'attention encore aux propos initiaux de la Veuve Dame, quand elle apprenait à son fils que ses *deux* frères s'étaient rendus chacun dans deux cours royales, celle du roi d'Avalon et celle du roi Ban de Gomeret.

Pour être exact, cependant, on doit ajouter que les textes donnent les formes Eschavalon, Escavalon, Cavalon et même Carlion (Caerleon sur la rivière Usk, dans le sud du Pays de Galles) pour ce royaume que nous auréolions déjà du charme de l'île féerique d'Avalon. Peut-être est-ce à dessein ! Des trois femmes du palais des Merveilles, la seule qui ne soit pas appelée de son nom est la mère de Gauvain, Morgue la Fée précisément, qui règne dans l'île d'Avalon, dont l'ami a pour nom Guingamar et qui est la sœur d'Arthur, toutes précisions qu'on peut lire dans *Erec et Enide* (v. 1904-1908 et 4194). Dans ce roman, d'ailleurs, la mention qui suit immédiatement Avalon, dans la liste des convives et de leurs pays d'origine, est « Tintajuel » (v. 1909). Or Ygerne, la mère d'Arthur, était, avant son mariage avec Uterpandragon, la duchesse de Tintagel et, dans la suite des aventures de Gauvain, l'épisode de Tintagel (et de la Pucelle aux Petites Manches) précède celui « d'Escavalon » (et de l'aimable hôtesse du héros). Chrétien aurait-il eu l'idée de projeter sur ce nom magique la syllabe « Esch- » qui sert de trait entre le P*esch*eor qui « a*esch*oit » son hameçon (c'est-à-dire l'amorçait) d'un petit poisson (cf. R. Dragonetti, p. 134-135) et l'*esch*ace de l'*Esch*acier ? N'oublions pas les « eschas » (échecs) renversés à *Esch*avalon ! Il y a là trop de coïncidences. Elles ne sont pas isolées : A. Saly a mis, à juste titre, en regard les épisodes de Beaurepaire et d'Eschavalon. Or, celui qui accuse Gauvain de trahison et de meurtre devant Arthur au nom du roi d'Escavalon est le maître du jeune roi, Guingambresil. Mais le sénéchal de Clamadieu, auquel Perceval a d'abord affaire, se nomme Anguinguerron. Suivant J. Loth, le mot *bresil* en gallois signifie *guerre* (*Mabinogion,* II, p. 106*n*), soit aussi bien ce qu'on retrouve dans le seconde moitié d'Anguin*guerron* ! Reste le début du nom. La piste offerte par *Guinga*mar ne devrait pas être négligée, mais surtout le château d'Ygerne, « le palais des Merveilles », a nom la Roche del Ch*anpguin* (v. 8551). Autant de traits d'union entre ces épisodes, disséminés dans le secret des noms ! L'ombre de la mère hante de part en part les aventures de Gauvain, ce que Loomis, suivant une autre voie, avait parfaitement repéré (d'après le schéma de l'Hôte Chasseur, *alias* le Chevalier Vert, et celui du Tournoi entrepris sous les auspices de la fée, cf. *Arthurian Tradition,* chap. LXXII et LXXIV). On est dès lors tenté de tirer parti de la forme donnée par certains manuscrits au nom de Greoreas (v. 6872), à savoir Gregorias, Grigoras. Dans le *Conte du Graal,* Greoreas est une sinistre figure que Gauvain avait jadis forcé à manger un mois avec les chiens[4], les mains attachées dans le dos, pour avoir violé une pucelle. Mais Loomis suppose avec raison, d'après les épisodes de Bran de Lis et de la pucelle de Lis, violentée par Gauvain, dans la *Première Continuation,* que le personnage est ici chargé de la faute dont le héros portait la culpabilité. Or la *Vie de saint Grégoire* attribue à ce grand pape une étrange aventure : né d'un inceste entre frère et sœur (comme Mordred, le frère de Gauvain !), exposé sur les eaux (Œdipe, aussi bien), il devient chevalier et part délivrer une Dame assiégée par un formidable prétendant. Après quoi, il l'épouse. C'était sa mère (cf. éd. V. Luzarche, Tours, 1857). « Gregorias » ne serait donc pas une bévue !

Notons aussitôt que l'aventure à laquelle est appelé Gauvain avant que ne surgisse Guingambresil est de porter secours à la demoiselle assiégée sur une colline que domine « Montesclaire » (v. 4682). Wauchier, dans la *Seconde Continuation,* suggère que la graphie pourrait prêter au jeu de mots : le Pensif Chevalier dit à Gauvain :

> *Mout esclaire*
> Vostre proësce mon coraige* (Roach, IV, v. 30688 - 30689).

Le nom convient donc bien à la valeur exemplaire de Gauvain. Mais on remarque que la même aventure s'était présentée à Grégoire. Elle intéresse aussi, mais indirectement, Perceval, car la récompense promise à Montesclaire est le don de « l'Espee as Estranges Ranges » (v. 4688), aux étranges attaches (ou baudrier). Or, quand le Roi Pêcheur a revêtu Perceval de l'Epée au Pommeau d'Or (destinée un jour à se briser), remise par sa nièce, la jeune fille aux cheveux d'or, les deux mots qui viennent à la rime préfigurent l'Epée de Montesclaire :

> Tantost* li sires an revesti
> Celui qui leanz* ert *estranges*
> De cele *espee* par les *ranges*
> Qui valoient un grand tresor (v. 3146 - 3149).

Deux derniers indices permettent de conclure, si on souhaite ordonner la masse apparemment confuse des épisodes : l'importance du chêne sous lequel est assise une pucelle qui pleure un chevalier mort ou grièvement blessé (v. 3419 et 6312). Dans un cas, Perceval vient de sortir du château du Graal et trouve sa cousine ; dans l'autre, l'épisode de l'ermite s'est achevé, et Gauvain, de son côté, rencontre Greoreas. Comment mieux souder les deux parties et souligner, par sa place, le rôle structural de la venue chez l'ermite ? Il faut lire celle-ci en effet sur la même ligne que l'arrivée de Perceval chez le Roi Pêcheur. Enfin, au terme de ses aventures, Gauvain envoie à la cour d'Arthur un messager, un « valet », un jeune noble à son service, du mot qui désignait également Perceval au début du récit. Or il va trouver, dit la rumeur, un roi sourd et muet de chagrin (v. 8924), exactement comme Perceval naguère, survenant à la cour, avait eu devant lui un roi « pensif et muet » (v. 909). Voici donc, simplifié à l'extrême, le tableau possible des aventures du *Conte du Graal* :

Les Armes Vermeilles (Pavillon et Chevalier Rouge)	Tintagel	Greoreas, la Mauvaise Pucelle
Beaurepaire (Gornemant et Blanchefleur)	Avalon	Le Lit de la Merveille
Le Roi Pêcheur (jusqu'au retour chez Arthur)	L'Ermite	Le Gué Périlleux (Guiromelant)

Restent en attente l'affaire de Guingambresil, c'est-à-dire le retour de Gauvain à Avalon, l'aventure de l'Epée Brisée que seul Trébuchet pourrait ressouder, le retour, enfin, de Perceval auprès de Blanchefleur et chez le Roi Pêcheur (les deux moments coïncident dans le *Parzival* de Wolfram d'Eschenbach). Ce sont là en effet les annonces explicites du récit. Le reste est conjecture.

L'oiseau resplendissant

Un texte médiéval ne se lit jamais seul. Ce qu'il dérobe se laisse surprendre ailleurs. Les méandres sont aussi nécessaires aux critiques que l'errance aux chevaliers aventureux ! L'éclair de certaines connexions tient souvent à de simples noms propres : quand le « valet » gallois arrive chez le roi Arthur, la première personne à qui il s'adresse est un jeune homme qui tient un couteau à la main, faisant fonction de « valet tranchant » à la table du roi, comme c'est le cas plus tard à la table du Riche Pêcheur, avec la mention du « tailloir », du plateau où on découpe les viandes (cf. v. 914 et V. 3272-3277). Son nom : Ionez ou Yonez[5]. Son rôle n'est pas négligeable puisqu'il va suivre Perceval dans son combat avec le Chevalier Vermeil et apprendre au héros comment revêtir les armes du mort. Puis il rapporte les nouvelles à la cour d'Arthur. A notre surprise, il réapparaît plus loin dans le récit comme écuyer de Gauvain au moment de la chasse à la biche blanche. La forme de son nom a légèrement varié : Yvonet (v. 5608). Le personnage intervient donc à deux moments riches en valeur symbolique : les armes rouges, la biche blanche (sur ce motif, voir J. Frappier, *op. cit.*, p. 224-225 et *supra,* la chasse au Blanc Cerf). Nous avons déjà appris à marier ces couleurs. De surcroît, ici, le rouge se rattache au geste meurtrier de Perceval, le blanc promet à Gauvain la Joie amoureuse en Avalon. Le nom d'Yonet / Yvonet peut-il nous en apprendre plus ?

Le *lai* de Marie de France couramment désigné par le nom d'*Yonec* a pour titre, dans le manuscrit H, *Ywenet,* avec, aux vers 6 et 9, les formes *Iwenec / Yvvenec* ; on lit, dans le manuscrit Q, *Yonet* et *Ivonet* (voir éd. Rychner, p. 265). Selon A. Ewert, il s'agit du diminutif breton de *Iwon, Iwein* (gallois *Owen*), dérivant du vieux celtique *Esugenus,* le descendant d'Esus, dieu du tonnerre. Chez Marie de France, l'histoire commence par l'aventure du père d'Yonec, Muldumarec. Elle est bien connue des folkloristes, à travers *l'Oiseau bleu* de Mme d'Aulnoy ou le conte russe du *Faucon resplendissant* (voir P. Delarue, *le Conte populaire français,* t. II, p. 112-113, conte-type 432), ainsi que des celtisants par l'histoire de la fille de Cormac, roi d'Ulster, tenue à l'écart de la cour et visitée par un oiseau dont elle aura un fils, le futur roi Conaire (voir la *Destruction de l'Hôtel de Da Derga*). Un autre *lai* de Marie, *Milun,* raconte aussi l'aventure d'un chevalier au cygne dont l'amante donnera naissance à un fils surnommé « Sans Per » (« l'incomparable », mais aussi celui qui doit un jour partir à la recherche de son père et qui l'affrontera aux armes dans un tournoi). Scénario semblable à celui du Bel Inconnu, le fils de Gauvain et de la Pucelle de Lis, dans la *Première Continuation* (Roach, I, v. 13605 *sq.*), qui se mesure un jour avec son père dans un terrible combat (*ibid.,* v. 13865 *sq.*). Le *Conte du Graal* de Chrétien paraît ainsi environné de récits où est mis en relief ce lien meurtrier du fils au père et où la chevauchée à l'aventure est hantée par le désir de reconnaître la figure de ce dernier :

Saveir voil l'estre de mun pere,

s'écrie le jeune homme dans *Milun* (v. 461) : « Je veux savoir ce qu'il en est de mon père ! » Les noms de *Yonech,* de *Mildemerech,* du *Numper* et de *Milun* correspondent d'ailleurs chacun à des *lais* dans une liste qui en fut dressée au XIIIe siècle. Les récits en sont localisés dans le district de Gwent, au sud du pays de Galles, près des villes de Caerwent et Caerleon : à Carlion, rappelons-le, où Perceval va réintégrer la cour d'Arthur, après avoir rêvé sur la blessure qu'un faucon infligea à une oie sauvage. Le vieux nom gallois de la rivière Rhymney, non loin de là, était « afon Alarch », la « rivière aux cygnes » (cf. C. Bullock-Davies, « The Love-Messenger in Milun », *Nottingham Mediaeval Studies,* 16, 1972, p. 20-27). Ici commence l'histoire de l'enfant merveilleux.

Marie de France intitule en effet le lai d'*Yonec,* d'après le nom du fils, quoique le plus clair du récit soit consacré aux amours de sa mère. Mais c'est en quoi le destin d'Yonec intéresse celui de Perceval. Le récit unit deux thèmes : la venue d'un Chevalier Oiseau auprès d'une femme emprisonnée, le voyage de mortels vers l'Autre Monde. Le choix du nom que portera l'enfant à naître correspond exactement à la ligne de démarcation entre les deux parties (v. 328-332). Chacune de celles-ci est formée d'un contraste : entre la joie des amants et le piège mortel tendu à l'oiseau, d'une part (v. 11-224 ; 225-332), et, d'autre part, entre l'équipée solitaire de la jeune femme à travers le monde souterrain jusqu'au château désert ou la ville morte de son amant et le trajet de Caerwent à Caerleon, villes voisines, entrepris à l'occasion d'une fête de saint, par le mari avec la mère et l'enfant (v. 333-458 ; 459-554). En route, ils s'égarent du côté d'une étrange ville fortifiée dont l'abbaye garde la tombe du père fabuleux d'Yonec. Apprenant les faits, le héros tranche aussitôt la tête de son parâtre et devient le seigneur du château magnifique. Le second thème, le voyage vers l'Autre Monde, se combine donc avec celui du fils qui venge le meurtre de son père. Ainsi, les deux questions laissées dans l'ombre par Chrétien dans le *Conte du Graal,* à savoir la naissance du fils et la vengeance du père, sont abordées dans le conte de cet Yonec /Yonet qui se tient auprès d'un Perceval meurtrier et d'un Gauvain chéri des fées.

Le récit de Marie est, à son habitude, très travaillé et, artistiquement, très réussi : les motifs se répondent finement. Au lit de la joie amoureuse s'oppose le lit aux draps ensanglantés (de l'adultère dévoilé, sur le modèle célèbre du *Tristan*), avec comme décor la fenêtre de la tour ouverte sur le rêve ; puis le lit de la merveille (aux montants d'or pur, « li pecol », v. 388, cp. *Conte du Graal,* v. 7450), où repose le chevalier gisant ; la tombe enfin, le lit de la mort, qui appelle vengeance. Avec pour décor la ville enchantée. Sans doute l'histoire débute-t-elle par le motif de la mal mariée surveillée dans sa tour par un vieillard jaloux, mais il s'y ajoute celui du couple stérile qui sept années plus tard n'a toujours pas d'enfant. D'où le souhait de l'épouse, exaucé par Dieu (*Eracle* ou « Dieudonné », *Désiré,* le bien nommé) ou par le diable (*Robert le Diable* et, avant lui, *Merlin*), voire par un être féerique (*Tydorel,* fils de l'Ondin, *Yonec,* fils de l'autour). Marie de France a su montrer tout ce que l'apparition de l'oiseau doit au plus profond désir d'une femme. L'autour n'est en effet rien d'autre, dans son texte, que la figure d'un rêve : c'est à force de plaintes que l'épouse a su l'évoquer d'entre les ombres où il attendait (cf. v. 127-134), c'est à force de le regarder qu'elle provoque sa métamorphose en gentil chevalier (cf. v. 112-116). Son désir, d'ailleurs, par une subtile mise en abyme du *lai,* s'était nourri du récit de ces contes suivant lesquels jadis les chevaliers « pensifs » trouvaient pucelles à leur gré et les dames gardaient près d'elles des amants invisibles (v. 91-100). Mais le décor, le jeu de la lumière et de l'ombre créent la profondeur inconsciente du texte : à son réveil, derrière le voile de ses larmes, la Dame entrevoit « la clarté du soleil » (v. 62), pour aussitôt maudire celui qui fait écran à ses rêves, ce jaloux tyrannique qui semble tout droit sorti « du fleuve infernal » (v. 88), tant sa vieillesse défie la mort ! Entre l'éclat du soleil et la ténèbre de l'Enfer, survient alors un grand oiseau : il vient du ciel, mais c'est son ombre que perçoit d'abord la Dame (cp. v. 106 et 62). Saisie d'un trouble, elle redoute que cette magie soit diabolique : aussi faut-il que le bel oiseau métamorphosé s'offre à recevoir la communion. La présence céleste côtoie les souterrains infernaux. Le désir de la femme a pris forme entre le Ciel et l'Enfer, dont c'est là le mariage. Mais d'étranges échanges vont s'accomplir entre la féerie et la dévotion : même si le mystère vous reste obscur,

Si li segrei vus sunt oscur (v. 123),

avertit l'oiseau, bannissez toute crainte ! Ces grands secrets ne sont pas loin de préfigurer ceux du Graal, « toz les segrez » et « totes les repostailles » (les choses cachées) qu'évoque Chrétien dans son prologue (v. 34-35). La scène prend vite couleur religieuse, entre l'allusion explicite à la pomme amère où Adam imprima ses dents et celle voilée au mystère de l'Incarnation, l'« ombre » de l'oiseau n'étant pas sans évoquer l'*obumbrabit tibi* de l'Annonciation, selon saint Luc, 1, 35. La preuve en est que le *Credo* de l'autour sera suivi de la communion. Mais qui reçoit le *Corpus Domini* des mains du chapelain (v. 186) ? Le chevalier merveilleux sans doute, à ceci près que, pour garder le secret, il a pris la « semblance » de la Dame (v. 161). Après quoi tous deux « gisent » ensemble, et l'ingestion du *Corpus Domini* n'aura donc pas manqué d'être suivie par la conception d'un enfant merveilleux (à l'instar de Conchobar, le roi d'Irlande, né la même nuit que Jésus, après que sa mère, le femme du druide, eut avalé avec de l'eau du fleuve Conchobar deux vers). Nous ne sommes plus loin de « Corbénic » !

Après la tragédie qui succède à cette joie, lorsque, sur le modèle des faux tranchantes de l'histoire de Tristan (cf. Eilhart), des broches de fer aux pointes acérées mises à la fenêtre par le mari blessent mortellement l'oiseau à sa venue, la Dame, « nue en sa chemise », sautant par la fenêtre, parvient à rejoindre le divin amant, grâce aux traces de sang sur le chemin (blancheur et vermeil, toujours !). Elle passe par l'intérieur d'une « hoge », une colline, dans la plus complète obscurité. On sait que, pour les Celtes, les tertres (*Sidhe*) sont habités par les dieux de l'Autre Monde (cp. le *lai d'Orfeo,* avec son passage souterrain et ses habitants endormis). Les motifs féeriques prolifèrent aussitôt : la riche prairie, la ville somptueuse et déserte, ceinte de marais et de forêts, les trois chambres avec les trois dormants, le lit de la merveille, le deuil immense qu'on mène au château (cp. *Première Continuation* et *Roman de Jaufre*), les objets magiques rapportés de l'Autre Monde : l'anneau de l'oubli et l'épée promise au fils du dieu. La prodigieuse mise en scène funèbre autour du roi gisant réunit à la fois les merveilles du Graal et celles du palais des Reines. Mais, de même que la première apparition de l'autour oscillait entre la féerie et la religion (pomme du péché et *Corpus Domini* !), la découverte du gisant a deux versants : fabuleux, avec le palais des Merveilles, religieux, avec la tombe de la sainte abbaye. Le parallélisme est remarquable : il a fallu pénétrer jusqu'à la tombe comme jusqu'à la chambre; autour du lit se tiennent les chandeliers d'or; un deuil intense se fait entendre; la Dame s'évanouit sur la tombe (elle meurt, v. 540), comme sur le lit (v. 396). Ce sont là des « muances » du même monde enchanté. D'ailleurs, les voyageurs se sont perdus sur un trajet d'une dizaine de kilomètres !

Yonec entre enfin véritablement en scène. Il est clair qu'il avait deux pères, comme Hêraklès et Jésus, le père réel ou légal et l'Autre, celui auquel était rivé le désir de la mère[6]. C'est au nom de cet Autre qu'il reçoit de sa mère l'épée avec laquelle il décapite le « parâtre » (v. 544-545) avant d'accéder à son tour à la royauté. Mais Perceval, lui, ne suit pas une destinée aussi rectiligne : le roman approfondit plutôt une ligne de fracture dont se ressent l'être du héros. Le Coup Douloureux doit aussi le traverser, au même titre qu'il emporte avec lui une épée qui s'est brisée. Mais Perceval ne sait pas qu'il *doit* une mort à Dieu. Relevons simplement que, dans le roman gallois de *Peredur* qui connaît l'œuvre de Chrétien et des continuateurs, tout en puisant à un fonds propre, le héros a reçu d'une reine la pierre d'invisibilité ou d'invulnérabilité (cp. Persée) qui lui permet de tuer la Bête fabuleuse, l'« *Addanc* » (figure également de la vieille femme ?), mais la pierre qui exauce tous les désirs, contenue dans la queue du serpent du Mont Douloureux, que désignait à sa prouesse le Borgne terrifiant, son hôte, et pour laquelle sont prêts à s'entre-tuer les chevaliers rassemblés près d'un Château Orgueilleux, il en fait don à un jeune homme monté sur un cheval rouge et couvert d'une armure rouge, devenu brusquement son compagnon : Etlym à l'épée rouge, la figure de son double.

« La conscience à son apogée, écrit Hölderlin (*op. cit.*, p. 73), se compare toujours à des objets qui n'ont pas de conscience mais qui accueillent dans leur partage la forme de la conscience. Un tel objet, voilà ce qu'est un pays devenu désert, qui dans l'exubérance originelle de sa fécondité amplifie excessivement les effets de la lumière solaire et, dès lors, devient aride. ».

Le mythe des coupes d'or

Aucune « senefiance » religieuse du Graal et de la Lance — la vie en Dieu selon la charité, la souffrance rédemptrice du fils de Dieu — ne saurait faire oublier l'étrange difficulté qu'éprouve tout chevalier à vivre le bonheur sans mélange que dispensent les fées, et qui frappe encore d'interdit le *fin amant* devant sa Dame. Aussi bien la question de la vérité inscrite au cœur de la littérature du Graal, dans le désir de savoir, prend-elle justement son origine de cette malédiction attachée au rêve humain et de l'inquiétude tenace qui sourd de la Joie la plus pure, la Joie d'Amour. Que l'auteur de l'*Elucidation* ait imaginé, fût-ce avec maladresse[7], un conte de fées au principe de la Quête du Graal, le confirme d'autant mieux qu'il écrit après les continuateurs, alors que s'est imposée, grâce à Robert de Boron, l'interprétation chrétienne des objets merveilleux. Qu'on le veuille ou non, les pucelles « faées » ont partie liée avec l'histoire du Graal et l'acharnement mis plus tard à dénoncer le maléfice de leurs enchantements trahit plutôt l'effort pour exorciser une origine par trop impure. Mais cette « impureté » constitue le fond énigmatique de toute recherche du Graal et, refoulée, elle inquiète d'autant plus qu'elle échappe désormais aux questions.

Suivant le mythe de l'*Elucidation,* jadis au royaume de Logres des fées gardaient les *puits,* sources jaillissantes près de la cour du riche Roi Pêcheur. Elles festoyaient le voyageur qui passait par là de tous les mets qu'il désirait. L'*Elucidation* retient donc la mémoire sur la pente de l'oubli religieux et rappelle que l'histoire du Graal débuta par des contes de fées ! Elle s'inspire, au reste, de la *Première Continuation* dont le merveilleux résiste davantage à la christianisation :

> Quant li bons chevaliers venra
> Qui le court par trois fois trova,
> Adonques m'orrés* vous conter
> Point a point, sans rien deviser*,
> *La verté dont li pui servoient*,*
> De coi li chevalier estoient[8],
> *Et del Graal por coi servoit*,*
> Et de la lance ki sainnoit
> Vos dirai toute la maniere,
> Et pour coi estoit en la biere
> L'espee, tout le vos dirai,
> Que jou ja rien n'i laisserai*.
> Le duel*, l'esvanuïscement,
> Tout ferai savoir a la gent
> Qui n'en oïrent ains parler (Hilka, v. 323-337).

Ainsi la vérité sur la coutume des puits magiques et la coupe d'or des pucelles préoccupe-t-elle autant que le service assuré par le Graal. Le lien thématique se fait d'ailleurs discrètement par l'allusion commune à cette profusion jaillie du Graal comme des coupes d'or pour rassasier l'étranger (cp. *Première Continuation,* v. 13278-13298, et *Elucidation,* v. 303-314). Ce texte, incertain et jugé malhabile, ne manque pourtant pas de cohérence. Pour s'en convaincre, il suffit d'y regarder encore de plus près.

La puissance de ce mythe ne vient pas seulement de ce qu'il transfigure le royaume de Logres en un Eden jadis existant, véritable pays de cocagne par la grâce des demoiselles des puits et, comme tel, sans histoire ; éclairé et comblé par la splendeur inouïe de la cour du « Rice Pescheour » (v. 100*sq.*) qui y avait élu demeure : une terre des hommes, on le voit, habitée en permanence par le surnaturel, avant qu'il n'en soit exilé. Mais le point vif du mythe tient tout entier à ce que la rencontre de l'homme et de son destin de mort, de son faix de malédiction, soit due à l'intrusion d'une violence sexuelle (le viol des fées par le roi Amangon et par ses vassaux, et le vol de leurs coupes d'or). Car, de l'assouvissement recherché jadis au bord des puits, il n'est parlé qu'en termes de festoiement et d'abondance de mets : les fées sont nourricières, mais non pas amoureuses, et, si la terre est inépuisablement féconde, ce n'est pas de sexe qu'il s'agit. Autrement s'ouvre la voie sans fin du malheur, mais aussi du récit, car leurs cours ne se distinguent pas, et la terre mystérieusement asséchée, soudain aride, se transforme pour les hommes en leur vallée de larmes. Aussi bien est-ce leur grandeur qu'ils arrachent à cette malédiction, car, après le roi Amangon, identique peut-être au cruel roi du Chastel Mortel, le frère précisément du Roi Pêcheur (cf. *Perlesvaus,* l. 176-180, et Loomis, *Arthurian Tradition,* p. 246), vient le roi Arthur, et sa cour conquiert sa gloire sur les aventures que déchaîna l'acte fatal originel, avant de la devoir à l'absolu d'une quête de la vérité. Quand les pairs de la Table Ronde, nous dit le prologue, apprirent le préjudice causé aux pucelles, ils voulurent restaurer la coutume des puits. En vain, puisque rien ne leur répondit que le silence. Pourtant, à défaut des pucelles aux coupes d'or et comme à leur place, ils trouvèrent les pucelles des forêts aventureuses (cf. v. 145 *sq.*) et leurs gardes merveilleux, descendants des premières, violées. La brutalité d'Amangon fit surgir la série des personnages funestes qui, de Mabon(agrain) à Madoc, ont barré la voie aux héros arthuriens.

Ainsi la fée n'apparaît-elle plus en un havre de paix pour étancher la soif et rassasier la faim du voyageur ; elle suscite le désir, provoque le duel ; elle est devenue l'enjeu sexuel d'une lutte par les armes :

> Ensamble a (c)eus se combatoient
> Qui les lor voloient *tolir** ;
> Maint chevalier fisent morir.
> *Por les puceles,* ce m'est vis,
> *Ot * mainte batalle el païs* (v. 152-156).

Ce changement définit la naissance de l'aventure, avec son cortège de pucelles chevauchant mystérieusement par la forêt (cf. v. 174-175 et 184-185) et de preux errants en quête de prouesses. Le paradis enfui, s'ouvre l'espace du désir propre au roman arthurien, jusqu'au jour où il est question de la cour du Roi Pêcheur, par le truchement d'un chevalier de l'Autre Monde — merveilleux conteur de surcroît —, pour offrir à la chevalerie oublieuse de ses peines du jour ses véritables Mille et Une Nuits !

> Et cil* lor savoit tant conter,
> Et moult volentiers l'escoutoient,
> Et par maintes nuis en velloient
> Les pucieles, li chevalier,
> Por lui oïr et encierkier* (v. 178-182).

Il n'est pas étonnant qu'on se soit pris à rêver autour de l'étrange Blihos Bliheris, alias « Maistre Blihis ». Mais pourquoi scruter sans fin une réalité incertaine, quand la confusion sublime du surréel et de l'art est faite pour exalter une activité qui se découvre d'essence et d'origine féeriques. Le conte est un don de l'Autre Monde, il est partie prenante d'un monde irréductible au réel. Quand le fabulateur s'incorpore à son propre récit pour n'être plus que le messager des fées et comme la création de sa propre fable[9], l'art conquiert son autonomie sur le monde lui-même et, si, l'instant d'une illusion, il défie toute prise, il n'en rend que mieux l'homme à son imaginaire. Le conteur appartient en vérité seulement au monde auquel il donne forme et le moment choisi par lui pour entrer en scène comme autre à soi-même, sous les traits de Blihos Bliheris, coïncide avec la révélation décisive de l'existence du Riche Pêcheur. Faut-il voir là encore une valeur de symbole ? Si le divin conteur apporte aux hommes la voix éteinte des fées, il entend moins qu'ils partent à leur vaine recherche qu'ils ne s'interrogent plutôt sur cet irrémédiable : quand la quête du Graal prend le relais de la quête des pucelles aux coupes d'or, cette substitution tire son sens du souvenir qu'elle emporte d'une blessure irréparable. De ce glissement date vraiment l'acte de naissance du roman, enfin sorti des limbes, ignorés de nous, des contes simples d'aventures. Evoquant le méfait d'Amangon, Bliheris le commente ainsi :

Ja li damages ne sera
Recovrés a nul jor del monde (v. 192-193).

Pourtant la chevalerie poursuivra son errance par les forêts et les contrées,

Tant ke Deus lor donra trover
La court dont la joie venra
Dont cis païs resplendira (v. 206-208).

La Joie dont la merveille est ainsi attendue n'oublie pas le malheur qui fonda sa recherche. Le service du Graal rappelle le service des coupes d'or, comme la renaissance ultime, le jaillissement primitif : en d'autres termes, ce qui fut perdu demeure dans ce qui est retrouvé comme ce qui continue de le hanter. Ce qui revient n'est pas le même, car rien n'efface la différence pure qui tient à l'antériorité : dans le temps se désigne la structure de l'absence. Il ne s'agit plus, comme le voulurent d'abord les pairs de la Table Ronde, de restaurer le royaume des fées, mais d'aller chercher à la cour du Riche Pêcheur la vérité des puits et du Graal et d'y découvrir la raison d'un spectacle de deuil et d'affliction (cf. v. 335). La vérité qui se représente dans le Graal est la trace douloureuse qui seule subsiste du passage des fées. Le raccourci audacieux de l'*Elucidation* est simplement fidèle à l'histoire du roman arthurien quand il devient le roman du Graal. Sans doute le secret du Graal n'est-il pas pour autant levé, mais l'on soupçonne à quoi il a trait et, dans la partie qui se joue au regard du savoir, on n'en méconnaît plus la mise : ces coupes d'or chargées des plus vieux rêves et auxquelles il a fallu pour toujours renoncer. Que l'on ne s'y trompe pas ! la Joie promise en échange de l'errance anxieuse de savoir, et qui semble la résurgence de temps révolus (cf. v. 383*sq.*), n'instaure cependant pas un monde irénique : le Graal enfin trouvé, réapparaissent les ennemis mortels de la Table Ronde et d'Arthur,

Cil ki erent* des puis issus (v. 403),

comme si les puits suscitaient d'interminables guerres au roi Arthur et que celui-ci eût pour gloire de n'en pas finir de payer la dette immémoriale. L'*Elucidation* devrait ainsi permettre de relire dans sa cohérence la *Première Continuation*. Quoi qu'il en soit, la suite le montrera, le dernier mot de la grande aventure de la vérité n'est pas la paix, mais, pis que la guerre, la mort.

L'intérêt de ce prologue trompeur tient donc tout autant à la place qui lui est assignée qu'à son affabulation propre : non seulement la création romanesque s'ouvre par un récit mythique, mais elle s'invente une origine fabuleuse. Le mythe est donc doublement mais tout aussi fictivement supposé au roman. Cette fausse priorité serait une manière d'avouer la nécessité qui contraint le roman, au terme de son élaboration, à retrouver le mythe : projection chronologique d'une exigence logique. Mais celui-ci, forgé dans l'écrit et à travers lui, acquiert une valeur différente de celle que lui attribue l'anthropologie chez les peuples sans écriture : il ne compose plus, au titre d'une opération logique (menée à partir des données empiriques) un savoir du réel ; il se ressent de l'obsession propre à la littérature d'interroger plutôt le réel de ce savoir. C'est au regard de l'activité d'écrire comme interpellation de la vérité qu'il prend désormais fonction, et non pas d'un équilibre à concevoir du corps social.

Il ne s'agit cependant pas, avec le Roi Pêcheur et les fées des puits, d'un simple « mythe » littéraire, qui ressortirait d'ailleurs à strictement parler à l'allégorie[10], comme l'Elysée où Julie signifie la passion renoncée ou la tour de Fabrice où se révèle enfin que l'âme ne se déchiffre que d'un ailleurs qui lui fait signe. Ces récits arthuriens drainent, en effet, les richesses de mythes remaniés qui imposent leur cohérence à l'imagination créatrice : l'*Elucidation,* confrontée avec le *Conte du Graal* qu'elle sert à introduire, emprunte peut-être à des traditions distinctes, mais les éléments combinés forment un système d'opposition qui ne doit rien au hasard et témoigne du même type de logique à l'œuvre dans la réflexion mythique. Il serait, à vrai dire, tentant de reprendre ici la méthode définie par C. Lévi-Strauss pour en traiter, comme il l'a d'ailleurs lui-même illustrée dans sa leçon inaugurale au Collège de France[11], en comparant les schémas d'Œdipe et de Perceval à ceux de mythes iroquois et algonkins. La formule selon laquelle « Perceval apparaît comme un Œdipe inversé » (p. 34) s'autorise des corrélations établies entre une situation de parole, fautive (la solution ou le suspens de l'énigme), une relation sexuelle, compromise (abusive : l'inceste ; lacunaire : la chasteté), et un rythme saisonnier rompu (l'été et la peste ; l'hiver et le pays « gaste »). La pensée mythique imagine deux positions extrêmes pour effectuer, en exprimant une vérité négative, c.à-d. en les démontrant intenables, un repérage correct du désir au regard de la jouissance : le pas que franchit Œdipe, pour son malheur, en résolvant l'énigme (soit : son mariage incestueux), est autant coupable que la réserve sexuelle et verbale à laquelle Perceval est tenu. Une autre voie est ici explorée, non dans l'excès, mais dans le défaut. Rien, on le voit, ne s'affirme de l'échange sexuel sinon pour nier ce qu'il ne peut être. Là réside sa difficulté propre : on ne l'aborde qu'au travers de ce qu'il n'est pas, quoique là justement se reconnaisse ce qui destine l'homme, l'ignorance d'Œdipe à l'ombre de Jocaste, la stupeur de Perceval, averti, mais en vain, par la Veuve Dame.

Or l'*Elucidation* permet de serrer de plus près cet espace maudit où se complaît tout homme dont le vœu serait de n'en rien savoir de plus : les coupes d'or dispensent à profusion la nourriture au voyageur affamé, apprend-on dès les premiers vers du prologue ; la satiété où rien ne manque au corps représente la plénitude du bonheur édénique. Mais la sexualité qui entre en jeu pour que l'histoire commence s'introduit d'emblée comme transgression criminelle : le roi Amangon « enfreint » la coutume (v. 63) et force les pucelles, dans son avidité à s'emparer des coupes. L'ordre sexuel est ainsi seulement désigné par son propre excès, comme disjoignant le corps de sa satisfaction dans l'acte même de la possession. Le corps, au même titre que le royaume, se révèle, après cette violence, « déserté » par la félicité originelle. Du fait de l'intrusion sexuelle, la jouissance dont la métaphore du corps comblé de nourriture porte le rêve se dénonce, à l'inverse, comme le propre malaise du corps, tout ensemble défaillante et coupable (ce que, seule, la voie du désir — l'errance — permettra de reconnaître). Dans le *Conte du Graal,* Perceval, brutalisant l'infortunée pucelle de la tente, ne s'est jamais contenté que des pâtés selon le leurre de sa jouissance, d'autant plus sensible ! Moyennant quoi, pour ce qu'il en est de savoir, il en restera sur sa faim ! L'abondance promise par les coupes d'or ne prend de sens qu'au regard du crime sexuel, qui la détourne à son profit mais provoque l'effet contraire. Dans ces mets confectionnés pour les voyageurs « trestout a lor volenté » (v. 57), un simple glissement de sens laisse prévoir le geste profanateur de celui qui fera sa volonté des pucelles. La malédiction qui pèse sur l'histoire humaine est tout entière rassemblée dans cette tension d'un récit qui n'évoque le corps assouvi que pour naître à la cruauté. Or le début du prologue se développe selon deux séries parallèles qui entrent en un rapport d'homologie : après le rappel de la destruction de Logres et l'annonce du thème de la « terre déserte » (v. 26-31), on fait retour au temps jadis, à la merveille des pucelles des puits et de leurs coupes d'or (v. 32-62). Le récit repart alors sur de nouveaux frais, expliquant par la violence d'Amangon le malheur survenu dans le pays « gaste » (v. 63-98), mais substituant, dans la reprise de la description paradisiaque, la féerie du Roi Pêcheur aux demoiselles enchantées (v. 99-115). Les deux temps se superposent exactement, sans qu'il y ait de rapport explicite entre les fées et le Riche Pêcheur. Celui-ci, toutefois, s'y connaît en magie (v. 221) et sa cour remplit la même fonction que les puis féeriques : une fois trouvée, elle répand l'abondance dans la contrée. En outre, le récit implique un lien de conséquence : la cour disparaît comme les pucelles, après l'outrage que celles-ci subirent. Enfin, on l'a vu, Blihos Blihéris associe, plus loin, la vérité des puits à celle du Graal. Il apparaît d'ailleurs qu'il s'agit, dans les deux cas, du service d'un repas dont s'émerveille l'étranger et qui relève, la seconde fois, de la simple vertu du Graal (mentionné aussitôt après les coupes d'or et d'argent, v. 302-303), tandis que, dans la première, les coupes d'or semblent seulement symboliser le pouvoir nourricier des pucelles. Le rapprochement des deux séries met en évidence une place inoccupée dans le schéma :

Service des coupes d'or	service du Graal
abus sexuel (viol)	?

Mais le *Conte du Graal* désigne dans la blessure du Riche Pêcheur le terme manquant, inversement symétrique de l'excès d'Amangon : la mutilation du roi est, en effet, sexuelle. Un tableau des relations possibles s'esquisse donc sur ces deux lignes qui représentent, l'une, l'offre de nourriture, l'autre, une figure sexuelle (viol, castration). Pour le compléter et disposer le jeu des signes + et –, il suffit de coupler, sur chaque ligne, les catégories contraires : à l'excès sexuel s'oppose ainsi son défaut. Mais que faire répondre à l'offre de nourriture ? D'après le *Conte du Graal,* le monde enchanté attend, en retour, quelque chose de la part du héros qui y était ardemment désiré (cf. par exemple, à propos de Gauvain, les v. 7890-7891) : on requiert précisément de lui qu'il parle, qu'il pose une certaine question, ce que ni Perceval, ni Gauvain au palais des Merveilles ne font, empêchant ainsi le dénouement de la situation. Devant la Reine aux Blanches Tresses, Gauvain aurait dû demander, comme s'en étonne Guiromelant,

> Qui ele est et dont* ele vint (Lecoy v. 8465).

En présence du Roi *Méhaigné,* Perceval ne s'est pas enquis, à propos de la Lance, « por quoi / Ele seignoit » (v. 3552-3553), et du Graal,

> qu'*an an fet et cui* an le porte (v. 3591).

En échange du déploiement de richesses et de mets offerts, une demande de nature verbale est implicitement mais en vain adressée au chevalier. Or l'identité de ce dernier est suspendue tout au long de la scène : Gauvain prie la reine d'attendre encore pour connaître son nom et Perceval n'a l'illumination du sien qu'auprès de sa cousine, au sortir du château mystérieux. Le ratage partiel de l'aventure se traduit par cette non-coïncidence entre la rencontre avec le destin et l'affirmation de soi. Malgré qu'il en ait, le héros reste sous l'empire d'un charme où se dénote sa culpabilité. Si Gauvain, brusquement oublieux, n'avait pas ajourné le moment de satisfaire à sa curiosité, il eût d'emblée reconnu son aïeule, sa mère et sa sœur. Faute de quoi se développe un rapport ambigu entre la sœur et le frère dont l'ironie de Chrétien souligne assez l'allusion incestueuse (cf. v. 8771-8799). Ce trait n'est-il pas d'ailleurs à rapprocher, d'une part, de la conduite par trop galante dont à deux reprises on a fait grief à Gauvain (la Pucelle au Miroir et la Demoiselle d'Escavalon) et, de l'autre, de cette surprenante accusation de traîtrise qui entache son honneur et sera dans le *Lancelot en prose* constamment reprise, jusqu'à ce que, plus tard, la cause étant entendue, Gauvain devienne un chevalier félon ? Dans la configuration mythique, Gauvain est donc à placer sous le signe d'un abus du commerce sexuel. Perceval, en revanche, s'en abstient, mais sans être plus capable de nouer le dialogue proposé. Aucun des deux n'a encore réussi à s'arracher au sort qui s'est soumis leur esprit et leur corps. Perceval, nous l'avons montré, aurait trouvé recours, en remontant à l'oncle maternel, contre la voix maudite du sang paternel : la blessure du Roi Pêcheur, son cousin, rappelant le destin fatal du père, le « javelot », d'autre part, invitant peut-être celui qui était naguère encore un chasseur mal dégrossi à faire retour sur soi et sur son aventure. La *dette* n'a toujours pas été nommée, c'est en quoi les deux héros sont entrés dans un voisinage dangereux.

Il est maintenant possible d'écrire le système des relations discréditées qu'avance la pensée mythique dans ces récits du Graal :

	Elucidation	partie Gauvain	Elucidation 1re Continuation partie Perceval	partie Perceval
offre (nourriture)/ demande (verbale)	+ (service des fées)	– (« oubli »)	+ (service du Graal)	– (silence)
excès/ défaut (sexuels)	+ (viol)	+ (inceste ?)	– (castration)	– (chasteté)

Mais le problème posé par l'écrit littéraire est de savoir à quel titre y intervient le mythe. Celui-ci est, en effet, mis en œuvre par une écriture romanesque qui offre moins un sens à déchiffrer qu'elle n'adresse plutôt une question au sens lui-même. La littérature, c'est devenu un lieu commun, ne se réduit pas à la fonction d'un message, même s'il s'y laisse lire. Elle a moins la charge de véhiculer un sens que de manifester par un certain usage de la lettre que le sens, justement, ne va pas de soi et porte en lui sa propre obscurité. Elle serait l'effort, partiellement illusoire, pour que le sens ne soit pas aveugle à lui-même. Le critique, dans notre conception, devrait moins se poser la question *du* sens que montrer comment, répétons-le, question est faite *au* sens et que là gît, pour l'écrivain, en dépit ou à cause de ses conceptions morales propres, son obsession véritable. La littérature se définit simplement comme un écrit préoccupé de sa lettre, et par elle !

En quoi le mythe lui sert-il ? Il semble que lui soit confiée la clef du récit, mais pour qu'elle échappe à ce dernier. La scène du Graal, dans le roman de

Chrétien, ménage la capture en miroir du récit qui s'y reflète. Les moments décisifs d'un parcours s'y représentent. Les éléments constitutifs du mythe précédemment analysé se sont, en effet, insérés dans le roman par leur propre métaphore et le récit s'est ainsi déployé comme la dimension imaginaire du mythe. La stérilité qui résulte de l'insuffisance du héros donne lieu au motif de la Terre *Gaste,* dont la fonction est d'appeler celui-ci à la conscience, de le prévenir sur la voie de son égarement ; l'abus sexuel, que réfléchit inversement l'horreur de la blessure, se dissimule dans l'ombre de certains objets, la Lance notamment, à l'éclat fascinateur, dont l'étrange pouvoir excède le sens « courtois », c.à-d. le bon usage chevaleresque ; le défaut de parole, enfin, autorise une caractérisation d'apparence psychologique : le héros niais, multipliant les questions inopportunes et les gestes maladroits. S'il avait su lire, le héros, parvenu au château du Roi Pêcheur, eût déchiffré ces signes, mais il est connu qu'un miroir ne révèle jamais rien ; il renvoie seulement à l'observateur l'énigme de la scène qui s'y contemple. La relation spéculaire significative entre le récit romanesque et l'épisode mythique désigne avec clarté les éléments en jeu, mais ne livre justement pas tout le sens, ou plutôt laisse, dans le sens, quelque chose à désirer. Plus la scène du Graal se noue étroitement par tout un réseau de relations aux aventures de Perceval, plus s'épaissit le mystère de la tragédie familiale et de la figure paternelle. L'infirmité du père, sa mort, due au deuil de ses fils, se soustraient à la prise du récit, mais font pourtant peser une dette sur le héros sans qu'il le soupçonne ni surtout que rien l'avoue : son seul péché et sa seule conscience concernent sa mère. Au moment où le roman prend un sens qui ordonne l'ensemble des aventures, ce qui lui impose sa loi résiste au récit, fait difficulté à son sens. Le héros doit apprendre à reconnaître comme sa vérité propre l'espace d'un manque, mais l'appel à la conscience est venu de ce que le savoir s'est refusé. La formulation négative de la vérité dans la scène mythique (en tant que celle-ci réfléchit les données dont le roman lui a emprunté la métaphore) n'en a d'aucune façon rendu raison. Mais c'est en quoi l'échec de Perceval, funeste sur le plan de l'histoire, ouvre en revanche au récit la voie libératrice d'un questionnement. Car le sens du roman se bâtit sur ce que le recours au mythe, comme récit masqué et jeu d'ombres, y dénonce de faille ; il vient, en effet, dans le prolongement de la parole pieuse de la mère et de l'oncle ermite, se substituer et suppléer à ce qui s'indiquait, à travers les effets de miroir du château du Graal, comme la place vide du père. Mais, en tirant ainsi parti du mythe comme d'un révélateur de l'image latente qui lui échappe, le roman, à la différence de son héros, pose, en dépit de tout, la question par laquelle écrire se distingue de croire. L'écrivain n'a de cesse qu'il n'ait, par ses jeux de figure, dessiné les points de résistance au sens qu'il imprime à sa matière. Autre définition de la « conjointure » ! En posant la question du sens, Perceval se fût arraché à la fascination de l'arme qui se représente à travers l'horreur de la mutilation sexuelle ; mais cette hypothèse est, par le roman, condamnée à s'énoncer à l'irréel : qu'il en ait été empêché, en effet, donne au récit sa chance d'enchaîner à son tour sur ce qui le fait exister et l'autorise à faire question au sens qu'il va s'acharner à construire à partir de cet échec.

Le récit de Chrétien accuse une seconde ligne de fracture, non plus en amont du cours romanesque, dans l'en-deçà mythique du Père, mais en aval, dans la dérive amoureuse auprès de Blanchefleur. Là encore, la constellation mythique invite à découvrir la face obscure de l'œuvre : en Blanchefleur, par deux fois, convergent et se confondent les signes énigmatiques du destin : la désolation (la terre déserte, puis le paysage d'hiver), la brillance (la merveille du visage, l'extase devant la « semblance »), la parole (le chevalier « muet », plus tard

« sommeillant » sur son destrier). Ce faisant, le roman déplace le lieu du mythe que ne supporte plus un récit proposé à l'attention, mais un visage de femme, offert au regard amoureux. Non sans raison, le sentiment courant identifie le roman au récit de l'amour. Le glissement provoqué dans le mythe tient peut-être tout entier à ce qu'il soit désormais réservé à la problématique amoureuse, c.à-d. à l'abord incertain de l'autre sexuel, de précipiter toutes les questions. Aussi bien la naissance du héros à la subjectivité romanesque, et psychologiquement à une certaine secondarité, coïncide-t-elle avec cette première approche véritable d'une femme. Que celle-ci devienne le lieu privilégié où la vérité soit éprouvée et puisse être identifiée définit la nouvelle mise en perspective propre au roman. C'est auprès [12] de Blanchefleur que Perceval est appelé à vivre l'impasse de son destin et à trouver, en cette occasion, la juste distance vis-à-vis de soi. Il est près d'y parvenir, à en juger par sa métamorphose. Mais, si le roman s'affirme par cette distorsion du mythe, celui-ci n'en renvoie pas moins celui-là à l'évidence de ce qui lui demeure insaisissable : les rapprochements redevables à la plasticité de la figure mythique rendent d'autant plus patent le fait que rien n'explique cette coexistence d'une découverte amoureuse et d'une sommation mystérieuse. Le rythme même du roman, son temps propre, détermine ces deux moments comme s'excluant réciproquement : le lieu de la vérité est distinct de celui du savoir et le héros ne peut advenir simultanément aux deux. Aussi bien se ressent-il, en présence de Blanchefleur, de l'effet de l'interdit sexuel proféré par sa mère. Il n'accomplit pas plus l'acte sexuel qu'il ne pose, plus tard, de question. Aussi, dans la distinction de la place de la vérité et de celle du savoir, une même insuffisance, fondée sur cette séparation, se révèle.

Telle est la seconde figure de non-sens que l'appui du roman sur le mythe lui découvre. Une société élabore ses mythes comme un moyen de connaissance ; l'écriture romanesque en dispose comme d'une force de résistance, provoquant et symbolisant à la fois la difficulté du sens à quoi il est permis de juger de la bonne santé littéraire ! En conjoignant dans l'existence romanesque du héros, tout en en dérobant l'explication, le fantôme du père mutilé et la défense du « sorplus » transmise par la mère, le mythe du Graal désigne au roman son point aveugle : une discordance sexuelle, à la fois sous-jacente et rebelle à l'entreprise du sens dans la mesure exacte où le sens est ce qui vient à la place du sexuel, s'y substituant non sans un malaise dont témoigne précisément l'activité d'écrire, comme peut-être, pour Chrétien, la relance de son récit avec les aventures de Gauvain. Mais, en raison même de cette ambiguïté, l'obstination avec laquelle l'écrivain porte par l'exercice de son art un défi au sens auquel d'ailleurs il appelle à souscrire, comme s'il prenait plaisir à en inventer les situations limites, n'en est pas moins justement responsable de la prolifération du sens. La littérature arthurienne l'illustre avec netteté : le hasard de la mort qui laissa l'œuvre au comble de l'énigme fut cause d'un incessant remaniement de la donnée première et, plus s'éloigne l'évidence que rappelle avec bonheur l'*Elucidation,* plus s'enchevêtre le récit des aventures. Quand un roman ménage dans un mythe son point d'acmé et lui réserve encore, irait-on jusqu'à dire, la charge de témoigner de sa propre virtuosité, il se signifie à lui-même sa propre démarche et vient à pressentir ce qui dans le silence des mots et le chatoiement des figures lui en intime l'exigence. Le fait littéraire n'existe vraiment, pour en reprendre le concept à C. Lévi-Strauss, que dans la redondance, soit l'emphase mise sur un acte, celui d'écrire, qui ne s'oublie pas derrière ce qui se dit. Parce qu'il ne s'efface pas devant le sens qui s'en promeut, il l'écorne aussi bien, pour donner à entendre que ce qui s'énonce n'est pas tout.

II

LA « SENEFIANCE » ET LE HÉROS CHASTE

CHAPITRE III

L'horreur de savoir

(De Chrétien de Troyes à Robert de Boron)

L'amour du signe

Si la femme, dans le « conte d'aventure » réel ou rêvé par le roman, est apparue au chevalier comme une fée lui offrant son corps, son commerce s'est avéré périlleux et l'homme, soudain pris d'inquiétude, a passé un accord avec elle pour se prémunir contre l'excès coupable de sa joie. Ainsi met-il de lui-même obstacle à l'harmonie de leur rapport, faute de quoi il paiera cher son « non-savoir », soit sa volonté d'ignorer la malédiction qui présidait à ses amours. Enide est fée, au même titre que la Dame de la Fontaine : la « pucelle au chainse blanc » est, en outre, cousine de la pucelle du Verger qui enserra son ami dans cette prison de paradis (cf. *Erec,* v. 5696-5697), et la merveille de la Joie énigmatique au devant de laquelle il s'avance se retourne soudain en une vision d'horreur : les têtes fichées sur les pieux (cf. v. 5718-5736 et v. 5722-5725). La Veuve Dame dévoilait à Perceval ce que recélait l'éclat prestigieux des armes : les cadavres de ses frères et la désolation de la terre. En va-t-il différemment avec *le Chevalier au lion* ? Une même évocation unit le prodige de la tempête et de l'orage (v. 432-433) et l'annonce de la Joie parfaite qui

Fet tot *oblier* grant enui (v. 458 ; cp. v. 6796-6798).

Le cataclysme dévaste le pays enchanté, comme s'en plaint le défenseur de la Fontaine (v. 501) et comme le rappellera le sénéchal de Laudine, redoutant, pour la terre, la venue d'Arthur :

Ençois que* la quinzainne past
Sera trestote alee *a gast** (v. 2085-2088).

Auprès de la Dame, un chevalier doit avoir reconnu le déchaînement d'une force sauvage et appris à y répondre. Sinon, c'est sur lui, dans son propre corps, quand il aura « oublié » sa Dame et abandonné sa terre, que s'exerceront les ravages de cette force dévastatrice. Le héros intériorise, par son malheur, le sens du « pays gaste ». Lorsque Yvain retourne une dernière fois à « sa » Fontaine (v. 6509), ce lieu qu'un seul homme suffit à tourmenter (v. 6543-6545) n'existe que pour lui seul, comme l'image de son propre égarement enfin compris. Or, dans l'échange troublant des regards et des gestes de la pudeur, la parure d'Enide remplit la même fonction que la Fontaine du *Chevalier au lion* : la misère du « chainse » usé et troué s'efface devant l'émerveillement que suscite la richesse du « bliaud » offert par la reine (cf. v. 1615-1617), mais reste plus tard présente par allusion dans la détresse d'Enide, exilée de l'amour (cf. v. 2592), et contrainte de chevaucher à l'aventure avec Erec, amèrement parée de ses plus beaux atours (v. 2608-2609).

En ces lieux de la « merveille », Fontaine, parure, château du Graal, une même exigence appelle le héros à ouvrir enfin les yeux, quand il accède à la Joie amoureuse, sur la malédiction qui y est attachée et qui se représente dans le thème du pays « gaste ». Un tel dessillement signifie qu'un homme a pris la distance qu'il convient à l'égard de ce dont il ressentira, autrement, les effets funestes dans sa vie et en son corps. Qu'advient-il autrement ? L'étude du *Conte du Graal* a permis d'identifier cet espace maudit duquel un héros encore sauvage n'a pas appris à s'arracher. La jouissance est cette possession du corps par ce qui lui fait accroire qu'il se possède lui-même comme un, qu'il est par soi comme le Chevalier Dieu né avec ses armes comme l'imagine Perceval. Céder à cette fascination vaut au héros, coupable, de rester pétrifié lorsqu'il est requis de parler ou d'aimer. La *fine amor,* sa souffrance volontaire furent inventées pour détourner le coup de cette malédiction qui frappe l'homme d'interdit quand il s'avance dans la voie sexuelle. Il se refuse à dominer pour n'avoir pas à se ressentir de ce qui, en lui, le domine ; aussi la femme est-elle faite « Domna » (*Domina*), de crainte que l'homme ne vienne à oublier cette vérité : assujetti dans la douleur à sa Dame, l'amant prend une heureuse distance à l'endroit de sa jouissance, niée dans le reflet même qu'en renvoie un visage aimé. Les yeux de Perceval n'ont pas vraiment su voir le *Gaste* Pays de Blanchefleur, et le « désert » par où plus tard il chemine, un Vendredi Saint (v. 6239), est à l'image de la désolation de sa vie défaite. Le *Conte du Graal* présente donc, dans l'horreur, un savoir qui échappe à son héros et cette horreur est peut-être à la mesure du désir qui le pousse. C'est sur le fond de ce dont il ne veut ainsi rien savoir que se propose le sens explicite du roman, comme le montrent *Erec* et *le Chevalier au lion*.

Le roman ne fait pas, en effet, la lumière sur le comportement de son personnage principal, à l'instant de la crise : il nous en laisse la surprise, même si la suite commente sans fin cette faute. Celui qui devait parler se tait ; celui qui savait aimer oublie ; celui que tout appelait à la gloire se déshonore. L'événement a la soudaineté de l'imprévisible, bien qu'il soit obscurément pressenti comme inéluctable. Le récit laisse en blanc l'espace où il se joue, ce que figure d'ailleurs l'attitude du héros : amnésie, mutisme, inconscience du sommeil. Il est révélateur que la scène où Erec se réveille « récréant » le présente endormi, serf de son bonheur et oublieux de la rumeur du monde. Le moment où, sans qu'il s'en avise, le héros a secrètement succombé au destin est fait de silence. Ce qui s'empare de lui et le submerge se dérobe à la parole. Il est entré comme par mégarde en un pays maudit, mais non pas sans un certaine connivence : si allusif soit-il, le récit suggère tout de même assez que le héros se complaît dans un état que la suite désigne du nom de honte, de parjure ou de péché. Cette satisfaction inavouée, sinon par l'horreur qui la rejette, enferme le mystère de ces romans. Elle contredit essentiellement la voie amoureuse du désir, suivie par le héros ; l'attraction trouble que celui-ci subit alors et l'émerveillement d'amour sont, en vérité, profondément antagoniques. Les propos séducteurs de Gauvain dans *le Chevalier au lion* (v. 2486-2540) sont d'autant plus pernicieux qu'ils se coulent apparemment dans le moule de l'exigence courtoise (valoir aux yeux de l'amie), mais visent surtout à rompre l'attachement total qui seul lui donne son vrai prix :

Or primes* doit vostre pris croistre.
Ronpez le frain et le chevoistre,
S'irons tornoier *moi et vos,*
Que l'en ne vos apiaut* jalos (v. 2501-2504).

Gauvain offre sa compagnie en échange de la prédilection amoureuse. La conjonction qui au vers 2503 unit les deux amis sert à disjoindre l'amant de son unique Dame. Gauvain entretient une habile confusion des valeurs, comme si l'amant qui ose quitter sa Dame était le seul qui sût s'acquitter de la dette contractée dans l'amour. Le prix à payer ne se mesure pas à la tristesse d'abandonner son amie, mais à la joie de s'abandonner aux périls que suscite sa volonté. Il y a maldonne dans l'amitié des deux chevaliers. L'argument de Gauvain est captieux en ce qu'il masque sous l'apparence d'une opposition entre la « récréance » du mariage et le souci de gloire de l'amant la réalité d'un conflit entre le compagnonnage viril (« moi et vos », v. 2503 ; « nostre compaignie », v. 2513) et la vie selon la Joie d'Amour (v. 2521). Celle-ci, ose-t-il même prétendre, serait avivée par les retards qu'y apporte celui-là ! La suite dément cette casuistique. Yvain est déjà coupable de surprendre la confiance de Laudine, en la prenant au mot du don contraignant (cf. v. 2556-2559). Sa demande de congé garde un arrière-goût de déloyauté. Mais surtout, quand la dame insiste, avec le don de l'anneau, sur la vertu du souvenir, le tourbillon dans lequel Gauvain entraîne son compagnon et son empressement à le servir (cf. v. 2672-2680) ont pour seule fin de le distraire de sa promesse et d'anéantir son amour dans la satisfaction de l'oubli. Dans cette relation d'homme à homme, entretenue par le plaisir des armes, la Dame est exclue et le chevalier s'est cru en droit de disposer d'elle à son gré. Yvain a cédé à un faux-semblant, il s'est complu dans l'image d'une maîtrise illusoire que le miroir d'une amitié narcissique lui offrait de soi. Aussi devra-t-il, un jour, affronter par les armes Gauvain.

Perceval se suffisait également à soi en revêtant les insignes de l'ordre de chevalerie. Mais Erec ? Le reproche de trop aimer sa femme et de vivre dans la mollesse trahit le glissement dans l'ordre sexuel du licite à l'abus. Mais qu'implique donc celui-ci au point qu'Erec réagisse si vivement à l'accusation ? A la différence du *Chevalier au lion,* la raison ne s'en devine qu'indirectement par la suite, à travers le reflet qu'en proposent les épisodes du comte Galoain et du comte de Limours. Là se découvre aux yeux du héros ce qui était en cause dans sa propre mésaventure amoureuse et qui justifie qu'il se soit pris en haine. Car son ressentiment à l'endroit d'Enide exprime la blessure profonde que laisse à quiconque fut contraint de se voir le sentiment de s'être déplu. Ce qui a suscité son horreur n'était pas de découvrir sa paresse, mais plutôt de se complaire à un état que met en pleine lumière l'odieux comportement des comtes auxquels Enide fut livrée : l'attitude brutale de maîtres et seigneurs qui ont pris possession de l'objet de leurs désirs pour le plier à leur volonté :

La dame est moie* et je sui suens*.
Si ferai de li* mon pleisir (v. 4800-4801).

Or leur histoire présente une certaine analogie avec celle du héros. Le comte Galoain, comme Erec, se remarque par sa beauté (cf. v. 3224) ; la vue d'Enide l'enflamme d'amour ; l'héroïne est en outre dans un état qui jure avec ce à quoi se beauté lui donne droit : naguère étrillant un cheval, maintenant contrainte à l'inconfort et aux risques d'une chevauchée, bientôt seule et pâmée au cœur de la forêt (cf. v. 3314-3315; v. 4716-4721). Qui plus est, le comte de Limours épouse Enide. Ces figures haïes tiennent donc la place d'Erec à certains moments du récit qui paraîtraient à tort des digressions dramatiques ou des saynètes gratuites : le héros peut y lire quelle attitude doit être proscrite dans le rapport amoureux. Mais ne fut-elle pas la sienne, du moins, ne la frôla-t-il pas lorsqu'il s'oublia dans la « récréance » ? Ce fils de roi s'était installé dans la possession d'une femme, soumise à son plaisir, oubliant ce qu'il se devait parce qu'il oubliait ce qu'il lui devait. Ce que disent le souvenir du « blanc chainse », le malaise de la chevauchée, la « mort » au terme de l'épreuve, c'est la nécessité de reconnaître en en payant le prix ce qui s'est ainsi mis en travers de l'harmonie de leur rapport.

Qu'en résulte-t-il sinon ? L'épisode de la folie d'Yvain le montre et approfondit en même temps le sens de cette malédiction. Le vertige qui saisit Yvain surenchérit sur le sommeil d'Erec : il exprime à l'évidence que le héros désire l'inconscience, sombrer dans la nuit de la raison et ne rien savoir de plus sur ce qui l'a dans l'oubli possédé. La passion d'Erec, parmi celles qui affectent l'être, était, avec le ressentiment, de l'ordre de la haine ; celle d'Yvain ressortit à l'ignorance, au désir de dormir. Du même coup affleure dans ce qui fait ainsi silence une autre vérité, jusqu'alors ensevelie. On mesure soudain à son effet ce qu'avait de coupable la satisfaction trouvée auprès de Gauvain, dans le faux-semblant de la chevalerie : « l'homme nu et pauvre » (v. 2888), la venaison crue (v. 2828), la vie de bête « sauvage », c.à-d. la vie « enforestée », pour emprunter le terme au *Conte du Graal,* sont autant de déterminations négatives à côté de l'homme pourvu de « riche ator » (riche mise) (v. 2895) ; de la nourriture cuite et surtout assaisonnée (sel et poivre, v. 2876) ; de « l'essart » où vit l'ermite, terrain défriché, signe de la vie humaine et d'un échange possible (le lion sera rencontré en un « essart ») ; des lieux civilisés, haies, vergers, cours, où l'on cherche en vain le héros[1]. En d'autres termes, le corps et l'existence de celui-ci sont devenus terre *gaste,* désertée de toute joie, comme l'envers inévitable du plaisir des tournois et du compagnonnage viril, où on fait fi de la seule épreuve de vérité, réservée au fervent de la *fine amor.* Ce contentement était fautif puisqu'il a conduit au malaise du corps, rendu à l'état sauvage et dévasté, à jamais exilé du paradis des fées, ce Verger Enchanté où règne un éternel été (cf. *Erec,* v. 5696-5699). Dans le *Conte du Graal,* un langage religieux traduit cette expérience du malheur et la figure chrétienne de l'amour, la charité, recouvre le lieu même de l'horreur. La passion de Perceval entre dans la mouvance de l'amour divin. La transposition religieuse garde intacte la disposition du mythe et sa puissance émotionnelle emporte l'adhésion. Une fois encore, le roman vibre d'étranges analogies : devant l'ermite, Perceval rattache son oubli de Dieu à son silence coupable face au cortège de la Lance et du Graal. Il s'agit de la même insuffisance à reconnaître la vérité, comme le confirment les révélations de l'ermite : la nourriture du Graal est d'essence spirituelle (l'hostie, et non pas la chair du poisson) ; le père du Roi Pêcheur est libéré de toute attache matérielle. Le glissement du Graal qui invite le héros à s'arracher à la fascination et à prononcer la parole attendue est donc interprété comme l'accès à la spiritualité, soit à la vérité de la Parole divine. Mais Perceval, inapte à entendre comme à voir, suivant l'expression de l'Evangile, vivant donc essentiellement dans l'oubli de Dieu, s'est tu. Le schéma précédemment dégagé se retrouve ici : faute d'ouvrir son cœur au cri du pays *gaste,* le héros en subit le désastre en sa personne même ; il ne sait mot du « péché » où il vit et les âmes pénitentes rencontrées le jour du Vendredi Saint sont l'image intériorisée de ces terres dévastées que mentionne le mythe. Mais, dans celui-ci, la désolation est liée à la souffrance du roi infirme, « méhaigné », comme elle l'était, dans le discours de la mère, à la blessure et au deuil du père, à la fin atroce des fils. Or n'est-il pas troublant que l'enseignement religieux prodigué au héros porte avec insistance sur le corps crucifié du Fils de Dieu, sa Passion et sa mort[2] ? Perceval entend, de la bouche de sa mère, deux récits, l'un sur la tragédie familiale, au temps légendaire d'Uterpandragon, l'autre sur le sacrifice divin, selon l'Histoire Sainte : climat funèbre de deuil et d'angoisse, injustice des hommes (cp. v. 441 et 581 : « a tort »), souffrance du corps, mutilé ou martyrisé. La forêt *gaste* et le Vendredi Saint transmettent, comme la Révélation, une même vérité destinée à étonner le cœur du valet gallois : reconnaître l'existence du pays *gaste* a pour exact équivalent l'amour que demande le corps tourmenté du Christ. Le héros se fût alors libéré de ce silence égaré, cet oubli étrange et ces absences qui se dérobent au récit pour être seulement signe qu'il a succombé à la malédiction. Le chevalier pénitent, trouvé plus tard en chemin, répète la mystérieuse histoire d'un Dieu qui prit « char d'ome » (v. 6070*sq.*) et fut mis en croix, afin que Perceval n'ignore plus quel désert s'est fait en lui par son propre aveuglement. Le Dieu crucifié lui renvoie donc l'image de son péché, comme il révèle à l'homme et le prévient d'oublier que son corps vit dès l'origine l'exil de sa joie, ce qu'il doit savoir, s'il ne veut être a jamais repris par le malheur, soit l'indicible malaise du corps et les ruines de la folie. La résurrection « de mort à vie » (v. 6083) appelle ainsi en écho la renaissance des terres devenues stériles du Roi Pêcheur. La comparaison entre le domaine du mythe et celui de la religion ne s'arrête toutefois pas là ; elle englobe un dernier élément, le plus mystérieux assurément, puisque infiniment redoutable : Perceval n'avait pas su mettre entre la Lance, la fière semblance des armes, et lui la distance que symbolise la terre *gaste*. En quoi il est frère d'Yvain, oublieux, et d'Erec, endormi. Or le discours de l'ermite ménage à son tour dans l'édifice religieux un espace sacré proprement innommable, puisqu'il est interdit à la parole, et dont l'approche est faite d'effroi : il s'agit de l'oraison murmurée à l'oreille du repenti, apparemment dotée d'un pouvoir surnaturel, et qui comprend les noms de Dieu :

> Et an cele oreison si ot
> Assez* des nons Nostre Seignor,
> Car il i furent li greignor*
> *Que nomer ne doit boche d'ome,*
> Se por peor* de mort nes* nome.
> Quant l'oreison li ot aprise,
> *Desfandi* li* qu'an nule guise
> Ne la deïst sanz grant peril (Hilka, v. 6484-6491 ; Lecoy, v. 6262-6269).

Relevons au passage l'amorce d'un thème capital de la légende du Graal, ultérieurement développé, et repris, entre autres, par le début de l'*Elucidation* : nul ne doit dire ni conter le secret du Graal (*Elucidation,* v. 4-5), nulle bouche n'en droit proférer les vérités cachées. La terreur salutaire touche ici aux Noms du Père divin. Perceval ne saurait impunément se les approprier, non plus que les armes vermeilles dont il se revêtit ou la lance sur laquelle il mit la main. Les Noms de Dieu, en d'autres termes, enferment le même terrifiant mystère que la Lance sanglante. La défense formulée par l'ermite évoque celle de la Veuve Dame et de Gornemant (d'un excès de plaisir et d'un excès de parole) ; leur commune fonction est de prévenir le héros d'une proximité autrement fatale. Mais le destin est ironique et dans le cas des premiers enseignements les interdits jouent à l'envers, car le niais est justement de l'autre côté, ce que traduisent sa chasteté et son mutisme. En témoigne d'ailleurs la dualité des explications fournies : il s'est tu, non parce qu'un prud'homme l'avait mis en garde, mais en raison du péché qui pourrissait sa vie. Où, sinon dans cette reprise religieuse des schémas mythiques que le roman met en œuvre, serait mieux soulignée l'horreur qui préside au savoir ? Possédé par le semblant d'une Lance, le corps devenu désert porte le deuil et nulle conscience ne résiste, le temps venu, à cette découverte.

Or, autour de ce centre à la fois critique à l'intérieur du récit mais éludé par lui au point de revivre seulement dans l'allusion de reflets voilés, le roman tout entier bascule, selon qu'il se soumet à l'épreuve de sa propre structure ou qu'il s'engage dans la voie de la « senefiance ». Ici il se referme sur soi dans la totalité d'un sens ; là il s'ouvre par son écriture même à ce qui ne laisse pas d'y faire résistance. Aussi bien d'un roman à l'autre Chrétien ne s'est-il satisfait d'aucun des sens donnés en réponse à la quête (sauf dans l'acte ultime, mais inachevé, de la foi), alors qu'il n'a cessé de varier la même figure sexuelle de la vérité, où nulle harmonie ne peut s'écrire directement d'un rapport de l'homme à une femme. Sans doute « li premiers vers » d'*Erec et Enide* a-t-il cédé à la séduction d'une représentation idéale du couple (cf. v. 1459-1496) où l'amant n'est plus seul à se perdre dans la contemplation de l'amie et où celle-ci lui rend son regard : appariés par le jeu de cette réciprocité, ils semblent ne faire plus qu'un. Mais *le Chevalier au lion* définit mieux que nul autre la condition de cette entente ; il n'y faut rien de moins qu'une double négation ! Qu'est donc en effet *Yvain,* pour finir, sinon l'oubli d'un oubli, le droit enfin conquis d'oublier ce qui fut une absence coupable :

> *Ne li sovient** de nul enui
> Que par la joie *l'antroblie**
> Que il a de sa dolce amie (Foerster, v. 6794-6796).

La « conjointure » consiste à rapporter sur un lieu que délimite la merveille d'amour la figure logique d'une impossibilité. La disharmonie prend dans l'espace la forme d'une exclusion et dans le temps celle d'une répétition, soit la topologie et le rythme propres d'un roman de Chrétien, tels que les colonnes et les lignes du tableau suivant en donnent l'illustration respective :

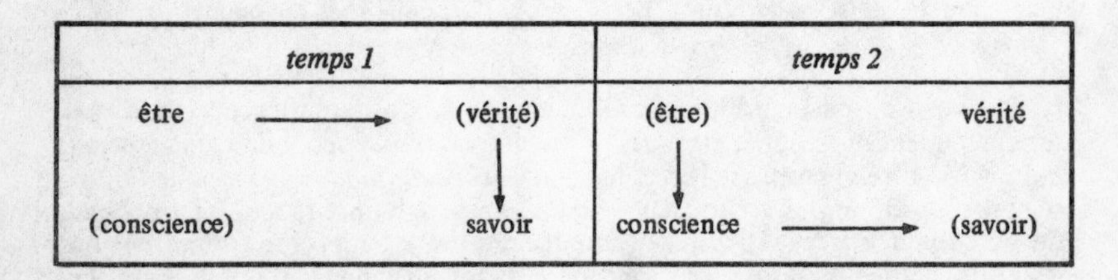

Le tableau est à lire ainsi : s'affirmer reste, pour le héros, synonyme d'un faux pas où s'abîme la vérité, quand affleure le savoir inconscient (*temps 1*). Mais, dans le vide au sein duquel le héros foudroyé prend conscience, le désir de savoir témoigne seulement de ce que le savoir se dérobe (*temps 2*). Toute écriture authentique réalise le dessein, secrètement nourri, de se voir ainsi contrainte, en certains points qu'elle définit avec rigueur, à lâcher prise.

Il en va tout différemment de la « senefiance », dont l'ambition serait, au contraire, de ne laisser hors du sens aucun résidu, et d'offrir de la matière traitée une lisibilité parfaite, d'ordre spirituel. Que ces deux tendances non seulement coexistent, mais ne puissent être dissociées l'une de l'autre, comme se renforçant mutuellement, manifeste le degré de tension dont s'anime toute œuvre d'art, cette dialectique permanente qui retourne indéfiniment l'échec au sens en sens de l'échec.

Le prologue du *Conte du Graal* infléchit le cours de cette littérature : le récit de Calogrenant baignait dans le climat courtois des nouvelles et des fêtes arthuriennes ; le conte d'aventure d'Erec était arraché des mains des professionnels qui le gâtaient. Mais le conte du Graal, investi déjà de l'autorité du livre (v. 67), est subordonné à une leçon de l'Evangile (Mtt., 6, 2-4), c'est-à-dire de « l'estoire » par excellence (v. 39). Ce terme se réfère volontiers à l'idée d'une source écrite et se charge de tout le prestige d'un savoir qui y serait consigné, comme l'atteste par exemple dans *Erec* (v. 6674) l'invocation de Macrobe pour garantir « l'estoire », c.à-d. le livre où on peut « lire » la description du vêtement d'Erec, riche de toute la science du *Quadrivium* qui s'y représente. Or « l'estoire » est destinée à effacer de la littérature arthurienne la mention du « conte d'aventure », dès le moment où seront acquis l'origine sainte de la légende du Graal et le caractère sacré de sa tradition. Le prologue de Chrétien amorce ce tournant, puisque président à la transmission du « livre » du Graal la Parole évangélique et la Charité du commanditaire. Mais en commentant en outre selon l'exégèse la citation de l'Evangile, l'auteur illustre ce qu'est la « senefiance » :

> L'Evangile *porquoi dit ele :*
> Tes biens a ta senestre cele ?
> La senestre, selonc l'estoire,
> *Senefie* la vainne gloire...
> Et la destre que *senefie ?*
> *Charité...* (v. 37-43).

Il s'agit bien de traduire dans l'ordre moral l'image sensible en sorte que celle-ci s'épuise tout entière dans le sens qui s'en dégage. La « main gauche » est l'ostentation et l'hypocrisie ; la « main droite » est la suprême vertu théologale. La représentation n'existe ici que pour son sens, même si celui-ci s'approfondit, à son tour, jusqu'au mystère, quand la vie selon la charité est dite vie en Dieu et Dieu en l'homme (v. 47-50) (voir I Jn. 4, 16). Que la « senefiance », toujours explicitement donnée, soit transparente n'implique pas en effet que le sens le soit. Dans la « senefiance », la « matière » n'offre plus de résistance : c'est le sens qui échappe ! C'est par cette face obscure que la religion, dans le *Conte du Graal,* entre avec le mythe en une relation trouble de voisinage. Le mystère relaie, en fin de compte, l'énigme. L'art de Chrétien s'en éclaire d'un nouveau jour. Dans *Yvain,* le merveilleux à l'œuvre dans l'épisode du lion se distingue de celui de la Fontaine, quoique le récit s'emploie à les rapprocher jusqu'à les mettre en regard l'un de l'autre. De même, dans la tâche de protéger le héros, le lion, symbole de sa « franchise », s'est substitué aux anneaux ou onguents magiques que celui-ci devait à la faveur féminine. Sans doute la Fontaine ou l'anneau se chargent-ils d'une valeur symbolique. L'embellie et le concert des oiseaux après l'orage représentent la joie qui succède au temps de l'épreuve; l'anneau d'invisibilité métaphorise la conversion du chevalier en parfait amant; l'anneau d'invincibilité ne vaut que ce que vaut le souvenir, comme la projection magique d'une vérité intérieure (cf. v. 2609-2611). Mais ces objets ou ces lieux participent d'un monde autre que celui de l'homme et dont l'étrangeté est faite pour l'intriguer. Que penser d'ailleurs de la bizarre coutume maintenue depuis soixante ans (v. 2104-2106), de l'anormale couardise des hommes du château, de la Demoiselle Sauvage et même du cruel châtiment réservé à celle qui fut, malgré elle, mauvaise conseillère? Le propre du monde féerique est d'emporter avec soi le secret d'exigences inexpliquées et comme hors de proportion. L'épisode de la Fontaine ne dit pas simplement la «joie» après l'«épreuve» mais, énigmatiquement, la terre devenue *gaste* dans l'entourage d'une fée, le poids d'une malédiction dont il n'est pas de raison. L'épisode du lion, en revanche, ne laisse rien sinon sa pointe d'humour hors du champ du sens. La lecture symbolique de la rencontre est immédiatement donnée: la lutte du serpent et du lion signifie le choix entre la traîtrise et la franchise (cp. v. 3357 et 3371); la compagnie du lion démontre la prud'homie (v. 4003-4004). La merveille joue en sens inverse: au lieu de présenter à l'homme un monde d'apparence familière (la vie féodale chez Laudine) qui demeure inexplicable, elle traduit son étonnement devant une réalité étrangère soudain humanisée. Le lion se comporte comme un être humain; sans doute lui manque-t-il la parole, mais comme au miroir où se reflète une représentation idéale. Le thème était d'ailleurs préfiguré dans l'épisode de la Dame de Noroison: entre ses ennemis le chevalier paraissait lion parmi les daims (v. 3199). Le lion comme symbole signifie qu'un homme failli ne rougit plus de se regarder soi-même en face. Le détail de l'épisode rappelle à chaque pas ce que fut la folie d'Yvain et prend le sens d'une réhabilitation: égaré, celui-ci s'enfonçait au profond de la forêt, avant de tomber par hasard sur la maison d'un ermite qui «essartait» (v. 2833); pensif, il s'aventure encore dans l'épaisseur du bois, lorsqu'il voit un lion «en un essart» (v. 3344); la vie sauvage reprend un temps, mais surmontée et comme civilisée: le vin et le sel font-ils encore défaut? La venaison n'est plus crue mais cuite et rien ne distingue le lion du chien de chasse. Naguère un chevalier se proposait de valoir toujours plus; désormais c'est sa vie qui a pris une valeur. Comme la «main droite» veut dire la parfaite charité, la compagnie du lion signifie la vie morale. Le signe, devenu symbole, s'évanouit dans le sens; la figure sensible, dans le monde moral. Mais, on l'a remarqué, l'épisode occupe exactement le centre du roman, bien que le tournant de celui-ci soit, dans la structure, situé au moment précis de la crise. *Le Chevalier au lion* décrit une ellipse autour de ces deux foyers. De ce fait, le second se propose comme la «senefiance» qui orienterait la lecture de l'ensemble. La féerie serait l'image sensible dont il faudrait ensuite expliciter le contenu moral. La «senefiance» ne joue donc pas seulement au sein de l'épisode comme l'interprétation du «personnage» du lion; elle présente le passage comme l'exégèse même du récit; elle lui attribue une fonction herméneutique: l'histoire de la faute et du rachat d'Yvain est celle d'un homme qui s'est déterminé pour le Bien (cf. le choix débattu aux vers 3350-3357). Il faut comprendre de la même manière le développement allégorique que l'auteur consacre, à l'occasion du combat final entre Yvain et Gauvain, au paradoxe d'une cohabitation de l'Amour et de la Haine (v. 5992-6099). L'épisode entier s'oppose d'ailleurs par son climat et sa nature à celui qui le précède, la venue du héros au château de *Pesme Aventure*: non plus l'Autre Monde, mais la cour d'Arthur; ni les coutumes incompréhensibles, mais le droit féodal. Le débat allégorique s'est substitué à l'affrontement fabuleux, et ce changement dans le caractère du récit répond à une intention morale. Sur la scène d'entités abstraites ne se joue-t-il pas le drame traversé par Yvain, où l'amour ne reconnaît pas les siens, devenus ennemis?

Li anemi sont cil meïsme*
Qui s'antr'ement* d'amor saintime;
Qu'*amors qui n'est fause ne fainte
Est précieuse chose et sainte... (v. 6043-6046; cp. v. 6053-6056).

L'amour ne triomphe que s'il ouvre enfin les yeux. Or Yvain en présence de Laudine n'a-t-il pas un jour, aveuglé lui aussi par le tourbillon de la vie de cour, méconnu où était sa joie? N'a-t-il pas, de ce fait, transformé l'amie en ennemie impitoyable? L'allégorie, on le voit, abstrait du récit immédiat de la bataille qu'elle relègue, pour un temps, à l'arrière-plan, la valeur de symbole que cette dernière prend au regard de l'ensemble. Là encore, un passage privilégié définit pour tout un roman la bonne voie où il doit engager son héros, son « sens » en un mot. Que faut-il en effet pour que les yeux soient dessillés? Que s'échangent entre les combattants des paroles qu'ils doivent à la noblesse de leur cœur. Au cours d'une pause, Yvain, le courtois, s'adresse à son adversaire; la fureur des armes le cède à la conversation courtoise, avant que ne commence un nouvel assaut, de générosité cette fois (cf. v. 6283-6358). L'issue heureuse dépend de cet élan qui pousse, dans son rapport à l'autre, le héros vers le Bien et le réconcilie avec soi. Yvain doit à sa « franchise », dont lui rend hommage la compagnie de son lion, de dénouer une situation malheureuse. A noter d'ailleurs que cette affirmation de l'Amour dans la reconnaissance de l'ami est emboîtée dans le mouvement général d'une reconnaissance du Droit: la cadette de Noire Epine, déshéritée à tort, était partie en quête du Chevalier au lion; justice va lui être rendue par la ruse du roi Arthur, nouveau Salomon, qui contraint le Droit à se déclarer. L'amitié des deux chevaliers est retrouvée quand se révèle leur grandeur d'âme et dans l'instant où le Droit va reprendre sa place en ce monde (cf. v. 6397-6398). L'amour entre Yvain et Laudine revit après que l'un a mérité de s'appeler le Chevalier au lion et que l'autre, lui pardonnant ses torts, a fait droit à sa légitime requête. Sans doute, a-t-il fallu — et l'analogie s'en trouve soulignée — que Lunete ait pris Laudine au mot, comme Arthur le fit avec la sœur aînée (cp. v. 6624, 6751, et 6387, 6392); ce qui prouve que la lettre sert de leurre à la capture de la vérité et que le sens ne s'affirme pas tout seul, ni sans quelque artifice. Il n'en reste pas moins que l'épisode de la Noire Epine permet de lire le retour final d'Yvain à sa Fontaine comme le face-à-face où l'Amour qui s'est imprégné du Droit triomphe de la Haine: l'homme revient auprès de l'aimée pour avoir connu, selon l'expression de S. Kierkegaard (*Vie et Règne de l'Amour,* Aubier, 1973), le devoir, par lequel l'amour se nourrit d'éternité — et change de nature.

On peut ainsi saisir toute l'ambiguïté du fait littéraire: celui qui fait œuvre d'écrire dit encore comment lire ce qu'il écrit — ce qui ne se recouvre par forcément, au contraire même. Mais il ne s'ensuit pas que l'écrivain soit, pour la joie du critique, sa propre dupe et qu'on puisse faire bon marché de ses « idées ». Il lui faut d'autant plus charger sa parole de sens qu'il cherche, avec une passion secrète, à en éprouver les points limites. C'est même là ce qui distingue en propre la forme complexe de l'écrit de la forme simple orale, et nul doute que le roman d'*Erec* soit de plus riche étoffe que le « conte d'aventure ». Chrétien le compare implicitement au corps qui forme un tout ayant sa raison d'être, lorsqu'il invective contre ces conteurs qui s'entendent seulement à le démembrer (*Erec*, v. 19-22). Aussi serait-il erroné de voir dans la « senefiance » seulement un placage idéologique, un coup de force étranger à l'art, s'installant pourtant en son cœur même.

Les passages ci-dessus analysés ne se présentent pas comme un pur commentaire. Ils appartiennent au récit, dont ils poursuivent le cours et prolongent les analogies ; comme l'allégorie, ils exigent leur mise en scène. En quoi diffèrent-ils alors de ce dont ils respectent la structure ? Ils la préservent tout en la déplaçant et, par un effet de miroir, en la démontrant ; mais, en ancien français, le « miroir » a valeur de « modèle » ; il réfléchit la perfection où l'être défectueux prend leçon. Autrement dit, la reprise de la structure est, dans le même temps, une transposition et, dans cet intervalle, s'ordonne un sens. Car la « senefiance » plonge aux mêmes sources du mystère où l'acte d'écrire fait retour à ce qui, comme savoir, se laissait, à travers les absences du héros et les blancs du récit, identifier dans l'horreur ; mais cette horreur de savoir se retourne, par l'effet de cette relecture, en amour du savoir. Dans l'image où le récit se reprend idéalement lui-même, il s'agit d'entendre le commandement d'amour dont Kierkegaard a magnifié le paradoxe : « tu dois aimer »... Quoi donc au juste, pour ces héros dont l'errance est signe de leur erreur ? Tu dois aimer ce qui te signifie ton malheur et en emporte le secret (comme le silence du Père face au Fils supplicié). Car, dans le *gaste* pays qui s'est étendu en toi, tu dois reconnaître sa volonté et ton péché. Le sens naît de cette destination qui nomme le héros au devoir d'amour dont son semblable lui donne occasion. Le récit trouve sa « fin » lorsque l'homme maudit comprend et intériorise, comme loi d'amour, la loi qui préside à son malheur : tu fus maudit (mais n'étais-tu pas pécheur ?) pour apprendre à vivre, dans l'Amour, cette loi qui t'interdit la satisfaction égarée, dans l'oubli du pays *gaste* (serait-ce ce que désigne dans la Genèse 2,9, « l'Arbre de la science du bien et du mal » et dont la tradition médiévale fait le bois de la Croix ?), et qui te sauve de toi-même en te faisant devoir d'aimer autrui. Est-il œuvre plus chrétienne que celle qui invite l'homme à aimer, dans son malheur, le signe d'une Volonté à laquelle il se soumet s'il désire son salut ? Aimer dans la loi l'orbe qui intime, c'est se faire une loi d'aimer. A vrai dire Kierkegaard s'en fût à bon droit étonné, qui déclarait incompatibles les positions du poète et du chrétien au regard de l'amour. Mais cette incompatibilité est le nerf vif de l'œuvre du maître champenois et de l'ensemble monumental de la littérature du Graal, puisque, dans l'imaginaire de la fiction, la loi qui se rappelle avec le manquement du héros renvoie celui-ci, quand il approche d'une femme, au réel sexuel du désir et l'attire, quand il se détourne par force d'elle, dans l'orbe religieux de l'Amour.

Il nous faut retrouver maintenant, dans les procédés du récit, les ressorts émotionnels de cette conversion ; démonter, en d'autres termes, le mécanisme littéraire de la « senefiance ». Le principe peut en être ainsi décrit : il s'agit de susciter dans le cœur du héros ce mouvement d'amour pour ce qui, à travers l'autre, lui fait image de sa propre désolation, mais lui désigne, du même coup, son prochain comme objet de son amour. Le récit, dans la seconde partie du *Chevalier au lion,* ne cesse donc de proposer à Yvain la figure souffrante d'autrui, dans le même temps où l'aventure naguère vécue tout à la fois se laisse imaginairement représenter au travers des nouvelles rencontres et se re-présente effectivement devant lui pour qu'il la dénoue enfin. L'agencement complexe de la narration tient à la nécessité de soumettre le héros dans ce retour du même, imaginaire ou réel, à une référence idéale, telle qu'elle s'ordonne par comparaison autour de la figure morale du lion et de la détresse de pucelles infortunées. Ces deux derniers termes sont liés puisque le lion doit lui-même être secouru et que les malheureuses en appellent au Chevalier au lion. Leur souffrance l'invite à reconsidérer la sienne propre, soit à la revivre et à la maîtriser, et son surnom le revalorise à ses yeux. Ce lieu idéal du roman permet à Yvain à la fois d'exorciser le passé qui revit inconsciemment et d'en intérioriser l'actualité retrouvée. Les divers épisodes s'inscrivent dans un espace à trois dimensions : imaginaire, idéale et réelle.

Ainsi la première séquence, la Dame de Noroison, vient en écho à la Dame de la Fontaine et au drame de l'attente déçue. L'onguent précieux a valeur de présage : il a été prodigué en pure perte (v. 3116-3121, 3321-3322) ! La situation est en tous points identique (Yvain en difficulté ; la suivante ; le pays ravagé à défendre ; le découragement des hommes de la Dame ; l'offre amoureuse ; l'abandon). Mais la foule commente longuement l'attitude du nouveau combattant, en le comparant à un lion (v. 3199), ce qui prépare à entendre la suite. Au départ, Yvain, vierge apparemment depuis sa guérison de toute préoccupation d'un passé pourtant proche, réactualise soudain celui-ci en opposant une fin de non-recevoir aux propositions de servir la Dame ou sa terre (cf. v. 3332-3333) et en s'enfonçant dans la forêt, le visage « pensif » (v. 3337). Même si les trois aspects n'ont pas tous dans ce passage le même poids, ils n'en sont pas moins présents : l'image dans le miroir, le modèle proposé, l'angoisse réactivée.

La suite offre encore plus d'intérêt : la rencontre avec le lion et son compagnonnage évoquent la vie sauvage du héros déchu, mais ce reflet rapproche précisément Yvain du moment où refait surface le passé récent (cf. v. 3522-3524*sq.*) : il tombe inopinément sur la Fontaine ! Il en ressent de nouveau le traumatisme : perte du sens, pâmoison, tentation du suicide. Il en est pourtant sauvé pour avoir eu peu auparavant « pitié » de la bête « gentille et franche » (v. 3369-3371) et répondu à l'injonction morale (v. 3350-3351). Que par le lion soit d'ailleurs à cet instant mimé le suicide du maître reporte l'attention sur ce que la bête représente. Si Yvain trouve la force de parler, de dire sa douleur, de la revivre dans la parole, et par là retarde son geste fatal le temps qu'il faut pour qu'une autre l'entende, l'interpelle et le détourne de soi (cf. v. 3557-3561), n'est-ce pas pour avoir été, « en un essart », capable du Bien, c'est-à-dire pour avoir su, dans la pitié, sortir de soi et reconnaître le devoir ? Or voici que s'interpose dans ce débat de soi avec soi-même la voix d'une pucelle : « une chétive, une dolante » (v. 3558). La pitié est le sentiment qui divertit le héros de son angoisse et se substitue à elle ; mais à quelles conditions le cri ou la plainte peuvent-ils être entendus par le cœur ? Sachons gré à Chrétien d'avoir mis ici en pleine lumière la configuration subjective de l'Ethique. Il n'y faut rien de moins que les trois dispositions suivantes : dans son lion Yvain rencontre son double (cf. la scène du suicide parallèle et l'aveu plus loin de l'aimer comme lui-même : *« qu'autretant l'aim come mon cors »,* v. 3792), ou, plus exactement, il peut s'identifier à une figure morale de soi-même. D'où vient qu'il en reçoit sa nouvelle identité de « Chevalier au lion » (v. 4285-4286) ; cette *identification* se propose dans le temps où s'amorce une *comparaison,* quand la souffrance d'autrui vient en regard de celle du héros : c'est le cas de la prisonnière de la Chapelle (3567*sq.*) et du père de la nièce de Gauvain (v. 3854). Auprès d'eux, Yvain relativise sa propre douleur, en ouvrant son cœur à l'absolu de la détresse humaine. Dans la distance que toute comparaison introduit à l'endroit de soi-même, autrui surgit comme « l'autre Toi ». En lui je me désapproprie de moi et suis en mesure d'entendre la loi qui m'intime cette perte. Il m'est commandé de l'aimer parce qu'il est ma propre mémoire et qu'il me rend à ce qui me commande et m'interdit à moi-même. J'ai à l'égard du prochain une *dette d'amour* pour avoir à travers lui reconnu et aimé le « devoir » dont la seule pierre de touche est ma souffrance. La comparaison s'approfondit donc dans la dette d'amour où le héros puise la force de se renouveler : il se réconcilie avec soi en devenant Chevalier au lion, dès qu'il sait l'amour qu'il doit à l'autre. Mais cette forme pure du devoir se dégage progressivement des apparences sensibles dont l'histoire la revêt, comme si des étapes s'imposaient avant d'acheminer le héros vers un total désintéressement. Ainsi, à l'endroit de Lunete, Yvain est-il tenu de réparer un tort (cf. v. 3620 - 3622) ; dans l'épisode du géant Harpin, il éprouve de la « pitié » pour le deuil de son hôte (v. 3934 - 3936) et à la vue de la jeune fille en larmes (v. 4064), mais le contenu concret de ce sentiment, l'impératif moral qui s'y révèle et dont il se nourrit, est porté par le souvenir de Gauvain, par deux fois mentionné, dans l'instant qui précède juste l'émotion du héros (3910 - 3933 et 4062 - 4063). Le rapport est, d'ailleurs, explicite (4077 - 4081) : l'amitié, fondée sur la noblesse morale, nomme ici le devoir dont le chevalier est tenu de s'acquitter à l'égard de ses hôtes. Ce n'est pas par hasard si, au cours des combats de cette seconde partie, sont constamment invoqués *Dieu et le Droit* (v. 4327, 4439, 5977). L'expression traduit exactement l'obligation sur laquelle repose le lien social, c'est-à-dire ce qui m'unit à mon semblable. Or Yvain apprend au château de *Pesme Aventure* que l'amour (au sens chrétien de la Charité) est la forme accomplie de ce « tu dois » qui s'impose de par la définition même du prochain. L'amour et la loi entrent en parfaite équivalence ; l'apôtre Paul que Chrétien n'a pas invoqué à tort au début du *Conte du Graal* avait répondu : « l'amour est l'accomplissement de la loi » (*Rom.*, 13, 10). En présence des prisonnières à l'ouvroir, tout se joue en une courte phrase :

> Il les voit et eles le voient (v. 5200).

Le héros est cette fois libre de son passé ; il ne doit rien non plus à l'amitié ; le seul échange des regards, en un instant que le récit éternise, porte en soi l'exigence et la réciprocité de l'amour. Si Yvain après un temps (v. 5206) se détourne, la malveillance du portier qui l'impute à sa lâcheté est seulement l'avanie qu'essuie la grandeur d'âme dans la réalisation de sa tâche : loin de fuir, Yvain cherche à en apprendre davantage et franchit la clôture pour s'unir au malheur des demoiselles en loques (cf. v. 5219 - 5240). Il est clair que, devant leurs visages baignés de larmes, un ordre lui fut intimé, comme la révélation de ce à quoi il ne devra jamais se soustraire. Le proche, l'ami, la bienfaitrice trahie, vis-à-vis desquels il se sentait redevable ont servi de propédeutique ; à travers eux se précisait la détresse du prochain que viennent symboliser les trois cents malheureuses en ce château maudit où se résument et se réfléchissent les aventures du Chevalier au lion. Par cet effet de miroir, ce qui lie celui-ci aux innocentes victimes est le poids même de son passé : pour avoir compris l'immensité de sa faute, pour s'être reconnu essentiellement pécheur, il s'est fait une loi de répondre par sa vie du deuil de ses semblables. Devant qui ? Devant « Dieu et le Droit », c'est-à-dire la Volonté qui pourvoit d'un sens la loi et qui demande à être aimée.

Cette émergence du prochain dans le récit oriente son cours et lui confère valeur d'édification dans le temps où le héros conforme sa vie à l'Ordre qui lui fait mission de l'Amour. Nous dirions volontiers que l'amour et le sens se confondent, de même que la Charité est vie en Dieu ; l'amour coïncide exactement avec l'évidence soudaine d'une volonté cachée derrière la loi et qui appelle l'individu voué au malheur à se perdre en elle. Cette mise en place de l'Amour à partir de l'Ordre qui se fait entendre s'accompagne d'une neutralisation sexuelle du prochain : Yvain ne rencontre plus la Fée Amante mais la Pucelle Infortunée. La « senefiance » prend justement appui sur cette substitution. Le cas de Lunete est exemplaire puisqu'elle réapparaît pour remettre le chevalier en présence de sa Dame, mais tient le rôle de la pucelle déconseillée au même titre que la nièce de Gauvain. En elle se rejoignent les deux séries distinctes de l'« angoisse » de l'amant maudit et de la « charité » du Chevalier au lion, et le même procédé qui faisait suivre le retour traumatisant à la Fontaine de la plainte douloureuse d'une captive se répète lorsque Yvain s'apprête à secourir Lunete : il voit d'abord sa Dame et manque de succomber à son désespoir, mais aussitôt le grand deuil que mènent des voix féminines capte son attention et bouleverse d'autre manière son cœur :

> Et neporquant* an sopirant
> La regarde molt volantiers
> Mes ne fet mie si antiers*
> Ses sopirs que* l'an les conuisse,
> Einz* les retranche *a grant angoisse.*
> *Et* de ce *granz pitiez* li prant
> Qu'il ot* et voit et si antant
> Les povres dames qui feisoient
> Estrange duel... (v. 4346-4354).

Le succès de la « senefiance » tient à cette infime conjonction grammaticale qui vaut substitution ! Il faut que l'« angoisse » s'oublie dans la « pitié » et que l'impasse éprouvée dans l'amour humain le cède au sens révélé dans l'Amour divin. Si *Pesme Aventure* représente le lieu où le héros est requis de savoir, le regard implorant des jeunes filles asservies prévaut sur l'offre amoureuse de la merveilleuse pucelle et le même combat qui délivre les premières refuse la seconde ; les fils du diable ont vécu quand triomphe la seule Charité.

Il reste à compléter, suivant la tripartition proposée, le tableau des épisodes de ce roman (voir page 122).

Tandis que la mission du chevalier s'affirme dans la colonne centrale sous le double chef du Droit et de la Charité, le passé est dans sa représentation exorcisé et dans son recommencement compensé : la vie dans la forêt n'est plus seulement la vie sauvage ; le pays détruit autour du château (cf. v. 3373-3775) trouve son libérateur ; la cour dont le héros est parti retentit des nouvelles de ses exploits ; son absence ne signifie plus sa honte mais son honneur ; face aux séductions amoureuses, le chevalier démontre qu'il se souvient et demeure constant. D'autre part, s'il résiste au choc d'être remis en présence de la Fontaine et de sa Dame, il le doit à l'*incognito* dont il se masque et qui permet à sa douleur de se proférer, à sa valeur d'être glorifiée : la longue redite de ses hauts faits (v. 4899-4999), après qu'une pucelle s'est perdue au fond des bois, comme lui naguère, pour le retrouver (cf. v. 4828-4852), correspond à l'intention de confirmer dans la parole, à travers ce dont elle est le symbole, le redressement de l'égaré et de jeter un pont par-dessus l'abîme qui s'était creusé dans le silence et la fuite entre le héros et son propre monde. Dans l'équilibre précaire du masque et de la parole se prépare la réconciliation avec soi-même, qui s'achève lorsque le chevalier redevient « Yvain » devant Arthur, puis devant Laudine (soit l'ordre contraire à la première partie). Le dernier mot appartient donc à Laudine, mais ne se suffit pas à lui-même, puisque entre les amants, après la disharmonie qu'a introduite nécessairement pour qui l'ignore l'oubli coupable, s'entremet l'instance autonome du Bien : « Dieu et le Droit ».

les reflets dans le miroir	*le commandement d'amour*	*le recommencement*
la situation amoureuse *(Noroison)*	(«comme un lion»)	(«pensif»)
la vie sauvage	le lion en péril	la Fontaine
le pays dévasté (Harpin)	la pucelle infortunée et le surnom de «Chevalier au lion»	Lunete : en présence de Laudine
la cour d'Arthur d'où a disparu le héros	la cadette déshéritée	sur la trace des exploits récents
la situation amoureuse *(Pesme Aventure)*	les trois cents pucelles	«Yvain»... ...en présence d'Arthur (Gauvain) ...en présence de sa Dame (la Fontaine)

La même analyse s'applique à *Erec et Enide,* mais l'exigence d'amour à laquelle s'identifie la « senefiance » se confond moins pour le héros avec l'existence du prochain qu'elle n'est inscrite dans le supplice de son propre corps. L'ascèse répond ici à l'abus sexuel[3] comme un acharnement à rétablir le corps dans sa pureté. L'armure d'Erec inaccessible à la rouille (v. 2640) symbolise le corps lavé de toute souillure, dont commence la Passion. L'idéal du moi n'est pas représenté par la noblesse du lion, mais par le léopard et l'éclat immaculé de l'« argent » (v. 2641) ou du « blanc acier » (v. 2634). Quant au heaume,

> Plus cler reluisoit que glace (v. 2655).

Il s'agit moins de la bonté que de la pureté et l'Amour est impérieusement ressenti à travers cette figure du corps souffrant. Dans ce glacis du corps, le retrait de la jouissance maudite est en vérité éprouvé. Mais, dans ce martyre — et c'est en quoi réside l'Amour — le héros s'immole à une Volonté mystérieuse et inconnue. Par ce sacrifice expiatoire, il devient à son tour Roi. Le sens d'*Erec et Enide* a trait à la fonction royale (« la joie de la cour ») et se reflète dans l'amoncellement des richesses, dans la prodigalité des dons comme dans la profusion et le luxe des descriptions : cette abondance comble et recouvre l'abîme entrouvert du désir. Dans *le Chevalier au lion,* la pitié, au sens de la charité, se substituait à l'angoisse ; dans *Erec,* « la joie de la cour » répond à l'énigme de « la Joie », « de Dieu maudite » (v. 5660). Le point de référence central du roman dans sa seconde partie, sa pierre d'angle dans l'édifice du sens, est fait de la conjonction, non pas de la figure du Droit (le lion) et du spectacle de l'infortune, mais des emblèmes immaculés de la royauté et du calvaire d'un corps. De part et d'autre s'équilibrent, comme dans *Yvain,* la scène fantasmatique où s'exorcise l'aventure et la scène réelle où tout à la fois, en compagnie de la femme, s'avive et s'éteint la brûlure du désir : Erec exige d'Enide un silence qu'elle ne peut faire autrement que de rompre, sans que s'établisse entre eux le moindre rapport charnel. Ce faisant, il s'impose l'humiliation d'une désobéissance et ne cesse de revivre ce matin de honte où fut proférée sa malédiction (« mar i fus », v. 2503 et 4599). Erec ressemble à un Yvain qui reviendrait sans fin auprès de sa Fontaine. Le terme est également celui d'un apaisement et d'une acceptation enfin permise. Mais la chevauchée aventureuse où Enide merveilleusement parée se trouve exposée suscite d'autre part des rencontres où se représente la situation réprouvée ou au contraire rétablie du couple amoureux : la concupiscence, avec le comte Galoain et le comte de Limours ; le malheur, avec Enée et Didon ; le paradis coupable, dans le Verger de Mabonagrain ; mais aussi, et contrairement à l'attitude des mauvais comtes, l'aide à une demoiselle éplorée et la réunion du couple : Erec combat les géants puis sauve Enide des mains du comte de Limours, avec pour effet, dans les deux cas, les retrouvailles des amants séparés :

la représentation (exorcisée)	*la Loi (aimée)*	*la répétition (angoissée)*
le comte Galoain (concupiscence)	le Léopard ; les armes *immaculées*	le silence d'Enide (la malédiction)
le couple : séparé par les Géants, réuni par Erec	les blessures du corps (Guivret)	la cour d'Arthur (l'honneur rendu au couple)
le comte de Limours (concupiscence/ réunion du couple)	les plaies rouvertes (« la mort »)	lamentation d'Enide (la malédiction)
	la défaite et « la mort » (Guivret)	les nouvelles noces à Pointurie
le Verger ou la Joie interdite	la « Joie de la Cour »	le désir de l'aventure (solitude)
« Eneas et Dido » (la selle d'Enide)	les trônes d'*Ivoire* (et l'autorité du Savoir)	la dépense fastueuse d'Arthur

Que ce soit par abnégation en présence du prochain ou en s'immolant dans son corps, le héros, dans le malheur qui l'atterre, entend un ordre et ouvre par amour son cœur à la Volonté qui se déclare dans son destin. Il est, comme le proclame le prologue du *Conte du Graal,* celui qui habite en Dieu et que hante Dieu. La « senefiance » étend ainsi l'ombre religieuse du mystère sur l'énigme sexuelle enclose dans la tragédie du pays *gaste.* Cette substitution ne réussit que par l'étonnement dont est saisi le cœur de l'homme et qui porte le nom d'Amour ou « charité » et, dans l'amour qui le rive à ce qui lui fait une loi de la souffrance, le sens, voilé de mystère, reprend ses droits ; cet imprononçable continue de fasciner et de posséder un héros que l'effroi voue à la chasteté. Cette crainte dans laquelle il est entré des Noms de Dieu et les secrets improférables le prévient d'approcher plus avant, mais aussi bien le retient dans leur mouvance. Dans ce qui préside au savoir, l'Amour a relevé de l'horreur, dans le même temps où le sens s'est subordonné le désir. La clef de ce retournement est à chercher dès le *Conte du Graal* dans l'ambiguïté de la Lance : elle est à la fois la Lance terrifiante qui va détruire le royaume de Logres (Hilka, v. 6171) et dont le sang évoque la castration du Roi Pêcheur, et la Lance souffrante,

> La Lance don la pointe lerme
> Del sanc tot cler que ele plore (v. 6166-6167),

la Lance qui symbolise l'Amour et le sacrifice du Christ et qui répand le Précieux Sang destiné au salut des hommes. Mais dans la Passion du Fils en croix doit être aimé le Dieu terrible qui s'est retiré.

Les grands secrets écrits

Les successeurs de Chrétien nous réservent ici quelques surprises. La christianisation de la légende n'est en effet rien moins que claire. Sans doute faut-il partir des suggestions symboliques et du climat religieux dont l'auteur du *Conte du Graal* entoure la scène du château du Graal : l'hostie portée, voire produite, par un plat très saint où revivrait obscurément le souvenir de la *paropsis* (cf. Mtt, 26, 23) ; sa vertu miraculeuse, à l'exemple de la tradition hagiographique ; le symbole chrétien de l' ἰχθύς (*ichthus*) qui se déchiffrerait dans la méprise, savoureuse, de poissons au lieu d'hosties ; l'allusion biblique au « pêcheur » d'hommes, mettant sa peine à sauver leur âme du péché ; les analogies verbales entre la description de la Lance et les textes épiques qui parlent du miracle de Longin[4]. Il semble bien qu'on ait, comme R.S. Loomis essayait de le montrer sur l'heureuse confusion entre la « Corne » de Bran le Béni et le « corps » béni du Christ (d'où « l'oiste » dans le Graal)[5], tout un jeu sémantique d'équivoques voulues ou non qui, tel un prisme, restitue par réflexion à la lumière venue des Celtes une infinie coloration religieuse. Tandis que la clarté du Graal préfigure l'illumination spirituelle et la grâce divine, les souffrances du pays *gaste* trouvent leur écho dans l'angoisse de la Passion et la Lance pleure des larmes de sang, se chargeant de la douleur dont elle est pourtant cause et renversant son propre symbole pour signifier non la destruction, mais la Rédemption.

Or Robert de Boron dans le *Roman de l'Estoire dou Graal*[6] passe cette dernière complètement sous silence. A vrai dire, chez Chrétien, l'ermite s'en tenait dans ses révélations au péché de Perceval et au service du Graal, alors que la

Lance avait partie liée avec la féerie des aventures de Gauvain. Ce motif trop empreint des obscures terreurs du mythe a peut-être semblé à Robert de Boron difficilement assimilable à la « senefiance » religieuse. L'aurait-il donc rejeté sciemment comme un corps étranger à sa nouvelle matière ? Car, s'il ignore apparemment Chrétien au point que certains ont voulu dater son *Estoire* d'avant le *Conte du Graal,* il n'en magnifie pas moins les trois données essentielles pour une œuvre sainte : la grande clarté du *Veissel;* l'épreuve du désert : la vie en « eissil », selon l'*Estoire* (v. 2349), ou encore, d'après *Merlin* (Paris, I, 95, l. 8), « en une deserte gastine » ; l'obsession du *Corpus Christi,* livré au martyre pour nos péchés dans la Passion, offert aux purs dans la communion, porteur donc d'une double signification : pénitentielle et eucharistique. Il tire le Graal (absent de l'Evangile Apocryphe) vers toujours plus de lumière et de béatitude ; il charge de résonances bibliques le thème de la terre « essiliee » ; dans le sacrifice du Christ, il met plus l'accent sur la Vie que donne son corps que sur la mort par lui soufferte. Il présuppose donc Chrétien en ce qu'il substitue la merveille sainte à la féerie profane et approfondit sur la voie déjà tracée le sens religieux jusqu'au mystère ineffable. Le *Roman de l'Estoire dou Graal* réussit à notre étonnement la métamorphose de la matière de Bretagne, remplaçant la scène — « l'autre scène » — du mythe par la Cène de l'Evangile, déplaçant le centre d'intérêt d'Occident en Orient, édifiant un « sens » religieux fait de mystère à l'emplacement que la « matière » réservait à l'énigme sexuelle. Il y a fallu du génie ! Mais si la Lance, non plus que les questions, n'entre désormais dans le plan de Robert de Boron, la *Première Continuation* (rédaction courte) n'en garde pas moins trace d'un autre effort pour réduire les enchantements venus de Bretagne et visant ce que le récit de Chrétien laissait inexpliqué : la Lance qui saigne (cf. ms. L, v. 7435 *sq.* et mss. ASP). Celle-ci, sous l'influence de l'Invention d'Antioche et de la tradition de Byzance, a été identifiée à la Lance de Longin. Mais la rédaction courte s'en tient là au regard de la christianisation, car le récit fait à Gauvain par le roi sur les origines du Graal et le rôle de Joseph d'Arimathie (ms. L, v. 7483-7708 ; mss. ASP, v. 7445-7670) résulte, comme H. Wrede l'a établi, d'une interpolation inspirée par la version de Robert (*Die Fortzetzer des Gralromans Chrestiens von Troyes,* Göttingen, 1952, p. 171-199). La visite de Gauvain chez le Roi Pêcheur (Roach, III, L, v. 7039-7716) présente donc de façon distincte (et non pas comme chez Chrétien en un même cortège) un Graal magique qui sert à table à la façon d'un plat d'abondance et la Lance qui se révélera être celle de la Passion. Mais, quand celle-ci perd tout caractère maléfique, il revient à un autre objet de frapper le Coup Douloureux. J. Marx a relevé ce glissement : dans l'« histoire de Silimac », la bière où gît le corps du chevalier mort, l'Epée brisée qu'il faut ressouder et dont on parle comme naguère Chrétien de la Lance[7] attirent maintenant l'attention et concentrent l'énigme (cf. *les Romans du Graal,* p. 265-266). Le fil s'en poursuivra jusqu'au Huth-*Merlin* et à l'épisode de Balaain, le chevalier aux deux épées.

La *Seconde Continuation* s'inscrit apparemment dans cette tradition : Gauvain rencontrant dans la forêt son fils Guinglain lui relate son aventure au château du Graal et comment, avant de céder au sommeil, il avait appris, au sujet de la Lance d'où s'écoulait le sang vermeil,

> Que c'iert celle demeinement*
> Dont Nostre Sires fu feruz
> Quant an la croiz fu estanduz (Roach, IV, v. 31236-31238).

Pourtant, comme chez Chrétien, le narrateur fait état d'un cortège de la Lance et du Graal (cf. v. 31188-31189 et 31207, 31212-31215), auxquels s'ajoute l'Epée. Ce qui se confirme plus nettement encore avec la venue de Perceval (32396-32414), à la nuance près qu'une pucelle cette fois, comme pour le Graal, et non plus un valet, porte la Lance (v. 32403). Est-ce le signe que la Lance et le Graal se confondent en signification, à la différence de l'Epée nue que présente dans les deux scènes un jeune homme ? Si la Lance, en effet, a été révélée à Gauvain comme la relique de la Passion, un épisode antérieur des aventures de Perceval, la demoiselle à la mule blanche et la nuit passée en forêt, a dévoilé au héros la nature du Graal : la grande clarté qu'il avait soudain aperçue, l'illumination de la forêt nocturne, la flamme vermeille qui touchait aux nues (cf. v. 25608-25621),

> Senefioit que li Graaux
> Qui tant est biaux et precïeux,
> *An quoi li clers sens* glorïeux*
> *Dou roi des rois fu receüz*
> *Quant il an la croiz fu panduz,*
> Avecques lui* ou bois* l'avoit (v. 25792-25797).

Suivant une bipartition conforme au récit de Chrétien, Gauvain et Perceval ont respectivement eu connaissance de la Lance et du Graal comme de saintes reliques, réunies dans le même culte du Précieux Sang versé à la Passion. D'où vient ce changement apporté au récit de Chrétien dans une scène qui pourtant se souvient de lui, comme le montre ce qui la sépare de la *Première Continuation,* à savoir le cortège lui-même ? La clarté qui embrase la nuit, la mise en rapport du Graal avec le Sang du Christ (non plus avec l'« oiste » du *Corpus Domini*) ne devraient-elles rien à la conception de Robert de Boron ? On objectera aussitôt que chez Robert le Sang est recueilli par Joseph d'Arimathie (dont il n'est pas fait ici mention), après la déposition de croix et non lors de la pendaison (cf. Nitze, *Perlesvaus,* II, p. 187-189). Mais Robert ne dit rien de la Lance et on est en droit de se demander si Wauchier n'a pas conçu l'idée de rendre complémentaires la Lance et le Graal, déjà rassemblés dans le même cortège : du flanc percé par la Lance jaillit le Sang que reçut le Graal. Le Didot-*Perceval,* qui imbrique les récits de Wauchier et de Robert, témoigne à vrai dire d'un embarras à concilier la tradition, explicitement reprise, de Joseph et celle de Longin, puisqu'il s'agit dans l'histoire de la Croix de deux moments distincts (Roach, p. 240-241). Pourtant, l'explication du Roi Pêcheur, après le passage des objets sacrés, suggérerait leur interdépendance :

> Biaus niés, saciés que ce est ci li lance dont Longis feri Jhesucrist en le crois, et cil vaissiaus que on apele Graal, saciés que çou est li sans que Joseph recuelli de ses plaies qui decouroient a le terre (E, l. 1849-1852).

S'il n'y avait le pluriel « ses plaies », on eût fait coïncider les deux actions. La suite, évidemment, dissipe toute équivoque (cf. l. 1876-1878). La fusion des motifs s'accomplit dans *Perlesvaus* à l'occasion du cortège du Graal (Nitze, I, 119, l. 2425-2426) où, selon l'expression de J. Frappier, « dans le Saint Graal, vaisseau de l'éternelle Rédemption, coule à jamais le sang de la Lance, de l'éternel sacrifice » (« Le Cortège du Graal », dans *Lumière du Graal,* Paris, 1951, p. 220) ; mais ici, dans l'histoire de la Passion, si la Lance et le Veissel tombent finalement tous deux entre les mains de Joseph et si, d'autre part, le Sang coulant des plaies a été recueilli quand le Sauveur fut mis en croix (cf. Nitze, I, 24, l. 33-35), les deux gestes ne sont pas perçus dans l'unité d'une même action. La *Queste* offre une représentation symbolique de l'office liturgique qui associe les deux reliques comme le vin de la messe au calice où il est versé : un ange tient la Lance « tote droite » sur le Saint Veissel,

> si que li sans qui contreval la hanste* couloit, chaoit dedenz (Pauphilet, p. 269, l. 9-10),

mais ne souffle mot de la descente de croix, ni de Joseph, ni du Veissel et du Sang. Manessier seul exprime en clair (Potvin, v. 35817) que le vaisseau reçut le Précieux Sang quand le Christ fut frappé de la Lance (de Longin, cf. v. 35595).

Quoi qu'il en soit, si notre hypothèse s'avérait exacte, le roman de Robert de Boron s'intercalerait entre les deux *Continuations,* contemporain peut-être de la première, antérieur en tout cas à la seconde. Comme l'ermite dans le *Conte du Graal* avait éclairé le sens du Graal, la *Continuation* des aventures de Gauvain cherchait une signification chrétienne à la Lance ; Robert de Boron préférait l'éliminer et reporter sur le Graal, devenu Veissel, le motif du sang, désormais compris comme celui du Christ. Mais du même coup les deux objets mystérieux recevant un dénominateur commun s'équivalaient pour le sens et Wauchier, les mettant en parallèle, préparait leur harmonisation ; la jonction effective ne se réalisa que plus tard. Il s'agit d'un véritable bouleversement à l'endroit du texte de Chrétien : il est essentiel que soient distinguées dans son récit une représentation interdite et terrible, celle de la Lance destructrice, et une autre douloureuse et implorante, celle de la Terre *Gaste* du Roi *Méhaignié.* Faute de reconnaître celle-ci dans l'ordre symbolique (sur le plan de la parole, des questions), les effets de la première resurgissent dans le réel : la destruction de Logres, l'égarement de l'esprit (cf. folie d'Yvain, « niceté » de Perceval). Cette dualité se retrouve sur le plan religieux : d'un côté, les Noms de Dieu, les paroles innommables ; de l'autre, la Passion du Christ et la charité. En ce sens, le Roi Pêcheur propose à Perceval, dans la *Seconde Continuation,* le modèle d'un prud'homme

> Qui Dieu cremit* et Dieu amast (v. 32523).

L'opposition joue également entre les deux niveaux eux-mêmes, mythique et religieux : d'une part, la Lance malfaisante, de l'autre, la Lance qui pleure.

Mais qu'advient-il si le signifié de la Lance rejoint celui du Graal, si les deux objets sont placés du même côté ? Toute trace de la terreur sacrée n'a pas pour autant disparu de la perspective religieuse. La demoiselle à la mule coupe court en ces termes à la curiosité de Perceval :

> ... Sire, ce ne puet estre
> Que je plus vos en doie dire*...
> Se cent foiz estïez mes sire,
> N'en oseroie plus conter
> Ne de ma boiche* plus parler :
> Car trestot est *chose secree,*
> Si ne doit estre racontee
> Par dame ne par damoiselle...
> Ne par nul homme qui soit nez,

> Se il n'est prestes ordenez
> Ou hom qui maine sainte vie,
> Qui d'autrui chose n'ait envie...
> Cil porroit dou Graal parler
> Et les mervoilles raconter,
> Que nus homs ne porroit oïr
> *Que l'an ne l'esteüst* fremir,*
> *Trambler et remüer color*
> *Et ampalir de la paor* (Roach, IV, v. 25828 - 25848).

Et l'avertissement est répété aux vers 32064 - 32066 et 32250 - 32255. Seul le pur, celui qui est pourvu de « toutes les hautes bontés » (v. 32575), pourrait sans être foudroyé approcher de ce centre insoutenable. Comment serait-ce le cas de Perceval qui opposait une fin de non-recevoir à la remarque de l'oncle ermite ?

> Mes il vos devroit molt desplere
> D'omes ocirre an tel maniere !
> Moult le chastie par proïere*
> Li sains hermites...
> Que de s'ame li sovenist
> Et de celui qui toz nos fist... (v. 24002 - 24008).

Va dans le même sens la vision de l'enfant sur la branche qui disparaît au sommet de l'arbre (v. 31432*sq.*). Or, devant cette exhortation, Perceval soupire mais s'obstine : avant tout, il veut apprendre la vérité du Graal ; il mettra seulement après sa peine à gagner le paradis (cf. v. 24012 - 24029). Le vœu d'en savoir plus l'emporte sur toute préoccupation pieuse[8]. Le drame de Perceval tient à ce que la quête ne peut se poursuivre que selon la loi de l'aventure, mais qu'il n'accomplira rien s'il ne vit selon la loi de Dieu. D'où son insuffisance que révèle son demi-échec final à l'épreuve de l'épée et que constate le Roi Pêcheur. La violence du soupir que le héros exhale alors et la joie que provoque dans le cœur du roi cette marque de vrai repentir indiquent assez la voie désormais à suivre. Le deuxième temps de Wauchier ne conclut pas le premier de Chrétien, mais reproduit la bipartition inachevée de celui-ci : Perceval est revenu à Beaurepaire et au château du Graal, mais pour être une fois encore renvoyé ailleurs ! Pour écrire une fin, il faut rompre avec le rythme et le paradoxe du récit de Chrétien et poser trois temps, comme Robert de Boron. Il est clair en tout cas que chez Wauchier, par un renversement de la problématique initiale, la religion prend en charge la terreur qui frappe l'oublieux. Chez Chrétien, il fallait que le chevalier ouvrît son cœur à l'aventure (cf. le *Chastel Gaste* de Blanchefleur) pour surmonter la malédiction et accomplir, dans l'amour, la loi ; ici, c'est l'aventure elle-même qui est impure ; l'errance est maîtresse d'erreur. Quelle que soit la poésie dont se pare l'« enforestement » de Perceval, s'enfoncer dans le bois dit peut-être la même fuite ou la même inconscience que celle d'Yvain revenu à la vie sauvage. L'effroi qui gagne à l'approche du Sacré rappelle le pécheur (comme le chevalier le fut, par l'humiliation publique) à sa faute, inséparable de son être même, et qui n'est plus d'avoir négligé l'aventure, mais d'être maintenant possédé par elle jusqu'à l'aveuglement. Chrétien n'en est-il pas lui-même responsable pour avoir condamné Perceval à cinq années d'exploits aussi glorieux que vains ? L'ermite seul peut habiter dans le voisinage du terrible secret, parce qu'il vit de renoncement ; le chevalier est, pour son péché, contraint au repentir qu'expriment ses « soupirs » ; autrement, il est terrassé par le Divin. La frayeur qu'inspire la mystérieuse présence du Sacré n'a de sens que de marquer au fer rouge une mémoire facilement oublieuse et de représenter l'interdit que seul franchit la folie — où se démontre le malheur dont est fait le destin de l'homme. C'est pourquoi le discrédit est jeté sur l'aventure elle-même : tout ce qui n'est pas pensée de Dieu n'est que complaisance et lâcheté coupable, ce qui justement ne s'entend pas des médiocres, mais des chevaliers les plus exigeants, ceux de la Table Ronde. Ainsi s'éclaire l'énigmatique épisode du Mont Douloureux : quiconque tente l'aventure d'attacher son cheval à l'anneau du pilier qui s'y trouve en perd la raison s'il n'est le Chevalier Parfait, longtemps attendu. Ainsi du sénéchal Keu que rencontre Bagomedès (cf. v. 28309-28323), ou de l'ami de la pucelle éplorée qui se plaint à Perceval :

> Le cuer en ai et tristre et noir...
> Qu'il est *issus fors de son sens**.
> Et par ici an icest sens*
> S'an aloit il toz eslaissiez*
> *A loi d'ome* qu'est anraigiez* (v. 31554-31560).

Qui s'engage dans l'aventure par souci de gloire, sans s'être hissé jusqu'à la sainteté (cf. la fille de Merlin, v. 31688-31697), sombre dans la folie. Comment mieux signifier l'égarement et la volonté d'oubli qui paradoxalement président à l'errance aventureuse ? Il importe avant tout de cerner ici cette nouvelle appréciation de l'aventure, selon la perspective religieuse héritée de Chrétien, certes, mais pourtant ajournée par lui dans la *partie Gauvain*. La *Seconde Continuation* maintient l'ambiguïté : il ne fut jamais autant question de pucelles *faées* que dans ce récit où prévaut au terme la conception morale et religieuse du Bon Chevalier !

Ainsi demeure dans la transposition religieuse des redoutables secrets du Graal, mais au détriment de la chevalerie aventureuse, le souvenir horrifié de la Lance mortelle du mythe. Inversement, dans ce même roman, quand la Lance devenue celle de Longin est neutralisée ou, mieux encore, porte l'espérance du salut et que la religion tempère de douceur l'âpre histoire primitive, des spectacles macabres reviennent comme autant de fragments mythiques épars hanter la narration : il n'est jamais possible de faire bon marché de la structure ! Que penser en effet du nouvel et curieux épisode de la Chapelle et de la Main Noire qui terrorise Gauvain dans la *Première Continuation* (L, v. 7039-7090), dont il reprend le récit dans la *Seconde* (v. 31128-31149), avant que Perceval à son tour ne l'affronte (v. 32088-32156) ? Une sinistre nuit d'orage, une chapelle isolée, une main fantomatique,

> Assez plus noire qu'arremant* (v. 31145),

qui éteint l'unique cierge, une peur panique qui s'empare de Gauvain. Aussitôt après, dans la salle vide d'« un riche chastel » où il pénètre, il est mis en présence d'un corps « an une biere » que pleurent des gens qui ont tôt fait de s'évanouir. Suit l'accueil par le Roi Pêcheur. Viennent enfin la Lance et l'Epée brisée, tandis que passe le Graal. Wauchier a déjà tant soit peu modifié la description de la *Première Continuation*[9], puisque l'Epée fait partie du cortège au lieu de reposer à côté du cadavre et d'être rapportée par le roi et que la bière se tient dans une pièce distincte (cp. v. 31155-31158 et 31178-31179). L'auteur cherche sans doute à coller de plus près au récit de Chrétien, qui rassemblait en effet les trois objets dans la salle du château, mais ignorait la bière et le gisant. Cette tendance s'accentue dans la répétition de la scène avec Perceval : celui-ci errait à la lune ; une grande clarté le guide ensuite, avant de disparaître ; il entre dans la chapelle vide, mais sur l'autel,

> Gisoit uns chevalier ocis (v. 32103).

Survient une « grande clarté », puis un coup de tonnerre (« escrois »). La Main Noire éteint le cierge, mais Perceval ne se départ pas de son calme. Parvenu au château du Roi Pêcheur, il a seulement affaire à la procession du Graal, de la Lance et de l'Epée nue, brisée par le milieu. Le roi promet de dévoiler, après l'épreuve de la soudure, et dans l'ordre, la raison du « chevalier de la chapelle », puis du « riche Graal », enfin « de la lance au fer royal » (v. 32533-32536). Le changement d'une scène à l'autre n'altère ni l'ordre des différents éléments, ni leur lien. La contiguïté narrative de la chapelle et du corps reposant en bière dans le premier cas autorise la combinaison des deux motifs ensuite : le mort sur l'autel de la chapelle. Le tout, c'est-à-dire l'arbre et la clarté, la chapelle et le mort, la clarté et l'« escroiz », la Main et le cierge, est « senefiance », c'est-à-dire signe que le héros serait en passe d'apprendre la « vérité du Graal et de la Lance » (v. 32233-32235). Deux pôles donc, dans le récit : la chapelle d'un côté, le château de l'autre ; et, dans le château, l'épreuve de l'Epée, qui suit immédiatement la « nouvelle » du chevalier de la chapelle et, d'autre part, la révélation du Graal et de la Lance. Il semble que l'Epée, dont le raccord joue le même rôle discriminatoire que la question dans le *Conte du Graal,* condense tout le mystère qu'offrait, chez Chrétien, la Lance qui saigne et que le passage du Graal invitait à interroger. La Lance et le Graal sont, en revanche, maintenant indissociables et la clarté qui dans la nuit, à trois reprises, apparaît à Perceval (dans la forêt, en compagnie de la demoiselle à la mule ; puis, sur l'arbre illuminé ; enfin dans la chapelle, avant l'« escroiz ») est à la fois la métaphore de la lumière qui éclaire la conscience et la réalité de la Joie éternelle qui inonde le cœur. Dans la chambre embrasée de mille feux (cf. v. 32283-32284 et 32294-32295), le cortège du Graal, appelé au vers 32400 dans toutes les versions « le Saint Graal », et de la Lance emporte une vérité spirituelle, mais l'Epée brisée garde le souvenir de la nuit de la Chapelle, de l'horreur de la Main Noire et de l'exposition funèbre. Comme l'éclat de la Lance chez Chrétien recélait l'histoire maudite du Père mutilé et du deuil des fils sans sépulture, la blancheur de l'Epée nue ne brille que dans l'ombre mortelle que jette sur la scène l'antique terreur du « grand destruiement » (*Première Continuation,* L, v. 7474 ; ASP, v. 7439), la mémoire mythique du malheur dont est tissé le destin de l'homme et que nous avons appris à désigner comme la castration — soit, au regard du corps, l'exil de sa jouissance. La folie guette au « Mont Douloureux » quiconque n'en aura eu conscience ni éprouvé, cela revient au même, la grande douleur. Mais faut-il, pour ne pas l'oublier, aimer dans ce malheur le signe d'une Volonté à qui offrir, comme l'ermite dans le désert, la chasteté de son corps, ou savoir, comme Lancelot, en étendre le règne en son cœur pour qu'il n'ait d'autre couronnement que la relation charnelle avec une femme ? Au prix d'un de ces jeux de mots approximatifs dont le Moyen Age savait la fécondité, nous dirions qu'à la croisée du malheur la voie « chaste » de l'ermite est à l'opposé de celle « gaste » du *fin amant.* La *Seconde Continuation* apparaît donc ambivalente, et ce caractère se transmet au Didot-*Perceval* (ou roman en prose de *Perceval*) où sont repris et refondus des épisodes clefs de cette dernière, suivant la nouvelle orientation propre à Robert de Boron.

Or l'œuvre de Robert de Boron, qui supprime avec la Lance et l'Epée destructrices les questions dont leur énigme était la raison d'être, et qui paraît baigner tout entière dans la vivifiante clarté du « Saint Veissel », abhorre l'impureté sexuelle, le « péché de luxure ». Dans le Didot-*Perceval,* à la différence de la *Continuation,* le héros ne connaît pas charnellement la Demoiselle de l'Echiquier :

> Percevaus n'avoit cure de faire pecié, et nostre Sire ne li voloit soufrir a faire (Roach, E, l. 1446-1447, et « 10/18 », p. 254).

Cette détestation trahit l'ombre qui la hante, la fascination de l'Innommable qui s'interpose, mais par le signe de son absence, dans le rapport sexuel. La parfaite lumière de la « senefiance » jaillit d'un fond obscur qui appelle tout autant l'analyse. L'omission de la Lance se compense autrement. Mais quel équivalent Robert donne-t-il à l'Epée et à la Bière des continuateurs ? Qu'est-ce qui marque, dans son récit, la place où se préserve, interdite, la jouissance ?

Le *Roman de l'Estoire dou Graal* dont la « senefiance » se bâtit autour de la sainte histoire d'amour du Fils de Dieu et d'un soldat, qui obtient, pour ses « soudées » (son salaire), le corps de celui-ci, n'a certainement rien de commun avec l'offre amoureuse de la Fée Amante au chevalier aventureux ! Que l'on ait pu, grâce au visage de Blanchefleur ou à l'entremise de la Demoiselle de l'Echiquier, dégager le soubassement sexuel de l'affaire du Graal, passe encore ! Chez Robert de Boron la sexualité n'est plus de mise ! Pareil refus précisément, souhaiterions-nous rétorquer à ce légitime mouvement d'humeur, en maintient comme en sourdine la présence. Non pas, comme ne manquerait pas de le dire une psychanalyse grossière, que le sens de la Passion et du Saint Graal soit en dernière instance sexuel, mais au contraire ce sens, qui n'a rien de sexuel, se propose *à la place* de ce à quoi il est réfractaire, soit le clivage sexuel. Sur ce point, le texte parle de lui-même, sans qu'il soit besoin d'interpréter : dans l'histoire de la Rédemption, avant la Passion vient l'Incarnation, comme, dans celle de la Table Ronde, avant « les Peines de Bretagne » il est question de la conception diabolique de Merlin et de la bâtardise d'Arthur ; quant à celle du Saint Graal, elle demande la venue d'un « hoir » (un héritier) qui s'accommode mal de la chasteté de son père présumé, Alain. Chacune de ces naissances, à grouper selon deux séries, le Christ et l'Elu d'une part, Merlin et Arthur de l'autre, garde son mystère ou simplement son secret. Ce qui caractérise le Bâtard, c'est qu'il ne passe pas par la voie d'un échange sexuel normal mais que préside à son engendrement un pouvoir occulte, une volonté sainte. Le rapport ne s'établit pas entre un homme et une femme, mais entre un principe sacré (Dieu, Diable ou Roi) et sa descendance. Le commerce illégitime est sanctifié et la femme existe comme Mère ; le sacré neutralise le sexuel et le met hors jeu. Qu'on songe à Jean de Meung maudissant l'être insaisissable de la femme, justifiant à travers ses métaphores aratoires le plaisir amoureux au seul titre d'une ruse pour perpétuer l'espèce et exaltant par la bouche de Nature le mystère de l'Incarnation, la possession non sexuelle de la Vierge par l'Idée du Nombre !

C'est li cercles trianguliers,
C'est li triangles circuliers,
Qui an la vierge s'ostela*.
N'an sot pas Platon jusque la*,
Ne vit pas la trine unité
En ceste simple trinité (Lecoy, III, v. 19107-19112).

En ce tournant de la littérature médiévale, Robert de Boron est à Chrétien ce que Jean de Meung est à Guillaume de Lorris. Une expression fait image, transmise par Luc, 1, 35: « obumbrabit tibi »,

Dedenz la Virge s'aümbra (Nitze, v. 31).

L'ombre dont Dieu couvre la Vierge dit qu'Il s'incarne en elle; elle se projette sur l'union sexuelle comme sa réprobation; elle en nie la représentation et garde le secret de l'autre voie, interdite et perdue, celle de la jouissance. Le récit de Robert s'ouvre donc, et doublement, avec l'évocation de Marie puis de sa mère Anne, par ce qui contredit absolument la Joie d'Amour dont le roman arthurien ne se fût passé. La Vierge a droit au seul portrait de l'*Estoire* (v. 32-40), comme en défi à l'héroïne courtoise. Quand Dieu

En li assist* toutes biautez (v. 36),

le pluriel évite le trouble qu'eût insinué le singulier et arrête l'esprit sur la pensée abstraite de la seule perfection. Au lieu de la blancheur séductrice de la fleur de lys ou de l'aubépine, l'odeur profonde de l'églantier ou du rosier qui régénère l'âme (cf. v. 37-38); au lieu d'une description du visage clair et coloré, l'image de

la douce rose
Qui fu dedenz son ventre enclose (v. 39-40).

Plus loin, Marie conçue par Anne sera dite par l'ange,

En son ventre, saintefiee* (v. 70).

L'intervention divine se signale ici par la venue de l'ange et le désespoir du couple stérile. L'Immaculée Conception abîme en enfer le plaisir charnel. Inversement, dans l'*Evangile de Nicodème* (traduit par Chrétien, éd. Paris et Bos, SATF, 1885), la malveillance des juifs accuse la « fornication » à laquelle Jésus devrait sa naissance (250-251 et 265-272); le débat touche à l'endroit sensible! Aussi bien est-ce sur quoi se fonde le Christ pour se dire Roi et même Roi des Rois (*Estoire,* v. 1808) et, à son exemple, les juifs, pour le mettre à mort; l'insensé qui s'affirmant Dieu s'est mis hors la loi doit périr. Dans le langage des hommes, Jésus ne peut être appelé que « le fiz Marie » (trad. anonyme de *l'Evangile de Nicodème,* 307). Mais quand dans l'*Estoire* Joseph implore au nom de son peuple en détresse le Veissel, il invoque ainsi Dieu:

Sire, qui char presis*
En la Virge et de li nasquis (v. 2433-2434).

Le motif court tout au long de l'œuvre : dans la chartre, le Christ révèle le plan divin de sauver par la femme l'homme que la femme a perdu (v. 761-768) ; c'est pourquoi, dit-il,

de la Virge naschi (v. 772).

Le credo que Joseph enseigne à Vespasien témoigne de la même éloquence :

Nez fu de la Virge Marie
Sanz pechié et sanz vilenie,
Sanz semence d'omme engenrez,
Sanz pechié conceüz et nez (v. 2185-2188).

L'équivoque de la forme du cas sujet en ancien français autorise ici, de notre part, un jeu de mots sur « nez », à entendre de celui qui naquit net de tout péché (cf. v. 431 : « quites et nez »). Conformément au Droit Canon, c'est la semence de l'homme qui porte le péché et au début du *Merlin* en vers, plus précis que la prose, le conseil des diables déplore que le Seigneur

Vout* en terre neistre de mere,
Sanz nule semence de pere,
Et essaucier* vint le tourment
En terre si tres sagement
Sanz delit d'omme ne de femme;*
Unques n'i pecha, cors ne ame (v. 85-90).

Que la « semence » transmette le péché privilégie l'organe phallique comme le signe où se représente un malheur plus profond, immémorial, dont tout plaisir (le « delit ») porte la culpabilité parce qu'il en est l'oubli. La joie de la chair est condamnée parce qu'elle est marquée au sceau de cette fatalité ; l'acte sexuel contraint à vivre, au-delà du plaisir, le retour du malheur. D'où l'effort religieux pour inventer une voie non sexuelle.

Le roman de l'*Estoire* débute par l'Incarnation divine et s'achève sur la promesse d'un « hoir » mystérieux ; la première donnait l'occasion d'exalter la Vierge et, dans sa pureté, le corps glorieux :

Il est de mort resuscitez,
A son pere s'en est alez,
O soi ha nostre char portee*
En paradis *gloirefïee** (v. 2231-2234).

La seconde est le lieu d'un enseignement que la Voix de l'Esprit confie à Joseph à l'intention d'Alain :

De la joie de char se gart,*
Qu'il ne se tiegne pour musart*.
*La char tost l'ara engignié**
Et mis a duel* et a pechié (v. 3077-3080).

Des douze fils de Bron, Alain est le seul à préférer être écorché vif plutôt que de prendre femme (v. 2959-2961) ! On eût, dans ces conditions, attendu avec intérêt le récit problématique de l'engendrement de celui qui devait parfaire le cercle de la Trinité :

> Sans doute savoir couvenra*
> Conter la ou Aleins ala,
> Li fiuz Hebron*, et qu'il devint,
> En queu terre aler le couvint
> Et ques oirs* de lui *peut* issir,
> Et queu femme le *peut* nourrir (v. 3463 - 3468).

Le motif de la chasteté d'Alain apparentait en tout cas la naissance de son fils à celle du Christ,

> Sanz *delit* d'omme ne de femme.

Etrangement, le *Merlin* répète à l'envers l'histoire divine et parvient au même résultat à partir de prémisses opposées. La machination diabolique passe par la lubricité féminine ; l'Ennemi tient toujours une femme à sa volonté et œuvre par elle. Mais il cherche la difficulté puisqu'il sème le malheur dans une famille pour se réserver une vierge qui enfantera le nouveau prophète et son Evangile du Mal. Comment procède-t-il pour tromper les trois orphelines ? En provoquant dans leur vie protégée l'irruption du plaisir charnel, dont la souillure va gagner de proche en proche jusqu'à éclabousser, malgré elle, la plus pure. Ici encore, le texte en vers est supérieur à la prose :

> Deables vit que engignier
> Ne les pourroit ne conchier*
> Se leur volentez ne feisoient
> Et le deduit* dou cors n'avoient (v. 299 - 302).

L'aînée succombe par amour et sera enterrée vive ; or le diable est responsable de la divulgation qui entraîne le terrible châtiment. D'autre part, la vieille qui, à son instigation, rend la plus jeune envieuse du « grand aise » amoureux (v. 481 - 496) et de la joie du corps dont sa sœur la privera, la jette dans la prostitution. C'est ce triste spectacle qui vient, un jour, perturber la vie de la plus sage. Il est peu fait pour l'entraîner ! La tactique du Malin ne provoque-t-elle pas l'effet contraire à celui qu'il recherche ? Là réside sa malice : il n'entend venir à bout que de la plus grande résistance, ou plutôt, il lui faut cette résistance. Plus le péché de chair horrifie celle qui doit concevoir de lui, plus la mère de l'Antéchrist ressemblera à la Vierge Sainte. Il la faut absolument pure, pour que la pureté prenne en charge l'œuvre du crime. Elle n'a pas voulu le mal, elle s'en est défendue, mais avec cet excès de passion qui fait d'elle son jouet quand sa sœur la persifle. Ce mouvement d'orgueil, le chagrin ou le dépit de l'âme, est le plus subtil et, dans l'*Estoire,* la Voix prévenait Alain de s'en garder s'il ne voulait, par aveuglement, tomber dans le péché (cf. v. 3065 - 3076). Ainsi suffit-il que l'esprit soit piqué au vif, jalousie ou colère, pour que la tentation charnelle devienne irrésistible ! Le Malin crée toujours une situation de désir préalable, mais une représentation mentale de cet ordre a pour conséquence la luxure. Ce lien est établi, dès l'ouverture de l'*Estoire,* par le récit de la faute originelle (v. 105 - 130) : tout commence par Eve ; la femme est le lieu d'une trahison que suivent le retrait de Dieu et la venue des peines. Où est le péché ? D'avoir touché à l'Arbre prohibé dont sera fait le bois de la Croix : c'est peut-être la plus haute « senefiance », mais elle reste allusive :

> Fu *en la crouiz** pendu et mis
> *Ou fust* de quoi Eve menja*
> *La pomme,* et Adams li aida.
> Ainsi voust* Diex li Fius venir
> Pour sen pere en terre morir ;
> Cil qui de la Virge fut nez... (v. 2196-2201).

Dans la Croix sur laquelle fut supplicié, au nom du Père, le Fils de la Vierge, se représente l'Arbre d'un savoir interdit. Sur quoi portait donc ce savoir ? La Passion où le corps expie le péché avant d'être glorifié en enfermerait-elle le secret ? Qui se satisfait de l'infinie souffrance qui possède alors le corps de l'Homme ?

> Ge n'ose conter ne retreire*
> Ne je ne le pourroie feire,
> Neis* se je feire le voloie... (v. 929-931),

devrions-nous répondre comme Robert lui-même, en présence des « grant secré escrit / Qu'en numme le Graal » (v. 935-936). Mais que résulte-t-il de l'imprudence d'Adam ?

> Et tantost comme * en eut mengié
> Pourpensa soi* qu'il ot pechié,
> Car il vit sa char toute nue,
> Dont il ha mout *grant honte* eüe.
> *Sa fame nue* veüe ha,
> *A luxure s'abandonna.*
> Après ce coteles* se firent
> De fueilles... (v. 117-124).

La proximité fatale de l'Arbre a pour effet immédiat la honte devant les parties nues du corps et en ce qu'elles se voilent commence la luxure, c'est-à-dire le « delit d'omme (et) de femme », la malédiction (le péché) du corps au centre même du plaisir sexuel.

Mais, dans le cas de Merlin, le calcul du diable se démontre pourtant faux ; il est lui-même la dupe de sa propre ruse ; le Mal peut emprunter au Bien sa parure, non son être, ou alors c'est qu'il n'est plus !

> Car il (les diables) me misent* (explique Merlin) en tel vaissiel* qui ne devoit mie estre leur, et la bontés de li lour nuist moult. Mais s'il m'eussent concheu et mis en m'aiole*, je n'eusse pooir de connoistre que Dieus est et fuisse leur (Paris et Ulrich, I, 31, l. 3-6, et « 10/18 », p. 103).

La conception par surprise de Merlin devient au contraire l'occasion d'abandonner à jamais toute luxure, comme l'enjoint à la mère son confesseur (*ibid.,* 15, l. 18-19). De surcroît,

> C'est mierveille de cest enfant que ele encarka* sans delit d'omme (24, l. 27-28). *Variante* : Et la mervelle de cest enfant qu'ele encharga, si li vint en dormant sans nul autre delit (Sommer II, 15, l. 18-19).

Le diable ne s'approprie pas la pureté ; prise à son piège, celle-ci se retourne contre lui. Ainsi un conte cruel se conclut-il à la manière d'une légende pieuse. Il ne fut question que de fornication, d'impureté, d'impudicité et de dissolution, et pourtant la naissance du nouveau prophète ne doit rien aux œuvres de la chair ! Le récit ne se complaît dans l'équivoque sexuelle que pour mieux l'abjurer.

L'affaire est, il est vrai, plus délicate quand Merlin s'entremet dans l'histoire peu glorieuse d'Uter et d'Ygerne, où l'on voit le roi qui vient de fonder la Table Ronde poursuivre de ses assiduités la vertueuse épouse d'un de ses vassaux. On reste confondu devant le machiavélisme du procédé : non pas tant du fait que Merlin donne au roi l'apparence du duc de Tintagel, mais que le droit féodal, trop bien compris, applaudisse à la réparation que le roi offre à la dame, veuve par sa faute, à savoir de l'épouser. Dans l'attendrissement général, « la dame se tut », note avec tact le conteur (Paris, I, 120, l. 7), mais cela vaut acquiescement. La manigance rappelle d'ailleurs l'hypocrisie de Laudine, priée par ses barons. Mais au pays des fées certaines libertés deviennent licites. Que penser en revanche de l'abus de pouvoir en pleine cour féodale ? L'exemple de David dans la Bible n'aurait-il pas dû mettre un frein à la concupiscence royale ? Qu'on satisfasse aux formes n'apaise d'aucune façon la conscience. Pourtant le récit se poursuit allégrement, sans beaucoup de remords. Urfin, le conseiller fidèle, s'est, de l'avis de Merlin, acquitté du péché en combinant le mariage du roi :

> Sire, Urfins est acquities dou pechiet quant il ot les amours faites de ti et de la roine (Paris, I, 122, l. 17-18).

Merlin se lave du sien en subtilisant l'enfant adultérin que sa mère aurait eu honte à nourrir (cf. 115, l. 3-4, et 122, l. 19-21). Cette légèreté morale est justifiée, comme le sera chez Jean de Meung la duplicité amoureuse, au regard des fins ultimes de Nature. La comédie humaine sert le plan divin. De l'équipée nocturne d'Uter et de sa générosité suspecte, il faut seulement retenir le résultat :

> Ensi jurent li rois et Ygerne cele nuit, et en cele nuit engenra il le boin roi qui fu apielés Artus (111, l. 27).

Telles sont les voies du Seigneur ! La naissance d'Arthur, comme celle de Merlin ou du Fils de Dieu ou encore de « l'hoir » d'Alain, ne se conforme pas à la règle commune ; elle doit être marquée au sceau du sacré et porter trace de la Toute-Puissance divine. La métamorphose d'Uter prouve, comme le sommeil pour la mère de Merlin, la rectitude d'Ygerne ; s'il y avait cette fois plaisir, il était tout conjugal !

> Sire, il vous converra aler en moult diverse maniere* la ou Ygerne est. Car elle est moult sage dame et moult loiaus enviers Dieu et enviers son signour (110, l. 6*sq.*).

Le péché, de la sorte, est conjuré et plus tard Ygerne, comme jadis la mère de Merlin, devra, ignorant tout du père, confesser « merveilles » (cf. 121, l. 12). Non sans abrupt Merlin déclare à Uter à propos du fruit de cette nuit-là :

> Et si savés bien que vous l'avés engenré par moi (115, l. 2).

Au nom de quoi Uter doit lui remettre l'enfant, car, explique Merlin, « tu ne le dois avoir » (112, l. 17-18). L'héritier inconnu devra réapparaître à son heure, pour que Dieu seul le désigne au trône. Avant d'être le fils d'Uter, il est l'élu de Dieu. Le mystère de l'Incarnation préludait à la grande clarté du *Veissel* porté par le Christ de gloire ; l'ombre dont s'entoure la venue d'Arthur n'aura d'égal que le resplendissement de la Table Ronde où doit s'accomplir la chevalerie. Le Graal d'une part, la Table Ronde de l'autre, doivent être référés au secret d'une origine d'où est bannie la sexualité et où se conjoignent virginité et bâtardise : nulle joie de la chair, nulle semence d'un père (*stricto sensu* pour le Fils de Dieu ou de façon figurée par la chasteté d'Alain ou la prérogative divine à l'endroit d'Arthur). A ce titre, l'œuvre en prose qui se réclamait de Robert de Boron engageait les aventures chevaleresques sur une voie qui en modifiait profondément le style : la Table Ronde ne saurait être le lieu d'une prouesse à finalité amoureuse.

Ce que démontre justement le second épisode du Didot-*Perceval,* l'arrivée de Perceval à la cour d'Arthur, le tournoi entrepris et l'épreuve du Siège Périlleux (Roach, p. 143-153, et « 10/18 », p. 200-207). Le passage témoigne d'une invention hardie : le faste arthurien revit au début du roman, selon la tradition antérieure ; le roi tient grande cour le jour de la Pentecôte ; les chevaliers de la Table Ronde s'illustrent dans le tournoi et l'amour motive l'entrée en lice du futur vainqueur, Perceval. Plusieurs détails rappellent, mais autrement disposés et habilement confondus, certaines scènes de Chrétien de Troyes : un héros en retrait par rapport à l'action arthurienne (comme Erec), qui n'appartient pas à la maison d'Arthur (comme Perceval) et regarde un tournoi sans y prendre part, avant d'en être prié par une demoiselle (comme Gauvain). Hélène, nièce (ms. D) ou sœur (ms. E) de Gauvain, s'est éprise de lui,

> Et quant ce vint a la nuit (E, l. 111),

— qui ne songerait à Blanchefleur ? —, elle lui envoie message d'amour et de prouesse. Perceval recevra d'elle ses armes qui sont précisément « vermeilles » (E, l. 117). A ce motif du Chevalier Vermeil se mêle le thème du jouteur « descouneüs » (E, l. 163) qui triomphe des compagnons de la Table Ronde. Echantillonnage varié, on le voit, des mœurs arthuriennes ! La scène prend ainsi une valeur typique, mais pour que soit en bloc discréditée l'ancienne manière d'écrire : cette apparence brillante découvre dans la catastrophe et la ténèbre qui vont suivre sa vérité. Le héros se prévaut d'une vaine gloire pour exiger, comme l'y invite la clameur populaire et après que le roi l'a fait membre de sa maison, d'emplir le lieu vide de la Table Ronde. Mais que trouve-t-on à l'origine de cet orgueil ? Perceval avoue dès la fin du tournoi à Arthur :

> Tant vos puis bien dire que *par amor* ai fait quant que* j'ai fait (D, l. 148).

Mais un fait d'armes dû à l'amour ne saurait donner droit à l'aventure suprême qui requiert une tout autre excellence (cf. E, l. 1296-1298). D'emblée, se trouve rejeté ce dont ailleurs s'animait, au moins dans un premier temps, le récit d'aventures. En Hélène vient mourir Blanchefleur ; à l'aube du roman s'éteignent les splendeurs de la féerie d'amour :

> Et sachiez que c'estoit la plus bele damisele que l'en seüst* en son tens. Cele vit Percevas, si l'ama mult. Qu'en pot ele si ele l'ama ? Quar c'estoit li plus biaus chevalier del monde (D, l. 92-95).

Qui se méprendrait au sens de ces mots ? Le souvenir de la Fée Amante survit en ce reflet quelque peu terni. Mais Hélène, à l'instar d'Eve, engage l'homme dans une voie perdue ; l'amour n'éclaire plus, il égare. La femme est l'instrument par lequel s'accomplit l'œuvre mauvaise. Peut-on tirer parti du nom de la demoiselle ? Le manuscrit E et le manuscrit BN f. fr. 103 (publié dans l'appendice B de l'édition de W. Roach) donnent respectivement les formes « Elainne » et « Helainne », qui se chargent d'une résonance antique [10] (noter aussi l'allure grecque du nom de la sœur de Joseph : Enygeus). Mais il y a plus : dans le ms. 103, la graphie adoptée pour le nom du père de Perceval est précisément « Helain le Gros » (l. 84). D'autre part, le ms. D choisit la forme « Aleine » pour désigner celle dont il fait la fille du roi Viautre de Galerot (et non du roi Lot comme dans E), détail qui confirmerait la plus grande fidélité de cette version [11]. C'est enfin le mérite de son père, « Alein le Gros », qui sauve du pire Perceval (D, l. 177-179). N'y aurait-il pas là trace d'une trouvaille de Robert, d'opposer au bienfait du père le méfait d'une femme, de partager le destin du héros entre Alein et Aleine ? D'un côté, la voie chaste et pieuse, de l'autre, la voie pécheresse de la luxure et de l'orgueil. Robert de Boron congédie la femme du roman et ne cesse, comme les Pères de l'Eglise, de la tenir en suspicion. Son œuvre mériterait, pour devise, la recommandation du liturgiste Guillaume Durand au chapitre *De Sacramento Eucharistiae* de ses *Institutiones* : « Nullam feminam calicem Domini tangere permittite. »

On ne peut pas, à cet égard, ignorer que Robert déplace du côté paternel la descendance des rois du Graal. Sans doute le trait mythique de la relation oncle (maternel) - neveu se préserve-t-il dans le fait que le possesseur du Saint Veissel, Joseph, a pour sœur la mère de la lignée du Riche Pêcheur, tout comme le mythe se rappelle dans le nom de Bron, l'appellation de « Pêcheur », la décision de nommer « Graal » le Veissel, quitte à en inventer l'étymologie justificative, la présentation de celui-ci « tout a descouvert » (v. 2472), la mention enfin de la « deserte gastine » (*Merlin*, Paris, I, 95, l. 8) où avec les siens se retira Joseph. Il n'en est pas moins vrai que chez le Riche Pêcheur Perceval doit trouver son aïeul paternel et non plus, comme dans le *Conte du Graal*, l'oncle maternel. La chasteté d'Alain, le père, domine le récit et guide le fils, non pas la souffrance de la Veuve Dame [12]. Il convient que le corps retrouve une pureté oubliée et sacrée plutôt que l'âme ne s'ouvre à une détresse et à une désolation. Là prend tout son sens cette haine de la luxure, cette obsession de l'impureté dont le thème, dans l'*Estoire*, se développe parallèlement à la signification mystérieuse de la Rédemption d'une part, et de la Grâce répandue par le *Veissel* de l'autre.

Chaque scansion importante présente le tableau contrasté de la souillure et de la pureté : dans l'ordre providentiel, la chair est purifiée en la Vierge Mère, après que le péché d'Eve l'eut souillée et vouée à la luxure (v. 11-148). L'œuvre du Fils, dans l'ordre humain de l'histoire qui fait l'objet véritable du récit de Robert,

> Des or meis me couvient guenchir*,
> A ma matere revenir...
> Voirs est* que Jhesu Criz ala, etc. (v. 149-153),

est de nature sacramentelle et le premier geste relaté est celui du baptême dans le Jourdain :

> Ainsi fu luxure lavee
> D'omme, de femme, et espuree (v. 171 - 172).

La sinistre trahison de Judas (v. 193 - 316), où se concentre toute la réalité du péché des hommes (des juifs, en l'espèce), mais que va peu à peu éclipser la bonté du « soudoyer » (homme d'armes à la solde) encore anonyme, incidemment mentionné aux vers 199 - 204, est encadrée par les deux cérémonies de l'eau purificatrice : l'eau du Jourdain (v. 149 - 192) et l'eau du lavement des pieds, le Jeudi Saint, chez Simon le Lépreux (v. 317 - 374). Il s'agit d'un « exemple » (v. 342) qu'enseigne Jésus pour signifier maintenant la confession :

> Ausi con d'orde* iaue ei* lavé
> L'autre ordure qu'ele ha trouvé... (v. 353 - 354).

La vertu accordée à l'eau est d'ailleurs telle que plus loin le geste même de Pilate ne lui est pas imputé à charge, mais porté à son crédit :

> Et devant eus ses meins lava
> Et dist qu'ausi com nestoiees
> Estoient ses meins et lavees,
> Qu'ausi quites et nez estoit
> Del juste c'on a tort jugoit (v. 428 - 432).

L'eau l'acquitte de la faute et symbolise ce en quoi, plus tard, Vespasien ne trouvera pas en Pilate autant de torts qu'il le croyait. Le crime de Judas, quant à lui, est admirablement motivé par la haine, qui est en même temps désir, de l'amour dont il se sent accablé, faute de savoir s'y livrer :

> Et Judas que Diex mout amoit... (v. 217)
>
> Et pour ce devint envïeus
> Qu'il n'estoit meis si gracïeus
> As deciples come il estoient
> Li uns vers l'autre et s'entramoient*.
> Se commença a estrangier
> Et treire a la foïe arrier*.
> Plus crueus* fu qu'il ne soloit
> Si que chascuns le redoutoit (v. 221 - 228).

Comblé d'amour parmi les convives de Dieu, il sait pourtant obscurément qu'il n'est pas des leurs et l'amour qu'il reçoit du Seigneur ou qu'il perçoit entre les autres lui pèse. L'exigence d'aimer le prochain s'est chez lui retournée en haine, ce qui n'en est pas loin. Si l'argent tient en son cœur tant de place, n'est-ce pas pour avoir de tout temps figuré le ravalement de la vie amoureuse ? Trente deniers suffisent, en contre partie de l'infinité de l'amour divin ! Que Judas soit un « sénéchal », craint à l'égal de Keu, est un autre indice de la volonté propre à Robert de fonder selon l'Histoire Sainte le roman arthurien. Dans *Merlin,* il imaginera alors de faire du sénéchal d'Arthur son frère de lait, envieux pour avoir été sevré de l'amour de sa mère. L'occasion du drame, remarquons-le encore, est donnée par une scène merveilleusement ambiguë, où le thème de la luxure s'offre en filigrane dans son expression sublimée : au cœur du récit de la trahison de Judas, à égale distance du baptême dans le Jourdain et du lavement des pieds des Apôtres, Marie-Madeleine la pécheresse (v. 231-260) vient

> Les piez Nostre Seigneur laver
> De ses larmes (v. 244-245),

et les oindre d'une huile précieuse qui embaume la demeure de sa « précïeuse flereur » (v. 251). Par ces pleurs le péché est effacé ; par l'odeur si riche qui emporte pour le lecteur le souvenir de la Vierge, qui était « fleiranz comme esglantiers » (v. 37), se répand comme une grâce divine. Mais, quand Judas ne voit dans l'onguent que sa valeur marchande de trois cents deniers, n'est-il pas suggéré qu'à côté du sublime et de l'Amour une humanité privée de la Grâce vit dans le péché et dans la volupté ?

Il reste un troisième temps à couvrir, celui de l'Esprit-Saint (cf. v. 2460), qui coïncide avec le moment où la fable prend le relais de l'histoire et où le Veissel s'appellera « Graal » : non plus la Judée ni Rome, mais les indéfinissables « lointaines terres » où s'exile comme en un désert Joseph suivi des siens (v. 2363). Par quoi débute cette nouvelle période ? Par un malheur assez mal expliqué, sinon en ceci que se répète l'histoire maudite :

> Et cil maus* qui leur avenoit,
> Par un tout seul pechié estoit
> Qu'avoient entr'eus commencié,
> Mout en estoient entechié* :
> C'iert* pour le pechié de luxure,
> Pour tel vilté, pour tele ordure (v. 2379-2384).

L'œuvre de chair ne cesse de renvoyer au récit l'image de son autre, dont il s'emploie à éliminer la présence. La « grant estoire » du Graal n'est que l'histoire du corps ; encore faut-il, pour s'en apercevoir, ne pas se contenter de références vagues au « péché » ou au « rachat », voire à la mort ou à la vie, mais redire en clair d'après le texte lui-même comment se désignent,

> Ou* ventre la Virge Marie (v. 142),

le mystère de l'Immaculé et, dans la Table du Graal, le rejet de la souillure sexuelle. L'eau du sacrement nettoie l'impureté du corps. La Table que la Voix de l'Esprit ordonne à Joseph d'apprêter permet de discriminer les pécheurs et les purs ; il en va d'elle comme du Paradis :

> Car li lius* pechié ne consent (v. 2171).

Les uns s'assoient, les autres, non,

> Ainsi ha Joseph perceü
> Les pecheeurs et conneü (v. 2595-2596).

L'eau que trouble la souillure révèle le péché ; la Table joue dans la communauté le rôle d'un révélateur. Dans les deux cas il s'agit d'épurer ce qui doit l'être. Mais cette fonction se représente dans la Table elle-même par la place qui doit rester vide, en souvenir de la trahison de Judas, et dans l'attente de l'accomplissement dernier. Ainsi ce qui exclut le péché n'en porte-t-il pas moins la trace. Le cercle de la béatitude ne se ferme pas entièrement ; en son disjoint se réserve l'espace d'une incertitude, d'un inachèvement. Une faille subsiste au cœur même de la profusion de la Grâce. Qui est destiné à la combler ? La personne de Joseph a un statut ambigu : au jour du Jugement, il s'assiéra à la place qui fut celle de Judas :

> En sen liu ne sera nus* mis
> Devant que i soies* assis (v. 2485-2486).

> Et cil lius rempliz ne seroit
> Devant le jour dou Jugement
> Qu'encor attendent toute gent ;
> Et tu meïsmes l'empliroies (v. 2782-2785).

Mais, d'autre part, dans l'intervalle, il représente le Christ à la Table du Graal :

> Adonc quant tu seras assis
> En cel endroit la ou je sis
> A la Cene... (v. 2519-2521),

et à sa doite, mais séparé par un lieu vide, se tient Bron son beau-frère, avant de remplacer à son tour, au titre de Riche Pêcheur, Joseph lui-même. La place de Judas, essayée, pour sa perte, par « Moyse », devra être alors occupée par « li tierz hons » du lignage, le petit-fils de Bron (cf. v. 2788-2796). Seuls Joseph, qui a aimé Jésus, demandé et reçu en partage son corps, et un descendant mystérieux dont on ne sait rien, sinon qu'il doit naître d'Alain le pur, ont droit au siège vacant. Le lieu requiert apparemment deux conditions : que l'occupant porte la marque de Dieu et qu'il ignore l'œuvre de chair, puisqu'en cet endroit se représente l'interdit de la luxure et que seul l'élu y est désiré. Il condense ainsi les deux caractéristiques précédemment relevées dans l'ombre portée par la lumière du Graal : le Signe de Dieu et un corps sans tache.

Or en lui précisément revit la Terreur qui ne cesse, lorsque le Graal ou la Lance inondent la scène de la clarté rédemptrice du Précieux Sang, de se rappeler ailleurs ou autrement. Ainsi Moyse

> si s'i asiet et quant il fu assis, si fu fonduz maintenant en terre... et quant cil de la table virent ce, si en furent moult effreé de celui qui einsin fu perduz entr'aus... « Sire, or ne fumes nos onques mais si effreé com or somes » (Nitze, p. 96).

Dans le Didot - *Perceval,* l'impression d'angoisse est encore renforcée par le suspens du châtiment et la tension qui en résulte, tandis que s'épaissit la ténèbre :

> Et tant tost com il fu assis, li piere fendi desous lui et braist* si angoisseusement que il sambla a tous çaus qui la estoient que li siecle* fondist en abisme. Et del brait que li terre jeta si issi une si grans tenebrors que il ne se porent entreveïr en plus d'une liuee* (Roach, E, l. 193-196, et « 10/18 », p. 204-205).

Comme l'horreur dans le *Conte du Graal* se représente sous les traits de la Hideuse Messagère au héros qui n'a su rompre le charme de la Lance, comme l'ermite entoure d'une crainte salutaire la familiarité avec les Noms de Dieu, comme d'effrayantes visions accompagnent le secret du chevalier mort et du « grant destruiement » par l'Epée, comme l'Arbre de la Genèse ne s'annonce que dans l'interdit, ainsi l'abîme, la frayeur, la ténèbre remettent en mémoire à l'homme le malheur de sa condition, l'irrémédiable séparation d'avec le corps glorieux que lui notifie l'impureté de la chair. Seul le pur, de naissance comme de vie, celui qui ne doit rien aux voies du sexe, échappe à la malédiction et soutient, au-delà du Bien et du Mal, la vue et la présence du Sacré. Pour parler le langage du *Conte du Graal,* l'innocent qui touche à la Lance sombre dans la folie, mais le pénitent qui a fait de son corps un désert en vivra le secret. D'un côté, l'engloutissement de Moyse, de l'autre, « les segroites paroles » (Didot-*Perceval,* D, l. 191) que Dieu confia à Joseph et que le Riche Pêcheur reçut de celui-ci pour les transmettre au fils de son fils.

Les divers passages qui en font mention doivent être ici étudiés de près en raison d'une certaine obscurité. L'ange envoyé par Dieu à Joseph, après le départ des enfants de Bron (cf. v. 3289*sq.*), lui apprend en effet le rôle dévolu à celui qui s'appellera désormais le Riche Pêcheur (v. 3345) :

> Di li* comment Diex a toi vint
> en la chartre et ton veissel tint
> Et en tes mains le te bailla ;
> Les seintes paroles dist t'a
> Ki sunt douces et precïeuses
> Et gracïeuses et piteuses*,
> Ki sunt proprement apelees
> Secrez dou Graal et nummees (v. 3329-3336).

Au service de la Table, le lendemain, Joseph en fait rapport à l'assistance, sauf...

> Fors* la parole Jhesu Christ
> Qu'en la chartre li avoit dist.
> Cele parole sans faleur*
> Aprist au Riche Pescheur.
> Et quant ces choses li eut dites,
> Si li bailla aprés escrites*.
> Il li ha feit demoustrement*
> Des secrez tout priveement (v. 3413-3420).

Comment interpréter ces « arcana verba » que la bouche de l'homme ne peut proférer [13] ?

Si on se reporte à l'endroit ainsi désigné dans le récit (v. 717-960), le texte manque de clarté : Jésus y explique la cérémonie de la Cène et la signification liturgique de la messe (v. 893-928). Il ajoute, à propos de cette « senefiance » :

> Cil qui *ces paroles* pourrunt
> Apenre et qui les retenrunt... (v. 921-922).

Faut-il croire que l'identification du Veissel au « calice » soit le secret en question ? Mais, plus tard, le Veissel dont Joseph n'avait dit mot à ses hommes (cf.

v. 2623-2624) leur est montré et régénère leur cœur. D'autre part, le message que Joseph communique cette fois à Alain répète les termes mêmes ici prononcés : cp. les vers 3041-3043 et 917-920 sur la béatitude ; 3045-3048 et 921-923 sur la transmission de ce savoir ; 3049-3052 et 925-928 sur la protection divine. Il faut donc distinguer deux sortes de « paroles », l'une faisant l'objet d'un enseignement pour tous, l'autre réservée au maître du Graal [14]. Mais curieusement E. Hoepffner qui fait cette constatation (dans *les Romans du Graal,* p. 102) refuse toute authenticité au passage suivant, vers 929-936, qu'il juge apocryphe et interpolé (*ibid.* p. 103). L'expression paraît, en effet, embrouillée et l'asyndète semble bien abrupte :

> Je n'ose conter ne retreire*
> Ne je ne le pourroie feire,
> Neis se* je feire le voloie,
> Se je le grant livre n'avoie
> Ou les estoires sunt escrites
> Par les granz clers feites et dites.
> La sunt li grant *secré escrit*
> Qu'en numme *le Graal* et dit.
> Adonc le veissel li bailla*, etc.

Relevons pourtant l'étroit rapport entre le secret, la parole privée et l'écrit que confirment les vers 3415-3420 déjà cités. Le passage prend, en outre, exactement place à l'endroit où le Christ devait accompagner de paroles mystérieuses la remise du Veissel, entre, remarquons-le encore, la « senefiance » de la messe (le sacrifice du corps du Christ) et l'allusion au mystère de la Trinité (v. 941-942 ; cf. v. 2548-2549), soit les trois personnes en une seule, sur quoi se fonde le mystère de l'Incarnation (cf. v. 89-100 et *supra* citation de Jean de Meung). Des secrètes paroles il ne se dit donc rien sinon qu'elles forment la substance même de l'écrit : elles sont l'écrit lui-même ; elles sont ce que tout écrit porte en lui au-delà ou en deçà de toute parole dite [15]. L'indicible, « le Graal » et « le grant livre » s'équivalent exactement (v. 935-936). Qu'on se souvienne de nos remarques précédentes pour conclure que dans l'interdit de la parole que signifient indifféremment le Graal et l'Ecrit « s'entredit » le mystère du corps [16].

L'Evangile du Graal

C'est en ce point de l'effroi que se propose, comme chez Chrétien, un mouvement d'amour et d'adoration à quoi s'identifie le procès de « senefiance ». Quel est, en effet, le sujet de l'*Estoire* ? Dans *Merlin,* le prophète le dit en clair à Blaise :

> Et quant il ot tout quis*, si li conta Merlins les amours de Jesucrist et de Joseph tout ensi comme eles avoient esté (Paris et Ulrich, I, 31, l. 26-27).

Ce thème court tout au long de l'*Estoire* : dès la première rencontre, l'amour envahit le cœur du « soudoier » :

Jhesu Crist vit*, et en sen cuer
L'aama mout (v. 201-202),

et, suivant un trait propre à la conduite du « vrai amant », celui-ci garde une réserve timide :

meis a nul fuer*
N'en osast feire nul semblant (v. 202-203).

Sans doute le texte poursuit : par crainte des juifs. Mais, l'espace d'un court instant, le vers offre d'autres harmoniques, familiers à quiconque fréquentait les auteurs courtois ! D'ailleurs la scène où le « soudoier »,

Qui souz lui* eut cinc chevaliers (v. 200 et cf. v. 443),

demande à son maître Pilate son dû, fait écho au motif aventureux du don contraignant (cf. v. 439-472). Tout s'y retrouve : l'indignation du vassal oublié ou lésé, le service et le don, la requête laissée en blanc, la dette du seigneur, la surprise provoquée par l'objet de la promesse, l'insistance du demandeur, sa gratitude, la difficulté enfin de l'entreprise. En pareil cas, ce qu'on demande comporte justement un péril. Quel est le centre de cette « aventure » que l'amour a coutume de couronner ?

Je demant le corps de Jhesu (v. 455),

et Pilate commente plus loin :

Mout amïez* cel homme (v. 510),

l'imparfait prenant cette résonance poignante d'une existence qui s'est vouée à ce qui n'est plus. C'est une histoire d'amour et de mort, où l'amour se magnifie dans la mort elle-même parce qu'il trouve en elle la plénitude de sa vérité. L'auteur, qui n'est pas du tout ce médiocre faiseur à quoi le réduirait imprudemment quiconque confond l'austérité des moyens et leur insuffisance, a su génialement imbriquer la lumière d'amour et l'assombrissement de la trahison. Face à Joseph, Judas,

Qui mon cors a mort trahir doit (v. 326),

dit Jésus qui l'aimait et que l'autre paiera d'un baiser meurtrier (v. 385-386). Judas, au début, l'emporte et les allusions au sentiment (v. 202), au tourment (v. 316) de Joseph préludent timidement à la clarté qui viendra inonder la scène. Mais d'abord se fait la nuit : l'imparfait tragique du vers 510, avons-nous dit ; puis l'entrée en possession du corps, mais quand la vie s'en est enfuie :

Joseph entre ses braz le prist (v. 551).

Oublierions-nous ici les épisodes romanesques où l'ami mort est tenu embrassé par la personne qui le chérit ? Mais le geste de Joseph qui lave le corps « mout nestement » (v. 554) rappelle par ce motif essentiel de la pureté que cette aventure sans pareille tranche avec les autres. L'illumination intérieure, le ravissement et l'extase sont promis à l'amant parfait, mais après qu'il a comme Joseph souffert l'absence, la solitude, les épreuves et la mort (cf. v. 623-704). Le monde perd alors sa réalité et semble s'évanouir, le péché de Judas, la vocifération des juifs sont un mauvais souvenir, tandis qu'apparaît, baigné d'un jour surnaturel, celui

> Qui si biaus estoit (v. 736).

Mais l'instant sublime de l'éternité se vit, à l'instar de Lancelot perdu au royaume de Gorre, dans la chartre obscure d'où nul ne devrait jamais revenir. Le récit de Robert a soudain gagné une profondeur merveilleuse. Il s'ouvre infiniment à un espace inconnu du regard des hommes. Les paroles qui s'échangent longuement et occupent le récit ne sont là qu'en écho à ce qui est pure vision, « accomplissement » du cœur, « pardurable vie ». Là encore se répète inlassablement l'ineffable de l'amour :

> Sire *touz jours vous ei amé*
> *Meis n'en ei pas a vous pallé**
> Et pour ce dire ne l'osoie,
> Certeinnement, que je quidoie*
> Que vous ne m'en creüssiez mie (v. 801-805).

(ce n'est donc pas la peur des juifs qui retint Joseph, mais la crainte d'être rebuté dans son amour). L'histoire de l'amour vrai est celle d'un amour sans parole ! Mais la révélation dans l'Autre Monde du secret gardé en celui-ci,

> Car nus ne set la grant amour
> Que j'ai a toi des ice jour*
> Que tu jus de* la crouiz m'ostas...
> Tu m'as amé celeement*
> Et je toi tout certainement (v. 835-842),

annonce le retour en force de la vérité parmi les hommes :

> Nostre amour en apert* venra
> Et chaucuns savoir la pourra (v. 843-844).

C'est pourquoi ce qui n'est pas de l'ordre de la parole se commente indéfiniment dans la parole.

Dans l'amour de Joseph pour le Christ se noue le véritable secret du Graal, parce que cet amour s'est imposé dans l'expérience et comme l'expérience même de la mort du corps. Il a été scellé dans la chartre ; il s'est approfondi dans la mesure où ne cessait de lui être signifié le retrait de son objet. Dans l'amour est aimé le signe même de l'exil, c'est-à-dire non pas ce qui le « représente », mais ce qui le « signifie », entendons : ce qui en intime l'ordre inéluctable :

> En ton povoir *l'enseigne** aras
> De ma *mort,* et la garderas
> Et cil l'averunt* a garder
> A cui tu la voudras donner (v. 847-850).

Ce « signe », c'est le Veissel lui-même, lequel doit faire l'objet propre de l'adoration :

> Par ce fu li veissiaus *amez**
> Et premierement esprouvez* (v. 2599-2600).

Là se trouve la vraie définition de la « senefiance », en quoi Robert dépasse peut-être Chrétien et donnerait la leçon, s'il était connu d'eux, aux sémioticiens modernes [17] ! Car le sens n'a pas la transparence prétendue de la signification ; il s'identifie profondément au mystère, il est le mystère ; le sens c'est l'amour du Signe, l'élan d'amour pour le Veissel, marque et mémoire de la mort du Christ.

De quoi le Signe est-il donc fait ? C'est le vif du problème et l'*Estoire* y répond sans ambages : le corps, en tant qu'il est sujet à la mort, sert de signe, se fait signe et dans le signe se re-présente comme absence. L'histoire de la Passion et de Joseph d'Arimathie instaure un échange permanent entre le Signe et le Corps, entre le précieux Veissel et la personne du Christ, au point que l'un puisse être pris pour l'autre, c'est-à-dire en tienne lieu ou plutôt en actualise mystérieusement la présence. Dans un premier temps le récit établit une concomitance, apparemment fortuite mais vite obsédante, entre ce qu'il advient du Christ et les hasards du Veissel : au moment où Judas livre son maître, un juif s'empare de l'objet sacré :

> Leenz eut* un veissel mout gent
> Ou Criz feisoit son sacrement ;
> Uns Juïs le veissel trouva
> Chiés Symon, sel* prist et garda,
> Car Jhesus fu d'ilec menez*
> Et devant Pilate livrez (v. 395-400).

Quand Jésus est mené devant Pilate, le juif lui apporte le Veissel (cf. v. 433) ; après que le Romain a consenti à la prière de Joseph de recevoir le corps de Jésus, il lui accorde l'aide de Nicodème et, comme par une inspiration subite,

> Lors prist Pilates le veissel ;
> Quant l'en souvint, si l'en fu bel*,
> Joseph apele, si li donne*
> Et dist : mout amïez cel homme (v. 507-510).

Le don du Veissel symbolise le don du corps et grâce au parallélisme l'un vaut pour l'autre. Ainsi se prépare le glissement de l'histoire réelle dans sa représentation symbolique ; l'aventure du Veissel devra être comprise comme celle du Christ. Mais les deux plans restent encore distincts ; il n'en va pas de même lorsque, après la déposition, Joseph, en présence des plaies rouvertes du Seigneur, court chercher son Veissel (v. 562-563) et y recueille le sang épandu :

> A* son veissel ha bien torchies*
> Les plaies et bien nestoïes
> Celes des mains et dou costé,
> Des piez environ et en lé* (v. 569-572).

La vertu de l'un passe dans l'autre ; le contact du Veissel et de la plaie transmet au premier la vie mystérieuse qui fuit du corps à l'abandon. A cet instant où le sang se préserve, le cadavre laisse place au Signe immortel ; le corps martyr signifie que la mort est vaincue. Le signe est fait de la substance même du corps qui traverse la mort. Il en est la présence glorieuse. Ainsi prend forme le mystère eucharistique, car rien ne distingue plus désormais le Christ du Veissel. Avec la mise au tombeau celui-ci disparaît du récit, puis il est porté par Dieu dans la chartre de Joseph. Or dans l'Evangile apocryphe, où ne figure pas le Veissel, Jésus apparaît

> Resplendissant come lumere (Paris et Bos, C, v. 1254).

Chez Robert, la clarté jaillit du Veissel :

> A lui dedenz la prison vint.
> Et son veissel porta, qu'il tint
> Qui grant clarté seur lui gita
> Si que la chartre enlumina (v. 717-720).

Mais Joseph s'écrie :

> Sire Diex toupuissanz,
> Dont* vient ceste clartez si granz ?
> Je croi si bien vous et vo non*
> Qu'ele ne vient se de vous non* (v. 727-730).

La confusion témoigne du caractère indissociable de l'apparition divine et de l'objet sacré. D'ailleurs le retour du Veissel est aussi miraculeux que celui de Jésus ; Joseph s'étonnait :

> Estes vos donc Jhesus qui prist... (v. 780),

il s'émerveille maintenant de revoir le Veissel qu'il avait soigneusement caché et soustrait aux regards (cf. v. 859-862). L'enfouissement du Veissel répond à l'ensevelissement du Christ et sa réapparition à la résurrection de celui-ci. D'autre part, les allusions du Christ aux événements réels n'en retiennent que la signification sacramentelle : que le service de Joseph lui ait valu la remise du corps de Dieu doit s'entendre, dût-il s'en récrier, à la lettre, au sens où l'Esprit la vivifie :

> ...En ce que men cors te donna*.
> — Hay, Sire ! ne dites mie
> Que miens soiez n'en ma baillie*.
> — Si sui*, Joseph, jel direi bien ;
> Je sui as boens*, li boen sunt mien (v. 824-828).

Le corps qui fut donné à Joseph n'était pas une dépouille mortelle, mais déjà et de toujours le signe de la « vie pardurable » que celui-ci a méritée (v. 831). La personne du Christ n'existe pas hors de son symbole, mais à la fois par lui et pour lui. Aussi bien peut-elle maintenant se retirer et laisser subsister le seul Veissel qui va tenir Joseph en vie et emplir son cœur de joie (cf. v. 937-938).

Auparavant aura été instaurée la liturgie de la messe, le troisième sacrement évoqué par l'*Estoire,* après le baptême et la confession : la communion. Dieu est présent en acte dans le culte qui représente son sacrifice. Le corps était déjà signe, mais le signe s'attache le corps lui-même, telle est l'articulation majeure du roman de Robert de Boron. Le Signe porte tout ensemble la mémoire de la Mort et l'évidence de la Gloire. La loi et son malheur s'y rappellent, mais pour que soit célébrée la Toute-Puissance qui à son origine s'y affirme.

La « senefiance » déborde donc largement chez Robert ce par quoi les commentateurs en rendent d'habitude compte ; il est insuffisant de la traduire par « explication » ou « représentation symbolique », car, ce faisant, nous entendons seulement l'image sensible dont se figurent, suivant une analogie, la vérité morale ou l'événement historique. Dans le symbole le sens s'offre en transparence et il suffit de mettre en regard la représentation imaginaire et son interprétation morale ou historique pour obtenir une parfaite lisibilité du signe lui-même. Or la « senefiance » est autre chose qu'un procédé de la rhétorique, elle est, au sens étymologique de ce terme, la « théorie » du Signe. Les textes, il est vrai, se montrent ambigus, surtout lorsqu'ils utilisent un bestiaire, lions ou dragons ! Le lion de Chrétien de Troyes a la valeur d'un emblème où se représente la « franchise », mais aussi d'une direction à suivre, celle de la noblesse morale qu'Yvain doit recouvrer. Déjà, dans la partie arthurienne du *Brut,* Wace raconte une « avision » d'Arthur où un dragon attaque un ours (Arnold et Pelan, v. 2697 - 2724) : le présage transpose un combat à venir entre Arthur que désigne la lumière qu'irradie le dragon (cf. v. 2705 - 2706) et un géant terrifiant comme l'ours. « Senefiance » rime avec « demostrance » (v. 2721 - 2722) ; la construction grammaticale est la même : le dragon « estoit de lui senefiance » comme l'ours était « demostrance / D'aucun jaiant qu'il ocirroit ». Il s'agit donc d'une « désignation » et la « senefiance » équivaut à une signalétique où l'information se communique au moyen d'une analogie entre le signe et ce qu'il indique. Dans *Merlin,* à la bataille de Salesbières, Merlin prédit au roi Pandragon l'apparition d'un dragon vermeil,

> et quant vous averés veut* cel signe, si te pues combatre seurement, car ch'iert* signes de ton non (Paris, I, 90, l. 7 - 9).

Ce « signe » est donc le signal de l'engagement, mais dans la mesure où il porte ressemblance avec le nom du roi. Est-ce là cependant le tout de la « senefiance » ? Peu de temps après la bataille et la mort prévue de l'un des frères, en l'espèce le roi Pandragon, Merlin revient à la cour et révèle « la senefiance dou dragon » (92, l. 13) :

> Dist Merlins que li dragons qui estoit venus *senefioit la mort* de Pandragon et l'essauchement* dou roi Uter. Et il li fu mis a seurenon* : pour l'ounour de lui, pour la *monstrance* del dragon, et la senefiance de lui, fu tous jours apielés* Uters Pandragons (*ibid.* l. 13 - 18).

La « monstrance » est ce qui apparaît pour faire savoir, et le signal du combat était encore pour le roi le signe de sa mort. Autrement dit, dans la « senefiance » un ordre se fait entendre, le destin prend forme et la réalité en prend acte. « Signaler » pour « senefier » serait trop faible, mais plutôt : « notifier ». « Désigner » s'entend comme « assigner » : par le signe de son nom qui ouvrait les hostilités, Pandragon était voué à la mort. Un passage antérieur de la même œuvre confirme cette analyse : Merlin, encore enfant, est conduit devant le roi Vertigier qui a usurpé le trône des fils de Constant et il lui explique pourquoi sa tour ne cesse de s'écrouler (Paris, 54) ; sous les fondations on trouvera de l'eau et deux dragons qui se combattront :

> Ore mande tous les preudommes de la terre pour veoir la bataille des deux dragons. Et che iert moult grant senefiance (55, l. 20-21).

Celle-ci est à la fois une représentation figurée et la sommation du destin :

> Vertigiers, li rous dragons senefie toi, et li blans senefie les fieus Constant (59, l. 4-6).

La couleur et la force du premier traduisent en effet les dispositions mauvaises du tyran (60, l. 10-12), tandis que le second affirme en contraste le droit victorieux des héritiers. Vertigier doit reconnaître dans cette « senefiance » le symbole de sa malfaisance et ce qui signe son arrêt de mort, comme le souligne Merlin :

> Se je ne te disoie la mort dont vous devés morir, dont ne te diroie je mie la senefiance des deux dragons (60, l. 7-9).

Les deux autres « senefiances » explicites du *Merlin* de Robert, la fondation de la Table Ronde par Uter et l'élection divine d'Arthur, gardent les mêmes caractères. Ainsi, par la reproduction dans la Table Ronde de la Table de la Cène et celle de Joseph, « de ces trois tables senefia la trinités trois viertus » (95, l. 33). Ce qui compte, c'est qu'il y en ait trois, à l'image de la Trinité ; mais il s'y joint l'annonce de ce qui doit advenir, d'un accomplissement attendu : la « senefiance » du lieu vide appelle, au-delà du règne d'Uter, la venue d'un descendant mystérieux,

> et couverra que cil qui emplir le doit acomplisse chelui lieu avant* ou li vaissiaus del Graal siet, car cil qui le gardent ne le virent onques acomplir (95, l. 5-8).

La « senefiance » ne se limite pas à la ressemblance grâce à quoi une vérité sera reconnaissable ; elle sert d'expression à une volonté qui laisse tomber son verdict et réalise son mystérieux dessein. On attend de la « senefiance » que s'y manifeste ce qui dépasse l'homme : l'« avision » et le prodige sont donc ses voies de prédilection. Merlin en est le grand maître, lui qui sait le passé et l'avenir et déclare, à propos de ces phénomènes :

> Che sont toutes senefiances des choses qui sont faites et de celes qui sont a avenir (57, l. 22-23).

A la fin du *Merlin* de Robert, le mot s'applique au miracle lui-même par lequel Dieu va faire connaître son choix du nouveau roi ; le récit tout entier se resserre dans l'attente que Dieu fasse signe :

> Aussi vraiement nous fache il vraie *demoustrance* a chelui jour de soi a son plaisir et a sa volenté en tel maniere que li peuples connoisse que pour cele election sera rois sans election d'autrui. Et je vous creanc*... que vous en verrés la *senefianche* (132, l. 30-34-133, l. 1). *Variante Vulgate*: senefianche de l'elexion Jhesu Crist (Sommer, II, 80, l. 19-20).

Dans la « senefiance », nous avons tendance à chercher un « sens », quand les gens du Moyen Age y célèbrent un « signe ». Le lecteur moderne peut être désorienté quand le surgissement de l'épée fichée dans l'enclume, épreuve dont la nature est consignée par écrit au pommeau de l'épée, mérite le nom de « senefiance » :

> Et lors dient que grant senefiance lour avoit Dieus moustree (135, l. 21-22).

« Demoustrance » en est d'ailleurs le synonyme (l. 27). Les dragons offraient au moins un sens, et les tables, une raison. L'archevêque finit tout de même par expliquer le miracle et justifier le signe :

> car Nostre Sires, quant il commanda justice en terre, si le mist en espee et l'espee fu baillie au commenchement des quatre ordres as chevaliers pour desfendre sainte eglyse et pour droite justiche tenir (136, l. 24-27).

Mais la valeur qui se laisse interpréter dans l'emblème de l'épée compte moins que l'intention qui s'y déclare. Le sens n'est jamais si clair que le signe ne se préserve, obscur. Tout au plus l'évêque a-t-il jeté sur l'épée un peu d'eau bénite (cf. 135, l. 14-15) ! Cette dualité d'aspects n'appartient pas seulement en propre au *Merlin*. Dans la *Seconde Continuation,* la flamme si haute qui embrase de nuit la forêt signalait (« senefioit ») à Perceval la présence en ce lieu du Graal où « li clers sens glorïeux » (le sang clair) (cf. Roach, IV, v. 25791-25797) fut jadis recueilli. Le signe de lumière évoque donc par soi-même la clarté surnaturelle et fait comprendre au héros où chercher sa voie. En route vers le château du Graal Perceval s'enquiert auprès d'une pucelle de ce qu'il a vu, l'arbre et la clarté, la Chapelle et le mort, le cierge et la Main Noire :

> Sire, ce est senefïence
> Que dou Graal et de la lance
> Savroiz par tens* la verité (v. 32233-32235).

Qu'il comprenne donc par là que l'heure approche où il saura enfin. Mais, à la différence du *Merlin,* où l'apparition du signe telle une épiphanie prévaut sur sa signification, l'essentiel n'est pas que la route du héros soit ainsi jalonnée de présages mais que celui-ci arrache un jour l'interprétation du spectacle lui-même. C'est le cas par exemple de la vision de l'enfant jouant sur l'arbre et qui, à la vue de Perceval, monte de branche en branche jusqu'à disparaître dans le ciel. Le roi du Graal en dévoile le fin mot :

> Li anfes* qui de l'arbre ala
> Et vers lou ciel amont monta,
> *Vos mostra par senefïence*
> Que haut el ciel sanz atandance
> Devez panser au Crïator, etc. (v. 32677-32681).

La scène prescrivait donc sa conduite au héros, mais la « senefiance » s'entend ici de l'analogie entre le mouvement de l'enfant et l'élévation de l'âme. Aussi bien l'interpolation probable des vers 32455-32476 ne se fait-elle pas faute d'accentuer en ce sens l'intérêt du passage (Dieu en créant l'homme leva vers le ciel le visage de celui-ci). Somme toute, l'emploi du terme ne diffère pas ici de celui de Chrétien. Il semble que l'on doive à Robert de Boron l'accent nouveau porté, dans la « senefiance », sur la manifestation elle-même du signe ; comme si la seule vertu d'être là enfermait plus de mystère que ce qui, à l'occasion, s'y représente.

Le signe est lourd d'une présence qui intime à travers lui un ordre. Mais, s'il la livre, il n'en est pas moins dans le même temps (là est l'apport le plus profond de l'*Estoire)* ce par quoi elle se retire. La présence fait dans le signe retour, mais comme absence. Celui-ci en notifie donc l'ordre dans la mesure où en lui s'en préserve la mémoire. La « senefiance » chez Robert forme système et comporte trois temps : la fondation du signe se conçoit comme une remémoration et annonce une parousie. Le temps présent renvoie à un temps de référence et appelle l'accomplissement futur. Il ne s'agit pas de disposer en diptyque l'image et l'intelligible, mais d'instituer le signe et de célébrer en lui la Toute-Puissance, soit l'avènement glorieux au travers de la mort [18]. Il y faut une mesure ternaire, mais où le trois s'entend de la Trinité.

L'exemple le plus clair en est donné à propos de la seconde « senefiance » explicite de l'*Estoire,* où est instaurée la Table de Joseph et ménagée la place vacante :

> La Vouiz* a Joseph s'apparu
> Et se li ha ce respondu :
> Joseph, or est, a ta venue,
> La senefiance *avenue*
> Que je *te dis* quant tu *fundas*
> La table, qu'*en liu* de Judas
> Seroit cil lius en *remembrance*,*
> Que il perdi par s'ignorance
> Quant je dis qu'il me trahiroit,
> Et cil lius rempliz ne seroit
> Devant le jour dou Jugement
> Qu'encor attendent toute gent (v. 2773-2784).

L'acte par lequel l'élu « fonde » la Table qui a valeur de signe, autrement dit une fonction déictique (cf. v. 2527 : « icil lius wiz (vide) si senefie le liu Judas ») répond à l'injonction d'une voix (cf. v. 2467-2468) qui commande, explique et prophétise à la fois. La Volonté divine et l'attente dernière ne laissent pas de se faire entendre dans le geste solennel. Le signe renvoie donc à une scène antérieure, originelle, mais par lui tout commence d'un procès qui doit se déclarer. La « senefiance », moment charnière, se propose de part et d'autre comme « remembrance » et comme « demostrance ». Au terme, Dieu fait dans le Signe où subsiste la trace de sa venue, retour, acte de présence. Joseph implorait le Sauveur de lui faire « veraie demostrance de Moyse, se il est tex com il fait lou samblant » (Nitze, 95, l. 6-7) et la Voix répondait selon le rythme de cette adresse répétée qui prélude à la révélation sacrée :

Joseph, Joseph, or est venuz li tens que tu verras ce que ge t'ai dit dou siege qui est entre toi et Bron (95, l. 8-10).

L'événement, dans le récit, est toujours suspendu à un dire premier, annonciateur. Un dessein mystérieux s'y fait donc jour. Le récit n'est plus que prière ou message, rituel sacré, lenteur figée, attente de la Présence. Il s'identifie à la cérémonie. L'*Estoire* redécouvre la beauté d'un art hiératique, fermé sur soi mais ouvrant à l'homme l'espace de son inconnu. Il faut encore, dans ce passage, considérer la nature elle-même du Signe : une table sur le modèle de celle de la Cène,

Ou non* de cele table quier*
Une autre et fei appareillier* (v. 2491-2492),

un vide à la place qui fut celle de Judas et en tenant lieu. Le même se reproduit et, par cette identité, le signe s'affirme moins comme une représentation que comme un représentant. Il ne fait pas image, il est sacrement ; il ne s'autorise pas d'une métaphore ou d'une façon de parler, comme l'eau, dans l'« essemple » choisi par Jésus (v. 342), évoque par la propreté la pureté, ou par son trouble la souillure du péché, mais du pouvoir qu'il tient de son objet même : par l'eau du baptême prend effet pour tout homme le mystère d'une conception divine qui ne dut rien à la luxure[19]. Pareillement le pain et le vin, quoi qu'il y paraisse, ne figurent rien ; ils sont, dans le sacrifice de la messe, la chair et le sang du Christ. Jésus en personne, sur les bords du Jourdain comme lors de la Cène, mais aussi dans la chartre de Joseph, a instauré le Signe où se commémore le mystère du Corps, purifié, sacrifié et glorifié : l'eau du Jourdain disait son corps sans tache ; le Veissel, son corps aimé ; le siège inoccupé, son corps trahi ; la Table de la Cène, son corps mis au tombeau. Et le signe va se répéter identique à lui-même, dans l'eau baptismale, dans le Graal mis à découvert, dans le lieu vide de la Table du Graal, dans l'autel liturgique. Ainsi s'éclaire le sens des paroles de Jésus, dans la chartre de Joseph :

Menjei*...
A la Cene, le jüesdi...
Et leur dis que ma char menjoient
Ou pein*, ou vin mon sanc buvoient ;
Ausi sera *representee*
Cele taule* en meinte contree (v. 894-900).

« Representée », c'est-à-dire « reproduite » ou « recommencée ». Sans doute pourrait-on dire que l'autel figure le Sépulcre, comme le corporal, le Drap mortuaire ; le calice, le « Veissel » du Précieux Sang, et la patène, la Pierre tombale. Mais Robert de Boron s'exprime autrement :

Ce que tu de la Crouiz m'ostas
Et ou sepulchre me couchas,
C'est l'auteus sur quoi *me* metrunt
Cil qui me sacrifïerunt.
Li dras ou fui envolepez
Sera corporaus *apelez*...
La platine ki sus girra*
Iert la pierre *senefiee*... (v. 901-911).

Ce ne sont donc là que les autres noms du même sacrifice qui se répète et que la Table de la Cène signifiait d'avance. La Table eucharistique se calque sur celle de la Cène et le Christ déjà officiait sur celle-ci, s'y offrant sous les espèces à ses disciples et lui conférant vertu de signe. On reconnaît ici, comme à propos du Veissel remis à Joseph, le même échange entre le signe et la personne de Dieu. L'imitation se fonde après coup sur ce qui fut d'abord présence physique, contact sacré, délégation mystérieuse. Le signe est moins ressemblant à son objet qu'il n'en porte la propre « semblance », comme le Suaire de Véronique où s'imprima le visage du Christ[20] :

> Saverïez vous enseignier*
> Qui ha nule chose dou sien* ?...
> L'uns d'eus une femme savoit
> Ki de lui un visage avoit... (v. 1478 - 1484),

> On dist qu'ele ha une semblance
> De Jhesu, dont feit remembrance (v. 1531 - 1532) ;

comme le Veissel où s'épanche le Saint Sang, comme la Table où le corps, représenté dans sa passion, se partage réellement. Le voile de Véronique a gardé un pouvoir miraculeux, pour avoir touché au corps du Christ, comme le Veissel de Joseph. Le parallélisme est d'ailleurs frappant : Joseph :

> Adonc est il errant* couruz... (v. 562)
> A son veissel ha bien torchies
> Les plaies... (v. 569 - 570) ;

et Véronique relate ainsi son aventure (« comment m'avint », v. 1592) :

> Erramment le sydoine* pris
> Et li torchei mout bien son vis* (v. 1603 - 1604).

Or Robert, par la bouche de l'empereur, qualifie justement le Suaire de ce mot réservé au monde enchanté :

> Vous aportez une *merveille,*
> N'oï paller* de sa pareille (v. 1655 - 1656).

La « merveille » n'a-t-elle pas été l'objet d'une quête, sur la demande de l'empereur, pour lever la malédiction qui affligeait son propre fils ? Dans l'aventure de Véronique comme dans celle de Joseph se devine, sous-jacent, le même schème narratif qui anime le roman arthurien. Il en va du Graal comme du Suaire et ce n'est pas un hasard si Robert a placé en tête le miracle de celui-ci. Son projet n'est-il pas d'inscrire toute l'aventure profane et féerique de la chevalerie dans le dessein d'une Histoire Sainte ? Le Graal, nom propre du Veissel, est comme le Suaire une relique de la Passion, et le récit qui répète l'Ecriture et les Apocryphes s'incorpore, pour les fonder dans le sacré, certains rythmes narratifs, certaines données prestigieuses du roman antérieur : qu'est-ce que le Graal, la Table Ronde et les Enchantements de Bretagne sinon les signes qui gardent le mystère de l'origine[21] et appellent la fin des Temps ? Avènement et souvenance se rejoignent en effet, de part et d'autre de la célébration du Signe, dans l'Eternité, à l'instant de la béatitude. Quand la Voix ordonne à Joseph d'établir la Table et d'y laisser une place vide, elle prévient :

> C'iert en *senefiance* grant... (v. 2468)
> *Souvigne toi* que fui venduz
> Trahiz et foulez et batuz... (v. 2473-2474).

Un siège est donc réservé « en remembrance » de la trahison et du retrait de Judas. La « senefiance », commente encore la Voix après le châtiment de Moyse, est maintenant « avenue » (v. 2776), la prophétie se réalise, le lieu inoccupé tient sa promesse redoutable, le latent devient patent, dans la manifestation de la Présence. Cet accomplissement reste pourtant négatif et s'insère à son tour dans un dessein plus vaste et plus lointain selon lequel Joseph effacera Judas et remplira, au jour du Jugement dernier, le lieu maudit. Or que « signifie » cette élection de Joseph ?

> Et tu meïsmes l'empliroies
> Adonc quant tu raporteroies
> La souvenance de [ma] mort[22] (v. 2785-2787).

Il faut comprendre que Joseph rapportera à la Table de Jésus le Graal, Veissel et calice, qui lui fut dans la chartre confié en ces termes :

> En ten povoir l'*enseigne* aras
> *De ma mort* et la garderas (v. 847-848).

Entre-temps « le troisième homme » du lignage aura empli à la Table de Joseph le lieu vide. Nous verrons plus loin quel sens accorder à ce dédoublement d'une même action.

Toute « senefiance » emporte donc une « souvenance », où s'évoque et se célèbre le mystère du Dieu fait Homme, né hors des voies du plaisir sexuel et mort pour glorifier le corps. L'*Estoire* mentionne clairement quatre « senefiances ». Celle du lieu vide, ci-dessus étudiée, était la seconde : à travers le méfait de Judas, la mort du Christ s'y désignait. Mais seul celui qui vécut dans l'amour de Dieu peut, au jour dernier, y rappeler sa mort et « accomplir la senefiance » (suivant l'expression des vers 3371-3372). Aussi bien la première concerne-t-elle précisément cet amour voué au corps de Dieu. Jésus n'a-t-il pas promis à Joseph, en lui apparaissant dans sa prison, que leur amour caché devait être un jour révélé au monde (cf. v. 843) ? Le sacrifice de la messe est destiné à garder la mémoire de cet amour :

> Saches que jamais sacremenz
> Feiz n'i ert*, que *ramembremenz*
> *De toi* n'i soit (v. 887-889).

L'autel est le Sépulcre où Joseph coucha le Seigneur ; le corporal, le Drap où il l'enveloppa ; le calice, le Veissel où il recueillit son sang ; la patène, la Pierre qu'il referma sur le tombeau :

> Ces choses sunt senefiance
> Qu'en fera *de toi remembrance* (v. 915-916) ;

de toi, en tant que tu m'as aimé et que je t'ai aimé, toi et tout ton lignage, répètera plus tard en substance la Voix en vue d'enseigner Alain (cf. v. 3014, 3039). La liturgie — rite de la Cène, service du Graal, sacrifice de la messe — est célébration, adoration du Signe qui s'y laisse contempler. La grâce qui emplit alors les cœurs offre l'avant-goût de la félicité éternelle où se réalise la « senefiance ».

> Tout cil qui ten veissel verrunt,
> En ma compeignie serunt ;
> De cuer arunt emplissement
> Et joie pardurablement (v. 917-920),

promet Jésus transfiguré. De fait, quand Dieu rapporta à Joseph le Veissel,

> De la grace dou Seint Esprit
> Fu touz pleins*, quant le veissel vist (v. 725-726).

Dans l'affaire du Graal, il ne s'agit plus que de « voir », d'être mis en présence du sacré ; les questions ont désormais disparu ; elles n'ont, tandis que la Voix commente sans fin l'événement, plus d'objet. Plus loin, à la Table de Joseph, les purs s'assoient :

> Si eurent sanz targier*
> La douceur, l'acomplissement
> De leurs cuers tout entierement (v. 2564-2566 et cf. 3042-3043).

Le Veissel s'appellera donc « Graal », en tant qu'il « agrée », car

> En li *vooir** hunt cil *delist** (v. 2664).

Ces délices-là sont les seules souhaitables et les seules parfaites : la grâce,

> Ki ainsi feit tout raemplir
> Le cuer de l'omme et de la femme
> Et de bien refeit toute l'ame (v. 2616-2618),

rejette dans les ténèbres l'impur « délit d'omme ne de femme » (*Merlin* en vers, v. 89). Et le Graal qui est amour, à la fois objet et source d'amour, doit être exposé

> Vers les pecheeurs *en apert**,
> ... tout a descouvert (v. 2471-2472),

exactement comme l'amour du Christ et de Joseph

> *En apert* venra (v. 843).

L'*Estoire* est le récit de l'avènement de l'Amour, accomplissement suprême de la « senefiance », lorsque l'homme créé par Dieu remplira enfin

> Touz les sieges de paradis (v. 2149).

Mais il est, à côté de la mort et de l'amour, encore deux autres « senefiances », plus difficiles à cerner, parce que non développées. La première concerne les enfants de Bron, spécialement Alain. Sur la demande de Bron ignorant tout des voies de la Providence, Joseph implore Dieu de l'éclairer sur le destin de ses neveux :

> Feites m'en aucune moustrance
> S'il vous pleist, et senefiance (v. 2885 - 2886),

c'est-à-dire faites-moi connaître par quelque signe votre volonté. La « merveille » (cf. v. 2963) où Dieu trouvera l'occasion de se déclarer touche à la surprenante réaction attendue de l'un des fils de refuser toute femme. Cette haine pour la joie charnelle doit être comprise comme le signe, la « moustrance », de l'élection divine, au même titre que dans *Merlin* l'épreuve de l'épée dans l'enclume désignait Arthur roi. Mais le prodige ne comporte une « senefiance » que si, à travers lui, le mystère de l'origine revit en attente des fins dernières. Il est notable que la chasteté s'impose précisément à celui auquel un ministère est confié, puisque, à la tête de ses onze frères, Alain l'apôtre part en « estranges terres » (v. 3263) porter l'Evangile. Or la pureté du prêtre ou de l'ermite n'est-elle pas ce qui se souvient de la conception virginale de Dieu, nette de tout péché, parce qu'elle exclut les œuvres de la chair ? Le corps aimé et trahi est un corps vierge et glorieux. Car la promesse contenue dans la décision d'Alain annonce à la fin des temps la résurrection des corps, comme Jésus-Christ

> O soi* ha nostre char portee
> En paradis gloirefïee (v. 2233 - 2234).

Reste la « senefiance » qui concerne Bron le « Riche Pescheeur » (v. 3345), la plus obscure puisqu'elle est à la fois celle de la Trinité et celle du « Livre du Graal » : Joseph doit lui transmettre les saintes paroles, nommées « secrez dou Graal » (v. 3336), et lui-même attendra le fils de son fils, « li tierz hons » :

> Lors sera la senefiance
> Acomplie et la demoustrance
> De la benoite Trinité
> Qu'avons en trois parz devisé.
> Dou tierz, ce te di ge pour voir*,
> Fera Jhesu Criz sen vouloir
> Qui sires est* de ceste chose ;
> Nus oster ne li puet* ne ose (v. 3371 - 3378).

Le venue du troisième descendant doit être le signe où se démontre la Trinité, tandis que l'écrit se clôt sur soi, dans le parachèvement de la « senefiance ». Comment interpréter celle-ci, en l'état de fragment ou d'ébauche où nous est parvenue l'œuvre de Robert ? Il est troublant de constater que de Chrétien à Robert l'aventure du Graal demeure inchoative. La Trinité obsède en tout cas l'*Estoire* comme son plus profond mystère. C'est l'objet même de la foi. En cinq moments cruciaux, l'auteur en rappelle le credo : au tout début (v. 89 - 96), où le mystère de ce qui est trois en un scelle le dessein rédempteur selon lequel Dieu veut que son Fils s'incarne en la Vierge pour venir en cette terre mourir. Le récit s'est donc ouvert par le signe même de la Croix qui accompagne la remise du Veissel à Joseph : trois personnes l'auront en garde,

Ou non dou Pere le penrunt*
Et dou Fil et dou Saint Esprit (v. 874-875).

En cette occasion, et à l'instant précis où Joseph reçoit les grands secrets, le dogme se répète :

A ces trois vertuz garderas*
Qu'une chose estre ainsi creiras* (v. 941-942).

La troisième reprise intervient avec la catéchèse de Vespasien, tandis que la vertu de Dieu et l'amour de Joseph se manifestent à tous. Ici encore le « tu dois croire » (v. 2207 et 2223-2224) en la Trinité s'énonce à propos de l'Incarnation, de la Rédemption et de la Résurrection. L'établissement de la Table du Graal donne lieu à la quatrième évocation de

la benoite Trinité
Ki est en la sainte unité (v. 2543-2544 et 2549).

La dernière est placée en fin de récit, quand domine la figure du Riche Pêcheur. Entre le début et la fin, de part et d'autre de la conversion centrale de l'empereur romain, la Trinité est encore réaffirmée dans le dépôt du Veissel entre les mains de l'élu et l'institution par celui-ci de la Table du Graal. Cette répétition fonde dans l'Eternité ce qui demande pour se réaliser l'œuvre du temps, comme « estoire » qui s'accomplit ou « livre » qui se rassemble :

Ces quatre choses rassembler
Couvient chaucune et ratourner*
Chascune partie par soi
Si comme ele est (v. 3481-3484).

Nul doute que chaque partie ne doive enclore toute autre, comme l'on trouve dans la Trinité

L'une persone en l'autre enclose (v. 96).

L'œuvre, dans sa triplicité, s'ordonne selon ce qui est un et la fait une. Elle s'érige elle-même en signe de l'Eternel et la volonté de l'auteur s'efface derrière celle de Jésus-Christ, seul maître de ce qui doit être mené à bien. Or ce mystère qui est d'Amour, en tant que l'amour se nourrit d'éternité (Kierkegaard), se propose au point le plus sensible de toute l'entreprise de Robert, à l'endroit qui touche l'énigme laissée pendante par les romans du Graal antérieurs, la personne du Riche Pêcheur. Robert de Boron y tente le même coup de force qu'à propos du Graal : ce sont là des noms qui brusquement s'imposent, à l'instant même où toute charge mythique en est évacuée. Le « Graal » est ce qui « agrée » et sa merveille réside tout entière dans la force de la « Grâce » ; le nouveau seigneur du Graal doit son nom au poisson qu'il pêcha, où se symbolisent la communauté chrétienne et la communion de l'Esprit [23]. Il semble même qu'il soit intentionnellement précisé que les proches de Joseph, ceux de sa compagnie, ne pourront pas être

De leur membres *meheigné** (v. 3052).

On ne saurait plus clairement notifier son renvoi à l'ancienne « matière » ! Mais cette dénégation a valeur d'aveu. Aussi bien dans le Didot-*Perceval* la condition du Riche Pêcheur ne laisse-t-elle pas d'être ambiguë : sans doute, comme l'a relevé W. Roach (*op. cit.*, p. 87), Bron n'est-il pas blessé comme le Roi Pêcheur chez Chrétien et la fin du *Merlin,* que publie W. Roach dans l'appendice A, paraît attribuer la « grant enfermetez » (infirmité) où il est tombé à l'effet de l'âge,

quar il est veil* home et plains de maladies (App. A, ms. D, l. 492).

Ne lui faut-il pas en effet attendre pour mourir la venue du fils de son fils, auquel il transmettra les paroles secrètes léguées par Joseph (D, l. 1484 - 1488, et *Estoire,* v. 3363 - 3364) ? Il n'en reste pas moins vrai qu'il gît en grande maladie (D, l. 1486) et qu'il attend sa délivrance. N'y a-t-il pas un lien obscur mais nécessaire entre la garde du Graal et la douleur du corps ? La clarté du précieux Veissel a partie liée avec la Passion du Christ ; il est confié à Joseph et destiné à le soutenir, alors que celui-ci vit à son tour dans la chartre l'épreuve de l'abandon et de la mort. Surtout, le Veissel est mis en épreuve et la Table, installée avec son espace vide, après que Joseph et les siens ont décidé de vivre « en eissil » l'amour de Dieu et qu'ils sont partis « en lointeinnes terres » (v. 2349 et 2363) ou, selon l'expression plus riche encore de résonances du *Merlin,* « en une deserte gastine ». Or Joseph s'assoit à la place qui fut celle de Jésus (cf. v. 2519 - 2520) avant de la céder au Riche Pêcheur : en cet endroit se désigne celui qui s'apprête à mourir et qui porte, pour le racheter, le péché des hommes. Ce que représentent le désert dont Joseph fait son décor, mais aussi la longue vieillesse, l'affaiblissement que doit connaître le bon Pêcheur[24]. Il est à prévoir que le troisième maître du Graal, « Perceval » (si ce devait être lui), aurait enduré la souffrance et « signifié » ainsi la Rédemption christique. L'ultime « senefiance », celle de la place du Christ à la Cène, celle de la Trinité, s'annonçait comme la clef de voûte de l'œuvre dans son ensemble. Celle-ci participe alors du sacré, Jésus-Christ en personne décide de sa fin ; au « livre du Graal » est conférée une autorité qui n'était reconnue qu'à l'Ecriture et à la Tradition. L'écrit s'est fait Parole Sainte ; il est chargé de vertu ; il est investi d'un pouvoir qui dépasse l'homme : les mots livrent la Présence. Jamais le fantasme de toute forgerie fabuleuse n'a été si près d'aboutir ! Si l'histoire religieuse du Graal est animée, selon notre formule, par le mystère du Corps, dans le *Livre du Graal* rien d'autre ne se cherche que la transfiguration de l'œuvre. Que l'écrit s'oublie derrière la Parole qui s'y fait jour comme l'être-là de Dieu !

Aussi bien la vérité se profère-t-elle. Le premier caractère de cet espace sacré se définit sur le plan narratif en ce que la Voix qui fait entendre l'immuable vérité s'y substitue aux voies incertaines de l'errance aventureuse. Le récit n'avance qu'au prix de son incessante répétition parlée : rien n'advient qui ne soit rappelé ou qui n'ait été annoncé, au point que l'« apparition » même de la Voix fait à son tour événement dans le récit ! Le centre d'intérêt se déplace : les faits attendent leur commentaire, lequel les ordonne en une « senefiance » et prescrit leur cours. L'événement baigne dans la clarté d'un dire surnaturel. Toute surprise de la narration finit donc par être résorbée ; l'histoire vérifie seulement sa propre nécessité. Cette tendance gagne de plus en plus au long du roman. Les premiers actes relatés concernent selon un jeu de contrastes Eve et la

Vierge, Judas et Joseph, les juifs et Pilate, mais le récit culmine dans l'entrevue mystique du Christ et de Joseph (v. 713-960), qui s'ouvre par le rappel en diptyque de la femme maudite et de la femme bénie, du rénégat et du véritable ami, et s'accompagne du legs du Veissel, du dévoilement de la « senefiance », de l'effusion de la Grâce et de la promesse de la béatitude. Point d'orgue assurément de cette première tranche du récit. Quand débute ensuite la partie proprement temporelle et non plus liturgique ou spirituelle de l'*Estoire,* les hommes et les autorités ne cessent de retracer la vie de Jésus, de ses enfances à sa mort, le crime de Judas, le tourment de Joseph (v. 1047*sq.*, 1295*sq.*, 1800*sq.*, 1905*sq.*) ; le miracle du Suaire retient avant tout l'attention mais il ne se suffit pas à lui-même ; il jette seulement Vespasien, hanté par Dieu, sur les traces de Joseph, et le nouveau sommet est ici atteint avec l'entrevue de l'empereur et du disciple (v. 2083-2234) : c'est l'instant choisi pour répéter, dans l'histoire profane, le récit sacré de la Création, de l'Incarnation et de la Passion, dans le contexte grandiose de la chute des Anges, des entreprises diaboliques et de la volonté de Dieu. Or Vespasien doit cet enseignement à une voix qui vient, puisque Joseph passe pour mort, d'outre-tombe, qui lui enjoint de croire (v. 2207, 2213) et le destine, selon la formule épique, à la mission de « croistre et essaucier » (élever et exalter) le nom de Dieu (v. 2216). L'*Estoire* attribue ici à Joseph le rôle des fils ressuscités de Siméon dans l'Evangile Apocryphe. Mais le phénomène de la Voix finit, dans la dernière partie (après le départ de Joseph et des siens en terres lointaines, v. 2357*sq.*), par conquérir le plus clair du récit : rien ne se passe qui ne soit la stricte exécution d'un ordre préalable qui fut l'objet d'une prière et se fit entendre en privé. Chacun se trouve nommé à une fin. La « Voix » qui « apparaît » à Joseph commande l'épreuve du Veissel, ménage le suspens du siège inoccupé, commente aussitôt le châtiment de Moyse et promet la venue d'un héritier élu de Dieu. L'intérêt dramatique se soutient pourtant dans ce qu'entraîne ou provoque d'effets inattendus la réalisation elle-même : ainsi de la Grâce qui émerveille les convives de la Table Sainte, ou de la terreur qui les saisit devant l'engloutissement de Moyse. Quant à l'« hoir » (l'héritier) à venir, il se profile en un lointain mystère. La Voix envahit alors la fin de l'œuvre, mais celle-ci n'en est pas moins d'une grande intensité, car le récit se clôt sur l'éclatement de la compagnie du Graal : dans l'achèvement de l'un, la dispersion de l'autre. Bien plus, le roman se récapitule à l'instant de son explosion ultime ; il se resserre sur soi, alors même qu'il se ramifie : à l'occasion de l'enseignement d'Alain, comme la Voix donne le signal du grand départ, revivent les grandes étapes, la mort de Jésus, l'amour de Joseph, le don dans la chartre, la grâce du service divin (v. 3008*sq.*) ; de même, dans la passation du Graal, la pêche de Bron et l'allusion aux paroles secrètes (v. 3310*sq.*). La Voix prévient Joseph :

> Joseph, il couvient vraiement
> Les choses qui commencement
> Ont qu'eles fin aient après (v. 3307-3309).

Mais avec la fin de l'histoire de Joseph commencent celles entrelacées du Riche Pêcheur, de Petrus, de Moyse et d'Alain, comme après le retrait du Christ débutent les Actes des Apôtres. La Voix ne sert pas seulement à unifier ce qui se termine mais déjà rassemble ce qui part en tous sens ; car l'historique est fonction de l'éternel et le déploiement dramatique, reploiement sur l'origine. « La parole Jhesu Crist » oriente l'œuvre qui, dans le temps qu'il lui faut pour se faire, a charge de la produire. Dieu est présent dans l'*Estoire* mais se tait juste ce qu'il faut pour lui laisser sa chance narrative, comme on le voit à propos de Petrus : la Voix avait prévu le vœu de chasteté d'un des fils de Bron ; elle annonce que Petrus partira pour les « Vaus d'Avaron » (v. 3123) et recevra un « bref » (une lettre), tandis qu'une grande clarté descendra pami eux. Ce qui se passe en effet, mais la prévision n'est-elle pas la mort du récit ?

Que il s'en voit ysnelement* (v. 3114),

ajoute, cependant, la Voix au sujet de Petrus. Or celui-ci, après réception du message, retarde son départ (cf. v. 3280-3288). Une surprise est donc ici ménagée, mais, si elle est possible, il faut comprendre que tout répond au plan de la Providence sans que pour autant tout soit dit :

Ainsi remest a leur devise*.
Nostres Sires, *qui tout savoit*
Comment la chose aler devoit,
A Joseph son angle* envoia (v. 3288-3291).

Que Joseph se rassure ! Si les siens ont osé retenir Petrus un jour de plus, Dieu le voulait ainsi pour que celui-ci puisse témoigner devant le futur fils d'Alain de l'honneur que son aïeul aura reçu des mains de Joseph (cf. v. 3295-3306). Cette légère entorse au plan fixé n'en était pas ; elle permet au contraire une révélation plus complète, elle est le mode dramatique de la révélation. La marge est étroite, qui donne au récit une raison d'être. Cela tient même de la gageure quand Merlin l'omniscient devient le héros, à moins que son don de prophétie ne fasse lui-même l'objet de l'émerveillement[25] ou qu'il se contente d'« oscures paroles » (Paris - Ulrich, I, 86, l. 8), ou qu'il s'absente du récit.

Mais un écrit qui enferme une « Voix » n'en reçoit pas seulement l'ordre qui le sacre, il le transmet et y soumet son propre lecteur ; quand l'œuvre s'est faite signe de la Présence, l'écoute en est pieuse, la lecture devient célébration. Comme le service du Graal remplit les cœurs de béatitude, le *Livre du Graal* prodigue la douceur de ses paroles (cf. v. 3332-3336). Et les deux s'identifient. Le signe ne s'oublie donc pas derrière ce qu'il supporte de représentation, mais affleure à travers elle. Le récit se trahit comme l'acte de naissance du livre. Toute fiction tourne à sa propre histoire, toute fable doit compter avec sa propre lettre. Le Nouveau Roman en a fait son projet, s'écrivant *pour* démontrer son écriture ; en quoi il rompt avec l'ancienne littérature, qui là-dessus ne lui cède en rien, mais à son insu, voire malgré elle. Car en celle-ci l'activité ne laisse pas non plus de se représenter dans ce qu'elle produit, de se penser à travers son effet, de chercher à se saisir et à se proposer dans l'affabulation, mais elle est fille de son rêve plus qu'elle ne se mime en lui. Elle participe de la fiction, est comprise par elle, au lieu de la dissoudre en soi et de la rappeler à soi. L'*Estoire* doit son autorité à ce qu'elle sert de truchement à la Voix qui s'y manifeste. L'écrit est le dépositaire du vrai, de la « parole Jhesu Crist » (v. 3413), comme le Veissel recueillit son Précieux Sang. L'*Estoire* se renvoie d'ailleurs sa propre image lorque Bron reçoit des mains de Joseph l'écrit où est consigné ce qu'il vient d'entendre de sa bouche et que la Voix apprit à ce dernier :

Et quant ces choses li eut dites
Si li bailla* après escrites (v. 3417-3418).

Le roman de Robert s'inclut ainsi lui-même dans sa fiction sous la forme de ce que Merlin appellera « li livres Joseph » (*Vulgate,* Sommer, II, 20, l. 5) et qu'il redouble seulement. Loin en effet que ce « livre » fabuleux soit à prendre comme la métaphore de celui de Robert, ce dernier vaut uniquement comme reflet de celui-là. Il se dépossède de soi, au profit de sa propre fiction. Il ne fait que répéter « le grant livre » que Robert a en sa possession,

> Ou les estoires sunt escrites
> Par les granz clers feites et dites (v. 932-934).

Le personnage de Blaise qu'invente le *Merlin* lève quelque peu l'anonymat de ces clercs exceptionnels, « grands » pour avoir vécu encore dans l'entourage du Sacré. Blaise tient ce qu'il sait de Merlin et part rejoindre ceux qui gardent le Graal. Il faut en somme supposer trois étapes dans la transmission. Joseph, à l'exemple des Apôtres, n'a rien mis en écrit qui ne lui vienne de Dieu lui-même ; Blaise comme les grands clercs appartiennent à une seconde époque, mais ils semblent avoir participé à la vie mystérieuse du Graal ; les livres qu'ils ont rédigés se distinguent de l'original, brûlant encore du sceau divin, comme celui de Joseph ou le « bref » qu'apporta à Petrus une « grande clarté » descendue parmi la sainte compagnie à la façon des langues de feu de la Pentecôte. Il faut ici citer les propos de Merlin à Blaise :

> Sera ta painne et tes livres retrais* et volentiers oïs de toutes gens. Mais il ne sera pas en auctorité, pour chou que tu n'es pas ne ne pues estre des apostles. Ne li apostle ne misent onques riens en escrit de nostre seigneur que il n'eussent veü et oï, et tu n'i mis riens que tu aies veü et oï d'autrui que de moi (Paris - Ulrich, I, 32, l. 19-25).

Or, que contient le livre de Blaise ? Merlin lui a relaté les amours de Jésus et de Joseph, ce qu'il en est allé d'Alain et de sa compagnie, comment Joseph se dessaisit du Veissel et quel fut le conseil des démons, soit exactement l'*Estoire* et le début du *Merlin.* Le livre de Blaise redouble donc celui de Joseph, mais ne doit faire qu'un avec lui après que Blaise aura retrouvé les gens du Graal :

> Lors si assamblera tes livres au sien... et li doi seront une meesme chose (*ibid.,* 33, l. 3 et 7).

C'est-à-dire : ils ne feront qu'un, de même que les deux Testaments « sunt unum ». Toutefois, Merlin ajoute aussitôt :

> fors tant que je ne puis dire, ne drois n'est, les privees paroles de Joseph et de Jesucrist (*ibid.,* l. 8-9),

et, dans son édition, Sommer reporte en note ce qui suit dans le ms. Add. 32125 fol. 124 a (et ms. BN 747, f° 82 b) :

> Elsi dit mi sire Robert de Borron qui cest conte retrait... que *cist conte se redoble* et einsi le dita Merlin qu'*il ne pot saver le conte du Graal* (*Vulgate,* Sommer, II, 20, n.1).

Soit donc au *temps 1* l'écrit perdu, encore empreint de la Présence divine ; au *temps 2* le récit dicté à un grand clerc, appelé à se confondre avec le premier, mais seul à se transmettre, et au *temps 3* ce qu'en reproduit Robert de Boron lui-même, dans une œuvre qui nous parvient par l'intermédiaire du copiste. Mais dans la réduplication de l'original se perd quelque chose de sa vertu comme de son évidence. Merlin a retranché de sa propre révélation les paroles secrètes qu'échangèrent le Christ et Joseph. Mais au terme de son œuvre, après avoir retracé les hauts faits d'Arthur, Blaise méritera d'entrer dans la compagnie du Graal et de connaître la félicité éternelle (Paris - Ulrich, I, 46-47). Autrement dit, les Secrets du Graal, dans la répétition, ne peuvent s'écrire, mais en revanche doivent, au jour de l'accomplissement dernier, se vivre dans la plénitude de la Grâce : ils s'identifient à l'improférable et relèvent de la seule vision et du mystère de la Présence. L'écrit se tait sur la Parole divine, parce que celle-ci est la Toute Présence du Verbe, dans l'illumination du cœur et le silence de la bouche (cf. Mtt., 15, 11 : « Ce qui sort de sa bouche, voilà ce qui rend l'homme impur »). Robert prenait d'ailleurs à son compte, dans l'*Estoire,* les propos qu'il prête au devin dans *Merlin.* Voici de nouveau le passage dans son entier[26] :

> *Ge n'ose conter ne retreire**
> Ne je ne le pourroie feire
> Neis* se je feire le voloie,
> Se je *le grant livre* n'avoie
> *Ou les estoires sunt escrites*
> Par les granz clers feites et dites.
> *La sunt li grant secré escrit*
> Qu'en numme le Graal et dit (v. 929-936).

Il semble donc ici que l'auteur choisisse de se taire devant ce que sa source lui interdit de proférer, puisque évoquer des « secrets écrits » revient à dire que l'écrit justement les préserve tels. Le livre de Joseph, suivant l'expression du vers 935 et comme le contexte invite à le croire à la fin de l'*Estoire* (cf. v. 3411-3420), couchait par écrit à l'intention de Bron l'enseignement public et la parole réservée. Le vers 3417 :

> Et quant *ces choses* li eut dites,

suit et reprend à la fois l'allusion à ce que Joseph dit ouvertement (v. 3411-3412) et celle qui vise les grands secrets (v. 3415-3416). Sans doute dans *Merlin* l'auteur préfère-t-il plus de distance ; en concrétisant en Blaise la figure des « granz clers », il se retranche derrière lui, comme si quelque chose s'opposait à ce qu'il se fût lui-même trouvé en contact immédiat avec l'interdit et s'autorisât d'un savoir supposé à son silence. « Li livres dou Graal » (Paris - Ulrich, I, 48, l. 1), qui rassemble l'histoire de Joseph, celle de Merlin et les actes de l'époque promise à « cil grant travail », le règne arthurien (*ibid.,* 47, l. 16 et 17), est présenté comme l'œuvre de Blaise, la source de Robert (cf. *ibid.,* 61, l. 11) et le voile jeté sur « li grant secré escrit / Qu'en numme le Graal » (cf. *ibid.,* 33, l. 8-9). Or, on s'en aperçoit maintenant à travers cette représentation que l'œuvre de Robert se donne d'elle-même au cœur de la fiction qu'elle produit au jour, le statut de l'écrit se pense contradictoirement : il est à la fois l'émanation de Dieu (gardons au mot sa résonance théologique), la fulgurance de ce « bref » qui échoit à Petrus, le pouvoir mystérieux qui inonde les cœurs de la joie éternelle, et le retrait de la présence, l'obscurcissement de l'origine, l'intervalle de l'attente. Il est, dans le silence de la parole, l'ordre qu'elle intime et, dans la profusion de la glose, la distance qui se découvre désir. Il est tout et ce qui ne peut tout se dire, le déjà-là de l'origine et ce qui en diffère l'accomplissement, l'éternel présent et la souffrance du temps ; il ne cesse de faire barrage à ce qu'il emporte. En lui ce qui fait signe fait de lui le signe de ce qui n'est pas. Il met en défaut ce dont il promet l'avènement.

Peut-être faut-il ainsi entendre l'énigmatique finale de l'*Estoire,* où Robert s'empresse d'oublier — faute d'en trouver le livre ! — les quatre parties dont il s'est fixé le programme, pour entamer « la quinte » (v. 3504), le *Merlin* donc, dont il n'était pourtant pas question :

> Meis se je or les leisse a tant*,
> Je ne sai homme si sachant*
> Qui ne quit* que soient perdues
> Ne qu'*eles serunt devenues
> Ne en quele *senefiance*
> J'en aroie feit *dessevrance** (v. 3509-3514).

Nous serions tenté de traduire le dernier mot par cette « différance » où J. Derrida a reconnu l'écriture à l'œuvre dans la parole (*De la grammatologie,* Paris, 1967). Que signifie en effet cet ajournement qui laisse en suspens la réalisation de la Présence dans l'achèvement du livre ? L'auteur entend, semble-t-il, nous prévenir de la vanité d'une pareille question, signe à coup sûr de mauvais esprit ! Il n'en recentre pas moins l'attention sur l'irritante incertitude qui prévaut dans l'acte d'écrire, voire sur son arbitraire. Le récit paraissait répondre au plan divin, être porté par sa Volonté et suivre la voie tracée de toute éternité de la Révélation. Le voilà brusquement suspendu dans le vide, relevant du hasard d'une source à découvrir (v. 3500) ou du bon plaisir d'un auteur qui dispose à son gré de sa matière (v. 3501-3508). Cette « dessevrance » comporte à coup sûr une « senefiance », mais ironique, car il est assez piquant que le terme qui exprimait la perfection d'une ordonnance soumise au dessein de Dieu s'applique dans l'ultime vers au dessin capricieux et aux aléas d'une entreprise littéraire. Cette « dessevrance » qui disjoint les parties ne signifie rien d'autre que le signe écrit lui-même. Celui-ci émarge le sens, et se rappelle au Tout qui s'accomplit comme ce qui ne cesse de s'y soustraire et d'en défaire l'illusion.

Mais, de même que la fiction de la Voix qui « apparaît » ou plutôt « s'apparaît » (pour respecter la valeur d'insistance, d'implication dans le procès, de la forme pronominale, cf. v. 2773 et p. 95, l. 7) ne manifeste en fin de compte que le signe écrit qui en diffère la présence, cette contrainte structurale à son tour réagit sur le développement même de la fiction.

Le second caractère en effet de l'espace sacré auquel ouvre celle-ci repose sur la formule trinitaire : les trois gardiens du Graal dans l'*Estoire,* les trois tables dans *Merlin,* les trois temps de la rédaction (le livre de Joseph, celui de Blaise, celui de Robert). Cette organisation reçoit le nom de « senefiance », où le présent du Signe que l'on célèbre se souvient du mystère de l'origine et appelle le Jour du Christ, l'accomplissement selon l'eschatologie. Quand Blaise aura enserré dans son livre les trois moments de l'histoire du Veissel devenu le Graal, de la fondation de la Table Ronde et des Peines endurées sous le règne arthurien, il sera admis dans la compagnie du Graal et, lui dit Merlin, en reprenant les expressions caractéristiques de l'*Estoire* :

Tu averas a ta vie acomplissement de ton cuer et apriés la fine joie pardurable (Paris, I, 47, l. 1-3)

Robert avait de même à la fin de l'*Estoire* remis entre les mains du Christ et à sa seule grâce l'avènement de la « senefiance » suprême, celle de la Trinité, quand la venue du troisième homme de la lignée coïncide avec la fermeture de l'œuvre sur elle-même. Le *Livre du Graal* a un enjeu : la vie éternelle. Le récit se conforme donc au geste sacré qui invoque l'amour de Dieu (ἀγάπη , *agapè*), la grâce du Seigneur Jésus-Christ (χάρις , *charis*), la communion du Saint-Esprit (κοινωνία, *koinônia*, cf. Paul, 2. *Cor.*, 13, 13). Le roman de l'*Estoire* présente en effet ces trois aspects, providentiel (la volonté du Père), sacramentel (les gestes du Fils), spirituel (la descente de la Voix). Ainsi s'explique que Robert entame sa matière (cf. v. 149-150) seulement après la parenthèse des cent quarante-huit premiers vers consacrés au mystère de la Rédemption, dans l'ordre grandiose qui oppose la Vierge à Eve, la mère coupable du genre humain. La reprise de la Genèse, l'accent mis sur l'Incarnation de Dieu ont pour fin de signifier les voies impénétrables du Père au principe même du récit. Celui-ci s'attache alors aux traces qu'a laissées en ce monde le passage de Jésus-Christ. Cette séquence historique dégage avant tout la valeur rituelle des gestes du Seigneur, affirmant ainsi l'éternel au sein même du mortel : baptême, confession, eucharistie, communauté chrétienne (cf. v. 917-918), puis traduit l'interrogation des hommes qui enquêtent sur le prodige apparu dans l'histoire pour les arracher au temps (v. 961-2356). Le récit est construit selon un chiasme : Jésus présent, l'ombre de la mort s'est partout étendue ; son corps disparu, la gloire du Christ est célébrée par les miracles qui rappellent les mortels à la vie. L'histoire de Jésus a un sens liturgique et répond à un propos théologique ; l'histoire profane, de Pilate et de Vespasien, de Rome et de la Judée, devient miraculeuse. Comme le chiffre trois gouverne le récit, le miracle de Joseph vivant dans sa tombe se préfigurait dans celui de Vespasien sauvé, dans sa tour, de la lèpre, lequel pour sa part faisait revivre les nombreux miracles naguère accomplis par Jésus en personne. Le long épisode de Vespasien n'est en rien gratuit : la quête de la vérité (cf. v. 1223-1224), la découverte de la relique, la manifestation divine, l'acte de foi et le châtiment de l'impie, qui interviennent dans le cadre du pouvoir temporel, esquissent la conception que se fait Robert du règne à venir d'Arthur ; une « merveille » annoncée à la cour, mais qui n'a rien de profane ; une entreprise de savoir, mais qui débouche sur un credo et le devoir royal d'exalter le nom de Dieu : l'histoire humaine est désormais hantée par le royaume de Dieu, comme la fable par la « senefiance ». Aussi la troisième partie du récit, celle justement qui abandonne la référence historique à Rome et à la Judée pour l'imprécision fabuleuse des « lointeinnes terres », est-elle prise en charge par l'Esprit-Saint :

Lors ha a Joseph la Vouiz* dist,
Ki venue est dou Saint Esprist (v. 2459-2460).

Lorsque Robert entend saisir dans une histoire sainte le procès romanesque de la matière de Bretagne, il part de ce à quoi a abouti cet effort de création : le Graal. L'*Estoire* se définit essentiellement comme le récit de l'origine sacrée du Graal ; elle réussit à en faire un signe et à le proposer à l'amour. Après que la compagnie en eut éprouvé le ravissement, Petrus soudain inspiré nomme le Veissel « Graal » et Robert prend aussitôt le relais pour intituler son roman :

Et pour ce que la chose est voire*,
L'apelon dou Graal l'Estoire
Et le non dou Graal ara
Des puis le tens de la en ça* (v. 2683-2686).

Le Graal énigmatique des contes antérieurs est pourvu d'une « senefiance » dont les trois parties de l'*Estoire* captent les divers moments : la Vierge a reçu Dieu, l'a porté en son ventre[27] (v. 40) ; le Veissel a recueilli le Précieux Sang de Jésus supplicié ; le Graal est l'écrit qui retient les Grands Secrets, dont seule l'allusion à d'ineffables transports donne l'idée. Robert assigne à son tour au *Merlin* une tâche bien définie : si le point d'arrivée de la littérature arthurienne fut le service du Graal, son point de départ se situe à la cour d'Arthur dans la Table Ronde. Aussi Merlin a-t-il pour objectif d'instituer la prestigieuse Table Ronde et d'en fonder la « senefiance ». Il faut pour s'en apercevoir adopter l'argumentation de E. Brugger « Der Sog. Didot-*Perceval* », ZFSL 53 (1930), p. 389-459), qui n'arrêtait pas le *Merlin* à l'endroit où reprennent les continuations du ms. Huth et de la Vulgate, soit au couronnement d'Arthur, mais, conformément à ce qui suit dans les mss. Didot-Modène, aux révélations qu'apportait Merlin à la cour sur la naissance du roi (cf. Didot-*Perceval,* éd. Roach, App. A, p. 301-307 et éd. Cerquiglini, p. 191-195). En effet la participation de Merlin aux intrigues du royaume de Bretagne culmine en ce jour de la Pentecôte, où suivant son conseil Uter, devenu Uter Pandragon, établit une troisième table en souvenir des deux autres (Paris - Ulrich, I, p. 95-96). Mais rien ne s'accomplit encore tant qu'Arthur n'est pas monté sur le trône. Son accession correspond au troisième temps de la « senefiance » de la Table, c'est-à-dire au rayonnement glorieux que son règne doit donner à celle-ci. Il faut donc que Merlin se fasse, une dernière fois, entendre, le jour de l'élection divine du nouveau roi (cf. D, l. 420-421), pour que celui-ci en sache le sens :

Artus, vos estes rois, la Deu merci* ; et Uter pendragon vostre pere fust mult prodons, et la Table Ronde fust faite en son tens, que fust contrefait* a la table que Joseph estora* de par le Graal quant il desena* les bons des maveis... (D, l. 451-455).

Si soiez si preuz et si vaillant que *la Table Ronde soit enssauciee par vos* (D., l. 461-462).

Comment en rehaussera-t-il la gloire ? Merlin lui révèle à cet instant l'existence du Graal et l'attente où vit le Roi Pêcheur d'un chevalier issu de la Table Ronde pour accomplir la prophétie,

Or sachiez que se vos le faites einsi que granz biens t'en porra avenir (D, l. 499).

Telle est bien la fonction par excellence d'Arthur : attendre que surgisse à sa Table, à l'appel d'un Autre Monde, un chevalier élu pour l'aventure ; donc faire de sa Table, par ses vertus de Roi, le centre d'attraction de la chevalerie. Robert a de la sorte réussi à écrire le roman de ce qui forme le cadre même du roman, ce par quoi tout commence : la cour d'Arthur ! Les trois temps ont été encore respectés, en dépit des vicissitudes de la tradition manuscrite, puisque le règne d'Uterpandragon correspond au moment fondateur de la Table Ronde et que la venue d'Arthur en répandra la lumière dans le monde chevaleresque. Simplement le premier temps est constitué par le récit de l'*Estoire* elle-même, dont la tripartition compte à son tour pour un au regard de la construction de l'ensemble : là en effet est exposée, avec la Cène, puis sous l'égide de Joseph, l'origine sainte de la Table. Du même coup le troisième temps, seulement indiqué à la fin du *Merlin,* demande une relation qui couvre le nouveau règne et forme un ultime roman, dit de *Perceval.*

Il restait, en vérité, à Robert, à rendre compte du dernier trait constitutif de l'univers arthurien, la présence des merveilles et des enchantements. La discussion ne laisse pas d'être ici délicate, puisque le Didot-*Perceval,* selon l'optique de W. Roach, ne représente pas le texte écrit par Robert, mais sa refaçon avec omission, remplacement ou refonte des épisodes originaux. Cependant le projet initial peut encore être perçu dans le passage où Merlin prévient Uter de la « senefiance » du lieu vacant. A. Micha l'a étudié de près dans *les Romans du Graal* (p. 119-133) et nous convainc de suivre les manuscrits de la version primitive ainsi conçue :

> Tant te puis je bien dire qu'il ne sera ja empliz en ton tens et cil qui engendrera celui qui acomplir le doit n'a encore point de feme prise, ne ne sait pas (ne ne se donne garde, BN 105, 9123, 93) qu'il le doie engendrer, et *convendra que cil qui le* (= siège de la Table Ronde) *doit acomplir acomplisse celui avant ou li vessiax du Graal soit* (*ibid.,* p. 121 ; éd. Cerquiglini, p. 161).

Il s'agit donc du récit d'un « accomplissement » dans l'ordre : de la Table du Graal et de la Table Ronde. Ce qui, observe A. Micha (*ibid,* p. 123), ne prouve nullement que l'esprit du *Merlin* soit « terrien », car la Table Ronde est emplie du souvenir des Tables Saintes qui se résument en elle, et suppose chez les pairs un état de grâce, une plénitude de l'âme, comme il s'avère d'après *Merlin* lui-même (Paris, I, 97, l. 15*sq.*). Nous citons encore A. Micha (*op. cit.,* p. 123) : « Il y a là un climat tout à fait nouveau : cette table qui crée si soudainement des liens indissolubles d'affection, et non plus de simple compagnonnage, opère en somme un miracle de charité, elle réalise l'union des cœurs et elle tient sans doute ces privilèges des tables de la Cène et du Graal, eucharistiques l'une et l'autre. On comprend alors que, pour y être digne du siège interdit, la chevalerie purement profane ne suffise pas. » D'ailleurs, dans la véritable conclusion du *Merlin* (cf. *supra*), le devin explique au jeune roi, à propos de l'élu du Graal, que le Roi Pêcheur ne sera pas rétabli,

> devant que uns chevaliers que ya à la Table Ronde aserra sera prodons vers Deu et vers sainte eglise (App. A, D, l. 493-494)[28].

Celui-ci devra donc témoigner de vertus chrétiennes. A suivre ces indications, Robert aurait conçu un récit qui eût substitué aux merveilles profanes de la féerie bretonne le ravissement sacré, l'accomplissement de l'âme et du cœur selon la Grâce divine. Le roman final eût baigné dans la même lumière surnaturelle que la chartre de Joseph, dans la même douceur goûtée jadis à la Table nouvellement créée du Graal :

> En li vooir hunt cil delist (*Estoire,* v. 2664).

L'esprit de la Pentecôte souffle sur tout avènement de la « senefiance », soit au troisième temps.

L'articulation complexe des temps à l'intérieur de chaque récit et des récits entre eux apparaît dans le tableau suivant :

	1	2	3
Estoire :	1. Vierge 2. Veissel 3. Graal		
Merlin :	1. ——————— 29	2. Uter 3. Arthur	
«Perceval» :	1. ———————	——————— 29	2. Table du Graal 3. Table Ronde

L'*Estoire* connaît la ferveur de ce troisième temps ; celle-ci, à la fin du *Merlin,* s'annonce seulement comme l'objet propre d'un troisième récit, de conclusion.

Nous ne pensons pourtant pas que l'ultime partie de l'œuvre, celle de la spiritualité pure et des jouissances éternelles, ait été effectivement rédigée par Robert de Boron comme un chant d'actions de grâces. Autrement dit, si le Didot-*Perceval* introduit une discordance dans l'harmonie prévue, la faute n'en incombe pas seulement à un remanieur imbu de Chrétien et de Wauchier, mais semble être appelée par la conception que se faisait Robert. Le ms. BN fr. 747 f° 102 porte en effet, comme le ms. BM Add. 32125, après le couronnement d'Arthur, cette signature de l'auteur que Brugger jugeait authentique (ZFSL, 36,2 (1910), p. 9-13, et 53 (1930), p. 412-422) :

> Et je, Robers de Boron, qui cest livre retrais par l'enseignement du livre du Graal, ne doi plus parler d'Artu tant que j'aie parlé d'Alain le fils Bron et que j'aie devisé par raison *por quelles choses les poines de Bretaigne furent establies* ; et ensi com li livres le reconte me convient a parler et retraire ques hom fu Alains et quele vie il mena et ques oirs issi de lui et quele vie si oir menerent. Et quant tens sera et leus et je avrai de cestui parlé, si reparlerai d'Artu et prendrai les paroles de lui et de sa vie a s'eleccion et a son sacre.

Dans l'*Estoire* était « établi » le Graal ; dans *Merlin,* la Table Ronde ; dans *Perceval,* ce qui s'appelle, selon la fin véritable du *Merlin,* « li enchentement de Bretaigne » (Roach, App. A, D, l. 498) et, dans le passage ci-dessus, « les poines de Bretaigne ». Or Merlin, annonçant à Blaise la gloire à venir d'Arthur — nous l'avons déjà cité (cf. Paris, I, 47, l. 12*sq.*) — n'avait à la bouche que le mot dont s'évoquent en ancien français le tourment et la peine : « cil grant travail » qu'entreprendront les prud'hommes d'Arthur. Autrement dit la contradiction profonde, inhérente à la fiction de Robert de Boron, tient à ce que le temps venu de la béatitude ne semble devoir trouver place qu'au sein des souffrances et du malheur. Mais aussi bien avons-nous déjà repéré, dans la « senefiance » de la Trinité, celle du Roi Pêcheur, le rappel, par son « enfermeté », de ce qui fut la mort de Jésus-Roi et l'annonce des douleurs endurées par le Bon Chevalier. Nous avons jusqu'ici passé sous silence le prologue de l'*Estoire,* censé donner le ton de l'œuvre :

Savoir doivent *tout pecheeur*...
Que devant ce que Jhesus Criz
Venist en terre, par les diz
Fist des prophetes, anuncier...
Que Diex son fil envoieroit
Ça jus aval*, et *soufferroit*
Mout de tourmenz, mout de doleurs,
Mout de froiz et *mout de sueurs* (v. 1-10).

Dans la grandiose composition de Robert, à cause de la mutilation ou de l'état resté programmatique de l'œuvre, manque la dernière « senefiance », celle de la Trinité, de la malédiction ou de la Rédemption, celle de l'infinie détresse humaine projetée dans le supplice du Fils de Dieu. Ce n'est pas un hasard si celle-ci était justement attachée à ce qui faisait l'attrait de la matière de Bretagne : la féerie de ses enchantements. Car l'entreprise de Robert, prenant la relève des propos de l'ermite à Perceval chez Chrétien, jetait la réprobation sur l'existence sexuelle des fées ! Il faut savoir reconnaître à travers les enchantements de Bretagne toute la réalité du péché humain : une errance qui n'est qu'erreur, égarement. C'est au point d'achoppement du sens que celui-ci se propose comme mystère et se sauve lui-même. Mais l'écrit y met encore résistance et la fiction approfondit seulement cette scissure interne. Dans l'*Estoire* déjà s'en décèlent les indices : la Grâce du Veissel ne se répand en effet que dans le décor d'un « eissil », dans la désolation d'une terre (« une deserte gastine ») éloignée des hommes et de leurs richesses (cf. v. 2345-2350) ; elle arrache au monde lui-même ceux qui restent dans la compagnie de Joseph et leur insuffle une vie spirituelle faite de l'« oubli » de ce qui les entoure (v. 2568-2569). Le divorce du Graal, « célestiel », et du monde, « terrien », n'appartient peut-être pas à l'œuvre de Robert, mais s'y trouve en germe. On se défend mal à la lecture de la fin de l'*Estoire* d'un certain désarroi à voir s'estomper les contours nets de l'histoire ou de la géographie, dériver lentement vers les brumes d'un Occident fabuleux[30] les élus de Dieu et les objets sacrés, éclater la compagnie mais aussi bien disparaître le récit derrière les annonces de la Voix et ne reprendre que pour s'éparpiller. On objectera que la dispersion porte l'espoir de la réunion, qu'après tout les membres du Graal revivent le sort des Apôtres essaimant en tous sens, après l'Ascension de leur maître, et qu'enfin la protection divine s'étend sur eux. Il n'en reste pas moins vrai que le récit, fortement ancré dans l'histoire et l'autorité de la Tradition, aborde maintenant les rivages de la fable et se rapproche des énigmes de Bretagne. Il subit par contrecoup une sorte de déréalisation et semble, du bord assuré dont il partait, s'aventurer en terrain mouvant. Cette dérive fabuleuse de l'Histoire Sainte est à nos yeux le plus sûr charme de l'invention de Robert de Boron. Mais, s'il en est ainsi, il faut admettre que le troisième temps où tout s'accomplit est en vérité, en ce monde, irréalisable, sauf justement au Jour dernier qui prononcera la fin des Temps ; mais le récit de Robert appartient encore au temps, comme narration et dans son histoire. La scansion finale se marque donc dans le temps comme hors de lui. Cette impossibilité lui donne aussi bien son caractère propre, de se soustraire à la vue et à la prise des hommes pour mimer par anticipation la Parousie. Mais une plénitude qui se joue d'avance se vide de toute substance ; c'est pourquoi la compagnie du Graal n'est au monde que dans la mesure où elle ek-siste face à lui et vit à la fois dans la Présence et dans l'attente de l'Avènement. Au troisième temps, par conséquent, la représentation se dédouble elle-même et, quand la Voix annonce à Joseph qu'il remplira au Jugement dernier la place vide de la Cène (v. 2782-2787), l'événement se reproduit sur un autre plan, proprement narratif cette fois, par la prophétie du troisième homme du lignage qui s'assiéra au lieu vacant de la Table du Graal (v. 2788-2796). Quand triomphe la spiritualité, le récit linéaire ouvre en lui comme un espace scénique où se représente « le mystère » du Jour eschatologique. Nul doute que les figures du Riche Pêcheur, assis à la place qui fut celle de Jésus au temps de la Passion ; de Petrus, qui par son nom rappelle le chef, voulu par Dieu, de l'Eglise où se rassemble dès ici-bas la communauté eschatologique ; de Moyse, fermé à la Nouvelle Loi et abîmé dans les ténèbres, n'aient eu leur rôle à tenir dans cette mimésis théologique. Alain pareillement, et son fils, selon la « senefiance » de la chasteté : l'avènement de Perceval ne devait-il pas se présenter comme l'évidence du corps glorieux, à l'image du Christ qui

A son pere s'en est alez,
O soi ha nostre char portee
En paradis gloirefïee (v. 2232-2234) ?

Mais seule la *Queste* a su libérer, en Galaad, le corps de la chair.

Le temps de l'Esprit-Saint abandonne donc le monde à l'épreuve mais ne livre d'autre part de la fin que son anticipation représentée. Dans tous les cas, l'accomplissement qu'il signifie est l'impossibilité propre du récit, comme les Secrets que porte l'écrit restent interdits à la parole.

Aussi serions-nous tenté d'attribuer à l'épisode du Siège Périlleux par quoi débute vraiment le Didot-*Perceval* la valeur symbolique de représenter dans la fiction cette contrainte structurale qu'emporte le signe écrit, soit l'impossibilité pour tout récit de se refermer sur son propre sens, d'oublier absolument ce au lieu de quoi se propose le sens. La Pierre qui se fend et jette un « brait » quand s'y assoit Perceval (E, l. 193-196, D, l. 166-170) retrouve, dans la structure, cette « escriuture » encore visible sur l'épée ressoudée par le héros à la fin de la *Seconde Continuation,* alors que pourtant la seconde venue aurait dû être la bonne (cf. Roach, IV, au vers 32558, selon le ms. P). Mais à vrai dire on hésite à décider de l'authenticité ou non de ce passage dans le *Perceval* primitif de Robert (s'il a existé autrement qu'à l'état de projet ou d'ébauche. En premier lieu rien ne laissait, semble-t-il, prévoir le geste inconsidéré de Perceval, dont l'effet perturbe toute l'organisation d'ensemble ; le Didot-*Perceval* contredit d'ailleurs ce qu'annonçait Merlin, puisque au terme Perceval parvenu au Graal a pris congé de la chevalerie sans revenir à la Table Ronde prendre la place qui lui était dévolue. La raison n'est est-elle pas justement qu'il s'y était présenté trop tôt, ce qui renversait l'ordre initial ? Le problème s'en trouve déplacé : au lieu qu'il « accomplisse » d'abord la Table du Graal pour que son retour serve à la consécration spirituelle de la Table Ronde, s'il parvient maintenant à la Table du Graal, c'est qu'il aura effacé le péché qui le poussa à la folie d'essayer la Table Ronde ! Tout se tient : la présomption de Perceval entraîne par conséquence une redistribution narrative ; il faut maintenant prouver que le héros a su devenir un prud'homme selon l'Eglise et selon Dieu (sa réussite au Graal aura donc valeur d'aboutissement) et non plus montrer comment un élu sans tache (ni sans histoire !) est venu conférer à la Table d'Arthur l'éclat divin de celle du Graal. D'autre part, si on observe à la lettre les propos de Merlin sur les enchantements de Bretagne (Roach, App. A : E, l. 330 ; D, l. 498) et ceux de Robert sur son projet de traiter des « poines de Bretagne » (cf. *supra,* et Paris, I, p. XXI-XXII), leur début semble antérieur au moment d'où les date le Didot-*Perceval,* soit justement, ainsi que W. Roach le premier l'a dans son édition souligné (cf. p. 44, n.1), du cri de la Pierre : la Voix qui intervient après l'épaisse ténèbre révèle ici au roi Arthur l'existence du Graal dans le pays, la maladie du Roi Pêcheur, l'espoir que se montre le chevalier destiné à poser les questions libératrices,

> et charont* li encantement qui hui cest jor sont en la terre de Bretagne (E, l. 220-221).

Ce qui provoque aussitôt le grand branle du départ des compagnons de la Table Ronde dans la quête du Graal. Or ce passage ne fait-il pas double emploi avec les déclarations de Merlin à Arthur après son couronnement (cf. App. A, p. 304-306) au sujet de la « senefiance » de sa Table, de la présence du Graal en sa terre, de la longue vieillesse du gardien du Graal, du chevalier élu et de la fin des enchantements ? N'est-il pas maladroit (même si l'on préserve ainsi l'intérêt du récit) de répéter que le Graal attend un chevalier exceptionnel dont l'identité reste encore voilée, à l'instant précis où s'est manifesté, fût-ce inopportunément, le fils d'Alain le Gros (cf. E, l. 212-214) ? Ou alors doit-on comprendre que celui-ci ne peut plus, par sa faute, y prétendre ? Faut-il d'ailleurs nécessairement lier le déclenchement des merveilles à la catastrophe du Siège Périlleux et y voir l'effet d'un péché originel, quand y suffirait le magnétisme de ce corps étranger, le Graal, surgi d'un autre monde pour troubler celui-ci ? Que le Riche Pêcheur vienne seulement habiter au cœur mystérieux de la terre des hommes, et la Bretagne vivra des heures insolites ! En clair doit-on les « peines » ou les « enchantements » au faux pas de Perceval ou à l'irradiation du Graal [31] ? Il n'y a donc pas simplement une redondance malhabile, mais une différence de point de vue. Mais, comme en dépend l'invention propre du Didot-*Perceval,* on ne peut incriminer le remanieur qui dans l'hypothèse de Roach déforma l'original de Robert. Faut-il alors en conclure, si la contradiction est trop forte, que le véritable Robert n'a en rien pris part à la continuation de son œuvre en vers ? Nous avouons ici notre embarras, afin de bien marquer le caractère conjectural d'une analyse mal assurée de ses textes ! Depuis Chrétien, rien ne s'énonce du Graal qui parvienne à s'achever ; l'édifice de Robert de Boron repose sur de solides fondations mais n'offre en certaines parts que la charpente, et l'achèvement qui en est proposé conduit à douter de ce qu'il prévoyait initialement. Mais là encore peut-être un hasard extérieur relaye-t-il seulement une nécessité profonde. Il faut, pour rencontrer une vraisemblance, en revenir au mécanisme de la « senefiance ».

Rien, avions-nous d'abord objecté à cet épisode, ne laissait prévoir pareil malheur ; la surprise est de taille, qui discrédite dans son acte même celui qui devait l'accomplir ! Pourtant, on l'a vu dans le cas de Petrus, la Providence ne dévoile pas d'emblée tout son jeu : la raison d'un événement peut n'apparaître qu'après coup. Or n'est-ce pas justement ce que pourrait cacher le « bref » mystérieux confié à Petrus, à charge de le remettre au fils d'Alain quand il viendra (cf. v. 3127-3132) ? Sans doute Petrus, et W. Roach a su habilement discerner ses traits sous ceux de l'oncle ermite, repris de Chrétien, dans le Didot-*Perceval* (cf. p. 55-66), se dressait-il plus tard sur la route de Perceval pour lui expliquer quel fut son péché et quelle était encore son insuffisance morale, cause de sa vaine errance. Il est en effet remarquable que dans l'*Estoire* l'allusion au « bref » que doit lire le fils d'Alain (v. 3132) soit aussitôt suivie par des précisions sur ce que Petrus devra lui enseigner : la vertu propre du Veissel (v. 3133-3134) et ce qu'il advint de Moyse (v. 3135-3136). Sous le premier chef il faut comprendre que Perceval découvre quelle perfection spirituelle exige le contact du Graal. Mais la question de Moyse surtout est, à nos yeux, révélatrice. Le projet de Robert consiste toujours à montrer comment a été « établie », c'est-à-dire élevée au rang de signe, fondée en « senefiance », telle figure constitutive de l'espace arthurien. Si les enchantements manifestaient seulement l'irruption du Graal dans la contrée, ils en seraient le signe, comme la fumée, du feu, ce qui n'est pas précisément le signe selon Robert de Boron : ce qui advient dans son récit est toujours ce qui revient pour rappeler dans l'identité un mystère d'origine qui s'y trouve célébré. Si donc surgit un jour une merveille autre que le ravissement divin ou le don prophétique et qui rejoigne, si l'on peut dire, l'ordinaire de la fable bretonne, sa trace s'est déjà inscrite quelque part, antérieurement, dans le récit. Or si on cherche un surnaturel qui ne soit pas pure spiritualité, ni vision, ni voyance, la terre soudain entrouverte pour engloutir Moyse y correspond. Le génie de Robert est d'avoir transformé la nature du merveilleux féerique : l'enchantement ressemble à un maléfice ou une diablerie : abîme de la terre, « brait » de la pierre, ténèbre et fumée. La terreur de l'obscur a remplacé le charme de la blancheur immatérielle. Sans l'épreuve du siège libre tentée par Perceval, l'essai fatal de Moyse ne serait relié à rien[32]. Car la « senefiance » du lieu vide est complexe : à travers lui le péché de la mort de Jésus (pour imiter l'expression de Chrétien de Troyes) doit être effacé, quand le fils d'Alain puis, au Jour Dernier, Joseph y prendront place, témoignant de la mort rédemptrice de Jésus, mais aussi bien rappelé dans la trahison de Judas, l'hypocrisie de Moyse et la présomption de Perceval, nécessaire ici pour compléter la « senefiance » :

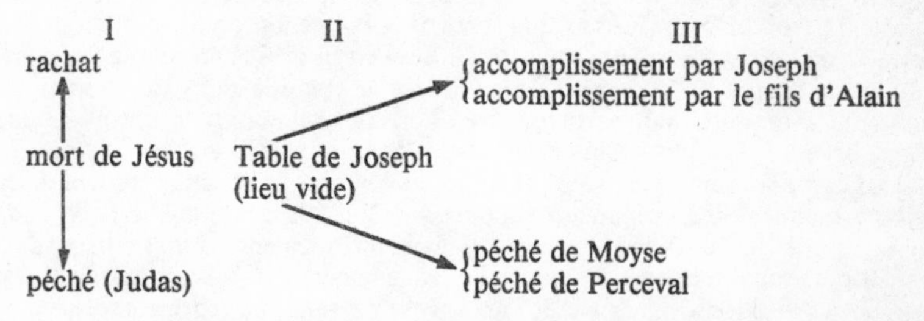

Que l'affaire de Moyse concerne directement Perceval, cela apparaît dans les vers 2813-2828 où la Voix commente à Joseph le sort de Moyse : on ne parle plus de lui,

> Devant ce que cil revenra
> Qui le liu vuit raemplira :
> *Cil meïsmes le doit trouver* (v. 2817-2819).

Que veut dire cette rencontre de Moyse et de Perceval sinon qu'ils participent d'une même condition pécheresse ?

Une évidence s'impose aussitôt : en Perceval se conjoignent toutes les « senefiances » : celles du péché et de la Rédemption, mais encore celles de l'amour (le Veissel de Joseph), du corps glorieux (la chasteté d'Alain) et de la souffrance (l'« enfermeté » du Riche Pêcheur). Lieu géométrique de toutes les autres figures, il en vient à signifier le récit fabuleux, la fiction de Bretagne elle-même.

Pour que s'ouvre l'ère des enchantements et de l'« enforestement » des chevaliers, il faut un geste qui réactualise la malédiction et soit accompagné des déclarations de la Voix, conditions que réalise l'épreuve du siège vide[33]. Nouvelle objection pourtant : si la « senefiance » du lieu vide permet de remonter jusqu'à l'abandon de Judas, ne manque-t-il pas à la cassure du sol comme de la pierre un répondant biblique ? Notre reconstitution trouve ici sa récompense, car Robert n'avait décidément rien laissé au hasard ! Dans la scène de l'*Estoire* où Joseph nettoie les plaies du Christ en se servant du Veissel, une étrange pensée lui vient soudain :

> Vist le cler sanc qui decouroit
> De ses plaies, qui li seinnoient*
> Pour ce que lavees estoient.
> *De la pierre* adonc li membra*
> *Qui fendi* quant li sans raia*
> De sen costé ou fu feruz*.
> Adonc est-il erranz* couruz
> A son veissel et si l'a pris (v. 556-563).

La vue du sang lui rappelle le prodige de la Pierre fendue qui témoigne de la vertu surnaturelle de celui-ci. Relevons au passage l'allusion à Longin, qui prouve que Robert a délibérément fait silence sur le coup de la Lance et écarté de son récit une tradition qu'il ne manquait donc pas de connaître. Inversement, la contiguïté (non pas dans l'histoire, mais dans le récit) du souvenir de la blessure au flanc et de l'inspiration du Veissel n'est-elle pas à l'origine de l'autre tradition, où le sang est recueilli pendant que Jésus est en croix ? Substituant le Veissel à la Lance comme support du Précieux Sang, Robert n'en a pas moins reporté l'effroi du Coup Félon sur la fente de la Pierre, proprement biblique (cf. Mtt., 27, 51 : « Les pierres se fendirent »). Les vers ci-dessus portent la trace discrète de ce transfert. Aussi bien est-ce la clef de toute la réorganisation signifiante du conte du Graal, partagé entre l'horreur et l'amour, réservant à l'une l'Epée brisée et la Pierre fendue, à l'autre, la Lance de Longin et le Veissel-calice. Quand les saintes reliques préparent la voie aux jouissances éternelles, les objets magiques ou les figures mythiques — fêlure et cri de la Pierre, bris de l'Epée, mutilation du Roi Pêcheur — rappellent l'incidence d'un malheur lié à l'intrusion sexuelle, c'est-à-dire mortelle, dans le corps. A travers eux il est fait obstacle à l'élection du héros et à l'apothéose du sens ; ils représentent ce qui, dans la structure et de son fait, dit non à la finalité de l'histoire ; en eux se signifie la loi propre du récit, son rythme, sa « césure » (selon Hölderlin) qui contrecarre la destinée promise dans le récit au héros. Nous l'avons répété, Perceval chez Chrétien est exclu de cela même pour quoi il est élu et par ce qui fait qu'il y soit élu. Il n'y vient pas au temps qu'il faut, telle en est la conséquence narrative ; l'ironie s'en renouvelle dans le Didot-*Perceval,* avec l'épreuve tout aussi prématurée du Siège Périlleux. La trouvaille de Robert, qui utilise habilement ici la scène du *Conte du Graal* où la malédiction de Perceval coïncide avec l'apparition des merveilles, déplace seulement la difficulté et rend inutile une double visite à la maison du Riche Pêcheur (pourtant conservée dans le Didot, d'après Chrétien dont le récit inspire à l'évidence la première venue au Graal — épisode L — et la seconde rencontre avec l'ermite — épisode N[34]). Les indices précédemment relevés dans l'œuvre de Robert, préparant une rupture qui en contrarie le cours prévu, conduisent droit à l'essai malheureux de Perceval. Le moment où les compagnons de la Table Ronde se séparent d'Arthur pour entrer, solitaires, « en la queste du Graal » (D, l. 218), évoque d'ailleurs ce que fut, avec le congé de Vespasien, le départ « en eissil » de Joseph et des siens. Le commencement de la fin est, à son tour, une traversée du désert, au pays indistinct des aventures et des « peines ». Sans doute, dira-t-on, la Pierre devait être ressoudée, comme le récit s'achever dans la gloire. Oui, mais au prix d'une séparation irréversible entre l'immatérielle compagnie du Graal et la cour féodale d'Arthur. L'imprudence de Perceval, son geste prématuré, ont désormais interdit que s'accomplisse la prophétie dans l'ordre prévu de la Table du Graal, puis de la Table Ronde. Elles ne peuvent se fondre ou se prolonger l'une dans l'autre, comme ce fût le cas si le fils d'Alain avait servi de trait d'union et accompli chacune d'entre elles. La transmission des Secrets au nouveau maître du Graal marque un adieu à ce monde et à la chevalerie. Ce jour-là, à la cour d'Arthur, la Pierre se referme (cf. D, l. 1545-1548 et *sq.*) en l'absence de celui qui a pour toujours disparu. La faille ouverte dans la Pierre n'a pas permis que la Table Ronde d'Arthur s'arrachât à l'histoire pour entrer dans l'espace sacré ; celle-ci appartient irrémédiablement à la condition mortelle et ne pourra plus prétendre à d'autre existence que littéraire. La fissure de la Pierre a signifié la déchirure même du Sens ; quand a jailli son cri inhumain, le monde du Graal a glissé à la dérive, le monde d'Arthur a été rendu à la mort. L'écriture a fait pièce au sens, en intimant la catastrophe. C'est par quoi elle tient au réel, au plus fort de l'envoûtement par le Verbe.

Peut-être est-ce la raison du rire de Merlin, où se rappelle son origine maligne, de ne jaillir qu'en présence de la vérité mortelle ou sexuelle qu'oublient ou couvrent ceux qu'il croise. Un vilain s'apprêtait-il à partir en pèlerinage ? « Quand Merlins vit le vilain, si en rist », parce que, avoue-t-il aux messagers venus le chercher, « il sera mors avant que il viegne en sa maison » (Paris, I, 49, l. 1-7) ! Et les autres de s'extasier devant cette « merveille » ! Aussitôt après, c'est au tour d'un prêtre de déclencher son hilarité parce qu'il chante au service funèbre d'un enfant que pleurent ses parents, mais dont il est le véritable père (*ibid.*, 50) ! Tout ceci au grand effroi de la femme coupable... Anecdote, sans doute, quoique par ce moyen l'enfant-devin gagne à sa cause ceux qui devaient le tuer et que s'y transpose l'obscure affaire de sa propre naissance ; mais, plus profondément, un certain plaisir à déposséder l'homme de ses évidences les mieux assurées. Quand l'enfant a grandi, au rire succèdent les diverses « semblances » qui désorientent d'abord ceux qu'il entend avertir. Mais Merlin — qui donc l'ignore ? — a quelque chose de suspect. Ce diable d'homme en sait toujours un peu plus qu'il ne faut. Il est certes plaisant que la Providence n'ait choisi de se faire entendre sans que l'on fasse la part du diable !

Mais revenons à plus sérieux : après Robert la tragédie arthurienne découle autant de la réprobation que jette sur le monde la transparence virginale d'un Galaad que du secret trop bien gardé auquel on doit la naissance de Mordred, le bâtard incestueux ! La voie suivie par Robert pour se dégager du réel sexuel, celle de la bâtardise sacrée et de la virginité rédemptrice, est chez ses successeurs génératrice de malheur : en Galaad s'accomplit le divorce du « célestiel » et du « terrien » ; en Mordred se paie l'ignorance où était Arthur des agissements nocturnes d'Uterpandragon[35]. Mais un nouveau héros surgit, qui assume le malheur et la mort, dans l'ordre de la narration, Lancelot, père malgré lui de

Galaad et amant, sans descendance, de la reine ! Dans la littérature narrative d'imagination, le point de vue du héros donne la perspective de l'ensemble et se confond avec le point où concourent les points de la perspective : le point de fuite. Il occupe la place où se désigne le montage lui-même. D'où ce regroupement des récits du Graal autour des trois figures de Perceval, de Galaad et de Lancelot. Perceval nous a surtout retenu jusqu'ici par son ambiguïté ; l'auteur du roman en prose du Graal semble avoir voulu le conduire en cette extrémité où s'imposera plutôt le personnage de Galaad ; mais Chrétien, dans ce qu'il eut le temps d'écrire de lui, l'avait maintenu dans le voisinage de la féerie amoureuse. Le « péché » de Perceval dans le *Conte du Graal,* celui de la mort de sa mère, rassemble le passé et l'avenir de la matière de Bretagne, car il permet de greffer un sens religieux sur ce dont l'errance au pays des fées apprenait à payer le prix. Le « nice » ignore tout du drame sexuel et mortel qui se joue dans le corps ; le deuil de la Veuve Dame n'a d'autre sens que de lui signifier l'interdit de la jouissance, de l'assomption glorieuse du corps dans l'apparence des armes, et, par sa mort, de lui forger une mémoire. Mais la mère n'engage pas pour autant le fils dans la voie sexuelle du désir, puisqu'elle lui défend le « sorplus » : en le vouant à la chasteté, elle l'appelle au contraire à la charité, soit à la vie en Dieu. Or le propre de celle-ci, si l'on prête attention à l'*Estoire,* est d'adorer, comme Volonté qui notifie au corps mortel la pénitence du désert, le Signe où se représente l'Un immaculé du corps éternel.

Selon Luca Giordano, les « Menines » de Vélasquez, c'était « la théologie de la peinture ». Nous dirons de l'*Estoire* de Robert de Boron qu'elle fut la théologie de la littérature[36].

TABLEAU DES «SENEFIANCES» CHEZ ROBERT DE BORON

I	II	III
le corps vierge (eau du Jourdain)	*«Alain le chaste»* (eau baptismale)	Perceval le pur le corps glorieux, en Paradis
les amours de Jésus et de Joseph (Veissel, Précieux Sang)	*le Graal* à découvert (calice)	Vision de béatitude (service du Graal) «Joie pardurable»
la Passion de Jésus-Roi	*l'«enfermeté»* du Riche Pêcheur	«Cil grant travail», endurés dans la quête par «li tierz hons».
la mort du Christ — le péché — le lieu vide de Judas (la Pierre qui se fend)	*le lieu vide* à la Table de Joseph	le péché de Perceval («Brait» de la Pierre) le péché de Moyse (abîme infernal)
la mort du Christ — la Rédemption — le corps mis au tombeau (la Table de la Cène, les «espèces»)	*la Table* de Joseph (le poisson) (l'autel liturgique)	la Table Ronde (communauté eucharistique) «le corps mystique» — Perceval accomplit la Table du Graal Joseph accomplit la Table de la Cène

On reconnaît ainsi les grands mystères de la foi : l'Incarnation (1re ligne), la Rédemption (4e), la Résurrection (2e), la Trinité enfin (3e ligne) que signifie la venue du troisième descendant.

CHAPITRE IV

La Présence Réelle

(*Perlesvaus, le Haut Livre du Graal*)

Saintes merveilles

Archaïque et prophétique, barbare et sainte, anonyme à force d'orgueil, poétique par la grâce de sa prose, l'histoire qui se proclame «le Haut Livre du Graal» *(Perlesvaus)* conjoint pour les conclure l'une et l'autre l'Annonce selon Robert de Boron et la matière de Bretagne par-delà Chrétien de Troyes et ses continuateurs. Ces derniers, impuissants peut-être à maîtriser la fantasmagorie, nous quittaient égarés en pleine effusion des merveilles ; celui-là, hanté par l'origine, n'avait su, à l'orée de la forêt aventureuse, frayer la voie plus avant. Du moins, là, ne s'était-il pas imposé, s'il est vrai qu'au témoignage du Didot-*Perceval,* son projet ait dû s'infléchir sous la pression romanesque qu'exerça la *Seconde Continuation* de Wauchier. Son génie, historique et généalogique, échouait à endiguer le flot des fables de Bretagne revenues de plus loin, semble-t-il, que du seul *Conte du Graal.* La grandeur de *Perlesvaus* est de tenir ensemble Chrétien, Wauchier et Robert, d'égaler sa *senefiance* à la Révélation en un Livre pareillement inspiré, mais d'épandre aussi bien à perte de vue la matière ondoyante et diverse de Bretagne, en ses *muances* obscurément renouvelées. Ce roman flamboyant et monstrueux au point d'étonner les critiques, voire de les laisser sans voix, n'eut donc pas à quelques exceptions près leur faveur, redouté plus qu'admiré, maintenu en tout cas respectueusement à distance. Il est vrai que le sens qu'il exalte se trouble encore du sang de sa cruauté. Il faut donc partir de ce malaise à la lecture, de notre résistance face à une œuvre jugée touffue ou violente, toujours excessive dans sa lettre comme dans son esprit.

Et d'abord prendre au sérieux l'allégation d'un original latin, pieusement conservé à Avalon (Glastonbury), transcription sainte par Josèphe, «le bon clerc et le bon ermite» des révélations du Saint-Esprit par la voix d'un Ange (*Perlesvaus* l. 2158-2160). Car la prose, à sa naissance proprement littéraire, témoigne d'une nouvelle conception de l'écriture et d'un nouveau statut du livre. Appendu à la vérité comme sa manifestation même, l'écrit ne peut venir que de Dieu : on recourt à un auteur — fictif (Flavius Josephus ici, celui des *Antiquités judaïques*) — pour servir d'intermédiaire et remettre à sa place, celle d'un copiste ou d'un scribe, l'auteur réel rendu à l'anonymat. Faut-il passer outre à pareille imagination au point d'en ignorer l'intuition juste ? Qui donc, affronté à l'acte d'écrire, s'est jamais prévalu de maîtriser absolument ce qu'il œuvre ? Le seul fantasme d'avoir porté en soi ce qu'on a mis au jour trahit une autre dépendance envers ce qu'on dut en soi accueillir pour le faire régner en maître ! En appellerions-nous ici à Michel Tournier ? Un écrivain usurpe toujours la « paternité » de son œuvre, car il n'est d'autre Père que Dieu, si l'« écrit » est marqué au sceau de la « vérité » (cf. *Perslesvaus,* l. 4) :

> Li Hauz Livres du Graal commence o non du Pere e du Fill e du Saint Esperit. Cez trois persones sont une sustance e cele sustance si est Dex e de Dieu si muet li hauz contes du Graal (l. 8 - 10).

Au principe du livre donc, et comme raison ultime de l'écrit, le mystère de la Trinité ! Mais, si Dieu est à l'origine et qu'il doue le livre d'une puissance sacrée, le recours à la prose signifie à l'inverse son éloignement et le retrait de sa présence, puisqu'elle se donne pour la traduction d'un original latin qui relaie la Voix divine mais qui, par ce passage d'une langue dans l'autre, lui fait écran :

> Li latins de cui cist estoires fu tretiez en romanz... (l. 10188 - 10189).

Autrement, en effet, comment la faiblesse humaine eût-elle soutenu une proximité si ardente ? Josèphe eut seul affaire jadis à la Voix de l'Ange dont son écrit porte avant tout témoignage ; c'est qu'il fut, nous dit-on, le premier prêtre qui sacrifia le Corps du Seigneur (l. 3188 - 3189). Ainsi l'histoire qui célèbre dans la liturgie du Graal le mystère de la Présence Réelle dans l'Eucharistie nous est-elle transmise par le premier officiant du sacrifice de la messe. C'est dire que l'écrivain est lui-même élevé à la dignité du célébrant qui sert de trait d'union entre Dieu qui parle et nous (lecteurs et copiste) qui lui ouvrons notre cœur, et que le Livre ne se distingue plus du Graal, participant tous deux du même mystère dont ils supportent le rite tels des objets sacrés. L'écoute désormais s'est faite religieuse.

Chrétien déjà y invitait, se réclamant des saintes vertus de son commanditaire, Philippe d'Alsace, et s'effaçant lui-même derrière « le livre » précieux qu'il se contentait, à l'en croire, de mettre en rimes. Mais toute son œuvre, à vrai dire, dans un second temps (soit après la démesure initiale, quand le héros se reconnaît coupable mais pour changer de nom, étranger à soi à l'instant même où il devient familier de son péché), appelait cet Autre qui saurait absolument, à la volonté duquel se soumettre et s'éprouver jusque dans la jouissance de cette souffrance même. La *senefiance* sainte est ainsi requise au cœur de la *semblance* enchantée, la *Voix* divine doit résonner parmi les *merveilles* sans nom et la littérature du Graal les a mêlées dans l'effroi et l'extase sans que le départ s'opérât jamais qui les rendît l'une au Symbolique, l'autre à l'Imaginaire[1]. Au moment en effet où Perceval approchait au sein de la merveille un savoir qui le regardait en propre et auquel il devait advenir, le récit basculait déjà, lui en barrant l'accès pour que rien ne lui en revînt sinon l'ordre intimé par un sujet Autre, à lui substitué et tout-puissant, Dieu obscur qui préside à l'expiation et à la cruauté des larmes telles que le sang versé. Il en résulte avec *Perlesvaus* une transformation du roman lui-même, où le point de vue privilégié du héros est abandonné au profit de cette Autre présence, diffuse et omnisciente, qui emplit le récit, le soulève en vue d'un mystérieux accomplissement et nous regarde au moindre détour de l'aventure, sans nous laisser l'ombre d'un recoin. Il n'est d'autre « héros », si le terme a encore un sens, que le Vouloir de Dieu, ni d'autre fin que celle des Temps. Auprès du roman « classique » que Chrétien représenterait, ce récit, animé de Dieu, prendrait volontiers figure de « nouveau roman ». La subjectivité romanesque y cède le pas à l'objectivation signifiante.

Encore a-t-il fallu, entre le *Conte du Graal* et *Perlesvaus,* l'intervention de Robert de Boron et la greffe réussie dans le *Roman de l'Estoire dou Graal,* car l'hostie émanée du Graal ou la sainteté de l'oncle ermite n'y auraient pas suffi. Extirper la merveille de Bretagne du sol celtique, la transplanter d'Occident en Orient pour lui redonner vie sous un autre jour, tout biblique, cette violence faite au mythe celte en fut paradoxalement la chance, comme si l'horizon chrétien de l'histoire en avait seul renouvelé la puissance et la charge propres. L'*histoire* a de fait recueilli dans la tradition judéo-chrétienne les valeurs et les fonctions du *mythe*: dans les deux cas la répétition fait sens, ce qui seul compte en effet, qu'on résorbe le nouveau dans l'ancien ou qu'on annonce dans l'ancien le nouveau[2]: mythologie ou eschatologie. Robert de Boron insère les Enchantements de Bretagne dans un cadre historique et généalogique[3] (autre équivalence: il n'est d'histoire que de filiations et de mémoire sainte) que centre la Passion du Christ, puisque l'Incarnation de Dieu date l'Histoire. Autrement dit, il fait le récit d'un legs sacré au sein d'un lignage élu, autour de quoi s'ordonnent, au rythme de ses effacements ou de ses retours, les destinées humaines des empires et des royaumes. D'où son succès: sacraliser un objet surnaturel, comme le fit le premier continuateur de la Lance ou Robert lui-même du Veissel, restait incomplet: il fallait que la relique fût le secret, le pacte et la (trans)mission d'un lignage. Au-delà du Roi Pêcheur, donc, en tête de lignée, Joseph d'Arimathie qui vécut dans et par la mort du Christ. Ainsi la parenté s'est-elle établie sur le fondement du Précieux Sang dont elle perpétue le culte, au lieu et place de l'étrange rituel qui, dans *Parzival* par exemple, s'installait autour de la blessure sexuelle d'Anfortas (livre IX). Il est notable à cet égard que dans *Perlesvaus* il ne soit plus question que de la « langueur » où est tombé le Roi Pêcheur (l. 634) et que, sans être ignorée, la demande requise du héros n'en soit pas moins éliminée: faute de la juste enquête, la conquête vaut réparation (l. 652-654). On mesure dans *Perlesvaus* les conséquences du coup de force tenté par Robert de Boron: une parole fondatrice eût, dans l'histoire selon Chrétien, répondu à la formulation d'une question libératrice; désormais, l'adoration des signes de la Toute-Puissance assujettit inexorablement à la Loi. Un formidable dispositif de sujétion: Voix, « senefiance », objets liturgiques, a été monté par Robert; il est ici à l'œuvre.

Aussi bien l'auteur a-t-il modifié le rapport du héros avec le couple parental: le père est présent lors de la scène fameuse en forêt où chez Chrétien la voix du sang se réveillait en Perceval. Il préside donc en personne à son éveil aux armes. Il a même forgé le nom de son fils au baptême pour le nommer à la tâche qu'il lui destine.

> Por coi Pellesvax?... Son pere... dist qu'il *voloit* qu'il eüst nom Pellesvax, car li Sires des Marés li toloit* la greigneur* partie des vax de Kamaalot, si *voloit qu'il en sovenist son fil par cest non* (*Perlesvaus,* l. 458-462; cf. l. 5309-5314).

Il le voue, de naissance, à le venger. « Perlesvaus », ou l'homme qui a *perdu* la terre de son père, *les vaux* de Camaalot. Ce nom recouvre celui de « Perceval », qui appelait plutôt son porteur à percer le secret du val[4], au pays du Riche Roi Pêcheur où restait en souffrance le Nom du Père. Ce père, dont le héros, dans le *Conte du Graal,* ne parvient pas à reconnaître la place, pèse initialement dans *Perlesvaus* d'un poids trop lourd. Curieusement d'ailleurs l'auteur retrouve, ce faisant, une tradition plus archaïque qui resurgira dans *Sir Percyvelle of Gales,* celle de la *faide.* Venger le père l'idéalise et détourne d'entendre la vraie nature du coup qui lui fut porté. La voie est ainsi fermée d'avance à tout espoir, même vain, d'en savoir plus. Perlesvaus doit seulement répondre à l'appel et verser le sang ennemi sans faire jamais retour sur soi. Le temps est à l'action, non plus aux questions, à la destruction et non à la décision. Tout changement dans l'imagination des aventures est, on le voit, structurel. Parallèlement, tout au long du roman la mère du héros reste en vie, ce qui exonère ce dernier du péché de sa mort mais lui impose le devoir sacré de la secourir et de la servir, au point même qu'il ne saurait rien accomplir du Graal avant d'être revenu auprès de sa mère en péril (cf. l. 4777-4781). C'est l'exacte contrepartie du *Conte du Graal*: là, pour avoir ignoré la douleur maternelle, il avait chez le Roi Pêcheur la langue liée; il est ici promis à la victoire pour « avoir honoré selon l'Ecriture père et mère ». L'aventure du Graal est donc dans les deux cas en rapport étroit avec la souffrance de la mère; c'est en fonction de celle-ci que le héros s'engage sur la voie menant au père d'une façon que sanctionne celle-là. Mais dans le *Conte du Graal* le deuil maternel appelle le fils à s'ouvrir à la dimension de cet Autre et non pas à s'offrir à un vouloir d'outre-tombe; à être comme traversé de sa mort et non à se faire l'instrument de sa vengeance. La reconnaissance de la dette n'est pas la réparation d'un dam. Là, dans l'exercice de la parole, un nom est requis à sa place; ici, une pure voix exige un bras vengeur. Aussi bien le sujet semblait, fût-ce dans l'horreur, au bord d'un savoir; rien d'autre désormais ne lui revient sinon, jusqu'à l'horreur, l'écho moral de la conscience! Son apparence enfin et ses qualités subissent une décisive transformation: toute équivoque sensuelle est bannie; le trouble ressenti au contact de Blanchefleur a disparu du récit. On célèbre dès les premières lignes le Bon Chevalier qui « fu chastes e virges de son cors, e hardiz de cuer e poissanz e si ot teches (qualités) sanz vilenie » (l. 15-17). Ce qui sera répété avec insistance lors de sa venue chez la Reine des Pucelles:

> mes ele savoit bien que n'en avroit ja son desirier ne dame ne damoisele qui s'entente i meïst*, qu'*il estoit chastes et en chasteé voloit morir (l. 3940-3944),

ou chez la sœur du Roi d'Oriande, au Château Enragé:

> Car il ne perdi onques sa chasteé por femme, ce dist Josefes, ainz* morut chastes e nez de son cors (l. 9133-9135).

Si l'autorité de Josèphe est invoquée à l'appui, il faut donc attribuer à cette affirmation une valeur cruciale. Le départ entre Chrétien ou ses continuateurs et les fervents du Saint-Graal passe par ce trait de la chasteté ou non du héros: est-il pensif d'amour ou pur de corps? On se rappelle le dégoût d'Alain dans l'*Estoire* pour les joies charnelles. Mais la virginité de Perlesvaus s'accompagne, nous le verrons, de fort étranges transfigurations, dans la ligne pourtant de celle du *nice* en Chevalier Vermeil chez Chrétien. Il n'est pas rare en effet qu'un auteur médiéval nous enseigne à lire son prédécesseur et nos analyses se fortifient de ces incessantes contre-épreuves d'un texte à l'autre. Or Chrétien avait étroitement relié par le motif du pays *gaste* la merveille amoureuse de Blanchefleur à la détresse de la Veuve Dame. L'auteur de *Perlesvaus* substitue à l'amie la figure tendrement ecclésiale de Dandrane sa sœur, demoiselle « déconseillée »

(l. 4748) comme Blanchefleur et provoquant comme elle peut-être, si le *Conte du Graal* avait été achevé, le retour du héros; d'autant mieux confondue, d'autre part, avec la désolation maternelle qu'elle en porte la prière; incarnant enfin, à l'image de son frère, la vertu par excellence de la foi chrétienne, la virginité:

> Beax sire Dex, fet ele, ja ne fis j'onques nului* mal, ne hom ne pecha en moi *charnelment,* ne ja ne fera, ne onques volenté n'en oï ne talent* (l. 5104-5106).

Ainsi le système est-il de toutes parts verrouillé, au nom de la Voix, au cœur de la chair, par la vertu de l'épée.

Le récit pourtant n'est rien moins que transparent, empruntant au fonds archaïque et divers de Bretagne de multiples énigmes dont il se charge, semble-t-il, à plaisir. Son originalité consiste à ne pas se satisfaire du seul Robert de Boron et à repartir de Chrétien de Troyes lui-même. Quoi qu'il ait, en effet, remanié du *Conte du Graal,* il reprend l'histoire de Perceval là ou Chrétien avait laissé ce dernier, étreint d'angoisse mais rendu à la vie dans l'ermitage forestier de son oncle (*Conte du Graal,* v. 6288; *Perlesvaus* l. 2926-2932). Il est d'ailleurs fait mention explicite, et même citation, des questions attendues chez le Roi Pêcheur:

> Si s'aparut a lui li sainz Graauz e la lance de coi la pointe du fer saine, *ne ne demanda de coi ce servoit, ne cui on en servoit* (l. 351-353).

En outre, la disparition du héros, son effacement pendant le premier tiers du récit, tandis que d'autres, tels Gauvain ou Lancelot, l'ont relayé sur le chemin de la quête, rappelle la composition du *Conte du Graal.* Qu'il soit également recherché par ces derniers (l. 4172) après qu'une demoiselle (Dandrane) fut venue en son absence à la cour implorer son aide pour défendre son héritage, nous remet dans la situation du Chevalier au lion et de la cadette de Noire Epine. La nouvelle clarté répandue par *Perlesvaus* semble dès lors émaner du propre fond d'obscurité de son devancier. Il y eut un premier temps de désastre et de péché que l'actuel présuppose. La sacralisation des objets du fabuleux cortège ne dissipe pas le mystère primitif de leur séduction. Il en va de même si on y regarde de près pour la généalogie: le motif du « fils de la sœur », comme l'avait remarqué W. A. Nitze (*Modern Phil.,* IX, 1912, p. 291-322), est au cœur de la tradition arthurienne. Gauvain est neveu d'Arthur par « Morcades » (*Enfances Gauvain*), comme Yvain par Morgain ou Percyvelle par Acheflour (*Sir Percyvelle of Gales,* laisse 2) ou Lanzelet par Clarine (Elaine ?), sans oublier Tristan neveu de Marc par « Blankeflûr » (chez Gottfried). Quant à la cour du Roi Pêcheur, elle est dans le *Conte du Graal* homologue à celle du roi Arthur, auprès de qui la Veuve Dame dirigeait comme de droit son fils. Ainsi prévaut l'oncle maternel, alors que demeure en retrait mais intacte la question du père. Or Robert de Boron a porté atteinte à ce schéma en intégrant la filiation paternelle à la tradition avunculaire, puisque Alain, le père présumé de Perceval, est le douzième fils d'Enygeus, la sœur de Joseph d'Arimathie, et que le Riche Pêcheur, Bron, l'époux de celle-ci, prend le rang d'aïeul direct du héros. Le couple ainsi formé par la mère et l'oncle, la Veuve Dame et le roi du Graal, a donc été reconduit aux origines saintes du lignage, en la personne de Joseph et de sa sœur, le sens de l'opération consistant à absorber la figure paternelle qui n'est plus isolable indépendamment. On ne peut oublier en effet que le Riche Pêcheur, devenu le père d'Alain, est apparu dans la légende comme l'oncle maternel, ni sous-estimer le fait que, s'il est maintenant l'étranger, il n'en a pas moins été investi dans son rôle par celui qui, dans le motif, a pris sa place auprès de la sœur, Joseph d'Arimathie lui-même[5] ! A cet égard, l'auteur de *Perlesvaus* marie avec élégance les ascendances selon Chrétien et selon Robert. Il préserve en effet la disposition propre à Chrétien, puisque Perlesvaus et Dandrane sont les enfants de la Veuve Dame, sœur du Roi Pêcheur et de l'oncle ermite, mais il la redouble à l'étage supérieur d'après Robert, en présentant Joseph comme l'oncle de la famille du Graal :

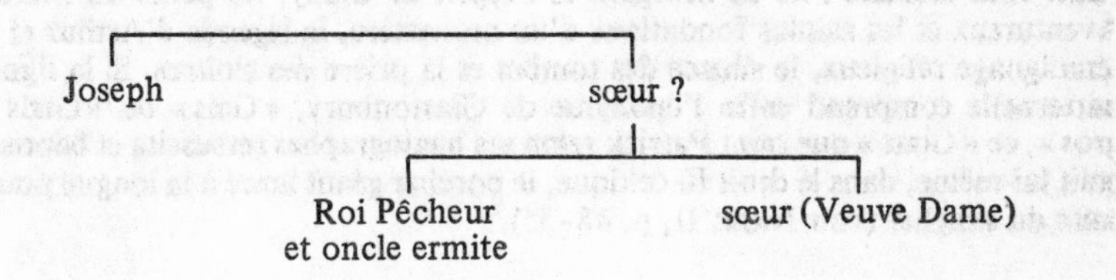

Il libère du même coup la branche paternelle, distincte du Roi Pêcheur, quoiqu'il maintienne Alain le Gros comme père du héros et lui adjoigne, selon Robert, onze frères. Mais il équilibre soigneusement les deux lignées, en dérivant la seconde de Nicodème comme la première de Joseph : toutes deux ont ainsi, à l'origine, également participé à la descente de Croix (*Roman de l'Estoire,* v. 521 - 525 ; *Perlesvaus,* l. 5238 - 5241)[6]. Surtout, il accumule, pour désigner la série des oncles paternels, des noms et des toponymes chargés de résonances fabuleuses et de souvenirs arthuriens : comme Nitze le soulignait dans ses notes (II, p. 198*sq.*), Bruns *Bran*dalis, *Bran*dalus de Gales, Elinanz d'Escavalon, Ali*bran* de la Gaste Cité ramènent avec eux un cortège d'aventures disséminées au travers des *Continuations* (Bran de Lis, Brun de la Lande) ou du *Conte du Graal* (le roi d'Escavalon), tandis que Bertolés, Galerians, Meralis épèlent autrement les noms de Bertilak *(Sir Gawain and the Green Knight),* Galeran, voire Meraugis, que « Galobrutes » combine le nom de Galles et le héros éponyme de Bretagne et que Meliarmans consonne peut-être avec Meliant de Lis et la série propre à *Perlesvaus* de Meliant et Meliot. D'autre part, avec la Vermeille Lande, la Blanche Tour, le Pré des « Pailes » (soieries), la Gaste Cité ou encore les Vaux de Camaalot, Galles et Albanie (Ecosse), sont évoqués les hauts lieux de la géographie aventureuse, imaginaire ou réelle, auxquels Perlesvaus lui-même ne manque pas d'être diversement appelé.

Du côté maternel donc, les Rois et les Prêtres, de l'autre, les Soldats de Dieu, les chevaliers morts aux armes, « o service du Saint Prophete » (l. 53) : officiants du Mystère ou hérauts de la Loi, figures souffrantes ou militantes, ce partage religieux entre les deux lignages recouvre une autre opposition entre la Liturgie de la Passion et les sortilèges de Bretagne, entre la Sainteté et la Merveille. Nul doute que chacune des parties combine les perspectives religieuse et fabuleuse, mais différemment accentuées. Car les *muances* du Graal sont tout entières tournées, dans l'adoration et la dévotion, vers le mystère eucharistique de la Présence Réelle, alors que l'Epée de la foi fait jaillir devant elle les *semblances* énigmatiques des îles aventureuses. Ce contrepoint entre les valeurs caractéristiques des deux lignages est symboliquement illustré par les lignes finales, qui superposent une sainte abbaye à l'île d'Avalon, identifiée à Glastonbury grâce à l'étymologie populaire de la *Vitrea Civitas* et la légende de l'Isle de Voirre:

> Li latins de cui cist estoires fu tretiez en romanz fu pris *en l'Isle d'Avalon en une sainte meson de religion qui siet* au chief des Marés Aventurex,* la o li rois Artuz e la roïne gisent, par le tesmoignage des preudommes religieus qui la dedenz sont, qui tote l'estoire en ont, vraie des le commencement desq'en la fin (l. 10188-10192).

Ainsi sont associés l'île de Morgain et l'esprit de Cluny, les périls du Marais Aventureux et les saintes fondations d'un monastère, la légende d'Arthur et le témoignage religieux, le silence des tombes et la prière des cloîtres. Si la lignée parternelle comprend enfin l'éponyme de Glastonbury, « Gais » ou « Glais li gros », ce « Glast » que saint Patrick selon ses hagiographes ressuscita et baptisa, était lui-même, dans le droit fil celtique, le porcher géant lancé à la longue poursuite du sanglier (voir Nitze, II, p. 48-55)[7].

Le récit de *Perlesvaus* est, avec la même force, soulevé par l'Esprit de la Révélation et hanté par la fantasmagorie celtique. De cette conjonction naît peut-être le premier roman fantastique, car l'inquiétante étrangeté revient toujours d'un refoulement plus profond. Mais l'auteur donne, selon la nature même de chacun des lignages, deux versions distinctes de cette coexistence, dans l'harmonie quand il s'agit d'emblèmes ou de symboles, ou dans le désaccord sitôt que l'allégorie interprète un épisode aventureux. Il en résulte un nouveau mélange, de concordance et de discordance à la fois, d'où vient la saveur du récit et où se trahit sa nécessité.

On sait déjà comment d'un récit à l'autre le culte du Précieux Sang recouvre d'une pareille intensité le rituel sanglant de la Lance. Mais on peut apprécier sur d'autres exemples propres à *Perlesvaus* les intuitions artistiques de l'auteur. Il réussit d'abord à réintroduire dès la première « branche », quoiqu'il propose une suite à Chrétien, l'évocation des enfances du héros par quoi débutait celui-ci (*Perlesvaus,* l. 463-513). Il retient de son prédécesseur trois éléments: l'intrusion, non sans malentendu, du mot « chevalier », aux résonances héroïques et morales et chargé de tout le poids du lignage; la chasse en forêt, au hasard des rencontres; le spectacle de chevaliers en armes et l'usage du javelot. Mais il les contamine tous trois à l'aide d'autres scènes arthuriennes et dans le souci d'y faire prévaloir, en toute clarté et non plus voilée comme chez Chrétien, la figure paternelle: la première fois, un épisode inspiré par le cimetière du *Chevalier de la charrette* affronte le jeune Gallois — mais en présence de son père — au secret d'une tombe et à la prophétie de son descellement; d'autre part, à l'imprécision de la chasse chez Chrétien l'auteur substitue le motif fabuleux du Blanc Cerf. Or, dans le lai de *Tyolet* (éd. Tobin, *les Lais anonymes des XIIe et XIIIe siècles,* Droz, Genève, 1976, p. 227-253), un grand cerf apparaît au fils de la Veuve Dame, précédant comme dans *Perlesvaus* le spectacle de chevaliers en armes (cp. *Tyolet,* v. 195-198, et *Perlesvaus,* l. 492-493) et se métamorphosant lui-même en chevalier armé à l'écu rouge et brillant (cf. v. 158). Même jeu des couleurs ici, puisque surviennent un Chevalier Vermeil et un Blanc Chevalier. Ainsi, dans le lai, entre la mère et le fils s'interpose un chevalier-cerf qui les sépare, tel le fantôme du père, de même que plus loin l'union entre l'orgueilleuse demoiselle au blanc palefroi et au brachet blanc et le héros passe par l'aventure périlleuse du pied blanc du cerf. On songe également au long détour, lui-même lié à la quête du Graal, qu'impose à Perceval chez Wauchier, avant qu'il ne retrouve le Fée de l'Echiquier, la capture de la tête du Blanc Cerf. Les deux temps du lai s'éclairent réciproquement comme l'interdit et le désir : contraint à se détacher de la forêt maternelle à l'appel du grand cerf, le héros ne rejoint la fée pour devenir roi qu'au point de fuite où situer l'animal insaisissable et dans la réversion de la mutilation infligée, pour autant que Tyolet, trahi d'un coup d'épée, gît un temps à la mort. Mais le passage en question de *Perlesvaus* témoigne d'une condensation d'épisodes plus forte encore, qui l'apparente au texte du rêve, car l'auteur fond ensemble le fracas et le rutilement des armes qui étonnèrent le *nice,* provoquant ses questions sur celles-ci comparées à son javelot, et la mise à mort du Chevalier Vermeil d'un trait meurtrier, plus loin dans le récit. Mais, ce faisant, il se souvient de l'épisode du *Chevalier au lion* où Yvain, face au combat du lion et du serpent, vole au secours de la bête gentille et franche, en prélude à son rachat : Perlesvaus sauve de même le Chevalier Blanc du Chevalier Rouge de façon hautement symbolique. Ainsi se trouvent combinés, autour de l'articulation centrale du père, la tombe, murée en son saint mystère, le mythe, riche en échappées imaginaires, et la signification morale, réglant la conduite humaine. Le tout se rassemble en un seul emblème, « un escu vermeil a un cerf blanc » (l. 510), censé identifier désormais le héros. Que signifie dès lors qu'il ait pour ennemi mortel le frère du Chevalier au Vermeil Ecu (l. 512) ? Il apparaît que la voie où le nom fixé par le père engage le fils comprend aussi les résurgences fabuleuses de la *Merveille* et que Perlesvaus, en l'état de grâce d'une virginale blancheur, n'en participe pas moins des séductions maudites du *Vermeil.* Mais, peu avant le milieu du récit (l. 4121) et conformément à une annonce initiale faite en la cour d'Arthur (l. 622*sq.*), le héros doit pour conquérir le Graal échanger l'écu vermeil au cerf blanc que porta son père et qu'il reçut de lui (cf. l. 3966-3970) contre celui de Joseph d'Arimathie, « le bon soudoyer », bandé d'argent et d'azur avec une croix vermeille et une boucle d'or où furent scellées les reliques de la Passion (sang et drap du Christ, l. 5850-5851). Il est, par-delà le père, une autre filiation plus sacrée, enracinée dans le lignage maternel et dont la Sainteté Vermeille de la Croix recouvre exactement la Rouge Merveille de la Forêt aventureuse.

Utilisant toujours le récit de Chrétien en filigrane du sien propre, l'auteur, pour introduire précisément le saint bouclier, juxtapose à la scène renouvelée de l'enfance l'épisode de la Demoiselle Hideuse qui, dans le *Conte du Graal,* relançait l'ensemble : la Demoiselle du Char, chauve comme dans l'allégorie de Fortune, intervient en effet en pleine cour d'Arthur, en prélude à la conquête du Graal, comme la laide messagère provoquait la quête généralisée. Mais le procédé de la surcharge est aussitôt appliqué ; la signification dramatique de la nouvelle venue, identifiée en outre à la Porteuse du Graal, s'environne de semblances aventureuses et s'approfondit dans la *senefiance* religieuse. La demoiselle à pied, la plus belle, mais indignement traitée, ramène le souvenir de l'amie infortunée de l'Orgueilleux de la Lande ; la demoiselle au braque d'autre part, la mule plus blanche que neige, autant d'éléments qui orientent vers la *Seconde Continuation* où le vol du braque et l'aide de la mule remettaient l'amant de la Fée de l'Echiquier sur la voie du Graal. Ainsi retrouve-t-on en transparence deux figures des amours enchantées et des tentations surmontées du *Conte du*

Graal et de la *Seconde Continuation.* La route du Graal passe, on le sait, par le pays des fées. A l'autre extrême, des jalons sont posés pour l'interprétation allégorique: les têtes scellées d'or, d'argent ou de plomb (chrétiens, juifs, Sarrasins), à l'image des «signati», des serviteurs marqués au front de l'Apocalypse 7,4, celles d'un Roi et d'une Reine (Adam et Eve) accordées à la vision paulinienne du premier et second Adam (I *Cor.,* 15, 45-47; cf. *Perlesvaus,* l. 2169, 2176-2180) invitent à découvrir une perspective eschatologique et à reconnaître dans la Demoiselle du Char une incarnation de l'Eglise Militante[8]. Quant au char tiré par trois Blancs Cerfs, à la frontière du pays de Féerie aux animaux-leurres et de l'Autre Monde des Morts où glisse un convoi funéraire en écho aux résonances voilées de la charrette de Chrétien (Gauvain ne suit-il pas d'ailleurs ici la Demoiselle du Char en terre maudite?), il symbolise, apprend-on, la Roue de Fortune (l. 2194) mais conduit son chargement macabre à l'entrée d'une porte hideuse comme l'enfer (l. 754) et le laisse au pouvoir du «Noir Ermite», c'est-à-dire de Lucifer. Ce dernier résume en lui les représentations funestes des Chevaliers Noirs, «Le Noir Chevalier de Valdoire / De la Noire Forêt d'Ardoire» à la sépulture dans la lande, chez Wauchier (Roach, IV, v. 25291-25298), Maduc le Noir, l'ennemi mortel de Gauvain dans *la Vengeance Raguidel* (v. 2746), le pire «traïtor felon / Qui onques fu de mere nés» (v. 709-710), homonyme lui-même du redoutable magicien du Lac Embrumé au-delà du Marais Gémissant, dans *Lanzelet.* Or les hommes noirs de l'Ermite piquent au bout de leurs lances les cent cinquante-deux têtes transportées dans le chariot magique. Tel est bien le nœud de toutes les terreurs arthuriennes: le spectacle des têtes fichées sur des pieux pour glacer d'effroi celui qui doit y lire l'imminence de sa décapitation se propose au héros dans *Erec et Enide* à l'entrée du Verger Enchanté, à Gauvain dans *la Vengeance Raguidel* «a l'ostel au Noir Chevalier», ainsi que, dans *la Mule sans frein,* à l'approche du château où règne la sœur de la Demoiselle à la mule (v. 433-437), au Bel Inconnu enfin, quand Maugier le Gris défend l'abord de l'Ile d'Or et de sa fée, comme Maduc le Noir avait partie liée avec l'Orgueilleuse Pucelle de Gautdestroit. Mais il faut aller plus loin, comme y invite le fait qu'en pénétrant chez Maduc le Noir, Gauvain trouve d'abord dans la grande salle la table dressée, toute servie de mets abondants (v. 726-743) et que le sinistre maître du lieu, le *Livre d'Artus* nous l'apprend (Sommer, VII, 143, l. 26-36), guette ainsi son hôte désarmé pour le frapper en traître. Or la *Première Continuation,* au travers de ce puzzle compliqué de la matière de Bretagne, met aux prises dans les mêmes conditions Gauvain et Bran de Lis: dans l'immense salle vide un somptueux repas attend apparemment Arthur et les siens (mss. TVD, v. 9637-9656), tandis que Gauvain, pris soudain d'inquiétude, reste en armes au souvenir du jour où, épargné par Bran de Lis, il lui avait promis d'accepter le combat dans l'état où l'autre le surprendrait (cf. v. 10416-10421). Ainsi est associée aux hantises de la décapitation et aux trahisons du Chevalier Noir l'énigmatique figure de Bran lui-même qu'on retrouve par ailleurs — nous suivons ici R.S. Loomis *(Arthurian Tradition)* —, à l'arrière-plan de la tragédie familiale de Perceval comme son père (cf. le roi *Ban* de Gomeret au début du *Conte du Graal*) ou comme le Roi Pêcheur lui-même (cf. *Bron* dans *le Roman de l'Estoire* et dans le Didot-*Perceval*), selon l'ambivalence propre au personnage paternel. Il en allait de même, mais cette fois sous une forme positive, dans l'épisode de la Joie de la Cour *(Erec et Enide)* puisqu'il dépendait de la réussite d'Erec face à la Merveille du Verger de *Mabo*nagrain que fût désenchanté le château de *Bran*digan, celui du roi *Evrain.* Dans *le Bel Inconnu,* d'autre part, l'aventure de la Fée de l'Ile d'Or prélude à celle de la Gaste Cité tombée sous le charme d'Enchanteurs, *Mabon* et *Evrain,* où surgissent dragons et vouivres ! Selon *la Vengeance Raguidel,* d'ailleurs, Gauvain attablé fait fi « d'enchantement ne sorcerie » (v. 778) dont il eût à pâtir. *La Mule sans frein* combine enfin tout aussi mystérieusement à l'horreur de l'enclos aux têtes tranchées et au lit luxueux (luxurieux ?) de la Dame au nain, analogue au Lit de la Merveille, le château désert rendu à la joie (cf. v. 1002-1037) et la rencontre du chevalier gisant « qui parmi lou cors ert feruz » (v. 758-759) et que le héros affronte, après être passé, comme dans *Sir Gawain and the Green Knight* ou l'histoire de Carados, par l'épreuve d'une décollation, et pour détruire encore toutes les bêtes sauvages (lions et serpents) de la Dame du château...

Une longue patience est exigée pour décrypter *Perlesvaus,* car pour l'entendre il ne suffit pas d'en lire au jour de la Révélation la *senefiance* ; il faut encore défouir ce en place de quoi celle-ci fut édifiée. Il n'est pas de tour, dirions-nous après Merlin, qui ne soit fondée sur le sommeil de quelque dragon ! Il semble que nous soyons parvenus au croisement de toutes les histoires : séductions de l'Ile d'Or, énigmes de la Terre Désolée, fantasmagories du Chevalier Vert, prêtes à s'abîmer, avec le Noir Ermite, dans le gouffre infernal, mais susceptibles aussi bien d'autres résurgences sur la route enchantée de Perlesvaus. Il convient un instant d'en démêler les fils : tantôt revient un géant ou un enchanteur pour une décapitation magique comme dans *Sir Gawain and the Green Knight,* tandis que le héros, reçu chez ce maître terrible, se refuse aux avances de l'hôtesse amoureuse ; tantôt, pour connaître jusqu'à la « récréantise » la Joie d'Amour ou en avoir forcé le plaisir auprès d'une Demoiselle au pavillon (comme Gauvain dans la *Première Continuation*), le héros parvient au château désert où parmi les têtes exhibées le guette l'Ennemi redoutable ; tantôt, enfin, pour que la Joie renaisse au monde et que s'accomplissent les mariages, un chevalier gisant, un roi « mehaigné », attend de lui une parole où il soit désormais reconnu. Ainsi se produit l'aventure selon les trois catégories : au cœur de l'imaginaire, au bord d'un réel, à la place symbolique. Mais dans *Perlesvaus* l'ensemble est noué autour de la signification de l'écu. Résumons en effet la séquence des événements : à l'écu vermeil au Blanc Cerf transmis par le père est substitué l'écu à la croix vermeille consacré par Joseph d'Arimathie ; il est exposé à la cour d'Arthur par la Demoiselle du Char qui fut la porteuse du Graal et qui paie maintenant au Noir Ermite comme en tribut à la Mort, au passage de la hideuse forêt, le prix de toutes ces têtes tombées en son pouvoir. Mais, que Lucifer reçoive ce nom surprenant d'Ermite, fût-il Noir, n'a de sens qu'en contraste avec le bon Roi Ermite, c'est-à-dire Pellés, le saint oncle de Perlesvaus (l. 8673) ; celui-ci n'est-il pas, ainsi que Nitze inclinait à le voir (II, p. 34) et comme le soutient T. Kelly (*op. cit.,* p. 255), le premier roi de l'Ile bénie, l'Ile Plantureuse, auquel succède Perlesvaus (l. 9626), comme au château du Graal il succédait dans un premier temps au Roi Pêcheur ? Les têtes scellées d'or iront dans cette île paradisiaque, en écho probable au règne christique du *Millenium* (et à la première Résurrection, celle des Martyrs), à laquelle s'oppose l'Ile Souffreteuse, lieu de la seconde mort, la Géhenne, où le Noir Ermite a déjà envoyé les têtes scellées d'argent et de plomb. Enfin, l'île aux quatre sonneurs ou aux quatre cornes, où Perlesvaus est initié à son ultime destin (l. 9537 *sq.*), pays d'éternelle jeunesse avec ses prud'hommes vêtus de blancheur, une croix vermeille au cœur, est l'exacte antithèse du Château Noir au fond de l'horrible forêt où menacent les chevaliers aux armes noires du Noir Ermite. D'ailleurs un transfert d'écus établit le parallèle : Gauvain y gagnait sur un chevalier ennemi un écu vermeil à aigle d'or, celui même de Judas Maccabée (l. 784-791), lui laissant en retour le sien propre, usé à force de combats; Perlesvaus, en échange du bouclier aux saintes reliques de Joseph d'Arimathie, que les prud'hommes vénéreront, reçoit « un escu blanc come nois negiee » (l. 9659) pour son dernier voyage. Ces visions de la fin des Temps n'en sont pas moins portées par la tradition celtique du séjour élyséen des dieux, *Caer Sidi,* le château de l'Autre Monde aux murs de cristal, distincte de celle du pays des morts qui sous-tend le château de la Mort du Noir Ermite.

Une grandiose conception est donc ici à l'œuvre, destinée à recouvrir en deux temps, selon le Graal et le Roi Pêcheur, selon l'Ile de Verre et le Roi Ermite, le lignage paternel par le lignage maternel. Le nom du héros est à cet égard remarquable: écrit à plusieurs reprises *Pelles*vaus, il se confond ainsi partiellement avec celui de l'oncle ermite *Pellés*; or, à la nouvelle de la mort de ce dernier, à la graphie de *Perles*vaus répond pour le vieux roi celle de *Perles* (cf. l. 8673-8674). La filiation spirituelle est inscrite pour l'éternité en leurs noms mêlés. La partie qui profondément se joue entre père et fils, et que transposent dans le registre imaginaire les représentations du Chevalier Vermeil et du Cerf Blanc, est repoussée à l'arrière-plan quand le héros ne réagit plus à l'appel des Fées mais à la détresse de Figures féminines chastes et ecclésiales et qu'au terme de son errance l'attendent, pour seule Révélation, les voix incorporelles de blancs vieillards éternellement jeunes. Toutefois si la voix de la « Senefiance » a su bannir le charme des fées, ce ne fut pas sans une redoutable contrepartie. Là réside l'intérêt de *Perlesvaus,* dans ces effets en retour, symptomatiques et fascinateurs. Car les sanctuaires du Graal où la vie se recueille dans l'adoration sont, tels qu'une zone de clarté parmi l'obscure forêt, de tous côtés encerclés par des puissances démoniaques et mortelles surgies d'un fond de terreur. Or, de part et d'autre, se laissent appréhender certaines représentations significatives: aux frontières d'où remonte l'innommable de l'effroi dont « l'abîme et l'ordure », l'entrouverture de la grande fosse au cœur de la salle du noir château de l'Ermite donneront en fin de récit la mesure (l. 9988-9990)[9], se multiplient les symboles des têtes tranchées ou des membres séparés; mais à la limite aussi bien où est promis l'indicible de la Grâce, apparaissent les « muances » eucharistiques où s'accomplit le mystère de la Présence Réelle. Si dans le premier cas la chasteté seule fait rempart de son corps, dans l'autre résonne un appel impérieux à l'extermination. Une Autre Volonté ne cesse d'exiger, pour la célébration, bordée d'épouvante, de ses mystères, le sacrifice de corps. Comme pour le *Blanc Cerf,* la *Demoiselle du Graal,* le *Chevalier Noir* et l'*Ile aux quatre cornes,* l'auteur fonde les miraculeuses apparitions du *Graal* sur la merveille celtique: la Fontaine magique, largement ombragée et toute ornée de riches pierres, où Gauvain entrevoit dans sa quête comme une première semblance de la liturgie sacrée (l. 1949-1970), est reprise, comme Nitze l'a souligné (II, p. 163-165), d'une abondante tradition, notamment du *Chevalier au lion* où la description réunissait déjà l'ombre, le marbre, le vase d'or pur et sa chaîne (cf. *Yvain,* v. 380-388). La présence des demoiselles qui assurent le service de la Fontaine évoque en outre d'autres scènes semblables de la *Première Continuation* (mss TVD, v. 9575-9598) et de l'*Elucidation* (v. 47-51), où elles sont rattachées à l'aventure du Graal, hors de toute référence religieuse: à l'origine, en effet, dans l'*Elucidation,* se trouvent les fées nourricières, les pucelles des « puits »; mais il est remarquable que, dans la *Première Continuation,* elles apparaissent au moment où Gauvain s'apprête à pénétrer dans le château désert de Bran de Lis, où l'attend un festin « *sor graals* *d'argent*» (v. 9649). L'eau qu'elles puisaient d'ailleurs, avant de disparaître, était réservée au laver du «bon chevalier» (v. 9590-9594), selon des termes qui entrent en consonance avec l'histoire du Graal et sa mystérieuse élection. Le château de l'énigme voisine toujours avec les rives prochaines de la Fée Amante comme l'après-coup de la Joie, à moins qu'au préalable n'ait surgi un géant, tour à tour hospitalier et féroce, menaçant et maître des fauves, tel le Bouvier après le Vavasseur ou encore Esclados le Roux (*alias* Claudas de la Terre Déserte*?);* car, ne l'oublions pas, dans *le Chevalier au lion,* le gardien se plaint après l'aventure de la Fontaine que l'intrus ait rendu sa terre «gaste». On devine donc, en sous-jacence, des séries homologues qui se relaient entre elles, voire interfèrent: le Chevalier Brillant (*The Green Knight,* Curoi), le Noir Chevalier (Mabon ou Maduc) ou le Roi du Graal (Bran, avec Beli); la décollation magique, l'exhibition macabre des pieux ou le secret du Roi Méhaigné; la Fée tentatrice (Morgain), dominatrice (l'Ile d'Or, Gautdestroit) ou infortunée (Blanchefleur)! Or, dans *Perlesvaus,* le spectacle de la Fontaine est de nature à suggérer à Gauvain la Trinité (cf. Trois en une, l. 1969) et le dogme de la Présence Réelle (cf. la figure qui semble vivante, l. 1954); aussi bien Perlesvaus lui-même, au terme de sa course enchantée, quand il aborde à l'Ile aux quatre cornes, découvre-t-il à son tour une Fontaine de même richesse («riches piliers» d'or, pierres précieuses, cp. 1951-1952 et 9556), mais où deux vieillards sans rides ont remplacé les demoiselles de grande beauté, la neige de leurs barbes rappelant toutefois les blanches vêtures de celles-ci.

Ainsi l'auteur a-t-il avec maestria couronné de «senefiance» sainte toutes les représentations clefs de la matière de Bretagne, en une apothéose biblique de la merveille celtique systématiquement rassemblée. Comment dès lors expliquer que de si habiles fusions tolèrent d'autre part de déconcertantes cacophonies? Il ne s'agit toutefois pas du même point de vue. D'un côté, l'auteur travaille une représentation et compose un motif par surimpression, sur fond seulement suggéré de merveilles rendues à leur nuit. La *matière de Bretagne* est à la divine clarté de la *Senefiance* comme le royaume de ses ombres. De l'autre, il engage son récit sur la voie des anciennes fables, laissant alors à de saints hommes, au sein même de sa propre fiction, la tâche d'en édifier l'allégorie. Ainsi en va-t-il au cours de la quête de Gauvain de l'épisode de Marin le Jaloux et de Meliot de Logres et des révélations subséquentes apportées par le «maître des provoires» (prêtres) (l. 2153). Un discours prend ainsi la relève d'un récit pour l'élucider. Il lui fait violence pour lui imprimer une autre direction; il en change la nature comme le permet l'hiatus du narré au parlé. Il s'agit d'un détournement, non plus d'un recouvrement, procédant par juxtaposition et non par substitution, pour des effets de contraste et non plus de fondu. La *senefiance* se nourrit en secret de *merveille,* mais pour lui être affrontée. A la différence de la *Queste del Saint Graal* qui s'évide de tout ce qui ne se sublime pas en une lumière plus grande au point que la merveille devient ce processus même, dans *Perlesvaus* coexistent l'étrangeté insaisissable et l'emprise d'une Révélation.

En route vers la terre du Roi Pêcheur, Gauvain aperçoit un soir au cœur de la forêt un manoir isolé, cerné d'un bras de rivière, où il escompte être hébergé (l. 1214*sq.*). On sait qu'en terre aventureuse les lois de l'hospitalité réservent toujours des surprises. En bref, en l'absence du maître et à l'invitation d'un nain perfide, Gauvain est accueilli par une hôtesse trop belle pour ne pas être, malgré sa conduite irréprochable et la résolution de Gauvain, soupçonnée du pire et horriblement châtiée au retour du mari. On aura d'abord reconnu dans le scénario du jaloux et de l'innocente persécutée l'épisode de l'Orgueilleux de la Lande et de la Demoiselle du Pavillon dans le *Conte du Graal.* Mais la tentation du héros, resté seul avec l'hôtesse, quand l'époux est parti à la chasse (ici, à la pêche), est à rapprocher, comme d'ailleurs la scène du *Conte du Graal,* de la situation de Gauvain au pays de Bertilak de Hautdesert, dans *Sir Gawain and the Green Knight,* ou au château du Roi d'Escavalon chez Chrétien de Troyes : il y est aux prises avec une jouissance coupable et sous le coup d'une menace inexorable (la décapitation). Une variante en est donnée dans la *Charrette* par la Demoiselle Entreprenante, les haches ou « jusarmes » suspendues sur la tête du héros servant de trait d'union entre *Sir Gawain* (ou *la Mule sans frein*), l'épisode d'Escavalon et la mésaventure de Lancelot (voir Loomis, *Arthurian Tradition,* p. 228 - 232). Or le dispositif de la « guillotine » apparaît aussitôt après dans *Perlesvaus,* au château de l'Orgueilleuse Pucelle (l. 1430 *sq.*), dans les mêmes conditions que chez la Demoiselle de Gautdestroit dans l'histoire du Noir Chevalier de *la Vengeance Raguidel* (cf. v. 2109 - 2471) ! Cette dernière connexion nous rappelle à l'autre situation où le héros, entré en un château désert, s'entend demander des comptes pour une faute sexuelle par le mystérieux maître des lieux qui le surprend désarmé, tel Gauvain chez Bran de Lis dans la *Première Continuation.* Nous sommes-nous éloigné, ce faisant, de Marin le Jaloux ? Ce nouveau parallèle met bien plutôt en lumière certains détails énigmatiques de l'aventure : le « recet au preudome » (son manoir) (l. 1224), l'eau royale de la rivière, la « nef » du nain passeur et la « pescherie », la belle salle et la clarté des chandelles, le maître qui « gisoit enmi la sale seur une coche » (cf. l. 1271 - 1275), tout évoque la venue de Perceval au château du Graal chez Chrétien, mais selon la version malveillante de l'épisode de Bran de Lis ou de celui, plus déformé encore, avant que Loomis ne l'ait déchiffré (*Arthurian Tradition,* p. 433 - 437), de Greoreas et de l'écuyer hideux dans la partie Gauvain du *Conte du Graal.* S'agirait-il donc bien de la visite au château de Bran le Béni, le Roi Pêcheur, et de son frère, le nain Beli (Pelles) ? N'oublions pas non plus qu'un nain mystérieux conduisait, dans la *Charrette,* Lancelot au château du Lit Périlleux et de la Lance Enflammée et qu'un autre nain, dans *Erec,* humiliait une suivante de la Reine et le héros lui-même qu'il frappait de sa « courgie » ; un peu plus loin dans *Perlesvaus,* un nain, frère de l'espion de Marin, cingle également au visage de sa « courgie » les demoiselles du château de la Balle d'or dont il semble le maître (l. 2127 - 2136). Ainsi le nain note-t-il d'infamie le héros sur la voie qui le mène à la confrontation suprême avec son destin au château de Bran. Une certitude : le Jaloux s'appelle Marin du Petit *Gomoret* (l. 1234) [10], du nom même du pays de Perceval en Galles du Nord (*Gwynedd*), que porte Bran de Gomeret dans le *Conte du Graal,* Parzival ayant d'autre part pour père Gahmuret. Mais où est le crime qu'aurait commis Gauvain ? La même argumentation que Loomis faisait valoir pour Greoreas et l'écuyer hideux (*Arthurian Tradition,* p. 437) s'applique ici : la culpabilité est reportée de Gauvain (non sans une allusion à sa réputation galante, cf. l. 1259, 1280 et 1814 - 1815) sur le chevalier hostile. Marin le traître attente à la dame, quand Gauvain apparaît sans reproche. Mais dans *Perlesvaus,* où la vie sexuelle est sujette à un rejet radical, il faut s'attendre à de plus violents travestissements. Ainsi s'explique la cruauté du châtiment infligé à la dame (l. 1304 - 1309). Sans doute faut-il remonter à la description « réaliste » de l'amie infortunée de l'Orgueilleux de la Lande dans le *Conte du Graal* ; en outre, la Demoiselle de Gautdestroit soumet chaque jour, dans *la Vengeance Raguidel,* le frère de Gauvain, Gaheriet, à la torture de « corgies noées » (v. 2360). Le spectacle, pourtant, de la victime vêtue de sa seule chemise, plongée au plus glacé d'une source et striée des verges qui ensanglantent toute l'eau, est d'une intensité autrement troublante ! Emergeant de la fontaine, sollicitant l'émoi des regards, ne s'apparente-t-elle pas aux fées ou à la Dame du Lac (cf. l. 1305) ? Pourquoi dès lors la flagellation qui rougit la source comme en un rituel sanglant de fécondation ne recélerait-elle pas la cruauté fantasmée du viol ? Ce qui s'aggrave d'un crime d'apparence gratuite : Marin, esquivant la charge de Gauvain, traverse mortellement de sa lance le flanc de sa femme (l. 1334). L'accomplissement, on le voit, est, avec non moins de rigueur que chez Sade, à la hauteur de la représentation !

L'aventure a des conséquences qui l'éclairent rétrospectivement d'un jour inattendu : Gauvain porte d'abord la culpabilité de la mort de la dame et s'attache en retour, comme son futur homme-lige, l'enfant merveilleux, l'enfant au lion dont elle fut la mère, Meliot de Logres (l. 1559 *sq.*). La scène est dominée par un ermite, l'oncle de Meliot. Elle est décisive en ce qu'elle combine un rappel implicite du repentir de Perceval selon Chrétien et l'annonce des secrets du Graal propres à *Perlesvaus.* La sentence de l'ermite :

car sa mère reçut mort por vos (l. 1599),

préserve, dans sa formulation même, l'écho du « péché de la mort de sa mère » dont Perceval se découvre coupable. On glisse ainsi d'une représentation à l'autre, de l'hôtesse amoureuse ou de la Dame de la Fontaine au meurtre de la mère, notion cruciale dans *Perlesvaus* s'il s'avère que le feu de la fin des Temps en tire origine (cf. l. 9821 - 9823). L'avancée de Gauvain semble faire revenir les ombres tragiques de la destinée de Perceval, mais pour autant que sa propre histoire cache de semblables énigmes. Ce va-et-vient, inspiré par Chrétien lui-même, explique que la violence sexuelle à l'endroit de la fée soit, dans le refoulement, relayée par le matricide impie. Aussi surprenante mais complémentaire est, tel un symptôme, la surgie de l'enfant. Elle n'est pourtant pas sans parallèle dans les aventures de Gauvain, ce qui rattache encore plus étroitement l'épisode de Marin à celui de Bran de Lis : dans la *Première Continuation,* en effet, la sœur féerique de ce dernier, forcée par Gauvain, a conçu un fils qui s'interpose dans le combat mortel de son oncle et de son père, avant que celui-ci plus tard ne le retrouve sur sa route pour un duel sans merci, selon la tradition du « Bel Inconnu » (cf. mss. TVD, Roach, I, v. 10857 - 11205 et 13865 - 14118). Dans *Perlesvaus,* l'enfant Meliot est placé moralement entre la cruauté de Marin son père, qu'il désavoue, et la noblesse de celui qu'il élit pour seigneur : cette filiation spirituelle en trahit peut-être une autre, réelle, conformément à la légende de Gauvain. Par un autre renversement, au lieu de combattre son « père » comme le Bel Inconnu, il le sauve du martyre et des griffes du lion (l. 9367 - 9379). L'amour, on le sait, recouvre la haine. Citant *The Golden Bough* de Frazer, Jessie L. Weston avait déjà souligné l'importance de ce trait du combat à mort entre père et fils, qui reporte en aval ce qui advint en amont : celui qui fut le meurtrier connaîtra le même sort (cf. *The Legend of Sir Lancelot du Lac,* Londres, 1901, p. 109, à propos de Gauvain). A travers l'épisode de l'Hôte redoutable, de la Mère blessée à mort et de l'Enfant merveilleux, revit, fût-ce sous un jour infiniment lointain, l'histoire du désir maudit et du meurtre celé, ravivée aux couleurs de l'aventure de Perceval.

Face à un tel complexe, l'allégorie proposée au château de l'Enquête par le prêtre semble, à première vue, sans le moindre rapport : « La Dame senefie la

Viez Loi» (l. 2211), «li enfes senefie li Sauverres du monde qui nasqui en la Viez Loi» (l. 2230). Cette typologie intervient de façon bien abrupte et ne s'appuie que sur de minces indices : le coup de lance est celui qui frappa au côté le Christ dont la mort marque la fin de l'Ancienne Loi, celle des juifs; le lion soumis à l'enfant évoque le monde et son peuplement que Dieu seul gouverne. Le non-dit de l'histoire n'est assurément pas repris en compte par cette parole autre. Pour admettre d'ailleurs que le sacrifice de la femme soit le signe de celui du Fils de Dieu, le recours à l'abstraction est nécessaire (l'identification, tout à fait gratuite, à la Vieille Loi); or, le seul fait du récit joue là contre. Le discours est impuissant à imposer une figure qui se soumette l'énergie propre du conte [11]. Le défaut est dans la représentation, car, à la différence des séries précédentes, manque le support sensible de l'analogie où les formes imaginaires puissent échanger leurs valeurs respectives et entrer en correspondance. Ce relais existe pourtant, mais dans la succession, selon une construction progressivement ordonnée par le récit, et non plus dans la simultanéité, par des effets de suggestion qu'induisent de secrets accords entre diverses portées. L'auteur poursuit ainsi la même entreprise, selon la diachronie ou dans la synchronie. Le temps suivant intervient donc beaucoup plus loin, à l'approche de la conquête définitive du Graal par Perlesvaus, avec «la merveille de la Bête Glatissante» (l. 5482-5539, motif qui reparaît dans le Huth-*Merlin*), glosée cette fois par le Roi Ermite, Pellés, l'oncle du héros (l. 5978-6026). Quel trait commun pourrait en vérité identifier la femme de Marin et la Vieille Loi, sinon d'être toutes deux mères ? Dès la ligne 2230, le prêtre précise: «Li enfes senefie li Sauverres du monde qui *nasqui* en la viez Loi.» Le Fils naquit dans la Loi judaïque comme Meliot de Logres, qui le représente, en la Dame de la Fontaine, à jamais morte. Mais cette identification reste extérieure; dans un cas, on parle par métaphore (être nourri dans la Loi), c'est un lien de langage, et dans l'autre, de chair. Entre les deux, l'écart demeure sensible, celui même qu'introduit la comparaison. Or il ne s'agit pas de comparer mais d'échanger: l'opération n'est pas de nature intellectuelle mais économique, dirions-nous à notre tour par métaphore. L'auteur recherche plus l'interpénétration que l'interprétation. Il faut que la comparaison s'efface, pour que vive le fantasme! S'il entend que la Vieille Loi prenne corps et efficace dans le récit, l'auteur doit en inventer l'iconographie pour n'en garder le nom qu'au titre de la légende d'un tableau.

L'image de la Bête Glatissante répond, en l'occasion, à la même intention que celle du Noir Ermite pour Lucifer ou de la Demoiselle du Char pour l'Eglise Militante, voire de l'Ile aux quatre cornes pour le Paradis Terrestre. La figure maternelle qu'elle incarne doit en effet ses traits essentiels à une élaboration fantasmatique de la matière de Bretagne. La bête blanche comme neige encore fraîche, surgie en pleine forêt, conduit, on le sait, le mortel parti à sa chasse près de la Fontaine où l'attend la Reine de Féerie (cf. *Graelent, Lanval*). Au blanc «brachet» d'autre part, indispensable à la poursuite mais égaré ou disparu, se rattachent les souffrances, les épreuves mortelles de celui qui sur la voie du désir est attiré par ce qui devant lui fuit toujours plus (cf. *Seconde Continuation, Tyolet*). A quoi se joint, dans *Guingamor,* la meute dont la forêt résonne, «glatissant» après la bête (v. 296, 310). La scène de *Perlesvaus* emprunte à ces trois représentations rassemblées en une seule: l'animal traqué, d'attitude si humaine; sa petite taille (entre lièvre et renard, mais avec une portée de chiots); les aboiements qui accompagnent sa fuite. Chasseur et proie se confondent, la bête porte en son flanc les voix qui la harcèlent, sa délivrance atroce sonne du même coup la curée. Le fantasme a-t-il jamais été élevé, en littérature, à pareille puissance? Le signe même de la Fée se retourne en une mise à mort de la Mère dont une indicible cruauté ravage les entrailles. Quand la Dame de la Fontaine (ainsi nommons-nous la femme de Marin) est encore la mère de Meliot, la biche blanche n'est plus que chair grouillant de hurlements ou lacérée de dents cruelles. Elle devient, à nos yeux, symbolique de l'aventure dernière de la matière de Bretagne, contrainte sous le refoulement religieux à des métamorphoses toujours plus étranges et emplies de voix féroces qui ne vinrent jamais au jour de la parole. N'emportèrent-elles pas, avec leur secret, l'infinie souffrance qui est la jouissance barbare du symptôme? Reprenons. Au travers de la féerie, l'épisode de la Bête Glatissante rejoint celui de la femme de Marin le Jaloux; la blancheur illumine la scène en prélude à la source merveilleuse; la chasse y jette le trouble de ses menaces et de ses violences, dans l'ignorance de son destin [12]. Se trouvent, en outre, réunis les deux traits, donnés d'abord séparément, de la chair au supplice et du fruit des entrailles. Un changement essentiel intervient pourtant, comme dans le *Conte du Graal,* entre la nuit chez Blanchefleur et l'aurore des gouttes de sang sur la neige: le glissement de la fée à l'animal blanc éloigne d'autant plus l'allusion sexuelle. Gauvain auprès de l'hôtesse amoureuse réprimait un sourd désir; la «bête» aux yeux d'émeraude émeut d'ailleurs pour la même raison d'une «si grant beauté» (cp. l. 1258 et 5501), mais, comme Blanchefleur, l'ultime fois, elle n'est plus la séductrice: tandis que par elle se dévoile une transcendance, elle éveille seule la pitié et sa douceur est celle de l'infortune qui implore. On saisit ici sur le vif à quel point un écrivain médiéval est d'abord l'admirable lecteur de son devancier:

> Perlesvaus s'appuie sor l'arestuel* de sun glaive por esgarder la merveille de cele beste (l. 5499-5500).

L'attitude et le vocabulaire sont ceux-là mêmes de Chrétien dans la fameuse scène: ainsi la transformation de Perceval se rejoue-t-elle maintenant dans le relais de la quête de Gauvain à la conquête de Perlesvaus! On devine du même coup pourquoi l'auteur répugnait dans le cas de Marin à l'échange fantasmatique des représentations et opposait brutalement au récit fabuleux la vérité de la seule parole: la femme au bain, de surcroît flagellée, gardait trop d'intensité érotique pour que de saints mystères en fussent sans malaise le prolongement; aussi bien, si Meliot son fils signifie le Sauveur, la Révélation religieuse touche ici au point où Dieu s'est fait homme en la chair d'une femme, à une naissance donc, encore inscrite dans le cadre de l'Ancienne Loi, et non à la mort rédemptrice qui accomplit la rupture et scelle l'Alliance Nouvelle et éternelle. Dans l'explication allégorique de la Bête Glatissante, les mêmes traits de la cruauté et de la conception ont changé de nature. La biche aux abois prête mieux, on le voit, son concours à la «senefiance». Alors que la scène de l'hôte jaloux reste dépourvue de tout symbole ou de tout attribut d'avance insérés pour une future reprise de sens religieux (comme les têtes du Roi et de la Reine transportées par les Demoiselles du Char ou l'entrée infernale du Noir Château), ici au contraire le décor déjà préfigure la suite: la Croix vermeille, le chevalier «vêtu de blancs draps», le «vessel d'or» entre ses mains, de même que la demoiselle (l. 5489-5493), en écho peut-être au cortège du Graal chez Chrétien (un valet, une demoiselle). Mais il est installé au sein de «la Grant Forest Soutaine» (écartée, solitaire) (l. 5486) où Perceval vécut son enfance dans le *Conte du Graal* et à laquelle Clamador, dans *Perlesvaus,* rattache explicitement le meurtre au javelot du Chevalier Vermeil (l. 3310). La condensation des épisodes est portée à son comble : Blanchefleur, les Gouttes de Sang, le Cortège du Graal, la Forêt désolée, le Chevalier Vermeil ; le deuil et l'incandescence du destin, la clarté et la pureté d'une joie tout intérieure. Avec *Perlesvaus,* l'œuvre la plus troublante du Moyen Age, triomphe la « conjointure » chère à Chrétien, comme art de la *Verdichtung*. La scène s'organise dès lors en deux temps, fabuleux avec le dépècement de la blanche bête, religieux avec la flagellation de la Croix vermeille (l. 5519-5539) : un prêtre vient, en effet, l'adorer, tandis qu'un second « bat la croiz des verges de totes parz » (l. 5533-5534). Pellés en propose plus loin une explication psychologique : ne hait-on pas l'objet qui a donné la mort (l. 6021-6022) ? Mais il précise : « autresi com je harroie un glaive e une espee qui vos aroit ocis ». Ainsi la dualité du cortège du Graal est-elle suggérée par l'ambivalence de la Croix, sainte et maudite, comme le « vessel d'or » appelé Graal et la Lance fatidique. A quoi s'ajoute l'« angoisse », inexorablement liée à la Crucifixion, de même que la douleur du Roi *Mehaigné* faisait, sans qu'il le sût, retour sur le héros ; mais l'auteur de *Perlesvaus* a abandonné le motif de la mutilation sexuelle (remplacée par la « langueur ») ; il lui substitue, d'après Robert de Boron et le Didot-*Perceval,* celui de la Pierre qui se fend (cf. l. 6019) selon Mtt., 27, 51(« petrae scissae sunt ») dont le Siège Périlleux garde le souvenir. Mais il ne s'en tient pas là. Plus tard en effet la Reine Aveugle, Gandrée, autre figure de la Vieille Loi avec la femme de Marin, revit en rêve la Passion :

> Après me fu avis que je veoie un home lier a une estache* en qui il avoit *molt de douçor e d'umilité,* si le batoient unes males genz de *corgiees e de verges* molt tres durement, *si que li sans en coroit aval...* metre en une croiz e cloufichier molt dolereusement, e ferir eu costé du glaive (l. 9227-9235).

Elle a en outre assisté à la délivrance de la Dame qui lui donna naissance sans perdre sa chasteté et pleure à la vue de gens « qui recoilloient son sanc en un saintisme vessel que il tenoient », alors qu'il est encore en croix (l. 9241-9242).

La flagellation de la Croix (l. 5533) et celle du Fils (l. 9229) recouvrent explicitement (l. 6001, 6021) le dépècement sans merci de la Bête merveilleuse et obscurément le supplice de la Dame de la Fontaine par les verges et la lance (l. 1307, 1333). L'auteur a donc procédé de deux façons différentes, abrupte, la première fois en juxtaposant la « senefiance », enchaînée, la seconde, par surimpression des valeurs. Les deux moments, imaginairement assimilables, n'en sont pas moins symboliquement séparés, ce qui explique l'apparent flottement des l. 2209-2212, trop denses encore, où le prêtre confondait et opposait à la fois la Vieille Loi frappée au flanc comme Dieu et le Christ dont le crucifiement abattait enfin la Vieille Loi ! Il faut revenir sur cette distinction dans l'analogie. En dépit de Gauvain, le cadavre de la Dame n'a pas été enterré ni protégé des bêtes sauvages (cf. l. 1425) ; les membres dépecés de la Bête Glatissante sont, au contraire, soigneusement recueillis dans les vases d'or (l. 5521). Pourquoi ? La Vieille Loi fut détruite « sans ressusciter », explique le prêtre (l. 2209), à la différence du Fils de Dieu. Si « la Dame signifie la Vieille Loi », la bête débonnaire « signifie Notre Seigneur »[13]. Il s'agit d'un même supplice, non de la même chair : « la char du Fil » (l. 6004), « la saintisme char au Sauveor » (l. 6013) est mise au tourment, une chair infiniment précieuse, sans la moindre compromission sexuelle. La femme de Marin, quoique innocente, est coupable de résumer en elle les séductions des fées. L'abattement de la Vieille Loi, celle des juifs, recouvre exactement le rejet de la Merveille de Féerie. Si Gauvain, chez Chrétien, ramenait à fleur de texte des sortilèges condamnés, Perlesvaus, après Gauvain, en prononce l'exclusion renouvelée. Même glissement à l'endroit de l'image maternelle: si l'Enfant Sauveur naquit en la Vieille Loi (l. 2231), ce n'est pas au sens où les douze chiens, les juifs, « naquirent en la loi » par Dieu établie (l. 6000); gestation dans un cas, création et « nourriture » dans l'autre: « Li Juïs que Dex a norriz. » Le principe spirituel fait place nette des voies toutes charnelles. Au moment même où la représentation des chiens dans le ventre maternel met en évidence la parturition, la Bête n'est plus femme mais Dieu et la naissance se sublime en métaphore de la « nourriture ». Nous touchons pourtant, dans le fantasme, au plus près d'une figure combinée du Dieu-Mère ou, plus orthodoxement, nous assistons à la venue d'une représentation divine, fût-elle féminisée, à la place où était la mère. Le Graal, comme le Saint-Esprit, est près de sa manifestation.

Mais ce double traitement d'un même ensemble, selon la violence sexuelle ou à la lumière du Verbe — Dame de la Fontaine ou Bête Glatissante —, dessine dans le récit une ligne de partage: quelque chose d'irréductible à la « senefiance » et d'irrémédiablement sexuel cerne de sa ténèbre, fût-elle identifiée par endroits aux noirceurs infernales, la divine clarté. Aussi bien trouvons-nous ailleurs, c'est-à-dire en dehors de Gauvain ou de ce que sa quête annonce d'une autre conquête, les motifs de la Bête Glatissante et du corps au martyre: au *Gaste Manoir,* dans des aventures réservées à Lancelot et de part en part énigmatiques. Peu après avoir quitté la maison-forte de Marin, Gauvain parvient au château de l'Orgueilleuse Pucelle (l. 1435) où pèse sur lui, comme sur Lancelot et Perlesvaus, la menace de la « guillotine », à l'instar de *la Vengeance Raguidel* ou du château de la Demoiselle Entreprenante dans la *Charrette,* voire de Laudine dans *Yvain.* Y laisser les têtes au passage répète, mais hors « senefiance », le sinistre tribut exigé de la Demoiselle du Char par le Noir Ermite. A la suite de quoi survient « un brachet glatissant » (aboyant) (l. 1531) qui le mène en la salle déserte d'un manoir où gît un chevalier mort, « féru parmi le corps », soumis à un étrange phénomène de cruentation (l. 1540-1548). Sans coïncider tout à fait avec les images cruelles de l'épisode de Marin, ce spectacle, modelé à son tour sur la scène mythique de la visite au château de Bran, n'en garde pas moins l'écho du meurtre de la dame (« Il la fiert parmi le cors », l. 1334) et le reflet des plaies vives d'où s'écoule le sang et dont la richesse fantasmatique s'étend de la Fontaine rougie au réceptacle du Graal. Lancelot, cette fois, est impliqué dans un crime symétriquement inverse de l'affaire de Gauvain mais parallèle à celui de Perlesvaus: si la morte avait un fils, Meliot, voué au service de Gauvain, le mort a un fils, Meliant (Meliant de Lis ou du *Gaste* Manoir), qui le vengera de Lancelot comme Clamador des Ombres entend le faire de Perlesvaus, meurtrier du Chevalier Vermeil, son père (l. 985-990). Ainsi se recoupent l'aventure de la Terre *Gaste* et la *faide* des Chevaliers Rouges, mais dans la trame ininterprétée de l'existence de Lancelot. Il apparaît que l'auteur reporte sur ce dernier ce qui est forclos de l'aventure des autres, selon une composition bipartite qui résiste à la triplicité unitaire propre à la *Senefiance.* Terres endeuillées, rituels sanglants, figures du fils, il s'agit, comme pour la Dame de la Fontaine et la Bête Glatissante, du Même et de l'Autre. Mais si Gauvain redouble encore Perlesvaus, se substituant parfois à lui, Lancelot le dédouble, alternant avec lui: il entretient la discordance de l'Enigme au Mystère. Le sens n'est donc pas tout, puisqu'il demeure de l'illisible ou, ce qui revient au même, le symptôme selon Perlesvaus masque le désir selon Lancelot. La dualité du *Conte du Graal,* clivé entre la *Partie Gauvain* et la *Partie Perceval,* a définitivement rouvert dans la *conjointure* la faille qu'elle s'emploie à combler mais qui toujours subsiste, comme ce qui dans la totalisation laisse encore à désirer. Sur cette voie, la *Première Continuation* a dû exercer une influence déterminante dans l'esthétique romanesque du XIIIe siècle, car, loin de leur devoir sa prétendue incohérence, elle a joué des dissonances comme d'un principe de composition, accentuant d'autant plus la contrepartie mythique des scènes fondamentales qu'elle en déclarait d'autre part le caractère religieux : ainsi, aux visites de Gauvain au château du Graal répondent des versions archaïques du même scénario à travers l'aventure de Bran de Lis ou celle de Brangemor ; au reste, à l'intérieur des premières, la Lance de Longin coexiste avec un Graal magique. Si les Continuateurs ont accordé plus de place que Chrétien aux merveilles païennes du Graal, il ne faudrait pas leur imputer à faiblesse un effet de structure : plus se faisait sentir l'exigence d'un sens que la religion renvoyait tel l'écho vide de ce qui jamais ne fut dit (mais, sans elle, rien n'eût été réactivé), plus remontait le fond monstrueux des terreurs qui laissèrent sans voix celui qu'elles regardaient. De la même façon que le lignage maternel a prévalu sur le lignage paternel, la religion s'est chargée de ce qui n'avait pu franchir le seuil de la parole, elle l'a contenu, aux deux sens, le ravivant aussi bien mais pour mettre à son comble l'effroi d'où résulta l'horreur d'en rien savoir. Sans le relais religieux du mythe, celui-ci fût resté lettre morte, faute de la Vie que seul lui réinsuffla l'Amour divin. Préoccupé du sens, l'écrivain ranimait la jouissance que bordait de frayeur un récit désormais *bi-frons.*

Comment concevoir que tout puisse commencer, voire recommencer ? L'auteur de *Perlesvaus* n'élude pas le problème qu'ignoraient les Continuateurs. Sans même un signe, ceux-ci reprenaient le fil interrompu pour, à leur tour, l'abandonner plus loin. Il en va, cette fois, tout autrement :

> Li hauz livres du Graal commence o non du Pere...

Nous avons cité ces lignes splendides d'une prose qui, la première, s'enorgueillit d'une fluidité qui n'a d'égale que la rigueur. Coulant de Source, puisque de Dieu même, pour en prodiguer la clarté, elle inclut pourtant le mystère d'une parole qui fut différée, et dévide son cours comme gagnée elle aussi de la funeste langueur :

> Mes par molt poi de parole qu'il delaia* a dire, avindrent si granz meschaances a la grant Breteingne que totes les illes en totes les terres en chaïrent en grant doleur (l. 18-21).

Elle relève du Verbe par ce qui resta tu et doit sa puissance à l'impossibilité première. *Perlesvaus* renoue par là avec le *Conte du Graal,* dont le commencement n'est pas l'origine. Le récit n'est plus que le retour de son en-deçà dont il ne rejoint l'énigme que dans le mystère d'un au-delà. Il s'échappe à lui-même aux deux bouts, comme un intervalle de violence et de souffrance entre le péché originel et l'eschatologie, mais s'emplit aussi bien, entre la Trinité et la Rédemption, de la Présence Réelle qui, ici et maintenant, l'excède.

Un roman arthurien ne commence vraiment qu'avec le roi Arthur, un jour de fête solennelle :

Li rois Artuz est a Cardueil un jour de l'Ascension (l. 78).

En procédant ainsi, l'auteur marque donc, à l'instar de Chrétien, sa volonté d'équilibrer son roman et d'en assurer le fondement. Il s'y reprend pourtant à deux fois, sautant de l'Ascension, dans la branche I qui sert ainsi de prologue, à la Saint-Jean, au début de la seconde (l. 567). Le lecteur appréciera l'intelligence que l'auteur avait de l'œuvre de son devancier : la répétition qui est le ressort de celle-ci est scandée par les tenues successives de la cour arthurienne, mais ces moments royaux s'opposent comme la plénitude après le branle initial et l'amoindrissement avant la paix finale. En les juxtaposant, l'auteur implique dans son récit avant même qu'il ne s'engage la nécessité de sa répétition au regard de l'œuvre antérieure. Il lui imprime, en outre, à la façon de Calogrenant dans le *Chevalier au lion,* un faux départ : on ne peut manquer, à ce propos, de rapprocher comme Loomis l'a fait (*Arthurian Tradition,* p. 274-275) l'aventure de Cahus de celle du précédent. Il y gagne, du même coup, de réintroduire, au travers d'un songe, les Enchantements de Bretagne et, par la relation d'un tiers, l'écho renouvelé des enfances de Perceval, redoublant ainsi Chrétien à l'instant de le reprendre. Mais, en chargeant Arthur d'accomplir lui-même l'aventure, en exergue à la somme aventureuse du roman, il traduit le fait que la partie divine se joue dans le cadre mondain et que son plan n'a de sens que de sa prise en charge humaine. Il met enfin en place — peut-être est-ce là l'essentiel — les représentations cruciales et les significations clefs de l'ensemble. A tant de titres, le passage appelle donc l'examen.

Une double portée est d'abord inscrite quand la défaillance du Bon Chevalier se répercute sur celle du bon roi. Le nonchaloir du second (« une volentez *delaianz* », l. 69) résulte du silence du premier (cette parole « qu'il *delaia* a dire », l. 19). Mais, comme le lignage du héros s'était employé à « avancier la loi » (l. 46), Arthur reste le « roi terrien » qui plus que personne « avança... la loi Jesu Crist » (l. 59). Qu'il sorte enfin de son sommeil (son retrait dans *Yvain* prêtait à cette métaphore) augure d'une autre émergence, celle du héros sauveur après son long effacement. L'une des moindres audaces du récit n'est pas d'avoir sur ce point renversé la donnée romanesque et créé le vide, non de la merveille, mais du Messie, dans l'espérance de sa venue, là où on attendait l'inconnu. Le Salut se fait désirer quand disparaît la fée désirable. L'aventure subsiste pourtant. A-t-elle perdu toute résonance féminine ? Une étrange alliance est alors proposée : la Chapelle de Saint-Augustin dans la Blanche Forêt, la « chapelle aventureuse » (l. 97) pour laquelle il n'est d'autre chemin que la surprise de voies périlleuses. On note, tant est présent dans le texte le souvenir du *Chevalier au lion,* qu'elle vient aux lieu et place de la Fontaine aventureuse et qu'une félicité divine lui est attachée comme une Joie sans pareille était, auprès de la Fée Amante, réservée au héros. Pour la définir, l'auteur recourt cette fois au *Conte du Graal,* puisqu'y vit de la seule « gloire de Dieu » « li plus preudom ermites qui soit o roiaume de Gales » (l. 98-99). De la même façon, on l'a vu, la Bête Glatissante se substitue à la femme de Marin le Jaloux : ou la transformation est sensible à l'intérieur même du texte, ou elle ressort de la comparaison d'une œuvre à l'autre.

Mais l'intérêt de la première branche tient aussi à sa composition qui, s'enroulant sur elle-même, varie d'autant un même fonds d'aventures : le songe de Cahus (l. 115-182), l'entreprise d'Arthur, l'histoire de Perlesvaus (l. 452-513) fondent comme en surimpression leurs traits communs pour qu'en ressorte le secret dessin. Chaque moment a dans le récit un statut différent mais reste organiquement lié aux autres, l'ensemble l'étant lui-même à la suite quoiqu'il ait pu servir à introduire la *Quête* (mss. OAc) : le rêve de Cahus trouve une issue tragique sous les yeux du couple royal ; la tête du chevalier, exigée d'Arthur par la demoiselle, est destinée à Perlesvaus (cf. l. 8680*sq.*), pour lequel, en outre, celle-ci confie au roi un message concernant sa mère veuve et sa sœur (l. 509-515). La mort, par deux fois, sert au récit de trait d'union : Yvain le Bâtard pleure en Cahus la mort d'un fils, mais Arthur ne doit-il pas apprendre un jour la trahison qui coûta la vie au sien, le merveilleux Lohout ? (cf. l. 4902*sq.*) ; la tête transportée par la pucelle à l'arçon de sa selle sera, d'autre part, en fin de récit, identifiée comme celle d'un cousin de Perlesvaus, le fils de Brun Brandalis (l. 8690), criant vengeance contre son meurtrier, le Roux Chevalier. Par un autre recroisement, une demoiselle encore est venue porter à la cour d'Arthur la tête de Lohout, en « un riche vaissel » d'or (l. 6299) comparable au « riche vaissel d'ivoire » (l. 8683) où repose celle du fils de Brun Brandalis ! Sans doute s'agit-il là des reprises les plus distantes au sein du roman, au point d'être oubliées du lecteur (voire de l'auteur, puisque la tête pendue à l'arçon de la première demoiselle pose certains problèmes, cf. Nitze, II, p. 213) ; elles n'en prouvent pas moins l'importance de la mise en place initiale dont la toile s'étend à toute l'œuvre : les aventures de Cahus, de Lohout et du cousin de Perlesvaus présentent peut-être les diverses faces d'une même énigme. Mais, que chaque temps de la première branche en vienne à répéter les autres fournit le pas suivant de l'interprétation : de Cahus à Arthur et du roi à Perlesvaus, l'aventure passe par les mêmes voies du cercueil et de ses mystères, de l'arme meurtrière et des grands périls, du démembrement et des requêtes féminines. Eclairer ces points permettrait d'avoir enfin prise sur ce livre déroutant, conduit d'une main sûre au fil de sa dérive.

Il n'est pas ici de voie royale pour l'analyse, contrainte à de nouveaux méandres. Il semble en effet — et la mention d'Yvain, fût-ce le Bâtard, a peut-être valeur d'indice — que le récit réponde à un schème narratif défini, pour lequel Loomis réunissait, en un trop bref chapitre (*Arthurian Tradition,* XLVI, p. 273-277), l'ouverture du *Chevalier au lion,* la venue de Gauvain chez Bran de Lis puis son aventure du Graal, dans la *Première Continuation* (Roach, I, v. 9201-9802, 10475-11205, 12707-13512). Il faut donc reprendre la question. Deux temps sont d'abord requis dans le schéma : tandis que le roi se tient à l'écart, le sénéchal Keu fait les frais d'une entreprise dont Gauvain se tire ensuite à son avantage. Ainsi « Kai-lo-Grenant » à la Fontaine, avant Yvain ; Chaus (Cahus) à la Chapelle, avant Arthur ; Keu au manoir retiré d'Ydier le roi de Méliolant, avant Gauvain ; voire chez Bran de Lis que le sénéchal découvre le premier (*Première Continuation,* v. 10475*sq.*) ; auprès de la reine enfin quand elle s'irrite du mépris d'un chevalier de passage, la mort de ce dernier reportant sur Gauvain, qui avait su le convaincre comme il le fit de Perceval dans l'épisode des Gouttes de Sang sur la neige, la tâche à accomplir : celle-là même du Graal. Mais l'aventure dont se charge enfin Gauvain présente successivement deux aspects, inquiétant puis réjouissant ou, d'un ton au dessus, foudroyant et ravissant. Dans *le Chevalier au lion,* la Joie aux côtés de la Dame est précédée par la tempête et sa désolation, tout comme dans la *Première Continuation* l'hospitalité somptueuse d'Ydier le Beau, par la lande *gaste* et le nain difforme ; ou encore le festin aux graals d'argent chez Bran de Lis, par « les merveilles du cimetière » et les sépultures ; ou enfin les richesses du Graal, par la Main Noire de la Chapelle. Ce n'est pas tout, puisque la scène propre au château du Graal se divise à son tour comme chez Chrétien entre Lance et Graal, de même chez le Continuateur entre la salle vide où repose le corps en bière, puis où se montre une lance qui saigne, et l'abondance nourricière du Graal ou les saintes explications du roi sur Longin.

Comment apparaît, à la lumière de ces partages, la branche I de *Perlesvaus* ? L'action se redouble de Cahus à Arthur, à l'instar de Keu et Gauvain. Qu'Arthur soit en personne engagé dans l'aventure traduit l'idéal épique d'un roi guerrier, chargé d'exalter ici-bas la Loi chrétienne : l'auteur renoue ainsi avec l'exemple de Charlemagne et renverse la tradition romanesque des Enchantements de Bretagne qui frappaient Arthur d'impuissance. Mais l'aventure rêvée s'oppose d'autre part à son accomplissement comme l'angoisse à la béatitude ou les spectacles macabres aux visions bienheureuses. La composition est d'ailleurs plus complexe puisque l'épisode arthurien comprend lui-même cette opposition, la découverte de l'ermite en son cercueil à l'heure du jugement répétant celle du chevalier gisant sur sa litière, avant que ne soit célébrée la messe miraculeuse en la Sainte Chapelle [14] : par deux fois Arthur assiste à distance à l'événement, qu'il s'agisse des Voix ou des *Muances*. La vision eucharistique suit la tradition du miracle de saint Grégoire qui se développa à l'appui de la doctrine de la Présence Réelle, en offrant une figure tangible de la transsubstantiation : si les espèces *sont* la chair et le sang du Christ, puissent l'impie découvrir horrifié des lambeaux sanglants et l'amant de Dieu jouir de Sa présence dans les métamorphoses de l'Enfant et du Crucifié. W. Roach a montré que l'auteur, inspiré par le *De miraculis* du grand abbé de Cluny, Pierre le Vénérable, avait su, dans le cas d'une représentation purement religieuse non moins que dans celui de la seule féerie, faire bouquet d'autant de fleurs éparses [15]. On s'aperçoit ainsi du prodigieux parti qu'il a tiré de l'« oiste » (l'hostie) du *Conte du Graal* ; la liturgie mystique de la Chapelle revivifie de sa sainte lumière le souvenir de la grande clarté émanée du Graal chez Chrétien. Mais, si le roi Arthur voit d'une verrière « une *flanbe* parmi venir », plus claire qu'un rayon de soleil (l. 302), l'épisode suivant l'affronte à un Noir Chevalier dont la lance porte un fer redoutable, « e ardoit a grant *flanbe* lede e hideuse, e descendoit la flanbe desque seur les poinz du chevalier » (l. 366-368) : de la blanche Lance du *Conte du Graal* dégouttait le sang jusqu'au poing de son porteur. Pareil détail établit l'équivalence et confirme la lecture de la scène du *Conte du Graal* selon l'antithèse d'une Lance maudite et d'un Graal salvateur. La dualité de l'Arme et de l'Esprit est encore plus fortement marquée par l'auteur de *Perlesvaus* et la succession du saint ermite et du Chevalier Noir figure autrement, en l'inversant, celle de la Lance au sang vermeil et du Graal de lumière.

Le prologue de *Perlesvaus* reproduit donc le système d'oppositions en relais qui organise les scènes de Chrétien ou du premier Continuateur : d'un chevalier à l'autre, de la sépulture à la merveille, de la malédiction à la Vie. Il faut dès lors le déchiffrer comme la projection autrement figurée, exacte en ses déformations mêmes, du noyau traumatique de toute l'aventure du Graal. L'intuition de l'écrivain fut ici d'inaugurer d'un songe, digne du « Père, ne vois-tu pas que je brûle ? » de la *Traumdeutung, le Haut Livre du Graal.* Toute licence est accordée au rêve de réintroduire les merveilles de Bretagne au cœur exalté de la Foi et d'y produire, au réveil, un effet bouleversant d'*Unheimlich* :

A ! fet li rois, est ce dont songes ? — Oïl, sire, fet il, mais il m'est *molt ledement averez* (l. 166-167).

Cahus, levant le bras, découvre au couple royal médusé le couteau enfoncé en son flanc droit, venu on ne sait d'où, non plus que le riche chandelier d'or tendu au roi en un ultime présent. La matière des contes n'est donc pas seulement véhiculée en songe, elle est le songe avéré comme tel, passant soudain au réel, insoutenablement. Cahus se réveille mort, martyr d'une vérité fermée à la conscience qu'ensevelit sous elle l'Eglise Saint-Pol de Londres nouvellement fondée, où le roi, pour finir, fait déposer le chandelier d'or. Désigné dans le texte à l'instar de Perceval comme « li vallez », il représente le versant funèbre de son aventure. Il se réveille d'abord en songe comme effrayé de s'être trop tard levé, à la poursuite d'un maître qu'il croit déjà parti (l. 121-130). N'était-ce pas ainsi que Perceval quittait au matin le château du Roi Pêcheur ? Mais Cahus parvient à « un grant cimetiere ou il avoit molt sarqeux » (cercueils) (l. 131), avant d'entrer dans la chapelle proche où l'attend le spectacle d'un chevalier gisant sur une litière, recouvert d'une riche soie, éclairé par quatre chandeliers d'or (l. 135-138). On pense d'abord à la scène du cimetière dans *le Chevalier de la charrette,* puis à l'arrivée de Gauvain au château du Graal, dans la *Première Continuation* :

Si voit tres enmi* une biere...
Sor le cors avoit par honor
Un grant samis* vermeil grijois...
Sachiez qu'as quatre cors* avoit
Quatre grans chierges qui ardoient.
Sor quatre chandeliers seoient
Qui valoient un grant tresor (mss. TVD, v. 13179-13191).

La combinaison des scènes est instructive ; complétant le jeu des corrélations déjà établies, elle invite maintenant à opposer la *Charrette* au *Conte du Graal,* comme le secret de la tombe à la clarté du Graal ou la perpétration d'un acte monstrueux à la jouissance d'une merveilleuse semblance, selon le clivage même de la *Première Continuation* entre un volet mortel, celui de la Bière ou de la Cruentation, et un autre chargé de Vie, Graal nourricier ou Parole révélée. Simplement, le héros est, dans la *Charrette,* confronté à sa propre mort, à la tombe qui l'identifie et lui est réservée, tandis qu'il est, dans la *Continuation,* mis en présence d'un Autre, mort [16]. Mais les deux aspects sont liés et Chrétien, même s'il est tourné vers l'intériorité, n'ignore pas plus le second que le Continuateur, porté à l'objectivité, le premier. Il suffit pour le comprendre de recourir à des textes qui, tels *Lanzelet,* livrent la formule entière de l'aventure du cimetière [17] : à l'instant de combattre Iwerêt de Bêforet, le meilleur chevalier qui fut jamais, pour satisfaire à la vengeance de la Reine de Meydelant, la fée marine de l'enfance, et découvrir enfin sa propre identité, le héros apprend au monastère de la Terre de Lamentation que là sont enterrés les vaincus de l'aventure. Le Chevalier Rouge, étincelant en son armure tel un ange, est tué par Lanzelet et enterré par l'abbé à la place prévue pour celui-ci. Le duel à mort a eu lieu sous le Tilleul éternellement vert, près de la Fontaine où pend une cymbale d'airain avec son maillet : soit les circonstances mêmes de l'aventure d'Yvain à la Fontaine d'Esclados le Roux. Ainsi sont associés une scène d'intimidation où le cercueil en attente joue un rôle comparable au pieu encore vide de tête et le scénario proprement imaginaire du terrible gardien terrassé par le héros promis à l'amour

(Laudine ou Iblis). En différant la rencontre mortelle dans la *Charrette* (avec Méléagant) et en isolant pour elle-même la découverte du tombeau vide, Chrétien en amplifie la résonance profonde : l'affirmation ou la révélation de son identité passe, pour le héros, par sa propre mort, exige qu'il en soit comme traversé. Il ne sait son nom (rappelons que Lanzelet l'apprend précisément à l'issue de la lutte) qu'à l'heure où il reconnaît au seuil de l'exploit sa propre tombe. C'est pourquoi l'épisode chez Chrétien peut être encore rapproché du motif du Siège Périlleux où l'identification de l'élu recouvre, si elle ne la provoque, une autre fracture.

On objectera pourtant qu'il y a une différence entre tuer l'autre et le trouver mort ! Au point même, répondrons-nous par simple renvoi de la balle, que la rétroaction sur soi du meurtre commence dès l'instant où revient au regard la macabre présence. L'intérêt du rêve de Cahus est de franchir le pas en rapprochant la scène du cimetière de celle de la salle vide où gît un mort, la version selon la *Charrette* et celle du Continuateur, Lancelot à la rencontre de Baudemagus, Gauvain au royaume de Bran. La brève évocation des cercueils laisse l'identification en appel, quand la description du gisant rappelle l'intrus au secret gardé dans le château du Graal. Que l'affaire le touche de plus près qu'il ne croit, le vol du chandelier d'or le confirme, engageant sa culpabilité et situant l'enjeu : il doit, qu'il le veuille ou non, dérober à la salle funèbre un objet fabuleux dont le prix reste à payer, c'est-à-dire pour en payer le prix, sans l'excuse désormais de se croire étranger à la scène. Ce geste trouve d'ailleurs sa contrepartie chez le premier Continuateur, avec la Main Noire de la Chapelle, qui saisit et éteint le cierge du riche chandelier (mss. TVD, v. 13003 - 13068), tandis que chez Wauchier la même scène comprend à la fois l'extinction du cierge (sans l'histoire du chandelier) et la présence du chevalier gisant dans la chapelle vide (mais non les quatre chandeliers de la salle du Graal, cf. Roach, IV, v. 32090 - 32147). Ces passages obscurs des Continuateurs pourraient dès lors s'interpréter comme la projection, dans le fantôme de la Main Noire, de l'acte attentatoire de Cahus. On verrait ainsi une fois de plus le texte précédent éclairé par le suivant. Mais le vol de l'objet fait aussitôt revivre la scène du combat mortel ou de l'échange meurtrier qui manquait encore : surgit en effet, réclamant vengeance du tort subi, un être formidable qui tient à la fois du géant hideux, en outre muni d'un grand couteau, pour l'effoi de Cahus, et du fougueux Esclados, quand il rompt une lance avec Arthur. Il n'est pas « noir » comme le serait quelque démon mais propose plutôt à Cahus le reflet de sa « trahison » (l. 151) et au roi celui de son actuelle mauvaiseté (l. 374). Il se dit d'ailleurs le frère du mort honteusement dépouillé. Une seule et même figure est en fait dédoublée : le mort qui demande des comptes et le vengeur, prêt à châtier. Ce qui explique peut-être l'identification contradictoire de la tête du chevalier pendue à l'arçon de la demoiselle, car, même s'il s'agit, de l'avis de Nitze, d'un faux pas de l'auteur, un lapsus n'en a que plus de raison : ce chef qui doit servir à la demoiselle à récupérer son fief grâce à Perlesvaus (l. 454), ce qui se réalise en effet tout en fin du roman (l. 8848 *sq.*), est ici celui du Noir Chevalier tué par Arthur, mais plus tard celui du cousin de Perlesvaus, tué par le Roux Chevalier (l. 8692) ; entre-temps, d'ailleurs, la pucelle avait bien abandonné la tête au château du Noir Ermite, en guise de péage (l. 969) ! Mais faut-il s'étonner si la tête du Noir Chevalier retourne au Noir Ermite, tandis qu'à Perlesvaus est présentée celle d'un membre de sa famille, le fils de Brun Brandalis ? La dualité, chrétienne, du Noir Ermite et du Roi Ermite recouvre exactement celle, mythique, de l'Hôte foudroyant (the Green Knight) et du chevalier gisant. Le nom de « Brun Brandalis » ôte le dernier doute : dans la chapelle déserte, le corps étendu est bien celui de Bran — ou de son fils plutôt, le cousin de Perlesvaus, car l'auteur avait su, bien avant nos ânonnements, lire sans faute le *Conte du Graal* : le Roi *Méhaigné* était devenu le cousin du héros pour que celui-ci se reconnaisse en lui et advienne enfin à la place où la mutilation serait sienne. N'en va-t-il pas justement ainsi du « valet » de la première branche de *Perlesvaus?* Cahus s'éveille au moment où le terrifiant homme noir plonge en son flanc droit le couteau effilé. Ainsi s'avère le songe, mais ce réveil prolonge aussi bien le silence de Perceval devant la Lance qui saigne : le rêve interrompu par la mort, nous n'en saurons pas plus ! Relevons seulement que Cahus à l'agonie fait présent à Arthur du chandelier d'or : l'objet volé n'aurait-il pas le Roi pour vrai destinataire ? Mais la parole n'en a rien pris en charge et le mort aux chandeliers d'or sur sa litière attend toujours la sépulture que le roi Brangemor obtient enfin, pour la paix du monde, au terme de la *Première Continuation,* dans le conte du Chaland ou du Chevalier au Cygne (mss. TVD, v. 15254-15256*sq.*). Quand donc sera restauré à sa vraie place, symbolique, le Nom du Père ? Mais le récit balance entre le cri tacite du mort dans la salle vide et l'effroi du châtiment dont menace l'Hôte terrible. Cahus se retrouve mort pour avoir trouvé le mort sans s'être rendu au secret de sa mort. Sont donc étroitement noués les trois aspects que figuraient respectivement la tombe vide de Lancelot, l'exposition du Gisant, la férocité du Géant et que seule aurait su défaire la parole requise de Perceval en face de la Lance.

L'aventure de Cahus préfigurant celle d'Arthur et le même homme noir reparaissant sous deux visages (le vilain au couteau, le chevalier à la Lance), l'homologie permet d'entamer l'énigme de la Lance Ardente : elle plonge dans le corps du roi comme le couteau au flanc de Cahus. Or, nous l'avons vu, sa flamme mauvaise répond à celle bénie de la Sainte Chapelle, comme l'éclat funeste de la Lance à la clarté salvatrice du Graal dans le roman de Chrétien. Le geste du Chevalier Noir répète donc de façon voilée l'événement fatal aux terres du Roi du Graal comme la destruction par la Lance, promise au royaume de Logres dans le *Conte du Graal.* La lance enflammée s'oppose ici au couteau comme, là, sa vision maudite, au javelot de Perceval et de la blessure de son cousin, le Roi *Méhaigné* : Lance ou javelot, lance ou couteau, selon qu'il s'agit du Roi ou du Fils, mais, en tout cas, fatals. Le commentaire du Chevalier Noir mérite d'ailleurs attention :

> Jamés mes glaives ne fust estanchiez d'ardoir* s'il ne fust beigniez en vostre sanc (l. 395-397).

Nous sommes là au cœur le plus archaïque du mythe où le sang du Chaudron apaisait seul le feu de la Lance [18]. Mais ce feu qui exige le sang n'a de sens que le jour où la Lance devenue le fer qui saigne s'applique à une béance dont un corps royal porte, jusqu'au silence d'un cri, la souffrance. Du coup se propose un spectacle énigmatique et hallucinant où la plaie grande ouverte attend la guérison ou l'allégement de sa douleur du retour en son sein du fer qui brûle, comme l'explique l'ermite Trévrizent à Parzival, au livre IX du roman de Wolfram d'Eschenbach (trad. Tonnelat, Aubier, Paris, 1934, II, p. 44 et 53) :

> Jamais le froid n'avait causé de souffrances si vives à ton doux oncle. Il fallut enfoncer de nouveau la lance dans la plaie. Un mal servit ainsi à écarter un autre mal. La lance en demeura ensanglantée et rouge.

Et dans la *Queste del Saint Graal,* au cours de la liturgie du Graal au château de Corbenyc, la Figure divine qui se révèle et se donne en communion intime à Galaad l'ordre d'oindre du sang de la Lance les jambes du Roi *Méhaigné*:

> Car ce est la chose par quoi il sera gariz, ne autre chose nel puet garir (éd. Pauphilet, p. 271).

Mais de quelle Lance s'agit-il dans *Parzival*? De celle même, empoisonnée, dont fut blessé « en ses parties viriles » Anfortas, le roi du Graal, pour avoir recherché l'amour d'une femme, Orgueluse de Logrois nommément, dont l'amour tourmente Gauvain au château de la Merveille du magicien Clinschor ! Ainsi l'arme au poison qui frappa le Coup Douloureux est aussi bien l'arme de la guérison. Le Graal, notons-le, n'apporte aucun confort à Anfortas mais éternise au contraire sa douleur, en l'empêchant de mourir. Mais pourquoi ce retour monstrueux de la Lance dans la plaie? Faute d'une parole. Car le Graal, imploré, avait promis, selon une inscription de sa pierre, la délivrance quand viendrait le chevalier qui saurait « demander la cause des maux du roi » (*op. cit.,* II, p. 48). Parzival ayant failli, l'ermite lui apprend quelle fut la cruauté du palliatif. Il faut donc que, dans la parole — autrement ce sera dans la chair même —, soit rapportée à la blessure sexuelle ouverte dans le corps du Roi l'Arme qui causa le Coup Félon. Ce que symbolise ici le Graal est bien l'exigence de la parole, c'est-à-dire que soit parlée cette déchirure vive du corps par la Lance toute brûlante de feu ou de poison, soit encore qu'accède à son monde symbolique une menace mortelle portée par un pur semblant. Le Nom du Père n'est rien d'autre que ce rapport enfin nommé, ce qui à la fois fonde la parole et se confond avec elle. Le coup de lance qui mutile Anfortas réitère en vérité celui qui s'enfonça dans la tête de Gahmuret, le père de Parzival, revenu se battre dans l'Orient de ses premières amours et trahi par son heaume dont le sang d'un bouc avait, à son insu, ramolli le diamant (*op.cit.,* I, p. 92-93) ! Aussi bien la mort de Gahmuret est-elle évoquée par son fils juste avant son retour à Montsalvage, lors de son combat avec Feirefis, son demi-frère retrouvé (livre XV, *op. cit.,* II, p. 274). La présence du chevalier païen, au teint mi-parti, assure seule le lien, chez Anfortas, entre la blessure mortelle du père et la blessure sexuelle de l'oncle maternel; mais la nature de ce lien ressortit au mystère de la Trinité, comme le suggère l'étrange propos de Feirefis à Parzival :

> Mon père et toi et moi-même, nous n'étions qu'un même être en trois personnes (II, p. 274).

Les deux termes ne se rejoignent jamais sinon au travers d'étranges créations comme celle de « Feirefis ». Le fils ne remonte pas, au-delà du lignage maternel, jusqu'à la figure de son père. La prévalence de l'oncle tient à cet ultime barrage, le palliant et le renforçant à la fois. Telle est l'énigme dernière de Bran le Béni et la raison de ce partage du même entre le père, à l'origine du récit (Gahmuret, Gomoret), dont la mort appelle une suite vengeresse, et l'oncle maternel, à la fin (le Roi *Méhaigné*), dont le royaume doit être désenchanté[19].

Toutes les versions de la visite du héros au château de Bran ramènent sous ses yeux un spectacle d'angoisse où s'éteint la parole, quand la parole devrait en éteindre la douleur ; obsédant la vie à force d'être figé dans la mort, quand son oubli, au prix de la parole, rendrait enfin la vie. Ainsi la Lance aux larmes de sang, au voisinage de la plaie vive, à travers la souffrance tacite du Roi *Méhaigné* en attente de sa guérison (Perceval, Parzival) ; ou le tronçon et le fer restés dans le corps, voire l'épée brisée, au bord de la bière, comme une plainte muette en vue de la vengeance (Guerrehés, Gauvain) ; ou encore la tête portée sur un plat et la salle vide du festin, silencieuse menace de séparation au souvenir prohibé de la nourriture que versait jadis la corne d'abondance (Peredur, Gauvain)[20]. La culpabilité et la régénération, la trahison et la vendetta, l'intrusion et l'interdiction, ces trois figures laissent diversement en suspens la question du père, tandis que le héros se ressent des effets de cette approche, chaque scène étant immédiatement réversible : le Noir Chevalier, frère du mort, blesse de son fer le roi aventureux dans *Perlesvaus* ; Guerrehés, dans la *Première Continuation,* revient à la cour d'Arthur, gisant endormi dans le même chaland qui avait apporté le cadavre du roi Brangemor ; Gauvain, après avoir décapité le Chevalier Vert, dans *Gawain and the Green Knight* (ou dans *la Mule sans frein*), est soumis à la même épreuve dont il garde une estafilade au cou.

Avec le rêve de Cahus et la périlleuse entreprise d'Arthur, les revenants du monde celtique se pressent aux portes du récit de l'Alliance renouvelée. Mais leur refoulement s'illustre exemplairement dans le passage même de l'histoire du valet à celle du roi. Sans doute le Noir Chevalier et sa lance répètent-ils, dans le même registre, l'homme noir et son couteau, mais qu'en est-il du gisant et de son chandelier ? Tout se joue en cet endroit, car Arthur découvre lui aussi un gisant près de l'autel d'une chapelle, dans un cercueil ouvert (l. 218-219) et parmi la clarté des luminaires (l. 225). Mais au lieu d'un chevalier, il s'agit d'un ermite qui fut même avant son repentir homme d'armes et sous le jour le plus noir : meurtrier et pillard dans la forêt (l. 245). Le propos d'édifier est ouvertement affiché ! La mise en scène est toute différente : dans ce nouveau décor des voix se font entendre, Anges et Démons mêlés, pour juger du pécheur. Au lieu d'un étrange spectacle appelant les questions d'un nouveau venu curieux de vérité, un verdict se prépare, l'invitant lui-même au repentir pour qu'il conforme sa vie à la loi du Seigneur. Mais, dominant le tumulte, s'élève « la voiz d'une dame » (l. 238), « la doce Mere Dieu » (l. 249), et Arthur entend « la voiz de la doce Mere Dieu e des angles » (l. 255). Ainsi la forêt aventureuse est-elle d'abord emplie d'une présence maternelle d'infinie douceur, quand s'offrait naguère la Fée Amante, blanche comme lis, et la Vierge Sainte chasse les hurlements diaboliques qui de toutes parts remontent. Ce premier temps est nécessaire pour effacer les anciennes images, tandis que sa reprise impose un nouveau cadre qui gagne en sainteté comme en intensité : Arthur parvient derechef à une Chapelle, celle de saint Augustin cette fois, pour apercevoir près de l'autel non plus un pécheur repenti à l'agonie mais un saint homme vivant de la seule gloire de Dieu. Près de lui, « une dame si bele que totes les biautez du monde ne se porroient conparer à sa biauté » (l. 294-295), tendrement penchée sur un enfant à qui elle adresse de merveilleuses paroles : « Sire, fet ele, vos estes mes pere e mes filz e mes sires, e garde de moi e de toz » (l. 298-299). L'apparition de la Vierge à l'Enfant place ainsi toute la scène sous le signe de la Mère dans l'éloignement du personnage paternel auquel se substitue l'Ermite saint. Qui est-il ? Il a connu, dit-il à Arthur, le roi Uther, son père, et a servi sous ce dernier (précise-t-il plus tard à Gauvain, apparemment venu aux mêmes lieux) comme « vallez e chevaliers XL ans » (l. 898)[21]. Le « chaste chevalier » ((Perlesvaus) a déjà passé à deux reprises par sa chapelle ; lui-même est resté jeune en dépit des ans, pour avoir maintes fois assuré le service divin en la chapelle où se montre le Saint-Graal ; il est enfin de l'hôtel du Roi Pêcheur. Tous ces traits pourraient aussi bien s'appliquer au Roi Ermite, Pellés, qui se fit prêtre après avoir porté les armes (cf. l. 1640) et dont la retraite avoisine le château du Graal (du moins le récit les juxtapose-t-il toujours), remarquable enfin par sa beauté parmi ceux de son âge (l. 1655). Comme Pellés d'ailleurs conseillera Perlesvaus à l'heure de sa victoire, l'ermite fait avec autorité la leçon au roi Arthur, au moment où il se ressaisit enfin. Ainsi, sans pour autant s'identifier, Calixte, le premier ermite rencontré, le saint officiant de la Chapelle Saint-Augustin et le Roi Ermite sont-ils au même titre compris dans l'orbe maternel et témoignent tous trois de la nécessaire conversion de la chevalerie à la prêtrise, autrement dit de la substitution de la sainteté maternelle à la violence paternelle première.

Deux indices révélateurs, à cet égard : le rappel du règne d'Uterpandragon ne peut manquer d'évoquer les temps tragiques que vécurent, selon Chrétien, les parents de Perceval. D'autre part, le corps exposé de l'ermite dans le cercueil découvert est, aussitôt après le jugement, placé à l'intérieur « de la plus riche tombe » jamais vue, surmontée d'une croix vermeille (l. 259-260). Or on sait l'importance accordée dans la tradition arthurienne à la riche sépulture des divers représentants de Bran : Baudemagus de Gorre dans la *Queste* (éd. Pauphilet, p. 261, l. 27), Gahmuret dans *Parzival* (croix d'émeraude sur une dalle en rubis, trad. Tonnelat, I, p. 94) et, dans *Perlesvaus,* le Roi Pêcheur lui-même, dont le cercueil est, au retour des siens qui venaient d'y laisser son corps, aussi mystérieusement transformé en une riche sépulture que celui de l'ermite Calixte sous les yeux d'Arthur (cp. 258-261 et 6266-6271). Ce n'est donc pas le chevalier gisant ou, comme dans la *partie Guerrehés* de la *Première Continuation,* le corps embaumé en son cercueil du roi Brangemor, qui est enfin rendu à la paix de la tombe, mais les personnes saintes du lignage maternel. Au lieu de la Fée, la Mère de Dieu ; au lieu du Père, l'oncle ermite. La partie du refoulement est désormais gagnée, non sans de singuliers retours, comme nous l'avons suggéré de Feirefis, le Maure aux taches blanches, l'« enfant (fils)-pie (vair) ». L'équivalent du chandelier d'or coupablement volé n'est en effet rien de moins que l'une des *Muances* du Graal, conforme au miracle de saint Grégoire lors du sacrifice de la messe, soit l'Enfant Merveilleux[22], purement adoré sur l'autel de l'Offrande. De cette vision naît au cœur une joie sans pareille, d'abord refusée au roi Arthur avant de lui être accordée, sans que l'auteur consente pour autant à en dire plus. Au château du Roi Pêcheur défunt, reconquis par Perlesvaus et indifféremment nommé château d'Eden, de Joie ou des Ames,

> li Graaux s'aparut eu secré de la messe en -V- manieres que l'on ne doit mie dire, car les *secrees choses* dou sacrement ne doit nus dire en apert*, se cil non* a qui Dex en a grace donee. Li rois Artu vit totes les *muances* (l.7223-7226).

Chrétien dans la *Charrette* ne parlait pas autrement de la joie éprouvée par l'élu de la Reine. L'enfant miraculeux incarne en vérité une jouissance insolite, celle même du symptôme, c'est-à-dire de ce qui a fait sous cette forme retour au sein du monde sanctifié de la Mère. Mais la *muance* n'est pas une, la merveille semble exiger aussitôt du sacrifice de corps et l'enfant se change en « un home, sanglant o costé e sanglant es paumes e es piz, e coroné d'espines », à son tour « *mué* en la forme de l'enfant » (l. 316-320). A Gauvain reçu chez le Roi Pêcheur il semble « que li Graax soit tot en l'air. Et voit, ce li est avis, par deseure un home cloufichié en une croiz, et li estoit le glaive fichié eu costé » (l. 2448-2450). Le flamboiement de l'*enfant* à sa renaissance inclut une mise à mort sanglante et la béance d'une plaie au *corps,* mais celles-ci désignent moins une vérité à reconnaître qu'elles ne signifient une Volonté Autre, en retrait de la scène, dont elles seraient la jouissance monstrueuse[23] et dont le *Miles Christi* se fait virginalement l'instrument, emplissant d'un *charnier* le voisinage des *muances* (cf. l. 7196*sq.*). Le Sang du Dieu Crucifié appelle le Fer de la Loi exaltée. Les *muances* présentent donc une double face de jouissance, par l'enfant qui surgit ou par le corps au supplice, à quoi correspond aussi bien une double face de l'effroi, en prolongement, cette fois, non pas de la Sainte Mère et du Blanc Ermite, mais de la Demoiselle désobligeante et du Chevalier Noir[24].

L'entrée d'Arthur dans la périlleuse forêt est en effet circonscrite par la rencontre d'une demoiselle qui rassemble en elle plusieurs traits typiques des aventures antérieures : la pucelle sous l'arbre, la pucelle à la mule, la pucelle « maudisante », la pucelle et son mort, combinaisons diverses de la *Deuxième Continuation* et du *Conte du Graal* en une figure que Wolfram, avec Orgueluse de Logres, avait déjà élevée au symbole. Une dualité de plans est donc sans cesse maintenue dans *Perlesvaus* et le remaniement doit sa puissance à l'insistance de l'ancienne matière : « la demoisele estoit de grant biauté », est-il dit, ligne 268, comme la Vierge sera, ligne 294, une « dame si bele... ». Or, de la même façon qu'au sortir du château du Roi Pêcheur Perceval trouvait sa cousine près du corps décapité de son ami, Arthur s'entend réclamer par la demoiselle, après l'aventure de la Chapelle, « le chief du chevalier qui la gist morz » (l. 407), car elle en escompte l'aide de Perlesvaus. Ainsi l'épisode du Chevalier Noir est-il complexe : il convient de distinguer, en dépit de leur imbrication, la Lance Ardente, la décapitation et le démembrement du mystérieux personnage. Sans doute le lien est-il assuré par la guérison de la blessure, mais il existe chaque fois une motivation séparée : le coup de lance, en échange du vol de chandelier et pour éteindre la flamme (envers paternel du cadre maternel où se produisent le miracle de la messe et la flamme divine) ; la tête pendue à l'arçon de la selle, en attente du Bon Chevalier ; le dépècement du mort par un groupe soudain surgi, pour empêcher la guérison du roi. Mais ces deux derniers motifs viennent exactement recouvrir l'histoire de l'homme noir du châtiment, comme la vision bienheureuse de la Sainte Chapelle, le spectacle macabre de la Chapelle mortuaire. Ces deux visages de la terreur, en rapport explicite avec la présence ambiguë de la demoiselle, s'opposent aux deux temps de la joie religieuse, baignée de douceur maternelle. Le corps sans tête, entre les bras de la demoiselle sous l'arbre dans le *Conte du Graal,* blessait soudain la vue de l'inconscient qui n'avait su entendre la douleur du Roi *Méhaigné* ni l'appel du Graal ; la tête, exigée d'Arthur, à l'intention de Perlesvaus, remettra en mémoire à ce dernier la figure ignorée de Bran (Brun Brandalis). La décapitation est le corollaire d'effroi de la Merveille de l'Enfant-Dieu. Mais à quoi référer le démembrement du chevalier mort dont chacun emporte aux quatre vents les diverses parties ?

> Vos ne fussiez jamés gariz se par le sanc de cest chevalier ne fust ; e por ce enportoient il le cors par pieces e le chief (l. 451-453),

commente la demoiselle qui vient d'appliquer sur la plaie du roi

> le sanc du chief au chevalier, qui encore decoroit* toz chauz (l. 449-450).

Ce rite barbare entre ainsi en relation avec la Passion rédemptrice du Christ, dont «li sans... coroit aval» dans le rêve de la reine Gandrée, avant d'être recueilli dans le très saint «vessel» (l. 9229) et dont la chair, représentée par la Bête Glatissante, est, à la différence de la femme de Marin abandonnée aux bêtes sauvages, c'est-à-dire de la Vieille Loi «abatue... sans resosciter» (l. 2209), précieusement rassemblée dans un «vaissel d'or» après avoir été dépecée, pour racheter enfin les hommes de la mort (l. 6001-6004). Antérieurement, l'auteur n'a pas craint non plus de donner, à travers une scène d'anthropophagie, une exacte réplique du mystère de l'Eucharistie. Il vaut la peine de le citer :

> Sire, fait Monsaignor Gavains, je vos voil* demander d'un roi (Gurgaran) qui je vi son fil aporter mort. Il le fist cuire et boillir ; aprés en fist mengier a toz çaus de sa terre. — Sire, fait li provoires, il avoit ja son cuer aporté au Sauveor, *si vout* tel sacrefice fere de son sanc et de sa char a Nostre Saignor, et por ce en fist il mengier a toz çaus de sa terre,* et vout que lor pensee fust autretele* comme la seue* ; et a si desracinee sa terre de tote mauvese creance que il n'en i a point demoré (l. 2244-2250).

Immoler la chair de sa chair à l'image de la Passion du Fils pour de monstrueuses agapes égale en horreur ce que recouvrait de jouissance féroce, chez le Dieu qui resta muet, la seconde *muance* du Graal. Soit :

La Lance Douloureuse	Le corps dépecé
L'Enfant Sauveur	La tête du chevalier.

Ainsi une figure religieuse de remplacement s'est-elle élevée au-dessus du vieux fonds mythique encore en activité, pour se redoubler elle-même d'une inquiétante étrangeté. L'auteur aborde seulement alors l'histoire antérieure de son héros, par le truchement de la même demoiselle, et la reconstruit selon la même dualité, non sans reprendre, une troisième fois, les composantes de chaque temps : dans une chapelle assise sur quatre colonnes de marbre (en souvenir des quatre chandeliers d'or ?), devant l'autel, un sarcophage de prix, refermé sur son secret ; à ce propos, une question mal comprise du « valet », qui vise en fait, non ce qu'est un chevalier (selon l'idéal), mais comment il est fait (avec ses armes !) — en écho, croyons-nous, au vol du chandelier d'or, par le biais du «vol» des armes rouges dans le *Conte du Graal;* le récit du combat entre le Blanc et le Rouge Chevalier, à l'instar de la mêlée d'Arthur et du Chevalier Noir (au lieu de la Lance Ardente, le javelot du crime) ; le rappel enfin du service que la demoiselle attend de Perlesvaus, après lui avoir remis la tête qu'elle avait demandée au roi. Chaque moment fait revivre le souvenir du père, de surcroît présent dans la scène rapportée : nous l'avons montré à propos de la scène de l'écu vermeil au cerf blanc ; mais la tombe qui provoque la question de l'enfant est celle de Nicodème, comme il le saura plus tard, au détour d'une périphrase (l. 5239), soit de l'ancêtre du lignage paternel ; la tête, enfin, dont est porteuse la demoiselle s'accompagne surtout des prestigieuses syllabes du nom de Brun Brandalis ! Mais une représentation complémentaire est, à chaque reprise, appelée à couvrir la précédente, dans la perspective du lignage maternel : si, dans les vaux de Camaalot, la tombe de Nicodème est en attente de son aventure, celle de Joseph d'Arimathie l'est pareillement, aux abords du château du Roi Pêcheur (l. 2283) ; l'écu à la croix vermeille des précieuses reliques doit remplacer l'écu vermeil au cerf blanc ; la demoiselle qui espère recouvrer sa terre grâce à Perlesvaus lui laisse aussi le message de sa mère en passe de perdre la sienne après la mort du père (l. 508-513) et préfigure une autre demoiselle, également en quête du héros disparu et dont le rôle, dans la suite, est essentiel : Dandrane, sa sœur.

« Muances » et cercueils

Si confuse d'apparence soit la masse aventureuse du roman, on n'en pressent pas moins sous-jacente une organisation concertée. Un dessein contraignant préside à la prolifération et à la dissémination des aventures, au gré de messages répétés qui rappellent à l'oublié et en disent après un long délai la présente urgence, ou par la surprise de parentés soudain révélées qui font le lien entre des événements distincts ou éloignés, ou, mystérieusement, au travers d'une diversité qui n'est rien d'autre que la métamorphose du même. L'esthétique de l'œuvre se conforme ainsi exactement à sa fiction ; en exergue viendrait ce témoignage de Josèphe, selon qui

> les *samblanches* des isles *se muoient* por les diverses aventures qui par le plaisir de Deu i avenoient, e si ne plot* mie as chevaliers tant la queste des aventures se il nes trovasent diverses, car quant il avoient entré en une forest e en une isle o il avoient trové aucunne aventure, se il i revenoient autre foiz si troveroient il recés* e chasteaus e aventures d'autre maniere, que* la peine ne li travax ne lor anuiast, e *por ce que Dex voloit* que la Terre fust confermee de la Novele Loi (l. 6615-6622).

Le renouvellement qui satisfait au principe de plaisir, en lui donnant le change, masque en vérité l'impérieuse répétition voulue par Dieu comme la douleur originelle qui, seule, fait Sa jouissance. Car Dieu, comme Perlesvaus se le formule à soi-même,

> veut que on se travaut* por li ausi com il soufri travail por nos (l. 6168).

L'infini déborde d'amour parce que sa cruauté est sans fond. L'Amour divin n'a d'autre mesure que le Sang du Crucifié. Sous le multiple, donc, il n'est jamais question que de l'un dont la trace se perd au hasard de l'errance et se recroise seulement pour venir en impasse.

Quels en sont les repères ? On peut s'attendre, chez un auteur aussi versé dans l'art de ses prédécesseurs, à ce que la cour d'Arthur tienne son rôle d'inaugurer ou de relancer le récit. Aussi bien est-ce là le grief adressé au roi dans le prologue : « Ne voloit cort tenir a Noel, ne a Pasques, ne a Pentecoste » (l. 70-71), et le récit ne débute vraiment qu'une fois restaurée la souveraineté qu'Arthur avait laissée à l'abandon : vu le retard pris, faute de la Pentecôte, la Saint-Jean apportera à la cour son premier lot d'aventures, sous la forme d'une demoiselle porteuse de merveille, la Demoiselle du Char, tenant d'une main la tête d'un roi scellée d'argent et couronnée d'or (Adam) et comme paralysée de l'autre bras (l. 583-692). Autre trait important : sa monture, une mule plus blanche que neige, avec chanfrein d'or et selle d'ivoire. En revanche, l'écu à la croix vermeille qu'elle fait suspendre à une colonne de la salle dans l'attente du héros prédestiné renvoie à une série ultérieure d'aventures, liées conjointement à la conquête du Graal et à la sauvegarde des vaux de Camaalot, le patrimoine du héros (l. 4001 - 4180). La merveille et une demoiselle sont là encore au rendez-vous, avec le mystérieux chaland nocturne qui transporte Perlesvaus endormi, comme Brangemor dans la *Première Continuation,* et Dandrane sa sœur, venue implorer l'aide du chevalier qui doit se saisir de l'écu. Comme la première fois, mais sans que l'occasion en soit précisée, Arthur tient cour à Pennevoiseuse en Galles. Les deux temps sont liés et si le premier, à l'instar de l'apparition de la Demoiselle Hideuse chez Chrétien, introduit à la quête du Graal par Gauvain et par Lancelot en l'absence de l'Elu, le second, par la faute du roi qui oublie la requête de Dandrane, engage les mêmes dans une quête du Bon Chevalier, avant que celui-ci n'accomplisse sa double mission, défensive et conquérante. Mais, comme la Demoiselle du Char annonçait Dandrane, ce nouvel épisode prépare aussi le suivant : Arthur, en effet, s'interroge, aux lignes 4004*sq.,* sur le sort de Lohout son fils, disparu depuis que le sénéchal Keu a ramené la tête de Logrin le Géant. Au troisième temps donc (l. 6272 - 6393), survient à Carduel, un jour de Pentecôte, une nouvelle demoiselle qui propose à la cour, dans un écrin, la tête d'un mystérieux chevalier. Si Gauvain avait appris au château de l'Enquête qui était le roi dont la Demoiselle du Char exhibait la tête, il revient à Keu de lever maintenant un secret qui le désigne du même coup comme le meurtrier. Il y eut Adam, « notre père terrien » trahi par Eve (l. 2167 - 2170) ; voici Lohout, le fils d'Arthur et de Guenièvre (autre couple exemplaire !) trahi par le sénéchal félon (l. 6345*sq.*). La merveille est présente dans le caractère surnaturel de l'épreuve, à un seul réservée, mais pour le confondre, non pour l'élire. La sueur dont se couvre le coffret, au contact de la main paternelle, exprime jusqu'au malaise de quelle angoisse s'entoure dans ce roman la relation du Père au fils. Elle s'équilibre, dirait-on, de la lueur des deux soleils dont le miracle s'est produit juste avant, en signe de joie pour la reconquête du Graal, de même que les troubles où ce malheur jette le royaume de Logres surgissent dans l'intervalle du pèlerinage d'Arthur au Graal. C'est en quoi l'intervention de la demoiselle intéresse profondément la suite du roman : le sénéchal trouve refuge chez le puissant Brien des Iles, qui guerroie la terre d'Arthur, aussitôt le roi parti ; la mort de Guenièvre, en contrecoup du deuil de son fils, compromet d'autre part le sort de la Table Ronde qu'un païen, Madaglan d'Oriande, revendique par droit de lignage, si Arthur refuse d'épouser sa sœur, la Reine Gandrée, et de renier sa foi. La Demoiselle à l'Ecrin égale en importance la Demoiselle du Char et l'auteur a pris soin de l'identifier à la pucelle prophétique du *Conte du Graal* (cf. l. 6369), comme il a repris, avec l'autre, la Demoiselle Hideuse.

Pour compléter l'ensemble est enfin requis un quatrième temps, qui soit au troisième comme le second au premier, comparable, autrement dit, à celui de Dandrane. Le texte offre ici, à première vue, moins d'évidence. Des arrivées successives et rapprochées à la cour d'Arthur brouillent, en effet, la clarté du plan. Elles ont toutes lieu à Carduel : ligne 7928, une demoiselle fait résonner en pleine salle le défi de Madaglan à la Table Ronde — où prend effet, on le voit, par la mort de Guenièvre, la tragédie du fils d'Arthur ; ligne 8016, un chevalier, cette fois, au nom du roi Claudas, appelle publiquement de meurtre et de trahison Lancelot absent. Les deux scènes, relevons-le dès maintenant, s'inspirent de Chrétien de Troyes, qu'il s'agisse de l'outrage infligé à Arthur par Méléagant (Madaglan ?) dans la *Charrette* ou par le Chevalier Vermeil dans le *Conte du Graal,* qui prétendent tous deux à sa terre, ou de l'imputation de meurtre et de trahison renouvelée à la cour d'Arthur par le même Méléagant à l'encontre de Lancelot qu'il détient prisonnier. Elles sont donc indissociables et forment contraste avec la bonne nouvelle du Graal, au début du temps précédent : là, le royaume du Graal était reconquis sur le tenant de la loi judaïque, le Roi du Chastel Mortel ; ici, le royaume de Logres est menacé par le roi païen d'Orient, Madaglan. L'auteur met, à chaque reprise, en place le décor du drame où fait irruption une demoiselle de l'Autre Monde : dans le cas de Dandrane, par exemple, la nef mystérieuse suppose l'histoire préalable de la Reine des Pucelles et du Roi marin du Chastel Mortel ; on peut dès lors considérer toute la première branche comme le temps préliminaire consacré au renouveau arthurien et au retour du Graal qui donnent sa portée à l'apparition de la Demoiselle du Char, c'est-à-dire la Demoiselle du Graal. Après le plan divin, la partie se joue maintenant dans l'histoire où l'Occident arthurien, miné par la trahison, est en passe d'être submergé par le flot de l'Orient mécréant ; où l'« or » chrétien est menacé par l'« argent » judaïque et le « plomb » sarrasin. Une nouvelle demoiselle est donc attendue, qui représente, autrement formée, l'énigme propre aux nouveaux événements qui se préparent : tout ne se résume pas en effet à la simple bipartition divine et humaine, puisque, au cœur de l'histoire du royaume terrestre, revient la plus fabuleuse des demoiselles, « de molt tres grant biauté » (l. 8168), assise sur la mule féerique richement équipée (chanfrein d'or et selle d'ivoire). Elle est l'antithèse de la virginale Dandrane, puisqu'elle s'était montrée, antérieurement dans le récit, sous le jour de la Fée Amante, c'est-à-dire de Morgain (non nommée), pleine de dépit contre Lancelot qui l'a privée de son amant (l. 3837 *sq.*), maîtresse d'une forêt où elle dispose d'un grand pouvoir (l. 6546), servie par un nain (l. 3843) et dirigeant, par deux fois (cf. l. 3864 et l. 8203), l'amant de Guenièvre au château des Griffons (variante de *Pesme Aventure),* où le héros dédaigne une merveilleuse pucelle conquise dans l'antre des monstres (l. 7376 et l. 8393). Comme enfin elle charge Lancelot d'apporter la guérison au Chevalier Malade, elle semble se tenir au carrefour de toutes les aventures, de façon d'autant plus surprenante que l'auteur avait pris soin d'effacer ou de recouvrir toutes les traces de la féerie amoureuse ! Dernier trait remarquable : le carreau d'arbalète mystérieusement planté dans la colonne de la salle, à Carduel, un jour de Pentecôte. Comme le Bon Chevalier, pour le Graal, devait emporter l'écu à la croix vermeille suspendu à la même colonne, Lancelot, conjuré au nom de son amour, peut seul se saisir de la flèche richement ornée, ébranlant au même instant le maître pilier de la salle arthurienne. Le parallèle entre Dandrane et Morgain est poursuivi au point qu'est rattachée aux deux une aventure de la Chapelle Périlleuse (l'Atre Périlleux et le Suaire du Christ, l. 5030-5172, la Chapelle Périlleuse et le suaire du hideux bâtard, Anuret, l. 8281-8378).

Ainsi l'édifice romanesque repose sur quatre pierres d'angle :

La Demoiselle du Char *(1)*	et	Dandrane *(2)*
(la tête d'Adam, le père, trahi)		*(l'Ecu, sur la colonne)*
la Demoiselle à l'Ecrin *(3)*	et	Morgain *(4)*
(la tête de Lohout, le fils, trahi)		*(la Flèche, dans la colonne)*

et offre d'harmonieuses proportions (par groupes de deux mille lignes environ, excepté le premier, dont les quatre mille lignes cependant se répartissent également entre la quête de Gauvain et celle de Lancelot). Les deux premiers ensembles concernent l'aventure du Graal et sont hantés par la figure du Roi Pêcheur, sa langueur et sa mort (l. 5145), comme les deux derniers par celle de la reine Guenièvre, son deuil et sa mort (l. 7150), tandis qu'est mise en jeu la prestigieuse Table Ronde. En outre, les deux séries se recroisent : au péché de Perceval qui pèse sur la première partie correspond la luxure de Lancelot, qui lui interdit la vision du Graal (cf. l. 3624-3872) :

> Li Graax ne s'apert pas a si amoreus chevalier com vos estes, car vos amez la roïne, la fame le roi Artu, vostre saignor ; ne ja tant comme* cele amor vos gise eu cuer* le Graal ne verroiz (l. 2793-2796).

Chaque mot a son poids dans cette phrase lourde de tous les péchés dont se compose la tragédie arthurienne, du péché du Graal à celui de Guenièvre. L'aventure propre de Perlesvaus rencontre un écho constant dans celle de Lancelot, marquée du signe de la terre « gaste » *(Gaste Manoir, Gaste Chastel, Gaste Cité).* Dans la seconde partie, en revanche, la catastrophe arthurienne est comme relayée par la fabuleuse dérive de Perlesvaus, au cours de sa navigation enchantée. En ce sens, à la mort de la reine Guenièvre, la mort du Roi Ermite fournit un contrepoint (l. 8672-8676) et, comme les deux soleils apparus au ciel d'Orient et d'Occident, le roman brille de la double clarté du Graal, dans la première partie, et de la Coupe d'Or, dans la seconde (cf. l. 10005-10048). L'une est toute religieuse, l'autre, encore mythique, comme au souvenir des Pucelles des Puits et des Coupes d'Or de l'*Elucidation*.

L'or est d'ailleurs l'un des fils dont se forme la trame du récit : fil *blanc* du Graal, *rouge* de la Faide, *vert* de l'amour (le Chevalier au Vert Ecu), *noir* des diables hideux ou « gaste » du destin de Lancelot. Il rassemble plusieurs aventures qui font revivre autrement l'omniprésente Morgain : la tente aux mauvaises coutumes, avec ses pommeaux et ses aigles d'or (l. 1753-1916), la Reine au Cercle d'Or et le tournoi de trois jours au Pré de la Tente (l. 4521, 5678 et 6734-7010), la Demoiselle à la Coupe d'Or et l'assemblée de la Blanche Tour. La première concerne Gauvain, entré sur les terres du Graal ; la seconde, Perlesvaus, sur le point de conquérir le Graal, puis Gauvain en pèlerinage au Graal, suppléant Perlesvaus en l'occasion ; la dernière, Perlesvaus suppléant à son tour Gauvain, que la mort de Meliot a laissé égaré. Le Graal et le symbole d'or restent donc d'un bout à l'autre associés. Le premier, d'ailleurs, n'est-il pas un « veissel d'or » (cf. l. 1965, à la Fontaine ; l. 6003, pour la Bête Glatissante) ? Une demoiselle, d'autre part, est porteuse de la « riche coupe d'or », comme la Demoiselle du Char le fut du Graal et, si son aventure est liée à la mort de Meliot et au désespoir de Gauvain, il ne faut pas oublier qu'au château de l'Enquête le doyen des prêtres avait révélé à ce dernier la signifiance divine de l'Enfant au lion, Sauveur du monde. On sait enfin, d'après le *Conte du Graal,* comment la coupe d'or ravie par le Chevalier Vermeil à la cour d'Arthur entre en correspondance avec le cortège du Graal et de la Lance au sang vermeil à la cour du Roi Pêcheur ; ce qui, par un autre glissement, nous reconduit à l'enlèvement de la reine Guenièvre par l'orgueilleux Méléagant ! Aussi bien, dans la scène inaugurale de la Demoiselle du Char, Lucan le bouteiller « servi devant le roi de *la* coupe d'or » (l. 592), tandis que le soleil resplendit par la verrière dans la grande salle embaumée de fleurs (l. 594), en préfiguration sans doute de la clarté ultérieure des deux soleils à la gloire du Graal, et de l'odeur suave émanée du coffret ouvert où fut recueillie la tête du fils mort (l. 6334). L'auteur, on le voit, pare ainsi la coupe royale d'une auréole de légende d'autant plus troublante que confluent en elle, pour une autre dérive en l'Ile de Voirre, les traditions toujours plus divergentes de l'abondance originelle aux puits des Fées et de la plénitude au château du Graal. Car le Graal, au même titre que la Coupe des Fées, est la prospérité, mais qui a déserté le royaume de Logres au lieu d'être sur lui épandue. Quand l'Orgueilleux des Iles dispute au roi soudain impuissant sa coupe d'or, le sens est le même : l'ère des sortilèges et des meurtres s'est ouverte au royaume dévasté de Logres.

L'auteur de *Perlesvaus,* qui ne commet jamais le moindre faux pas dans le traitement du mythe, a donc raison de décrire la terre introuvable du Roi Pêcheur comme la plus riche au monde et son château comme « avironé de granz eues (eaux) et plenteüreuses de toz biens », quoique le maître ait perdu toute joie (l. 2267-2268), autre façon d'évoquer la plaie ouverte en la terre de Logres par le retrait du Graal. Mais, puisque aucun récit jamais ne comble la faille, ni même ne s'achève (*Perlesvaus* est, aux deux bouts, débordé), seule reste l'entrevision d'un Autre Monde que symbolise l'Ile dont Perlesvaus, au-delà du récit, sera roi, « molt plenteürose de toz biens, quar il n'est riens el monde qui i faille » (l. 9624-9625). Faut-il dès lors s'étonner si le Bon Chevalier « doit conquerre *et le Cercle d'Or et le Graal* » (l. 5733) ou si, à l'image de la Fontaine Eucharistique ou du Blanc Animal Crucifié, l'auteur pousse l'audace jusqu'à identifier le Cercle d'Or à la Couronne d'épines de la Passion, rehaussée d'or et de pierreries par une reine *faée,* et, de ce fait, au Dieu en Croix Perlesvaus lui-même, « li chevaliers au chief d'or » (l. 5899) ? Mais, si le Graal, à la faveur d'équivoques verbales dont R.S. Loomis eut la géniale intuition [25], s'est distrait de son origine magique, le Cercle ou la Coupe d'Or ne cèdent pas entièrement à l'attraction religieuse. Ils sont environnés de merveille, ou plutôt, s'il est vrai que le Graal n'en est pas lui-même exempt, ils restent l'apanage d'une Reine de Féerie, non d'un Roi Spirituel. Si ces objets sacrés participent l'un de l'autre, ils n'en demeurent pas moins distincts et les représentations qui s'y attachent respectivement diffèrent essentiellement. A côté de Bran, donc (et parfois à ses côtés), Morgain ! On opposerait aussi bien le pèlerinage d'Arthur au Graal, sans autres nouvelles pour les siens qui le réputent mort (cf. l. 7108) avant qu'il n'en revienne riche de Cloches et de Calices inouïs pour la terre de Logres (cf. l. 7865-7869), et la couronne d'or, doublée du blanc destrier de Guenièvre morte, offerts en prix d'un tournoi au Pré des Pailes (l. 7117-7174), qui répète celui du Pré de la Tente pour le Cercle d'Or d'une Reine mystérieuse (cf. l. 7086-7087), tandis que Madaglan venu d'Orient se prépare à dévaster le royaume de Logres.

Cette dualité interne au récit ne doit pas être confondue avec la concurrence des deux cousins, Perlesvaus et Lancelot, qui elle-même s'étage sur divers plans, selon qu'est rejouée dans la féerie de son décor une scène imaginaire, ou remontrée une énigme, bordée de son abîme réel, ou rencontrée la vérité du Nom symbolique. L'entrecroisement de ces points de vue crée la complexité de prime abord déconcertante d'un récit où il faudrait plutôt reconnaître l'apothéose de la structure ! Le partage entre Lancelot et Perlesvaus est aussi bien celui du Mythe et de la Révélation, car tous deux sont parents par le père, comme le leur révèle Pellés à l'issue d'un combat fratricide :

> A ! beaux niés, fet li hermites a Perlesvax, vez ci vostre cousin : li rois Ben de Benui fu cosins germains vostre pere (l. 3012-3014).

Le nom de Ban de Benoïc consonne, d'un côté, avec le château mystique de Corbenic dans la *Queste del Saint Graal* et, de l'autre, avec l'insistance du nom de Bran parmi les oncles paternels de Perlesvaus : Brun Brandalis, Brandalus de Gales et, surtout, « Alibans de la Gaste Cité » (l. 52). Ce dernier est de nouveau mentionné, tout à la fin, sous la variante d'Ali*bran,* à l'occasion du récit de la mort d'Alain le Gros à laquelle il est indissolublement lié : le père du héros mourut de la blessure que lui infligea le Géant Rouge auquel il fit payer le meurtre d'Alibran son frère (l. 9836-9839). Ainsi est attesté, dans le même texte et pour le même personnage, le doublet de Ban et de Bran. Qui plus est, la « Gaste Cité » dont se dénomme le douzième frère désigne précisément l'aventure à laquelle Lancelot est convié et qui s'accomplit en deux temps, de part et d'autre de la conquête du Graal par le Bon Chevalier, comme Nitze l'avait très bien vu (l. 2856-2893 et l. 6615-6733, cf. Nitze, II, p. 167). Quel incrédule se refuserait encore à l'évidence que Bran de la Gaste Cité est bien le nom du père de Perceval, jamais, pour cette raison même, reconnu comme tel, et que, si Lancelot a lui aussi pour père Bran le Béni, les deux héros n'en furent donc qu'un seul, mais dédoublé ? La littérature arthurienne s'est tout entière avérée dans *Perlesvaus,* point focal des *semblances* merveilleuses et des *muances* miraculeuses. Les aventures dont Lancelot et Perlesvaus présentent ainsi, également masqués, l'envers et l'endroit[26] oscillent elles-mêmes, quelle que soit leur nature, entre les deux pôles qui mutuellement s'impliquent, de la Coupe d'Or et du Graal, de la Table Ronde et de la Terre de « L'Ogre », de la Fée Amante et du Roi Malade. En voici, au fil du récit, les figures connexes, répétées à satiété sous des formes sans fin renouvelées :

1.	Les Infortunées de Camaalot (plus tard l'Atre Périlleux, puis la Fosse aux serpents)	/	Marin de Gomoret (« Bran »).
2.	Les coutumes des Tentes	/	Le roi Gurgaran
3.	L'Orgueilleuse, le château des Barbes (plus tard, le charnier du Manoir)	/	La mort du *Gaste Manoir* ; le roi de la *Gaste Cité*
4.	La Reine des Tentes (et l'histoire de Clamador)	/	La Cité en Flammes
5.	La Reine des Pucelles (le château des Galies)	/	Le Chaland mystérieux
6.	La Reine du Cercle d'Or	/	La conquête du Graal
2'.	Les Tournois aux Prés des Tentes	/	Le pèlerinage au Graal
3'.	L'Orgueilleuse (le Cimetière Périlleux) ; le château des Griffons	/	Le Chevalier Malade (Meliot !) au Chastel Périlleux
5'.	La Demoiselle du Château Enragé ; la Reine Gandrée (le chevalier de la Galie)	/	L'Ile aux quatre cornes ; la navigation enchantée.
4'.	Le château de la Baleine et l'histoire de Calobrus	/	Le Roi Malade
6'.	La Demoiselle à la Coupe d'Or	/	La guérison du Chevalier Lépreux (frère du précédent)
1'.	Le Matricide, le Feu de la Fin du Monde	/	Les douze Tombes paternelles (« Bran »)

Cette disposition sommaire et encore partielle montre néamoins le balancement inhérent au récit, qui juxtapose et parfois relie une aventure marquée en bien ou en mal par un personnage féminin (Demoiselles orgueilleuses ou Reines amoureuses, Hôtesses provocantes ou familles souffrantes, entourées de Monstres ou de Persécuteurs, entre Marais et Forêts profondes, Châteaux des Iles et larges prairies) et une attraction heureuse ou douloureuse vers un lieu où implore en retrait, défaille, voire accuse Celui dont la royauté doit être restaurée pour être un jour transmise. A ce dernier sont spécialement attachées d'insistantes messagères, fortes d'un mystérieux savoir, mais toujours affligées, telles la Demoiselle du Char, avec son bras inerte pour avoir servi du Graal, et sa compagne à pied, à l'image de l'amie maltraitée de l'Orgueilleux de la Lande, ou Dandrane déshéritée que Gauvain retrouve aux côtés du Roi Pêcheur (l. 2388) et les Pauvres demoiselles, sœurs du Seigneur du Pauvre Chastel et de la Gaste Cité (l. 2571 ; 6711-6717), auxquelles pourvoit Lancelot ; telles encore la pucelle prophétique qui fut humiliée par Keu et qui revient avec la tête de Lohout (l. 6368-6369) et, derechef, l'une des trois Demoiselles du Char que le terrible Aristor (la « Barbe Bleue ») a blessée de sa lance au bras droit (l. 7258*sq.*) ; ou enfin la Demoiselle du Prologue, à la tête pendue à l'arçon de sa selle, sous le fouet cruel d'un parent du « Roux de la Profonde Forêt » (l. 8992*sq.*), la fille du Roi Malade, qui procure la Clef à Perlesvaus (l. 9748*sq.*), l'épouse admirable de patience sous les avanies du Chevalier Lépreux (l. 9872*sq.*) et la cadette des Demoiselles de la Tente, au service de Meliot, le Chevalier Malade du Chastel Périlleux, ensanglantée par l'épée du féroce Brundan (l. 10055*sq.*). Leur corps est, à toutes, sillonné de l'infinie douleur de vivre dans la trop grande proximité de l'absolue Royauté. Telle est la vérité de l'Eglise Souffrante dont certains ont cru découvrir l'allégorie en la pure Dandrane.

Le roman de *Perlesvaus,* tout ensemble morcelé jusqu'à l'égarement et soulevé de Dieu jusqu'à l'adoration, travaillé par un jeu secret de déplacements et de condensations (« linking », « conflation », disait Nitze), n'est pas l'ombre seulement portée d'une Autre Scène : il en est la « Présence Réelle », incendie charnel ou transverbération du corps, Feu du Matricide ou isolation de l'Habitacle de Verre ! Comment éteindre l'un ou briser l'autre, faire jaillir la question ou forcer la réponse ? Tel est, peut-être, le sens des représentations finales sur lesquelles énigmatiquement nous laisse le livre : le Château en Flammes promis pour la Fin du Monde, où Joseus le fils de Pellés « ocist sa mere » (l. 9821), et le « Tonel de Voirre » (l. 9571) où un chevalier en armes ignore l'Elu qui lui adresse avec insistance la parole mais ne saura rien avant que les Temps n'en soient venus. Fidèle en cela à la tradition que la mort de Chrétien peut-être fit naître du *Conte du Graal,* l'auteur de *Perlesvaus,* après s'être employé avec succès à effacer la *question* du Graal, rouvre, en fin de roman, une énigme dont il ne veut rien dire, tandis qu'il s'arrête dans l'histoire d'Arthur et de Lancelot en plein cours des démêlés avec Claudas et Brien (l. 9536). Ce savoir refusé et ce suspens maintenu renouvellent ainsi le secret où échouait Perceval et l'interruption survenue en pleine aventure de Gauvain. Pénétrer plus avant le mystère nous conduirait peut-être aux mêmes impasses qui appellent chez le critique les tentations herméneutiques et allégoriques, mais savoir de quoi il retourne est exigible, à condition de reconstruire patiemment les figures du destin propres aux deux héros, Lancelot et Perlesvaus : reviviscences imaginaires, effrois ou extases symptomatiques, inachèvements symboliques, le tout en deux temps, mythique et historique pour l'un, religieux et mystique pour l'autre.

Un temps fort de l'errance de Lancelot est apparemment marqué à son arrivée à la *Gaste Cité* (l. 2856-2923). L'aventure équilibre la venue de Gauvain au pays du roi Gurgaran que dévastait un géant, pour la conquête de l'*Epée* qui décolla Jean-Baptiste ; elle se poursuit plus loin (l. 5766-5787), parallèlement à celle qui met aux prises Perlesvaus avec le Chevalier au Dragon et ses ravages dans l'Ile paradisiaque des Eléphants, pour le prix de la *Couronne d'Or* (*alias* d'Epines !) au château de la Reine ; elle s'achève (l. 6634-6733) entre la conquête du Graal enfin reparu et le pèlerinage d'Arthur qui est à l'origine des Calices et des Cloches au royaume de Logres. Elle entre ainsi dans un vaste complexe d'histoires englobant les deux seuls chevaliers élus au Graal, mais se combine en outre confusément à trois autres moments du récit de Lancelot, qu'il faut donc distinguer et traiter séparément, sous peine de crier à l'incohérence générale : elle est, d'une part, progressivement mise en étroit rapport avec le Pauvre Chevalier du Pauvre Chastel (*alias Gaste Chastel*) et ses sœurs, les deux pauvres demoiselles, qui apparaissent aux lignes 2528-2617, jusqu'à ce que le héros apprenne que le seigneur du Gaste Chastel est celui même de la Gaste Cité, tombée en déshérence (l. 6715) ; elle est, d'autre part, intriquée avec la sombre histoire de la cruentation du cadavre au *Gaste Manoir*, où Lancelot est accusé de meurtre et promis à la vengeance de Meliant de Lis, le fils du mort (cf. l. 1527-1558). Mais, pour le voir, il faut un nouveau détour, par la Fée Amante, cette fois ! Souhaitons au lecteur de suivre ici la piste la plus embrouillée de tout le roman : parvenu au Pauvre Chastel, Gauvain apprend en effet que Lancelot est assailli par quatre chevaliers qui l'ont pris pour lui et entendent venger la mort des deux amis des Demoiselles des Tentes (l. 2544-2545). Or la Fée Amante, la Demoiselle au Nain acharnée à perdre Lancelot auquel elle assignera, bien plus tard, à la cour d'Arthur, de périlleuses missions par le moyen du carreau d'arbalète fiché dans la colonne, Morgain, donc, pour la nommer, déclare au héros rencontré peu avant au cimetière qu'elle était parente des quatre chevaliers en question, un oncle et trois cousins germains (l. 3841-3844). Elle lui fait, de surcroît, grief d'un autre outrage : la mort du chevalier de la Gaste Maison (ou Manoir), où le brachet entraîna Gauvain (l. 3848-3850). Celui-ci avait été en effet conduit par méprise en cet endroit, où, cette fois, c'était Lancelot qu'on attendait (l. 1549-1558) ! Pour résumer : d'un côté, Lancelot est pris pour Gauvain, à cause de l'aventure des Tentes, de l'autre, Gauvain l'avait été pour Lancelot, à cause de celle du Gaste Manoir. Outre cet échange, une double correspondance s'établit entre les deux situations : au Gaste Manoir, Gauvain se heurte à un mort, gisant « feruz permi le cors » et dont les plaies crient vengeance (l. 1542), et au Pauvre Chastel, il voit mourir un chevalier soudain entré (Gladoain au Vert Ecu, seigneur de la Roche), « enferrez d'un tronçon de lance parmi le cors » (l. 2539-2540) ; d'autre part, l'ombre de Morgue la fée s'étend sur les deux aventures, puisqu'elle se fait elle-même l'écho de leur rapprochement, qu'au cimetière où elle enterrait un mort s'était produite la cruentation attendue au Gaste Manoir (l. 2817), qu'elle est enfin, allusivement, derrière l'affaire des Demoiselles séductrices des Tentes. Or, celles-ci réapparaissent à l'occasion du Tournoi des Trois Jours pour la reconquête du Cercle d'Or qui était dû à Perlesvaus, mais dont Nabigant de la Roche s'était ensuite emparé (l. 6736 *sq.*) ; l'aînée des demoiselles, une nouvelle fois dépitée par la chasteté de Gauvain, révèle que la Reine du Cercle d'Or est sa dame (l. 6993). Sur ce, Gauvain et Arthur se retrouvent au Gaste Manoir où ils sont retenus jusqu'à ce que Lancelot, de retour de la Gaste Cité, vienne avec Meliot les délivrer (l. 7011-7055). Celui qui est reçu aux *Tentes* ne manque pas de rencontrer le *Gaste Manoir*, mais l'affaire retentit sur la *Gaste Cité* dont le héros a à voir avec la Fée Amante, *alias* la Reine des Tentes ! Ce recroisement permet en effet de conclure que la Demoiselle au Nain du cimetière est à Lancelot ce que la Reine au Cercle d'Or est à Perlesvaus, soit, dans tous les cas, Morgain, la Fée Amante. Ce n'est pas tout : l'aînée des Tentes, toujours, adresse plus loin à Gauvain la Coupe d'Or qu'une demoiselle portera au Tournoi de la Blanche Tour, comme une autre l'avait fait du Cercle d'Or, au Pré de la Tente, pour le compte de la Reine (cf. l. 10005 *sq.*). Ici se dessine une ligne de partage entre l'aînée et la cadette des Tentes, à l'image sans doute de la Noire Epine dans *Yvain* et conformément aux deux séries féminines plus haut relevées, puisque l'une, par l'envoi de la Coupe d'Or, poursuit le scénario de la Reine au Cercle d'Or, quand la seconde, livrée aux sévices de Brundan, a partie liée avec le Château Périlleux du Chevalier Malade (Meliot) que le même Brundan vient de tuer (l. 10067 *sq.*) ! Une fois de plus, c'est ou l'« Or » ou le « Gaste » et l'un et l'autre aussi bien. Mais il ne faut pas encore s'arrêter là, car de nouveaux accords unissent maintenant l'énigmatique Demoiselle au Nain et la reine Guenièvre : le visage de Morgain, en d'autres termes, transparaît au travers de la Reine à la Table Ronde comme de la Reine au Cercle d'Or. Les deux tournois, d'abord, du Pré de la Tente et du Pré des Pailes sont contigus, ayant pour enjeu également une couronne ; ils présentent chacun des traits caractéristiques de la tradition associée à Morgain. Résumons-les pour ce qui concerne Gauvain : être entrepris d'amour par la demoiselle d'une tente merveilleuse, et être contraint de lui céder en vertu d'un engagement pris (ce qui croise la Fée de *Lanval* ou du Pavillon dans le *Conte du Graal* et la Demoiselle Entreprenante de la *Charrette*) ; recevoir de l'hôtesse amoureuse pour un tournoi des armes aux couleurs trois fois changées, mais par excellence vermeilles, et consentir au pis, au second des trois jours (Tournoi de *Noauz* dans la *Charrette*). Un trait essentiel manque : le don du merveilleux coursier, mais c'est pour apparaître à l'occasion du tournoi à la mémoire de Guenièvre :

> car un chevalier i estoit venuz qui a mené un *blanc destrier* e a porté une mout riche coronne d'or (l. 7120-7121).

Sans doute l'auteur adapte-t-il ces motifs à son dessein propre : Gauvain l'emporte, armé d'or, au Pré de la Tente, Arthur s'étant volontairement effacé, mais le roi est vainqueur, armé de rouge, pour la couronne de Guenièvre, comme s'il eût été indécent que Lancelot triomphât. C'est à ce dernier pourtant qu'il échoit d'interrompre son pèlerinage au Graal pour retourner à Carduel « desfendre la terre a la meilor fame » qui fut (l. 7144) ; ce sont les larmes qu'il ne peut retenir, pour la seule fois de sa vie (à une autre exception près), que met en valeur la narration à cet instant (l. 7156-7162). Au reste, il a combattu armé de vert, couleur qui symbolise l'amour : il le fit, nous dit-on (l. 7130), en souvenir de l'ami qui mourut à son secours dans la forêt près du Pauvre Chastel (cf. l. 2587). Mais Gladoain de la Roche, le Chevalier au Vert Ecu, héros sans pareil des « Iles des Morés »[27], se distinguait précisément au regard de la *fine amour,* puisqu'il n'y a « damoisele, qui tant ait biauté ne valor comme cele de qui il est amé par amors, et plus le desire a vooir que nule riens qui vive » (l. 2639-2641).

Ce langage prouve que l'auteur n'ignore rien de la courtoisie amoureuse. Qui d'autre que lui d'ailleurs, malgré son intention pieuse, a mieux su confronter, au seuil du Graal, les idéaux du *fin amant* et ceux du saint ermite et trouver les accents qui convenaient pour magnifier la « valor » comme pour stigmatiser la « luxore » (l. 3647 - 3695) ? L'ami si cher au souvenir de Lancelot lui réfléchit sa propre éthique amoureuse, que les mêmes mots expriment un peu plus loin :

> Car il ne pensoit onques tant a nule rien conme a li*, ne n'en pooit son cuer oster... et prie Deu qu'il li lest* tempre* voer la roïne, car c'est ses graindres* desiriers (l. 3752 - 3759).

Ce passage où Reine et Graal sont déclarés incompatibles et où Lancelot, sublime, choisit quand même l'amour, est aussitôt suivi par une aventure bizarre, qui touche de près, cette fois, la Demoiselle au Nain (l. 3759 - 3872) : l'épisode est à l'évidence inspiré par celui de l'amie infortunée de l'Orgueilleux de la Lande dans le *Conte du Graal,* mais aussi de la chevauchée d'Erec et d'Enide (la demoiselle étant vêtue de ses plus beaux atours). Rien de plus naturel qu'un chevalier volant au secours d'une pucelle éplorée, mais faire de Lancelot un héros du mariage, qui contraint l'infidèle à tenir parole et à perdre, par là même, sa belle maîtresse (Morgain toujours), est par trop ironique pour n'être pas délibéré. La propre faute de Lancelot est ainsi redressée au travers d'autres dont l'histoire est simplement proposée en miroir de la sienne. La preuve en est d'ailleurs l'amère réflexion de la Demoiselle au Nain à cette nouvelle qui la prive de son amant :

> *Vos m'avez toloit* la riens el mont* que je plus amoie* ; et sachiez le bien tot de voir qu'ele n'avra ja joie de lui (l. 3837 - 3839).

Le Chevalier au Vert Ecu n'est donc pas seul à renvoyer au *fin amant* son image, mais encore, dans l'ironie cette fois, non plus dans l'amitié, Morgain la volage qui s'accommode assez bien, pour finir, de la perte de son amant (cf. « mes il m'est plus lointainz assez que il ne fust avant », l. 8488 - 8489). Mais la qualité d'amoureuse a suffi à situer d'un trait la véritable identité de la Demoiselle au Nain, dont aucun nom n'est jamais donné, et à mettre en regard, pour jeter un trouble plus grand encore, la Fée et la Dame, Morgue et Guenièvre, qui s'avèrent dans leur opposition même indissociables, comme si elles étaient raison l'une de l'autre. Quand reparaît, une dernière fois, en pleine cour d'Arthur, la Demoiselle à la Mule (au Nain), « de molt tres grant biauté » (l. 8168), elle conjure sciemment Lancelot « *par la riens eu mont que vos plus amez* » (l. 8204 - 8205), selon les termes consacrés dont elle fit naguère pour elle-même usage. Ainsi le secret d'amour de Lancelot et de la reine Guenièvre ne cesse de se représenter fantasmatiquement au cœur de la forêt aventureuse par le truchement de Morgue la Fée, de *Gaste Manoir* en *Gaste Chastel,* puis en *Gaste Cité,* avant de se réaliser, une fois la Reine morte, dans la dévastation et la trahison de la Terre de Logres. Mais le génie de l'écrivain fut d'avoir posé Guenièvre en rivale littéraire du Graal, quand le prédicateur n'aurait vu en elle qu'un obstacle moral à une plus pure vision. Ou la Reine, ou le Graal : il aurait pu en résulter une partition en noir et blanc, non en rouge et or, par quoi la Reine se pare de semblances éclatantes et le Graal se colore de sanglantes muances.

> Se vos fussiez *en si grant desierier* longuement *de voer* le Graal conme vos estes de la roïne,* vos l'eüssiez veü,

déclare sans ambages au héros de retour le Roi Ermite qui relaie, dans le récit, Morgain à peine partie. A quoi Lancelot rétorque sans faiblir :

Sire, fet Lanceloz, *la roïne desir je molt a voer* por apenre sens et cortoisie et valor. Ausi doivent fere tuit* li chevalier, car ele a totes les enors en soi que dame puist avoir*.

Pellés s'en remet alors simplement à Dieu du soin de juger (l. 3862-3868). Il existe donc deux désirs aussi puissants qui s'équilibrent et ne sauraient pourtant coexister, également porteurs d'une joie sans pareille, exerçant au sein du récit une aussi forte attraction, comme une double vérité qui garde sa chance au mythe et met la religion en résonance plus profonde. Lancelot se sépare d'Arthur et de Gauvain au cours de leur pèlerinage au Graal, pour rejoindre au terme convenu la *Gaste Cité* (l. 6638). Or, dans cet épisode crucial qui fait pendant à l'accomplissement du Graal, une seule pensée le hante : celle de la Reine,

Car ele li gist plus ou cuer* que nule autre chose (l. 6649) ;

et, à l'heure de mourir, cette simple phrase :

Il li membre* de la roïne (l. 6687),

amplifiée par une prière intérieure ; puis les larmes, les premières de sa vie (l. 6694), secrètement rédemptrices. Précédemment, son hébergement au Graal avait été comme éclipsé par l'obsédante emprise de la Reine sur son cœur (l. 3753), dont il n'avait cessé d'être question d'un ermitage à l'autre, si bien que, le matin suivant, aussitôt pris congé du Roi Pêcheur, le *fin amant*

prie Deu qu'il li lest tempre voer la roïne, car c'est ses graindres desiriers (l. 3758-3759).

Voir la Reine promet ainsi une extase comparable à l'apparition du Graal, quoique l'auteur ait laissé dans l'ombre la Joie de la *Charrette*. Si, d'autre part, l'épisode du Pré des Pailes a bien pour fonction d'écarter Lancelot de la révélation désirée par les pèlerins, sa conclusion rétablit une égale dignité des plans, au point que le héros paraît moins rejeté du royaume du Graal que promu à la sauvegarde du royaume de Logres. Les intéressés apprennent, en effet,

que la terre est en grant dolor chaüe* (l. 7156),

du fait de la mort de Guenièvre et de l'agression de Brien des Iles. Les mêmes termes avaient servi à décrire le désastre issu de l'échec premier de Perceval :

une granz doleurs est avenue (en terre, *ms. Br.*) novelement (l. 350),

d'où résultent les violences et les guerres. Il faut dès lors admettre que Logres attend de Lancelot son salut comme le Graal l'a fait de Perlesvaus. Non seulement, enfin, la Joie de la Reine vaut celle du Graal, et la défense de Logres, celle de la terre du Roi Pêcheur, mais il existe encore pour recueillir le corps de Guenièvre un lieu aussi prestigieux que la terre plantureuse, à savoir l'Ile d'Avalon (l. 7586). Au « Saintisme Chastel » sont réunies à la fin toutes les tombes, de Nicodème comme de Joseph, près de celle du Roi Pêcheur (l. 10120-10125), avant que la nef mystique n'emporte leurs corps dans l'Ile Bienheureuse (l. 10152-10156), mais c'est en l'Ile d'Avalon, à l'extrémité des Marais Aventureux, que gisent Arthur et la Reine (l. 10190). Si les chemins se sont souvent croisés, ils n'en sont pas moins distincts. L'arrivée de Lancelot dans la chapelle mortuaire de la Reine (l. 7575-7632) doit être d'ailleurs mise en regard de l'aventure initiale à la Chapelle de Saint-Augustin, tous moments bloqués : le cimetière, la veillée funèbre, les cercueils couverts d'une riche soie, les quatre magnifiques chandeliers, l'image de Notre Dame, l'adoration mystique, le retour à Carduel afin d'en rétablir l'honneur. Le miracle de saint Grégoire célébrait l'offrande de l'Enfant resplendissant près de sa mère sur le trône d'or (la « chaiere ») ; la nuit de Lancelot se nourrit de la seule présence de la morte à côté de la tête de son fils assassiné. L'irréductibilité des représentations se couvre de leur confusion ; les ermites abusés admirent la dévotion mariale du fidèle de la Reine (cf. l. 7605, 7618) !

Mais à quelle vérité est donc convié le héros que poursuit la haine de Morgain et qui vit par l'amour de Guenièvre ? Que signifie la présence de la Fée Amante aux parages de la Terre Gaste ? Comment débrouiller l'écheveau des différents lieux gastes et des figures amoureuses diverses ? Retenons du précédent parcours qu'entre le *Gaste Manoir* du mort et le *Gaste Chastel* du Pauvre Chevalier le spectacle d'un gisant enferré et l'ombre de Morgain établissent un lien, thématique et d'intrigue, tandis qu'à la *Gaste Cité* le condamné fait, une dernière fois, revivre la pensée de Guenièvre et n'échappe à la mort que grâce aux sœurs du Pauvre Chevalier, maître de cette terre.

L'épisode de la Gaste Cité propose un scénario fantastique, dont l'expression achevée se trouve dans le poème anglais *Sir Gawain and the Green Knight*. Là, un ogre, un géant (« half etayn », v. 140), contraint le héros à l'épreuve d'une décollation réciproque, à intervalle d'un an. Parti en quête de la Verte Chapelle, sise en un décor sauvage, pour y rencontrer son destin :

as God wil me suffer
To dele on Newe Yeres day *the dome of my wyrdes** (v. 1967-1968),

Gawain est d'abord accueilli au Manoir d'un chasseur de grande taille, barbe rousse et visage de feu (métamorphose du précédent), dont l'épouse merveilleusement belle entreprend de le séduire, en l'absence de l'hôte. Pour avoir refusé ses avances amoureuses, Gawain est plus tard épargné par la hache de l'homme vêtu de vert qu'il retrouve à la Chapelle et qui avait tout concerté. Mais il en garde une estafilade au cou pour avoir cédé sur un point à la dame, en acceptant en secret, pour se protéger, le gage de sa ceinture verte. Identiques sont ces lacs d'amour et cette cicatrice, emblèmes de sa honte. Mais Bertilak de Hautdesert (v. 2445) a, de son propre aveu, agi pour le compte de Morgue la Fée qui vit dans son château et que redouble sans doute la jeune épouse (aux côtés de la vieille), parce qu'elle désirait éprouver si la Table Ronde méritait son renom. Le sens est clair si on ajoute, d'après les v. 2464-2466, que Morgue, comme la mère de Gauvain (identiques, en fait), était fille de la duchesse de Tintagel, de laquelle naquit Arthur, coupablement engendré par Uther Pandragon : l'Hôte terrible est Celui qui interdit la Mère et que le héros a tué pour recevoir, en contrecoup, la marque symbolique de la castration, secrète trace de honte au cœur de tout amour.

This is the bende of this blame I bere in my neck* (v. 2506), s'écrie Gauvain, en brandissant le gage d'amour, le « luf-lace » (lovelace) de couleur verte ! On comprend maintenant combien est décisive la mention de Guenièvre, à l'heure de la décapitation du héros dans *Perlesvaus,* et quelle est la portée de la méprise des Tentes, quand Lancelot paie, à la place de Gauvain, la mort des parents de Morgain ! L'épisode des Tentes est, en effet, caractéristique de l'aventure de la Fée Amante. Qu'elle soit réservée à Gauvain n'est pas non plus un hasard. En voici les traits significatifs : la merveille de la tente, la richesse du festin préparé, l'intervention du nain, les avances féminines et le chantage à la virilité, l'allusion à la « recreance », l'impeccable réserve du héros, le retour des maîtres, redoutables créanciers :

> Sire, font-il, aquitez vostre herberjage*. Nos nos mesaesasmes* ersoir por vos e vos lessasmes la tente e quanqu'*il i avoit a abandon, e vos en volez aler en tel maniere ? (l. 1841 - 1844),

leur mise à mort nécessaire et même la bizarrerie du « talon d'Achille » (cf. l. 1904) qui vaut bien la cicatrice au cou dans *The Green Knight.* Ni la *Charrette* ni le *Conte du Graal* n'ignorent le motif, qu'il s'agisse des haches des sergents de la Demoiselle Entreprenante ou du pavillon près de la source et du retour de chasse de l'Orgueilleux de la Lande. Par un de ces enchaînements qui paraissent fortuits mais dont des récits concurrents détiennent le secret, Arthur, en route vers le Graal, est hébergé, juste avant de découvrir à Tintagel l'histoire cachée de sa naissance, au manoir d'un chasseur qui revient de la forêt (l. 6527 - 6569). Ce chevalier est précisément l'ami dont Lancelot priva Morgain, et la forêt où il réside est le domaine de la Fée Amante. Dès lors, l'humiliant traitement qu'il inflige à sa femme rappelle le sort réservé à Enide par Erec dont la jalousie de l'Orgueilleux de la Lande suggère par ailleurs la motivation première, s'il est vrai qu'au travers de ces contes transparaît, comme le montrait Loomis, celui de l'infidèle Morgain.

Au premier tour de la structure, la donne se répartit entre les quatre places suivantes : un sujet menacé de la hache, pour avoir tué l'Hôte qui lui demandait compte du plaisir pris au côté de la Fée (soit, d'après *The Green Knight :* l'insu de la quête ; la loi de l'Hôte ; le « lovelace » de la Fée ; le « blâme » au cou). Mais la suite brouille les cartes, au plus fort de l'effroi et du rejet. La mise à mort rituelle du Chevalier de la Gaste Cité relevait de la magie et semblait irréelle : quand Lancelot se retourne, le corps et la tête du mort ont disparu comme par enchantement (cf. l. 2918 - 2919). L'impression reste cependant vivace, au long du récit,

> dou chevalier que il avoit ocis en la Gaste Cité, o il devoit r'aler (l. 6634),

et s'attache au héros comme son ombre. De plus, à son départ de la ville, s'élevait un grand deuil, dans un cri unanime, pour la mort du Bon Chevalier. Or, dans la *Première Continuation,* autour du corps en bière de la salle du Graal montait pareillement l'immense déploration (ms. TVD, v. 13241). La première mention, enfin, de l'aventure de Lancelot dans *Perlesvaus* est celle du Gaste Manoir, où conduit le « brachet glatissant », au cœur d'un marais. Gauvain voit, en pleine salle,

> gesir un chevalier qui estoit feruz permi le cors e gisoit ilec* morz (l. 1541 - 1542).

et les plaies du cadavre sont prêtes à se rouvrir, à l'approche du meurtrier: « Lanceloz du lac l'ocist en cele forest », explique la sœur du mort (l. 1552), qui généralise sa malédiction à toute la cour d'Arthur. Elle prédit seulement la vengeance que le fils du mort tirera un jour. Plus tard, quand le roi et Gauvain tombent par hasard sur le même manoir, d'où Meliot et Lancelot les sortiront, la dame interpelle ce dernier, tout en désignant « un vaslet... qui mout estoit de grant beauté » (l. 7052):

> Lanceloz, fait ele, *vos ocesistes le pere cestui*,* mais se Deu plais, o il ou autre* en prendra venjance (l. 7053-7054).

Or que fait Lancelot ? Il « se tait quant il oï la dame parler » (l. 7055). Pourquoi ce silence devant l'imputation de meurtre ? L'introduction de Meliant du Gaste Manoir fait ainsi résonner la phrase comme « le meurtre d'un père ». Le procédé est fréquent dans le roman arthurien, comme si on attendait d'un effet de ponctuation la révélation décisive : Lancelot a tué le père... d'un autre ! De qui, au reste ? D'un enfant remarquable de beauté, trait qui désigne toujours les lignages élus. Qui plus est, on l'apprend plus tard, Meliant appartient lui aussi à la série fabuleuse des « fils de la sœur » (l. 8024). Celui qui le révèle par un message en pleine cour d'Arthur, requérant le roi de faire droit à l'accusation de « meurtre et de trahison » lancée à l'encontre du héros, est l'oncle maternel de Meliant, le roi Claudas. Suivons ce nouveau fil : dans la *Seconde Continuation,* le même roi mène la guerre contre la terre d'Arthur. Il s'appelle

> Li rois Claudas
> Qui sires est de la deserte (v. 31306-31307).

Mais Bertilak, le Chevalier Vert à la barbe rousse, règne aussi sur « Hautdesert ». Le rapprochement est d'autant plus troublant que, dans *Yvain,* le gardien de la Fontaine, réclamant contre l'intrus qui a gâté sa terre, a pour nom (Es)*clados* le Roux. Les figures se relaient ainsi les unes les autres. Pour couronner le tout, Arthur réplique au plaignant qu'il sait bien

> que li rois Claudas tient maint chastel qui Lancelot* deüssent estre, *de quoi il deserita son pere* (l. 8028-8029).

En bout de course, donc, le père de Lancelot, Ban de Benoïc, qui est mort (cf. l. 9709), et la tragédie familiale initiale. Le personnage sinistre de Claudas renvoie ainsi au malheur originel qui frappa la terre paternelle et l'héritage de Lancelot ; mais il semble bien n'être, par là, que la projection d'une culpabilité inavouable. Quel autre sens, en effet, donner au désastre où fut plongée la demeure du père, quand on sait par le *Lancelot en prose,* mais déjà par *Lanzelet,* qu'il en résulta pour l'enfant le ravissement au royaume de la Fée du Lac ou de la Reine de Meydelant (*alias* Morgain) ? L'enfance de Meliant resurgit sous les yeux du chevalier errant comme le reproche vivant d'un crime dont il n'y aura jamais aucun savoir. Meliant est à Lancelot tel un double maudit dont la rencontre implique la mort de l'un ou de l'autre. Lancelot, au service d'Arthur, tue Meliant ; la scène est décrite avec précision, car chaque détail a son prix : le héros lui brise sa lance dans le corps,

> *e le tronçon li demeure eu cors**. Melianz recort* sus a Lancelot *toz enferrez,* e li passe *son glaive** parmi l'escu *e tres parmi le braz,* si q'il li a cosu au costé (l. 7882-7884).

Lancelot, blessé, tranche avec fureur l'épaule de l'autre,

> si que li tronçon chiet*, de quoi il estoit enferrez. Melianz se senti a morz navrez (l. 7889-7891).

Ainsi se réitère par la mort de Meliant le spectacle du corps enferré d'un tronçon de lance, qui hante le récit depuis le Gaste Manoir et dont l'histoire fait la trame de l'aventure du roi Brangemor, fils d'une fée et de Guingamor, dans la *Première Continuation* : là, le cadavre royal, tiré dans un chaland par un cygne, est exposé dans la grande salle arthurienne avec « le trous (tronçon) qu'il a parmi le cors » (ms. TVD, v. 14235), et attend que Guerrehés s'en empare pour être vengé et rendu à la paix du tombeau. Mais aussi bien, dans la partie précédente, Gauvain, au château du Graal, a été mis en présence d'un corps en bière, près duquel est placée l'Epée brisée du Coup Douloureux qui détruisit le royaume de Logres (v. 13506-13508) et il s'endort au moment où allait lui être révélé

> Qui cil est qui perdi la vie
> Ne qui cil fu qui le feri ;
> Ainc nus* tel merveille n'oï (v. 13510-13512).

Le brutal coup d'épée qui tranche l'épaule du buste de Meliant et fait choir le fatal tronçon signifie-t-il une coupure suffisante pour que Lancelot soit délivré de cette obsession ? Le fer n'a jamais remplacé la parole et Claudas revient pour accuser encore. Mais les échos de la scène sont multiples : le retrait de Meliant, mortellement atteint, rappelle maintenant la mort du Chevalier au Vert Ecu, Gladoain l'amoureux, surgi dans la salle du Gaste Chastel, enferré d'un tronçon de lance parmi le corps (l. 2539). Le rapprochement s'impose d'autant plus que celui-ci était le Seigneur de la Roche, dont le fief a été usurpé par un cruel chevalier, à son tour appelé « li Sires de la Roche » et décapité par Lancelot (l. 2687-2696), et que Meliant a trouvé appui auprès de Brien des Iles, sire de Dure Roche (l. 7639), Meliant, répétons-le, dont l'auteur ne manque pas de rappeler que

> cil n'ot *mie oblié la mort de son pere,* einz* l'en estoit l'ire *enrachinee el cuer* (l. 7342-7343).

L'épée de Lancelot a pu trancher le bras, non extirper la racine du mal ! Mais, si Meliant est le double hostile, Gladoain est l'ami bien-aimé. Si le premier est le chiffre secret d'un crime monstrueux, le second désigne au héros la place même où l'attend sa propre mort, c'est-à-dire où il doit, comme le dit Gawain dans *The Green Knight,* rencontrer son destin : aux deux coups de hache qui, l'un, décapite le géant, l'autre, érafle le cou du chevalier, correspondent le gisant du Gaste Manoir, frappé en plein corps, et le mourant enferré, apparu au Gaste Chastel. Si le premier d'ailleurs, par le biais du retour de Claudas, ravive en Lancelot le souvenir du père spolié et du patrimoine usurpé, qui fait du plus prestigieux chevalier de la Table Ronde un déshérité, le second, en revanche, était, semble-t-il, engagé aux côtés du héros dans la défense de sa terre, comme le révèle celui-ci au frère du mort :

> Par Dieu, sire, fait Lanceloz, je le vos di molt dolanz, car *je n'amai onques nul chevalier tant* en si poi de conpaignie, car il m'aida a garantir de la mort... *il m'aida ma terre a sauver,* et je vos aiderai vostre terre a garantir a toz jorz mes (l. 2651-2658).

Lancelot affirme donc son profond attachement affectif à l'ami[28] qui lui réfléchit sa propre qualité de *fin amant* et le remet en possession de l'héritage perdu. Sa mortelle blessure ne serait que la réversion sur le corps de Lancelot du geste attentatoire perpétré sur le chevalier du Gaste Manoir. Une dernière correspondance le confirme: après que Cahus eut trouvé dans la chapelle mortuaire le gisant aux quatre candélabres d'or, le Chevalier Noir transperçait du fer de sa lance ardente le bras du roi Arthur à travers son écu:

> e li conduist le fer tres parmi le braz (l. 391).

De même pour Lancelot: Meliant

> li passe son glaive parmi l'escu e tres parmi le braz (l. 7883).

Poursuivons: Gladoain, à l'Ecu Vert comme le vert coupable du gage d'amour de Gauvain dans *The Green Knight,* est aimé d'amour par la plus belle demoiselle des Iles des Morés, comme Morgain aime plus que tout au monde le chevalier dont la sépare Lancelot. Un double miroir est ainsi tendu au *fin amant* de la reine Guenièvre. Mais, si le nom de Meliant est bien, d'après Loomis, un doublet de celui de Méléagant, le crime dont Lancelot ne veut ou ne peut rien connaître (c'est égal) porte en outre avec lui l'histoire secrète de l'enlèvement de Guenièvre par le Seigneur de l'Ile de Voirre (Melwas). La demoiselle peu amène du Prologue, qui exigeait d'Arthur la tête du Noir Chevalier, lançait d'ailleurs à son adresse cette flèche, en allusion à ce conte:

> Mes il (Artu) ne se movra a piece* seus de Cardueil, la o il puist*. *Ainz garde la roïne c'on ne li toille*,* si com g'é oï tesmognier, car ge ne vi onques ne l'un ne l'autre (l. 520-522).

L'auteur ne nous a pas habitués à des paroles en l'air. Où retrouver dans son récit le prolongement du thème annoncé dès l'ouverture? Là encore, la partie « historique » des aventures de Lancelot complète la partie « mythique »: comme le roi Claudas faisait écho au meurtre du Gaste Manoir, le roi d'Oriande, l'orgueilleux Madaglan, jette à la face d'Arthur un défi analogue à celui de Méléagant, le roi mythique de la terre estivale, mettant précisément en jeu le sort de l'épouse interdite et en évidence la partie de l'histoire de *Gawain and the Green Knight* restée secrète dans l'aventure de la Gaste Cité. Mais comme, dans *Perlesvaus,* rien n'est jamais directement lisible, la provocation d'Oriande est curieusement retournée, puisque, Guenièvre morte, Madaglan prétend forcer Arthur non à lui céder la reine, mais à épouser sa sœur, l'impérieuse Jandrée (ou Gandrée). Mais ce mariage revient à lui imposer sa loi et lui faire admettre que « la Reine », en vérité, ne lui appartient pas. Madaglan revendique en effet comme sienne, par droit de lignage, la Table Ronde, puisqu'il est le plus proche parent de Guenièvre et qu'Arthur doit apparemment à la dot de celle-ci le symbole de sa gloire! L'échange de Gandrée pour Guenièvre représente autrement la même dépossession du roi. Qui d'autre d'ailleurs que Lancelot est en mesure de s'opposer à Madaglan? Il part dans le lointain des Iles repousser l'envahisseur, puis franchit la mer, après l'avoir tué, pour conquérir à la Loi chrétienne le royaume d'Oriande (l. 8518-8552). A cette nouvelle, est-il dit, le roi Claudas se prit à craindre pour

> la terre que il avoit conquise sor le roi Ban de Benoyc, qui fu pere Lancelot (l. 8557-8558).

Précieuse concordance ! Au reste, les gens d'Oriande manifestent le désir d'élire Lancelot roi de leur terre. Ainsi serait-il roi au pays d'outremer à la place de celui qui fit valoir ses droits sur la femme d'Arthur ! Sans doute refuse-t-il, à moins de tenir la terre de son propre seigneur, mais à la cour d'Arthur, Brien des Iles, devenu sénéchal, l'avait expressément accusé d'une pareille trahison (cf. l. 8275). Brien et Claudas ne se confondent pas ; à chacun correspond une charge précise portée contre Lancelot, de trahison dans un cas, de meurtre dans l'autre. Si Meliant a rejoint Brien, ce fut aussi le cas de Keu dont, pour finir, Brien prend la place auprès d'Arthur. Or le sénéchal félon, assassin de Lohout endormi, était cause du chagrin qui emporta Guenièvre. Claudas appelle le héros d'un meurtre qui cache une autre mort, au travers du déshéritement paternel, comme Brien, d'une trahison qui transpose l'adultère à l'ombre duquel revit le souvenir de la femme interdite :

> Vos estes traïtres a vostre segnor terrien et omecides au Sauveor (l. 3663-3664).

Par cette formule lapidaire, l'ermite avait, à la veille du Graal, condamné sans appel, et en toute rigueur, l'amant de Guenièvre : l'homicide est d'un autre plan, en effet, que la trahison, elle, toute terrestre !

Est-il possible, à ce sujet, de remonter en deçà de Guenièvre ? Pressé de déchiffrer la figure de Meliant du Gaste Manoir, nous avons sauté du premier au second volet des aventures de Lancelot, sans achever le second tour, annoncé, de la structure : l'événement, il est vrai, se lit, dans ce roman, toujours après coup. Quel équivalent le récit nous offre-t-il de la lèse-majesté dont le héros, selon Brien, serait coupable, à l'occasion du trouble où Madaglan jeta la cour, et qu'il paie dramatiquement de la prison ?

Au sortir de la Gaste Cité, mais avant d'échouer au Graal, pour avoir préféré la Reine, et de croiser en forêt la Demoiselle au Nain, Lancelot est conduit en cortège au cœur d'une puissante ville en flammes (l. 3502-3555). Aucune note de Nitze dans son édition, à ce propos[29]. L'épisode paraît redoubler celui de la Gaste Cité, puisqu'il soumet également le héros à l'échéance de sa mort, au terme d'un an. Nulle trace, cependant, de la décapitation, et le décor de la scène est tout autre. Ici, d'ailleurs, Lancelot se récuse, quand, là, il n'avait pas le choix. Les aventures se compléteraient-elles plutôt ? Là, dans une ville désolée, le héros entendait un chœur se lamenter sur leur merveilleux seigneur, à l'heure de sa mise à mort rituelle, tandis qu'ici monte de toutes parts la joie, à l'approche du héros qu'on se prépare à sacrer roi. Il n'avait affaire qu'à un chevalier et à sa hache, parmi le deuil ; surgissent maintenant un nain et une merveilleuse demoiselle. C'est l'indice que l'aventure a changé de signe. La clef semble en être fournie par le lien établi entre l'incendie et la fonction royale : le feu s'est déclaré en l'un des coins de la ville, dès la mort de son roi (l. 3516) ; un nouveau roi seul saura l'éteindre, s'il se jette au bout de l'an dans le brasier. Lancelot refuse une couronne à ce prix :

> De tel roiaume n'é je mestier* (l. 3520)

> Qu'il ne velt mie estre roi por tot* morir (l. 3554).

Elle échoit au nain qui survient alors. Que le héros se défende d'un tel royaume, comme il renoncera plus tard à l'honneur d'être roi d'Oriande à la place de Madaglan, laisse supposer qu'il est appelé à une autre royauté et doit se détourner de la présente. La Cité en Flammes le promet à la mort, sans l'espoir du Salut. Aussi bien le nain est-il proclamé roi, comme le vrai destinataire de l'aventure. A l'image de la peste qui consume la ville de Thèbes, les flammes qui ont jailli depuis la mort du roi augurent mal du règne qui prendra place l'année où elles n'auront de cesse. Cette royauté est coupable, non salvatrice, éternité de mort et non de vie. Elle est la trahison qui seulement se fonde sur l'homicide primordial. Il existe, en effet, dans *Perlesvaus,* un autre château ardent, aux grandes flammes, qui s'épandront au jour de la Fin du Monde : au cours de sa navigation enchantée, Perlesvaus découvre étonné le château de son oncle, le Roi Ermite, où

> *Joseus, le fiuz le roi Pellés, ocist sa mere* (l. 9821).

Ce nouveau personnage, qui intervient à chaque tournant décisif du récit, s'était lui-même accusé devant Gauvain du plus grand péché qui fût jamais, car, disait-il :

> G'é ocise ma mere, qui roïne estoit, por ce q'ele dist *que ge ne seroie pas rois aprés la mort mon pere* ; ainz me feroit moinne o clerc e mes autres freres*, qui morz est, avroit le roiaume (l. 1636-1639).

Ce matricide, notons-le dès à présent, compense, si l'on ose dire, la survie de la Veuve Dame dans *Perlesvaus.* Joseus, d'ailleurs, qui relève du saint lignage de Joseph d'Arimathie (l. 1644), s'inscrit également dans la série mythique des « fils de la sœur ». Ainsi le présente l'ermite Josimas, son oncle :

> Joseph fu fiz de ma sereur (l. 4367).

Le péché de Perceval dans le *Conte du Graal* est ainsi déplacé sur la personne de son cousin, mais ce report en décèle le sens caché, car le crime abominable de Joseu fut d'avoir tué la mère qui lui refusait la royauté à la mort du père. En expiation, son père se fit ermite, abandonnant son royaume. Or, le Roi Ermite, Pellés, le frère du Roi Pêcheur, l'oncle maternel de « Pellesvaus », est encore nommé « li rois Pelles de la Basse Gent » (l. 38, 1080), sur quoi Loomis a pris appui pour l'identifier au roi nain de l'Autre Monde, le Gallois Beli, frère de Bran (le Roi Pêcheur). Si Pelles de la Basse Gent est le roi du château « qui molt durement ardoit a grant flanbe » (l. 9818), le nain qu'accompagne la ravissante demoiselle est couronné roi de la ville qui « est comencie a ardoir » (l. 3516). Du même coup, la dualité du Roi Pêcheur et du Roi Ermite s'éclaire d'un nouveau jour qui confirme les hypothèses de R.S. Loomis à propos du Nain de la Charrette d'infamie dans le roman de Chrétien, du Petit Chevalier qui inflige une humiliante défaite à Guerrehés dans le conte du Chaland de la *Première Continuation* et du couple formé par Greoreas et le hideux écuyer dans la *Partie Gauvain* du *Conte du Graal,* ou de la double aventure de Keu et de Gauvain aux prises avec le nain du roi de Meliolant, puis avec Bran de Lis, dans la même continuation (cf. *Arthurian Tradition* p. 204-214 et 434-437). De même que Bran est susceptible d'une double apparence, souffrante ou hostile, le nain peut soit guérir (comme Guivret dans *Erec*), soit punir (comme le Petit Chevalier). L'exemple des sœurs de Guivret dans *Erec* prouve que Morgain lui est spécialement attachée et Loomis signalait que, dans les textes (comme la *Vulgate*) où le Roi du Graal s'appelle Pellés, la porteuse du Graal, sa fille, emprunte à la Fée Morgain ses traits essentiels : son attirance pour Lancelot, son séjour paradisiaque, le pouvoir guérisseur de son « vessel » (*ibid.,* p. 143 *n.*). Or Galaad, on le sait, clef de voûte de l'édifice grandiose du *Lancelot en prose,* est le fils que Lancelot engendra, par confusion des identités, en la fille de Pellés le Roi Pêcheur. Tous les exemples sont concordants : le Roi Nain est du côté de Morgain et de la Honte, de la flétrissure de la jouissance, donc, ce qui revient au même, de la solitude de l'ermite, de la prière et de la sainteté. S'il lui revient, dans certaines versions, d'humilier le héros au château du Roi *Méhaigné* son frère, n'est-ce pas afin qu'il sache la culpabilité sexuelle dont la trace est en souffrance sur le corps du Roi Pêcheur, tant que le mort, dans la bière aux quatre candélabres, n'aura pas été rendu à la paix du tombeau ? Sur fond de meurtre, autrement dit, deux directions se départagent : l'une, sous l'aiguillon du Roi Nain, fait retour vers la Mère interdite ; l'autre, sous le regard du Roi Douloureux, reste en appel du Nom du Père, perdu au Val enforesté, percé au jour du Graal. Le Val sans Retour de Morgain guette le héros dans un cas, pour se refermer sur lui (comme la prison d'ailleurs où dépérit Lancelot) ; dans l'autre, la mort de la Veuve Dame rouvre, par le symptôme du Graal au château de l'oncle maternel, la voie de la vérité[30].

Une contre-épreuve est fournie par l'épisode qui précède juste celui de la Cité Ardente, la contiguïté, en l'occasion, tenant une fois de plus lieu de connexion (l. 3430-3501). La réapparition de Marin de Gomoret dans un nouveau rôle semblerait aberrante si elle ne rétablissait la dualité de Bran et de Beli, l'ensemble composant un diptyque, avec, d'une part, le château sans défense du vieux vavasseur et de ses filles en pleurs face à Marin, leur persécuteur, et, de l'autre, la ville sans roi qu'un nain, accompagné d'une des plus belles demoiselles du royaume, fait désormais sienne. L'attitude des malheureuses qui tombent aux pieds du héros (l. 3452) renoue avec le sort d'autres infortunées, comme au château menacé par Harpin de la Montagne dans *Yvain* ou chez la Veuve Dame dans *Perlesvaus* (cf. l. 1114-1115). Mais ces épisodes édifiants ne sont que le retournement de scénarios moins purs, comme en témoignent, dans le *Conte du Graal,* les deux temps de l'histoire de la Demoiselle au Pavillon : fée séductrice (fût-ce malgré elle), au début, puis innocente persécutée. Le défenseur de la veuve et de l'orpheline fut d'abord le siège de coupables désirs ! Inversement, le maître de la Tente, qui était en droit d'accuser, a désormais tous les torts de l'oppresseur. Nous avons déjà discuté, à propos de Marin le Jaloux, d'une transformation semblable dans le cas de Bran le Lis : l'inconduite de Gauvain, coupable d'avoir violé au pavillon la sœur de Bran de Lis, est simplement reportée sur le personnage de Greoreas, *alias* Bran. Lorsque l'histoire d'Oriande recouvre la trahison de l'amant de la Reine à l'endroit de son seigneur, le traître s'appelle Brien des Iles, lequel abrite le sénéchal Keu, responsable par son crime de la mort de Guenièvre. Entre les histoires du Chevalier Vert et de Bran de Lis, seul le point de vue change : là, Gauvain se garde de la faute qu'il a, ici, commise. Au lieu d'un simulacre de décapitation, prend place un terrible combat qui reste indécis, mais dont le héros sort grièvement blessé. Toutefois, la répugnance de Gauvain à avouer son méfait comme celle, d'ailleurs, de Guerrehés à dire la honte reçue du Petit Chevalier peuvent être aussi bien prises en compte par le récit, auquel cas l'hostile Bran de Lis devient le méprisable Greoreas. Mais la tente n'est pas le seul théâtre de l'aventure de la Fée ; l'autre formule est celle de la Fiancée conquise au château du Géant aux Lions. Nous en verrons plus loin un exemple dans l'épisode complexe du château des Griffons, modelé sur *Pesme Aventure,* mais le roman de *Lanzelet* présente côte à côte les deux schémas : la fille du puissant forestier Galagandreiz provoque ses hôtes à l'amour et Lanzelet tue le père au couteau (autre variante : Gauvain, *le Chevalier à l'Epée*) ; puis, le héros tente la formidable aventure du château de Limors, abattant tour à tour un géant, deux lions et l'orgueilleux seigneur (variante : Gauvain, dans *la Mule sans frein*), avant d'épouser Ade, sa fille, autre figure de Morgain, puisqu'elle équipe Lanzelet pour le Tournoi des Trois Jours. Mais le pas est vite franchi qui fait du héros conquérant un défenseur et du gardien un persécuteur : la jeune fille devient l'assiégée, comme la Demoiselle de Montesclaire dans le *Conte du Graal* ; elle est même proposée comme prix d'un tournoi ou de joutes près de quelque Chastel Orgueilleux. Il suffit encore de supprimer toute visée amoureuse pour obtenir le motif impeccable du redresseur de torts au service de chastes demoiselles en pleurs. On sait avec quel brio Chrétien en harmonise les accords dans l'épisode de Blanchefleur. On mesure donc le chemin parcouru quand Marin (Bran) de Gomoret cherche à déshériter des malheureuses ! Une fois vécu, dans la culpabilité, le désir de la Fée, ce qui correspond aux deux versions de la même affaire de la pucelle de Lis dans la *Continuation* et se traduit par le retour hostile de Bran de Lis, le héros s'en décharge sur celui qui devient la figure de son remords, et sauve la demoiselle enfin pure des griffes de ce démon. Ainsi s'explique que le Roi Pêcheur ait un frère maudit, le Roi du Chastel Mortel, l'ennemi juré de la Reine des Pucelles ; ou que *Bau*/Bran soit doublé *de Maguz*/Mangon - le cruel Amangon de l'*Elucidation,* dont la violence s'exerça sur les Pucelles des Puits ; ou encore que le détenteur mythique de la corne d'abondance soit changé en voleur qui dérobe à la Pucelle le Cor d'Ivoire (cf. *Première Continuation,* mss. EUG, v. 1956 - 3630) ; ou enfin que le Cor dont la cour de Brandigan attend la Joie soit aux mains de Gomoret l'instrument du malheur (cf. l. 3463 - 3464). L'épisode de *Perlesvaus* n'est d'ailleurs pas exempt d'allusions amoureuses : Marin prie Lancelot de l'épargner, « par la riens ou mont que vos plus amez », et la réponse reprend en écho : « Par la riens que je plus aim... » (l. 3490 - 3491). C'est la première occurrence de la formule dans le roman.

Mais le passage est riche encore d'autres suggestions, comme s'il fallait que, de part et d'autre de la mort du *Gaste Manoir,* où commence le Feu de la *Ville Ardente* et du Roi Nain, s'offrît le double visage hostile ou souffrant du Roi énigmatique et se représentât la double aventure de la *Gaste Cité* et du *Gaste Chastel.* Les filles du vavasseur décrivent en ces termes leur faiblesse :

> Nostre pere est ancien chevalier, *si n'a vigor en lui* ne force par quoi il nos puist desfendre *et tot nostre lingnages est decheüz et alez* (l. 3457 - 3459).

Or, précédemment, au Pauvre (ou Gaste) Chastel, deux demoiselles étaient également apparues qui vont bénéficier de la générosité du héros ; leur lignage n'a cessé d'être décimé et leur frère, le Pauvre Chevalier, attend qu'on lui rende sa terre ainsi que d'être sorti de sa pauvreté. Tout est prêt ici, au troisième tour de la structure, de basculer — mais dans quel sens ?

Le retour dans la Gaste Cité (l. 6657 - 6733) est dominé par les révélations sur le Gaste Chastel : que Lancelot se soit avéré homme de parole désenchante la terre *gaste* qui se repeuple enfin et s'anime de la joie revenue avec la vie. Comme Brandigan dans *Erec et Enide*. La longue patience du lignage du Gaste Chastel a enfin trouvé celui qui fut promis pour l'accomplir. Le drame inauguré dans la Gaste Cité par une décollation proprement irréelle s'achève dans les processions symboliques (l. 6730) qui chantent les actions de grâces d'une nouvelle fondation. Une représentation est ainsi donnée du Salut (l'incertitude de la délivrance), comme il y en avait eu une de la fatalité (la nécessaire décapitation) : la contrainte a changé de forme ; elle n'est, la seconde fois, que celle de la parole qu'on est toujours libre de ne pas tenir (cf. l. 6720). Mais entre les deux a surgi l'effroi d'un réel où pâlit la représentation, à moins qu'elle ne s'affole, et où défaille la parole, sauf à crier. Que Lancelot soit homme de parole ne le fait pas pour autant un homme de la parole, puisqu'il garde le silence quand la suite le ramène au Gaste Manoir et qu'il s'entend accuser d'un meurtre (cf. l. 7053 - 7055). Son action, pourtant, est positive, puisqu'il libère de leur prison Arthur et Gauvain. Pourquoi est-il justement couplé avec Meliot de Logres (l. 7049) ? Et pourquoi, vaincu par Lancelot et le conjurant par la femme aimée, Marin avait-il, en ces termes, décliné son identité :

> L'en m'apele Marin de Chastel de Gomaret, si sui pere Melio de Logres (l. 3489) ?

Quelle fonction remplit ici Meliot ? A quelle terreur permet-il de parer ? L'ultime aventure commandée à Lancelot par la Demoiselle au Nain lui imposera de rendre la santé au Chevalier Malade du Chastel Périlleux, qui n'est autre que Meliot de Logres (l. 8450). Gauvain avait appris du doyen du château de l'Enquête que Meliot était la signifiance du Sauveur du Monde. Le voici gisant, le corps en plaies, attendant du héros la guérison, tel le Roi *Méhaigné*. Cette représentation cruelle, effacée de *Perlesvaus* au profit d'une plus vague « langueur », reparaît donc par le truchement de Meliot, qualifié sans plus de « malade », au début (l. 82. 1), pour suggérer le rapprochement. Elle n'en est pas moins présente ailleurs dans le roman de façon atroce, au château de certaines demoiselles, exactement comme, chez Chrétien, la cousine de Perceval, la demoiselle qui embrasse un corps sans tête, vient en contrepoint de la Demoiselle du Graal au service du Roi infirme. Les scènes liées à la mutilation sont de deux ordres, ou, ce qui revient au même, l'évocation du corps *méhaigné* est ambivalente : une face en est tournée, au travers de la douleur, vers la régénération, dans la reconnaissance spirituelle du Père ; l'autre détourne, par l'effroi, d'un irrémédiable abîme où d'inquiétantes pucelles ont tissé leur piège. La plaie béante au corps du Roi Pêcheur, parent maternel du héros, est aussi bien amour du Père qu'horreur de la Femme. Faute pourtant de jamais atteindre au royaume symbolique, les récits répondent à la scène cruciale par le symptôme du Crucifié.

Aucune rencontre d'épisodes, dans la jungle de *Perlesvaus*, n'est en vérité fortuite : par deux fois, une terrifiante amoureuse surgit à l'instant où la tragédie du Gaste Manoir est sur le point d'être évoquée — lignes 1430-1526, au château de l'Orgueilleuse Pucelle, lignes 2707-2802, au château des Barbes — et l'aventure est dans les deux cas mise en rapport avec la quête du Graal. S'il existe, en effet, une Sainte Chapelle au château du Roi Pêcheur, où le Graal remplit d'extase, l'Orgueilleuse Pucelle, qui n'a jamais daigné s'enquérir du nom d'un chevalier (mais le Roi Pêcheur non plus, quand survint son neveu, pour son dam, cf. l. 3736-3737), offre à voir sa merveilleuse chapelle à Gauvain — « C'estoit uns petis paradis », commente l'auteur de *la Vengeance Raguidel* pour le même épisode (v. 2174) — où quatre superbes cercueils attendent les trois meilleurs chevaliers du monde, le dernier étant pour elle-même. Leur vide, on le voit, est la contrepartie des tombes qui s'ouvriront dans les Saints Lieux, pour découvrir les corps de Nicodème ou de Joseph d'Arimathie. Le total des cercueils emportés à la fin dans la nef blanche s'élève d'ailleurs à quatre : les deux ancêtres, le Roi Pêcheur et la mère de Perlesvaus (l. 10153-10154); la scène est alors embaumée des mêmes suaves odeurs que chez l'Orgueilleuse (cp. l. 1455 et 10155). Tel est le montage où celle-ci a disposé sa « guillotine » :

> Ainsi, fet ele, leur trencheré ge les chiés* quant il cuideront aorer* les reliques qui sont otre les trois pertuis* (l. 1466-1468).

Nous n'appuierons pas sur ce fantasme ; au reste, comme pour le Graal, il n'est peut-être pas permis de tout dire. Simplement, s'affirme l'irréductibilité de l'Orgueilleuse et du Graal : puisque la quête la prive de l'amour des meilleurs, elle poursuivra leur mort :

> Qar ge ne puis avoir joie d'eus a leur vie, si en avré joie a la mort (l. 1469-1470).

La même idée est exprimée, plus tard, par la demoiselle dépitée du château des Griffons :

> Je vos amasse miels mort a es mon ués* que vif avec autrui. Or voudroie je que vos eüssiez la teste tremchie, si fust pendue avec les autres. A donc me saoleroie je de l'esgarder* (l. 7546-7548).

La guillotine n'est donc que la variante de la palissade aux têtes tranchées (cf. l. 7379) où guettent des Maduc le Noir *(Vengeance Raguidel)* ou des Maugier le Gris *(Bel Inconnu)*, à proximité de l'autre aventure, celle du Château Désert de Brandigan ou de la Gaste Cité du Bel Inconnu, mais encore en obstacle aux délices énervantes qui, de l'autre côté, attendent l'amant de Morgue la Fée au Val sans Retour (ou de la Reine de Pluris dans *Lanzelet*) : l'indolence de cette joie, à l'opposé de la Joie de la Cour, transforme le Hardi en Couard (comme Lanzelet à Schatel le Mort de Mabuz / Mabon le Couard). Or, justement, dans *Perlesvaus,* l'épisode allégorique du Couard Chevalier est comme mis en exergue à celui de l'Orgueilleuse (l. 1350-1429) et placé, par antithèse, dans la dépendance du sort jeté sur la Demoiselle du Char (l. 1405 *sq.*). Au château des Barbes également pendent, à l'entrée, les têtes de nombreux chevaliers, car on y laisse la tête à moins d'y céder sa barbe, l'honneur de la virilité (l. 2730). L'épisode fait allusion à la contrainte imposée au héros, dans la *Charrette,* de passer la nuit auprès de l'hôtesse amoureuse (cf. l. 2759-2760) et, d'autre part, évoque un rituel du repas qui incline, mais dans l'horreur, vers le Graal : les services sont, tour à tour, assurés par des chevaliers enchaînés — aux mains coupées, aux yeux crevés, manchots, boiteux, têtes offertes à l'épée de la dame. Tel est le prix payé, en mutilations et en décapitations, par ceux qui ont été, comme le dit celle-ci : « conquis au trespas de ma porte » (l. 2777). Or, de ce fond d'épouvante se détachent, dans la courtoisie de la conversation, les noms sacrés du château des Ames ou de « Messios » le Roi Pêcheur (sur lequel, depuis Helen Adolf, selon les écrits apocalyptiques juifs, on n'a pas fini d'épiloguer[31]). L'essentiel est que la dame en soit si bien avertie et, pour tout dire, familière :

> Je sé* bien le chastel... Li rois a non Messios et gist en langeur par deus chevaliers qui ont esté eu chastel, qui ne firent la bonne demande (l. 2787-2789),

et qu'elle prie Lancelot, au cas où il verrait le Graal et en poserait la question, de repasser par chez elle. Sur quoi, une demoiselle de sa suite révèle publiquement, au grand déplaisir de la dame, l'autre secret, celui du *fin amant* :

> Li Graax ne s'apert* pas a si amoreus chevalier com vos estes, car vos amez la roïne, la fame le roi Artu vostre saignor (l. 2793-2795).

Ainsi pivotent les aventures sur l'axe du crime au Gaste Manoir ou du cimetière où saigne le cadavre : ce sera ou la Barbe ou l'Ame, ou Guenièvre ou le Graal, ou les infirmes de la Dame ou le Sauveur *Méhaigné.* Exposée de la sorte, la symétrie est pourtant inexacte, car Guenièvre est à Morgain ce que le Graal est au diable. Si l'amour de la Reine comporte une face d'effroi, par quoi il participe de la mort qui guette chez la Fée, il réserve, d'autre part, à l'élu une joie comparable au Graal. Le système est à quatre, non à deux termes : le clivage qui s'opère autour de la représentation du « méhaigné » joue également au château du Graal et au secret de la *fine amor,* comme en témoigne dans la *Charrette* le « mehaing » de Lancelot au franchissement de l'Epée qui conduit à la Reine. Soit :

la chambre de la Reine	*la salle du Roi pêcheur*
• cruauté de la Dame	• cruentation de la Lance
(amant *méhaigné)*	(Roi *Méhaigné)*
• joie parfaite	• nourriture du Graal

Mais, s'il advient que soit, par la voix des ermites, condamné l'amour adultère, le refoulement du désir, dont témoignent la virginité de Perlesvaus, la continence de Gauvain et la disparition de Guenièvre, se compense du retour de figures énigmatiques qui, sous l'égide de Morgain, sont à l'amour de la Reine morte ce que le cortège du Graal est à celui de Blanchefleur. Car, au lendemain de la conquête du Graal, la Reine ne survit pas longtemps à l'annonce concomitante de la mort de son fils. Or, en cette seconde partie de la fresque du Graal, Lancelot retrouve sur sa route la Demoiselle des Barbes et l'Orgueilleuse Pucelle, dans des circonstances voisines (l. 6394-6520 et l. 8281-8378).

Les deux épisodes suivent chacun immédiatement l'intervention d'une messagère à la cour d'Arthur, la Demoiselle à l'Ecrin, puis la Demoiselle au Nain; par deux fois, le héros arrive de nuit dans un lieu solitaire, une « gaste maison » qui sert de charnier et une Chapelle Périlleuse entourée d'un cimetière, où surgissent, menaçants, des « diables terriens ». De compagnie avec Arthur et Gauvain en pèlerinage au Graal, Lancelot trouve donc d'abord refuge dans une maison abandonnée dont une pièce est empuantie par les cadavres, les restes ou les membres épars de chevaliers qu'y déverse, en châtiment de sa cruauté, l'ancienne Demoiselle des Barbes. Un cercle magique, tracé avec l'épée, protège ensuite les héros de noirs et hideux chevaliers qu'ils finissent par combattre et qui, morts, deviennent cendres et démons. Dernier trait remarquable : les Chevaliers Noirs apportaient « glaives ardanz e enflammez » (l. 6490). L'épisode, autrement dit, reproduit partiellement l'aventure initiale d'Arthur à la Chapelle Saint-Augustin : Noirs Chevaliers, Lances ardentes, Demoiselle aux têtes coupées, corps démembrés, limite protectrice. L'autre moitié, qui concerne la chapelle mortuaire et la chapelle du miracle, est réservée à l'épisode ultérieur de la Chapelle Périlleuse. Même décor : un cimetière, des sarcophages, un chevalier gisant mort dans un cercueil ; d'autre part, comme s'il s'agissait de l'envers barbare de la Sainte Chapelle, une sombre vie semble animer le cercueil, qui se met à craquer, et le suaire est encore sanglant des plaies ; Lancelot doit s'emparer de l'épée du mort, placée à ses côtés, et, en dépit des diables, l'emporter avec lui (songeons au vol du candélabre), ainsi qu'une pièce du drap mortuaire. Le tout est destiné à guérir le Chevalier Malade, Meliot, par attouchement de l'arme qui le blessa incurablement et du sang des plaies du « grand et hideux » chevalier (cf. l. 8469-8471). Ainsi, la « Gaste Maison » faisait-elle revivre la terrifiante menace (dont se rit Lancelot) des Lances Ardentes et du morcellement, tandis que la Chapelle Périlleuse réitère la magie noire de la guérison par le sang du mort. Comme il s'agit en outre de Meliot, figure du Christ, à la première « muance », celle de l'Enfant au Lion, que connut Gauvain, succéderait ici la seconde, celle du Crucifié, à travers la souffrance des plaies vives et le sang rédempteur. La troisième serait, plus loin, liée à la Coupe d'Or (comme au « Calice », pour le Graal), remise à Perlesvaus à condition qu'il venge la mort de Meliot et transmise par lui à un autre chevalier malade (lépreux), pour qu'il recouvre la joie. Que tous ces épisodes doublent de leur forme insolite la réalité mystérieuse du Graal est rendu évident par d'autres rapprochements : au charnier de la Gaste Maison correspond celui du château du Graal, où, du reste, est jeté le corps maudit du Roi du Chastel Mortel (cf. l. 7196), et à la Chapelle Périlleuse, l'Atre Périlleux, où vint pareillement Dandrane parmi les tombes et les Chevaliers Noirs aux « glaives ardanz et enflambez » (l. 5083). La sœur de Perlesvaus y apprenait la mort du Roi Pêcheur et en ramenait une pièce du Saint Suaire (cf. l. 5035), indispensable pour que soit tirée vengeance des oppresseurs de la Veuve Dame. L'Epée manque, dira-t-on. Mais Gauvain était allé chez le roi Gurgaran chercher l'Epée de la décollation de Jean-Baptiste, requise au château du Graal ! Le même Gurgaran rapporte enfin en ce lieu (l. 7213-7255) la cloche inouïe dont le timbre merveilleux dissipa les noirs « ennemis » du Gaste Manoir (l. 6500-6510). Il y a plus : après que Dandrane s'est risquée à l'Atre Périlleux, Perlesvaus de retour aux vaux de Camaalot descelle la tombe fabuleuse où repose l'ancêtre du lignage paternel, Nicodème, qui aida à la descente de Croix, avec, à ses côtés, les tenailles encore tachées du Précieux Sang qui servirent à ôter les clous (l. 5212-5244). Or, à la Chapelle Périlleuse, Lancelot a dû également ouvrir le cercueil, ainsi qu'il pouvait seul le faire. Comme l'Orgueilleuse Pucelle de la Chapelle à la guillotine préside à l'aventure, le scénario du tombeau vide peut être reconstitué, selon la formule déjà commentée d'Iwerêt de Bêforet dans *Lanzelet,* mais conformément encore au noircissement de toutes les entreprises amoureuses qui résulte du refoulement. Celui qui descend dans la tombe préparée pour le héros est finalement le terrible gardien de la fée. Mais qui est « le chevalier grand et hideux qui là-dedans gisait mort », c'est-à-dire dans la chapelle du cimetière comme le gisant aux quatre candélabres du rêve de Cahus et dans le cercueil rouvert par l'élu comme l'ancêtre de Perlesvaus ? Il s'agit d'une *faide* entre deux lignages mortellement opposés, qui double, semble-t-il, celle qui oppose la famille de Perlesvaus à la série des Chevaliers Rouges : Anuret le Bâtard a été tué par Meliot, après l'avoir grièvement blessé, tandis qu'il l'assiégeait sur ses terres (l. 8298-8304) ; il était déjà intervenu contre Arthur et Gauvain qu'il cernait au château natal de celui-ci, pour venger sur lui la mort de son frère, Nabigan de la Roche ; Meliot, survenu, délivrait son seigneur, tranchait le bras d'Anuret et recevait le château de Gauvain en fief (l. 7755-7882). Gauvain avait tué Nabigan de la Roche (qui s'était emparé indûment du Cercle d'Or de la Reine et avait déshonoré Gauvain au second jour du Tournoi), parce que celui-ci avait dépossédé Meliot de sa terre (l. 7056-7081), après avoir tué Marin son père (l. 4716). A cet instant, tout s'éclaire : on retrouve un schéma comparable à celui de Claudas qui a déshérité Ban de Benoyc, le père de Lancelot, ou du Roux Géant qui a tué (Ali)Bran de la Gaste Cité et des Rouges Chevaliers hostiles au lignage paternel de Perlesvaus. De même que Bran de Lis accusateur devient Greoreas coupable du désir que conçut le héros, de même l'intolérable vérité du meurtre du père est rejetée sur le Chevalier Vermeil et retournée en vendetta. Il n'y a dès lors plus à s'étonner si le suaire d'Anuret est encore sanglant, tout comme au Gaste Manoir est prêt à couler le sang du mort.

Mais que représente Meliot ? Il est d'abord apparu comme l'enfant merveilleux qui se détache du fond sinistre où (Bran) de Gomoret était chargé d'une violence d'autant plus sauvage à l'endroit de la Dame de la Fontaine qu'était bannie toute tentation sexuelle ; quand il sauve Gauvain du siège d'Anuret, le théâtre de son action est loin d'être innocent : Gauvain a découvert un « Gaste Chastel ancien », où les fresques de la chapelle représentent « une estoire verais » (l. 7303), celle-là même qui conte le secret et la honte de sa naissance et constitue l'expression médiévale de la légende d'Œdipe[32] : la mère *faée* (Morcade-Morgain, la fée aux multiples aventures) et l'enfant exposé. Or Gauvain fait de Meliot le seigneur du château où fut préservé le rêve coupable de l'enfance. Quand Meliot prend enfin les traits du Roi *Méhaigné,* pour devenir le Chevalier Malade au Château Périlleux, c'est la Demoiselle au Nain, venue à la cour d'Arthur, qui en commande l'aventure à Lancelot. La Fée Amante couvre en effet de son ombre le double retour sur la voie de Lancelot de la Demoiselle aux Barbes dans le Gaste Manoir et de l'Orgueilleuse Pucelle en la Chapelle Périlleuse : au sortir du premier, son ami tant aimé héberge dans la forêt où elle règne les trois pèlerins (l. 6544-6546) ; ce bref intermède prépare, en outre, l'histoire que dénonce plus tard Perlesvaus de ce mari rancunier, devenu à son tour un chevalier malade, mais lépreux (tel Tristan déguisé près d'Yseut ?), et qui ne pardonne à l'épouse innocente qu'au prix de la Coupe d'Or. Il fait encore transition immédiate avec le château où fut consommé le péché d'Uther Pandragon et de la femme du duc de Tintagel, adultère qui contrebalance, somme toute, celui même de Lancelot et de la reine Guenièvre. Sur quoi s'accomplit l'aventure de la Gaste Cité ! Ce complexe a donc réuni : le charnier aux diables, l'Hôte chasseur et la forêt de Morgain, le péché de Tintagel, la Joie de la Cour, voire la Coupe d'Or. Où conduit pourtant l'ensemble ? Au silence de Lancelot au Gaste Manoir face à l'enfant Meliant (l. 7054). Mais il y vient de compagnie avec Meliot. Meliot est l'antidote de Meliant ! Il est la résultante de cette double poussée dont le Gaste Manoir de la Demoiselle aux Barbes et le Gaste Manoir du mort gisant sont la traduction horrifiée. Ses ennemis héréditaires s'appellent Nabigan de *la Roche* et Anuret *le Bâtard,* en écho à l'adultère et à la trahison, puisqu'un autre « Sire de la Roche » a usurpé les terres de Gladoain, l'amoureux des Iles des Morés, et que Brien des Iles, le seigneur de la Dure Roche, médit de l'irréprochable Lancelot aux oreilles d'Arthur. Or Méliant se rend auprès de Brien pour être armé chevalier par celui-ci (l. 7347) et se venger de Lancelot l'homicide, dans le décor des violences que déchaîne le conflit de la trahison et de la loyauté. Que la Fée Amante préside, pour finir, aux aventures périlleuses, ressortit au même ordre de raisons : sur la toile de fond des amours contrariées de Morgain, le héros provoque et méprise à la fois l'angoisse dont s'anime le monstrueux cercueil et la terreur des gigantesques démons que commande l'Orgueilleuse, du seul fait de retourner à Méliot, le Chevalier Malade, le Suaire et l'Epée du hideux géant. L'ouverture de la tombe atroce du *gisant* et le rite cruel de la guérison du *méhaigné* caractérisent en propre cette histoire de *cercueils* et de *muances,* où Morgue la Fée pardonne au *fin amant* au nom de Meliot, Sauveur et Rédimé, devant qui elle s'efface. Semblablement la Coupe d'Or rend la joie au chevalier lépreux, quand s'estompe le souvenir de l'aînée des Demoiselles des Tentes qui la destinait à Gauvain en prix d'un tournoi, et que réclame secours au Château Périlleux de Meliot, mort, la cadette persécutée par Brundan, telle la femme de Marin par (Bran) de Gomoret (cf. l. 10079-10081). Brundan, le meurtrier perfide de Meliot (que Perlesvaus vengera), est fils de la sœur de Brien des Iles (l. 10030), comme Meliant, tué par Lancelot, était fils de la sœur de Claudas (l. 8024). Tandis que l'innocente persécutée se substitue à la Fée Amante[33], la signification spirituelle (Meliot, la Coupe d'Or) survit seule au voilement du désir, mais d'autre part s'enchaînent les meurtres dont la répétition est l'insistance d'un savoir resté sans maître. Nous pouvons compléter le tableau présenté d'après Chrétien, en l'étendant à *Perlesvaus* où coexistent et se correspondent les deux systèmes, selon la Dame et selon le Graal :

la forêt de Morgain	*la salle du Roi Pêcheur*
les « lieux périlleux* »	la Lance dont la pointe saigne
(le Chevalier Malade/lépreux)	(la langueur de Messios)
Meliot Sauveur/la Coupe d'Or**	le « Saintisme Graal »

* Cf. Demoiselle des Barbes ; Chapelle de l'Orgueilleuse.
** Cp. la tête de Lohout dans le coffret d'or et celle du fils de Brun Brandalis.

Mais l'auteur donne en outre un même contenu aux aventures qui ressortissent à l'un ou à l'autre, au point que l'un n'aille plus sans l'autre. L'épisode des Gouttes de Sang sur la neige avait permis cette osmose, dans le *Conte du Graal* ; avec *Perlesvaus,* la merveille poétique fait place aux ténèbres fantastiques, comme la neige matinale aux flammes dans la nuit, ou l'oie sauvage aux noires corneilles. Une comparaison plus serrée donne ainsi terme à terme :

l'Epée de l'incurable blessure	l'Epée qui saigne, de la décollation de Jean-Baptiste (Gurgaran)
(le Chevalier Malade du Chastel Périlleux)	(la langueur de Messios au château sacré)
le Suaire du Bâtard (pour Méliot)	le Suaire de la Passion (pour Perlesvaus)

Tout s'emmêle d'ailleurs de façon à ce qu'il ne soit plus possible de distinguer. La série païenne se teinte de sacré, comme la série chrétienne est entachée de barbarie : Meliot, d'un côté, est une figure du Sauveur et rappelle l'enfant divin présent aux *muances* du Graal ; mais, de l'autre, l'imitation du sacrifice du Christ se traduit par l'atroce festin où la chair du fils de Gurgaran est livrée au peuple pour que vive la Foi. Au charnier de la Gaste Maison, enfin, le timbre divin de la cloche amenée par Gurgaran chasse les chevaliers diaboliques aux lances ardentes, qui menacent de nouveau, plus tard, lors de l'équipée de Dandrane à l'Atre Périlleux, et semblent multiplier le Chevalier Noir naguère combattu par Arthur au sortir de la Sainte Chapelle. Les représentations antithétiques sont ainsi nouées entre elles et participent les unes des autres : on glisse de la Lance en flammes du Chevalier Noir à la Lance qui saigne chez le Roi Pêcheur, par l'Epée du Bâtard qui fait retour dans la blessure et par l'Epée de Gurgaran qui chaque jour est en sang à midi ; ou du corps démembré et du sang guérisseur du même Chevalier Noir au corps dépecé de la Bête Glatissante et au Précieux Sang du Christ, par le corps découpé du fils de Gurgaran et par le sang du suaire d'Anuret le Bâtard ! Par un effet de chiasme, l'aventure condamnée en terre de la Fée Amante ne contient pas moins de saintes figures que celle bénie au royaume fertile, de rites barbares. L'entreprise de Lancelot n'est pas moindre, elle lui est propre. Ou s'opposent, dans la visée de la jouissance, la Joie d'Amour et la béatitude du Graal, ou s'équivalent, quand la mort de Guenièvre ôte tout objet, le symptôme de Meliot et celui de l'Eucharistie. Ce système, situé dans l'orbe de la Fée (Morgain) ou de la Mère (l'oncle maternel), peut être recouvert terme à terme dans la perspective paternelle, jamais reconnue comme telle :

Bran le Béni (le Nom du Père)

le meurtre rituel (le Coup frappé au Jeu Parti[34])

(le gisant en bière, le corps enferré)

la Joie de la Cour (le Cor) ou la fécondité de la Corne

Soit, dans le système de la Royauté perdue, la série de la *Gaste Cité,* du *Gaste Manoir* et du *Gaste Chastel,* que double, dans celui de la Cité Ardente, celle de la *Chapelle à la Guillotine* (ou Périlleuse), du *Chastel Périlleux* et de la *Sainte Chapelle.* L'ensemble se répète avec, d'un côté : Madaglan d'Oriande (Brien des Iles), Claudas de la Deserte (Meliant du Gaste Manoir) et Ban de Benoyc, le déshérité ; de l'autre : Gandrée la Reine Aveugle, l'impuissance d'Arthur, l'Ile d'Avalon (ou encore : Logrin le géant, Logres dévastée, l'odeur bénie de Lohout). Il suffit de fragmenter et d'entrelacer les deux séries, elles-mêmes redoublées, pour produire l'illisibilité apparente du récit dont se masquent leurs conséquences : l'une renvoie à la blessure sexuelle, au partage de la mort et de l'amour, et l'autre, à la vérité du corps mortel, entre fatalité et fécondité.

Un dernier épisode exemplaire rassemble, en deux temps, au château des Griffons, les figures diverses de l'aventure de Lancelot (l. 7376-7569 et 8385-8448). Il est d'abord compris entre les Enfances de Gauvain et la Tombe de Guenièvre en Avalon, puis il est inséré, sans leur être nécessaire, dans le cours des entreprises périlleuses de la fin, entre la chapelle de l'Orgueilleuse et le château du Malade. Encore une fois, c'est la Fée Amante qui dirige le héros vers la *Pesme Aventure* (l. 7355-7375 et 8229-8231). Au cœur de l'épisode, une mauvaise coutume, où se transpose le conte de la princesse conquise en mariage sur un père féroce (cp. Lanzelet à Limors ou à Dôdône). L'affrontement n'a d'autre présence, en effet, qu'allusive, au travers de l'aventure symbolique de la lance fichée dans la colonne (cf. l. 7385-7391) : qui saura l'en arracher, gagnera la main de la jeune fille ; sinon, sa tête rejoindra la collection de celles qui pendent à la porte d'entrée. Le motif de la colonne reparaît plus loin, quand la Fée Amante se présente à la cour d'Arthur (cp. l. 7441 et 8220) ; on le retrouve dans *Merlin* de la *Vulgate* (Sommer, II, 81 *sq.*) ou dans la *Queste del Saint Graal* (p. 5, l. 12 *sq.*), sous la forme de l'épée plantée dans le perron, et on y voit un test pour désigner en ce monde le meilleur chevalier appelé à venir en l'Autre. L'interprétation propre à *Perlesvaus* est d'autant plus précieuse : la saisie de la lance sous menace de décapitation ou sous promesse de mariage tient exactement lieu du combat où le héros tue celui qui le destinait à la mort (les têtes sur les pieux, au Verger d'*Erec*, ou la tombe vide parmi les autres, où descendra pour finir Iwerêt, dans *Lanzelet*). Le duel disparaît derrière la mise en valeur de l'Arme qui échoit au meilleur. Rapprochons maintenant cette épreuve de l'arrivée du corps enferré de Brangemor à la cour d'Arthur dans la *Première Continuation* (Guerrehés) : seul le prédestiné en retirera le fer fixé au tronçon de la lance[35], pour partir venger le mort dans une aventure apparentée à celle du Graal. Perlesvaus, amené semblablement dans un chaland, s'empare de l'écu qui doit lui permettre de conquérir le Graal. Ces variations du motif, qui gardent chacune la mémoire des autres, expliquent l'intervention de la Fée Amante, qui traduit aussitôt l'événement dans le sens d'un renforcement de l'effroi : aussi bien le tremblement, ou l'écroulement, de la colonne manifeste le caractère secrètement attentatoire ou sacrilège du geste ; il signe sa démesure. Le succès de Lancelot démontre, selon Morgain, au seigneur du château qu'il est bien « li outrajeus qui vostre frere ocist » (l. 7445), l'ennemi mortel qui a tué le seigneur du Gaste Manoir (l. 7422). Par la voix de la Fée Amante revient au su de tous l'histoire cachée du meurtre originel. Le scénario imaginaire verse aussitôt dans le malaise d'une scène terriblement réelle et la jeune fille amoureuse emprunte trop de traits à Morgain pour que le héros ne cherche pas à la fuir : elle attend Lancelot au profond de la forêt (l. 7463) et le retrouvera plus tard endormi dans « le verger clos de mur » (l. 8388), où elle lui volera très sensuellement quelques baisers. Ne s'offre-t-elle pas à lui comme en remplacement de la Reine morte (cf. l. 7430-7433, 7536-7542) ? La Fée Amante souligne d'ailleurs le caractère privilégié de cet amour (l. 8237-8238). Lancelot n'en doit pas moins passer par elle, puisque la trahison guette désormais le meurtrier du Gaste Manoir : vingt-quatre chevaliers (12 × 2) le cernent dans le château, tandis que vingt-sept chevaliers (3 × 9) gardaient contre Perlesvaus l'entrée du château sacré. Lancelot, pressé par la demoiselle, doit, à sa plus grande honte, s'enfoncer sous terre et passer par une fosse où les monstres l'attendent : deux serpents ou Gryphes à visage humain et bec d'oiseau, yeux de chouette et dents de chien, oreilles d'âne, pattes de lion et queue de serpent, qui « ont faonné la dedenz » (l. 7482-7484). Sur fond du crime, dans le climat du péché sexuel, paraît la Sphinge ou la Gryphe dévoratrice, figure de cauchemar d'une jouissance féroce. Or la demoiselle confie au héros, pour se protéger de leur feu et de leur voracité, un braque à qui elles font aussitôt fête, le mêlant à leurs faons ! Ce fétiche pare à l'horreur surgie de la fosse souterraine du château, comme le symptôme offre une représentation plus supportable par ce dont il tient lieu que la place vide qu'il sert à masquer. Lancelot peut sortir de la cavité avec honneur, en combattant cette fois un lion affamé, à l'image de ce qu'il advint au château du Graal où fut détruit le lion rouge.

Au dernier temps des aventures de Lancelot se répète le même schéma : la flèche dans la colonne et l'intervention de la Fée Amante, le charnier de la Demoiselle des Barbes et l'obsédant cadavre d'un grand chevalier ; le retour au verger de la Demoiselle aux Griffons réintroduit le motif amoureux, plus chargé encore de trouble sensuel (en souvenir de Blanchefleur ?). Il n'est donc pas un luxe inutile, un simple « gab » (jeu) féminin (en allusion à Guenièvre dans la *Charrette* ? cf. l. 8456), comme inclinent à le croire les acteurs eux-mêmes ; mais, si la tête de la Gryphe n'est pas nécessaire à la guérison du Chevalier Malade, il faut comprendre que d'autres objets ont relayé la fonction du braque : l'Epée qui rend impuissante la convoitise de l'Orgueilleuse et le Suaire qui promet, en souvenir du Sépulcre du Christ, la victoire sur la mort. La figure du Sauveur se dessine en filigrane des souffrances de Meliot. L'objet fétiche en soutien de la jouissance s'est imposé dans l'intervalle qui s'est ouvert entre la témérité inouïe dont résonne la colonne ébranlée ou effondrée et le sinistre craquement d'un cercueil dont le mort se réveille, qu'il s'agisse d'Anuret le Bâtard :

> E li sarqex commença a croistre* si tres durement que ce senbloit que la chapele chaïst (l. 8333 - 8334).

ou, tout à la fin, des quatre cercueils de la Chapelle du Graal, à l'approche de la nef blanche :

> Qant la voiz se parti de la dedenz, tot li sarqueu qi la dedenz estoient croissirent si tres durement que ce sanbla que la mestre sale* chaïst (l. 10139 - 10141).

Cœur de Verre

Entre *Tombes* et *Muances* se divise finalement le récit, qu'elles soient elles-mêmes selon un autre partage saintes et mystiques ou démoniaques et aventureuses[36]. D'un côté, donc, des cimetières sinistres ou d'augustes sarcophages ; de l'autre, la féerie de l'or ou le soleil du Graal. On peut donc distinguer deux plans, chacun en deux volets. Les rapports entre les trois héros se répartissent de même et servent de repères dans l'agencement de l'ensemble : ou ils se cherchent et se combattent fratricidement sans se connaître, comme les deux cousins germains Lancelot et « Par-lui-fait » à l'ermitage de Pellés (l. 2924 - 3033), le premier avec un écu blanc à la croix d'or, le second sans son écu rouge au cerf blanc, ou comme les deux bons chevaliers, Gauvain et Perlesvaus, au tournoi de la Vermeille Lande (l. 4394 - 4494), l'un avec l'écu rouge à l'aigle d'or, l'autre au blanc écu, selon un chiasme subtil ; ou ils se relaient et se rejoignent, comme Gauvain et Lancelot parvenus chez le Roi Pêcheur (l. 2253 - 2487 et

l. 3624-3759), ou de compagnie avec Perlesvaus sur le chemin de la conquête, depuis Carduel (l. 5617-5764), ou en pèlerinage au château des Ames (l. 6394*sq.*), voire enfin au bord de la mer, autour de la Vermeille Tour (l. 9394-9411), ou pour venger Meliot, à la place de Gauvain (l. 10050-10099). D'autre part, la version « familiale » des aventures de Perlesvaus (à Camaalot et face à Clamador) alterne avec celles de Lancelot (parmi les « gastes »lieux), multipliant les correspondances (Atre Périlleux et Chapelle Périlleuse, Fosse aux Gryphes et Fosse aux Serpents, tombe d'Avalon et tombes proches des Iles fortunées, cruauté orgueilleuse des Demoiselles et vengeresse de Perlesvaus), tandis que leur version « exaltée », sous le signe du Graal, se combine à celles de Gauvain, dans l'or des Tentes et sur les terres du Roi Pêcheur, avec des reprises également (allégories, *muances,* cercle d'or, Chevalier de la Galie, Meliot). Ajoutons enfin, pour parfaire l'harmonie rigoureuse de la fresque, que Lancelot est présent dans la seconde série par sa venue au Graal et sa « royauté » d'Oriande, et Gauvain dans la première par le secret de sa naissance, tandis que la quête initiale de Gauvain se répartit également sur les deux, avec, d'une part, sa venue aux vaux de Camaalot et au manoir de Gomoret[37], puis son passage chez l'Orgueilleuse et au Gaste Manoir (version « familiale » de Perlesvaus et « gaste » de Lancelot) et, de l'autre, son hébergement chez les Demoiselles des Tentes et sa conquête de l'Epée de Gurgaran, puis le franchissement des ponts du saint château et son arrivée chez le Roi Pêcheur. Ce jeu de places se complète d'un jeu de temps, puisque le complexe des aventures de Lancelot et Perlesvaus parmi les tombes maudites ou bénies, de Gauvain et Perlesvaus parmi les « muances » d'or ou de lumière, se répète de part et d'autre de la Bonne Annonce de la conquête du Graal et de la triste nouvelle de la mort de Lohout (l. 6272-6393) : une quête et une conquête d'abord, puis un pèlerinage et une dérive enfin, le contrepoint du mythe à la religion se poursuivant dans la scission toujours plus radicale entre l'origine et la fin (la honte des naissances et le Règne du Millénaire) et dans la mission toujours plus militante de défendre la terre de Logres et de conquérir l'Orient.

Nous voici en mesure d'aborder enfin, pour les rendre intelligibles, les aventures du « Chaste Chevalier du saintisme lignage » :

> Il a le chief d'or e regart de lion e nomblil de virge pucele e cuer de valeur e teches* sanz vilenie (l. 910-912).

Une superbe fureur émane de sa candeur immaculée, comme l'Enfant-Dieu apparaît entre les mains du prêtre dans la vie d'Hugues de Lincoln :

> divino quodam nitore atque candore... nimium decorus.

Ce double éclat de l'or et du feu, de la beauté et de la cruauté dans la transparence du corps, ce flamboiement au cœur du verre[38] semble l'incarnation en sa personne du rêve celtique de l'Autre Monde, mais aussi bien le seul reflet jamais recueilli, à force de pureté, comme en un vase virginal, de la brillance de Dieu. Mais, si l'or est féroce, la blancheur est cruelle : au lion déchaîné répond un sanglant justicier. Il s'élève aux cimes de la royauté et rouvre les abîmes de la cruauté. Les événements suivent deux voies parallèles, conformément à la mise en place que les aventures de Gauvain fixent à l'ensemble : ou prévaut Dandrane ou la Demoiselle de la Tente, c'est-à-dire ou la Veuve Dame ou la Reine des Pucelles ; il faut, là, déchiffrer la figure de Marin de Gomoret, ici, celle du roi Gurgaran (l. 1917 - 2074), comme l'envers effrayant d'un endroit fascinant, dirait-on, si ce n'était trop simplifier, car l'envers se retourne en vérité dans l'endroit, telle une bande Moebius : l'entrée au pays de Gurgaran est marquée par une vision sanctifiée de la Fontaine, quand la Dame de la Fontaine était, à Gomoret, suppliciée ; Gauvain s'émerveille d'autre part à la vue du miracle sanglant de l'Epée de la Décollation de Jean-Baptiste, qui vire de l'émeraude au sang à l'heure de midi (l. 2006 - 2018), tandis que l'eau de la source était, pour la honte du spectateur, horriblement teinte du sang de la Dame, frappée de la lance. La scène de l'Epée recueille, au reste, l'inquiétante menace que recélait, dans le *Conte du Graal,* l'éclat fascinateur de la Lance, laissant ainsi le champ libre, au château du Roi Pêcheur, aux seules « muances » du Graal : Lance et Graal sont, dès lors, joints l'un à l'autre, unis dans la même sainteté ; le sang vermeil coule dans le Graal, de même qu'à l'Enfant apparu dans le Graal succède la vision du Crucifié, la lance enfoncée au côté (l. 2424 - 2451). L'ambivalence de l'arme, entre la malédiction et la Rédemption, l'effroi de la destruction et la fascination du sacrifice, se répartit ainsi sur l'Epée de la Décollation et la Lance de la Crucifixion. Mais toutes deux se détachent du fond seulement suggéré de la tentation sexuelle, par la grâce d'un double emprunt, respectivement, à la *Charrette* et au *Conte du Graal :* le roi de la Gaite à qui le héros présente au retour, comme convenu, l'épée conquise, ne la lui rend qu'à condition

> que la chose que la premiere damoisele de qui il ert* requis le praiera, quex qu'ele soit, ne li ert pas veee* (l. 2085 - 2086).

Formule imprudente du don contraignant, reprise de l'épisode de l'Hôtesse Amoureuse de Lancelot et qui se réalise, plus tard, au profit de la Demoiselle aînée des Tentes, à l'occasion du Tournoi au « Noauz » (l. 6868 - 6884), autre souvenir de la *Charrette* ! Mais au château du Roi Pêcheur, entre la vision de l'Enfant et celle du Crucifié, entre la procession sacrée du Graal et son élévation miraculeuse, Gauvain est ravi dans la contemplation de « trois gouttes de sang » soudain chues sur la riche table d'ivoire (l. 2440 - 2442). Au cœur de l'extase sainte, revient, d'un roman à l'autre, Blanchefleur, nouvelle Béatrice. Si Gauvain ne dit mot, ce n'est pas faute d'avoir été averti, ni même d'être dans l'instant sollicité, mais tout à la joie ou à la douleur de la vision qui l'emplit, il *est* cette joie ou cette douleur même ; dès lors « pensif » ou « ébahi », il ne lui souvient plus qu'il lui faut « dire », il n'entend même pas qu'on lui parle. Où il est, le dire n'est plus, car être c'est oublier, et, où revient le dire, l'être n'est plus : ou une pensée sans sujet ou un sujet sans être ! Que je sois « pensif » exclut que « j'y pense », puisque, au moment où « j'y suis », il est déjà trop tard. Ici, l'auteur de *Perlesvaus* inventa l'Inconscient ! Mais notre glose est loin de valoir sa prose lumineuse :

> Et missire Gavains est pensis, et li vient si grant joie en sa pensee, q'*il ne li membre de rien se de Dieu non** (l. 2433 - 2434).

> Missire Gavains le voit, si en a grant pitié et *ne li sovient d'autre chose fors de la dolor que li rois sofre**. Et li mestres des chevaliers le resemont* de dire, et li dit que s'il atent plus, que jamés n'i recoverra*. Missire Gavains se test, qui pas n'entent au chevalier, ainz regarde contremont* (l. 2450 - 2454).

Pris dans leur ensemble, le voyage au royaume de Gurgaran et la visite au château du Roi Pêcheur, le seconde incluant le premier, s'inscrivent dans le vaste complexe de la tentation interdite et d'une transgression qui se masque d'autant plus étrangement qu'elle est plus profondément ignorée. La chaîne des aventures parle ici d'elle-même, puisque tout commence, à la branche V, par l'antithèse de Meliot, l'enfant au lion, et du jeune ermite Joseu, le matricide : si Joseu a tué sa mère par fureur de n'être pas roi, Gauvain est tenu pour responsable envers Meliot de la mort de sa mère (cp. l. 1599 - 1600 et 1636 - 1638), c'est-à-dire de la scène sanglante où fut déchirée la Dame de la Fontaine dans le secret du manoir de Gomoret. Ainsi l'impiété d'un désir charnel est retournée dans l'abomination d'un crime perpétré sur une femme. Mais l'enfant merveilleux est sauveur, quand l'ermite met « son cors a essil », en expiation (l. 1643). L'un est fils de (Bran), l'autre de Pellés ; l'un transmet l'éclat de Dieu, l'autre prie où est l'abîme (cf. « Abyssus abyssum vocat », *Psaumes,* XLII, 7). Quant au fils de la Veuve Dame, gisant malade au refuge du Roi Ermite, il se couvre du nom de « Parluifet », le héros qui « s'est fait par lui-même », comme l'explique l'ermite à Gauvain (l. 1672 - 1673). Telle est la traduction donnée au mal mystérieux qui le frappe, à l'instar du Roi Pêcheur, soit de ne rien devoir à nul Autre que soi. « Parluifet », mais aussi bien « Pellesvaus », d'un nom trop proche de celui du roi Pellés pour ne pas trahir ce qui naguère prévint le héros de reconnaître au-delà du Graal le nom du Père. On conçoit que le Roi Ermite retienne Gauvain d'entrer plus avant, de peur que le malade ne résiste pas au meurtrier désir des armes, comme il advient plus tard à l'approche de Lancelot. Suit le commandement adressé à Gauvain, au seuil du royaume fertile du Graal, de partir en quête de la plus riche Epée du monde, dont la description mentionnera, entre autres, les illustres « renges » (l. 2011) : de ce fait, la mauvaise coutume des Tentes est placée sous le signe, ou plutôt la menace, de l'Epée qui saigne, à l'exemple de l'épée suspendue au-dessus du lit commun de Gauvain et de la trop aimable fille de l'hôte, dans la première partie, « belle et périlleuse », du *Chevalier à l'Epée.* L'auteur de *Perlesvaus* a, semble-t-il, voulu que l'Epée émeraude, qui à l'heure de midi vire au rouge sang, fascinât le héros aux cheveux brillants dont la force, selon la tradition, croissait avec le jour. L'aventure, sous le coup du refoulement et sous l'effet inverse de la force qui la travaille, devient dans l'émerveillement celle du Vase d'or de la Fontaine et de la cruentation de l'Epée du roi, et dans l'effroi celle de l'enfant mort, dont le vase d'airain sert, en un simulacre de la Cène, la chair rédemptrice, et de la tête du géant de la montagne, pendue à la porte de la royale demeure. Ainsi se présente de la même expérience intérieure une double version de jouissance ou d'épouvante, comme il advint d'Arthur à la Sainte Chapelle — selon que l'Epée est, dans la direction marquée à la Fontaine, pieusement rapportée au Graal, ou que la malédiction s'abat sur la terre païenne d'Ecosse, avec le géant dévastateur, la douleur du roi et le meurtre du fils. Or l'épisode de Marin hante de part en part celui de Gurgaran, au travers de la fontaine et de la vision sanglante d'abord, puis de la réaction du géant semblable à celle du Jaloux qui sacrifie l'innocente victime (la Dame transpercée, l'Enfant étranglé), du corps morcelé enfin, là destructeur, ici salvateur. Bien plus, de même que l'accueil de l'épouse annonçait les hôtesses amoureuses de la Tente aux boules et aux aigles d'or, son souvenir se prolonge dans le château de la Balle d'Or, où s'arrête Gauvain au sortir du pays de Gurgaran : un nain, apparemment maître des lieux et frère du nain de Marin, cingle au visage, de sa « corgie », deux demoiselles, nièces de l'épouse châtiée, qui jouaient à la balle d'or (l. 2110 - 2137). D'une part, un objet précieux captive les regards comme une merveilleuse promesse, de l'autre, un fouet sauvage marque de honte la beauté des visages. Une image blessée de la femme et chargée de culpabilité prévient ainsi l'abandon aux plaisirs de la balle d'or: que la quête s'anime d'une plus secrète conquête et passe outre aux terreurs qui l'environnent ou que le Graal brille aussi de l'or dont se pare la Fée, l'émoi amoureux se double ailleurs de l'effroi sexuel; sur cette autre portée, où la violence faite au corps d'une femme trahit seule un lancinant désir, le couperet de l'Orgueilleuse menace, mais la virginité de Dandrane sauve: l'une suscite les démons en foule, l'autre traverse leur furieux massacre, et dans la chapelle mortuaire est prélevée sur le linceul du mort une pièce destinée à la vie d'un bon chevalier. La « geste » de Dandrane rattache plus spécifiquement le Suaire à l'image féminine, tandis que l'Epée du Bâtard saisie par Lancelot ôte tout pouvoir à l'Orgueilleuse, dont le rôle s'efface derrière une autre représentation, désormais prévalente, celle du Chevalier Terrible et du Coup en retour. Le Suaire qui met en parallèle l'Orgueilleuse et la Vierge équivaut en fonction à l'*objet d'or,* balle ou vase, où les aventures de la Reine au Cercle d'Or et de la Sainte Chapelle du Graal échangent leurs reflets. Rejoindrait-on ici, à force de conquête, ce qu'il faudrait, là, éviter, au hasard de l'horreur? Quand Lancelot se détourne de la royauté que lui offre la Cité Ardente (l. 3521-3522) ou de la sépulture où l'Orgueilleuse l'appelle à soi (l. 8353), Perlesvaus devient roi au château des Ames, après avoir reposé dans la nef qui l'amenait à la cour d'Arthur, tel un passager de l'au-delà. De fait, la visite de Gauvain au château du Roi Pêcheur abonde en signes de la féerie amoureuse: la quête du Graal ne fut jamais qu'un abord aux rives de la jouissance pour en savoir le désastre, quitte à s'éblouir de quelque ombre d'être. Sa conquête en fut le forçage, aussitôt suivi de dérive. L'auteur a non seulement fondu la vision des trois gouttes de sang avec les « muances » du Graal, mais il a condensé, à cette occasion, plusieurs scènes de la *Seconde Continuation* où le Graal déjà n'était désiré que du sein même de la Merveille amoureuse: l'échiquier magique près de la couche exquise (l. 2337 *sq.* et 2458 *sq.*) évoque la Demoiselle de l'Echiquier qui en reçut le don de Morgue la Fée à la cour du roi Brandigan (Roach, IV, v. 27909-28069), et dont l'aventure est nécessaire à ce que s'en dégage celle du Graal. L'épisode n'est pas non plus sans rappeler l'épreuve du Lit de la Merveille au palais aquatique des Mères, dans la *Partie Gauvain* du *Conte du Graal.* Mais Gauvain doit auparavant franchir trois ponts périlleux, le premier trop étroit et, d'après son nom, glissant comme l'Anguille, le second, de verre et fragile, surplombant une eau rapide et profonde: on songe à la fois à Lancelot rejoignant par le Pont de l'Epée la chambre de la Reine à la cour de Baudemagu, et à Perceval qui, chez Wauchier, traverse en direction du Graal un pont de verre grâce à la blanche mule d'une ravissante demoiselle de la Tente (IV, v. 25860-26193). L'auteur raconte, en outre, au lendemain de la visite, le prodige de l'orage qui s'abat sur le héros mais épargne un chevalier et une demoiselle chevauchant dans la clarté (l. 2488-2527): Gauvain est ici exclu d'un « château de joie » qui ressemble à un paradis courtois mais dont le nom sera plus tard repris pour désigner le château du Graal (cf. l. 7206). Or, chez Wauchier, une mésaventure semblable attend précisément Perceval à l'occasion de sa rencontre avec la Demoiselle à la Blanche Mule, qui lui interdit sa compagnie et lui explique plus tard que la grande clarté émanait des secrets improférables du Graal (IV, v. 25433-25859). Dans le Didot-*Perceval,* en revanche, on aboutit à une nuit d'amour au château de la Demoiselle au Mulet (histoire d'Urbain de la Noire Epine, l. 998-1038) et, dans la *Première Continuation,* au don de la boucle d'or magique de l'écu qui recrée en or toute partie manquante d'un corps mutilé (histoire de Caradoc, I, v. 8202-8492). Ces parallèles prouvent que le Graal a pour fonction d'être l'objet merveilleux qui pallie et trahit à la fois l'angoisse dont se creuse l'amour de la fée tout ensemble interdite et offerte. Au-delà du pont et de ce qu'il symbolise d'un franchissement sexuel, voire d'un retour au lieu originel, par la vertu de la blanche mule qui toujours y reconduit, la Merveille du Graal cause le désir, comme le signe en appel de ce qui toujours manque, sur fond de la blessure qu'elle seule peut rédimer mais que l'Arme sanglante menace d'un plus cruel retour, dans l'ombre insaisissable d'une Volonté inconnue. Le Graal christianisé est la jouissance du symptôme en souffrance dans le corps, ou le signe d'une royauté égarée au foyer natal étrangement inquiétant des Mères « faées ». Ce que savait, bien avant nous, au seul témoignage de son savoir-faire, l'auteur de *Perlesvaus.* Aussi bien est-ce l'ermite Pellés qui confie Perlesvaus, quand est venue son heure d'entrer au château, à la protection de la blanche mule, ainsi distraite de l'épisode du Pont de Verre chez Wauchier, mais étoilée au front d'une Croix Vermeille (l. 6154), à l'instar de ces animaux blancs aux oreilles rouges surgis de la tradition celtique et reçus en don des fées (cf. Loomis, *Arthurian Tradition,* p. 90).

Mais l'entreprise proprement insensée, n'était l'aide divine, suscite nombre de figures hostiles où se représente l'autre face du drame : un géant dévaste la terre du roi Gurgaran et, faute d'avoir rendu la joie au saint château, Gauvain apprend que le Roi du Chastel Mortel guerroie celui-ci (l. 2483-2487). Perlesvaus affronte ce même roi alors qu'il persécute la Reine des Pucelles tout comme il entend usurper le royaume du Roi Pêcheur (cf. l. 3929-3935) ; avant de le vaincre dans la reconquête du Graal, il libère la terre de Logres du Chevalier au Dragon Ardent, sorti du château des Géants pour assiéger la Reine au Cercle d'Or (cf. l. 5443-5481 et 5650-5699). Autrement dit, d'une part le Géant d'Ecosse ravage le pays d'un roi douloureux, comme le Géant au Dragon s'en prend à une Reine infortunée, laquelle comme Gurgaran possède une sainte relique[39] et se convertit à la fin ; de l'autre, le mauvais oncle de Perlesvaus poursuit de sa haine et le Roi Pêcheur et la Reine des Pucelles. Ce jeu d'équivalences renforce encore la mystérieuse collusion du château de la Fée et de celui du Roi Pêcheur, de Morgain et de Brandigan (cf. la Joie de la Cour dans *Erec,* et l'Echiquier chez Wauchier) et permet de retourner la transgression du héros quêteur ou conquérant en une rédemption par le héros sauveur et justicier. Quel en est le prix ? Le Sang du Crucifié. Déjà, l'épisode de Gurgaran indiquait la voie, puisque le géant blessé se vengeait sur l'enfant royal, dont la chair est ensuite sacrifiée en un rite anthropophage de communion. Le Géant au Dragon est, quant à lui, responsable de la mort d'Alain d'Escavalon, dont le corps est exposé sur une litière à la vue de son cousin Perlesvaus, et, saisi de rage, il se retourne pareillement contre le cadavre de cet autre fils, pour le réduire en cendres (l. 5857-5864). Mais surtout le combat renouvelle le motif de l'arme de braise qui plonge dans la chair du héros et la consume (l. 5843 et 5878), et, à l'appui de ce rappel, on trouve les adjectifs « grand, noir et hideux » (l. 5834) qui qualifient le Noir Chevalier du prologue (ou, plus loin, Anuret le Bâtard). Le principe de la guérison est similaire : là, le sang du mort, ici, ses propres cendres s'appliquent à la blessure du vainqueur (l. 5892-5896) ; enfin, comme Nitze l'a souligné (II, p. 150), le héros ne peut triompher de l'ennemi que par son arme même, ce qu'illustre le fait que l'épée du Bon Chevalier plongée dans la tête du Dragon en ressorte enflammée comme celle du Géant (l. 5868-5869). Ainsi est clairement indiqué, comme pour la guisarme du Chevalier Vert ou de l'épisode de la Gaste Cité, qu'une seule arme blesse le héros et met à mort le géant. L'aventure de Gurgaran, tout en les distribuant autrement, gardait les mêmes fonctions de l'Epée et du Géant, les Demoiselles jouant, de leur côté, la partie de la Reine au Cercle d'Or. Perlesvaus, enfin, prend ici le nom de « chevalier au chief d'or » (l. 5499) ou au « cercle d'or » (l. 5912), qui lui vaut d'être confondu, dans l'esprit d'Arthur, avec Lohout, son propre fils :

> E quant les noveles vinrent en sa cort que li chevaliers au cercle d'or avoit ocis le chevalier qui portoit le dragon, si cuida il que ce fust Lohout son fil, por ce que l'on ne nommoit mie Perlesvaus (l. 6359-6362).

L'histoire de Lohout s'entrelace, en effet, à celle du Chevalier au Dragon, puisque celui-ci est venu tout détruire au royaume de Logres afin de venger la mort de Logrin le géant, abattu par le fils d'Arthur (l. 4903-4950 et 5445-5481). Le sénéchal Keu a servi d'intermédiaire à la réciprocité mortelle, puisqu'il porta devant le roi, à la place de Lohout, la tête de Logrin (l. 5467) et trancha celle de Lohout, endormi sur le mort comme confondu avec lui (l. 4932-4938), avant que la Demoiselle à l'Ecrin ne la retourne à la cour d'Arthur. Si l'affaire de Lohout rejaillit, on l'a vu, sur la Table Ronde et sert de révélateur aux amours coupables de Lancelot et de Guenièvre, la mort d'Alain d'Escavalon regarde du côté du lignage parternel de Perlesvaus et semble due au grand amour que lui voua la Reine au Cercle d'Or, tandis que surgissait le fléau de Logres, le cruel Chevalier au Dragon (l. 5679). La confusion avec Lohout et la parenté avec Alain (de même nom d'ailleurs que le père du héros, Alain le Gros) dirigent Perlesvaus dans le sens de la vérité à reconnaître que figure une image sacrifiée de soi : si lui échoit le Cercle d'Or pour que sa tête brille de l'éclat royal du soleil, comment oublier que ce fut aussi la Couronne d'épines du Crucifié et que, de la tête de Lohout à celle du fils de Brun Brandalis, ne cesse de lui être signifiée la douleur du Coup qui frappe en retour le nouveau Roi ? Si le coffret d'or de la fée recèle une tête embaumée comme la Coupe d'Or rappelle au souvenir de Meliot mort, n'est-ce pas au sens où la merveille d'amour, soit l'objet précieux qui la symbolise, désigne encore au sujet la place de son propre sacrifice (décapitation ou castration) ?

Ainsi recommence, autrement transposée, l'histoire mythique de *Sir Gawain and the Green Knight,* ou encore des Reines amoureuses et des Châteaux Tournants. Lancelot n'approche-t-il pas, d'ailleurs, de la Gaste Cité au moment où Perlesvaus pénètre dans le Château Tournant (l. 5763-5767) ? A l'instar de la Demoiselle du Cercle d'Or vis-à-vis d'Alain, les Reines s'éprennent de la beauté de Perlesvaus : la Reine des Tentes qui devrait pourtant le haïr :

> La roïne l'esgarda enmi le viz* et esprent de s'amor si durement que pres va qu'el ne li cort seure* (l. 3284-3285) ;

la Reine des Pucelles, dans la mouvance du Graal :

> La Roïne des Pucelles qui molt estoit de grant beauté, l'amoit de tres grant amor, mes ele savoit bien que n'en avroit ja son desirier*... qu'*il estoit chastes et en chasteé voloit morir (l. 3940-3945) ;

la Demoiselle du Château Enragé aux « guisarmes » (l. 9104) :

Ele le voit bel chevalier e grant e bien forni*... si li plaist molt. Ele le comence tantost a enamer (l. 9125-9126);

la reine Gandrée d'Oriande, qui, aveugle, ressent le désir de le voir, pour avoir oui dire

que ce est li plus biax chevaliers del monde (l. 9199);

et les deux dernières se font baptiser comme la Reine du Cercle d'Or en renonçant à l'amour charnel : Elisa, Céleste, Salubre ! La même aventure se répète et se sublime sans cesse, alors que Perlesvaus détruit un roi ou un géant dressé sur sa route : le Roi du Chastel Mortel qui navigue sur sa galie et le Géant au Dragon, ou, plus tard, le Chevalier de la Galie (tué par Meliot, l. 9277) et le Sire de la Tour Vermeille (l. 9308). Mais la mise en scène est grandiose : par l'ensemble des châteaux fabuleux dont elle compose son décor mythique, au milieu des îles de mer ou dans l'alternance des terres plantureuses ou, au contraire, gâtées. Il s'en propose, là encore, une double lecture, comme dans la succession du roi Gurgaran et du Roi Pêcheur[40], selon que se représente une formidable mise à mort ou que prévalent les tenants de la fausse ou de la Vieille Loi (le culte païen du « Tor de Cuivre » ou la Loi judaïque du Roi du Chastel Mortel). Il existe, en effet, quatre forteresses closes, d'accès interdit ou impossible, en raison de défenses magiques : le château du Noir Ermite (l. 746-761 et 9942-9992), le château de l'Enquête (l. 1687-1708), le Château Tournoyant (l. 5714-5802), le château du Tor de Cuivre[41] (l. 5921-5973), soit, dans l'ordre, le château de Lucifer (le Noir Ermite, l. 2182), c'est-à-dire l'Enfer, celui de la Loi chrétienne (à l'entrée des terres du Roi Pêcheur, où est célébré le service du Graal), celui de la Vieille Loi (l. 5796), et celui de la fausse loi, c'est-à-dire des mécréants voués au diable (l. 6049-6051). Comment s'organise l'ensemble ? Au château de l'Enquête, deux archers de cuivre et un lion gardent l'entrée ; Gauvain est renvoyé en quête de l'Epée que possède Gurgaran, le roi mécréant, ce qui, on l'a vu, le conduit droit à la Tente des Fées et au Géant de la Montagne ; au Château Tournant, de même, des archers de cuivre veillent aux créneaux, ainsi qu'un ours et un lion rugissant à la porte. Or Perlesvaus y parvient, comme il partait combattre le Chevalier au Dragon, dont il doit encore garantir les nouveaux croyants du château conquis. Suit l'épisode de la Reine au Cercle d'Or et du Géant au Dragon. Les deux séries sont donc homologues. Quel en est le secret ressort ? L'étrange caractéristique de la rotation du château met sur la voie : dans *la Mule sans frein* de Païen de Maisières, Gauvain se retrouve face à un semblable château (v. 424-470) ; or l'aventure qui l'y attend est celle-là même du Jeu Parti que lui offre le Chevalier Vert, sans oublier le lit aux « quatre pecol » (mot qui en désigne les pieds sculptés et rappelle le Lit de la Merveille du *Conte du Graal*), où la dame l'assoit près d'elle avant de le festoyer. R. S. Loomis fait remonter le conte à l'aventure de Cuchulainn au château du Curoi, le dieu solaire, et de son épouse Blathnat, dans *le Festin de Bricriu*[42], soit encore à l'histoire qui fait le fond de l'épisode de Galagandreiz dans *Lanzelet,* ou d'Esclados le Roux dans *Yvain*. Il est d'ailleurs remarquable que, selon l'interprétation allégorique du Roi Ermite, l'entrée du château, réservée au seul chevalier chaste, était fermée aux chevaliers luxurieux, Lancelot et Gauvain (l. 6046-6048), ce qui s'accorde bien avec le refus opposé par Gauvain, cette fois, aux avances de son hôtesse, dans *Gawain and the Green Knight*. Sous la mosaïque aventureuse, l'ensemble est cohérent : la chasteté de Perlesvaus lui sert de rempart contre le Feu du Dragon qui ne consume rien d'autre que le corps d'Alain, déjà mort. Au héros au chef d'or revient, dans un éclat solaire, la souveraineté du Cercle d'Or.

Mais la représentation de la faute sexuelle n'en obsède pas moins l'aventure. Que le Dragon déjà dévaste de son feu et de ses flammes toutes les terres et toutes les îles, tel le fléau de la fin du monde, annonce cet autre feu que déversera à la fin des temps le château du matricide, Joseu. Mais il s'en prend ici au paradis de la Reine au Cercle d'Or, l'Ile des Eléphants qui, comme la terre du Graal,

> soloit estre la plus belle terre et la plus riche du mont (l. 5695).

Un bestiaire latin en prose, copié au XIIe siècle et traduit par T.H. White (New York, 1954), nous renseigne sur le symbolisme de l'Eléphant (p. 24-28):

> L'éléphant n'a aucun désir de copuler... Si l'un d'eux veut un enfant, il part vers l'est en direction du Paradis... Sa femelle mange à l'arbre appelé Mandragore et lui en donne... L'éléphant et sa femelle représentent Adam et Eve. Quand ils agréaient à Dieu, avant d'être provoqués à la chair, ils ignoraient tout de la copulation ou du péché. Mais, après que la femme eut mangé de l'Arbre de la connaissance, ce que signifie la mandragore, et qu'elle en donna un fruit à l'homme, elle devint aussitôt pécheresse, ce pourquoi ils furent chassés du Paradis. Car, aussi longtemps qu'ils furent au Paradis, Adam ne la connut pas. Mais alors l'Ecriture dit: « Adam connut sa femme et elle conçut et enfanta Caïn parmi les eaux du malheur. » Sur ces eaux se lamente le Psalmiste: « Sauve-moi, ô Dieu, car les eaux me sont entrées jusqu'à l'âme » (Ps. LXIX, 2). Aussitôt le Dragon provoqua leur chute et les rendit étrangers au refuge de Dieu.

Ajoutons encore que seul un petit éléphant, le plus insignifiant de tous, c'est-à-dire Jésus-Christ, peut relever l'éléphant tombé. Ce rapprochement est encore renforcé par le commentaire que Josèphe, l'auteur supposé, consacre au bon et au mauvais frère, le Roi Pêcheur et le Roi du Chastel Mortel, tels Abel et Caïn (l. 6217-6231): c'est un grand malheur, dit Josèphe, quand les chairs qui n'en font qu'une se divisent par l'effet du mal. Les mots qui disent la malédiction sexuelle s'appliquent ici à l'histoire des deux frères. Il vaut d'ailleurs la peine de citer, à ce même sujet, le récit de la Genèse selon l'ermite Trevrizent, dans *Parzival* (livre IX, p. 31-32, trad. Tonnelat):

> Quand Lucifer avec sa suite s'abîma dans l'Enfer, Dieu le remplaça par un homme: il prit de la terre et en forma le noble Adam. Du corps d'Adam, il détacha Eve, qui nous précipita dans l'infortune... De ces deux êtres naquirent des enfants; l'un d'eux, cédant à la démesure, en vint, par intempérant orgueil, *à souiller son aïeule qui était encore vierge.*

Et, comme Perceval s'étonne, il reprend:

> C'est la terre qui était la mère d'Adam; c'est des fruits de la terre qu'Adam se nourrissait. En ce temps, la terre était encore vierge, mais je ne vous ai pas dit qui lui ravit sa virginité. Adam fut le père de Caïn; celui-ci tua Abel en lui disputant un bien misérable. *Quand le sang tomba sur la terre pure, c'en fut fait de sa virginité. Cette virginité lui fut donc ravie par le fils d'Adam.*

Il y eut donc deux hommes qui naquirent d'une vierge : Adam, de la terre, puis Jésus, le nouvel Adam. Toute l'aventure de la Reine au Cercle d'Or, c'est-à-dire de Morgue la Fée, est donc placée sous le signe du péché, dont l'immédiate traduction est charnelle et sensuelle : de la Mandragore du Bestiaire aux eaux du Psalmiste ou à la souillure de la Mère Vierge dans le mythe de Caïn, rien ne se représente du désir sexuel — telle est la vérité chrétienne — qui ne soit entaché d'une impureté originelle : l'Eden ne se soutenait que de l'ignorance dont l'Arbre gardait le secret ; ce n'est pas un hasard si un ermite, l'oncle de Perceval, a énoncé celui-ci en forme de mythe et permis enfin de le désigner, quoiqu'il soit proprement irreprésentable : l'inceste.

L'autre série d'épisodes, centrée sur la figure du Roi du Chastel Mortel et le sort du château du Graal, reporte l'abomination sur un spoliateur : le mauvais oncle qui veut avoir la Lance et le Graal, ou le Noir Ermite qui avait dépouillé la Demoiselle du Char des têtes scellées d'or et de celles d'Adam et Eve (le « roi » et la « reine »). L'action du héros consiste, dans les deux cas, en une restitution, puisqu'il s'agit de rendre à leur lieu les reliques disparues ou les têtes volées, les premières à la Chapelle du très saint château, les secondes à l'Ile Plantureuse (cf. l. 9638). Mais les deux entreprises ont chacune leur accent propre, l'une tournée secrètement vers le héros, l'autre telle une projection à l'extérieur. Il faut donc grouper d'une part l'aventure au château des Pucelles et la libération du Graal, toutes deux menées contre le Roi du Chastel Mortel, le mauvais oncle persécuteur, de l'autre le château du Noir Ermite et celui du Tor (ou Cor) de Cuivre, l'un et l'autre demeures du diable avec leur fleuve infernal (cp. l. 751 - 754 et l. 5963 - 5964). Dans un cas prévaut la chasteté du héros, qui le désigne à la royauté, dans l'autre, son action militante qui relève et exalte la Loi. Ce double retournement est seul à conjurer l'impiété qui tourmente obscurément la venue au Graal. Le Saint Château porte d'ailleurs trois noms : Eden, de Joie et des Ames (l. 7205 - 7206), Eden comme l'Ile fortunée des Eléphants, de Joie comme le château courtois de l'autre côté de l'orage. Il est aussi comparable au Château Tournoyant, puisqu'il faut franchir des ponts (l. 2289, 5754 et 6062) et que le héros, après conseil, s'en remet, pour triompher, à la vertu de saints objets : sa lance et l'Ecu du Bon Soudoyer la première fois (l. 5729), la mule et l'étendard divin, la seconde (l. 6072 - 6075). Ajoutons, là, un lion et un ours, ici, deux lions. En outre, est mis en rapport avec lui le château des Galies où la Reine des Pucelles est en butte au même harcèlement du Roi du Chastel Mortel et où résonne un cor d'ivoire, comme au lendemain de la visite de Gauvain chez le Roi Pêcheur (cp. l. 2467 et 3907) :

> Ausi chalenge il* le mien chastel porce que je sui en l'aide le Roi Pescheor (l. 3931 - 3932),

explique la Reine à Perlesvaus. Ce château sur la mer qui semble mort et ignore son nouvel hôte avant que le son du Cor ne l'anime et ne brise le charme peut être identifié au château des Pucelles sur la rivière, dans la *Seconde Continuation,* dont la salle déserte et close s'emplit sitôt que Perceval a eu l'audace d'y faire retentir le maillet à la chaîne d'argent (Roach, IV, v. 24222 - 24728). Une fois encore sont appariées les aventures de Morgue la Fée et du roi Brandigan. Le Cor d'ivoire sert de révélateur, si on rapproche l'aventure d'une remarquable séquence de la *Première Continuation,* consacrée à l'histoire de la Pucelle au Cor d'ivoire et de Macarot de Pantélion (mss. E,U, Roach, II, v. 1956 - 3630).

Tout s'y trouve en effet : l'averse et la bourrasque nocturnes, avant de rencontrer la pucelle sur la mule ; le festin dans la riche lande et l'apparition d'un chevalier à l'écu vermeil, monté sur un cheval noir, qui se saisit du Cor de la Pucelle ; le combat mortel qui s'ensuit ; les imprécations d'un nain hideux qui accuse Gauvain d'avoir oublié la Demoiselle de Montesclaire et l'Epée aux Etroites Renges ; le chevalier gisant dans la bière (Macarot), dont les plaies se rouvrent à l'approche du héros, et le combat avec les quatre frères ; la salle déserte d'une maison forte où est mise la table et l'irruption furieuse de l'hôte — sur quoi se greffent l'histoire de Greoreas et la libération des malheureuses pucelles ! La vertu du Cor était telle, notons-le,

> Que ja nus hom* qui l'ait o* soi
> N'avra ne froit ne fain ne soi*,
> Ja n'iert an si estrange leu* (v. 2455-2457).

Autre version du mythe de l'*Elucidation,* des pucelles aux coupes d'or et du cruel Amangon ! En clair s'interpose, entre l'abondance édénique rêvée auprès de la Fée Amante et le héros à l'aventure, le Privateur sur la traîtrise duquel est reportée la coupable violence faite à la pucelle, quand sa venue signifiait en vérité au héros qu'il fallait remonter au-delà de la fée pour rendre à qui de droit le Symbole du Cor. D'où la honte qu'une horrible créature jette sur le héros inconscient, l'allusion à l'Epée et le cri muet du gisant ensanglanté, comme au Gaste Manoir ; l'heure vient enfin de rendre des comptes, comme à la Gaste Cité ou avec le Chevalier Vert ou chez Bran de Lis, mais, comme l'avait vu R.S. Loomis (*Arthurian Tradition,* p. 437), le crime sexuel est rejeté sur Greoreas et le héros devient par excellence le chaste Sauveur des Pucelles infortunées, comme Yvain à *Pesme Aventure.* L'Autre endosse la faute qui vaudrait au héros, s'il se l'avouait, à l'heure de la vérité, la mise en scène de sa propre mort. Quand donc la Corne fabuleuse reviendra-t-elle à Bran, enfin rendu à la paix de la sépulture ? Ce lieu symbolique ne sera jamais atteint, tandis que se satisfait à force de détours symptomatiques, c'est-à-dire de « muances » du Graal, un acte toujours plus refoulé, monstrueux et coupable, meurtrier et traître.

Ainsi s'éclairent les sinistres épisodes du Noir Ermite et du Tor de Cuivre. Au diable est renvoyée et dans l'abîme engloutie l'immonde puanteur, la « pueur » et l'« ordure », trop intimes peut-être (l. 9990-9991), et ce d'autant plus que l'âme est davantage ravie au Graal. C'est un fait que le Noir Ermite attend tout armé au milieu de la Salle où le héros a pénétré sans résistance, à l'image de ces châteaux déserts où guette, hostile, Bran de Lis, et qu'au Tor de Cuivre un rugissement formidable se fait entendre, comme un souffle puissant au travers d'une Corne ou d'un Cor. M. Williams y avait, à juste titre, pressenti le culte archaïque de la corne du taureau ; le ms. *Br.* donne d'ailleurs Cor au lieu de Tor, et même « cor d'ivoire », ce qui nous comble : le château des Pucelles et le château du Diable venant ainsi en regard l'un de l'autre. Nul doute qu'au Tor de Cuivre est célébrée l'adoration perverse d'un signe phallique en terre maudite.

Sur cette voie pourtant, trop périlleuse si Perlesvaus ne se parait de chasteté et ne se posait en champion de la Sainte Loi, certains signes lui sont adressés qui l'orienteraient autrement, s'ils pouvaient être entendus, du côté de ce Père dont la tragédie initiale ne sort jamais de son ombre.

Deux indices : dans la conquête des ponts qui mènent au château profané, Perlesvaus découvre à la porte deux lions, l'un rouge, l'autre blanc (cf. l. 6088) ; il puise sa force dans le regard et la pensée du Lion Blanc, lequel va détruire et déchirer le Lion Rouge (l. 6181). Or, dans le prologue, le jeune Gallois assistait dans la forêt au combat du Vermeil et du Blanc Chevalier, et le premier eût conquis le second si le valet avait été moins prompt au javelot (l. 495). Le héros, d'autre part, se trouve, lors de son combat avec le Roi du Chastel Mortel, identifié par celui-ci à son écu :

> Chevalier, fet il, qui vos dona ces armes et de par qui portez vos itel escu ? — Je le port, fet il, de par mon pere. — Porta vostre pere l'escu vermeil au cerf blanc ? — Oïl, fet Perceval, maint jor. — Fu donques, fet li rois, Yulains li Gros vostre pere, des Vaux Camaalot ? (l. 3966 - 3970).

Pour la première fois, et pour un certain temps, le héros reçoit son vrai nom de *Perceval* (l. 3960), alors qu'est repris le motif du Vermeil et du Blanc. Peu après, Dandrane nomme de même son frère à la cour d'Arthur (l. 4065) et Lancelot reconnaît également l'écu laissé en place de l'autre :

> Or sai je bien, fet il, que Perceval a ci esté, car cest escu sot* il porter, et itel le porta son pere (l. 4146 - 4147).

Commence alors la quête du Bon Chevalier, par Gauvain et Lancelot, au cours de laquelle le héros continue d'être appelé Perceval mais devient insaisissable. Il en va encore ainsi à l'ermitage où repose le corps sans tête de Lohout. Mais, aussitôt le héros revenu à Camaalot, chez la Veuve Dame, le récit ne connaît plus que « Perlesvaus » (l. 4997). Il ne peut s'agir d'un hasard ou d'une bizarrerie de la tradition manuscrite, surtout si l'on observe que ce moment suit la première manifestation du héros dans le récit, au sortir du refuge de son oncle ermite Pellés, sous le pseudonyme de *Parluifait* (l. 2924 *sq.*) et s'accompagne d'étranges métamorphoses de celui qui est devenu, comme le mauvais oncle, un « chevalier de la galie » et qui ne cesse de changer les « connaissances » de ses armes, c'est-à-dire de « se déconnaître », selon le motif typiquement arthurien du chevalier *desconneü* (cf. l. 4475, 4492). Après les « muances » des îles aventureuses, toujours diverses, et celles, improférables, du Graal, voici les « muances » du Bon Chevalier :

> Car il ne me veult dire son non, et trop souvent *mue* son escu (l. 4480),

déplore Gauvain.

> Il est le plus *divers* chevalier dou mont et li meudres* chevaliers qui vive (l. 4466),

commente la demoiselle qui suit la litière d'Alain d'Escavalon. Il n'a pas de nom parce qu'il est entré, vainqueur, au royaume sans nom de la Fée et a « percé sans frémir ces portes d'ivoire ou de corne ». N'est-il pas d'ailleurs lui-même, en sa virginale pureté, le Ténébreux (« Il est un pou onbrages », l. 4379) ? Il hante, depuis un an, la mer, dans une île sous le château de la Reine des Pucelles, dont il chassa l'oncle sinistre, et sème la terreur aux alentours. Il émane de lui une effrayante beauté ; à en croire la description de l'ermite, qui, selon le chiffre fatidique du début du roman, passa quarante ans dans sa retraite :

> Et me sanbloit estre de molt grant beauté et avoit si tres cruel esgart* conme lions (l. 4205).

Le Couard Chevalier de la Demoiselle du Char enchérit:

> Li chevaliers... a si fier regart que je cuidai estre morz (l. 4244).

Mais cet éclat merveilleux et mortel couvre de sa brillance la vérité qui jamais ne fut si proche: au Tournoi de la Vermeille Lande où il triomphe avec un écu blanc, est exposée la litière d'Alain d'Escavalon qui appelle vengeance contre le Géant au Dragon, et la tête de Lohout chiffre le destin du Chevalier au Chef d'Or! Mais surtout le Chevalier à la Nef qui sillonne les mers des îles près du château des Galies de la Reine de Féerie (l. 4261-4263) fut porté endormi comme mort par une nef jusqu'à la cour d'Arthur. Nous avons déjà parlé du conte du Chaland dans la *Première Continuation*: la nef ramène à la cour Guerrehés, gisant endormi, comme naguère y vint, étendu mort, le roi Brangemor. C'est à la place du mort que, pour prendre enfin vie, tout héros doit venir. La présence des quatre candélabres d'or dans *Perlesvaus* (l. 4100-4101), comme à la veillée funèbre, n'aurait en effet aucun sens si elle ne rappelait la scène d'ouverture du roman, dans la chapelle mortuaire du rêve de Cahus, le valet, où un chevalier gisait

> deseur une litiere, e estoit coverz d'un riche drap de soie, e estoient qatre estavauz* environ lui ardant qui estoient fichié en qatre chandelabres d'or (l. 136-138).

On sait qu'à cette aventure est liée aussi la Demoiselle à la tête pendue à l'arçon de la selle, qui fut au fils de Brun Brandalis. Mais Lancelot, d'autre part, avait vu, aux abords du Saint Château, un chevalier gisant dans une nef où étaient encore trois chevaliers blancs et chenus (l. 3632-3634); comme pour le Roi Pêcheur, un homme ancien et chenu se tient maintenant dans la nef mystérieuse du Bon Chevalier (l. 4090), et toujours se remarque un riche drap de soie au milieu. Le vieillard est enfin de très grande beauté et le gisant repose tout armé sur une table d'ivoire, comme plus tard, à l'Ile aux quatre sonneurs, des hommes blancs au visage encore jeune accueillent le héros au terme de sa navigation et le convient parmi des tables d'or et d'ivoire, tandis qu'il aperçoit un chevalier tout armé à l'intérieur d'un habitacle de verrre (le « tonel de voirre », mais le ms. *Br.* porte: d'ivoire! l. 9571). En d'autre termes, au fil de ces dérives parmi les îles fabuleuses de la mer, le héros couronné et radieux a dû, comme Lancelot ou Gauvain au second Coup du Jeu Parti, venir à la place qui fut celle du Gisant mort et encore du Roi languissant; la mort de l'un non plus que la « blessure » de l'autre n'ont manqué de le traverser à son tour.

Mais où fut frappé le premier Coup, le plus énigmatique, dont nul ne veut rien savoir de plus? L'histoire s'en représente à mots couverts sur l'autre portée des aventures de Perlesvaus, non plus dans les terres de Logres ni du Graal, mais aux vaux de Camaalot en Galles, et à travers cette figure du double qu'incarne pour lui, à l'instar de Meliant pour Lancelot, Clamador, le fils du Chevalier au Vermeil Ecu de la Forêt des Ombres (l. 3042). Du côté de la Forêt Profonde s'est en effet joué le drame dont le roman réfracte l'incidence fatale. Gauvain avait déjà rencontré le valet non encore adoubé, sur le chemin qui le conduisait au château de la Veuve Dame. Clamador inaugure le complexe d'épisodes constitué par Camaalot et Gomoret, de la même façon que Meliot et Joseu, celui des Tentes et de Gurgaran. Il est, lui, l'ennemi mortel du Bon Chevalier et il révèle le meurtre infamant par lequel débuta la carrière de celui-ci :

> Car il ocist mon pere en ceste forest d'un javelot. Li Buens Chevaliers estoit vallez qant il l'ocist, e ge vengeroie mon pere vallez*, se ge le trovoie, car il me toli* le meilleur chevalier qui fust o roiaume de Logres qant il ocist mon pere. Il le me toli bien, puis qu'il le tua sanz deffiance de son javelot (l. 985-990).

Gauvain passe peu après devant la chapelle assise sur quatre colonnes de marbre (l. 1031)[43], qui contient le sarcophage de Nicodème, l'ancêtre paternel, et où Perlesvaus enfant entendit son père l'appeler à la Chevalerie et à la valeur des armes (cf. l. 465-486). Clamador réapparaît enfin au moment même où « Parluifet » revient à la vie, pour exiger d'Arthur l'adoubement, à l'image de Perceval dans le *Conte du Graal* (l. 3034*sq.*). Les histoires de Perceval et de Clamador ne cessent, en vérité, de se recroiser : celui-ci est également de très grande beauté et il « porte un escu vermel autretel com fist ses pere » (l. 3076-3077), ajoutons : comme Perlesvaus (cf. l. 3967-3969). Il fait ensuite escorte à la Demoiselle au Char attelé des trois cerfs blancs, elle-même en quête du Bon Chevalier. Perlesvaus est donc à la fois recherché par celle qui attend de lui le retour des têtes laissées en gage chez le Noir Ermite, et par son *alter ego,* acharné à venger la mort d'un père. L'échange ne peut être que mortel, mais il s'accomplit par personne interposée : Clamador tue le lion de Meliot qui le charge à son tour de ce crime ; chacun d'eux réclame dès lors réparation du tort commis, le premier contre Perlesvaus, le second contre Clamador. Ce pourquoi Meliot, en lieu et place du héros, atteint d'un coup mortel Clamador, non sans avoir lui-même été blessé. A ce moment, les aventures de Clamador et de Perlesvaus vont, pour ainsi dire, à la rencontre l'une de l'autre, pour converger dans l'épisode de la Reine des Tentes : Clamador, en abattant le lion, a forcé l'accès qui menait à la terre de celle-ci (l. 3355-3356) ; le sens est clair, si on prend garde au geste du vainqueur qui accroche la tête du lion à la porte de la salle (l. 3122). La Dame des Tentes lui fait fête comme au fils de sa sœur, c'est-à-dire à celui qui lui est le plus proche par la chair (l. 3176-3177). Elle l'investit même seigneur de sa terre et d'elle même. Pendant ce temps, Perlesvaus est hébergé chez son ennemi mortel, Cahot le Roux, le frère du Chevalier Vermeil de la Forêt des Ombres, qui s'est, en fait, emparé d'un château de la Veuve Dame (l. 3197-3251). Le héros récidive donc : il tue Cahot le Roux, comme Clamador tuait le lion ; au reste, à la fin du roman, Perlesvaus, venu en aide à la Demoiselle à la tête du prologue, a également affaire au lion du Roux Chevalier de la Forêt Profonde, le meurtrier du fils de Brun (cp. l. 8830-8843 et l. 3106-3124). Ainsi pénètre-t-il, à son tour, sur les terres de la Reine des Tentes qui, à sa vue, s'éprend aussitôt de lui, en dépit de Clamador indigné. L'apparition de ce dernier fait donc revivre ensemble le meurtre inaugural et le péché trop charnel, dans l'espace même des aventures ayant trait à Camaalot et au pays de Galles, où se déroulèrent les enfances du héros. Mais en ce point trop brûlant, qui fut aussi bien celui du silence de Lancelot face à Meliant et du silence de Perceval face au cortège de la Lance et du Graal chez Chrétien de Troyes, tout est aussitôt retourné ou plutôt détourné, comme y préparait d'ailleurs l'épisode initial de la série, chez le Jaloux de Gomoret et la Dame de la Fontaine. La Demoiselle du Char est déjà présente aux côtés de la Dame des Tentes, là où la tentation est, dans le roman, la plus ardente et, tandis que le chemin de Lancelot passe par les périls de l'Orgueilleuse ou de l'hostile Demoiselle au Nain, Dandrane, la sœur virginale de Perlesvaus, révoque les noirs démons des mauvais désirs. Pourtant... Les déchaînements de la plus atroce violence ont justement pour théâtre le domaine de la Veuve Dame. Un signe inquiétant en est déjà donné à l'ouverture de la tombe de Nicodème, où la famille trouve

> les tenailles toutes teintes de sanc de quoi li clou furent osté (l. 5240-5241).

L'insoutenable évocation d'une chair à la torture des fers qui la déchirent est ici pressentie. Mais que dire du supplice infligé au Sire des Marais, noyé, tête en bas, sous les sarcasmes de Perlesvaus, dans une cuve emplie du sang qu'on fit rendre à onze chevaliers décapités (l. 5387-5402) ? La Loi divine est citée à l'appui, qui fait justice impitoyable des « homicides et des traitres ». N'était-ce pas précisément ce dont Lancelot était accusé et Perlesvaus aussi bien ? Une fois de plus est reporté sur l'autre, le persécuteur de la vierge, le crime que l'on couve en son sein. Au total, d'ailleurs, douze chevaliers sont mis au supplice. Or Perlesvaus avait, du côté de son père, onze oncles et les douze tombes sont, à la fin, saintement gardées par douze ermites, non loin du château de Pellés qui brûle du feu du matricide ! Douze « chevaliers anciens », mais jeunes de visage, accueillaient Gauvain dans la salle du Roi Pêcheur (l. 2414, selon ms. *Br.*, et d'après l. 5151), avant de disparaître mystérieusement à la mort du roi souffrant ; douze ermites, en compagnie de Joseu, aident Perlesvaus à reconquérir le Graal (l. 6191). Il est enfin curieusement dit du Sire des Marais qu'il fut noyé et « esteinz » (l. 5400). Le dernier doute, s'il en était, est ainsi levé : le Noir Chevalier du prologue avait éteint le feu de sa lance dans le sang du roi Arthur :

> Le glaive... qui estainz estoit (l. 394),

en ajoutant :

> Jamés mes glaives ne fust estanchiez d'ardoir s'il ne fust beigniez en vostre sanc (l. 395-397).

En clair, est projeté sur un autre ce qui, en fait, visait le sujet, et avec d'autant plus de cruauté qu'il ne veut rien savoir du meurtre où se fonde sa vérité ; de même qu'est perpétrée par un autre une violence qui n'a pas dit son nom : la femme de Marin n'est pas la seule innocente que maltraitent au sang de cruels chevaliers. Aristor d'Amorave, cousin du Seigneur des Marais, s'est emparé de la chaste Dandrane et entend l'épouser, avant de lui trancher la tête, comme à toutes ses femmes, au bout d'un an (l. 7264). Mais, en guise de noces, Perlesvaus fait rouler aux pieds de sa sœur la tête de celui qui l'eût violentée (l. 8887-8888). La Demoiselle du prologue est livrée à la « corgie » d'un parent du Roux Chevalier, dont le héros tirera justice en le jetant dans l'obscure et profonde Fosse aux Serpents (l. 8992-9036). Le Noir Ermite, enfin, qui a nui à la Demoiselle du Char, est précipité dans la grande fosse d'où sort l'immonde puanteur (l. 9988), mais d'où remontent encore, au Château des quatre cornes, les gémissements des damnés (l. 9600).

L'ultime navigation de Perlesvaus rassemble, comme pour Lancelot l'aventure aux deux lieux du plus grand péril, les représentations clefs de son histoire. Elles se rangent sous deux chefs, d'après la séquence finale du Château Ardent de Pellés et du Cimetière des douze tombes, dont celle de Bran de la Gaste Cité, tué par le Roux Géant. D'un côté, la visite au Château aux quatre cornes et la merveille qui s'y produit (l. 9537-9668), de l'autre, l'infortune d'une autre Veuve Dame et le château de la Baleine (l. 9669-9816). La première aventure prend place dans la forteresse de l'Autre Monde, comme l'indiquent la construction quadrangulaire et la transparence du verre qui abrite un mystérieux chevalier tout armé. Par la mention de la Fontaine et des hommes blancs, elle entre en correspondance avec la précédente visite de Gauvain au château du Graal par le château de l'Enquête. La douceur sonore des « arainnes » (ou cornes d'appel), d'autre part, contraste avec la violence de celles qui retentissaient au Château Tournoyant (l. 5721), sur le chemin qui guidait le héros vers l'île paradisiaque de la Reine au Cercle d'Or. La scène centrale, enfin, est modelée sur l'accueil réservé à l'élu dans la grande salle du château du Roi Pêcheur, tel que l'évoquait le *Conte du Graal.* Peut-être est-ce là l'une des plus subtiles reprises de l'auteur de *Perlesvaus.* Trois traits remarquables se détachent en effet : à la vue du chevalier vivant à l'intérieur du « tonnel de verre », le héros qui jadis s'était tu au passage du cortège, ne cesse, cette fois, de questionner, mais en vain. Quand était la réponse, il n'y avait pas de question ; quand vient la question, la réponse est refusée. Puis, au cours du festin, se propose également une vision et Perlesvaus est tout regard. La merveille comporte enfin une ambivalence : la douceur des pierres précieuses et de la fabuleuse chaîne d'or, miraculeusement suspendue et porteuse d'une couronne d'or, et la douleur des cris qui jaillissent d'une grande fosse soudain ouverte. Une équivoque subsiste d'ailleurs à l'endroit de la « chaenne » d'or, puisque le héros est promis à la royauté de la couronne d'or et montera sur la « chaiere », le trône d'or (l. 9623) ; mais elle est peut-être entretenue à dessein, dans la mesure où le motif du prodige de la chaîne rattachée au ciel appartient à l'histoire de Pryderi (cf. Loomis, *Arthurian Tradition,* p. 343) et où, surtout, la Fontaine miraculeuse aperçue par Gauvain comprenait un « vessel d'or » attaché à une chaîne d'argent : ici, la couronne d'or est comprise avec la chaîne d'or. Que la vision renvoie à celle du Graal est encore renforcé par le miracle similaire de l'objet dans les airs ; il semble à Gauvain

> que li Graax soit tot en l'air (l. 2448).

La « chaenne » qui descend sous les yeux de Perlesvaus ne tient à rien d'autre qu'à la volonté de Dieu (l. 9598)[44]. Mais le glissement de la « chaenne » à la « chaiere » s'explique en raison même du motif du Siège Périlleux : Perlesvaus s'assoira sur le Siège d'or, mais au risque de sombrer lui-même dans l'abîme de l'« Ile Souffreteuse », s'il ne pourvoit en tous biens l'« Ile Plantureuse » dont il sera roi. Le motif recouvre ici exactement celui du cortège de la Lance et du Graal chez le Roi *Méhaigné* : au secret de la blessure sexuelle du roi se partagent la Lance mortelle et le Graal spirituel, comme le péril de l'accession au trône balance entre l'angoisse du puits hideux et la promesse de la Couronne d'or. Mais que signifie le Chevalier dans sa cellule de verre ? Perlesvaus lui adresse maintes fois la parole, mais l'autre n'a pas voulu répondre. Il « demande qui cist chevaliers est », on lui dit qu'il ne peut encore le savoir, mais seulement à son retour — au seuil duquel s'arrête le livre. Peut-être le chevalier inconnu incarne-t-il la figure du propre silence de Perlesvaus, qui ne s'est jamais rendu, par la délivrance d'une parole, à la place impossible de son vrai désir. La transparence du verre lui réfléchit aussi bien le vide de sa demande à jamais sans réponse, faute d'en avoir reconnu le désir, que la transfiguration de l'être rené à sa lumière[45]. S'il est vrai que ce chevalier, tel Alexandre opposé à l'Antéchrist, soit encore la figure du *Rex Justus* de la Fin des Temps (cf. T. Kelly, *Perlesvaus,* p. 123), c'est que la place à reconnaître comme telle, par-delà le fantasme, du désir « meurtrier et traître », est proprement apocalyptique. Pourquoi ne pas rapprocher cette étrange barrière vitrée de la prison de verre où la Dame de Malehot (on songe à « Maheloas, Sire de l'Ile de Voirre », dans *Erec*) détient Lancelot (Sommer, III, p. 213), à l'instar encore du Val sans Retour de Morgain, plus tard[46] ? Pourtant s'écrit ailleurs ce qu'il reste chez le héros d'horreur de savoir : au château « agasti » d'une dame déshéritée, mère de Calobrus, autre cousin du héros, d'une beauté également merveilleuse, et parente du roi mort Ban de Benoyc ! Le persécuteur s'appelle maintenant Gohart de la Baleine[47] ; il a, comme le Roi du Chastel Mortel dans l'épisode du château des Galies, pouvoir sur les îles de mer (cp. l. 3933 et 9716) ; il s'est rendu maître des terres riches et plantureuses du Roi Malade (dont le frère est l'ancien ami de Morgain, devenu le Chevalier Lépreux) et s'apprête à déshonorer la fille secourable de celui-ci. L'épisode conjugue donc les représentations du Chastel Mortel et des souffrances du Roi Pêcheur, mais en outre celles du Serpent Monstrueux à la gorge duquel Perlesvaus arrache, encore chaude et de son feu enflammée, la *Clef* dont Calobrus attend sa délivrance, tandis que Gohart sera enchaîné à sa place. La Clef est au Serpent ce que le Braque était aux Gryphes du château, voire la Couronne d'or à la Fosse entrouverte (une chaîne d'or, ici, dans les airs ; une autre « chaanne », là, « de coi un chevalier est enserrez enmi la mer », l. 9782 — et la Clef, chue, de l'Arbre, au fond de la gueule !). Calobrus, d'autre part, reflète au héros son propre destin et lui désigne la place sacrificielle où il viendrait en regard de Celui dont il aurait enfin restauré le Nom[48]. Un autre groupement que celui, symptomatique, de la Lance, du *Méhaigné* et du Graal attend toujours son heure : la « jusarme » (guisarme), le riche tombeau et le Cor de Bran ou la Corne d'abondance.

[Ci-joints, en annexe, deux tableaux, dont l'un dispose la suite des aventures (quête, conquête, pèlerinage et destination) sur les deux portées *de ce qui se répète* (d'origine), pour Lancelot (Gaste Cité) comme pour Perlesvaus (vaux de Camaalot) — avec, en parallèle, la Chapelle et l'Atre Périlleux, la vengeance d'Alain et celle de Lohout —, *et de ce qui se rejoue* (enfin), dans l'ordre du Graal (Roi du Chastel Mortel) ou de la Table Ronde (Madaglan d'Oriande) — Meliot servant de trait d'union ; et l'autre présente les séries homologues selon lesquelles se distribue, sous forme mythique, l'énigme centrale, couplant l'extase et la terreur dans les deux systèmes, religieux, du Graal, sexuel, de la Dame.]

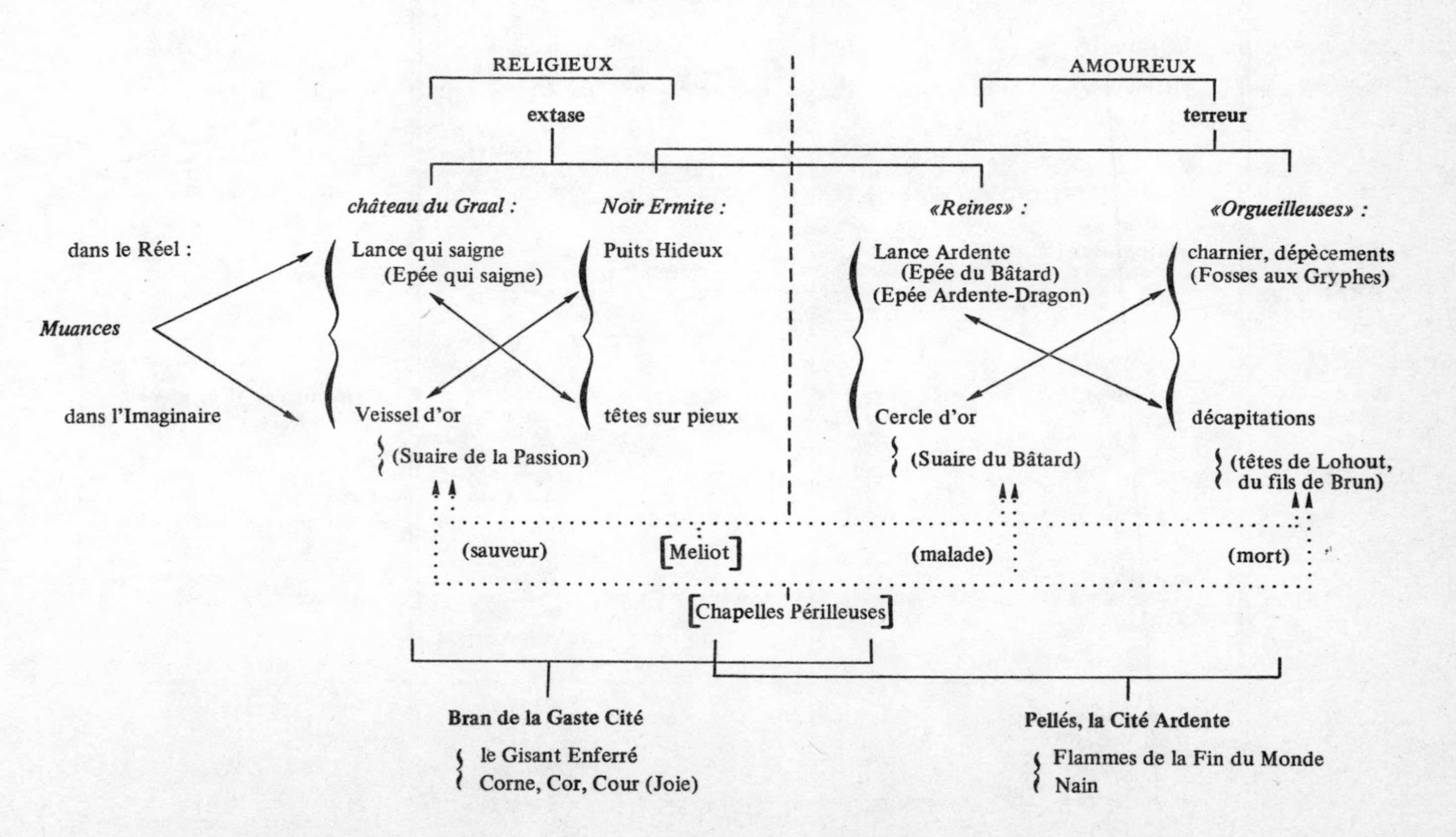
TABLEAU DES «MUANCES»
RELIGIEUX
extase
AMOUREUX
terreur
château du Graal :
Noir Ermite :
«Reines» :
«Orgueilleuses» :
dans le Réel :
Muances
dans l'Imaginaire
Lance qui saigne
(Epée qui saigne)
Puits Hideux
Lance Ardente
(Epée du Bâtard)
(Epée Ardente-Dragon)
charnier, dépècements
(Fosses aux Gryphes)
Veissel d'or
têtes sur pieux
Cercle d'or
décapitations
(Suaire de la Passion)
(Suaire du Bâtard)
(têtes de Lohout,
du fils de Brun)
(sauveur)
Meliot
(malade)
(mort)
Chapelles Périlleuses
Bran de la Gaste Cité
le Gisant Enferré
Corne, Cor, Cour (Joie)
Pellés, la Cité Ardente
Flammes de la Fin du Monde
Nain

Tableau des Aventures

série A : Camaalot et «Trespas» (les passages périlleux)
série B : Graal et Table Ronde. – (Entre parenthèses sont indiquées les lignes correspondantes de l'édition de Nitze.)

	PROLOGUE		*QUETE DU GRAAL*				*QUETE DU BON CHEVALIER*
			par Gauvain		**par Lancelot**	**retour du bon Chevalier**	
			(du côté de Perlesvaus)	(du côté de Lancelot)			
A	1. Lignage de Perlesvaus (77)	7. Demoiselle à la Tête (456)	13. Perlesvaus / Clamador (1028)	16. Le Chevalier Couard (1429)	25. Gaste Chastel (2705)	28. Parluifet / Clamador (3186)	37. Le Chevalier Couard (4247)
A	2. Rêve de Cahus : le Gisant (144)	8. Enfances de Perlesvaus (536)	14. Le Sire des Marais (Camaalot) (1213)	17. Chapelle de l'Orgueilleuse (1526)	26. Barbes (2855)	29. Cahot le Roux (3251)	38. Le Desconneü (4385)
A	3. L'Homme Noir au Couteau (182)	9. Retour à Carduel (566)	15. Marin de Gomoret (1349)	18. Gaste Manoir (1558)	27. Gaste Cité (2923)	30. Reine des Tentes (3429)	39. Tournoi Vermeille Lande (4494)
B	4. L'Ermite Calixte (261)	10. **Demoiselle du Char** (692)	19. Meliot, Joseu, Enquête (1729)	22. Allégories (2252)	31. Cité Ardente, Joseu (3623)	34. Reine des Pucelles (cor d'ivoire) (3939)	40. Joseu / le Cercle d'or (4534)
B	5. La Chapelle aux Muances (361)	11. Noir Ermite (les têtes) (780)	20. Demoiselles des Tentes (1916)	23. Les trois Ponts (2353)	32. La Reine / le Roi Pêcheur (3759)	35. Roi du Chastel Mortel (4000)	41. Recet des voleurs (4678)
B	6. Le Noir Chevalier : *Lance Ardente* (401)	12. L'*Ecu* de Judas Maccabée (875)	21. Roi Gurgaran. L'*Epée* de Jean-Baptiste (2137)	24. Muances du Graal (2527)	33. La Fée / le Roi Ermite (3872)	36. **Dandrane** le chaland l'*Ecu* (4180)	42. Réunion des trois chevaliers (appel de Meliot) (4901)

	CONQUETE DU GRAAL		PELERINAGE AU GRAAL		DESTINATIONS	
			Aller	Retour	pour Lancelot	pour Perlesvaus
A	43. Lohout (4956)	46. Tombe de Nicodème (5290)	55. Manoir-Charnier (Barbes) (6520)	61. Château de Gauvain (7337)	67. Chapelle Périlleuse (8378)	73. Aristor (Camaalot) (8824)
						79. La Veuve Dame (mère de Calobrus) (9731)
A	44. Atre Périlleux (5130)	47. Sire des Marais (5442)	56. Hôte-Chasseur (Tintagel) (6614)	62. Château des Gryphes (7567)	68. Château des Gryphes (8448)	74. Roux Chevalier (8933)
						80. Le Roi Malade (9816)
A	45. † Roi Pêcheur (5172)	48. Les géants († Logrin) (5481)	57. Gaste Cité (6733)	63. Ile d'Avalon / Brien dévaste Logres (7754)	69. Chastel Périlleux (Chevalier Malade) (8499)	75. Fosse aux Serpents (9036)
						81. Château de Pellés / Tombes Saintes / Coupe d'or (9938)
B	49. Bête Glatissante / Chevalier Hardi / *Demoiselle à la Litière* (5699)	52. Allégories (6094)	58. Tournoi du Cercle d'or (Meliot, Nabigant) (7116)	64. Anuret le Bâtard (7802)	70. «Roi d'Oriande» (8569)	76. Reine Gandrée (Céleste / Salubre) (9256)
						82. Noir Ermite (10000)
B	50. Château Tournant / Dragon / Reine au Cercle d'or (5916)	53. Les neufs Ponts (6231)	59. Tournoi Couronne Guenièvre (7174)	65. Madaglan d'Oriande (Brien sénéchal) (8015)	71. Lancelot en prison (8661)	77. Chevalier de la Galie (Meliot, Gauvain) (9437)
						83. Tournoi Blanche Tour (Meliot vengé) (10117)
B	51. Tor de Cuivre (5973)	54. Merveilles du Graal / Demoiselle à l'Ecrin (6393)	60. Calices et Cloches, Muances / *Demoiselle du Char* (7287)	66. Claudas / la Fée Amante (8280)	72. *Demoiselle à la Tête* (8710)	78. Lancelot libéré Ile aux quatre Cornes *(Ecu Blanc)* (9661)
						84. Voile Blanche Chapelle Graal (10192)

III

LA « MESCHEANCE » ET LE HÉROS LUXURIEUX

Pensif, Gauvain l'est devant le Graal (*Perlesvaus,* l. 2434), comme Lancelot, à l'entrée d'Avalon où repose Guenièvre (*ibid.,* l. 7567). Ce contrepoint de la Reine et du Graal laisse entrevoir dans le penser d'amour l'éclat d'un autre objet qui brille, incomparable. L'être, cet objet, en une véritable transfiguration, tel est le destin de Perlesvaus (ou de Galaad), le Bon Chevalier, *le Chaste* (*ibid.,* l. 6127). Ce fut aussi celui de Lancelot, que sa *luxure* (*ibid.,* l. 3662) condamne à n'être pas ce à quoi l'égalait une enfance bénie des Fées. Telle est sa « mescheance », ou male chance[1], de vivre ainsi failli, mais c'est en quoi son destin est vraiment d'un homme.

CHAPITRE V

L'in-Signifiance d'amour

(Le Chevalier de la charrette)

Eloge de la honte

« Liebe ist Heimweh », dit-on en allemand. Vivre nous éloigne sans retour d'une terre natale, disparue du souvenir, mais cet exil trouve dans l'amour sa conscience et sa résolution dans la mort. Il s'en exhale, sans doute, dans la poésie un parfum d'élégie, mais que soit entrepris l'impossible voyage, et d'étranges impressions lèvent en chemin. Etranges justement, de remonter d'un fond intime, sous l'aspect de formes étrangères : « das Unheimliche ». La résurgence altérée du même est source de malaise et d'effroi. Le visage bien connu de la reine Guenièvre, honneur de la cour d'Arthur (cf. le *Conte du Graal,* Roach, v. 8176-8198), gage de paix et de courtoisie face aux turbulences de Keu, est-il encore reconnaissable dans les traits altiers de cette *Domna* retenue au royaume d'où nul n'est encore revenu et que l'errance du Chevalier de la charrette apparente aux fées de l'Autre Monde ? A la faveur du changement, ce qu'elle représente se découvre sous un jour singulier qui n'est pas sans jeter certain trouble. Le génie de Chrétien fut d'avoir baigné d'une étrange lumière la souveraine unanimement respectée. Qui est-elle donc, pour avoir ainsi été happée par le monde des enchantements ? Sans doute, en faisant d'Enide la fille d'un vavasseur ruiné et de Laudine une dame féodale, voire de Blanchefleur la maîtresse d'une riche cité maritime, Chrétien a-t-il toujours joué du double registre de l'inconnu et du proche ; mais il acclimatait la fée au monde des hommes. Dans la *Charrette,* il métamorphose une reine reconnue en une créature envoûtante : l'effet est tout autre. Quant au chevalier, il partait en quête d'aventure, dans l'attente d'une réponse à son errance, puis à son erreur. La quête de Lancelot vise la reine : il n'ignore donc rien du vœu secret de l'aventure. Aussi bien le cheminement vers Gorre évoque-t-il la dernière partie d'*Erec* ou du *Chevalier au lion,* où le héros qui a déjà connu la joie sait que la voie de nouveau hasardée en est l'épreuve ; l'aventure n'est plus une, mais multiple, avant de se rassembler tout entière dans un château de féerie. Le pays de Baudemagu rappelle celui de Brandigan dans *Erec* ; le roi est à une fenêtre du superbe donjon (F., v. 3152-3157 ; R., v. 3138-3143 [1]) comme les pucelles du Palais des Merveilles assistent à la traversée de Gauvain dans le *Conte du Graal* (v. 7227-7247) ; au reste, le voyage au royaume de Gorre présente le même éclat surnaturel, à l'intérieur de frontières indécises, que la fin de la *Partie Gauvain* : de l'une et l'autre terre nul n'est censé revenir (*Conte du Graal,* v. 6602-6604, 6623 ; *Charrette,* F., v. 2108-2116 ; R., v. 2096-2104). Dans la *Charrette,* Chrétien commence par où, ailleurs, il finit ; on imagine le malaise qui gagne le critique, en peine de reconnaître ce qu'il y retrouve pourtant de l'œuvre du maître champenois. Godefroy de Leigni tombe ici à point nommé ! Chrétien n'aurait-il pas trop vite abattu ses cartes maîtresses pour s'intéresser encore à son récit ?

Pourtant, si la chevauchée fabuleuse de Lancelot se compare aux autres, elle ne se confond pas avec elles ; car, s'il sait, contrairement à Erec ou à Yvain, à la recherche de qui il est parti, dirons-nous qu'il ignore, à leur instar dans le second temps, ce qu'il cherche ? Il est patent qu'il n'a rien à apprendre sur soi au cours de sa quête. Rien qu'il ne sache déjà. Il est d'entrée de jeu le *fin amant* ; du moins, s'il n'hésite plus au tournoi de « Noauz » (Au Pire) comme il sembla le faire devant la charrette, la différence est-elle minime : de degré, non de nature. Il a dès le principe reconnu dans l'exigence du parfait amour sa vérité. Il n'a donc pas à formuler son désir ni à en interroger le sens ; il force moins un savoir qu'il n'en pratique, à ses dépens, comme les mystiques, l'exercice. Sa quête n'émet nulle demande, elle accomplit le geste d'une offrande sacrificielle : il se livre en holocauste à son Dieu, à l'Unique, à sa Dame, non pour s'identifier lui-même, mais pour éprouver le vouloir de l'Autre. En quoi il se distingue d'Yvain, son semblable. Car, s'il est contraint de chercher dans une terre inconnue Celle qui vit au plus intime de son être, une question, inhérente au seul fait de la quête, subsiste donc, mais sans réponse, cette fois : non plus « qui suis-je ? », mais « que veut-Elle ? » et « qui est-Elle ? ».

« Le Chevalier au lion » : le surnom prestigieux cache et impose Yvain à sa Dame, tout en le révélant à lui-même ; « le Chevalier de la charrette » : ce titre d'infamie, payé d'ingratitude, réserve à la *Domna* seule le droit de proférer un nom (F. v. 3676 ; R. v. 3660) voué à son secret plaisir, comme si Lancelot n'existait que par sa voix et sous son regard.

L'épisode de la charrette, qui sert à désigner le roman (F., v. 24 et 7125 ; R. v. 24 et 7103), nous engage précisément sur une voie dont les autres récits se détournaient avec horreur ; aussi bien cette rencontre et son spectacle provoquent-ils ce sentiment d'inquiétude que traduit l'allemand « unheimlich ».

Mais il ne faut rien négliger de la mise en scène préliminaire : rarement l'émotion a, chez Chrétien, atteint pareille intensité. Sans doute retrouvons-nous dans cette entrée en matière les repères habituels : l'Ascension, la riche cour, la Nouvelle perturbatrice, les écarts du sénéchal, l'excellence de Gauvain et la singularité du héros ; mais l'auteur prend, semble-t-il, plaisir à bannir toute raison de cette suite d'événements : autant de ruptures, aggravées de contrastes d'éclairage et de ton, où se dissimulent les motifs, où s'effacent les circonstances pour le plus grand désarroi du public, même s'il s'explique, après coup, le comportement de Keu et, dans une moindre mesure, la présence du mystérieux chevalier. L'auteur de la *Vulgate* s'emploiera, sur ce point, à tout clarifier (cf. Sommer, IV, p. 155-162). Mais l'incohérence, apparente, est délibérée : le refus ou l'absence d'explication laissent affleurer, dans l'intervalle, d'autres raisons, plus obscures. La signification profonde de l'événement, même seulement pressentie, s'impose d'autant plus que l'auditeur ou le lecteur ne se bornent plus à la compréhension immédiate. L'humeur de Keu se révèle ensuite une simple feinte pour se réserver l'honneur de l'aventure ; lorsqu'éclatent pourtant ses premières paroles, aussitôt après l'affront fait au roi :

Or praing congié*, si m'an irai
Que ja mes ne te servirai.

Je n'ai volanté ne talant*
De toi servir d'or an avant (F., v. 91-94; R., v. 89-92),

l'indignation du vassal ne donne-t-elle pas la mesure de l'indignité où est tombé son seigneur ? Ce rapprochement auquel le lecteur est induit, s'il n'est pas le bon (Chrétien a-t-il jamais voulu ternir l'image d'Arthur ?), ne s'en avère pas moins comme le plus chargé de sens : au seuil de cette étrange disparition de la reine, il faut qu'ait été perçue l'impuissance du roi :

Li rois respont qu'il li estuet*
Sofrir, s'amander* ne le puet (F., v. 63-64; R., v. 61-62).

Sans jamais déchoir, Arthur semble prêt à tenir le rôle de son propre effacement, sans d'autre horizon que le lointain de sa mort :

Ençois* te vuel dire et aprandre
Que tu n'as force ne avoir
Par quoi tu les* puisses avoir.
Et saches bien qu'einsi morras
Que ja eidier* ne lor porra (F., v. 58-62; R., v. 56-60).

La critique a remarqué que la *Charrette* ne respecte pas la fréquence attendue des scènes arthuriennes dans le récit : le roi ne réapparaît pas à la charnière du récit pour clore le « premier vers » et servir de témoin à la relance de l'action. L'économie générale n'en est cependant pas affectée, si l'on admet que le roi Baudemagu tienne la place d'Arthur. Mais l'équivalence structurale ne résout pas le problème posé par cette substitution. La mise en regard des deux rois, si semblables d'ailleurs par leur courtoisie et leur souci du droit, ne contribue-t-elle pas à son tour à modifier notre vision du personnage et à contaminer le cadre romanesque traditionnel ? Qu'advient-il si le garant du jeu lui-même verse, fût-ce d'y donner prise par son seul reflet, du côté de l'imaginaire ? De l'autre part du miroir, la figure paternelle qu'incarne Baudemagu regarde le maître paralysé de la prestigieuse Table Ronde. Il est, en outre, étonnant qu'au lieu et place requis pour sa troisième apparition, au retour du royaume de Gorre et au tournoi de Noauz, la présence d'Arthur soit si fugitive que le tournoi entrepris paraisse fort bien se passer de lui.

Ainsi, dans le roman où l'apparence d'Arthur commence à le céder à son image profonde, s'entrevoit son véritable destin, celui de sa disparition. L'aventure introduit donc au désir indirectement avoué qu'il soit supplanté. Mais par qui et auprès de qui ? Le défi de Méléagant, l'importance accordée à Guenièvre, en ce début, apportent moins la réponse qu'ils ne relancent la question. Qui est en effet Méléagant, qui donc Guenièvre ? Et si ces questions se posent, il faut y voir l'effet de cette lente dérive à laquelle l'aventure de la *Charrette* soumet, de l'intérieur même, la réalité sociale du monde arthurien.

L'intermède du sénéchal Keu recentre, en vérité, l'attention sur la reine elle-même : Méléagant vient de la désigner comme l'enjeu du combat et voici qu'Arthur la jette sans gloire aux pieds de Keu. Livrée à toutes mains (cf. F., v. 194; R., v. 192), quand donc sera-t-elle rendue à elle-même ? Au cœur de son exil, le Chevalier de la charrette la fera souveraine : elle est celle qui ne s'échange pas et nul n'a de droit sur elle. La mystérieuse entrée en scène du héros s'éclaire, à son tour, par ce qui la précède : la prétention impie de mettre la main sur la reine, l'arrogance de Méléagant, l'« outrage » de Keu (lequel sera bien plus tard compromis de façon inattendue, à son corps défendant certes : le malheureux n'échappe pas, chez Chrétien, au comique !) ont suscité la venue d'un combattant sans visage, surgi de nulle part, parti avant même d'être arrivé à cette cour à laquelle il fut, semble-t-il, attaché (cf. F., v. 280 ; R., v. 278) — mais quand ? tout paraît déjà si lointain — et qui, un jour, entrera en possession de la reine Guenièvre. Il n'est pas de l'Autre Monde, il n'est plus de la cour ; ni Méléagant, ni Gauvain. Nulle provocation de sa part et cependant une détermination qui ferait fi de tout obstacle. Son mystère est de suivre des traces qui ne sont pas les siennes, d'avoir pris le relais de ceux dont il se distingue absolument, de se profiler sur un fond qui sera longtemps celui de son absence. Il entre symétriquement en opposition avec Méléagant (lui-même non identifié), mais sans rien changer aux deux données fondamentales : d'un roi affaibli (le héros était-il là pour relever son honneur ?) et d'une reine désirée (aussi bien Gauvain seul la ramènera-t-il à la cour). Son anonymat crée entre le monde où il s'enfonce et lui-même une complicité. Qui d'ailleurs s'inquiète de lui à la cour d'Arthur et qui plus tard ne finira pas par l'oublier ? Lancelot a perdu son visage mais aussi bien quels yeux humains pourraient le reconnaître là où il s'avance ? Le suspens de son identité libère les forces obscures, à l'œuvre dans sa quête.

Arthur, Guenièvre, Lancelot, tous à des titres divers glissent vers un au-delà qui s'empare de leur être pour le produire au jour d'un autre soleil. Peut-être le roman de Lancelot continue-t-il d'être hanté par le sort de Tristan parti aux rivages fabuleux de l'Irlande conquérir la fiancée lointaine. Pourquoi celui-ci gagnait-il pour un autre, Marc de Cornouailles, son oncle maternel, la main de la fée aux cheveux d'or ? Sa victoire sur le Dragon ne le destinait-elle pas, suivant le schéma mythique, à la possession d'Iseut la Blonde, ce qu'accomplit d'ailleurs et signifie le philtre ? Mais Tristan s'excuse sur son âge, si tendre encore[2], et son lien quasi filial avec Marc, son seigneur, jette l'interdit sur le corps de l'Irlandaise. La fée est devenue tabou. Aussi bien la terre des Merveilles enfante-t-elle les monstres : le Morhout, le Dragon et, comme au jour du bûcher le criera, dans sa haine, Ivein le lépreux à la captive aux merveilleuses tresses d'or : la « Guivre[3] ». Faut-il encore rappeler la séduction redoutable de Morgain la Fée qui plonge ses amants dans une indolence coupable et dont R. S. Loomis dégage l'obsédante présence derrière la plupart des figures féminines des œuvres de Chrétien (*Arthurian Tradition and Chrétien de Troyes,* New York, 1949) ?

A travers ces parallèles émerge un continent maudit dont le Chevalier de la charrette entreprend l'impossible exploration, sans pourtant, à la différence de Tristan, y succomber. Cette œuvre est, en ce sens, unique au Moyen Age : ni Erec ni Tristan ! Le « covent » (l'accord) qu'un chevalier passe avec une fée le sauve de la honte et si Erec s'est attardé indûment auprès d'Enide, cela n'a duré dans le récit que l'espace de quelques vers. Chez Béroul, à l'inverse, la forêt de Morrois s'est refermée sur les amants de Cornouailles : ils y vivent leur bonheur dans un état de léthargie, entrecoupé de soudaines frayeurs, jusqu'au jour où, le philtre cessant, ils secouent leur torpeur et semblent retrouver la parole pour de longues déplorations. La séparation, le don de l'anneau, symbole, d'après l'*Escoufle,* de la courtoisie de Tristan[4], forment, il est vrai, l'esquisse d'une relation courtoise selon la *fine amor* dont alors ils se réclament (cf. Béroul, v. 2722). Mais y atteignent-ils vraiment chez Béroul autrement qu'en rêve, à travers des souhaits nostalgiques ou d'éblouissantes mascarades ? Le récit de leur honte n'est donc pas ponctuel ; il traduit cependant leur effort, en partie vain, pour s'arracher à une emprise funeste et rétablir entre eux la juste distance du désir.

La *Charrette* procède en sens exactement contraire : d'une part, Lancelot affronte ce qu'Erec s'est empressé de fuir, sa plus grande honte ; son aventure, d'autre part, se passe tout entière dans ce royaume interdit où il pénètre toujours plus avant, quand Tristan peine à s'en dégager. L'impossible récit de ce qui autrement eût été mort ou sommeil peut s'écrire, parce qu'un chevalier transporte au cœur du pays des fées, en ce Val sans Retour, la plus pure exigence de la *fine amor*. Adultère et Féerie ont partie liée : l'aventure réserve au héros de la quête la seule femme que lui défend la Loi (cf. Béroul, v. 2194 et 2266). Son destin le conduit au lieu même d'une impossibilité. Aussi l'énigme du personnage ne rend-elle pas seulement sensible sa connivence avec une réalité enfouie dans les ténèbres de nos consciences, elle manifeste encore, de sa part, un mode d'existence elliptique ; la première mention du héros est si voilée que les manuscrits prêtent à confusion (F., v. 208-216 ; R., v. 206-214) ; pourtant, qui d'autre la reine eût-elle dû évoquer sinon celui qui ne vit qu'en Elle et pour Elle ? L'allusion, surprise par le seul comte Guinable, nous introduit dans ce jardin complice où les amants s'abritent des regards ; le texte lui-même ouvre comme une parenthèse qui se referme sur leur secret ; la proximité d'un tiers signalé au passage, peut-être dévoué au service de la reine,

> Mes li cuens Guinables l'oï*
> Qui au monter* fu pres de li,

n'a d'autre fonction que de circonscrire un espace à eux seuls réservé. « Guinable », c'est la part d'ombre où se réfugie leur amour. La seconde fois, un cheval mort d'épuisement (F., v. 274-275 et 298-300 ; R., v. 272-273 et 296-298), les traces d'un combat sauvage (F., v. 309-313 ; R., v. 307-311) indiquent amplement à quel excès de toute limite, à quelle violence meurtrière a, d'entrée de jeu, été porté le chevalier inconnu. Il suffit qu'on sache qu'il ne s'appartient pas et que l'engagement est sans pitié. Peu de paroles échangées, sinon d'absolue nécessité. De ce silence farouche ressortent la capacité de souffrir et l'acharnement dans la lutte. La douleur qu'il méprise, la fureur qui l'anime contribuent à créer l'exception dont se justifie maintenant l'infamie de la charrette. Cette présentation l'a lui-même rendu sacré : il échappe à la commune mesure et peut franchir le seuil prohibé :

> Si ot une charrete atainte* (F., v. 322 ; R., v. 320).

La narration s'interrompt et l'auteur ouvre à l'intention de ses auditeurs une longue parenthèse explicative. Sans doute cette mention ne parle-t-elle pas d'elle-même à leur imagination et Chrétien ressent-il le besoin de les remettre en situation. Ce réajustement lui donne en vérité matière à une élaboration mythique de la charrette comme instrument de supplice. L'opposition entre le présent et le temps jadis devrait déjà nous mettre en garde ; la charrette y acquiert une exemplarité d'autant plus grande qu'elle était alors unique et qu'elle rassemblait, dans son concept, tous les méfaits qui encourent la plus vive réprobation dans la mentalité médiévale : trahison ou meurtre (F., v. 330), défaite en champ clos, vol.

Erec nous a déjà familiarisés avec cette image de chevaliers larrons, pillards que le héros, sur la voie de sa réhabilitation, met d'abord en déroute. Tristan, en Morrois ou dans la lande propice aux embuscades mortelles, ne vit-il pas ainsi au ban de la société ? Son cas ne manque pas d'évoquer la « recreance » et ce renoncement à soutenir la vérité des armes qui obsède si fortement Erec. Jamais Tristan n'obtint satisfaction dans sa demande d'« escondit » (de se justifier). Quant à la trahison, un passage du *Brut* de Wace (éd. Arnold et Pelan, Paris, 1962) la relie à l'adultère de Mordred, le neveu d'Arthur, et de Guenièvre :

> Car contre crestïene loi
> Prist a son lit fame le roi,
> Fame son oncle et son seignor
> Prist a guise de traïtor (v. 4465-4468).

Surtout, dans la *Charrette* elle-même, Méléagant l'impute à Keu, soupçonné de rapports coupables avec la reine (F., v. 4874-4877 ; R., v. 4854-4857). Tout ce qui fonde la société féodale : la foi jurée, le code des armes, le bien d'autrui, se trouve nié à travers ce que symbolise la charrette. Profondément sont ainsi transposés les Commandements de la Loi : « Tu ne tueras point, tu ne commettras pas l'adultère, tu ne déroberas point » (Mtt., 19, 17-18-19). Le coupable, exposé sur la charrette, s'est mis hors la Loi d'où procède l'existence sociale et dont la civilisation tire sa condition de possibilité ; nous préférons ici la lecture de Foerster, d'après le ms.T :

> S'avoit puis *totes lois** perdues (C : enors)
> Ne puis n'estoit a cort oïz*
> Ne enorez ne conjoïz* (F., v. 338-340).

Le spectacle de la charrette, imposant à l'esprit la figure menacée de la Loi, prise absolument, met en branle les sourdes tendances du psychisme humain. La charrette est devenue, chez Chrétien, le symbole de la négation de la Loi. Ainsi s'explique l'effroi populaire à sa vue, un véritable sentiment d'« unheimlich » :

> Quant tu verras
> Charrete et tu l'anconterras
> Si te saingne* et si te sovaingne
> De Deu, que maus* ne t'an avaingne (F., v. 343-346 ; R., v. 341-344).

A son passage remontent à la surface les terreurs du mauvais sort : quelque chose nous fixe à travers elle, qui nous rappelle à ce fond de convoitise et de meurtre qu'extériorisent des projections démoniaques comme

> Li nains cuiverz* de pute orine* (F., v. 356 ; R., v. 354).

La charrette porte malheur, le nain paraît sinistre : l'homme est remis en présence de ce qui fut, sous la Loi, enseveli. Or Lancelot monte dans la charrette, passant ainsi de l'autre côté de ce qui garantit le monde humain. Il en assume la part maudite. Il s'adresse d'ailleurs au nain dans l'espoir d'être conduit quelque part : le véhicule montre le criminel mais le mène aussi à un terme. Cette traversée sert de métaphore à l'entrée même dans la charrette, soit à la décision de changer de monde. Mais quel but s'assigne le chevalier inconnu ? Auprès de qui le porte son acte de défier la Loi ?

Nain, fet-il, por Deu ! car me di*
Se tu as veü par ici
Passer ma dame la reïne (F., v. 353-355 ; R., v. 351-353).

La charge affective du premier vers, rythmé par le cri, dispose à entendre la note extatique du dernier, lequel se déploie avec d'autant plus de majesté que le second s'effaçait dans un souffle comme le simple intervalle d'une attente : vision immatérielle d'un cortège bientôt disparu *(passer)*, privilège tacite de l'intimité *(ma)*, souveraineté absolue de l'objet du désir (*dame, reine*). Ce joyau brille de tous ses feux, mais sur le fond noir d'une présence maléfique, celle du nain, par trois fois mentionné (F., v. 352, 353 et 356). La répulsion instinctive devant la charrette est peut-être encore avivée par les échos funèbres d'un tel convoi. Les charrettes sinistres, « si crüeus » (F., v. 342 ; R., v. 340) présentent l'image de la mort [5]. Sans doute Lancelot s'aventure-t-il plutôt au pays de Féerie qu'au séjour des morts. Mais Chrétien s'est-il jamais interdit certaines confusions poétiques ? Lorsque le sénéchal entraînait la reine à sa perte, la foule menait grand deuil,

Con s'ele jeüst* morte an biere.
Ne cuident que revaingne arriere*
Ja mes an trestot son aage (F., v. 219-221 ; R., v. 216-219).

L'expression qui qualifiera en propre le royaume de Gorre,

Don nus estranges* ne retorne (F., v. 645 ; R., v. 641),

est ici associée à l'idée même du dernier voyage. L'acte semble irrémédiable. Nul ne pénètre dans la terre des Merveilles sans que l'accompagne un pressentiment funeste. Aussi bien, pour un chrétien du XIIe siècle, l'Autre Monde celtique devait-il ramener à la conscience, non sans malaise pour celle-ci, le rêve immaîtrisé d'abolir la Loi suprême : la Mort. Par quelle voie ? Il ne s'agit pas de mort réelle mais, pour Lancelot, d'amour et de mourir de honte : en quoi l'amour interroge, imaginairement, dans son refus même, le réel de la mort. A cet instant, l'impressionnisme de la narration le cède à un débat allégorisé entre Raison et Amour (F., v. 369-381, R., v. 365-377) : après la parenthèse historique et la perception immédiate de la scène, voici l'analyse morale. Chrétien, on le voit, déploie l'éventail de son art, dans l'intention sans doute de fixer un moment crucial du roman. Pourquoi le héros hésite-t-il l'espace de deux pas (F., v. 364-365) ? La suite, que présagent quelques vers elliptiques et d'allure paradoxale,

Mar* le fist, mar i douta* honte,
Que maintenant* sus ne sailli ;
Qu'il s'an tandra por mal bailli*,

en dépend essentiellement. Mais la fonction présente de ce temps d'arrêt est de suspendre le cours du récit et, tandis que l'allégorie dresse, dans l'intervalle, son théâtre d'ombres, de délimiter la frontière entre deux ordres de réalité hétérogènes. Treize vers donc, entre « il n'i monte » (F., v. 365) et « il i saut » (F., v. 379 ; R., v. 375), pour seulement deux pas où on prend la mesure d'un franchissement qui est encore une transgression. La Raison s'est fait entendre comme un sermon grondeur, et l'Amour, sentir comme une motion impérieuse. Le saut dans la charrette s'identifie à un renversement des valeurs; l'acte du héros l'a placé au-delà du bien et du mal. Il fallait son hésitation pour qu'on l'apprît. A trois reprises est prononcé le mot fatidique de «honte» (F., v. 366, 373, 380; R., v. 362, 369, 376). Le Commandement d'Amour prépare à l'expérience d'une essentielle indignité. La voie qui se propose au chevalier reste défendue et appelle le malheur, mais il fera de son humiliation la gloire de son humilité.

Ce qui séduit tant chez Chrétien tient à l'extraordinaire liberté avec laquelle, parti du *Tristan,* il a tenté des directions nouvelles, sans jamais se satisfaire d'aucune. Il lui suffit, au milieu du trouble qui agite alors Lancelot, d'un simple rappel pour qu'apparaisse tout ce qui sépare, en dépit d'une même fureur, Lancelot d'Erec. Au cri d'Enide, éveillant en son époux la haine de la récréance:

> Amis, con mar fus (*Erec,* v. 2503; et cf. v. 4599)!

répond cette autre malédiction, faute d'avoir plus promptement partagé le sort des chevaliers récréants:

> Mar le fist, mar i douta honte (C: et mar en ot honte)
> Que maintenant sus ne sailli (F., v. 366-367; R., v. 362-363).

L'effet de surprise est d'ailleurs ménagé par l'ambiguïté initiale du premier vers qui eût plus normalement convenu à la honte d'être monté qu'à celle d'avoir hésité. Lancelot a délibérément choisi (l'atermoiement en fait la preuve) ce dont Erec s'est vivement défendu. Que le héros veuille sont infamie et en assume les stigmates lui épargne justement le faux pas qui ébranla Erec et fera vaciller Yvain, l'un et l'autre saisis d'horreur, pour s'être abandonnés au plaisir. Lancelot s'est d'emblée porté au-delà de la satisfaction, empruntant la seule voie d'accès à la jouissance qui se soutienne du désir. Erec fut coupable d'amour; Yvain comme Perceval doivent, pour aimer (et le mot glisse vers l'acception religieuse de «charité»), être coupables. Lancelot, quant à lui, aime pour être coupable.

L'ouverture de la *Charrette* introduit dans l'entourage d'un roi bafoué un héros étrangement défaillant, et dans le sillage d'une reine enlevée un héros secrètement compromis. Faut-il l'entendre comme l'envers et l'endroit d'une même question? La libération publique des exilés de Logres et l'adultère caché avec la femme d'Arthur, l'honneur et la honte? A condition de ne pas céder à une dialectique facile, même s'il se vérifie que celui seul qui n'a pas craint l'abîme du déshonneur atteint aux cimes de la gloire! Se complaire à ce paradoxe reviendrait à s'en faire un écran. Or le mystère de ce roman tient à ce que le héros poursuit d'inavouable à travers son anonymat, et soustrait de lui-même à travers son identification.

En échange de sa honte le chevalier obtenait du nain la promesse de nouvelles concernant la reine. Au soir de la première journée, comme les voyageurs prennent hôtel chez la demoiselle d'un château de fière allure, la créature maligne, muette à toutes les questions de l'entourage, disparaît sans laisser de traces (F., v. 448; R., v. 444). Le lendemain, pourtant, aux baies du donjon, le héros ébloui a la vision du cortège de la reine dans la prairie en contrebas. Entre-temps, a pris place l'épreuve nocturne du Lit Périlleux. Ce complexe rassemble donc au sein d'un espace imaginaire les éléments de la quête. Il est clair, en effet, depuis la surgie du nain que, sans être pour autant au royaume de Gorre, nous sommes entrés dans cette zone intermédiaire où les enchantements sollicitent le chevalier errant. Suivant le principe qui approprie les figurations merveilleuses à la nature de la quête, chaque événement projette sa lumière sur l'enjeu de celle-ci. Qu'un nain serve de guide auprès d'une dame de grande beauté, retirée « en autre terre » (cf. *Erec,* v. 1724), auréole déjà la reine d'un halo de féerie. Guenièvre y acquiert cette divine transparence que le nom de Gwenhwyvar signifiait en gallois : « Blanc Fantôme ». Ainsi le génie de Chrétien, par d'heureuses rencontres, réinvente-t-il l'origine. Plus tard, un autre nain plus hideux encore, juché cette fois sur un hunter de forte taille, et tenant au poing non plus la verge mais la fameuse escourgée dont Erec eut à pâtir, précipitera Lancelot dans la geôle d'une prévenante hôtesse, la femme du sénéchal (F., v. 5079*sq.* et 5456*sq.* ; R., v. 5059*sq.* et 5436*sq.*). Perspicace, R. S. Loomis (*Arthurian Tradition,* p. 254) a su déceler derrière cette silhouette l'ombre de la Fée Morgain qui pourvoit son amant captif d'armes vermeilles et d'une monture enchantée en vue d'un tournoi. Un autre motif veut que Morgain essuie un refus dans ses tentatives de séduction (*ibid.,* p. 231-232). Or l'épisode de la Demoiselle entreprenante dans la *Charrette* (F., v. 942*sq.* ; R., v. 932*sq.*) utilise cette donnée de la chaste nuit, tandis que d'autre part Lancelot déboute élégamment la femme du sénéchal de sa demande d'amour. Ajoutons que le Tournoi de Noauz est placé sous le signe de la reine Guenièvre et qu'auparavant, dans le palais de Baudemagu, Lancelot a joui des faveurs de sa Dame, au cours d'une nuit dont une méprise, le lendemain, dévoilera sur le lit la honte. Ce faisceau de correspondances met en perspective un amour qui emprunte aux sortilèges de la Fée Amante ses changeantes couleurs. Depuis le nain à la charrette jusqu'aux joies secrètes en Gorre, chaque jeu de figures fait miroiter une vérité de ce que le chevalier inconnu est allé chercher auprès d'une femme métamorphosée par son passage en Féerie.

Mais, à la façon d'un microcosme compris dans l'ensemble, l'épisode du Lit Périlleux est lui-même enserré entre ces limites où campent les personnages du nain et de la reine. Ce que le héros y accomplit reçoit ainsi une valeur symbolique : entre la honte et l'extase se présentent les deux signes mystérieux de la Lance en feu et du Lit richement paré (F., v. 463-538 ; R., v. 459-534). Comment les interpréter selon le sens de la quête ? Les préliminaires s'accordent avec les lois un peu équivoques de l'hospitalité en pays romanesque : l'apprêt du dîner, l'agrément d'une hôtesse d'une rare beauté (F., v. 436, 456 ; R., v. 432, 452), elle-même entourée de courtoises pucelles, les préparatifs de la nuit et l'insistance sur le luxe et la mollesse de la couche nous orientent vers les hasards d'une bonne fortune promise au chevalier errant !

Il i avoit tot le delit*
Qu'an seüst deviser an lit (F., v. 469-470 ; R., v. 465-466).

Que l'on compare avec l'accueil réservé à Perceval chez Blanchefleur :

Trestote l'aise et le delit
C'on puisse deviser* en lit
Ot li chevaliers cele nuit (Roach, v. 1935-1937),

et on ne se fera pas faute d'y glisser encore le commentaire dont le conteur accompagne, dans le *Conte du Graal,* ce propos :

> Fors que solement le deduit*
> De pucele, se lui pleüst (v. 1938-1939).

On sait que pareilles faveurs sont toujours assorties de quelque épreuve à surmonter. L'épisode prochain de la Demoiselle entreprenante réitère le motif, suivant un autre schéma, plus explicitement féerique (cf. la *Continuation Perceval,* Roach, IV, le château des Pucelles, v. 24222*sq.,* ou encore de l'Echiquier magique, v. 20107*sq.*) : l'arrivée dans un manoir entouré d'eau profonde (cf. F., v. 975*sq.* ; R., v. 965*sq.*), la grande salle vide où la table attend le convive, la compagnie solitaire d'une avenante demoiselle. Le lit ne va pourtant se prêter, dans le cas présent, à aucune joie nocturne. Séparé de la circonstance, de signe il devient symbole, comme l'illustre qu'il y en ait un de plus, surélevé par rapport aux autres et prohibé au voyageur, s'offrant donc à lui comme l'aventure elle-même.

Cette conclusion, à vrai dire, paraît hâtive : si le lit n'est pas disposé pour la nuit amoureuse et s'il concentre en lui-même l'épreuve réservée à l'invité, il peut se confondre tout à fait avec celle-ci et servir seulement de test destiné à identifier l'élu comme tel. La littérature arthurienne en fournit d'autres exemples : le « Lit de la Merveille » qui, dans le *Conte du Graal,* désigne Gauvain comme le libérateur attendu (Roach, v. 7692-7893), mais qui, dans le *Lancelot en prose,* le disqualifie au regard de l'aventure du Graal (A. Micha (éd.), *Lancelot,* t. II, Genève, Droz, 1978, p. 376-385) ; ou encore, mais de façon plus voilée, lors de la mystérieuse déconvenue qui attend Guerrehés au château du Petit Chevalier dans la *Continuation Gauvain* (Roach, I, v. 14433-14520). Il est d'ailleurs remarquable que la foule murmure d'étonnement à l'arrivée du Chevalier de la charrette et l'accueille avec des cris hostiles. Sans doute sa turpitude en est-elle cause mais, s'il provoque la haine, n'est-ce pas en raison de la peur cachée que suscite son geste ? La rumeur populaire trahit, comme pour Erec au château de Brandigan ou Yvain en vue de *Pesme Aventure,* le sentiment d'être en face d'un personnage tabou, seul capable d'approcher du centre obscur de la merveille. L'ambivalence se traduit par ces présages funestes de honte ou de mort qui lèvent sous ses pas :

> A quel martire
> Sera cil chevaliers randuz (F., v. 414-415 ; R., v. 410-411) ?

Ainsi le monde enchanté distingue-t-il celui qui va s'imposer par sa souffrance comme son maître. Celui-ci, d'autre part, n'a pas plus tôt eu vent de l'épreuve et reconnu les signes du destin qu'il manifeste, avec superbe, son impatience de l'affronter. Autre analogie entre Erec et Lancelot. Le Chevalier de la charrette, farouchement replié jusque-là dans son silence, sort soudain de sa réserve, effaçant d'un seul coup Gauvain à l'ombre duquel il semblait, depuis leur arrivée, se tenir :

> Li chevaliers li respont *lués**...

sa brusquerie a précédé notre identification et Chrétien doit préciser, prenant en compte notre surprise :

> ... Cil qui sor la charrete vint,

avant de poursuivre :

> Qu'a desdaing et a despit tint*
> La deffanse a la dameisele (F., v. 480-483; R., v. 476-479).

La vivacité des répliques aussitôt échangées par les intéressés souligne la portée du défi, la certitude intérieure et la prédestination du chevalier impie à l'aventure consacrée. Qu'il s'agisse avant tout d'une épreuve de souveraineté, le caractère grandiose de l'événement en témoigne : une lance enflammée jaillit « comme la foudre » et embrase le lit (F., v. 519, 526; R. v. 515, 522); le héros, impavide, maîtrise le feu : autant dire qu'il s'égale aux puissances célestes. La précieuse fourrure de martre zibeline qui double un dessus de lit de brocart couleur d'or n'était donc pas l'objet d'un éloge fortuit :

> Bien fust *a oes un roi* metables* (F., v. 514; R., v. 510).

Le Chevalier de la charrette s'est affirmé comme seigneur. Mais pour quelle « Joie de la Cour », quelle délivrance des sortilèges ? L'interprétation de l'épisode continue donc de nous échapper. Au réveil, le récit, à l'instar de la demoiselle, ne fait semblant de rien ; tout au plus, après force sarcasmes, l'hostilité de cette dernière paraît enfin désarmée (F., v. 589-594; R., v. 585-590) ! Cet exploit n'a, de toute évidence, intéressé le sort de personne ! Que le héros se soit d'ailleurs tranquillement rendormi, sans que rien d'autre n'advienne, constituait à soi seul une déception de taille : on ne joue pas avec le Feu du Ciel pour seulement passer une bonne nuit ! A moins de s'appeler Perceval, mais celui-ci était resté à côté de l'aventure. Avant que Gauvain, dans le *Conte du Graal* (Roach, v. 8259), revienne au « Lit de la Merveille » s'y reposer de ses peines, bien des révélations et des apparitions se sont succédé. Mais, de ce fait, l'évocation fabuleuse, sans être allée au-delà d'un déchaînement de forces terrifiantes, s'efface derrière ses conséquences ; elle n'a servi qu'à désigner l'élu. Dans la *Charrette,* au contraire, en l'absence de toute répercussion, notre attente frustrée se reporte sur la forme de l'épreuve qui, dégagée de toute considération amoureuse ou libératrice, fixe en elle-même sa portée symbolique : à quoi d'autre le héros a-t-il été convié sinon à pénétrer dans un lit qui fût celui d'un roi ? Cela seul importait qu'il y passât la nuit et qu'il en prît impunément possession. Que le lit fût exhaussé et s'offrît aux regards comme le seul inaccessible, que sa parure le réservât à la dignité royale, que la zibeline noire lui donnât un éclat funéraire (cf. C. Foulon, art. cit., p. 84), autant de traits qui suggèrent au-delà de l'insolence d'un défi aventureux le caractère plus trouble d'une transgression.

Le Lit Périlleux doit encore à l'ensemble du récit de garder une résonance voluptueuse : s'il se dresse au seuil des Merveilles, ne projette-t-il pas son ombre sur ce que Lancelot, au cœur du royaume de Gorre, révère comme un « autel » : la couche de la reine ? Le motif sous-jacent de l'hôtesse amoureuse amorçait ainsi le thème avant de tourner court : il fallait, en effet, que le Lit y fût, non pas promesse, comme dans le cas de Perceval, mais symbole de jouissance. Il en tire, sans aucun doute, son faste funèbre, car le lieu où se représente une jouissance absolue nous laisse aux portes mêmes de la Mort. Si nous risquons une fois de plus ce terme d'un absolu de la jouissance, c'est dans l'exacte mesure où le Lit qui s'est ainsi vidé de toute présence se révèle hanté par l'image de la toute-puissance : la Lance incendiaire qui surgit d'en haut foudroie l'audace, maintenant formulable, d'avoir profané la couche royale. On connaît, d'après le *Conte du Graal,* l'ensemble ambigu des connotations attachées à la Lance : éclatante et souveraine, sanglante et destructrice. Comme Perceval rêva de le faire, mais sans avoir jamais rien voulu savoir de son geste (qui renouerait avec un obscur meurtre primordial), Lancelot s'est, en toute conscience, emparé de la Lance, après avoir étouffé le feu

> Et li chevaliers s'est dreciez
> S'estaint le feu et prant la lance (F., v. 532-533 ; R., v. 528-529),

pour s'installer, sans le moindre trouble, comme son dernier geste le démontre :

> Anmi* la sale la balance
> Ne por ce son lit ne guerpi*,
> Ainz* se recoucha et dormi (F., v. 534-536 ; R., v. 530-532),

à la place du maître et du roi ; ce qui ne va pas, notons-le au passage, sans que le fer ait au côté déchiré la peau du chevalier (F., v. 530-531 ; R., v. 526-527), présage incertain de la profonde entaille que les barreaux de la chambre de Guenièvre feront aux doigts de l'amant. Mais, de même que le héros promis à la jouissance doit en lire, en cet instant, le symbole, il fait moins en définitive la preuve de sa souveraineté qu'il n'en affronte la représentation. Rien ne lui donne, en tout cas, matière d'en tirer gloire, comme si l'événement n'avait eu de sens que pour lui seul, dans le silence dont s'enveloppe, aux frontières du récit, le privilège d'amour. Un lit de mort que la foudre embrase, telle fut l'essentielle mise en scène d'un de ces épisodes arthuriens avec lesquels l'Inconscient entre en résonance.

Il convient de poursuivre encore l'analyse serrée de ce premier séjour de Lancelot dans l'entremonde enchanté où comme en lui-même, au gré d'étranges coutumes, s'égare le royaume de Logres. Les apparitions s'y succèdent dans l'ordre : la charrette, le Lit Périlleux, le cortège de la reine. Le chemin de la honte qui passe outre à la Loi conduit, à travers la représentation mythique d'une transgression, à la limite indicible de l'extase. L'interdit entrouvre un espace du désir, le mythe transpose sur une autre scène une satisfaction maudite, la vision ou le « penser » en cernent l'insoutenable expérience. Ce troisième temps intervient au matin du second jour de la quête (F., v. 539-601 ; R., v. 535-597), ce qui introduit une discordance expressive entre la durée intérieure de celle-ci et son rythme naturel. La journée et l'événement ne coïncident pas nécessairement, l'art de Chrétien n'offrant rien de sommaire et jouant d'effets inattendus. Au point du jour, quand la hâte du départ devrait présider aux préparatifs, s'installe une étrange vacance de la quête que symbolise l'attitude contemplative du chevalier mystérieux :

> As fenestres devers la pree*
> S'assist li chevaliers pansis,
> Cil qui sor la charrete ot sis*,
> Et esgardoit aval les prez (F., v. 544-547 ; R., v. 540-543).

L'appel informulé de ce regard tout intérieur qui effleure le vide du monde y suscite la vision de son rêve, après que toute notion du temps s'est, comme par magie, perdue, au fil de phrases indéterminées :

> ... Une piece*, ne sai de quoi,
> Ne sai don* les paroles furent
> Mes tant sor la fenestre jurent*... (F., v. 552-554; R., v. 548-550).

Par un raffinement, l'événement est d'abord perçu, et décrit, du point de vue d'autres spectateurs, formant contraste, à une fenêtre voisine: tandis que Lancelot s'enfermait dans la solitude de son silence, Gauvain se perdait auprès de la demoiselle en propos dont la feinte ignorance du conteur suggère la nature galante. Il en résulte une fine opposition entre une scène objective dont les contours se précisent peu à peu, non sans intriguer l'esprit des observateurs (une bière chevaleresse, un gisant, une troupe, un grand chevalier, une belle dame), et le miracle d'une apparition surgie du plus profond désir et réservée aux seules certitudes du cœur :

> Après la biere venir *voient*...
> Li chevaliers de la fenestre
> *Conut* que c'estoit la reïne (F., v. 560-565; R., v. 556-561).

Cette maîtrise des effets littéraires situe hors du temps et de l'espace la perception de l'objet d'amour ; les caractères de l'extase sont donc dès maintenant réunis :

> De l'esgarder onques ne fine*,
> Mout antantis*, et mout li plot*,
> Au plus longuemant que il pot (F., v. 566-568; R., v. 562-564).

Au cœur de cette expérience intuitive, le sujet se trouve aboli ; cet instant d'éternité l'absente de lui-même; il y est mis comme hors de soi. Mais le bord de la fenêtre ouverte sur l'abîme figure à quel danger mortel s'expose quiconque s'échappe ainsi à lui-même. Comme la vision finit par s'effacer, le chevalier

> Si *se vost** jus* leissier cheoir
> Et trebuchier a val son cors (F., v. 570-571 ; R., v. 566-567).

L'extase cache en elle un vœu silencieux de mort. Intolérable à la vie, elle s'accomplirait enfin dans le suicide: la reine a seulement passé, comme un fantôme, telle l'ombre blanche sur laquelle vainement se referment les bras de l'amant égaré auprès du corps illusoire de l'aimée.

Cette scène nous prépare à comprendre le destin romanesque de Lancelot qui, au faîte de la joie, côtoie sa propre destruction ou disparition. L'indication du lieu prend ici tout son sens: au bout de la petite ville fortifiée se dressait la tour où les chevaliers ont été hébergés (F., v. 426-433; R., v. 422-429); à leur réveil, l'auteur mentionne leur hôtesse comme

> La demoiselle de la tor (F., v. 540; R., v. 536);

aux baies de la tour, dominant la prairie où s'éloigne le mystérieux cortège, Lancelot s'est perdu dans son regard. La tour matérialise l'infranchissable distance qui le sépare de la reine; la situation sera seulement inversée à la cour de Bath, où Lancelot affronte Méléagant au pied de la tour d'où l'observe Guenièvre:

Trestorne soi* et voit amont
La chose de trestot le mont
Que plus desirroit a veoir
As loges de la tor seoir (F., v. 3687-3690; R., v. 3671-3674).

Un surprenant rapport s'établit entre cette inégalité, de plan, d'attention ou d'allure, et la fascination qui s'exerce: dans l'exacte mesure où tout lui signifie qu'il ne saurait la rejoindre, il se fixe à ce qu'il voit, comme transporté là où il ne saurait être, mais d'où il se sent regardé et appelé, ce d'autant plus que Guenièvre, elle, ne le voit pas, ou du moins, si elle assiste au déroulement du combat et lève le secret de son nom, ne paraît pas répondre à ses regards et s'interdit le moindre signe; la reine demeure étrangement absente ou lointaine, quoiqu'elle s'offre à la vue de son amant ou encore le suive des yeux. L'âme s'unit à son objet au travers d'une non-coïncidence absolue; le second, symboliquement séparé, est investi par le rêve et s'enlève sur un fond réel de mort. Les dures paroles de Gauvain rompent, à l'instant fatal, le charme:

Merci, Sire, *soiiez an pes**!
Por Deu, nel vos pansez* ja mes
Que vos façoiz *tel desverie**
A grand tort *haez* vostre vie* (F., v. 575-578; R., v. 571-574).

Il invite le héros à rétablir la distance salutaire, à se reconnaître en ce point de manque dont l'amour, la folie, la mort, en l'autre extrême d'une fusion totale, toute frontière abolie, entretiennent passionnément l'ignorance. Mais la demoiselle le reprend aussitôt, en rappelant à juste titre la honte du chevalier charreté:

Des qu'il a en charrete esté
Bien doit voloir qu'il soit ocis (F., v. 582-583, R., v. 578-579).

En d'autres termes, et cela ne peut être compris de Gauvain, le chevalier a voulu le sort funeste de sa déchéance; il s'est justement aventuré là où commencent les raisons de haïr sa vie, d'être en guerre avec soi-même, de commettre des actes insensés. Car son infamie lui livre accès à l'impossible de sa jouissance. Mais, s'il a choisi cette voie, à quel prix peut-il la soutenir, sans succomber, comme il s'en fallut ici de peu, à sa tentation? La honte apparaît profondément ambivalente parce que Lancelot en a décidé tout autant qu'il l'a subie: si elle dispose à transgresser le désir, elle n'en maintient pas moins le héros comme en retrait par rapport à lui-même. L'extase ou l'ironie. Sans la honte, Lancelot n'eût connu la première ni joué de la seconde. La démesure de l'amant n'a en lui d'égale que la parfaite modération du chevalier.

Les épisodes suivants éclairent les deux faces du symbole de la charrette et précisent les conditions auxquelles la quête doit sa possibilité. «Le Gué

Défendu», «l'Hôtesse Amoureuse», le premier débutant par une absence, le second se prolongeant par un ravissement de Lancelot, définissent les deux pôles entre lesquels oscille désormais le désir du héros, de part et d'autre d'une même ligne d'oubli.

Auparavant Gauvain et Lancelot sont parvenus à un carrefour où une demoiselle oriente leurs quêtes respectives (F., v. 602-713; R., v. 598-709). Chrétien réussit à faire d'une simple indication routière une page exaltée de *fine amor* dans le décor excitant des mille et un périls de la terre enchantée. Ici commence vraiment l'aventure: à la confusion du début, au silence du nain, à l'énigme de la première nuit et à l'entrevision du premier matin succèdent les explications claires de la demoiselle qui révèle les noms de Méléagant, de Gorre, de Baudemagu, prévient des embûches de la route, fixe le but de la quête, sa suprême épreuve: le Pont dans l'Eau ou le Pont de l'Epée, et en signale les voies d'accès. La véritable errance est solitaire; à la croisée des chemins les compagnons se séparent, mais à cette occasion, par deux fois, Lancelot se distingue de Gauvain: sa promesse à la demoiselle, en retour de la grâce accordée, ne l'engage pas dans les limites de son pouvoir, mais absolument, au gré de celle-ci. Quant à la fortune de sa quête, il en fait maître Gauvain. Autrement dit, aux portes fabuleuses de la souffrance, il ignore l'impossible, tout lui étant égal, puisqu'il s'est tout entier voué à sa Dame. Cette hardiesse sans pareille ou, suivant encore la belle expression de Chrétien, cette richesse d'Amour (F., v. 634; R., v. 630) qui, de toute la superbe de son éclat, illumine désormais le moindre incident de l'aventure, n'admet que le tout de l'offrande où s'embrase le rien pour lequel se compte, aux yeux de sa divinité, le *fin amant.* Si Chrétien rapporte au style indirect les paroles admirables de celui-ci à la demoiselle (F., v. 631-638; R., v. 627-634), pourquoi n'y verrions-nous pas le signe qu'elles s'adressent, à travers elle, à l'objet unique de sa pensée?

> Que sanz arest* et sanz redot*
> Quanquë* ele viaut li promet
> Et tot an son voloir se met (F., v. 636-638; R., v. 632-634).

Ce n'est d'ailleurs pas la seule incidence symbolique de la scène: ce roman de Chrétien se complaît apparemment aux allusions mystérieuses, aux pistes abandonnées, aux indications restées en suspens, aux conclusions indécises, comme si le récit emportait la nécessité profonde de son inachèvement. La demoiselle a obtenu une promesse en blanc, en guise de récompense, qu'elle paraît bien décidée à faire un jour valoir, dussent-ils s'en repentir (F., v. 708-711; R., v. 704-707). Il n'en sera plus jamais question. Plus loin, une autre demoiselle assure, inversement, Lancelot de sa reconnaissance s'il épargne et tient pour quitte le chevalier du Gué dont elle est l'amie (F., v. 923-931, R., v. 913-921). Elle n'aura jamais lieu de s'en acquitter. Plus encore, elle est, à son grand déplaisir semble-t-il, reconnue par le héros (F., v. 932-937; R., v. 922-927); est-ce pour avoir mentionné son pouvoir et suggéré sa nature féerique? Nous ignorons tout du passé auquel il est ici fait écho. D'ordinaire, Chrétien ne laisse rien au hasard dans son récit; s'il lâche un fil, ce n'est que partie remise, le temps d'en ménager plus sûrement l'effet. Ainsi la demoiselle à la mule qui réclamera la tête de l'Orgueilleux, moyennant un «guerdon» futur (F., v. 2794*sq.*; R., v. 2780*sq.*), reviendra à la fin du récit, où elle sera identifiée comme la sœur de Méléagant, pour sauver Lancelot. Faut-il incriminer les incohérences d'une œuvre dont Chrétien se serait désintéressé ? Avouons que le remaniement de la *Charrette* dans le *Lancelot en prose* se fixe apparemment pour tâche d'éliminer les obscurités (Micha, II, p. 1*sq.* et 13*sq.*) : Gauvain rencontre-t-il Lancelot dans la forêt de Camaalot ? Guéri de sa folie par la Dame du Lac, il avait suivi le conseil de celle-ci de s'y rendre à l'Ascension. Les traces de combat ? En clair, les hommes de Méléagant avaient dû, pour se débarrasser d'un héros invincible, abattre son cheval ! Au château du Lit Périlleux, appartenant déjà sans ambiguïté au royaume de Gorre dont l'« Entrée Galesche » constituait la frontière, les voyageurs étaient accueillis par deux demoiselles. Pour n'être pas reconnu de Gauvain, Lancelot, le soir, s'était couvert de son manteau. L'aînée, désireuse de savoir son nom, envoie la seconde, à son tour voilée, les attendre au carrefour. Le don que celle-ci exige en échange se révèle, l'instant d'après, être la condition même de l'hébergement qu'elle propose au héros après l'avoir de nouveau rejoint : partager sa couche. Ce contre-exemple témoignerait plutôt, à vrai dire, d'un dessein conscient, chez Chrétien, de brouiller son récit. Il y a, décidément, trop à reprendre, surtout en un début, pour que ce soit l'effet de la hâte ou d'un relâchement et non un procédé systématique. Mais alors, à quelle fin ? La véritable technique romanesque de Chrétien ne se réduit pas à l'art de conduire l'intrigue et de ménager, comme un diseur ou un jongleur, la surprise. Elle crée, entre les différents épisodes, des analogies ou des contrastes, soit les différentes figures d'une répétition obsédante ; elle les ordonne selon une mémoire qui serait tout intérieure et un sens qui, peu à peu, se découvre à travers ces effets de miroir. Du Lit Périlleux à l'« autel » dans la chambre de la reine, tel est l'arc d'un tracé audacieux où s'accomplit l'aventure. Sur un mode mineur, la Demoiselle du Carrefour et celle du Gué contribuent à donner au récit son allure propre. Le redoutable service en retour promis à la première annonce l'exigence dont l'hôtesse amoureuse assortit son accueil ; l'auteur de la *prose* l'a naturellement entendu ainsi. Lancelot, d'ailleurs, n'imagine même pas qu'il puisse ne pas se soumettre à la volonté de la demoiselle, comme s'il avait ressenti l'effet d'une contrainte magique (une « geis », peut-être, à l'origine), mais, peut-être, parce qu'il a pressenti que son errance ne devait esquiver aucune épreuve et que tout ce qui se présentait en marquait une étape obligée. Le héros sait que le hasard de sa quête est la plus pure expression de son destin. Quant au Gué Défendu, il forme antithèse avec le combat qui précède juste le franchissement du Pont de l'Epée : une demoiselle assure le héros d'une protection efficace en échange de la vie ou de la mort d'un chevalier qui, dans les deux cas, doit appartenir à elle seule.

Mais ces suggestions, ces formulations incomplètes exercent un singulier attrait et tirent le récit dans une direction encore inexploitée. Nul ne saurait dire où était parti Lancelot ni d'où il venait. Au retour de Gorre, la cour d'Arthur l'avait depuis longtemps perdu de vue ; elle laissera, de nouveau, l'oubli se refermer sur lui. Enfin, lors de l'épisode des Portes Coulissantes où il se trouve, avec ses deux compagnons, pris au piège (F., v. 2325*sq.* ; R., v. 2312*sq.*), le conteur le montre en possession d'un anneau aux vertus merveilleuses, don d'une fée maternelle qui veille toujours sur lui :

Mes cil* don plus dire vos doi,
Avoit un anel an son doi...
Cele dame une fee estoit
Qui l'anel doné li avoit
Et si le norri* an s'anfance (F., v. 2347-2359 ; R., v. 2335-2347).

Cette révélation d'un passé féerique et l'ombre protectrice de la Dame du Lac, la mystérieuse connaissance rencontrée plus haut, l'annonce d'aventures ignorées de la présente quête détachent celle-ci d'un ensemble plus vaste qui couvre la vie du héros et dont la *Charrette* n'est qu'un épisode, fût-il crucial. Il ne suffit pas d'en conclure que Chrétien avoue par là sa dette à l'endroit d'une tradition dont il ne s'est pas privé, à en juger par l'absence de la charrette et de l'adultère dans *Lanzelet,* de réinventer l'histoire. S'il consent, pour une fois, à ces échappées de son récit, lequel ne paraît pas tout dire, n'entend-il pas justement ébranler la solide armature arthurienne de ses romans, en ouvrir le cadre au monde fabuleux qui le déborde de toutes parts, suggérer que Lancelot, chéri par une fée lacustre, avait partie liée avec un univers d'ombres et de merveilles qui le raviront toujours loin de la fameuse cour ? Peut-être, en cet instant et par une nécessité inscrite dans la recherche propre au héros, se prépare le bouleversement de l'écriture romanesque qui débouche sur les récits en prose du XIIIe siècle : Gauvain, Lancelot, deux chevaliers de la Table Ronde sont engagés dans une quête concurrente, le Pont Evage et le Pont de l'Epée. Mais, en cours de composition, Chrétien entame un autre roman, *le Chevalier au lion,* où il justifie l'absence de Gauvain à la cour par l'enlèvement de la reine Guenièvre (v. 3912-3933 et 4734-4739). Ainsi, de proche en proche, le mouvement gagne la totalité de la cour arthurienne, menacée d'instabilité, égarée sur les chemins de l'errance, disséminée au hasard des quêtes, selon l'enchevêtrement des récits. La Féerie d'où Lancelot émerge comme du sommeil profond de son enfance commence, dans la *Charrette,* à tisser de fils d'or la toile mortelle où se prendra, en une lente agonie, la prestigieuse cour d'Arthur.

L'épisode du Gué Défendu inaugure les faits d'armes où doit se manifester la prouesse d'un chevalier errant. Il est, en même temps, l'exemple typique des « anconbriers et felons trespas » (F., v. 653 ; R., v. 649) dont la Demoiselle du Carrefour avertissait l'étranger imprudent. Le passage vers Gorre doit être forcé, et chaque fois se dresse devant le nouveau venu un adversaire exceptionnel qui lui barre l'entrée : le défenseur du Gué, le chevalier de la Bretèche du Passage des Pierres, l'Orgueilleux qui réclame un humiliant péage pour traverser, en évitant le Pont de l'Epée, l'ultime obstacle de l'eau (F., v. 2640-2649 ; R., v. 2626-2635) ; Méléagant, enfin, au pied de la tour d'où regarde la reine. Ces combats présentent un trait commun : sauf le second, vite expédié, ils durent trop au sentiment du héros, pour sa plus grande honte, que ravivent, dans les deuxième et troisième cas, des rappels de la charrette (F., v. 2224-2225 et 2608-2614 ; R., v. 2212-2213 et 2594-2600) ; le sort du vaincu, d'autre part, demeure, en raison des prières extérieures, un temps dans l'incertitude. Le premier affrontement s'inscrit dans une série dont le caractère dominant est de mettre en cause la force et la vaillance du héros. Là, doivent s'accomplir les signes réitérés de son élection. Il importe donc d'apprécier son comportement à cet instant.

Il ne semble pas que rien doive jamais l'arracher à son extase : depuis l'aube, à la tour, jusqu'à la fin de l'après-midi, en vue du Gué, il n'a eu d'autre présence que celle d'une ombre muette, glissant, plus immatérielle encore, à travers l'étrange terre. Elle se faisait discrète en compagnie de Gauvain, s'effaçant, dans ses demandes, derrière une première personne plurielle où subsistait seul un lointain écho de sa voix :

Et lors li redemand*ent* cil:
Dameisele, ou est cele terre?
Ou porrons *nos* la voie querre (F., v. 648-650)[6]?

Du lyrisme amoureux qui la souleva devant la Demoiselle du Carrefour, nous n'eûmes que l'expression filtrée par le narrateur. Sans doute, à l'occasion du jeu parti, quelques paroles furent échangées, dans un climat d'exquise courtoisie, avec Gauvain (F., v. 689-703; R., v. 685-699), mais leur sobriété trahit plutôt l'état d'indifférence d'un homme qui s'est résolument tourné ailleurs. Glace d'une apparence qui se prête sans heurts aux contingences du monde, parce qu'elle abrite un feu étranger à celui-ci. Gauvain parti, plus le récit s'attache à fixer la silhouette errante, plus elle s'en absente, ivre d'une lumière impénétrable à nos yeux. Il n'en existe plus que des déterminations négatives: il ne voit, n'entend ni ne sent; sa mystérieuse identité s'est même perdue pour lui: il n'a plus de nom, ni d'origine, ni de but. Le penser où il s'installe fait de son néant le signe ineffaçable d'une pure existence de l'Autre (F., v. 715-728; R., v. 711-724). Mais l'extase, narrativement, se conçoit quand elle clôt une séquence: de la charrette à l'émerveillement dans la tour. Qu'advient-il, en revanche, si le récit doit s'ensuivre? Le cheval est, humoristiquement, devenu le protagoniste; il satisfait lui-même aux conditions et au désir de la quête!

Et ses* chevaus mout tost l'an porte
Qu'il ne vet mie voie torte*...
Et tant par avanture esploite*... (F., v. 729-732; R., v. 725-728).

Que l'eau froide rappelle à la réalité le héros tombé à plat, non sans que le texte préserve le souvenir d'une chute spectaculaire,

Si li cheï* *tot a un vol**
La lance et li escuz del col (F., v. 775-776; R., v. 765-766),

la thérapeutique, brutale, paraîtra malicieuse! Qu'au moment solennel où un chevalier, tel Erec, revêt ses armes pour l'affrontement suprême, corresponde ici le spectacle plaisant d'un homme qui rattrape les siennes, glissant, éparses, à vau-l'eau (F., v. 846-850; R., v. 836-840), la caricature est évidente et le héros, vainqueur, est trop vivement encore sous le coup de la honte pour épargner son adversaire (F., v. 895-897 et 903-905; R., v. 885-887 et 893-895).

Le mouvement du récit s'est donc inversé: une flétrissure ouvrait la voie à une jouissance; l'extase jette maintenant le ridicule sur la figure du chevalier errant. De la même façon, à vrai dire, la demoiselle de la tour lançait au visage de l'audacieux qui bravait sa défense la honte de la charrette (F., v. 488-499; R., v. 484-495). Le fait va se répéter et devenir une constante des combats livrés par le héros. Son duel avec Méléagant combine également sa honte et sa vaillance, le pis et le mieux (F., v. 3505-3916; R., v. 3489-3898). Sans doute ses blessures et la force de son rival expliquent-elles d'abord l'incertitude de la lutte, mais l'instant décisif est celui où Lancelot, appelé par son nom, voit la reine aux loges de la tour: il tombe aussitôt en ravissement et, nouveau sourire de l'auteur, se défend par derrière pour ne plus la quitter des yeux (F., v. 3691-3694; R., v. 3675-3678). Il se reprend ensuite sans que son comportement en soit pour autant plus raisonnable: ne s'arrange-t-il pas pour ne jamais pousser l'avantage au-delà du point où il cesserait de voir sa Dame ? L'humour qui souligne l'excès ne discrédite pas la folie d'Amour ; il en marque seulement l'écart par rapport à la norme commune. Mais ce roman permet d'approfondir le sens du procédé, car la pucelle qui interpella Lancelot au nom de sa Dame lui fait honte de son attitude (F., v. 3708-3721 ; R., v. 3692-3703) : combattant le dos tourné, offert sans résistance aux coups sauvages de son ennemi, n'évoque-t-il pas le chevalier extatique qui fut, sans y prendre garde, désarçonné au passage du Gué ?

> Ce tient a honte et a grant let*
> Lanceloz tant que il s'an het
> Qu'une grant piece* a, bien le set,
> Le pis de la bataille eü,
> Si l'ont tuit* et totes veü (F., v. 3722-3726 ; R., v. 3704-3708).

Un lien étroit noue la honte à l'extase : chaque fois que le héros est prêt d'affirmer sa suprématie, la première se rappelle à lui et l'empêche de se prévaloir de sa toute-puissance ; son image de lui-même ne cesse de lui renvoyer cette originelle fêlure. La honte de la charrette témoignait d'abord du sourd désir de s'installer en cette place maudite que symbolise le Lit Périlleux, mais ne venait-elle pas d'avance entacher le prestige d'avoir maîtrisé la Lance de feu ? Aussi bien restait-on étrangement muet sur la gloire du héros : nuls transports d'allégresse ne célébrèrent sa souveraineté. La honte, aux portes sacrées de la Joie, interdit de s'y produire en maître. Or, pour le chevalier, que son honneur soit ainsi mis à mal le sauve peut-être du pire, contrairement — mais est-ce là trop nous hasarder ? — à Perceval, qui ne put s'arracher à la fascination de la Lance. Le profond paradoxe de la *Charrette* tient à cet éloge ambigu de la honte, pour peu qu'on en ait la volonté, avant qu'il ne soit trop tard et que ne s'y substitue l'obsession de la faute.

La même ambivalence se manifeste au cours du Tournoi de Noauz (F., v. 5379-6076 ; R., v. 5359-6056). Relevons d'abord qu'il fut entrepris par la Dame de Noauz et que Lancelot se tint de son côté. Chrétien a délibérément créé une confusion entre l'ordre que la reine intime à Lancelot de faire « au noauz », c'est-à-dire au pis, et un prétendu nom de lieu qu'il rendait énigmatique au même titre que, dans *Erec*, le nom propre de l'aventure de « la Joie » chargeait celle-ci de mystère. Que Lancelot soit du camp de la Dame de Noauz est d'autant plus symbolique que le motif du tournoi où survient un chevalier inconnu, aux armes vermeilles (ou de couleurs chaque jour changeantes), retenu auprès d'une femme amoureuse qui l'équipe d'une monture merveilleuse (cf. F., v. 5515-5525 ; R., v. 5495-5505), a été associé aux amours de la fée Morgain (cf. Loomis, p. 259-260). Ces résonances linguistiques et thématiques s'harmonisent avec la religion du secret absolu imposé au plaisir et de la soumission totale du *fin amant* à sa Dame ; elles lui donnent sa profondeur, car l'incognito signifie que l'amant s'est soustrait à la loi du monde, et les armes changeantes, mais surtout vermeilles, qu'il revient l'affronter, sous les couleurs de la jouissance. Ainsi s'affirme, une fois de plus, sans la moindre hésitation, comme ce fut le cas de la charrette, ni le moindre hasard, comme au Gué Défendu, la parenté entre la honte et l'extase dont se définit ce que Lancelot est allé chercher auprès de la reine Guenièvre(cp. F. 5773-5776 et 4684-4686 ; R. 5753-5756 et 4666-4668 : « Malvestiez » et « Amors »). Mais, en même temps, le chevalier qui s'est offert à la risée publique par ses reculades apeurées,

Ne por morir rien ne feïst*
Se sa grant honte n'i veïst*
Et son let et sa desenor*,
Et fet sanblant qu'il et* peor... (F., v. 5689-5692; R., v. 5669-5672),

remporte, sans jamais en attendre l'honneur, le prix du tournoi, étonne par ses prouesses mais se dérobe à sa gloire. Celui qui sut éteindre la Lance enflammée et la réduire à quelque trivial rebut n'a donc pas été vainement accueilli aux cris du destin :

Or est venuz qui aunera*
(F., v. 5583-5584, 5637-5638, 5983-5985;
R., 5563-5564, 5617-5618, 5963-5965).

Il a pris en effet la mesure des hommes, comme le Maître né pour les dominer, mais sa vaillance s'est révélée à des yeux qui ne découvriront jamais son visage et la prophétie ne peut plus être séparée du souvenir de la dérision :

Or te tes*,
Amis ! cist n'aunera hui mes.
Tant a auné qu'or est *brisiee*
S'aune* que tant nos as *prisiee* (F., v. 5701-5704; R., v. 5681-5684).

La vérité est à la rime. Le miroir où tout homme ressaisit son image dans l'exaltation de sa puissance a volé en éclats. Tel est le prix incomparable de l'expérience de la *fine amor.* De l'abîme de honte a jailli une gloire souveraine, mais celui qui aurait pu s'en faire un titre a pris, de pair avec la honte, le nom de personne. Quel contraste avec l'orgueilleuse assemblée de rois et de chevaliers que détaille, après la huée du couard, l'admiration publique, dans un éblouissement de couleurs voyantes, à travers les héroïques consonances de noms entremêlés et parmi l'ostentation d'armes d'où surgit un bestiaire fascinant, telle une scène imaginaire emportant les fantasmes de leurs ambitions. Les blasons servent de connaissances dans l'ivresse d'une renommée qui appelle les regards (F., v. 5791-5844; R., v. 5771-5824). Mais tous ces feux pâlissent auprès du Chevalier Vermeil (F., v. 5975-5980; R. 5955-5960) : que l'ombre du Maître ait alors plané sur le tournoi et d'autant plus qu'elle fut innommée, on en veut pour preuve la réaction hystérique d'amour des demoiselles « déconseillées » qui organisèrent le tournoi aux fins de mariage (F., v. 5381-5387; R., v. 5361-5367), mais s'éprirent de Celui d'où leur vint le dépit de tout autre seigneur et époux (F., v. 6013-6026; R., v. 5993-6006). Le *fin amant* ne produit-il pas ici l'effet contraire de celui qui est attendu de Perceval, dans le *Conte du Graal,* au château du Roi Pêcheur, ou de Gauvain au Palais des Merveilles ? L'épisode garde de cette comparaison une coloration mythique. La Demoiselle Hideuse énumère à Perceval les malheurs dus à son silence :

Dames en perdront lor maris,
Terres en seront escillies*
Et puceles desconseillies
Qui orfenines remandront
Et maint chevalier en morront (*Conte du Graal,* v. 4678-4682).

Inversement Gauvain accomplit la prophétie rapportée par le nautonier au sujet de la terre sauvage dont les dames perdirent leurs maris et les demoiselles restèrent orphelines :

> Qu'eles atendent qu'il i viegne
> Uns chevaliers qui les maintiegne,
> Qui rende as dames lor honors
> Et doinst* as puceles seignors
> Et des vallés* chevaliers face (*Conte du Graal,* v. 7585-7589).

Ainsi le héros du Lit de la Merveille,

> Les puceles marïeroit (v. 7601),

tandis que la rumeur dit du vainqueur du tournoi de Noauz,

> Que cil les tolt* a marïer... (F., v. 6015 ; R., v. 5995 ;
> cf. encore F., v. 6071-6076 ; R., v. 6051-6056),

> Cil qui a totes atalante* (F., v. 6034 ; R., v. 6014).

Voué à la Dame unique, celui-ci se détache donc de ce qui néanmoins s'est de son fait imposé, cette figure absolue du Maître dont il a, chaque fois, selon le défi inhérent à son amour, occupé la place, et qui se distingue par ce trait qu'elles soient toutes à lui. Il eût fallu, en revanche, que Perceval apprît à y renoncer, à travers des questions où lui apparût, dans l'image de remords et d'amour du Roi *Mehaigné,* le geste criminel perpétré contre un père, mort d'avoir pleuré ses fils. Mais sa chasteté prendra plutôt valeur de symptôme, comme le signe obsessionnel d'une expiation, et les sources de vie se tariront et les femmes seront en deuil de leurs époux. La mort défait, ici, des mariages que le dédain empêche, là, de conclure. En ce point de rencontre, mythique, d'où divergent absolument la *Charrette* et le *Conte du Graal,* le pacte par lequel s'institue la société a été, pour un temps, suspendu.

Cette analyse, en grande partie conjecturale, puisqu'elle touche au centre le plus obscur par où ces romans continuent de nous échapper, rend peut-être compte d'un autre motif surprenant, dans l'épisode du Gué Défendu : la formidable étreinte de Lancelot (F., v. 802-820 ; R., v. 792-810). Qu'ajoute, en effet, à la prouesse de celui-ci cette démonstration de force brute que l'on eût tout autant admirée chez un vilain, tel le géant Bouvier, maîtrisant à mains nues un taureau, dans le *Chevalier au lion* ? La vigueur d'un Gauvain qui croît et décroît avec le jour ne s'exerce jamais que dans la fortune des armes. Ne suffisait-il pas que Lancelot payât de retour dans la joute celui qui l'avait humilié par surprise ? Un souci d'équilibre a, peut-être, poussé Chrétien à chercher, pour le chevalier du Gué, un équivalent de la honte qu'il infligea, sans combat, au héros. Il importait surtout que ce dernier fît sentir physiquement sa puissance à son adversaire et que l'autre, ainsi empoigné, en gémît de douleur. De la sorte, se manifeste une force fabuleuse qui l'habite, élémentaire, et non pas civilisée par la lance et l'épée. Dans la nature s'ancre plus profondément le mythe de tout pouvoir. La quête de Lancelot est comme bordée par un déchaînement sourd de forces sauvages. La représentation fantasmatique du Maître ne laisse pas de hanter la chevauchée vers Gorre. Mais la honte qui se rappelle en chemin la maintient à une salutaire distance. Il en résulte une tension qui expliquerait encore les accès de fureur et de haine qui échappent au héros au moment de la victoire, avant qu'il se ressaisisse et fasse, selon l'éthique chevaleresque et courtoise, grâce au vaincu. Chrétien fera, plus loin, valoir les deux vertus propres à Lancelot, de Largesse et de Pitié (F., v. 2854 et 2860; R., v. 2840 et 2846); pourtant, quand une demoiselle l'implore d'épargner la vie de son ami, il ne veut rien entendre:

> Ne puet por li* merci avoir*,
> Que* trop li a grant honte feite.
> Lors li vient sus, l'espee treite (F., v. 904-906; R., v. 894-896).

Les motivations sont, à vrai dire, complexes; sans doute, le sentiment de sa honte l'aveugle-t-il de colère, mais plusieurs impressions se fondent les unes dans les autres; il se venge d'abord d'une résistance trop longue à son gré pour ne pas lui porter ombrage (F., v. 875*sq.*; R., v. 865*sq.*); il garde, plus cuisant encore, le ressentiment d'avoir été ridiculisé par sa chute dans le gué:

> Si jure quanqu'*il puet veoir
> Que mar* le fist el gué cheoir
> Et son panser mar li toli* (F., v. 895-897; R., v. 885-887).

Dans les deux cas, c'est la pensée de son amour qui avive son déplaisir: est-ce ainsi qu'il s'acquitterait auprès de la reine de « la dette » (F., v. 878; R., v. 868) qu'il a contractée à travers sa quête? L'autre n'a-t-il pas, en outre, commis le sacrilège de porter la main sur son rêve? Mais le vers qui précède juste le passage cité y mêle un autre souvenir:

> Lors li cort sus *li charretons**... (F., v. 894; R., v. 884),

comme s'il ne supportait pas d'encourir, aux yeux de sa Dame, la honte dont sa vie est cependant, pour elle, désormais marquée! On perçoit ici combien le motif de la honte prête à des sentiments et à des réactions contradictoires. En qualifiant, à cet instant, crûment, le héros d'un nom qui évoque la charrette, le conteur désigne le point sensible de toute son économie subjective: le chevalier ne souffre pas d'être ainsi nargué, directement ou non, par un insolent qui lui rappelle de quelle indignité se paie son entreprise et qui, lui, se tient, tête haute, avec arrogance, de l'autre côté, c'est-à-dire du côté où Méléagant prétend posséder tout à soi la reine Guenièvre. Semblable représentation éveille la haine au cœur de Lancelot, et comme une rage de meurtre. Mais nous ne sommes pas encore en mesure d'en saisir plus avant la racine profonde ni de dire qui se dresse ainsi, sur son passage, en face de lui.

En comparant, en tout cas, les deux premières séquences narratives: de la charrette à la tour, du carrefour au passage du gué (cf. F., v. 891, R., v. 881), nous pouvons ainsi formuler le sens contradictoire de la quête: la honte assumée ouvre à un homme qui s'est interdit d'être le maître la voie d'une extase qui voisine avec le vœu silencieux de mourir; mais le hasard de sa voie lui fait justement honte de son extase, le sommant d'être le maître pour forcer un accès dont il ne serait plus digne et réveillant en lui comme une envie de tuer : de la honte à la haine, par l'extase et la mort[7]...

La plaie d'amour

Le troisième groupe d'épisodes, autour de la Demoiselle entreprenante, peut être également mis en parallèle avec les deux premiers, à condition d'y inclure une dernière extase de Lancelot devant la Fontaine, à la vue et au contact des cheveux d'or de la reine, pris aux dents de son peigne d'ivoire (F., v. 941 - 1511 ; R., v. 931 - 1499).

Comme on le verra ensuite, la rencontre du prétendant, quoiqu'elle ait lieu le même jour et que la même demoiselle accompagne le héros, marque un tournant du récit et introduit une série d'aventures d'un caractère très différent. Le ravissement de l'amant survient d'ailleurs, comme la première fois, à l'aube du jour qui suit l'hébergement au château ou au manoir d'une demoiselle. Ainsi la séquence première, après avoir été inversée au second temps, est-elle rétablie : une condition imposée au chevalier, une épreuve nocturne à son hôtel, une joie qui lui est, comme une grâce, accordée et qui prélude à une nouvelle journée de la quête. Cette reprise montre que le récit s'enveloppe sur lui-même pour dégager d'une première aventure à portée symbolique les conditions de vérité de la quête : la Lance ? mais une ombre de ridicule flanque la silhouette du maître prédestiné de l'Autre Monde. Le Lit ? mais pourquoi la récompense désirable ne suscite-t-elle plus que l'angoisse d'une répulsion ? Le chevalier inconnu courait deux tentations : d'être le Roi et de glisser dans la mort. L'eau froide du Gué a dessiné un sourire (F., v. 777 ; R., v. 767), la sueur d'angoisse élabore une mystique (F., v. 1218 ; R., v. 1206). Une fois de plus il s'avère qu'un roman de Chrétien relève d'une composition hautement poétique : Lancelot rencontre sa future hôtesse à la nuit tombante, tout comme il était parvenu, en compagnie du nain, au château de la première demoiselle. La nouvelle demoiselle remplit deux fonctions : qu'elle se soit trouvée sur le chemin du héros rappelle l'épisode de la charrette ; qu'elle l'héberge renouvelle l'accueil précédent. Le moindre détail, chez Chrétien, a sa signification. Le dialogue avec la demoiselle fait donc écho aux paroles échangées avec le nain : dans sa quête de la reine, le héros est contraint de se soumettre à une condition humiliante ou désagréable, là, de partager avec le nain la charrette, et ici, la couche de la demoiselle :

> Mes *par itel** herbergeroiz
> *Que* avuec moi vos coucheroiz (F., v. 953 - 954 ; R., v. 943 - 944).

Il s'agit là d'un « covant », comme il est ensuite précisé (F., v. 1220 ; R., v. 1208), mais dont le contenu ne laisse pas de nous surprendre, puisqu'il fait condition de ce qui, d'ordinaire, est assorti de conditions, à savoir les faveurs amoureuses de la fée, et qu'il est, dans sa forme, contaminé par le motif du don contraignant[8]. Les choses s'éclairent un peu plus loin quand la demoiselle tient pour quitte son obligé :

> Que vos m'avez randu si bien
> Mon covant* que nes une rien*
> Par droit ne vos puis demander (F., v. 1269 - 1271 ; R., v. 1257 - 1259).

Or, en quoi a-t-il satisfait à la demande première de la demoiselle d'avoir jouissance de son corps (cf. F., v. 956-957; R., v. 946-947)? Il a su, en revanche, magnifiquement gagner par son courage, sur la propre « maisnie » de celle-ci, le droit de la faire sienne (cf. F., v. 1201-1203; R., v. 1189-1191): c'est à quoi la demoiselle fait ici allusion, rétablissant ainsi les véritables termes de l'accord; la possession de la fée requiert toujours quelque preuve exceptionnelle de la vaillance du chevalier. Tel a bien été le cas. Libre alors à celui-ci d'en profiter ou non. Le « covant » était donc exprimé de façon ambiguë; la première formulation (le logis, en échange de sa maîtresse!) en recouvrait une autre (la fée, en échange de la prouesse). Or, l'apparente absurdité de départ n'est pas une maladresse. Elle sert d'abord à masquer, comme pour le nain, ce qui attend ce soir-là Lancelot: il obéit au nain pour obtenir nouvelle de la reine et il trouve le Lit Périlleux; il suit la demoiselle pour être hébergé et, à l'entrée de la chambre, se dresseront haches et épées. Il en résulte un parallélisme entre la menace de ces dernières et l'apparition de la Lance enflammée, qui surprennent un chevalier défié auparavant ou sollicité de prendre place en ces lits. Mais ces rapprochements contribuent surtout à mettre en regard et sur le même pied les deux conditions imposées, sans détour possible, au héros: la charrette de honte et le lit d'amour. L'infamie de la première s'étend, ainsi, au second et le supplice de celui-ci vaut, pour le cœur de l'amant, le martyre de celle-là pour l'honneur du chevalier. Une même hésitation le retient, là, sous forme d'un débat intérieur, ici, à travers l'essai poli d'un refus. Selon ces correspondances, les deux moments échangent leurs représentations et on parlerait tout aussi bien de la charrette d'amour que du lit d'infamie!

L'illogisme du « covant » a seulement déplacé son accent d'un terme sur l'autre; d'ordinaire on s'inquiète surtout de la redoutable épreuve qui diffère, pour le chevalier, le moment de son bonheur: quelle sera-t-elle? comment en viendra-t-il à bout? Où le braque conduira-t-il Perceval avant qu'il trouve sa récompense auprès de la Demoiselle de l'Echiquier (cf. *Seconde Continuation*)? Intentionnellement d'ailleurs, Chrétien a décrit la demeure de l'hôtesse de façon qui évoque les résidences des fées: le pourpris fortifié, d'une beauté sans égale au monde, est clos de toutes parts et isolé par une eau profonde; il ignore toute présence mâle, hors le nouvel arrivant; la salle où l'on pénètre est tout ensemble vide et mystérieusement accueillante (cf. F., v. 977-982*sq.*; R., v. 967-972*sq.*). Lancelot est bien aux prises avec la séduction enchanteresse d'une fée. Mais loin de rechercher quel exploit accomplir pour pouvoir, sans honte, jouir de ses faveurs, il est à la torture de devoir le faire, quel que soit le mérite qu'il ait, au demeurant, à la gagner. Toute l'attention est donc reportée, de l'honneur avec lequel le chevalier sait répondre aux avances amoureuses, sur la honte attachée à la couche de la fée. Mais ceci ne s'entend pas seulement, suivant le sens explicite de l'épisode, du déshonneur d'un amant contraint à l'infidélité. Les jeux de reflets que Chrétien ménage par sa conjointure organisent toujours sous le premier, sans le récuser d'ailleurs, en le dotant plutôt d'une profondeur, un sens implicite qui fait précisément question. L'essentiel est ici d'établir une équivalence profonde, inavouable, entre le Lit comme symbole de la joie la plus secrète d'amour et l'abjection où s'enfonce la représentation de l'acte sexuel. Car Lancelot a été, sans qu'il s'en doute, convié avant tout à un spectacle, en relation cachée avec son aventure, qui suscitât en lui la plus vive répulsion: comme il revient de sa promenade nocturne pour tenir sa promesse, ne trouvant pas la demoiselle dans la salle, il pénètre dans une chambre d'où il l'entend appeler à l'aide:

Et voit tres anmi son esgart*,
Qu'uns chevaliers l'ot anversée,
Si la tenoit antraversée*,
Sor le lit tote descoverte (F., v. 1074-1077; R., v. 1064-1067).

La description se poursuit crûment:

Cil voit que mout vilainnement
Tenoit la dameisele cil
Descoverte jusqu'au nonbril,
S'an a grant honte et si l'an poise
Quant nu a nu a li adoise* (F., v. 1092-1096; R., v. 1080-1084).

Pareille insistance ne peut être gratuite. Il faut que le récit traduise ce fait que les yeux du héros se sont emplis d'une scène impudique et ignoble. Un viol brutal étale, à sa vue, sa souillure.

Nous sommes à mille lieues, assurément, de la fascination qu'exerce sur le jeune Perceval le flamboyant cortège de la Lance et du Graal. D'aucuns s'indigneront d'un rapprochement qui paraîtra saugrenu. Si pourtant la Lance meurtrière du château de la première demoiselle et la désolation des jeunes filles au tournoi de Noauz font déjà signe aux futures scènes du *Conte du Graal,* devrait-on s'étonner si le manoir de l'hôtesse amoureuse offre d'étranges ressemblances avec la maison du Roi Pêcheur? L'eau profonde d'abord, la rivière longée un temps, jusqu'à une demeure dont le pont-levis est abaissé à l'intention des arrivants; l'attention portée à la grande salle où l'on pénètre[9]; le manteau d'écarlate et le luxe du repas qui y est apprêté[10]: la différence est grande sur ce point, puisque la salle de la demoiselle est vide de toute présence, mais les récits ultérieurs du Graal nous habitueront à ces lieux déserts et à ces accueils silencieux réservés aux héros de la grande aventure; le fait même d'un spectacle qui regarde le héros: la demoiselle ne jette-t-elle pas ce cri qu'impliquent le silence du cortège du Graal et l'attente du Roi Pêcheur:

Aïe, Aïe*,
Chevaliers, tu qui ies mes ostes* (F., v. 1080-1081; R., v. 1070-1071)?

Lancelot est appelé à la délivrer de la honte que sa « maisnie » fait peser sur elle, comme Perceval devrait dissiper le charme qui maintient le Roi Pêcheur dans l'infirmité. Ajoutons enfin, à propos de cette scène nocturne, la grande clarté où baigne la pièce, le mouvement qui, par la salle, fait passer d'une chambre à l'autre, voire les quatre sergents qui, là, enlèvent le Roi Pêcheur, ici, montent la garde à l'entrée[11]. Il suffit, on le voit, de faire résonner ces harmoniques pour que ce moment de la quête de Lancelot prenne un relief inattendu. Il s'agit d'ailleurs moins d'une action réelle entre autres aléas du voyage que d'une représentation spectaculaire d'un certain acte: non pas un viol, mais la mise en scène d'un viol. Sans doute, le héros n'y affronte-t-il pas des fantômes; son sang versé en témoigne; mais il suffit d'un simple geste de la maîtresse des lieux pour que tout cesse subitement, comme par enchantement (cf. F., v. 1196-1199; R., v. 1184-1187). Le spectacle, monté de toutes pièces, s'apparente dès lors à quelque fantasme qui interpelle le héros pour qu'il en reconnaisse la vérité. Mais l'interprétation en est délicate: il faut en gravir pas à pas les degrés, en se gardant d'une hâte toujours fâcheuse en pareil cas.

Partons de l'évidence : l'épisode semble conçu de manière à faire ressortir un contraste absolu entre la perfection morale du héros et la luxure méprisable qui se propose à lui. A travers l'image de ce qu'il n'est pas et de ce qu'il ne ferait pas, à partir du spectacle rejeté de la honte, Lancelot garde la conscience de son honneur de « fin amant » mais aussi de chevalier véritable : un autre abuse sexuellement d'une femme, mais lui, malgré les invites de celle-ci, demeure chaste à ses côtés ; le brutal possède de force une malheureuse, tandis qu'il risque sa vie, dans une situation perdue, pour la délivrer. L'ensemble de la scène se laisse en outre, sans difficulté, transposer à l'aventure vécue par le héros : ce qu'il entreprend d'impossible pour la demoiselle est à la ressemblance des souffrances inouïes dont il s'avère capable pour la reine (cf. F., v. 1109-1133 ; R., v. 1097-1121) ; la parfaite maîtrise de son désir, dans le lit de son hôtesse, illustre cette discipline que la Dame des troubadours impose au « fin amant » dans la plus troublante intimité (mais l'*assag* est ici pris à l'envers, puisqu'il diffère moins l'acte pour plus de joie qu'il ne le fuit, dans la plus grande angoisse). Dans ces conditions, le chevalier qui tient la demoiselle à sa merci fait encore songer à Méléagant dont Guenièvre aurait, n'eût été le roi Baudemagu, bien du mal à se garder (cf. les « révélations » de Keu, F., v. 4066-4075 ; R., v. 4048-4057 ; et cp. F., v. 3379 et 1096 ; R., v. 3363 et 1084). Aussi bien faut-il entendre la malice du conteur, lorsqu'il commente ainsi cette indifférence dans le déplaisir dont fait preuve le héros face au triste sort de la demoiselle :

> S'an a grant honte et si l'an poise
> Quant nu a nu a li adoise,
> Si n'an iert il mie jalos* (F., v. 1095-1097 ; R., v. 1083-1086).

En réalité, que Méléagant prétende à la reine, n'est-ce pas l'intolérable pour Lancelot ? Son absence de réaction ici laisse plutôt à deviner quelle fureur pourrait un jour l'animer ! La scène présentée peut donc être ainsi lue : le héros doit traverser de redoutables épreuves pour arracher la reine à son mortel ennemi, mais il doit encore affirmer une éthique de l'amour, du tout opposée à la violence sexuelle (cf. F., v. 1240-1254 ; R., v. 1228-1242). Après l'équivoque charrette, la signification de cet épisode est irréprochable. Le renversement est d'autant plus sensible qu'un nouveau monologue du héros vient contredire ses premières hésitations lors du saut dans la charrette : bannissant « Mauvestiez » (F., v. 1114 ; R., v. 1102), il conclut sur une formule admirable :

> Se assez miauz morir ne vuel
> A enor* que a honte vivre (F., v. 1126-1127 ; R., v. 1114-1115).

Il est facile de lever la contradiction, en rapportant à la seule autorité d'Amour la décision de l'honneur ou de la honte. Néanmoins, à la différence de la charrette, l'exigence d'Amour coïncide ici avec la prouesse dont un chevalier s'honore en ce monde.

Faut-il cependant se déclarer satisfait d'une telle analyse ? L'épisode est-il à ce point transparent qu'un pur contraste se suffise à lui-même, sans servir à son tour de voile à de plus troubles osmoses ? L'ambivalence subsiste au cœur de tous les grands moments du récit : elle seule permet de comprendre combien il est miraculeux qu'un homme se soit ainsi continûment avancé, sans jamais verser dans l'abîme, sur le tranchant d'une lame — et, dans ce roman, on le sait, ce n'est pas métaphore ! Il n'est d'ailleurs pas nécessaire de beaucoup solliciter le texte pour qu'il s'oriente en un autre sens. On peut repérer le point précis où il pivote sur lui-même et libère une vérité qu'il est pourtant, sur la seule foi de l'épisode, encore difficile d'admettre : la demoiselle, renversée sur le lit, en passe d'être violée, appelle le chevalier à son secours dans des termes révélateurs :

> E se tu ne me secors tost*,
> Il me honira devant toi (F., v. 1084-1085 ; R., v. 1072-1073).

On comprend naturellement : ma honte rejaillira sur toi, car seule ta lâcheté, d'autant plus méprisable que tu me dois l'hospitalité, l'aura rendue possible. Tel n'est pourtant pas le sens du propos. Elle ajoute en effet :

> Ja te doiz tu couchier o moi*
> Si con tu le m'as creanté* :
> Fera donc cist sa volanté
> De moi, veant tes iauz*, a force (F., v. 1086-1089 ; R., v. 1074-1077) ?

Autrement dit, honte à toi qui aurais dû te trouver à sa place et qui, de ce fait, ne pourras respecter tes engagements ! Mais, souligne avec humour le conteur, le héros ne manifeste pas la moindre jalousie. Les rôles eussent dû plutôt être intervertis. Quoi qu'il en soit, la scène invite le héros à s'imaginer dans la situation de l'autre, son rival en somme. Dès lors l'épisode confronte Lancelot non pas à la honte de laisser l'autre faire, mais avant tout à celle, que masque en la déplaçant la première, de se substituer à lui. Ce qui sera le cas, mais dans la chasteté et l'angoisse. Comment expliquer celles-ci s'il n'était clair que ce fût là, pour lui, le prix dont il dût payer la faute d'avoir trop approché du centre interdit de lui-même. La souillure sexuelle suscite l'horreur que son angoisse, ensuite, révèle, parce que l'être immonde qui jouissait de la fée [12] lui désignait sa propre place et semblait avoir surgi là, à sa ressemblance, comme le fantasme de « la scène primitive » que les douleurs imposées et assumées dans l'ascèse de la *fine amor* auront pour tâche d'exorciser. Il n'y a donc pas lieu de s'étonner si la parenté la plus profonde transparaît seulement sous la distinction la plus radicale. Qui, s'il n'était originellement pécheur (soit de naissance : la religion sait ce qu'elle dit), serait ainsi mis à la torture en présence de l'autre corps féminin ? Le plus intime s'est ici projeté, à travers une représentation scénique, comme le plus extérieur.

Mais confirmation en est donnée par la suite du récit. La quête de la reine Guenièvre occupe l'intervalle qui sépare deux scènes également indiscrètes dont un lit forme tout le décor : la première, dont nous traitons, luxurieuse et impeccable, à la veille de pénétrer dans le royaume de Gorre ; la seconde, amoureuse et coupable, au cœur du château de Baudemagu (F., v. 4478-5006 ; R., v. 4460-4986). Sans doute la nuit passée aux côtés de Guenièvre ne ressemble-t-elle en rien à celle que le héros commença, en toute chasteté, auprès de la Demoiselle entreprenante : la joie des amants vient ici récompenser et effacer l'angoisse d'un cœur qui, là, sut rester absolument fidèle. Pourtant l'une comme l'autre sont environnées de honte : l'image scandaleuse dont le souvenir hante la nuit sans désir, est, brutalement, rappelée au lendemain d'une nuit de plaisir. Le lit de la merveille d'amour s'avère être aussi bien un lit d'infamie : il en va de l'accueil de Guenièvre comme de la complaisance de l'hôtesse ; simplement l'ordre a été renversé, puisque la première fois, l'opprobre sexuel avait débouché sur le miracle du parfait amour. Une référence religieuse intervient d'ailleurs les deux fois où Lancelot s'apprête à entrer dans un lit étranger :

> De tochier a li mout se gueite*
> Ainz s'an esloingne et gist anvers*,
> Ne ne dit mot ne qu'*uns convers**
> *Cui* li parlers est deffanduz*
> Quant an son lit gist estanduz (F., v. 1228-1232 : R., v. 1216-1220).

Le dégoût de la chair comme la purification morale sont ici calqués sur la vie religieuse. De même, pour la dévotion amoureuse et son rituel :

> Et puis vint au lit la reïne,
> Si *l'aore** et si li ancline ;
> Car an nul *cors saint** ne croit tant (F., v. 4669-4671 ; R., v. 4651-4653).

> Au departir a soploiié*
> A la chanbre et fet tot autel
> Con s'il fust devant *un autel* (F., v. 4734-4736 ; R., v. 4716-4718).

Cet ensemble de correspondances éclaire l'un par l'autre chacun des épisodes et souligne leur ambivalence constitutive. Chrétien a, de propos délibéré, profilé le drame de Tristan et Yseut derrière la rencontre nocturne de Lancelot et de Guenièvre. Peut-être l'insistance mise à décrire la parfaite blancheur des draps (et, en général, du linge) au manoir de la demoiselle (cf. F., v. 1207-1209, et 995, 1007 ; R., v. 1195-1197 et 985, 997) présageait-elle les taches de sang qui, au grand jour, pour la joie satanique de Méléagant, maculent le lit de la reine (F., v. 4717-4719, 4758-4761, 4771-4773 ; R., v. 4699-4701, 4740-4743, 4753-4755) ? La scène est évidemment empruntée à l'épisode de la Fleur de farine dont il subsiste, chez Béroul, un exemple. En voici les éléments communs : l'effort, fatal au héros, pour rejoindre le lit de la reine ; les blessures qui se sont rouvertes la nuit (cf. Keu) et ont ensanglanté les draps ; le traître qui exulte à la vue des « ansaingnes veraies » ; la présence du roi ; *l'escondit* enfin que réclame l'accusé (Keu) remis aux gardes. D'autre part le serment prêté par Lancelot sur des reliques, selon une formule mûrement pesée, pourrait être une allusion à l'épisode du Serment ambigu. Mais l'influence de l'épisode des Faux sanglantes selon Eilhart (*Tristrant,* v. 5129-5487 ; cf. aussi le ms. 103, B.N., du *Tristan en prose,* dans Bédier, *Thomas* (SATF), II, 360 *sq.*) se fait également sentir à travers le détail des « fers tranchants » (cf. F., v. 4657 et 4728 ; R., v. 4639 et 4710) et le rôle joué par le sénéchal Keu, la principale victime de l'affaire, chez Eilhart, dont la blessure sert à couvrir le forfait de Tristan. Il est d'ailleurs notable que la source française d'Eilhart, œuvre d'un auteur original et cultivé (cf. le personnage de Gymelé-Camille, repris de l'*Eneas*) [13], se sépare tout à fait de la version de Béroul pour introduire des motifs arthuriens aussi caractéristiques du climat propre aux romans de Chrétien que l'accueil du héros à la cour royale, l'errance du chevalier « desconneü », l'amitié avec Gauvain ou l'amant conjuré, au nom de sa Dame, de décliner son nom (Eilhart, v. 4995-5128). On prêterait volontiers à Chrétien qui écrivit

Del roi Marc et d'Ysalt la blonde (*Cligès*, v. 5),

une telle intervention dans la légende de Tristan et Yseut. Après quoi, au lieu de proposer sa propre version du *Tristan*, il eût composé de nouveaux poèmes, hantés par celui-ci mais libres dans leur allure : *Cligès*, la *Charrette*. Le cheveu d'or mêlé aux fils dont est cousue la chemise d'Alexandre réutiliserait, par exemple, le conte des hirondelles avec le même bonheur que les barreaux coupants de la *Charrette* évoqueraient les Faux sanglantes. Mais brisons là le cours de notre rêve...

Le titre donné par Chrétien à son propre conte de Tristan suggère, en tout cas, le sens qu'il lui prêtait : « Iseut la Blonde » n'est mentionnée que par la qualité qui fait de son nom une invitation féerique à l'amour ; le « roi Marc » fait surgir l'instance de la Loi — celle qui, chez Béroul, se rappelle sans paroles par l'épée, l'anneau et le gant, au profond sommeil des fugitifs en Morrois. Faisant fi du Roi qui est, en outre, son oncle, Tristan a cédé à l'enchanteresse : Lancelot a, de semblable façon, transgressé le désir en direction de la jouissance, mais n'a-t-il pas su, d'autre part, traverser le royaume des enchantements ? On devine maintenant l'importance des insultes de Méléagant ; elles ne s'adressent pourtant pas à Lancelot, hors de soupçon dans l'affaire, mais au malheureux sénéchal Keu. Il y a là un déplacement qui doit être pris en compte : Lancelot ne saurait être, comme Tristan, avili. Il n'est touché qu'indirectement par l'événement, ce qui confirme, en un autre sens, notre analyse du viol de la demoiselle : s'il ne s'agit jamais que du héros, ce ne peut être cependant que par reflet, au travers d'un miroir. Méléagant n'en nomme pas moins le crime de Lancelot et, dans sa bouche, l'acte sexuel paraît animé d'une ardeur tout aussi ignoble que naguère chez la demoiselle avenante :

Si m'aït Deus, traï vos ont
Li deable et li vif maufé*.
Trop fustes anuit* eschaufé,
Et por ce que trop vos grevastes
Vos plaies sanz dote escrevastes (F., v. 4896-4900 ; R., v. 4876-4880).

Nausée du réalisme ! Cette laideur est inséparable d'une flétrissure :

Le roi Artu a Kes traï*
Son seignor, qui tant le creoit*
Que comandee li avoit
La rien que il plus aimme el monde (F., v. 4874-4877 ; R., v. 4854-4857).

Le rejet est admirable d'expressivité ; les enjambements qui suivent étalent aux yeux du monde une « leidure » (v. 4884) dont on ne finit pas de mesurer l'étendue. Ces paroles s'appliquent d'autant plus cruellement au cas de Lancelot, qui avait pris sur soi l'honneur royal, que l'ultime vers résonne de toute la sublime folie de son amour. Elles font encore écho au commentaire, somme toute surprenant, dont le conteur accompagnait l'attitude du héros dans la scène du viol :

Si n'an iert il mie *jalos*
Ne ja de lui ne sera *cos** (F., v. 1097-1098) !

Et pour cause! Un autre serait plus légitimement visé... L'ironie, incomprise, devient claire: l'ombre du roi Marc, bafoué et jaloux, se devine à l'arrière-plan et déjà s'est ternie la gloire du roi Arthur.

Il n'est aucun moment de sa quête où Lancelot n'ait été, pour ainsi dire, regardé par sa honte; elle lui a constamment servi de repère, lui désignant la voie au cœur de laquelle il s'engageait, obstiné. Mais s'il franchit le pas (nous l'avons vu, le terme en est la mort), rien n'est plus supportable:

> *D'angoisse le covint* suer*:
> Totes voies* parmi l'angoisse
> *Covanz le vaint** et si le froisse.
> Donc est-ce force? Autant se vaut.
> Par force covient que il s'aut*
> Couchier avuec la dameisele,
> Covanz l'an semont et apele (F., v. 1218-1224; R., v. 1206-1212).

La femme, sexuellement offerte à son désir, est soudain devenue, sans qu'il puisse se détourner, un objet affolant. Il est contraint de poursuivre plus avant quand sa quête est frappée d'impossibilité. La sueur d'angoisse l'avertit assez de ne pas approcher davantage du ténébreux foyer de la malédiction. Par rapport au «covent» établi entre un chevalier et une fée, le schéma continue d'être renversé: on eût encore admis les affres du chevalier, à l'appel de la fée, avant qu'il n'eût entrevu le moyen de rendre à l'honneur son dû; Lancelot a satisfait à cette condition sans que rien en soit pour autant changé; il subsiste encore quelque chose après, et si la voie paraît libre à l'amant, force lui est de s'inventer une interdiction plus absolue encore, comme le frère convers à qui la Règle défend la parole. Au plus près de la satisfaction, tout se passe comme si le manque lui-même lui faisait défaut et qu'il lui fallût, à tout prix, le rétablir. Il se crée à lui-même son propre supplice si l'autre oublie d'être cruelle. Telle est la plus profonde vérité jamais atteinte dans la *fine amor*. L'angoisse du chevalier devant le corps de la fée aura pour contrepartie la cruauté gratuite du «gab» de sa Dame (F. v. 3955 *sq.;* R. v. 3937 *sq.).* La sphinge d'Œdipe, le roi *Mehaigné* du Graal, le «gab» de Guenièvre: qu'il nous soit permis de monter ainsi en épingle trois camées d'un fascinant relief.

Là encore, rien n'est laissé par Chrétien au hasard: Lancelot a passé au travers des haches bien affilées et des épées nues, mais, allongé contre la demoiselle qui n'a pas ôté sa chemise, il se défend la parole et s'interdit le regard:

> Ne ne dit mot ne qu'uns convers
> Cui *li parlers* est deffanduz...
> N'onques ne torne *son esgart*
> Ne devers li ne d'autre part (F., v. 1230-1234; R., v. 1218-1222).

Plus tard, il a franchi le Pont de l'Epée, où il s'est fortement tailladé, et défié les armes de Méléagant, mais la reine, qu'il suivra seulement des yeux dans sa chambre, s'est détournée de lui, sans un mot, sans un regard. Elle se le reprochera ensuite:

Quant *mon esgart* et *ma parole*
*li veai**, ne fis je que fole?

pour rectifier aussitôt:

Que fole*? Ainz fis, si m'aït Deus,
Que felenesse et que *crüeus**
Et sel cuidai je feire *a gas** (F., v. 4219-4223; R., 4201-4205).

Et dans ses regrets meurt un dernier écho de la scène fatidique. Comparons, en effet:

L'eüsse antre mes braz tenu.
Comant? Certes tot nu a nu,
Por ce que plus an fusse a eise (F., v. 4245-4247; R., v. 4227-4229),

et

S'an a grant honte et si l'an poise
Quant nu a nu a li adoise,
Si n'an iert il mie jalos (F., v. 1095-1097; R., v. 1083-1085).

La critique s'est mal expliqué un geste qui, d'après la reine, avait la gratuité d'un «jeu». Tout a pourtant été dit en clair, non pas dans les explications fournies plus loin à propos de la charrette, mais dès cette première rencontre qui n'en fut pas une. Le roi Baudemagu, quelque peu indigné du mépris affiché par la reine, lui rappelle les mérites du héros et tout ce qu'elle lui doit. C'est là précisément ce qui est en question. Guenièvre rétorque avec hauteur:

Sire, voir*, mal l'a anploiié:
Ja par moi ne sera noiié*
Que je ne l'an sai point de gré (F., v. 3975-3977; R., 3957-3959).

Autrement dit, nul ne saurait se prévaloir du moindre droit sur la Dame; on ne la mérite pas. Ce qu'elle accorde ne viendra jamais que de surcroît, par le seul effet de sa grâce. L'allusion plus tard à la charrette ne contredit pas cette explication; elle la renforce plutôt: tarder était un crime, impliquant que l'amant n'avait pas implanté en son cœur l'autorité absolue de l'Amour. Pareillement, par son refus de lui devoir quoi que ce soit, la reine s'affirme absolument souveraine, sans d'autre loi à son action que celle de son bon plaisir. Or le comportement de Lancelot est significatif et l'auteur le qualifie du mot juste, miraculeux:

Ez vos* Lancelot trespansé*.
Si li respont *mout humblemant*
A maniere de fin amant:
Dame, certes, ce poise moi,
Ne je n'os* demander porquoi (F., v. 3978-3982; R., v. 3960-3964),

et, en réponse à Keu:

Or soit a son comandemant (F., v. 4094; R., v. 4076).

Le « gab » n'a rien en soi de mystérieux mais il entoure d'un mystère insondable la Dame aux yeux de l'amant ; il la met à une distance infinie de sa prise, rétablissant entre eux la redoutable hauteur de la tour. Mais qu'a-t-elle fait d'autre que ce qu'inconsciemment lui demande l'amant ? Il la veut Autre, sphinge énigmatique dont la volonté opaque lui échappe, sans jamais se lasser d'exiger toujours plus de lui :

> Et fet sanblant de correciee*,
> Si s'anbruncha et ne dist mot (F., b. 3958-3959 ; R., v. 3940-3941).

Il faut qu'elle soit insaisissable pour qu'une nuit imprévisible la lui livre enfin. S'il la devinait et qu'elle fût ainsi toute à lui avant même qu'il la possédât, toute l'érotique des troubadours eût été vaine, la chape des ténèbres complices n'eût point enveloppé la chemise troublante, merveilleusement blanche, de la reine (F., v. 4560-4563 et 4596-4597 ; R., v. 4542-4545 et 4578-4579). Qu'il ait ainsi tout à craindre d'Elle le délivre en vérité de l'angoisse qui l'étreindrait si elle lui avait donné tout à attendre. Ne perdons pas de vue, en effet, les deux expériences précédentes de l'extase, aux fenêtres de la tour, et de l'angoisse, dans le lit de la demoiselle. La première, dans l'abolition de toute distance, le conduisait à la mort ; la seconde, au contact du corps féminin, le glaçait d'effroi. La cruauté de la Dame s'offre en échange de ce regard fasciné ou terrifié comme un déplacement conjurateur grâce auquel l'immémoriale malédiction se trouve, pour ainsi dire, remise au pur caprice d'une volonté. La féodalité courtoise, une société de maîtres, a paré la Dame des attributs de la toute-puissance : à travers Elle, l'unique maîtresse, l'homme, suivant le leurre de son désir, entrevoyait un autre rivage qui ne fût pas celui de sa mort, mais où il se découvrît mortel, terre inconnue où existât une femme.

Dans son repentir, à la fausse nouvelle de la mort de son amant, Guenièvre s'accuse de lui avoir, seule, porté le coup mortel :

> Nus fors moi ne li a doné
> Le mortel cop, mien esciant* (F., v. 4226-4227 ; R., v. 4208-4209).

Il y a là un passage à la métaphore (cf. « ne l'ont mort autre Breibançon », F., v. 4237 ; R., v. 4219), qui rappelle d'ailleurs le désespoir d'Enide (*Erec*, v. 4606-4613), tant il est vrai que la *Charrette* semble la doublure retournée des autres romans. En vérité, elle lui a moins donné la mort qu'elle n'a, ce faisant, sauvé son désir ; il fallait qu'elle le « tuât » pour qu'il ne mourût point, ou, pour le dire avec l'humour de Lunete envers Yvain, il le fallait pour qu'il ne défaillît ! Mais comme elle se retire et que son cœur la suit plus loin encore que ne le peuvent ses yeux, il n'en finit pas de mourir du désir d'entrer à son tour dans cette chambre, si près, si loin (cf. F., v. 3985 *sq.* ; R., v. 3967 *sq.*). Se sachant indigne de son Dieu, fût-il, aux yeux du monde, inique ou cruel, il est désormais prêt à tout souffrir de sa main. Il n'a même cessé de lui demander le supplice qui lui agréât. Puisque la honte désirée vouait à la mort et que la honte du désir se chargeait d'angoisse, seule la ferveur sacrificielle de la quête permettrait encore au désir de survivre à la jouissance. L'amant courtois a érigé une divinité impénétrable et impitoyable pour être sans fin sujet à sa demande et exposé à ses exigences. Chaque épreuve traversée doit trouver grâce aux yeux de l'Autre ; le héros s'immole, en un geste inlassablement répété, sur l'autel de sa Dame. Il se sait regardé par Elle, sans que rien jamais lui échappe (les « deux pas » de la charrette ne l'illustrent-ils pas avec éclat ?). Que coule son sang, sa douleur sera douce si elle a l'heur de Lui plaire.

Les événements à la cour de Baudemagu et l'épisode de l'hôtesse amoureuse présentent, sur ce point, une dernière analogie. Le conteur décrit la blessure de la hache en des termes qui annoncent le franchissement du Pont de l'Epée :

Si tenoit chascuns une hache,
Tel dont l'an poïst une vache
Tranchier outre parmi l'eschine
Tot autressi con la racine
D'un genoivre ou d'une geneste.
(F., v. 1103-1107 ; R., v. 1091-1095)

Fiert si que le mantel li tranche
Et la chemise et la char blanche
Li ret anprés l'espaule tote
Si que li sans jus an degote,
Mes cil de rien ne se delaie,
Ne se plaint mie de sa plaie,
Ainz vet...
(F., v. 1157-1163 ; R., v. 1145-1151)

Bien s'iert sor l'espee tenuz
Qui plus estoit *tranchanz que fauz*
As mains nues et toz deschauz...

De ce gueires ne s'esmaioit
S'es mains et es piez se plaioit
Mieuz se voloit il *maheignier*...

S'an passe outre et a grant destresce
Mains et genouz et piez se blesce
(F., v. 3114-3126 ; R., v. 3100-3112)

Le sanc jus de ses plaies tert*
A sa chemise tot an tor
Et voit... (F., v. 3150-3152 ; R., 3136-3138).

L'accent porte sur le tranchant des lames, les profondes taillades dans la chair, la chemise ensanglantée, l'insensibilité totale à la douleur. Le corps est mis au supplice tandis que le fantasme des lions avive dans l'esprit des spectateurs la représentation des chairs lacérées et déchirées, des membres arrachés, du corps en lambeaux (cf. F., v. 3074-3086 ; R., v. 3060-3072). Ce tourment est corrélé, d'autre part, à cet autre supplice, la « sueur d'angoisse », que l'amant éprouva auprès de la demoiselle :

Ne ne fet sanblant* de *l'angoisse*
Qu'il avoit es piez et es mainz (F., v. 3338-3339 ; R., v. 3322-3323).

La sueur ou le sang de l'angoisse, les affres que traverse le corps ressemblent à une crispation du désir au voisinage d'une intolérable jouissance où se représentent le corps pétrifié ou le corps dévoré. Car ce fond innommable sur lequel se projette toute l'aventure en Gorre ne laisse pas de faire sentir sa présence, au cours de la traversée du Pont de l'Epée : là, sous le héros, dans ce gouffre bouillonnant de l'eau noire et hideuse,

Con se fust li fluns* au deable (F., v. 3026 ; R., v. 3012).

Spectacle d'épouvante mais que le conteur détaille, semble-t-il, à notre seule intention, le texte ne disant mot des réactions du héros ; seuls ses compagnons expriment leur effroi. Aussi bien Lancelot est-il depuis longtemps ailleurs, ayant déjà passé outre à toutes les rumeurs infernales (cf. F., v. 3103 ; R., v. 3089), rivé à son désir. Aux flots grondants fait simplement écho un rire libérateur :

Et il lor respont an riant... (F., v. 3092; R., v. 3078),

et de nouveau retentissent les paroles sans appel:

Miauz vuel morir que retorner (F., v. 3104; R., v. 3090),

qui lui servirent d'aiguillon au passage des haches:

Se assez miauz morir ne vuel
A enor que a honte vivre (F., v. 1126-1127; R., v. 1114-1115).

Le sang expie la honte; «l'angoisse» des fers tranchants efface le martyre de la charrette. La honte inaugurale d'avoir été charreté le cède, au terme de la quête, à l'honneur inouï d'avoir surmonté le Pont de l'Epée. La frayeur irraisonnée à la vue de la charrette d'infamie et du nain maléfique s'est maintenant reportée sur l'abîme, dominé, d'eaux en furie, et le fantasme, évanoui, de lions enragés[14].

Ce renversement semble, de nouveau, s'accompagner de certains accords consonants entre la *Charrette* et le *Conte du Graal.* Le *fin amant* ne s'est-il pas, tel un frère convers, «défendu la parole» dans le lit de la fée? Mais son silence ne doit rien à une fascination coupable; il relève, au contraire, de la plus vive douleur de la conscience. La nuit de Perceval auprès de Blanchefleur n'a rien de chaste, même si sa «niceté» lui laisse tout ignorer de sa fin, mais la pureté de Lancelot n'est point le fruit d'un défaut de savoir! Se taire a, pour le *fin amant,* signifié le comble du désir, non son échec, comme pour le Gallois; la conscience de la honte, non l'oubli du péché. Le Graal invite à la parole et «l'oiste» qu'il porte réfléchit l'aveu d'une culpabilité originelle; le «cors saint» de la Dame sur «l'autel» de son lit est offert à l'amant qui opposa son silence aux blandices de la fée et résuma tout son être dans le penser qui l'étrangeait de soi (cf F., v. 1235-1254; R., v. 1223-1242). Cela n'a pourtant pas suffi: au Pont de l'Epée, transparaît, en filigrane de ses souffrances, un autre visage, appelé à hanter toute la littérature arthurienne, celui du Roi *Mehaigné*:

De ce gueires ne s'esmaioit
S'es mains et es piez se plaioit;
Miauz se voloit il *maheignier...,* (F., v. 3119-3121; R., v. 3105-3107).

Le mot est repris peu après:

Mes ne sevent pas son *mehaing* (F., v. 3147; R., v. 3133).

(Cp., en outre, le même jeu de rimes dans le *Conte du Graal,* v. 3587-3588, et la *Charrette,* F., v. 3147-3148; R., v. 3133-3134.) On pourrait conclure à une simple coïncidence si d'autres convergences n'avaient déjà été soulignées; de plus, la mutilation du corps est, dans les deux cas, mystérieusement rattachée au monde moral: Perceval eût ouvert son cœur à la Charité, Lancelot y purifie une souillure. Le premier devait rompre le charme sous lequel était tombée la terre du roi infirme; le second abolit les sortilèges du royaume sans retour. Le contexte valorise la passion dont le corps porte les stigmates. Mais, tandis que Perceval est appelé à reconnaître cette figure souffrante, Lancelot l'incarne: le Chevalier de la Charrette est aussi le chevalier «mehaigné» et le «martyre» qui était promis à sa honte s'accomplit maintenant pour sa gloire (cf. F., v. 3464-3465; R., v. 3448-3449).

Il faut aller plus loin: dans la mesure où le héros, parti à la rencontre de sa honte, maintient l'intégrité de son désir, une plus vive lumière que dans tout autre roman est jetée sur celui-ci. La formule en sera rectifiée: ce qu'il est allé chercher au cœur de la jouissance et de son royaume maudit, c'est justement la cause de son désir. Il a fallu, avec la charrette, que son honneur basculât tout entier dans la plus complète abjection et qu'il y égarât son nom, pour qu'au-delà de ce qui le désignait socialement à l'être, il découvrît ce qu'il devait d'existence au vouloir de sa Dame. Rebut de la chevalerie, parce qu'il n'entend la tenir que d'Elle seule (cf. F., v. 4387-4389; R., v. 4369-4371), il ne s'acquitte jamais avec assez d'honneur de cette «dette». Il lui fait don de son silence, afin d'entendre un jour sa voix proférer son nom (cf. F., v. 3685; R., v. 3669), et aussi de son sang, pour susciter le regard qu'Elle tournera enfin vers lui. Encore faut-il pour son désir qu'il n'y ait là rien de certain et qu'elle ne manque pas, quand elle le devrait, de lui refuser sa parole et son regard. Seule fait signe (c'est l'amour) Celle qui a le pouvoir de dire non. Si elle a prononcé son nom, Lancelot ne l'a pas reçu de sa bouche; quand il s'est tourné pour la voir, le récit est resté muet sur elle, à l'image de son impassibilité. Il ne sait même s'il a droit de l'appeler son «amie» (cf. F., v. 4381-4382; R., v. 4363-4364), mais tout son dévouement ne visait que ce qui pût la satisfaire (cf. F., v. 4394-4395; R., v. 4376-4377). La réaction de Guenièvre, à la nouvelle que Lancelot avait voulu se suicider pour elle, est significative: elle ne cache pas son plaisir!

> Ele an est liee* et sel croit bien
> Mes ele nel vossist* por rien (F., v. 4451-4452; R., v. 4433-4434).

Il s'est donné tout à elle pour qu'elle fasse de lui comme bon lui semble; tout lui est égal d'ailleurs, «au noauz» ou «le miauz» (pour le pire ou le meilleur), car l'essentiel pour son désir se résume à ce qu'elle ait un certain contentement de ce qu'il soit à sa merci.

Le tournoi de Noauz illustre, sans le moindre grincement, cette économie délicate du désir: il est le miroir de l'ensemble; c'est la charrette sans l'hésitation, l'éclat de la prouesse sans l'ombre d'un rival. Réitérant son ordre pervers et n'obtenant, dans un vers dont le suspens est seulement dû à l'admiration, que l'impeccable réponse:

> Et cil: «Des qu'ele le comande»,
> Li respont, «la soe merci*!» (F., v. 5876-5877; R., v. 5856-5857),

Guenièvre, comme la première fois, vibre en silence d'une intense jubilation. La raison, il est vrai, en serait, à lecture rapide, des plus simples:

> Et la reïne qui l'esgarde
> An est mout liee et mout li plest,
> Qu'ele set bien, et si s'an test
> Que ce est Lanceloz pour voir (F., v. 5720-5723; R., v. 5700-5703).

Sa joie, toute naturelle, est de le retrouver après une longue éclipse. Elle se nuance pourtant d'un plaisir plus trouble, puisque la reine se satisfait justement de ce qui fait l'objet de la risée publique :

> ... Qu'el monde n'a rien* si coarde.
> Et la reïne qui l'esgarde
> An est mout liee...

Il suffit d'interrompre le cours de la phrase pour que le sens en soit modifié : elle exulte de le voir, pour elle, avili. La suite le confirme, quand elle se sait de nouveau obéie :

> Don ele s'est mout esjoïe
> Por ce qu'or set ele sanz dote
> Que ce est cil cui* ele est tote
> Et il toz suens* sanz nule faille (F., v. 5892-5895 ; R., v. 5872-5875).

La réciprocité atténue la cruauté du jeu, mais il est clair qu'elle a tiré satisfaction de l'exercice de son pouvoir : la présence de Lancelot compte, à ses yeux, mais plus encore la preuve qu'il en donne. Quand la messagère s'en émerveille devant elle :

> Que se le voir m'an demandez
> Autel chiere* tot par igal
> Fet il del bien come del mal (F., v. 5932-5934 ; R., v. 5912-5914),

un rien d'incrédulité dans la feinte indifférence de sa réponse rétablit une distance où elle savoure la certitude d'un pouvoir sans limites :

> Par foi, fet ele, bien puet estre (F., v. 5935 ; R., v. 5915).

La retenue progressive du désir peut donc être ainsi représentée : il s'enracine dans la honte par laquelle le domaine propre de la Dame se distingue de tout autre, nommément de la gloire arthurienne ; il suppose le plaisir complice qui colore, un instant, le visage de la reine à la nouvelle (aussitôt démentie) de sa mort ou à la vue (bientôt vengée) de son déshonneur, mais il n'en requiert l'aveu que dans la cruauté qui le tient à distance de sa propre satisfaction, l'interdit de la parole, la mutilation du corps. Le *fin amant* subit l'attraction même de ce qui l'éloigne et se retire toujours plus. En un mot, son désir est ce qui l'immole, dans l'honneur, sur l'autel de sa honte, où commence sa joie. Le héros, dans ses actes, recherche ce qui agréerait à sa Dame, mais sans qu'elle lui en sût gré ; à la seule condition que règne, plus cruel encore que l'ancienne Loi, le Bon Plaisir de sa Maîtresse, s'ouvre alors devant lui la voie de son propre plaisir.

En ce point limite, du vœu même de l'auteur, le récit défaille ; s'il se défend d'en dire plus, aussi bien toute parole ferait-elle faille dans cette joie nocturne où le récit cherche l'oubli (F., v. 4560-4702 ; R., v. 4542-4684) : l'envoûtement poétique de la nuit, l'érotisme d'une apparition de rêve et du premier frémissement des corps, les gestes mystiques de l'adoration, cette pudeur, enfin, du récit, par où s'échappe comme une entrevision élyséenne de la Joie :

Tant li est ses jeus douz et buens
Et del beisier et del santir,
Que il lor avint sanz mantir
Une joie et une mervoille
Tel qu'onques ancor sa paroille
Ne fu oïe ne seüe;
Mes toz jorz iert par moi teüe*,
*Qu'*an conte ne doit estre dite.*
*Des joies fu la plus eslite**
Et la plus delitable* cele
Que li contes nos test et cele (F., v. 4692-4702; R., v. 4674-4684).

Cette joie sans pareille, à la mesure d'une entreprise inouïe (cf. F., v. 1286-1289; R., v. 1274-1277) et le secret qui se referme sur elle évoquent étrangement, à nos yeux, la béatitude dont jouissent, selon Robert de Boron, à travers la plus haute aventure qui fut jamais, les convives du Graal, et l'interdiction d'en divulguer le mystère. Ces récits élèvent ainsi leurs architectures imaginaires autour d'un centre vide qui résiste à toute parole, qu'il est impossible d'imaginer, mais qui les déborde encore de toutes parts et engendre leur forme même. En ce point, intime, mais aussi bien extrême, se mêlent inextricablement l'ineffable d'une fascination et la formulation douloureuse d'un manque. Ayant cédé à la première, Perceval n'a plus d'autre voie que d'expier son péché, mais Lancelot, qui n'a jamais cessé de reconnaître le second, peut encore s'acheminer vers une transgression du désir. La limite en est rendue sensible au cours de la troisième extase que traverse Lancelot, devant le peigne d'ivoire, au perron, près de la source (F., v. 1356-1511, R., v. 1344-1499).

Notre analyse repart donc de l'épisode de l'hôtesse amoureuse et de sa suite immédiate, selon la méthode, ici choisie, d'irradier, à partir de chaque événement, vers les autres régions du roman. Si l'entretien privé avec la Dame et « l'aise » de l'amant (F., v. 4487; R., v. 4469), le verger, le « parlement » nocturne (F., v. 4558; R., v. 4540), la chambre représentent des moments et des lieux consacrés de la *fine amor,* la « Fontaine », en prairie, son perron et l'objet merveilleux appartiennent au décor où s'annoncent les fées, comme le théâtre de leur séduction. Les ressources de la féerie continuent donc ici d'être mises au service de la rencontre d'amour. L'aventure parallèle d'Yvain au Perron de la Fontaine est en notre mémoire, mais la Dame de la Fontaine n'aura d'autre nom ici que la femme du roi Arthur. Si la tempête en est absente, l'épisode n'aurait-il pas une valeur symbolique en sorte qu'il fût inséparable du reste des aventures, c'est à savoir du péril général de la traversée ? De la Fontaine à la Dame, par la défaite d'Esclados le Roux ou celle de défenseurs orgueilleux, incarnés, au terme, par Méléagant, le schéma est constant. L'avant-goût d'un bonheur parfait, à l'ombre de l'oubli, accordé au chant polyphonique des oiseaux, a, d'autre part, comme équivalent, l'adoration mystique de Lancelot devant les reliques du passage de la Reine. La place de cette extase dans la narration est ambiguë, à la charnière de deux séries distinctes d'aventures, servant de conclusion inspirée à la première et de présage inoubliable à la seconde. Par rapport aux transports précédents, elle est introduite selon un chiasme : sur la tour, au point du jour, Lancelot s'absorbait dans une contemplation immatérielle de la silhouette évanouissante de la Reine, puis sur la voie taciturne de sa quête, il s'enfermait dans son « panser ». La seconde fois, il est parti dès l'aube en compagnie de la demoiselle, et son « panser » aussitôt envahit le récit :

> Pansers li plest, parlers li grieve* (F., v. 1347 ; R., v. 1335).

Il va, de nouveau, en être distrait, non plus par l'intervention brutale d'un chevalier, mais par un pressentiment intérieur, comme il s'avise soudain que son guide l'a peut-être dévoyé. Il tombe alors sur le peigne d'ivoire mêlé de cheveux d'or et, apprenant qu'ils furent à la reine, la seule, la femme d'Arthur, il est saisi de ravissement. Soit le schéma suivant : une vision de la Reine, un « panser » ; un nouveau « panser », une adoration de la Reine. Un détail permet d'ailleurs de rattacher la scène à la précédente extase du haut de la tour : le héros vacille sous le choc de la révélation et paraît devoir tomber à bas de son cheval ; la demoiselle se précipite pour lui éviter cette honte. Son geste rappelle l'intervention de Gauvain, mais la chute de cheval renverrait aussi bien à l'aventure du Gué. Les éléments du récit s'imbriquent étroitement les uns dans les autres ; il s'en dégage, au terme d'une dialectique, un sens subtil : le troisième temps répète le premier, après que le second l'a redressé. Au lendemain d'une épreuve nocturne, une extase survient, mais qui n'est plus mortelle, comme la première fois, car le héros, la seconde fois, s'est ressaisi, sous l'aiguillon du ridicule et a connu, au cours de la nuit suivante, la sueur et le sang de l'angoisse dont il devait payer l'accès au Lit de volupté et à la royauté des armes. Le conteur donne enfin libre cours à son lyrisme, sans la moindre réticence ni la plus légère ombre, comme si l'exaltation de l'amant pouvait maintenant s'épancher dans le récit. Peut-être le rire de la demoiselle a-t-il la même signification prophétique que celui dont une pucelle fera un jour accueil, en pleine cour, au « nice » gallois (F., 1406 *sq.* ; R., 1394 *sq.*) : elle sait, en effet ; c'est pourquoi elle rit, comme une personne surprise par les ellipses du destin ; elle a deviné, à la vue du peigne, le fil qui reliait le chevalier mystérieux à « la femme du roi Arthur ». L'or des cheveux, qui, au bout de la nuit obscure, fait luire le plus beau jour de l'été, le tremblement des sens au contact d'une autre intimité, l'enthousiasme de l'amant qui a fait de son corps le reliquaire de son Dieu, une vénération qui défie les vertus des pierres, les formules de la magie et l'intercession des Saints, tout préfigure la joie suprême qui lui sera réservée :

> *Et cil se delite et deporte**
> Es chevos qu'il a an son sain (F., v. 1510-1511 ; R., v. 1498-1499).

Aucune des trois extases ne se ressemble ; elles introduisent une nuance chaque fois différente : la première s'emplit des fantômes du rêve et débouche sur la mort ; dans la seconde, l'amant acquiert le sentiment de la Présence à l'issue du désert qu'il fait régner en soi ; la troisième détache du monde l'objet où il se voit lui-même en l'Autre grâce au signe que lui adresse ce geste d'oubli : au bord de la source, le peigne merveilleux dont les dents ont retenu cette mèche de lumière. Les cheveux, en effet, qu'il découvre soudain à portée de sa main, représentent une partie chue du corps de sa Dame et qu'il fait sienne. Comme il les glisse dans sa chemise, à même sa chair, un mystérieux échange de vie s'accomplit : il réchauffe en son sein ce qui est devenu son être même, puisqu'il tient celui-ci de sa Dame, mais aussi en vertu d'une analogie secrète entre ce spectacle et son destin. Il ne s'est pas seulement approprié une relique éblouissante de la chevelure royale, peut-être s'est-il encore reconnu dans ce qui n'en était que le rebut, cette petite poignée que seul l'oubli du peigne a sauvée de la dispersion. Le chevalier charreté qui s'est mis au ban de la chevalerie a l'humilité de l'amant qui découvre un trésor dans l'objet le plus indigne pourvu qu'il ait été au contact de son Dieu. Ce reste méprisable qu'il ramasse à terre est désormais son ciel. Aussi bien n'a-t-il entre les mains de sa Dame guère plus de consistance que ces quelques cheveux accrochés aux dents du peigne, jouet de ses doigts, reliquat de sa coquetterie, fils ténus jetés sans vie au vent du chemin. Mais le texte n'apporte aucune confirmation de ce fantasme, même s'il le suppose comme la raison tacite de cette identification imaginaire. La seule indication dont nous puissions tirer parti se trouve aux vers 1366-1368 (R., v. 1354-1356):

> Es danz del paingne ot* des chevos
> Celi qui s'an estoit peigniee
> Remés* po mains* d'une poigniee

Cette touffe n'a donc rien d'une boucle charmante laissée en souvenir; elle est plutôt la trace, qui aurait dû disparaître, des seuls apprêts de la beauté. A première vue d'ailleurs, c'était le peigne d'ivoire qui méritait l'attention. La demoiselle en exprime le désir, auquel satisfait le chevalier, après l'avoir justement, mais avec une ferveur qui rend le terme impropre, nettoyé de ses cheveux ! Mais s'il attache un tel prix à quelque chose de vil au point de le parer de toutes les grâces et les vertus du monde, n'est-ce pas dans la mesure où ce déchet dont il fait inconsciemment le support de sa propre image, porte l'estampille du désir de l'Autre ? Cette découverte, en effet, présuppose une scène à la ressemblance de la Pucelle au miroir dans la partie Gauvain du *Conte du Graal* (6677-6681), celle de Guenièvre, assise sur le perron, penchée au bord de la source, toute aux soins de sa parure. Ces cheveux que la main et le regard démêlent, caressent, répandent, tressent pour l'élégance d'une coiffure, avouent un désir de plaire et le désir de l'amant vient se loger au creux du désir de la Dame; la lumière émanée des cheveux tombés n'est pour Lancelot que son propre regard fasciné quand il s'imagine en ce point idéal où l'Autre, devant son propre miroir, l'appelle, sans s'adresser à lui. Dès lors, ces quelques cheveux, pieusement recueillis, semblent lui faire signe et avoir été « oubliés » en chemin à son intention, pour soutenir sa foi et l'engager plus avant. Ce qui lui fait signe sans le regarder lui désigne son être et cette parenté secrète se révèle dans le geste qui marqua, pour la Dame, l'instant de son désir. Les cheveux de la reine tombant là, sous ses yeux, pour qu'il sache, puisque le hasard n'existe pas, ce qu'il est et ce qu'elle veut semblent se confondre et cette coïncidence parfaite s'appelle l'extase. Pour le dire autrement, il suffit que l'honneur des armes qui flatte la Dame doive tout à la honte d'amour, pour que commence une joie qui n'est plus de ce monde ni du ressort du langage. L'image idéale du héros fabuleux et cet être d'indignité où se reconnaît l'amant ne font plus qu'un pour le désir comblé de la reine.

Mais cette lumière a son ombre qui court, silencieuse, sous elle. Il serait tentant, quoique peut-être forcé, d'en saisir un indice dans la description métaphorique par laquelle la demoiselle répondit aux questions de Lancelot sur ce qu'ils voyaient :

Et d'une chose me creez
Que li chevol que vos veez
Si biaus, si clers et si luisanz
Qui sont remés antre les danz,
Que del chief la reïne furent;
Onques an autre pré ne crurent (F., v. 1425-1430; R., v. 1413-1418).

La prairie naturelle d'où sont distraits ces quelques brins ouvre un espace de féerie au sein duquel l'amant obtiendra enfin jouissance du corps de la reine. Mais faut-il négliger le symbole de ces « dents » qui séparent de la chevelure une fine poignée et donnent, dans l'éblouissement de ce rien, à rêver le reste comme le tout du bonheur ? Quoi qu'il en soit, la joie parfaite réservée à Lancelot dans la nuit du royaume de Gorre laisse tout au long deviner son envers. L'épisode, pourtant, se présente apparemment au départ comme la reprise élargie des événements qui ont marqué la nuit chez l'hôtesse amoureuse : Lancelot a connu le martyre de son corps, en passant le Pont de l'Epée comme en se jetant parmi les haches ; la froideur de Guenièvre a rappelé, à travers l'interdit de la parole et du regard, le châtiment que subit, en expiation, l'amant prêt à s'abîmer dans l'absolu de la Joie. Au prix de cette double « angoisse », physique et morale, du corps et de la chair, survient une grâce ineffable : les cheveux de la Dame qu'il a pressés contre son sein ; ses bras voluptueux qui se sont refermés sur lui, l'attirant invinciblement au cœur secret de son lit :

Et la reïne li estant
Ses braz ancontre, si l'anbrace,
Estroit pres de son piz* le lace,
Si l'a lez li* an son lit tret* (F., v. 4672-4675 ; R., v. 4654-4657).

Mais en contrepoint un autre dessin mélodique contredit le premier, et aux accents du martyre glorieux, de l'obéissance sublime et de la félicité s'en ajoutent d'autres, en sourdine, sinistres ou terribles. En parallèle d'abord, le Pont de l'Epée et la grille de fer à la fenêtre de la chambre. Déjà, le héros s'insinue dans le verger par une brèche (F., v. 4592 ; R., v. 4574). Mais surtout il se blesse profondément aux barreaux de la fenêtre dans son effort pour les desceller : le fer coupant entaille ses doigts, tranche la jointure de l'un d'eux ; le sang qui dégoutte, l'insensibilité de l'amant dont l'esprit est autrement absorbé, le dommage de son corps, autant de motifs qui renforcent l'analogie entre ces voies étroites aux « fers tranchants », par où le héros se fraye un passage jusqu'à la reine. Mais si le franchissement du Pont portait aux nues la gloire du héros, que l'on saluait comme

Li miaudre chevaliers del monde (F., v. 3233 ; R., v. 3219),

les barres de fer ne font jamais couler que le sang de l'adultère, celui de Tristan, et de l'opprobre. Tandis que les jeux des amants leur révèlent des joies inouïes, les taches de sang qui maculent, inexorablement, la blancheur des draps, transforment, en silence, le lit de la Merveille en lit de la Honte. Ces traces muettes sont, à l'instant de l'ivresse, comme une note d'infamie, la mémoire de la Loi. La coupure au doigt évoque la menace qui accompagne inséparablement toute transgression dans le sens de la jouissance. Aussi bien ne peut ni ne doit être dite la merveilleuse joie dont ils eurent alors le privilège : elle est l'Impossible dont le

Réel épouse la forme ! La mutilation de Lancelot n'est plus, dès lors, que l'envers, privé de sens, de celle, fabuleuse, du Roi Pêcheur.

Une dernière correspondance peut être relevée dans la façon dont Lancelot accomplit le prodigieux tour de force de pénétrer dans la chambre : la reine l'a averti, a-t-on jamais brisé ou ployé le fer des barreaux ?

> Ja tant nes porriiez destraindre*
> Ne tirer a vos ne sachier*
> Qu'un an poïssiez esrachier (F., v. 4622-4624 ; R., v. 4604-4606).

Il affiche un total mépris devant l'obstacle, parfaitement sûr de lui, et,

> As fers se prant et sache et tire
> Si que trestoz ploiier les fet
> Et que fors de lor leus* les tret (F., v. 4654-4656 ; R., 4636-4638).

Or, une semblable démonstration de force était advenue en prélude au combat contre le défenseur du Gué :

> Et cil le prant...
> Et par la cuisse a la main destre,
> Sel sache et tire et si l'estraint
> Si duremant que cil se plaint,
> Qu'il li sanble que tote fors
> Li traie la cuisse del cors (F., v. 814-820 ; R., v. 804-810).

Ainsi le héros, au seuil comme au terme de sa quête, apparaît doué d'une force surnaturelle. Quand il va prendre enfin possession de Guenièvre, lève encore une fois ce fantasme de la toute-puissance. Dans l'économie générale des événements survenus à la cour de Bath, la scène est en complet contraste avec l'humilité, l'impuissance de l'amant soumis à l'humeur, au « gab » de sa Dame. D'un côté, le fidèle transi de crainte, de l'autre le maître superbe. Le roman maintient toujours la tension entre des contraires dont il privilégie, selon les moments, l'un ou l'autre, pour en déployer les conséquences. Il est remarquable qu'en s'apprêtant à forcer la grille de fer, le héros ait encore le scrupule sublime du *fin amant* :

> Rien fors vos ne me puet tenir
> Que bien ne puisse a vos venir (F., v. 4627-4628 ; R., v. 4609-4610).

Ici se révèle le plein sens de la *fine amor* : quand l'homme s'avance en maître, l'amant s'invente une Dame qui dresse une frontière infranchissable pour que miroite, à son désir, un monde interdit de jouissances. Ainsi se représente sur la scène de l'artifice, conformément au jeu du désir, le réel impossible de la Joie.

La Tombe marbrine

Un seul aspect de la quête de Lancelot a été jusqu'à présent étudié, quoique le défi de Méléagant au roi Arthur et l'épisode du Gué Défendu en aient laissé entrevoir l'autre. Si la première question que posait l'aventure concernait la reine Guenièvre, la seconde pourrait bien se formuler à son tour ainsi : qui est Méléagant ? Ce n'est plus l'extase ni la honte qu'il faut interroger, mais la haine et l'honneur.

Toutefois, la coupure que nous avons marquée dans le récit entre ce qui aboutit à l'extase de la Fontaine et ce qui la suit est loin d'être évidente, du fait même de la continuité assurée par la présence de la demoiselle entreprenante aux côtés du chevalier errant[15]. Chrétien s'emploie d'ailleurs lui-même à brouiller son récit, puisque la décision d'escorter la pucelle et l'énoncé des risques auxquels, ce faisant, s'expose le héros, précèdent la découverte du Peigne d'ivoire (cf. F., v. 1293-1343 ; R., v. 1281-1331). Il convient donc de justifier, à présent, ce qui apparaît malgré tout comme une nouvelle scansion de la quête.

Une intervention de l'auteur pour éclairer son public sur les « us et coutumes » jadis établis au royaume de Logres introduit une courte pause dans le récit, tout à fait comparable à l'explication antérieurement donnée du supplice de la charrette :

De ce servoit charrete lores
Don li pilori servent ores...
(F., v. 323-324 ; R., v. 321-322).

Les costumes et les franchises
Estoient teus a cel termine...
(F., v. 1314-1315 ; R., v. 1302-1303).

Le commentaire est dans les deux cas sensiblement de même longueur. Il faut y voir un indice d'un nouveau départ de l'aventure, de même importance que la montée dans la charrette et de sens exactement contraire. La coutume n'est pas infamante mais périlleuse : sur la voie aventureuse, l'escorte d'une pucelle met le chevalier en butte à toutes sortes d'épreuves ; tout survenant le ressentira comme un défi à sa vaillance pour le prix d'une demoiselle. Cette situation peut d'ailleurs être interprétée comme le trait distinctif de l'errance : au début d'*Erec et Enide,* un chevalier inconnu qui se tient en retrait conduit dans la forêt une demoiselle de grande beauté, mais surtout, après la crise, Erec s'engage dans l'aventure et entre dans la forêt, en poussant devant lui Enide. Il en va ici de même :

Une forest après le plain
Truevent...
La pucele devant son oste
S'an vet mout tost la voie droite (F., v. 1512-1519 ; R., v. 1500-1507).

La seconde partie des aventures de Gauvain, dans le *Conte du Graal,* attache à ses pas, pour son tourment, « la male pucelle ». Voici, en effet, ce qu'elle lui promet :

Jo iroie tant avec toi
Que male aventure et pesanche*
Et doels et honte et mescheanche
T'avenist en ma compaignie (v. 6716-6719).

La quête de Lancelot change donc de caractère : il s'agit désormais pour lui de faire la preuve de sa valeur et de triompher par les armes des obstacles de sa voie. Il s'annonce comme le libérateur promis ; il s'avère être le meilleur chevalier qu'on ait jamais vu. Il s'avance sur les chemins de la gloire, après avoir connu l'humiliation de la charrette et les tentations de la fée. Des épreuves nocturnes dans des lieux clos, des lits ensorcelés dominaient le premier temps ; la suite se passe en plein jour, à cheval, et accumule, au travers des « mau pas », les faits d'armes. Les personnages féminins le cèdent aux vavasseurs et aux Orgueilleux et très vite les fils du premier hôte ont remplacé la demoiselle dans la chevauchée du héros. Cette dernière, après avoir été éconduite, s'était livrée à quelques réflexions qui donnaient, à l'avance, le ton de la partie suivante :

> Des lores que je conui primes*
> Chevalier, un seul n'an conui
> Que je prisasse avers cestui*...
> Il viaut* a si grant chose antandre
> Qu'ains* chevaliers n'osa anprandre
> Si perilleuse ne si grief (F., v. 1282 - 1289 ; R., v. 1270 - 1277).

L'accent est donc mis sur les manifestations de la prouesse. Aussi bien, si on retrouve ensuite la demoiselle à ses côtés, a-t-elle changé de rôle : sans doute requiert-elle toujours sa protection et si le prétendant la conquérait, il aurait le droit, suivant la coutume, de la contraindre à sa volonté et d'abuser d'elle comme un chevalier de sa maison avait tenté de le faire, le soir précédent. Mais elle ne cherche plus à séduire le héros ; si elle l'invite à la prouesse, elle n'entend pas le retenir prisonnier de ses charmes. Elle ne s'intéresse plus à lui de la même façon ; elle désire seulement confirmation de sa valeur, pour s'assurer qu'il est bien ce chevalier d'exception qu'elle avait pressenti (F., v. 1541 - 1547 ; R., v. 1529 - 1535). Ses paroles servent d'aiguillon à l'orgueil du chevalier ; son inquiétude évoque celle d'Enide et s'attire une répartie plutôt sèche ; ses pointes annoncent celles de la « demoiselle aniouse » à l'adresse de Gauvain, imperturbable. En bref, son action est liée à ce qui doit révéler au monde la supériorité du héros. Elle le quittera seulement après l'épreuve du Cimetière, aux signes indubitables de son élection, avec le regret de n'avoir pu apprendre son identité. Elle ne s'intéressait plus à son amour, mais à son nom (cf. F., v. 1960 - 1966 ; R., v. 1948 - 1954 et F., v. 2009 - 2022 ; R,. v. 1997 - 2010). On comprend assez bien pourquoi Chrétien n'a pas plutôt introduit une cinquième demoiselle : il tenait, cette fois, à assurer une transition qui fît d'autant mieux ressortir la volte du récit. Celle-là même qui avait fait surgir à l'horizon de la quête le lit de la Joie, a suivi le héros jusqu'à sa Tombe dans le Cimetière futur. Une même figure, représentative des aventures et des merveilles, a donc assisté aux affres du *fin amant* et à l'avènement du Sauveur promis aux exilés de Logres.

Si on objecte d'autre part que l'épisode du Gué justement contenait en germe les thèmes et les motifs qui se développent maintenant : le passage dangereux, le combat acharné, la suprématie du héros, nous n'en disconviendrons pas, mais ce fait d'armes baignait dans le climat d'extase et de honte propre à la première partie. Le récit ne mentionne plus désormais (jusqu'à l'arrivée à la cour de Bath) les transports mystiques de l'amant, mais souligne, en revanche, la hâte du chevalier impatient des obstacles, multipliant les prouesses, poursuivant jusqu'à la tombée du soir, tendu vers son but avec pour unique souci le droit chemin.

Il se renouvelle donc suivant sa manière propre de regarder vers l'avenir à travers le miroir du passé. Au cours de l'errance se dresse continûment devant le héros la scène où se joue à l'avance ce qui l'attend au terme fixé par le destin, comme un déploiement imaginaire, dans l'ivresse ou l'angoisse, aux approches du réel de la quête : l'étreinte de la reine, le corps à corps avec le rival ; Guenièvre, Méléagant. Dans la coutume invoquée par la demoiselle et la rencontre de son prétendant revit, pour être exorcisé, le souvenir de l'enlèvement de Guenièvre par l'Orgueilleux de Gorre.

Cette reprise fonde un nouveau départ du récit. La situation reflète exactement ce qui était advenu à la cour d'Arthur : le sénéchal avait pris sous sa garde la reine convoitée, jusqu'au bois où le prétendant s'était emparé d'elle par les armes. En garantissant à la demoiselle sa protection, son « conduit », Lancelot compense maintenant son absence, naguère déplorée à mi-voix par Guenièvre : il suffit de comparer ce qu'elle disait :

Ja, ce croi, ne me leississiez*
Sanz chalonge*, mener un pas (F., v. 212-213)

et ce qu'il fait :

Mes sanz ranposne* et sanz vantance
A chalangier la li* comance (F., v. 1607-1608 ; R., v. 1595-1596).

De plus, le chevalier qui s'avance vers eux présente la physionomie morale de Méléagant : son assurance orgueilleuse n'a d'égal que son désir pour la jeune femme. Si la cour avait été bouleversée par le défi, Lancelot, en revanche, ne s'indigne pas

De tot l'orguel qu'il li ot* dire (F., v. 1606 ; R., v. 1594).

La protestation rageuse de Méléagant, plus tard, face à son père,

Ne tant ne vuel estre enorables*
Que la rien que plus aim li doingne* (F., v. 3294-3295 ; R., v. 3278-3279),

vient, d'autre part, en écho à l'allégresse qui saisit le prétendant,

Quant la rien voit que il plus aimme (F., v. 1560 ; R., v. 1548).

Suivant, d'ailleurs, un habile renversement, ce sera au tour de Méléagant de s'interposer pour empêcher le règlement de l'affaire. Lancelot tempère ainsi l'ardeur de son rival :

Ne seroit pas buen
Se mener la vos an leissoie ;
Sachiez, einçois* m'an conbatroie (F., v. 1620-1622 ; R., v. 1608-1610).

Méléagant ne s'avoue pas, lui non plus, à l'avance battu :

N'iert* mie feite sa besoigne
Si tost ne si delivremant*,
Einçois ira tot autremant (F., v. 3296-3298; R., v. 3280-3282).

Il s'emporte, enfin, contre son père dans les mêmes termes que son devancier, dès qu'on lui parle de rendre la bien-aimée (cp. F., v. 1728-1737; R., v. 1716-1725 et F., v. 3238-3248; R., v. 3224-3232). Ce double jeu de renvois à ce qui précède et à ce qui va suivre centre toute l'attention sur la figure de l'Ennemi. L'image de Guenièvre hantait le début du récit; celle de Méléagant domine les aventures présentes. De même que le Chevalier de la Charrette triomphait d'abord du Lit Périlleux pour renoncer enfin au Lit voluptueux, le libérateur attendu au royaume de Gorre trouve, en face de lui, un prétendant contraint de s'effacer et, au terme de sa quête, un Orgueilleux qu'il doit tuer (F., 2580 *sq.*, R., 2566 *sq.*).

Pourquoi Méléagant est-il ainsi mis, à travers ses diverses incarnations, en regard de Lancelot? Quelle est la vérité que le héros doit entendre par là? Celle-ci ne vient jamais au jour dans un roman de Chrétien, sinon par transparence, selon les glissements et les métamorphoses des représentations imaginaires. La fonction de l'adversaire fait cependant écran à son interprétation; on le réduirait vite, en effet, au simple rôle d'un obstacle à abattre, sans s'attarder outre mesure à ses traits propres. Pour les reconnaître, il convient, il est vrai, de les rassembler à partir des différentes apparitions du personnage. Mais surgit alors en pleine lumière ce que Lancelot a vu dans le miroir de l'aventure. Les indices, grâce à Chrétien, ne manquent pas. Un passage curieux, et plutôt hors de mise, est consacré au transport amoureux dont est saisi le prétendant devant l'objet de ses vœux (cf. F., v. 1574-1591; R., v. 1562-1579): à travers les métaphores précieuses du langage d'amour s'impose à notre imagination le rêve de tout amant. Mais ce propos reflète-t-il autre chose que l'aspiration même de Lancelot à parvenir enfin au port de ses désirs, dans l'oubli de toute peine? Il en allait de même lorsque le père d'Enide cédait à un éloge, quelque peu déplacé, de la parfaite beauté de sa fille (*Erec,* v. 533-546). L'attention soudaine portée au personnage secondaire s'explique par le fait qu'il lui revient d'exprimer le souhait informulé du héros. Dans ce cri de joie qui a suivi une longue attente, Lancelot peut se reconnaître lui-même. Or Méléagant porte à la reine un amour passionné égal à celui du héros; il est prêt à tout, plutôt que de devoir la lui rendre, et jusqu'au bout la lui disputera (cf. le Prétendant, v. 1732-1737; R., v. 1720-1725). Il n'a eu, du premier au dernier jour, qu'une pensée: que la reine fût toute à lui. Il n'avait pas craint d'estimer sa possession au prix même de la fabuleuse puissance du royaume de Gorre, jetant celle-ci dans la balance pour emporter la femme du roi Arthur et desserrant, l'espace d'un instant, l'emprise magique qui s'exerçait sur la terre de Logres (cp. F., v. 58-62 et v. 77-81; R., v. 56-60 et v. 75-79). Qu'on en juge, enfin, par sa formidable explosion de jalousie, à la vue du sang coupable sur le lit de la reine. Mais l'intensité de sa passion est, en même temps, à l'opposé de celle du *fin amant,* agressive et non pas retournée contre soi-même, violente et non pas contenue. Une phrase du prétendant, se félicitant de sa prise, de son « gain », est, à cet égard, révélatrice:

Si l'ai prise come la moie* (F., v. 1707; R., v. 1695).

Il le répète :

> Je la taing et si la tandrai
> Come la moie chose lige (F., v. 1730-1731 ; R., v. 1718-1719).

Le propos est aux antipodes de l'éthique de la *fine amor,*où le langage féodal de la propriété et du lien personnel exprime la soumission contraire de l'homme à la Dame. Le seul « gain » dont s'honore Lancelot est celui que donne la rime avec « mehaing » : d'avoir infiniment souffert (F., v. 3147-3149 ; R., v. 3133-3135)... Ainsi le héros peut-il discerner, à travers son Ennemi, la représentation symétriquement inverse de son amour. Méléagant se tient de l'autre côté, là où, n'était encore son père, la reine est à sa merci : en lui se projette comme la forme refoulée du désir de Lancelot ; il est l'autre parce qu'il est, en vérité, le même. Au plus secret du royaume de Gorre, qu'a donc fait Lancelot sinon ce dont rêvait Méléagant (cp. F., v. 1096, 3379, 4246 ; R., v. 1084, 3363, 4228), mais l'eût-il seulement rêvé si ce dernier, en un sens, ne l'avait fait, en dépossédant Arthur, en s'estimant lui-même, selon le mot du prétendant, plus riche que « roi coroné » (F., v. 1694 ; R., v. 1682) ? Si l'amour de celui-ci n'est pas moindre que celui du héros, il n'est pas non plus, lui-même, de moindre valeur, et l'auteur se plaît à le souligner à plusieurs reprises. Après le passage du Pont de l'Epée, il éclate de fureur :

> Bien set qu'or li iert chalangiee
> La reïne ; mes il estoit
> Teus chevaliers qu'il ne dotoit*
> Nul home, tant fust forz ne fiers.
> Nus ne fust miaudre* chevaliers... (F., v. 3174-3178 ; R., v. 3160-3164),

et, quand Baudemagu consacre Lancelot comme

> Li miaudre chevaliers del monde (F., v. 3233 ; R., v. 3219),

il rétorque, hors de lui :

> Deus me confonde
> S'aussi buen ou meillor n'i a (F., v. 3234-3235 ; R., v. 3220-3221).

Le roi prie donc en vain son fils de renoncer au combat, mais n'obtient guère plus de succès auprès du héros quand il l'invite, vu son état, à l'ajourner. Le parallélisme entre les deux chevaliers est ici éclatant et Méléagant ne s'en cache pas :

> S'il quiert s'enor*, et je la moie*,
> S'il quiert son pris, et je le mien,
> Et s'il viaut la bataille bien
> Ancor la vuel je plus çant tanz* (F., v. 3472-3475 ; R., v. 3456-3459).

La victoire de Lancelot, longtemps indécise, sera sans cesse remise ; déjà, contre l'Orgueilleux, il avait dû rougir de tant tarder. Aussi bien celui-là,

> Plus orguelleus que n'est uns tors*
> Qui est mout orguilleuse beste (F., v. 2582-2583 ; R., v. 2568-2569),

pouvait-il évoquer encore le redoutable Gardien de l'Autre Monde et lui devoir sa force à la fois sauvage et surnaturelle (cf. le Bouvier dans *Yvain*). En face de Lancelot, à l'étreinte herculéenne et aux poignets de fer, se dresse un adversaire également terrible, de la puissance du taureau indompté. L'orgueil de Méléagant ne souffrira, à la place de Lancelot, nul autre que Gauvain.

Un indice, d'ailleurs, ne trompe pas : dans la vision de la tour, le cortège de la reine était conduit par un chevalier de grande taille :

> Uns granz chevaliers (F., v. 562 ; R., v. 558).

Cette particularité dénote, dans le portrait idéal d'un chevalier, une légère réserve, comme s'il y avait là quelque excès, voire le signe d'une démesure. Ainsi Mabonagrain est-il, dans *Erec,* décrit en ces termes :

> Et s'il ne fust granz a enui*
> Soz ciel n'eüst plus bel de lui,
> Mes il estoit un pié plus granz...
> Que chevaliers que l'an seüst (*Erec,* v. 5851-5855).

Aussi bien le personnage garde-t-il, par là, trace d'une origine surnaturelle : il remonte, selon Loomis, à Melvas, le roi de l'Ile de Voirre, au pays de l'Eté, et Baudemagu, son père, aurait pour prototype Bran, fils de Llyr, le roi géant, selon les légendes galloises (cf. le mabinogi de *Branwen,* Loth, *Les Mabinogion,* Paris, 1913, I, p. 124, 137 *sq.*), de « l'Ile des Forts » (Loomis, p. 218-222 et 242). Mais il pourrait bien encore apparaître, à partir d'une confusion autour du nom de la Dame de Malehot (Malehos-Melwas), sous les traits du géant Galehot (Loomis, p. 256-257), l'ombre amie de Lancelot dans le roman en prose. Cette ambivalence, loin de nous troubler, renforcerait plutôt notre interprétation. En Méléagant, Lancelot découvre son double maudit : la taille excessive de celui-ci trahit seulement ce qui apparente le héros aux puissances de l'Autre Monde. Méléagant n'est que la déformation fantastique, monstrueuse, de sa propre image, mais qui ne laisse pourtant pas d'être secrètement conforme aux forces obscures qu'il porte en lui :

> Nus ne fust miaudre chevaliers
> Se fel et desleaus ne fust ;
> Mes il avoit un cuer de fust*
> Tot sanz douçor et sanz pitié (F., v. 3178-3181 ; R., v. 3164-3167).

La cruauté le définit en propre, comme la pitié est l'apanage de Lancelot (mais on a vu sur quel fond contenu de fureur). Il est également le traître et le déloyal par excellence, celui dont on peut tout redouter, car il ignore tout de la Loi et de la règle de l'honneur chevaleresque dans son impatience à satisfaire ses désirs : il ne sait pas épargner, il ne peut que tuer, de même qu'il ne tiendrait à une femme que le langage brutal du maître, non pas celui, courtois, du *fin amant.* Ainsi le décrit, à travers l'Orgueilleux, la mystérieuse pucelle qui réclame la tête de celui-ci et se révélera être la sœur de Méléagant (cf. F., v. 2902-2915 ; R., v. 2888-2901 et cp. F., v. 3164-3167 ; R., v. 3150-3153). C'est pourquoi elle surgit, telle une Erinnye, semblable encore à la Demoiselle Hideuse du *Conte du Graal,* au jour du châtiment :

Dusques al tier jor que il virent
Une damoisele qui vint
Sor une falve mule, et tint
En sa main destre une corgie
(*Conte du Graal,* v. 4610-4613).

A tant ez vos parmi la lande
Une pucele l'anbleüre*
Venir sor une fauve mure*,
Desafublee* et desliee* ;
Et si tenoit une corgiee
Don la mule feroit granz cos*
(F., v. 2794-2799 ; R., v. 2780-2785).

Les recoupements entre le *Conte du Graal* et la *Charrette* apparaissent désormais trop nombreux pour n'avoir pas un sens. Le moins troublant n'est pas que l'auteur ait délaissé la fin de l'un mais n'ait pu achever l'autre. Et si Lancelot et Perceval, qui ont peut-être échangé leurs « Enfances » (cf. Loomis, p. 193), supportaient chacun une face différente de la même histoire ? Cela n'expliquerait-il pas que le *Lancelot en prose* ait inextricablement mêlé la haute aventure du Graal et l'adultère du *fin amant* et de la reine, opposant le héros de la première à celui de la féerie amoureuse, Galaad à Lancelot, le fils au père[16] ?

La demoiselle à la mule salue Lancelot, tandis que Perceval sera maudit. Elle lui demande un don, dont la force contraignante rappelle l'accord passé entre le héros et l'hôtesse amoureuse. Dans les deux cas ce à quoi il doit consentir n'est pas sans lui répugner : l'amant ne saurait être infidèle, ni le chevalier, cruel. Il parvient, à chaque fois, à un compromis, partageant une couche sans la moindre participation de ses sens, offrant une autre chance au vaincu avant de l'abattre. La conclusion diffère, cependant : la première demoiselle l'avait tenu pour quitte de sa parole ; il tend à la seconde la tête sanglante de l'Orgueilleux, saisie aux cheveux, tandis qu'elle exulte de joie ! Autrement dit, s'il lui faut avoir su résister à la séduction d'une fée pour être, un jour, admis auprès de sa Dame, il doit encore traiter sans merci un ennemi dont il a tout à craindre, ce qui, par la suite, ne sera que trop confirmé : Méléagant le traître usera de toutes les perfidies pour éliminer son vainqueur (cf. F., v. 2907 ; R., v. 2893). La pucelle satisfaite lui souhaite, en échange, comme si les deux étaient liés, de voir son vœu le plus cher pareillement comblé (cf. F., v. 2942-2945 ; R., v. 2928-2931). Ce premier niveau de l'interprétation ne suffit cependant pas ; on pressent à certains signes que l'on touche ici à un domaine plus mystérieux et plus intime : la demoiselle adjure trop vivement le héros, comme si tout son destin se jouait à cet instant ; elle jubile trop intensément, dans la scène barbare de la fin, pour que cette mise à mort anticipe la simple levée d'un obstacle extérieur. D'ailleurs, le salut adressé au chevalier est riche d'une formule inoubliable :

Deus te mete,
Chevaliers, joie el cuer parfite*
De la rien qui plus te delite ! (F., v. 2804-2806 ; R., v. 2790-2792).

L'épisode sanguinaire est comme illuminé par la plus pure féerie d'amour. L'initié de la *fine amor* est donc, à l'occasion d'un acte cruel, convié à une expérience essentielle. Nos précédentes remarques sur la relation spéculaire entre Lancelot et Méléagant trouvent ici leur lieu d'application : si la pucelle presse à ce point le héros de détruire l'antithèse vivante de toute chevalerie et de toute loyauté, ne faut-il pas l'entendre au sens où il en porte en lui-même la menace ? Qui donc est enfin Méléagant sinon sa propre image, répudiée, dans le miroir ? En l'autre maléfique s'est projeté tout ce que la voie du désir selon la *fine amor* abhorre et frôle à la fois, c'est à savoir ce reflet maudit de la satisfaction et de la toute-puissance. Méléagant incarne les forces mauvaises dont le héros doit lui-même se libérer ; on ne saurait pas plus les séparer l'un de l'autre qu'on ne le ferait de Lancelot et de Galehot. Mais si l'Orgueilleux est sur-le-champ abattu, dans la suite du récit Méléagant n'en finit pas de mourir. Il n'est pas si aisé de se débarrasser de lui ; il parvient lui-même à prendre le héros à ses filets. C'est dire d'une certaine manière que Lancelot n'en est pas plus quitte avec lui que la Joie parfaite du cœur n'est sauve des taches ignominieuses de sang. Avant de le détruire, il aura à souffrir de son fait, comme s'il devait tomber sous sa coupe pour reconnaître, en l'expiant, ce qu'il figure. A travers son image se représente peut-être une autre scène, également intolérable à la conscience ; il nous faut remonter jusqu'à elle, pour comprendre les racines profondes de la haine que le héros voue à son semblable.

Il est permis de la reconstituer à partir de trois épisodes pris comme points de repère : le pré aux jeux (F., v. 1646-1840 ; R., v. 1634-1828) et les deux controverses entre Baudemagu et Méléagant (F., v. 3156-3490 ; R., v. 3142-3474 et F., v. 6246-6394 ; R., v. 6226-6374). Ils introduisent, en effet, dans le récit la figure du Père, et leurs situations identiques confirment, si besoin était, qu'il faut lire l'histoire du prétendant comme la préfiguration de celle de Méléagant. Dans les deux cas, mais la première fois seule, avec succès, le père s'interpose entre son fils qu'il reprend avec vivacité et le héros qu'il honore de son estime.

L'extrême plasticité des représentations imaginaires nous réserve une nouvelle surprise : le père du prétendant est décrit dans les termes mêmes qui désigneront le Roi Pêcheur à l'attention de Perceval :

Uns chevaliers auques d'aé*	Ens enmi la sale en un lit,
Estoit de l'autre part del pré...	Un bel preudome seoir vit
Et s'estoit de chienes meslez*	Qui estoit de chaines mellés
(F., v. 1661-1665 ; R., v. 1649-1653).	(*Conte du Graal,* v. 3085-3086).

Un même fil conducteur, de longue date reconnu par R.S. Loomis, court du roi de « Brandigan » dans *Erec,* jusqu'au Roi Pêcheur dans le *Conte du Graal,* en passant par *Bau*demagu, le roi de Gorre (cf. le roi *Bran*gorre, dans le *Lancelot en prose,* Micha II, p. 176). Leur prototype serait le Gallois Bran, auquel serait encore identifiable le père de Perceval le Gallois (Loomis, Chap. XXV, XL et LX). Le présent rapprochement confirmerait cette hypothèse, à partir d'indices relevant de la seule « conjointure » du roman et du dessein global de l'œuvre de Chrétien de Troyes ; il s'en éclaire en retour. Dans l'Autre Monde, Lancelot ne cesse d'être préféré par le père au fils rebelle ; mais la nature du lien qui l'unit à Baudemagu ne s'explique pas seulement par un idéal concordant de chevalerie. Son rapport au roi de Gorre n'a, en vérité, de sens qu'en fonction de son rapport avec Méléagant. Inversement, face à l'orgueil de Méléagant, une certaine affinité rapproche les figures d'Arthur et de Baudemagu. Il s'agit, autrement dit, d'un complexe de relations qui s'établissent, sous l'ombre mythique de Bran, entre quatre personnages : Arthur, Baudemagu, Méléagant et Lancelot. Comment se définissent-elles ?

Revenons à la scène du pré aux jeux :

Et antre tant ez vos venu
Devant le chevalier chenu
Celui qui la pucele amoit
Et por soe* ja la clamoit (F., v. 1685-1688).

La version du ms. T est incomparablement supérieure à celle de C (Roques, v. 1673-1676 : « le fil au chevalier chenu ») car elle met au premier plan, face au survenant, la stature imposante d'un Père aux cheveux blancs qui se dresse à l'encontre de ses désirs. Quand le prétendant croit enfin avoir jouissance de la fée longtemps convoitée, surgit la figure interdictrice du Père. On sait, d'autre part, que Baudemagu a monté bonne garde autour de Guenièvre, au désespoir de Méléagant qui n'a pu faire d'elle sa volonté. Mais, quand le jour fatal, pénétrant dans la chambre, déclare l'adultère de la reine, les sarcasmes de celui-ci ironisent sur tant de précautions (F., v. 4776-4787 ; R., v. 4758-4767) :

Mout a or bele garde feite
Mes pere qui por moi vos gueite (F., v. 4781-4782, omis en C) !

Le visage du roi, aussitôt convoqué, s'assombrit :

Et dist : Dame, or vet malemant*
Se c'est voirs que mes fiz* m'a dit (F., v. 4854-4855 ; R., v. 4834-4835).

Mais sa contrariété est l'image d'une autre douleur, celle du roi qui, tel Marc dans *Tristan,* aurait dû y assister à sa place, Arthur l'humilié. Insultant le sénéchal Keu, Méléagant ne manque pas de se référer à ce dernier comme au maître et seigneur ignoblement trahi. Il résulte de ses échanges entre les personnages que la relation coupable entre Lancelot et Guenièvre reçoit une traduction imaginaire qui la charge d'une résonance plus trouble. En voici, en effet, la représentation scénique : « le père interdit la reine à son fils... » Il suffirait, n'est-ce pas ? que celle-ci fût sa femme pour que tout fût dit en clair ! Elle ne l'est pourtant pas, car le prix de cette reconstitution tient justement à ce qui s'y inter-dit (condition littéraire du fantasme), mais Lancelot n'en a pas moins accédé au bonheur dont rêvait Méléagant, et Baudemagu, par le biais du roi Marc, a cédé la place au roi Arthur.

Poursuivons. Dans le pré aux jeux, les rapports entre le fils et le père s'enveniment bientôt. Le premier, dans son orgueil, se rebelle contre le second :

Cil par orguel respont : comant ?
Sui j'anfes* a espoanter (F., v. 1742-1743 ; R., v. 1730-1731) ?

puis éclate en reproches contre un père continûment hostile à son bien (entendons-le du *Wohl* et non du *Gute* kantien), brave, enfin, ouvertement son autorité, ce qui contraint celui-ci à user de la force pour être obéi. Or ce thème est orchestré plus loin avec grandeur, quand Baudemagu se heurte à Méléagant. Plus le roi parle le langage de l'honneur, plus son fils s'opiniâtre dans le désir du mal. Pourquoi Chrétien n'aurait-il pas ressenti, avant les Romantiques, la fascination de l'Ange maudit ? De quels accents lucifériens se charge le défi qui clôt la scène :

Tant con vos plest, soiiez pius hon*
Et moi leissiez estre crüel (F., v. 3310-3311; R., v. 3294-3295)!

Quand le monde se scinde, la volonté irréconciliable des ténèbres campe le héros du Mal. Chrétien n'a pas méconnu le parti esthétique qu'il pouvait tirer de cette sombre splendeur. L'intérêt psychologique du personnage ne se dément pas jusqu'à la fin. L'acmé est atteinte dans l'ultime rencontre entre le père et le fils. Celui-là lui adresse une solennelle semonce:

Fiz, je te chasti* (F., v. 6347; R., v. 6327).

Censeur impitoyable et sans illusion:

C'est ce por quoi je te mespris (F., v. 6336; R., v. 6316),

il condamne sans appel une nature à jamais mauvaise, mais l'autre, sous le coup d'une déception où se devine, pathétique, sa demande d'amour:

Com a mon seignor cuidoie* estre
A vos venuz, com a mon pere (F., v. 6366-6367; R., v. 6346-6347),

choisit sa disgrâce et, selon l'expression qui consacre le geste rituel de la rupture de l'hommage vassalique,

par corroz*
Fu ilueques li festuz roz* (F., v. 6359-6360; R., v. 6339-6340),

accomplit l'irréparable. A travers lui, s'est ainsi fixée, dans le récit, l'image formidable de la révolte contre le Père. La signification symbolique du personnage de Baudemagu justifie cette majuscule.

En lui semblent, en effet, se résumer toutes les vertus du monde courtois: la largesse royale, la défense du droit, la morale de l'honneur, la courtoisie des manières et l'élégance du propos, la délicatesse de cœur. Dès son apparition, le conteur, en l'opposant radicalement à son fils, le comparait implicitement au roi Arthur:

Apoiiez a une fenestre
S'estoit li rois Baudemaguz
Qui mout iert soutis et aguz*
An tote enor et an tot bien
Et leauté* sor tote rien
Voloit par tot garder et feire (F., v. 3156-3161; R., v. 3142-3147).

Sa « franchise » est, aux yeux du sénéchal Keu, digne d'éloge; on sait en quelle estime il tient lui-même la cour d'Arthur (cf. F., v. 6284-6287; R., v. 6264-6267). La magnificence avec laquelle il réunit sa propre cour à Bath, sa cité,

Por ce la tint grant et pleniere (F., v. 6257; R., v. 6237), rappelle les fastes arthuriens. Son entrée en scène, au milieu du récit, soit au moment où le plaisir d'amour consacre, comme en chaque roman de Chrétien, la fin de la première aventure, compense l'absence du roi Arthur. On comprend, d'ailleurs, celle-ci : Arthur ne pouvait en personne assister à la secrète célébration des amours de Lancelot et de Guenièvre. Baudemagu n'en est pas moins, dans la configuration imaginaire que reflète le miroir de l'Autre Monde, son représentant, selon l'idéologie comme en vertu de la technique narrative. A travers ce jeu de reflets entre les deux rois, pareillement confrontés à l'orgueil de Méléagant, se dessine la figure du Père qui supporte le monde moral de l'honneur et de la Loi. Ce n'est donc pas un hasard si, au jour dernier, se dresse sur la scène du châtiment l'imposant sycomore (F., v. 7005 *sq.;* R., v. 6983 *sq.*). L'arbre incorruptible,

> Qui plantez fu del tans Abel (F., v. 7012; R., v. 6990),

à l'ombre duquel prend place le roi Arthur, confère à celui-ci une majesté biblique; mais la lande éternellement verdoyante, la source jaillissante dans son canal d'or pur évoquent, en outre, le Verger paradisiaque du château de Brandigan, où un sycomore couvrait de son ombre la couche de la fée, cousine d'Enide (cf. Loomis, p. 170, 241, 264). Autrement dit, Arthur s'installe, à la fin, dans le décor même de l'Autre Monde, après que Baudemagu a, en cours de récit, incarné son souvenir. Le sycomore domine la dernière scène comme un symbole triomphant [17], tandis qu'est écrasé celui qui, dans sa soif de jouissance, s'était levé contre le Père. La mort de Méléagant ne déçoit pas notre attente esthétique; elle est empreinte d'une sauvage beauté, digne du héros satanique : sous l'épée vengeresse, les pièces du heaume s'enfoncent dans son visage, mais, comme étouffé par un indomptable orgueil, il ne semble mourir que de sa fureur rentrée. Mais cette mort sans parole, qui s'est décidée au travers de gestes d'une telle violence que la sécheresse de la relation pouvait seule en rendre compte, nous donne encore le sentiment que tout, justement, n'a pas été dit et l'évidence du sycomore cache peut-être un secret mieux gardé.

Aussi bien s'est poursuivi, d'un bout à l'autre, à l'ombre du forfait de Méléagant, l'attentat sacrilège de Lancelot à l'honneur du roi Arthur. Quand le premier humiliait publiquement celui-ci, le second était inexplicablement absent de la cour, prisonnier de l'ombre et obscurément invoqué par la reine, dans le murmure d'un soupir. Dans le royaume de Gorre, le malheureux sénéchal Keu ne servit qu'à couvrir, à son insu, la honte d'un adultère. Enfin, avant que la représentation sacrée du sycomore n'envahisse la scène ultime du roman, la réserve de la reine, au milieu de la joie générale qui entourait la réapparition du héros, a laissé présager une occasion plus propice à un plus tendre accueil :

> Por ce reisons anferme et lie
> Son fol cuer et son fol pansé,
> Si l'a un petit rassansé*
> Et a mis la chose an respit*
> Jusqu'a tant que voie et espit*
> Un buen leu et un plus privé
> Ou il soient miauz arivé
> Qu'or ne seroient a ceste ore* (F., v. 6868-6875; R., v. 6846-6853).

Sa discrétion rappelle son aparté du début et sa froideur est maintenant complice, non plus hostile comme à la cour de Bath, quoiqu'elle aboutisse, dans les deux cas, au même rendez-vous secret des amants. Mais le débat intérieur renouvelle le conflit de la charrette : en ses extrêmes, le récit contraste élégamment, au profit d'une même cause, la réaction des amants, puisque l'hésitation et la raison servent ici, au lieu d'y contredire, au même triomphe, pourtant, de l'amour ! Ainsi, par-delà le bruit des armes et la liesse publique, le roman se prolonge-t-il dans le silence et la nuit d'autres rencontres plus intimes. Le héros plonge dans les ténèbres d'un plaisir sur lequel ne se lèverait jamais que le jour de la honte. Ce cheminement souterrain de l'histoire, dont quelques rares moments privilégiés affleurent à la surface du récit, est voué, au regard de l'honneur féodal et chevaleresque, à une réprobation égale à la répulsion que suscitait, chez tout fidèle de la *fine amor,* la convoitise sexuelle offerte en spectacle dans la chambre de l'hôtesse amoureuse. Mais Chrétien prend toujours soin de ne jamais pousser les choses jusqu'au point où son héros en serait irrémédiablement avili : seul le sénéchal Keu a eu a essuyer les insultes de Méléagant. Quand les bras de la reine se referment sur l'amant désiré, il ne faut y voir que la grâce souveraine d'un « guerdon » qui fut chèrement payé, dans l'angoisse mystique de la sueur et du sang. Aussi l'affinité secrète entre les désirs de Lancelot et de Méléagant, la parenté profonde de leur destin ne sont-elles jamais perçues qu'au sein de la plus radicale différence.

Cette voie de la jouissance, qui a pour nom le meurtre du Père, peut être cependant identifiée, mais sous le signe exactement contraire de l'Amour, à travers la préférence avouée de Baudemagu pour Lancelot : « ce Père l'eût désiré pour fils ! » Dans la bouche du roi de Gorre, la gloire de Lancelot a toujours brillé de l'éclat le plus pur ; l'autre l'a paré de toutes les vertus de ce monde. Il suffit d'écouter ce cri d'amour qui lui échappe, quand il cède à la douleur d'imaginer le héros mort ou au martyre :

Certes, trop i avroit grant perte,
Se creature si aperte*,
Si bele, si preuz, si serie*
Estoit ja si par tans* perie (F., v. 6389-6392 ; R., v. 6369-6372).

Il le jette à la face de Méléagant, auquel il a depuis toujours retiré son amour. Ce dernier est le fils maudit d'un Père dont Lancelot est l'élu. Dans cette perspective prend alors sa pleine valeur la représentation religieuse de la figure souffrante du héros : si le chevalier « méhaigné » au passage du Pont de l'Epée peut encore évoquer le martyre du Christ, c'est seulement au sens, dégagé par Freud, à travers le mythe prodigieux qu'il forgea dans *Totem et Tabou* (Paris, Payot, n° 77, p. 161-177), où la Passion du Fils célèbre et expie tout ensemble le meurtre du Père. Dans la relation paternelle de Baudemagu à Lancelot et les souffrances du Sauveur attendu au royaume de Gorre, il faut reconnaître une nouvelle formation qui s'est substituée à une autre, fondamentale, et l'a, de la sorte, occultée. Celle-ci ne s'en est pas moins projetée au-dehors dans l'image exécrée de Méléagant et l'abomination de son geste impie [18]. Ainsi s'explique encore la haine inexorable du héros à l'endroit d'un ennemi qui aurait pu être son frère :

Mes celui* cui je n'aim de rien...
Voldrai randre son paiement
Or androit* sanz delaiemant...

Car toz est prez,
Li gaainz, la monte et li prez* (F., v. 6904-6912; R., v. 6882*sq.*).

L'emportement de la vengeance trahit en vérité une ressemblance inavouable : il doit anéantir celui qui a perpétré le crime dont il portait en lui les germes inconscients. Comme « le suicide » après l'extase signifiait qu'il avait cédé sur son désir et qu'il avait de trop près côtoyé la zone dangereuse, son souhait de mort envers l'autre le dégage de sa propre culpabilité. Ainsi sa haine avoue-t-elle ses attaches avec ce territoire où Méléagant ne l'eût retenu captif s'il ne l'avait été mystérieusement de son propre fait, celui, symbolique, de sa jouissance. L'autre voie pour n'en pas sortir, qui le guettait, à l'instar de Perceval (l'inachèvement du *Conte du Graal* ne permettant pas, pour la première, une comparaison plus poussée sur le thème de la « vengeance »), aurait pu se proposer à travers l'assomption de son rôle messianique, vécue comme une expiation au sein de l'Amour divin. Nous avons suggéré qu'il fallait renverser la formule du destin de Perceval ; nous ne dirons pas de lui qu'il soit coupable, faute d'avoir posé la question libératrice, car, s'il ne l'a fait, cela n'avait qu'un sens : qu'il devînt justement infiniment coupable et fût voué, dans l'obsession, à l'Amour. Il s'est tu, donc, faute de s'être su coupable.

Or Lancelot, rivé à la seule pensée de la Dame, évite ce glissement et résiste à toute interprétation religieuse. Sur le chemin de la gloire, comme sur celui de la honte qui l'a précédé, quand le héros apparaît moins comme l'amant qui ravit sa femme au roi Arthur que comme le preux auquel celui-ci va devoir son royaume, il a su garder de toute atteinte son désir. Il n'a pas commis le faux pas d'Erec qui s'est enfoncé dans l'inconscience du sommeil aux côtés d'Enide (son propre crime : les « deux pas » de la charrette et le « coup mortel » que lui porte Guenièvre surenchérissent, au contraire, sur ce qui fait de lui l'antithèse d'Erec) ; ni celui d'Yvain, qui s'est abandonné au plaisir de briller par ses armes. Son silence angoissé, dans le lit de la fée, le distingue absolument d'un Perceval dont l'ignorance savoure, à l'égal d'un pâté, la fraîcheur d'une pucelle ; il n'est pas non plus fasciné par l'éclat de la Lance ou de l'armure vermeille (qu'il revêtira, mais au tournoi de Noauz). Perceval réunit les deux fautes dont Lancelot s'est préservé. C'est pourquoi, à l'inverse du *Conte du Graal,* le *Chevalier de la Charrette* ne prépare pas les voies de la « senefiance » [19]. Rien ne le montre mieux que l'épisode où Lancelot, comme Perceval, apprend d'un vieil ermite le sens de son destin. Le passage appartient à un ensemble dont il convient de définir la place dans le récit (F., v. 1512-2198 ; R., v. 1500-2186).

Il s'oppose terme à terme au premier ensemble analysé, qui comprend l'aventure de la charrette et celle du Lit Périlleux. La coutume du « conduit » d'une pucelle a pris le relais de celle de « la charrette » ; ce n'est plus un nain qui guide le chevalier vers quelque signe de la reine, mais une demoiselle. A son arrivée au pré aux jeux, comme naguère au château de la première demoiselle, la compagnie suspend ses divertissements et s'interdit toute joie, tandis que la foule, étonnée, l'avait conspué sur son passage. Cette fois, pourtant, l'estime témoignée par le chevalier âgé efface, semble-t-il, le déshonneur de la charrette ; les caroles et les danses reprennent comme si le mauvais sort avait été conjuré. Le groupe formé par la pucelle et le héros, suivi de loin par le prétendant et son père curieux d'en savoir plus, poursuit par les prés fauchés jusqu'à un bel endroit où se trouve une église, attenante à un cimetière fermé. Rappelons que Lancelot, en compagnie de Gauvain et du nain qui restait muet à toutes questions, avait traversé la ville pour aboutir à la tour et entrer dans une salle de bel aspect. D'un côté, la demeure d'une demoiselle, avec un Lit magnifiquement paré, se dressant au milieu

> Plus bel des autres et plus riche (F., v. 467; R., v. 463),

auquel il ne saurait le moins du monde songer, ainsi l'avertit-elle; de l'autre, la maison de Dieu et un vieux moine qui le conduit devant une Tombe de marbre pareillement remarquable,

> Sor totes autres riche et bele (F., v. 1885; R., v. 1873).

L'ermite le décourage de pousser plus avant son investigation. Dans les deux cas, une épreuve formidable attend le héros: terrasser la foudre de la Lance, soulever la dalle du tombeau, trop lourde déjà pour sept hommes. Elle est réservée à l'élu: dans le Lit,

> Ne jist qui desservi ne l'a* (F., v. 478; R., v. 474);

quant au sarcophage, des inscriptions prophétisent:

> Cil qui levera
> Ceste lame seus par son cors*
> Getera ceus et celes fors
> Qui sont an la terre an prison...
> N'ancor n'an est nus retornez (F., v. 1912-1918; R., v. 1900-1906).

Le héros est séduit par le luxe du Lit et tenté de se glisser à l'intérieur, mais la défense concerne

> Antesmes* *ce que il i jise* (F., v. 494; R., v. 490).

Le dedans du sépulcre, promet, d'autre part, l'ermite, est encore plus beau que son extérieur (selon le texte de Foerster, v. 1900), mais à quelle autre fin serait-il prévu sinon de recevoir celui qui devra, un jour, y prendre place?

> Et vos, s'il vos plest, me redites
> an cele tonbe *qui girra* (F., v. 1944-1945; R., v. 1932-1933).

Il faut donc distinguer soigneusement les deux aspects de l'aventure, comme ce fut le cas pour le Lit Périlleux. La pierre tombale, une fois levée, découvre encore le lit du dernier sommeil. La lance maîtrisée, le héros dormait enfin dans le lit défendu. Une parfaite homologie s'établit entre les deux épreuves: comme l'indiquent la magnificence (peut-être funéraire) du Lit royal et la beauté marmoréenne de la sépulture digne des figures paternelles ou royales qui ont, dans la littérature arthurienne, incarné Bran (cf. H. Newstead, *Romanic Review,* XXXVI, 1945, p. 3-29 et Loomis, p. 243), toutes deux réservées de toute éternité à un héros doté de fabuleux pouvoirs, il s'agit de devenir le Maître dans un au-delà de la Mort, qu'on regarde du côté d'« Amors » ou du côté des « Armes ».

Mais, une nouvelle fois, Lancelot va s'engager sur la voie étroite, paradoxale, où s'approfondit la conscience du manque, aussi éloignée d'un « nonsavoir » ou d'une « niceté » où elle se leurre, que d'une démence ou d'une fureur où elle sombrerait. La première aventure révélait, mais en secret, sans témoins ni effets attendus, qu'il serait le Roi d'un Lit prohibé. Lequel ? La suite apporte bien plus tard la réponse, dans la chambre de la reine Guenièvre ; mais, entretemps, le tout-puissant héros n'a rien ignoré de la honte et, s'il atteint enfin au lit de ses désirs, il en a ressenti dans la sueur l'angoisse, et éprouvé dans le sang le martyre. Aussi bien le lit de volupté est-il devenu l'autel où est exposée la précieuse relique du corps de la Dame. Le second événement ne semble pas, en dépit de son décor impressionnant, recéler tant de mystère : celui qui était destiné au lit de la reine est également salué comme le sauveur des exilés dans le royaume de Gorre. Il s'agirait seulement d'un signe de reconnaissance du destin, analogue à celui du Siège Périlleux qui, dans la *Quête du Saint Graal* (éd. Pauphilet, p. 4 - 13), distingue Galaad et retire à Lancelot la gloire d'être encore le meilleur chevalier du monde. Au reste, dans l'épisode du *Lancelot en prose* correspondant à la *Charrette* de Chrétien, Lancelot, après un premier succès, échoue dans l'aventure de la Tombe de Siméon où sont associées les deux expériences cruciales :

> cil qui le lame levera qui laiens est, achievera le Siege Perilleus de la Table Roonde et metra a fin la haute queste del Saint Graal (Sommer, IV, p. 175, et Micha, II, p. 32).

Mais selon R.S. Loomis, l'histoire de la tombe a fusionné deux traditions dont la première se reconnaîtrait encore dans un épisode de *Lanzelet,* au monastère de la Terre des Lamentations, à la veille du combat contre Iweret (*Lanzelet,* v. 3826 - 3865 ; cf. Loomis p. 233 - 234) : le tombeau vide offert à la vue du héros attendrait seulement son corps au terme de sa défaite, comme, parmi la rangée de têtes à l'entrée du Verger de Mabonagrain, un pieu vide est réservé à Erec. Un tel spectacle aurait la même vertu que le cri qui pétrifie l'adversaire : celui-ci se découvre soudain regardé du point où il se voit mort ; toute force, alors, l'abandonne. Mais il existe encore d'autres rapprochements susceptibles de projeter quelque lumière sur le secret de la Tombe, notamment dans la *Seconde Continuation de Perceval* : le chevalier aux armes noires de la Sépulture de la Lande, auquel se mesure Perceval, est tombé sous le charme d'une fée, comme, semble-t-il, le chevalier du Gué Défendu pour lequel, dans la *Charrette,* intercède une demoiselle mystérieuse. Il vit, en tout cas, dans un château invisible des mortels, défiant au passage tout nouvel arrivant (Roach, IV, v. 25109 - 25298). Un épisode bizarre, qui reste inexpliqué, montre, d'autre part, Perceval pris au piège d'un chevalier enfermé dans une tombe, qui n'a imploré son aide que pour l'y précipiter à son tour (Roach, IV, v. 27374 - 27505). Sur la première tombe était peint, comme s'il y était « anserré » (v. 20434), un chevalier, avec pour légende ces mots qui, prononcés, devaient être aussitôt vengés :

> De grant folie s'antremist
> Qui an celle tombe vos mist (v. 25265 - 25266).

Perceval échappe à la seconde grâce à la mule blanche, témoin de sa valeur, qui devait le remettre sur la voie du Graal. Comparés, ces deux épisodes auraient le sens suivant : au cours de sa traversée du monde enchanté se représente aux yeux du héros le risque d'être, à son tour, happé par les puissances fabuleuses, de tomber sous leur coupe et de leur appartenir à jamais, si sa quête se fourvoie dans les traverses de la volupté ou de l'orgueil. Derrière la tombe, en attente, se profilent toujours les ombres de la Fée Amante ou de l'Ennemi terrible[20].

Aucune de ces suggestions n'est de trop pour répondre à une question, quelque peu rejetée à l'arrière-plan par l'inscription prophétique sur la pierre tombale, mais qui se formule ainsi : sous la dalle, au cœur de cette merveille que laisse à deviner la magnificence extérieure du « veissiaus » (F., v. 1896 ; R., v. 1884), qu'a donc *vu* le héros ? Le dernier mot de son destin, sa mort ? Son appartenance secrète aux forces de l'au-delà ? L'épisode repose sur une dissymétrie : le moine et, par le truchement du récit, nous-mêmes, nous assistons à « ceste mervoille » (F., v. 1929, R., v. 1917) qu'est l'exploit de soulever la lourde pierre, mais il n'est donné à personne de voir ce qui, à cet instant, se découvre aux yeux de Lancelot. A travers les déclarations de l'ermite, l'auteur ne s'était pourtant pas fait faute d'éveiller notre curiosité :

> Si riche ne si bien portret*
> Ne vit onques ne je ne nus*.
> Biaus est defors et dedanz plus...
> Que ja ne le verroiz dedanz (F., v. 1898-1903 ; R., v. 1886-1891).

Relevons au passage une nouvelle correspondance : ce que cache la tombe, non plus que la merveille que recèle le lit des vrais amants, ne sont du ressort ni de la puissance du récit ; ils en sont l'au-delà. Autour de ces deux foyers se trace l'ellipse romanesque. Pour que vaille notre comparaison, il faudrait encore trouver dans la suite un événement qui fasse signe à l'aventure de la Tombe, comme la chambre de la reine a donné un contenu à celle du Lit Périlleux. Nous pourrions, à tout le moins, cerner l'expérience muette du héros. Mais la réponse est déjà dans cet épisode à portée de la main : quand Lancelot réitère, après son exploit, sa question, où nous sentons tout ce qui le sépare d'un Perceval :

> Et vos, s'il vos plest, *me redites*
> An cele tonbe *qui girra*,

l'ermite résume ce qu'il avait déjà dit, mais la densité de cet échange met soudain en évidence un rapport qui nous avait échappé :

> Sire, *cil qui deliverra*
> Toz ces qui sont pris a la trape
> El reaume don nus n'eschape (F., v. 1944-1948 ; R., v. 1932-1936).

Il avait expliqué, plus haut :

> *Cil qui levera*
> Ceste lame...
> *Getera ceus et celes fors*
> Qui sont an la terre an prison (F., v. 1912-1915 ; R., v. 1900-1903).

La différence de formulation est imperceptible, mais elle emporte avec elle le paradoxe qui manifeste le sens de l'aventure : le libérateur n'est plus perçu comme celui qui lèvera la dalle, mais comme celui qui « gira » dans le cercueil. Qu'on nous pardonne ces subtilités, mais il suffit parfois d'un simple réarrangement des pièces d'un puzzle pour que jaillisse la solution. L'action même de la délivrance est comme enserrée entre deux autres termes, brusquement rapprochés : la tombe, la trappe ! Du même coup, la représentation de la tombe est susceptible de deux interprétations contraires : elle est le mausolée futur qui s'élève au-dessus des autres et consacre une gloire incomparable ; elle n'est pas non plus sans rapport avec la trappe qui se refermera sur le héros et où il sombrera dans l'oubli, pour disparaître du récit. Par un effet de chiasme, tombera dans la trappe celui que la tombe « marbrine » désigne comme le Sauveur des prisonniers de Gorre. Celui qui délivre de Méléagant est lui-même repris par Méléagant. Entre cette « tombe » et cette « trappe », se dresse la Tour de pierre où languira longtemps le héros.

Essayons de comprendre : le Lit est interdit à celui qui doit en être le Roi ; la Tour doit retenir le Libérateur qui permettra aux autres de revenir. La première épreuve était en rapport avec la Reine, la seconde, avec Méléagant. L'une était l'expérience de la jouissance ; l'autre de l'immortelle puissance, ou, mieux, de la Transfiguration. Dans les deux cas, une même ambivalence se dénote : la honte et l'extase ; la honte et la gloire. En soulevant la dalle qui recouvrait le vide, le héros a été, au travers de l'éternité d'un monument, regardé et fasciné par l'au-delà de la mort ; il s'est vu dans son être de gloire, tel que le réfléchit le marbre indestructible[21]. Affrontant l'invisible du regard, au plus profond d'une tombe, il a soutenu l'intolérable, comme il l'a déjà fait, dominant la foudre jaillie d'en haut, en s'endormant sur le lit de majesté, tout à tour Seigneur de la Reine et Maître de la Mort. Il doit maintenant en supporter l'angoisse, car la mort, non plus qu'une femme, ne souffrent, si elles l'appellent, de vainqueur : la Tour de Méléagant est à la Tombe du Cimetière ce que le Lit de la Fée Amante est au Lit souverain du premier château ; en attendant que Lancelot jouisse des embrassements de la Reine et mette à mort son Ennemi. D'autre part, l'errance périlleuse que le héros, indifférent à sa gloire, commence à travers Gorre, rouvre, après son colossal tour de force au Cimetière futur, la même faille du désir que les tourments religieux (la Règle obéie dans le lit de la tentation, le Juste souffrant du « gab » divin), au lendemain de la fabuleuse transgression du Lit royal par la maîtrise de la Lance enflammée. Sur des portées parallèles se poursuit le même dessin musical. Le rythme ne cesse d'être donné par cette cassure qui s'approfondit après chaque retentissement du destin. Il n'est pas facile de démêler une « conjointure » qui oppose à la linéarité du conte la profondeur qu'un roman doit à ses effets de perspective, aux jeux de la couleur, aux ombres de ses volumes. Aussi bien, dans le cas de la Tour, se fondent plusieurs significations.

Celle de la honte, d'abord. La Tombe de marbre annonce un vainqueur ; la Tour de pierre joue, par rapport à la gloire, le rôle d'oubliettes ! Lancelot s'en plaindra : que fait donc Gauvain ? Pourquoi l'a-t-on abandonné ? Autant l'exploit du Pont de l'Epée faisait éclater au grand jour sa prouesse, autant la trappe de Méléagant s'est refermée sur lui dans des conditions obscures, sans le moindre bruit d'armes. Victime d'une trahison, Lancelot a disparu sans honneur. Le sort qui lui est fait n'est pas digne de lui (mais est-ce un hasard si l'amant coupable est encore le chevalier trahi ?). Aussi bien ne part-on jamais en quête que d'un chevalier qui en a lui-même entrepris une. Mais l'absence de Lancelot ne s'explique pas et sa bizarrerie ne semble pas mettre en jeu l'honneur arthurien (aussi bien n'avait-il jamais été présent !), jusqu'au jour où Méléagant survient à la cour d'Arthur, provoquant alors la réaction de Gauvain. Quand, tout en fin du récit, Lancelot se trouve pour la première fois en présence d'Arthur, il résume ainsi sa mésaventure :

> Meleaganz si m'a tenu,
> Li fel traïtres, an prison
> Des cele ore que li prison*
> De sa terre furent delivre*,
> Si m'a fet a grant honte vivre
> An une tor qui siet* sor mer (F., v. 6890-6895 ; R., v. 6868-6873).

L'antithèse est nettement soulignée entre ce qu'il fit et ce qu'il subit, entre la gloire d'avoir arraché les captifs de leur prison et la honte de les y avoir remplacés :

> Et Deus le destruie
> Cil qui a tel honte m'estuie* (F., v. 6545-6546).

Le Tour sert ici de symbole à une trahison fomentée de longue date et à laquelle, dès la première partie, le récit affrontait le héros.

Après que celui-ci eut, d'un seul élan, franchi le redouté Passage des Pierres, étroit comme le sera le Pont de l'Epée, mais dont les défenseurs rappellent, d'autre part, à la fois le gardien du Gué Défendu et les sergents aux haches affilées du manoir de la demoiselle, il rencontre, en fin d'après-midi, un homme qui lui offre l'hospitalité mais doit le convaincre de l'accepter, car Lancelot, méprisant la fatigue, chevauche toujours jusqu'à la tombée du soir (F., v. 2267 *sq.;* R., v. 2255 *sq.*). Plusieurs points de comparaison peuvent être relevés avec l'épisode de l'hôtesse amoureuse : après un fait d'armes, l'approche ou la tombée du soir met le chevalier en présence d'une personne dont il déclinerait l'invitation si le choix lui restait ; il faut cheminer encore avant d'arriver en vue de la demeure. Quelles que soient ensuite les différences, le héros est conduit à l'intérieur d'un « baile » ou enceinte fortifiée (cp. F., v. 2330-2331 ; R., v. 2318-2319 et F., v. 977-980 ; R., v. 967-970), où un piège lui est tendu : là, des haches et des épées prêtes à décapiter l'audacieux qui entrerait dans la chambre ; ici, une porte coulissante qu'on laisse tomber sur ses talons. On songe aussitôt aux fermetures à coulisse auxquelles Yvain échappe de peu. La mêlée dans les prés, qui suivra sa sortie de l'enceinte, peut être également rapprochée de la bataille pour la Dame de Noroison, dans laquelle le futur Chevalier au lion s'illustre aux yeux de tous et ranime les courages. Ces concordances entre les deux romans éclairent le parallélisme qui, d'autre part, se poursuit entre les deux groupes d'épisodes, de l'hôtesse amoureuse et de l'hôte ennemi. Mais alors que, là, le *fin amant,* passé à travers les haches, doit connaître l'angoisse du lit, ici, le combattant glorieux, en dépit des portes retombantes, vient en aide à la révolte des gens de Logres et leur apparaît comme le Sauveur désiré. Un dernier jeu d'échos précise encore l'opposition : enfermé dans le pourpris, Lancelot consulte l'anneau féerique de la Dame du Lac, comme, plus tard, pour dissiper le mirage des lions, après avoir franchi le Pont de l'Epée. Mais si les lions sont imaginaires, les murs de « la tour » (F., v. 2373 ; R., v. 2361), la barrière des portes ne sont que trop réels et la protection de la fée nourricière a été invoquée en vain. Il est piquant qu'un anneau magique serve à établir une réalité contre laquelle il ne sert de rien ! Telle est, peut-être, l'ironie du destin d'un héros dont nulle terreur imaginaire ne saurait freiner ou dévoyer l'avance et que la réalité voue à l'oubli et à l'emprisonnement. Est-ce l'indice d'une tragédie qui bannit de la réalité celui-là seul qui a su forcer l'imaginaire pour approcher le cœur impossible du réel ? D'un côté, la Chambre de Guenièvre, de l'autre, la Tour de Méléagant. Il suffit, en effet, de noter ici l'insistance particulière à évoquer la détention de Lancelot et de ses compagnons, l'allusion à l'anneau étant elle-même comprise entre les vers qui répètent à l'évidence qu'ils sont bel et bien « anfermé », « anclos », « anserré » (F., v. 2345-2346 et 2365-2367 ; R., v. 2333-2334 et 2353-2355). D'ailleurs, il doivent, pour en sortir, rompre à la force de leurs bras et de leurs épées la barre d'une poterne, comme plus tard Lancelot enfonce avec un pic le mur de sa geôle (cp. F., v. 2370-2372 et 6640-6645 ; R., v. 2358-2360 et 6620-6625). L'importance d'un épisode qui semblait gratuit et confus ressort maintenant en toute clarté. Cette première « tour » où est retenu Lancelot en annonce une autre plus formidable et qui faillit être définitive. « L'hôte » l'a trahi et la venue d'un écuyer sur un « roncin » n'annonçait déjà rien de bon, ce ne sera pas la dernière fois : un nain va reparaître, au service de Méléagant, et entraîner, après sa victoire, le héros à sa perte, prisonnier d'un sénéchal ou plutôt de sa femme, une autre hôtesse amoureuse ! Ce nain, à l'aspect inquiétant, muni d'une escourgée, comme au début d'*Erec et Enide,* et qui surgit à la fin de l'aventure, au moment de retrouver Gauvain et de revenir chez Arthur, nous remet en mémoire celui qui se tenait à l'entrée, après la scène de la cour et le départ de Gauvain, le nain de la charrette :

> Et siut* le nain qui traï l'a (F., v. 5101 ; R,. v. 5081).

Celui-là menait Lancelot jusqu'à quelque signe de la reine ; celui-ci le pousse dans un piège où tous devinent la main de Méléagant. Lancelot ne peut éviter la honte ni dans un cas ni dans l'autre, mais le contenu en est différent. Elle lui est venue par un messager de l'Autre Monde et a débouché, la première fois, sur une extase suicidaire, la seconde, sur une mort lente. La trappe infamante est donc à la Tombe glorieuse ce que la charrette est au Lit Périlleux, mais la honte diffère en ce qu'elle survient après et n'a pas été consentie. L'amant peut tirer gloire de la première, la seconde résiste à la dialectique : elle n'est justement pas pour le héros en son pouvoir.

La jouissance, on le voit, est à double face, du côté des Armes fulgurantes ou des Amours ensorcelées : l'éclat de la Lance ou le Val sans Retour. Tout rapport immodéré à l'un des termes appelle l'autre en creux, car le pire, à quoi tiennent les terreurs innommées et les fureurs sauvages, est à la jonction des deux, s'il advenait que surgît un chevalier qui fût comme possédé par les Armes Vermeilles et qui possédât la Fée[22]. Or Lancelot n'a-t-il pas revêtu, par la faveur de sa nouvelle hôtesse, la femme du sénéchal, les armes qui le désignent, à l'instar de Perceval, comme le Chevalier Vermeil ? Chrétien n'a-t-il pas déjà, plus haut dans le récit, décrit sa magnifique prestance quand il s'avance

> Armez de trestotes ses armes (F., v. 2675 ; R., v. 2661),

face à l'Orgueilleux qui l'a provoqué, selon les termes mêmes qui prêteront à sourire dans la bouche de Perceval, en présence du Maître des chevaliers ?

Ainz deïssiez, tant vos pleüst
Qu'il fu einsi nez et creüz:
De ce voldroie estre creüz
(F., v. 2688-2690; R., v. 2674-2676).

Et cil qui petit fu senez
Li dist: fustes vos ensi nez?
— Naie, vallet, ce ne puet estre
Qu'ensi peüst ja nus hom nestre
(*Conte du Graal*, v. 281-284).

Enfin les projections imaginaires qui, au cours de la quête, ont capté son regard, n'ont-elles pas troublé la transparence de la *fine amor,* comme l'ombre de Morgain dans le miroir de Guenièvre? Mais il évite l'un et l'autre écueil et l'expérience de la limite est marquée d'une flétrissure inséparable d'un martyre, soit d'avance (la charrette l'introduit à cette nuit complice avec la reine), soit après coup (la tour retient captif le Sauveur du monde et condamne à mourir le maître de la Mort).

Si la Tour apparaît aux yeux du héros comme le signe de sa honte, comme s'il avait fallu rappeler à l'indignité et réduire à l'impuissance un être qui semblait à même de briser toutes les limites, elle lui impose aussi une épreuve où viennent à la fois à sa conscience sa propre finitude et la démesure de son destin. Elle est donc comparable à cet autre piège qui guettait Lancelot au manoir de l'hôtesse amoureuse: une scène odieuse de viol se représentait d'abord à ses yeux, puis l'angoisse du *fin amant* trahissait, en la répudiant, voire en l'expiant, une trop grande intimité avec sa jouissance. Il se mura lui-même, pour s'en faire un rempart, dans le silence et l'immobilité; il se voua au désert de ses sens. Or la Tour construite sur l'ordre de Méléagant isole absolument le héros du monde; elle se dresse sur une île isolée, et il y est lui-même emmuré, dans la solitude et l'obscurité. Aussi bien disparaît-il du récit (pour plus d'un an) et quand la sœur de Méléagant partie à son secours le découvre enfin, il se lamente d'une voix faible et cassée pour appeler la mort et déplorer l'oubli où Gauvain, son ami le plus cher, l'a laissé sombrer. Ainsi s'exprime, dans la Tour, sa douleur d'avoir été exilé de la vie et, à la pensée de ses compagnons d'armes, de ne plus être des leurs, pire, d'avoir été abandonné d'eux. Ce n'est plus l'angoisse de l'Amant, absent de son propre corps, parce qu'il est tout à la pensée de sa Dame, mais celle du Chevalier, réduit à néant, parce que les siens ont perdu jusqu'à son souvenir:

Con sui perduz, con sui periz
Con sui del tot an tot alez*,
Ha, Gauvains, vos qui tant valez...
Bien deüst avoir vostre aïe*
Cil cui tant soliiez amer* (F., v. 6502-6511; R., v. 6482-6491)!

Ce cri pathétique traduit l'expérience de la déréliction. Il est en perdition et il ne se sait plus aimé! La Tour ne le soumet pas seulement à un tourment moral, mais à un supplice physique (de même que chez l'hôtesse son sang devait aussi couler): son corps en a subi l'influence délétère; il en sort amaigri, dévoré par la gale, vain, chancelant de faiblesse. Or son état comme les soins que lui prodigue la pucelle évoquent la situation d'Yvain, s'éveillant de sa folie, sous l'œil attentif de la demoiselle de Noroison. Sans doute Lancelot n'a-t-il pas perdu la raison, mais la Tour pourrait bien être l'équivalent de la Folie, comme le moment où il eut à souffrir dans son âme et dans son corps, pour s'être laissé entraîner plus loin qu'il n'eût fallu. D'ailleurs, dans le *Lancelot en prose*, les disparitions nombreuses du héros seront liées à des pertes de conscience et des accès de folie. La démence d'Yvain l'a également étrangé du monde et des siens. Nous l'avons montré, le ravage de son corps et de son esprit est le signe devenu visible, mais le signe contraire, de caractère négatif, comme une dette, de ce qui l'avait coupablement séduit et s'était, dans l'oubli du reste, emparé totalement de son être.

Toutefois, le manquement d'Yvain est bien indiqué dans le texte, mais quel peut être celui de Lancelot ? Nous ne parlons pas ici des « deux pas », car ce crime est un défi à la « recréance » d'Erec, mais de la faute qui, cette fois, regarderait du côté de la folie d'Yvain. Nous avons déjà relevé deux indices : la haine à l'endroit de Méléagant et ce regard jeté dans la tombe grande ouverte, sur lequel le conteur n'a voulu ou n'a pu rien dire. Or la Tour renverse le rapport de forces, Lancelot subit l'ascendant de son Ennemi ; elle s'est encore refermée sur lui comme sur un mort-vivant. N'est-elle pas, dès lors, le signe négatif de ce qu'il a peut-être pressenti d'obscur et de fascinant au plus profond de lui-même, son être fabuleux, à l'instar des Géants de l'Autre Monde, son être transfiguré, dans le secret du marbre funéraire ? Mais s'identifier à cet être-là n'est pas permis à l'homme, et cette démesure se paie cruellement. Aussi bien la Tour se dresse-t-elle hors du monde, dans l'empire de Méléagant et si « l'emmuré » (sur ce rappel se termine la *Charrette,* F., v. 7131 ; R., v. 7109) était absent au monde, la Tour était devenue le signifiant de l'absence. Celui qui, devant la Tombe, s'était senti plus qu'un homme, voire autre qu'un simple mortel, s'est soudain tout entier effacé derrière ces pierres muettes. Mais, comme Lancelot n'a jamais sombré tout à fait, pas plus au Cimetière qu'au château du Lit Périlleux, la Tour n'est pas le dernier mot du châtiment, la pétrification ou l'annulation du héros, mais l'épreuve où, démuni et dans l'indignité, il connaît, à travers l'affaiblissement de son corps, sa condition mortelle. L'épisode de la Tour vibre encore d'autres harmoniques, au point qu'à travers lui, le roman tout entier entre en consonance avec lui-même. L'effort pénible pour élargir la fenêtre de la tour et desceller le mur n'est-il pas symétriquement inverse de la force fabuleuse qui tordit les barreaux de fer, livrant accès à l'intérieur de la chambre ? Ce mouvement contraire a un sens symbolique : Lancelot approche, dans le martyre, la volupté d'Amour et s'arrache, dans la douleur, à l'emprise de Méléagant. Transgression du désir vers la jouissance (« Amors »), dans un cas ; soustraction du désir à la jouissance (« Armes »), dans l'autre.

Il reste, enfin, dans l'économie du récit, une subtile concordance entre les épisodes de l'hôtesse amoureuse et de la Tour de pierre, si on les rapporte chacun à la partie centrale de l'entrevue des amants. Les haches préfigurent l'Epée tranchante du Pont ; l'interdit de la parole et du regard, dans le lit de la fée, est renouvelé à travers le « gab » de Guenièvre. Que Lancelot tombe finalement au pouvoir de Méléagant, l'interruption de ses combats précédents, sur l'ordre de Guenièvre, qui laisse dans l'indécision la victoire et livre d'ailleurs le héros, soudain figé, aux coups furieux du traître, ne le donnait-il pas déjà à craindre ? Pour être venu chercher la reine au fond du royaume de Gorre, Lancelot n'en est pas quitte, au regard de lui-même, avec les forces néfastes qui s'y tapissent. Le suspens de la victoire n'est pas seulement une preuve de l'obéissance parfaite de l'amant, mais surtout le signe que tout n'a pas encore été résolu et que, dans l'ordre des interrogations, après Guenièvre reste Méléagant. D'autre part, quand Lancelot, au cours de ses lamentations, appelle la mort et se plaint de

Gauvain qu'il aurait su, lui, chercher au bout du monde, il nous revient en mémoire que la machination de Méléagant fut ourdie alors qu'il était parti rejoindre Gauvain au Pont Evage et qu'il avait désiré mourir après les fausses nouvelles de sa mort et de celle de Guenièvre. Le motif de la trahison était déjà sensible quand des gens de Gorre crurent bon d'arrêter Lancelot désarmé. C'est pourtant à travers ces malentendus et ces rumeurs que, pour la première fois, derrière la Dame, s'est révélée l'amante, comme Laudine, prise au jeu de Lunete, découvre son cœur (Chrétien n'oublie jamais après avoir montré la Dame par les yeux du *fin amant,* de mettre en scène la femme et ses vœux contradictoires) et que la cour d'Arthur a commencé de désirer le retour de son plus illustre chevalier. Le martyre avait fait exister la Dame dans le cœur de l'amant ; le piège et la méprise font exister l'amant pour cette femme et le chevalier pour son roi. Ce qui met en oubli le héros est aussi bien ce qui avive le deuil général de la cour. Autrement dit, dans le même temps où la trahison et le doute sur l'issue de la lutte préparent la réclusion dans la Tour, lève, selon le désir de la reine et celui de la cour, l'espoir contraire qu'il en finisse un jour avec le traître et qu'il recouvre l'honneur auprès de ses pairs et le bonheur dans le secret d'un rendez-vous. D'ailleurs, de même qu'après la tentation surmontée par le héros au manoir de la demoiselle, celle-ci s'attachait à ses pas pour découvrir son nom, sur la voie glorieuse qui s'ouvre alors devant lui, l'autre pucelle qui requit un don (la tête de l'Orgueilleux) et qui était sœur de Méléagant, part à sa recherche, comme la cadette de Noire Epine était en quête du Chevalier au lion. Dans les deux derniers cas, le héros touche à la fin de ses épreuves, et qu'il soit devenu l'objet de la quête en est le signe. Mais on voit la différence : l'une vole au secours du héros, l'autre cherche son aide ; la première le fait en cachette, et tout se passe au sein du royaume de Gorre ; la seconde a fait entendre sa plainte en pleine cour d'Arthur. Le Chevalier au lion conquiert un monde de valeurs que la cour d'Arthur appelle à reconnaître ; Lancelot semble, une fois de plus, n'appartenir qu'au monde des enchantements qui lui est, à la fois, hostile et secourable : Méléagant l'a jeté dans la tour, la sœur de celui-ci, comme une fée protectrice (cf. le « merveilleus cheval », F., v. 6722 ; R., v. 6700), le rend à la vie. Celui que poursuit Morgain dans le *Lancelot en prose* eut pour seconde mère la Fée du Lac qui continue de veiller sur lui. L'anneau féerique lui vient du monde des merveilles pour qu'il n'ait rien à craindre des sortilèges. Il échappe profondément à ce que représente la cour d'Arthur : il n'en connaît que l'ombre complice où il rejoint Guenièvre, quand il n'a pas disparu en « terre étrange », alternant les exploits fabuleux et les longues éclipses de la prison ou de la folie. Il est, en vérité, le seul qui ait jamais forcé « les portes d'ivoire ou de corne », c'est pourquoi sa figure n'a cessé de supporter tout l'édifice arthurien, sans cesser non plus d'en être exclue. Elle incarne, en effet, ce que Freud appelle, à la fin de *l'Interprétation des rêves,* « le désir indestructible » (Paris, 1967, p. 527).

Aussi faut-il rectifier l'impression donnée par notre analyse de l'épisode du Cimetière, mais la perpétuelle ambivalence des motifs déjoue souvent le commentaire. Sur la voie qui l'a conduit du défi du Prétendant à la mort de Méléagant et qui l'a désigné comme le Sauveur du royaume arthurien, Lancelot a maintenu une réserve essentielle, comme le paradoxe même de son entreprise. Sur les tombes futures, en effet, il peut lire les noms des plus glorieux chevaliers et quand il demande au vieil ermite :

Ces tonbes qui ci sont
De quoi servent ? (F., v. 1887-1888 ; R., v. 1875-1876),

il faut prêter attention aux termes de la réponse :

Ja avez les letres* veües :
Se vos les avez antandues,
Donc savez vos que eles dient*
Et que les tonbes *senefïent* (F., v. 1889-1892 ; R., v. 1877-1880).

« Senefier » a bien ici le sens, déjà dégagé au chapitre III, de « désigner », conformément au commandement du Destin. Celui-ci se fait connaître en marquant la place réservée de toute éternité aux héros. Ces tombes signifient, c.à.d. désignent, un nom et rien d'autre : « Ici reposera Gauvain », suivant l'accomplissement de ce qui aura été son destin.

Et de cele grant la* me dites
De quoi sert ele (F., v. 1893-1894 ; R., v. 1881-1882) ?

Or ce « veissiaus » ne porte pas l'inscription d'un nom, mais de l'aventure destinée à l'élu (délivrer les captifs de Gorre). Sans doute Lancelot a-t-il vu l'intérieur du sarcophage et notre hypothèse est qu'il paiera, dans la Tour, ce regard inhumain, mais tout se joue déjà, en deux vers, dans un sens qui le sauve à jamais :

Sire, or ai grant anvie
Que je seüsse *vostre non**.
Diriiez le me vos ? — *Je, non,*
Fet li chevaliers, par ma foi (F., v. 1932-1935 ; R., v. 1920-1923).

Ce nom, il le barre, par l'effet de l'homonymie entre le signe verbal de la négation et celui de l'identité, et il s'engage tout entier, comme sujet (« je », « par ma foi »), dans ce refus. Autrement dit, au moment même où il se voit transfiguré par une force étrange qu'il porte au fond de soi, il n'est pas identifié, il ne veut pas l'être, et son nom, seule le prononce plus tard la Dame, parce qu'il ne l'a jamais rapporté qu'à Celle dont il s'approche dans la ferveur du supplice et la soumission à son bon plaisir. Cette attitude se traduit encore par sa totale indifférence à sa mission libératrice : pour ceux de Logres, il a franchi les « mau pas »,

Por nos fors de prison treire (F., v. 2430 ; R., v. 2418),

mais lui n'est jamais venu que pour la reine :

La vérité m'an desnoez*... (F., v. 2142 ; R., v. 2130),

demande le premier vavasseur,

Estes venuz por la reïne.
Et li chevaliers li respont :
Onques n'i ving por autre chose.
Ne sai ou *ma dame* est anclose (F., v. 2145-2150 ; R., v. 2133-2138).

Toutes les manifestations de joie le laissent froid, impatient seulement du retard qu'elles apportent à sa quête, tourné vers l'unique pensée de sa Dame. La hâte a remplacé l'extase. La voie où se maintient sans faiblir, sans renoncement, le désir, est double : elle est, d'une part, animée d'une volonté sacrificielle, à la merci de l'Autre ; elle brise impitoyablement, d'autre part, tout narcissisme du moi, toute fascination de la maîtrise. De la force terrible qui le pousse, balayant tout obstacle, il a fait une Autre absolue souveraine, et s'il est capable d'ironie quand l'Orgueilleux l'insulte, c'est qu'il se tient toujours comme en recul par rapport à soi-même. D'un côté le nom est cancellé, de l'autre, il est voué au plaisir de la Dame. Alors est terrassée l'ombre gigantesque de Melwas, de l'autre soi-même (Galehot), et le fantôme de Modron (« Matrona ») est, en Guenièvre, exorcisé.

La *Charrette* mériterait que nous concluions sur un Eloge de la Honte : la jouissance ne peut être visée qu'à travers elle, parce qu'elle seule prévient le sujet de se confondre avec le leurre de son image. Le « nom » que « senefie » la Tombe, Lancelot l'a refusé à la curiosité du monde pour qu'il fût réservé aux lèvres souveraines de sa Dame, comme « l'in-signifiant » d'une Joie aussi interdite au récit que le seront les hauts secrets du Graal.

Tableaux récapitulatifs

LES VOIES DE LA QUETE DANS LA «CHARRETTE»

I. LA FERVEUR (le «nom», F., v. 3676 ; R., v. 3660)

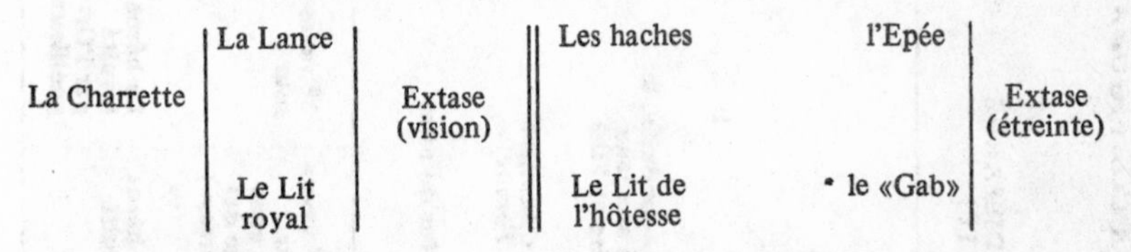

II. L'IN-SIGNIFIANCE (le nom, F., v. 1934 ; R., v. 1922)

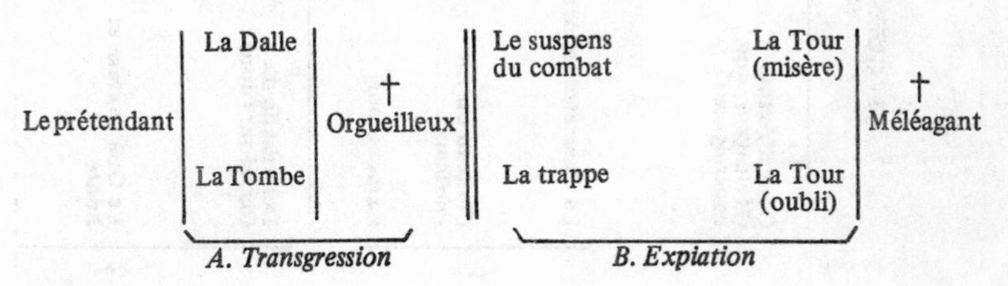

LA CONFIGURATION NARRATIVE DE «LA CHARRETTE»

	I - GUENIEVRE DISPARUE (LA QUETE)			II - LES AMANTS RETROUVES (LA JOIE)		III - LANCELOT DISPARU (LA MORT)	
	Cour d'Arthur (Méléagant, don contraignant)			Cour de Bath (Lancelot)		Cour d'Arthur (le Tournoi : don contraignant)	Cour d'Arthur (Méléagant)
	A	B		A	B	A	B
1	La Charrette (le nain)	Le «conduit», le Pré aux jeux (Père et Fils)		Père et Fils	Père et Fils	La femme du sénéchal	Père et Fils
	Château du Lit Périlleux	*Le Cimetière (la Tombe)*		*Le Pont de l'Epée*	*Barreaux* (tranchants)	*Armes Vermeilles* (et monture)	Quête (la sœur)
	Extase (tour)	Refus du nom		Sang du martyre	Sang de la honte (lit)		*La Tour* (lamentations)
2	Demoiselle du Carrefour (don)	1er vavasseur (le «passage des Pierres»)	3e vavasseur	La foule sur la grand-place		le hérault (hébergement)	Accueil à la cour
	Le Gué : extase et honte	Le héros insulté	Le héros insulté par l'Orgueilleux	Au pied de la tour : extase et honte		Le Tournoi : au noauz au mieux	Le Sycomore

	Combat (intervention de la Demoiselle)	Combat ↓	Combat de la Demoiselle à la mule ↑	1er Combat avec Méléagant	2e Combat (interrompu)		† Méléagant
	L'hôtesse (don)	L'hôte (traître)		La Reine (le «Gab»)	Le Nain (traître)	Méléagant	(Réserve de la Reine, dans l'attente...
3	Les haches et le lit (au secours de la Demoiselle)	Les Portes coulissantes et la Mêlée (au secours des captifs)		Obéissance et Suicide (faux bruits)	La Trappe (fausses nouvelles)	Construction de la Tour	
	L'extase à la Fontaine	La hâte (2nd vavasseur)		La Joie parfaite (chambre)	Deuil à la cour d'Arthur		...«d'un lieu plus privé.»)

Ligne 1 : l'événement symbolique (les signes du Destin)
Ligne 2 : la décision des Armes (la gloire dans la honte)
Ligne 3 : l'expérience intérieure (au pouvoir de l'autre, Reine ou Ennemi).

Colonne A : sous le signe de Guenièvre
Colonne B : sous le signe de Méléagant

CHAPITRE VI

Ou la folie ou la mort

entre les lacs du *Livre de Lancelot*[1]

Le parler d'oïl peut tirer gloire, au jugement de Dante, d'avoir rendu en prose vulgaire la matière de toute vérité historique et de tout enseignement, s'il est vrai que les compilations de la Bible, la geste des Troyens ou celle des Romains et les chemins détournés du roi Arthur ont composé, pour l'homme du XIIIe s., cette mémoire mythique qui ordonne son monde, informe sa parole et dresse ses idéaux. Cette affiliation soutient toute l'organisation symbolique au sein de laquelle il parle et se définit — ce qu'il fait dans la langue justement dite maternelle, dont la diversité témoigne, depuis Babel, de l'oubli d'une autre langue, fantomatique, première, celle de « l'homme sans mère, l'homme qui nul lait ne suça, qui ne connut ni âge enfantin ni croissance », celle, pleine de Dieu, du premier parlant, notre premier père : Adam. Relevons, après d'autres, l'expression qui, dans le *De Vulgari eloquentia* (I, 10), s'applique au roman en prose : « ambages pulcherrime Arturi regis ». La voie n'y est assurément pas droite et le dédale, où perdre à plaisir le fil, s'enveloppe d'autant d'énigmes. Le *Livre de Lancelot* n'est pas un livre sans ambages ! Ces façons qui plurent en des temps de bienheureuses ténèbres n'ont cessé ensuite de déconcerter, et nous avons ignoré le chef-d'œuvre de notre parler naturel quand Rabelais pourtant aurait dû nous en donner le soupçon. Le *Tiers Livre* se répand aussi « en longs ambages et flexuositez », comme s'exprime ce bon topiqueur de Panurge sur le sujet divin de la propagation séminale (éd. Screech IV, l. 116) !

F. Lot, le premier, a réhabilité ce grand roman, en créditant un seul auteur du mérite corrélatif d'avoir conçu, sinon totalement réalisé l'ensemble, selon la nuance de J. Frappier. Il s'est élevé, à l'exemple de Chrétien de Troyes, contre ceux qui dépeçaient malencontreusement le corps du conte (Voir *Etude sur le Lancelot en prose,* Paris, Champion 1918, rééd. 1954, p. 261 et 291), et ses comparaisons pour en définir l'art ont sonné juste : l'architecte de la cathédrale (p. 107), la sparterie ou la tapisserie (p. 28). Pourtant, « la multiplicité accablante » des aventures (p. 262), les trop nombreux *duplicata* qu'il en dénombre l'ont lassé, car ses faveurs allaient plutôt à ce qui ressortissait, selon lui, à la

Pour les citations, référence est faite à l'édition de H. O. Sommer, *The Vulgate Version of the Arthurian Romances,* t. III, IV, V : «Le livre de Lancelot du Lac» (abrév. S. III, IV, V) ou à celle d'A. Micha, *Lancelot,* chez Droz, Genève, TLF, 1978-1983 (abrév. M. I, II, correspondant à S. IV, d'après le ms. de Cambridge, contrôlé par BN fr. 344 et 339 ; M. IV, V, VI, pour S. V. d'après le ms. Rawlinson 899 ; M. VII, VIII, pour S. III, d'après l'Add. 10293). Pour les correspondances entre M. VIII et S. III, voir p. 000.
Signalons encore l'édition très soignée de E. Kennedy, *Lancelot do Lac,* Oxford, Clarendon, 1980, 2 vol., présentant d'après BN fr. 768 une version qui serait non cyclique et antérieure, pour S. III et IV, p. 3-4, 365-394.

technique d'une pièce de théâtre : division en scènes et en actes (p. 16), primat de l'intrigue (p. 461). C'est méconnaître la vraie richesse du livre et en juger selon une esthétique qui n'est pas sienne. On souhaiterait plutôt le transport qui saisit Giraud de Barry le Cambrien, c.à.d. le Gallois, à la fin du XIIe s., face aux enluminures du *Livre,* maintenant perdu, de *Kildare,* mais dont l'Irlande s'enorgueillit encore grâce aux Evangiles du *Livre de Kells.* Nous en donnons la traduction :

> Un chef-d'œuvre est devant vous, que vous pourriez ne pas voir. Regardez plus attentivement, vous entrerez au sanctuaire même de l'art. Vous discernerez des entrelacements si délicats et fins, si précis et denses, tant de fois liés et noués, aux couleurs si vives et fraîches que vous seriez en droit de dire qu'un ange en fut l'ouvrier, non pas un homme.

Dans le but de louer Dieu, voici que la main s'attarde aux contours de la lettre, et si le Verbe qui fut au commencement s'est fait chair, la lettre, à l'initiale, a pris corps. Elle ne se lit plus dans le droit fil du sens, elle se lie à elle-même à travers les excroissances retorses et réglées du dessin : le monogramme INI d'un début d'Evangile, celui du *nomen sacrum* divin en grec, XPI, au départ de la généalogie selon St Matthieu, envahissent peu à peu la page sainte de lacis serpentins qui développent encore toutes les contorsions d'un bestiaire de dragons, d'oiseaux crochus, de gueules et de langues enflammées. L'enroulement entrecroisé du graphisme sollicite le regard à l'inverse de la lecture, pour l'orienter vers les queues ou les têtes de monstres ou le fixer d'une prolifération d'yeux qui ponctuent énigmatiquement la composition. L'enlumineur fait merveille d'un enlacement étrangement multiplié de la lettre avec elle-même, comme si la géométrie maîtrisée de l'ensemble s'ordonnait à partir de la forêt inextricable de plus secrètes terreurs. L'entrelacs admirable semble aussi bien un lac diabolique où guetter le péché. Et Bernard de Clairvaux de mettre en garde les moines :

> Coeterum in claustris coram legentibus fratribus, quid facit *illa ridicula monstruositas, mira quaedam deformis formositas ac formosa deformitas* ? Quid ibi immundae simiae ? Quid feri leones ? Quid monstruosi centauri, quid semi hominis ? Quid maculosae tigrides ? Quid milites pugnantes ? Quid venatores tubicinantes ? Videas sub uno capite multa corpora et rursus in uno corpore capita multa. Cernitur hinc in quadrupede cauda serpentis, illinc in pisce caput quadrupedis... Tam multa denique, tam mira diversarum formarum ubique varietas apparet, ut magis legere libeat in marmoribus quam in codicibus, *totamque diem occupare singula ista mirando quam in lege Dei meditando* (*Apologie de Guillaume, douzième abbé de Saint-Théodore,* P.L. 172, co. 916).

Qu'il y ait une forme du beau qui soit difforme relève d'une esthétique proprement maligne, qui ne connaît pas la contradiction et retourne le même en son contraire. Les censeurs du *Livre de Lancelot* n'ont-ils pas au fond réagi comme le saint réformateur ? Quel plaisir pouvait bien prendre le moine enlumineur ou le chroniqueur arthurien à ces méandres et à ces excès, qui vont de la tératologie fantastique à la « théophagie sauvage » ? F. Lot, dont c'est là l'expression (p. 274), a préféré penser, au vu des « défauts » et « fautes de goût » qu'il déplore, qu'en somme, son architecte « n'a rien compris à l'origine véritable du Graal et n'a su que faire de la lance et des autres données du thème. Mais on serait mal venu de le lui reprocher. S'il avait pu soupçonner, par extraordinaire, ce que le conte cachait sous des apparences chrétiennes, il aurait reculé d'horreur » (p. 273-274).

Sans doute s'agissait-il pour l'auteur médiéval moins de comprendre que de se laisser prendre à l'attraction de mythes lointains que charriait la tradition et dont d'autres avaient déjà trouvé la résonance inconsciente. *La Queste del Saint Graal* elle-même, se conformât-elle à l'entreprise cistercienne de tourner, grâce à l'allégorie, toute l'histoire de Lancelot vers la seule méditation de la « Loi de Dieu », continue cependant d'offrir de mystérieuses arborescences bibliques et généalogiques, en identifiant, à travers la légende de la Croix, les bois d'un Lit de merveille dans la Nef enchantée à l'Arbre du fruit mortel en Paradis. Aussi bien Joyce a-t-il rattaché, dans cette drôle de veillée funèbre à l'irlandaise qui donne son titre à *Finnegans Wake,* la ténébreuse et « cruciforme » page *Tunc* du *Livre de Kells* à ce qu'elle devrait au grattage de trois *basia* (ou plus brefs *oscula*) dont il embrase à son tour lascivement le texte de son propre paragraphe[2]. Cette façon joycienne d'écrire sur l'art de l'enluminure nous apprend peut-être comment lire les « ambages pulcherrime » du *Livre de Lancelot.* Car la technique monacale des lettrines forge la plus exacte représentation de ce qu'est la littérature comme ouvrage de la lettre. Saint Bernard et Joyce découvrent, l'un avec indignation et l'autre, perversité, mais le premier non sans pointe rhétorique, et le second sans passion mystique, que pour le scribe-écrivain, ce travail d'écrire la Sainte Ecriture sent l'œuvre du diable. Ce qui n'aurait pas trop surpris Maître Blaise sous la dictée de Merlin ! Détournons donc ici à nos propres fins l'allusion indignée de Rabelais, dans l'Epître liminaire du *Quart Livre,* aux « lacs de l'esprit calumniateur, c'est Diabolos ».

Faut-il dès lors s'étonner si Dante nous révèle où conduit le bon usage du *Livre de Lancelot* ? A l'Enfer, en toute certitude, comme Paolo et Francesca, morts peut-être l'année où Béatrice réapparut à Dante (1283) :

> Noi leggevamo un giorno, per diletto,
>   Di Lancilotto, come amor lo strinse.
>   Soli eravamo e senza alcun sospetto.
> Per più fiate gli occhi ci sospinse
>   Quella lettura e scolorocci'l viso
>   Ma solo un punto fu quel che ci vinse.
> Quando leggemmo il disiato riso
>   Esser baciato da cotanto amante,
>   Questi che mai da me non fia diviso
> La bocca mi baciò tutto tremante :
>   Galeotto fu il libro e chi lo scrisse :
>   Quel giorno più non vi leggemmo avante
>   (*Inferno,* Canto V, v. 127-138).

Ce *baciare* porte avec lui la damnation, comme les *basia* regardés selon Joyce dans la page *Tunc* du *Livre de Kells.* Au passage, le guide de Dante lui a montré Pâris et Tristan qui condensent avec Lancelot toute l'aventure d'amour dont une « patience pénélopéenne » a tissé la toile au Moyen Age. Sur la pente de la lecture, le geste de Paolo et Francesca souligne, en répétant celui des amants arthuriens, quel est bien le centre de l'œuvre, et le poète dénonce par leur bouche l'entremise d'un livre qui a pour eux tenu le même rôle « d'entremetteur » dévolu à Galehaut. J. Frappier a jugé Dante trop sévère ici à l'égard d'un personnage digne, par sa grandeur tragique, de figurer plutôt au titre d'un « Hamlet médiéval » (cf. J. Frappier, « Le personnage de Galehaut dans le Lancelot en prose », *R.Ph.* 17, 1964, p. 535-536, et F. Lot, ouv. cit. p. 66). Mais Dante vise surtout, au-delà du personnage, la puissance trompeuse dont est capable un écrit : entre les amants et pour leur perte s'interpose le livre, comme dans le récit Galehaut était ce tiers que nécessite le compte exact d'un couple. La miniature du premier baiser de Lancelot et Guenièvre dans le ms. 805 de la bibliothèque Pierpont Morgan à New York (c. 1310) l'illustre à merveille : la reine attirant à elle, en un glissement de liane, le visage de l'amant, leurs têtes se joignent dans le secret des bras de Galehaut qui les protège à l'ombre de son cœur et forme, dans ce triangle, le sommet d'une bien étrange Trinité. C'est dire que Galehaut n'est pas seulement un personnage, mais la figure patiemment tissée au fil du texte de l'énigme d'amour.

Le fils de la géante, seigneur des Lointaines Iles, ne trame pas par métaphore l'union des amants, puisque ses venues et ses départs, ses rêves et ses dédoublements tracent, dans l'autre scène de nos attentes et de nos souhaits, le dessin funeste dont s'enlumine l'écrit. Si Dante identifie le livre et celui qui l'a écrit par son nom, il faut comprendre que son entremise *est* la « conjointure » de l'œuvre, c.à.d. le principe de son entrelacement. C'est si vrai qu'une heureuse méprise du rédacteur de la version courte ou le *lapsus calami* d'un scribe donne en nom de baptême au héros, dans l'édition de Sommer (III 3, l. 9), non pas Galaad mais Galahos ! Une bévue de copiste trahit parfois une intuition géniale de ce qu'il fallait entendre à demi-mot. Erreur induite, sans doute, de ce qu'on abrège souvent dans les manuscrits les deux noms par Gal., ce qui laisse le champ d'autant plus libre aux jeux du signifiant. Le court-circuit est saisissant, qui met ainsi une moitié sous le signe de Galehaut, l'autre sous celui de Galaad, le partage se faisant dans l'épisode de la Charrette, peu après la mort du géant, à l'heure de la première semonce du Graal et juste avant la grande nuit d'amour en Gorre, soit à la page 176 du tome IV de Sommer, qui coïncide, en effet, numériquement, avec le milieu du *Livre de Lancelot* ! (éd. Micha II 36).

Mais il y a mieux. C'est « l'aventure de l'escu » qui occupe la fin des premières prouesses de Lancelot (S.III 304-305 et 321). Une demoiselle apporte à la cour d'Arthur, de la part de la Dame du Lac, à l'intention de la reine, un « écu fendu » (« the split shield » traduit Sommer). Il porte, en effet, une séparation médiane large d'une main dans le sens de la longueur, mais la boucle centrale retient les deux panneaux qui représentent, l'un, un chevalier richement armé, l'autre, une belle dame, chacun selon la diagonale, de sorte que leurs lèvres s'entre-baiseraient s'il n'y avait « la fendeüre de l'escu ». A la question de Guenièvre, la demoiselle répond que l'écu se rejoindra le jour où l'amour sera entre eux entier, et non pas seulement « de baisier et d'acoler ». La prédiction se réalise, en effet, à l'heure même où Guenièvre et Lancelot « orent toutes les joies que amant pevent avoir », comme le constate la reine, levée à minuit (S.III 411). Voici les termes propres de la demoiselle :

> Et quant il avenra que l'amor sera enterine*, si saciés que chis escus que vous vees *si desjoins, se rejoindra* et tenra ensamble les .II. parties (S.III, 305).

Dans l'exacte mesure où la scansion du récit est conduite au rythme des approches, des croisements ou des séparations de Lancelot et de sa Dame, la jointure de l'écu est la figure symbolique de la *conjointure* romanesque. Le « conte de l'écu » est ce par quoi, dans la fiction, écrire se représente à soi, sans que, dès lors, rien ne puisse plus se rejoindre. Il en va de la « fendeüre » de l'écu comme de « l'escriuture » (ou « creveüre ») encore visible à la jointure de l'épée, dans la *Seconde Continuation du Conte du Graal* (Roach IV, v. 32557 ss. et var.) : les versions du Graal qui ont choisi de maintenir la « question » n'ont jamais pu clore l'enquête sur un savoir enfin complet. Quant à celles, comme *la Queste,* qui y parvinrent au prix de substituer le voir au dire, elles ont seulement identifié cet ultime regard à l'entrée dans la mort.

La vision poétique de Dante est ici encore d'une impeccable rigueur, quand, par la bouche de Francesca, est évoquée une lecture elle-même charmée d'un rire que des lèvres désirèrent :

> Quando leggemmo il disiato riso
> Esser baciato da cotanto amante.

L'octroi du baiser ne scelle rien d'autre que la damnation, la réunion des lèvres a rouvert l'abîme éternel, la mise en possession de l'un par l'autre a précipité leur perte. C'est du fond effroyable de l'Enfer que monte l'enchantement divin de ces vers amoureux. Deux tercets ont suffi pour mettre à nu un drame qui, dans le *Livre de Lancelot,* se dévoile avec le temps. La « jointure » de l'écu, à l'image des amants (S.III 411), consomme, à leur insu, l'irrémédiable à venir. Longtemps après, le jour où les chevaliers, de retour de leurs errances, feront, de leurs aventures, un récit dûment enregistré par les clercs (S.V 190 ss.; M.IV 396), la reine prendra douloureusement conscience que la joie parfaite, derechef goûtée au royaume de Gorre (S.IV 210; M. II 76), avait à jamais banni le héros de la révélation du Graal (S.V 193; M.V 2). Leur dialogue à cet instant marque l'un des grands moments du livre, l'amant rétorquant à sa Dame qu'il n'eût jamais sans elle été porté à la démesure héroïque qui le désignait, au titre de meilleur chevalier du monde, à l'aventure suprême du Graal. Guenièvre n'en réitère pas moins son regret :

> Si me poise moult quant par escaufement de car, aves perdu a mener a chief ce dont toute terriene chevalerie se travelle (S.IV 193) ; *variante* : sera travaillie (M. V 2).

> Mais il me poise quant vous en avez perdu a achiever les aventures du Saint Graal par coi la table roonde fu establie (*ibid.*) ; *variante* : les hautes aventures... *por* quoi... (M. V 3).

Tristan et Iseut avaient dans le boire d'amour bu l'amère mort (Thomas, *Douce,* v. 1223) ; Lancelot et Guenièvre ont, au bout de leur nuit, perdu la Clarté. La soudure d'amour est la cassure malheureuse, la « mescheance », par quoi Lancelot, tel Œdipe, vient à maudire l'heure de sa naissance, devant la tombe de Symeu (S.IV 176; M.II 35). Ce qui réunit, par là même divise, comme Paolo et Francesca, loin de Dieu. La *conjointure* s'avère plus profondément *dessevrance,* séparation : il faut l'entendre également sans plus de métaphore, car l'étoffe est une, de la vie charnelle et du corps textuel. « L'aventure de l'écu » le démontre pour le premier terme, mais aussi bien le prologue d'*Erec et Enide,* où la « belle conjointure » s'oppose à l'usage de « dépecer et corrompre » le conte. « Dessevrer », d'autre part, est riche des mêmes confusions : Robert de Boron l'a dit de l'assemblage des parties de son grand livre, pour un temps différées, mais l'auteur de *Perlesvaus* emploie le mot au sujet d'Abel et de Caïn, modèles du Roi Pêcheur et du Roi du Chastel Mortel.

> Caïn et Abel furent frere. Si traï Caïn son frère. L'une char traïst l'autre e engigne* ; mais ce est grant dolor, ce dist Josephes, quant les chars* qui *une* doivent estre, *se desçovrent** par mauvaistié (Nitze I, l. 6222-6224).

La « dessevrance » n'est plus ici « différance » mais discordance, elle porte en elle la marque du péché de chair originel. Son ultime résonance ne peut être que la mort : c'est au sens de mourir que le verbe *dessevrer* apparaît dans *Eracle* de Gautier d'Arras, quand les parents de l'empereur, ces saintes gens, quittent le siècle, en épilogue au roman (éd. Raynaud de Lage, Paris, Champion 1976, v. 6464). C'est encore le cas, lorsque Galehaut pressentant sa fin exprime à Lancelot sa crainte qu'ils soient « departi par mort ou par autre desevrement » (M.I, 13), à quoi fait ironiquement et fallacieusement écho, dans l'épisode de la Fausse Guenièvre, le « dessevrement del roi et de la roïne » (*ibid.* 32). L'art de la conjointure n'est que voile de beauté où se reflète l'ombre du rien ; les mailles du réseau valent par leurs interstices : elles enserrent moins qu'elles ne témoignent surtout de ce qui se refuse à leur prise, qu'il s'agisse — c'est tout un — du discord originel de la chair, de l'impossible à dire de toute quête ou de la « grande angoisse de mort », selon l'expression maintes fois reprise dans le *Livre de Lancelot* :

> Car nule riens n'est si espoentable come la mors,

explique Me Helie à Galehaut (M.I 61).

Mecheance, angoisse, secrées choses (ou « repostailles », S. III 13, V 302; M.VII 25, V 271) : vie maudite, épouvante mortelle, mystère improférable, c'est encore par quoi le *Livre de Lancelot,* à l'égal de la tragédie grecque ou du drame shakespearien, continue de nous interroger. Si on exploite jusqu'au bout la terminologie avancée par Chrétien de Troyes, une fois la *conjointure* comprise, à travers la reine, comme l'alliance paradoxale d'un malheur de la Joie, comment faut-il illustrer la *matière* et le *sens* ? De la première relève ce qui fait le contenu propre de nombre d'aventures, bizarrement éparses et répétitives, d'où remontent, comme d'un vieux fonds d'angoisse, les figures obsédantes de géants formidables et de beautés tentatrices, de coups félons et de fontaines aux serpents. A quoi répondent de pareilles mises en scène, indéfiniment variées et pourtant identiques jusqu'à la « monotonie » ? Ce que l'auteur recueille de traditions brouillées travaille de l'intérieur son texte et son imagination, à la manière d'une obsession. Ceux qui vont « par les estranges terres les estranges aventures querant » (S.V 102) ont peut-être affaire, à leur insu, à une aventure unique et comme immémoriale qui se décompose en l'infinité de reflets que renvoient de multiples facettes, brillant chacune de l'éclat d'une vérité parcellaire. Quant au *sens* qui devrait guider la lecture selon la double voie terrienne ou célestielle tracée au cœur de cette forêt, il se confond tout aussi bien avec le secret des généalogies, des naissances et des destinations. La conjointure est paradoxe, la matière, étrangeté, le sens, énigme. De l'une, l'amour est l'étoffe ; la mort est insinuée dans l'autre ; la folie campe aux portes du dernier. L'amour de Tristan n'a, dans la version de Thomas ou la *saga* de frère Robert, d'autre alternative que le pourrissement empoisonné du corps ou la sublimation de l'art: ou «la poison» ou la harpe, la lèpre ou la Salle aux Images, la sorcellerie d'Irlande ou la lyre d'Orphée. Le récit est construit sur l'alternance de ces pôles qui ne tiennent chacun que par l'autre: venin de l'herbe et plainte du chant, possession physique et liturgie passionnelle. L'amour de Lancelot, placé, quant à lui, entre le Graal et Morgain, à la fois au-delà de l'interdit et en deçà de l'idéal, oscille éperdument de la folie à la mort.

La Rose et le Graal

Le *Livre de Lancelot,* comme tant d'autres œuvres médiévales de prime abord déroutantes, apparaît donc, à lecture attentive, d'une rigoureuse facture. Mais l'unité d'un double esprit, courtois et mystique, relevée par F. Lot, ne suffit pas seule à en rendre compte, non plus que de chercher à la masse d'allure désordonnée ou extravagante des aventures une raison d'ordre dramatique (cf. Lot 22 et 27-28, n.),quand celle-ci serait plutôt fantasmatique:jeux d'écho et non d'intrigue. Suivre le fil des aventures ne mène nulle part, puisque aussi bien le centre est partout: au gré de mystérieuses connexions ou par voie d'annexion, de grands ensembles se dessinent, charriant des blocs d'histoire, de forme répétitive. Sur quoi vient-on ainsi obstinément buter? Un battement par éclipses le laisse parfois pressentir, par la grâce d'un rapprochement inattendu entre deux situations voire deux phrases ou à la faveur de soudaines plongées dans une histoire antérieure. Certains symboles pourtant, noms ou objets, produisent une consonance générale et rendent continûment sensibles les enjeux de l'aventure. Des jalons sont, d'autre part, posés dans le cours du récit de façon à en assurer la ponctuation et en définir les parties: tenue des cours d'Arthur et récapitulation des aventures «mises en écrit» par les clercs, enclenchement d'une aventure qui vaut un passage à la ligne avant qu'on y mette un point final ou de suspension. Enfin, des manuscrits cycliques comme Bonn 526 marquent et nomment les grandes divisions du *corpus,* en accord avec une répartition par «branches» des divers contes. Rassembler ces informations permettrait d'assurer l'analyse.

Nous avons déjà dit le rôle joué par la cour arthurienne pour rythmer le récit: elle est, chez Chrétien, l'occasion d'accueillir la nouvelle merveilleuse et de sanctionner ou de relancer l'aventure. L'auteur de *Lancelot* met, d'entrée, en valeur cette institution maîtresse:

> En chelui tans avoit en costume li rois Artus que plus richement se demenoit a Paskes tous jours que en nule autre feste, et si vous dirai la raison porquoi. Il ne tenoit court esforchie de courone porter que .V. fois l'an: che estoit a Pasques, a l'Ascension, a la Pentecoste, a le Toussains et al Noel. Et en maintes autres festes tint il court. Mais n'estoient pas apelees cours esforchies*, si com a la Candelier et a la mi aust, ou al jour de la feste de la vile ou il estoit et en maint autre jor quant il li sorvenoient gent qui il voloit honorer et festoier. En teil maniere tenoit court li rois Artus mainte fie (S.III 107-108; M.VII 236-237).

Ajoutons à ces dates la Saint-Jean, le 24 juin, et la Madeleine, le 22 juillet, et relevons tout de suite dans quel esprit religieux l'auteur les exalte. Pour Chrétien, la «Pentecoste» devait son prestige à ce qu'elle «coste», à l'étalage de ses fastes mondains. Ici, au contraire, un long développement doctrinal (S.III 108) justifie le privilège de Pâques et de la Pentecôte: la gloire arthurienne est empreinte de ferveur religieuse; la couronne royale brille de ses feux aux deux fêtes de la Joie Chrétienne, l'une, où par la mort la mort est détruite, l'autre, où Dieu revient parmi les hommes, d'abord en chair, puis en esprit, pour que sa Présence anime l'histoire jusqu'à la fin des temps:

> Non mie en car*, mais esperitelment, et par che fu lor joie refremee*. Si fu issi li jors de Paskes li commenchemens de nostre grant joie, et li jors de Pentecouste fu li renovelemens (*ibid.*)

On jugera aisément à ces lignes d'impeccable doctrine que l'intensité spirituelle n'est pas moindre au tome III de Sommer qu'aux approches de la grande quête du Graal. Mais comme aux temps de l'innocence ou du commencement, le péché de luxure n'a pas encore dissocié la liturgie rédemptrice de la carole courtoise, et le rêve édénique de cette alliance demeure, même s'il se révèle après coup que par la faute des pères, Uterpandragon ou Ban de Benoyc, le péché était déjà là. Ainsi entend-on la Dame du Lac, Niniane l'enchanteresse, prôner, telle la Veuve Dame dans le *Conte du Graal* et en écho, dirait-on, aux questions du *nice* sur les armes, la *senefiance* morale de l'écu, du heaume, de la lance, de l'épée, comme d'autant de symboles d'une chevalerie tout ensemble souveraine et servante, justicière des hommes et humble à Dieu et à Sainte Eglise (S.III 114-115; M.VII 250-253). Si donc elle souhaite voir Lancelot adoubé le jour de la fête de saint Jean, la signification est d'ordre typologique: puisse Dieu « qui de la viergene nasqui por son pueple rachater » donner à Lancelot l'honneur de surpasser en force et en vertu tous les chevaliers du monde,

> autresi com messires saint Iehans fu li plus haus hons de gueredon* et de merite qui onques en feme fu concheus par carnel assamblement (S.III, 118; M.VII 258).

Faut-il déjà comprendre que Lancelot doit être à Galaad son fils comme Jean-Baptiste à Jésus qu'il annonçait? Relevons chez saint Luc le parallélisme de leurs naissances (Annonciation et Visitation) et de leurs vies cachées (dans les solitudes ou à Nazareth), avant leur manifestation publique. Jean est, en outre, le fils tard venu de parents en leur vieillesse, tout comme Isaac, Samuel et Samson, selon une situation familière, on le sait, aux contes de fées. A travers lui, enfin, l'Ancien Testament est sollicité, puisque, d'après Matthieu (17, 10), en Jean-Baptiste le précurseur il fallait reconnaître Elie, le représentant des prophètes, que Geoffroy de Monmouth mentionne dans sa chronologie comparée des *Livres des Rois* et de l'*Histoire de Bretagne* (II, 10) et dont le nom est porté, à l'heure des épouvantes de Galehaut, par maître Helie de Toulouse (M.I 48-71).

La Table Ronde et la réunion de la cour arthurienne se chargent donc dans *Lancelot,* en complément à Chrétien de Troyes, mais en conformité avec Robert de Boron, d'une profonde signification religieuse. F. Lot l'a senti; s'il fut ensuite contredit, c'était faute peut-être d'avoir dégagé cette typologie de Jean et du Christ, ainsi reportée sur « Lancelot-Galaad ». L'auteur tient, pour l'heure, en réserve l'autre *senefiance* sainte, héritée de Robert, l'instauration du Siège Périlleux de la Table Ronde, qui dans la ligne de Jésus et de Judas, puis de Joseph et de Moyse, conduit à l'orgueil de Brumant, le neveu du roi Claudas (S.V 319 ss.; M.VI 21 ss.), et à la venue de Galaad le désiré. Du tome III au tome V de l'édition Sommer, ce n'est pas l'esprit qui change mais la Révélation qui progresse, et le temps qu'il y faut s'identifie aussi bien avec cette chute dans le temps qui imprime sa marque mortelle en toute « histoire » humaine : entre-temps, avant et pour que l'Amour accomplisse la Loi, le péché, renouant avec l'origine, a rompu l'unité, précipité dans l'abîme et dispersé aux quatre coins de l'aventure. La conception de l'auteur reste une, précisons : en Dieu. Ce n'est pas lui qui évolue avec les ans, mais l'histoire du Salut qui règle le temps de ses manifestations. L'unité contradictoire du *Lancelot* est tout entière contenue dans le double nom du héros : « Galaad » en baptême, mais « Lancelot » d'après son aïeul, et le premier nom reste longtemps en sommeil, jusqu'au jour où cette dualité s'avère incompatible et exige son report de père en fils, c.à.d. dans la génération, de Lancelot à Galaad, désormais distincts, mais aussi bien dans la récurrence généalogique de l'aïeul « Lancelot » à l'ancêtre « Galaad » (M.V 115) !

L'unité de la Fée du Lac et du Catéchisme, de la Carole courtoise et de la liturgie mystique, de la Joie de la Cour et de la Joie de Pâques, est identique à celle du nom de « Lancelot Galaad » et doit, comme elle, être rompue pour advenir à sa vérité. Elle inclut ainsi la dimension d'une perte, indissociable de la construction romanesque, nous l'avons déjà dit à propos de la joie dans les romans de Chrétien : vouloir rejoindre Chrétien de Troyes à partir de Robert de Boron, et l'Occident fabuleux depuis l'Orient miraculeux, ce projet inscrit désormais simultanément l'aventure dans le double registre féerique et biblique. La structure est constitutive du temps par lequel seul elle vient en effet !

Voici donc la phrase cruciale du *Livre de Lancelot,* au moment de la conception de Galaad dans la fille du Roi Pêcheur :

> Et tout aussi comme *li nons* de Galaad avoit esté *perdus* en Lancelot par escauffement de luxure, tout aussi fu il *recovrés* par cestui (c'est-à-dire « Galaad li virgenes, li bons chevaliers ») par abstinence de char (S.V, 111 ; M.IV 211).

Serait-ce donc le roman d'un seul nom propre ? Le héros est dépossédé du nom qu'il reçut en baptême mais qui restait recouvert par celui de « Lancelot ». Si le premier doit un jour refaire surface, il faut qu'un autre en soit porteur, un fils par qui soit effacée la faute du père. Aussi bien prendra-t-il figure d'un symptôme à l'endroit d'un péché paternel dont le sens reste désormais en souffrance, si tant est qu'au château du Graal, à Corbenic, la dimension propre de la parole le cède à la vision d'extase au bout d'une nuit atroce.

« Galaad », le nom étonne et sa raison échappe. Il a fallu, cette fois, se tourner du côté de la Bible ; mais il renvoie d'abord à l'ancêtre éponyme, Galaad, le fils cadet, « menor », de Joseph d'Arimathie, engendré en Sorelice[3], dont il fit la conquête et fut le premier roi chrétien avant de lui léguer son présent nom de Galles (M.II 31 et 33), comme Brut, selon Geoffroy et Wace, fit d'Albion la Bretagne. Ainsi « Gales » vient-il de Gal(aad). Mais il s'en faut de peu également, avouons-le, pour que G(a)laad ne concorde avec Graal. Aussi bien est-ce en la terre du Roi Pêcheur qu'il est conçu. Nous écririons donc volontiers l'équation

Gales + Graal = Galaad.

Elle ne suffit pourtant pas, puisque le nom est indubitablement biblique (cf. Lot 120). Mais ces confusions sont délibérées. Elles prouvent que les *senefiances* allégoriques reposent avant tout sur un jeu d'écriture à partir des lettres d'un mot ou des registres culturels. La Saint-Jean déjà mentionnée en est un exemple, mais aussi bien, dès l'ouverture de l'œuvre, le récit de la fuite du roi Ban et de sa famille (S.III 7-8; M.VII 22-28) : la comparaison avec *Lanzelet* et le séjour du héros dans l'île de la reine de Meydelant, une fée marine, dont la forteresse étincelante d'or abriterait tout autant le fée de l'Ile d'Or, dans le *Bel Inconnu,* situe le passage dans le contexte de la féerie bretonne. Le décor de forêts et de lacs, de tertres et de vaux, baigne dans l'irréelle lumière de l'imaginaire celtique. La Dame du Lac rejoint d'ailleurs les fées des sources ou les demoiselles des pavillons au bord des rivières, non loin des gués, dont l'admirable portrait d'Etaine, dans le *Courtisement d'Etaine,* a fixé l'image (cf. Slover et Cross, *Ancient Irish Tales,* 83). A l'arrière-plan, peut-être, se distinguerait, d'après la mythologie celte, la naissance illicite de Lug dont la mère, fille d'un géant, vit sur un île et refuse de lui donner un nom (cf. W.J. Gruffydd, *Math vab Mathonwy,* Cardiff, 1928, 17-23, 55-71 et 188-192). Mais une autre clarté filtre discrètement à travers la scène, car la grande pitié de l'équipée nocturne, l'inquiétude du vieux roi pour le sort d'une femme et d'un fils, descendants de David, réveillent en nous le souvenir de la fuite en Egypte. Pourquoi même, chemin faisant, la proximité du « berceau » de l'enfant et des eaux du lac ne ferait-elle pas revivre celui de l'enfant sauvé des eaux, « Moïse » ? L'auteur, lui, choisit d'évoquer ouvertement Diane chasseresse — mais pour quel Actéon ? Diane, David, la fée Niniane : les contes antiques, bibliques, bretons (« li Contes des Brectes Estoires », cf. E. Kennedy II 80 et M.VII 38) se recouvrent et s'échangent, Virgile ou Merlin, Sibylle ou Morgain !

Le nom de Galaad ressortit à la même technique. Sur ce point, Robert de Boron fut un initiateur, si on admet avec Helaine Newstead et R.S. Loomis le glissement de Bran à Bron, qui autorise justement le doublet de Bron et Hébron. Ce dernier mot est, dans *la Bible,* à la fois un nom de lieu (la montagne d'Hébron) et de personne. L'histoire du Graal s'enracine dès lors doublement dans l'Histoire Sainte : par la toponymie et la généalogie. Avec Galaad, une opération du même ordre est tentée pour fonder (et fondre) dans la langue sacrée le double jeu des phonèmes que compte la fable : « Galles » d'abord, c.à.d. la région vers laquelle il faut situer, en direction du nord, la terre désolée, « la Gaste Forest Aventureuse », et « Graal », la relique sainte confiée à un lignage choisi par Dieu afin d'exalter son Nom au royaume aventureux et « veoir (ses) granz repostailles » (S.III 13 ; M.VII 25) ou encore « ses grans mervelles » (S.III 42 ; M.VII 89). Les accords les plus « célestiels », remarquons-le, résonnent dès l'ouverture profane et mondaine de l'œuvre et ce, dans les deux versions, longue et courte. On ne peut invoquer une prétendue interpolation. Or, dans l'*Ancien Testament,* paraît un Galaad, fils de Makir et petit-fils de Joseph, suivant le recensement des tribus d'Israël, dans *Nombres* 26, 29 et I *Chroniques* 7, 14, les deux fils de Joseph étant Manassé et Ephraïm. Nous voici, d'un coup, reportés à l'histoire de Joseph, dont la biographie selon la *Genèse* est riche de correspondances possibles avec le conte du Graal : sa naissance déjà, en relation avec la stérilité maternelle, l'intervention de Yahvé et la vertu des mandragores (*Gn.* 30, 1-24 !) ; le crime de ses frères qui jalousent « le fils de la vieillesse » et le vendent à des ismaélites venus de Galaad ; puis l'Egypte, la femme de Putiphar, la prison ; enfin l'élévation et les années d'abondance. Cette histoire qui amène le fils de Jacob en Egypte présente une esquisse de la Rédemption, comme plus tard l'Exode : « sauver la vie à un peuple nombreux » (*Gn.* 50, 20). Avec Moïse, l'accent est de nouveau mis sur la naissance ; quant à l'Egypte, terre d'abondance, elle est soudain frappée de plaies ! Reprise ainsi à grands traits, la chronique sainte offre une curieuse analogie avec le récit médiéval : le départ de Joseph d'Arimathie vers l'Occident « en terres étranges » répéterait l'éloignement de Joseph en Egypte, et la Terre Gaste profuse en merveilles redoutables entrerait en rapport avec la terre de Pharaon chargée de sortilèges. En tout cas, une même perspective du salut, de Joseph à Jésus ou de Joseph à Galaad, ce dernier, tel le Christ, descendant de David. A la jonction, chez Robert de Boron, Joseph d'Arimathie reçoit le cadavre de Dieu et repart avec le Graal. L'auteur de *Lancelot* fait encore de lui le père du premier roi de Galles, Galaad I — faut-il dire : comme Joseph époux de Marie et « fils de David » est, selon la loi, père de Jésus ? Cet étrange nœud se complique encore du fait que Makir, le père de Galaad dans I *Chronique* 7, 14, est le fils de Manassé par sa concubine araméenne et que lui échoit comme « à un homme de guerre » le pays dit de Galaad et de Bashán (*Josué* 17,1). Or nous savons d'après le *Deutéronome* III,11-13 que le Bashán est le royaume d'Og, le dernier survivant des géants (cf.Rabelais,*Pantagruel* IV !) :

Solus quippe Og rex Basan restiterat de stirpe gigantum.

Frappante coïncidence, on l'avouera, avec la terre de « L'Ogres ». Contrairement à ce qu'on a pensé, le plus important dans le nom de Galaad n'est pas le personnage, mais la contrée ainsi désignée dans la *Bible,* ce « pays de Galaad » confié aux armes de Makir. De Galaad vint plus tard le prophète Elie pour maudire la terre d'Israël et la condamner à la sécheresse : Rabelais s'en souvient à la mort de Badebec, la mère de son héros, au cours d'une scène toute vibrante des échos de la Terre Gaste (*Pantagruel* II). Or Elie représente les Prophètes comme Moïse la Loi, aux côtés du Christ transfiguré, dans ce passage de *Matthieu* 17, qui salue en Jean-Baptiste le retour du précurseur !

Ce n'est pas tout : la concubine araméenne comme les guerres araméennes soulignent à l'évidence le rôle frontière du pays de Galaad, lequel correspond exactement à ce qu'on nomme une marche au Moyen Age, situation tout à fait privilégiée dans la géographie romanesque du *Livre de Lancelot.* Ces contacts de Manassé fils de Joseph avec les Araméens attirent également l'attention sur la manière dont furent délimités dans la *Genèse* Aram et Israël (*Gn.*31, 22-54) : sur le mont Galaad, un pacte à la fois territorial et matrimonial fut établi entre Laban (cp. le roi Lanbar de la *Queste* ?) et Jacob. Le nom de Galaad s'y trouve expliqué par le tas de pierres dressé en garantie de la parole donnée : « Galéed », c.à.d. le monument de témoignage, sentinelle de vérité qui demeure, comme Yahvé, entre les deux parties après séparation[4]. Ce monceau scelle l'alliance, au même titre peut-être que le Graal laissé en dépôt aux mains du lignage sacré des rois de la « Terre Foraine », aux confins du royaume de Lices, c.à.d. de Galles : le Graal se tient ainsi mystérieusement à la limite de Galles, comme « Galéed » en Galaad, et, parce qu'il condense le nom du pays et celui de la relique, « Galaad » doit être le nom du pur entre les purs.

Mais cet éclat resplendit aux lisières de l'impur : le départ entre Aram et Israël est aussi bien leur mélange. Ce n'est pas un hasard si on oppose la pierre qui confirme à celle qui fait trébucher, la pierre du témoignage à la pierre de scandale. Galaad est conçu dans l'union de « la plus bele pucele et del plus haut lignage » avec « celui de qui terriene chevalerie estoit enluminee » (S.V 110; M.IV 209), mais non pas à l'unisson de leurs cœurs, car la fille du Roi Pêcheur n'avait de pensée que pour le fruit béni de ses entrailles, tandis que Lancelot, échauffé de luxure, croyait étreindre Guenièvre sa Dame, la femme d'Arthur. L'auteur a, semble-t-il, voulu confondre en une même nuit, avec une belle audace, la conception virginale du Pur et le péché de chair d'Adam et Eve, ou plutôt rassembler en un même acte le souvenir de la faute et l'espoir du salut, ce qui le conduit à évaluer autrement la vie conjugale d'Adam et Eve : ce ne fut pas abandon à la luxure, comme le disait Robert de Boron (*Roman de l'Estoire dou Graal,* v. 121 - 122), mais loyauté et obéissance à Dieu, puisque aussi bien s'ouvrait la chaîne des générations qui s'accomplirait avec la venue du Christ. Le premier rapport sexuel est tout autant l'effet du péché que l'origine d'un procès rédempteur. De même, la virginité perdue par la pucelle du Graal est recouvrée en Galaad le vierge, et le nom de baptême perdu en Lancelot par sa luxure est racheté grâce au fils qu'il ne pouvait engendrer que du fond même de son adultère. Si dans la conception chrétienne, Marie refait ce qu'a défait Eve, ce clivage est maintenant inscrit au cœur de l'acte par lequel Adam connut sa femme et Lancelot, Elisabeth. Un se divise en deux, irrémédiablement et salutairement. L'étoffe est une, dont se tissent la mort et la vie dans la partie qui les lie. La fille du Roi Pêcheur est tout ensemble la mère du Sauveur et la demoiselle entreprenante, la porteuse du Graal et l'illusion de Guenièvre. Alors même que le Graal venait d'apparaître « en semblance de calice » (S.V 108; M.IV 206), une vieille femme centenaire, entremetteuse et sorcière, Brisane, la maîtresse de la jeune fille, nous replonge par le « boire » et sa « poison » dans les sortilèges du roman de Tristan et Yseut et prépare une nouvelle nuit « à l'irlandaise ». D'une coupe à l'autre, de la liturgique à l'enivrante, on passe aussi d'un lieu à un autre, du château de Corbenic au château de la Case (faut-il rapprocher du roi de la Gase, cette *crux* de *Perlesvaus,* l. 1926 ?), comme on voit dans *Erec* le château de Brandigan côtoyé par le Verger Enchanté, ou dans la *Seconde Continuation* la cour de Brandigan fréquentée par Morgain et par la fée de l'Echiquier.

Qu'on y prenne garde ! Cette nuit où Galaad est conçu distribue en séries homologues toutes les grandes oppositions du *Livre de Lancelot* et de la matière de Bretagne : la Fée Amante et la Joie de la Cour, Morgain et Bran (ou, de façon plus complexe, ceux-ci d'une part, Pellés et sa fille de l'autre), Lancelot et Galaad, en un seul puis en deux, Guenièvre la reine et la porteuse du Graal, la Vieille et la Belle, Yseut la blonde et Yseut aux blanches mains, voire Didon et Lavinie, ou encore Amide et Elisabeth, puisque la fille du Roi Pêcheur porte elle-même deux noms, comme Lancelot :

> Amite en sornon et en son droit non Helizabel (S.III 29 ; M.VII 60)[5].

Ce recouvrement d'un nom par l'autre, du sacré par le profane, du biblique par le féerique : Galaad par Lancelot, Elisabeth par Amide, est corrélatif d'un dévoilement dont le procès exige du temps, ou mieux, insère le conte d'aventure dans le temps de l'eschatologie. La nuit d'amour auprès de la fée blanche comme lis, non loin de la fontaine ou dans la tente à l'aigle d'or, s'est élargie aux dimensions chrétiennes du mystère de la Rédemption. Si le paradigme de l'aventure relève de la féerie bretonne, la syntaxe narrative s'ordonne de la Révélation : ainsi lève le sens, à quoi la scène *faée* oppose résistance. Car le sens fait péché de ce dont la féerie fait merveille, le premier dans l'angoisse d'une parole de vie, la seconde dans le secret d'un ravissement de mort. L'aventure de l'écu fendu crie à l'abîme au comble de la Joie, s'il est vrai que la satisfaction de l'amant le précipite aussitôt dans la folie furieuse, une fois aux mains de l'enchanteresse Camille (S.III 411, 414). L'esprit vole en éclats à l'instant où les corps se sont rejoints ; la soudure matérielle de l'écu coïncide avec la fracture morale du héros. De ce paradoxe l'œuvre tire la force de son questionnement et le lent cheminement du récit est seulement le temps qu'il faut pour que la réponse se construise : la joie que les amants connurent à la cour d'Arthur, dans la vérité des corps, pour la perte de l'âme, se répète non loin de Corbenic, dans le mensonge, pour le salut ! La nuit d'amour avec la reine, puisqu'il s'agit d'elle, en tout cas, à la faveur du *quiproquo,* fixe le lieu où perdre et retrouver le nom de Galaad, de même que le visage de Blanchefleur dans la scène des gouttes de sang sur la neige s'offrait à Perceval en semblance de l'Arme Vermeille[6].

Toute lecture qui ne comprendrait pas en un tout les parties III et V de l'édition de Sommer laisserait le sens orphelin,car le roman est celui d'une naissance, à ceci près que la première dont on parle, Lancelot au berceau, n'est pas la bonne, suivant le même faux pas qui mena trop tôt Perceval le *nice* au château du Graal chez Chrétien, ou le fit prématurément essayer le Siège Périlleux, selon la conception propre à Robert de Boron. La structure est identique, qui redouble la venue au Graal, l'aventure du Siège ou la naissance du Bon Chevalier.

A cet égard, l'opposition marquante, du point de vue du sens, entre « terrien » et « célestiel » ne date pas de la dernière partie du livre, c.à.d. de la *Préparation à la Quête,* dite l'*Agravain.* La théorie proposée par F. Lot, du « double esprit » à l'œuvre tout au long du récit, nous paraît fondée et n'aurait sans doute pas été contestée, s'il n'avait préféré aux mots de l'auteur médiéval ceux de « courtois » et de « mystique » qui prêtèrent à confusion ou à discussion. Alléguer des interpolations sitôt que la note semble forcée en direction religieuse serait refuser à l'auteur le droit de surprendre son lecteur en anticipant sur l'avenir par des remarques d'autant plus frappantes qu'elles débordent leur contexte immédiat. Les copistes d'alors en furent, il est vrai, troublés, au point de tout brouiller (ainsi de l'annonce de Galaad corrigée en Perceval[7], S.III 29). Le procédé est pourtant constant et bien attesté : nous avons déjà signalé une allusion aux « repostailles » (S.III 13 et 42), digne de l'esprit de la *Queste,* qui s'éclairera au tome V, lorsqu'il est donné à Bohort de voir une partie des « secrees coses » de Corbenic (S.V 302; M.V 271).

Autre exemple, dans un registre différent : la première mention de Galehaut, « li preudoms, li sires des estraignes illes, li fiex a la bele jaiande », intervient fort abruptement à l'occasion d'un jugement porté sur Lionel qui vaut pour Lancelot : il « l'apela une fois cuers sans fraim » (S.III 50; M.VII 108). Dans la distance soudain prise, l'auteur renvoie au passé ce qui reste à venir, entérine comme accompli ce qui est en chantier et auréole de légende un fait jusqu'alors inouï ! Le grand art relève toujours par quelque côté de la mystification. Le lecteur n'est pas près d'oublier ce brusque changement d'échelle. Or il n'en aura le cœur net que 500 pages plus loin dans l'édition de Sommer (IV 102 ; M.I 215) ! Nous voici avertis de l'importance de petites phrases qui détonnent à leur place. Ce qui n'interdit pas le procédé inverse de l'insinuation, grâce à quoi une représentation, d'abord glissée sans crier gare, s'impose un jour avec l'évidence du familier pour prendre alors sa pleine portée.

L'opposition entre « terrien » et « célestiel » est de cet ordre, ce pourquoi on a cru à une évolution de l'auteur, quand il s'agissait d'une mise en condition du lecteur. Celui-ci trouve d'emblée des noms propres en travers de son chemin : Galaad, David, Gazewilte, Hélène sans pair, Amide, Galehaut, mais il peut aussi compter sur certains repères moraux qui établissent un sens. D'un côté le puzzle, de l'autre la parole inspirée. Si on se plaît à l'errance, la rhétorique n'autorise pas l'erreur. A peine mentionnée la série insolite des noms (S.III 29; M.VII 59), un débat entre Claudas et son écuyer sur le rayonnement du roi Arthur lance les premiers accords:

> Che savons nous bien que il est riches de terre a grant mervelle, et il a en sa maison *la flor* de toute la *terriene chevalerie* (S.III 30; M.VII 62)

Un peu plus loin, surgit devant la reine aux grandes douleurs, Hélène, la mère de Lancelot, un religieux, frère Adragain le Brun, ancien chevalier entré dans l'ordre de Saint-Augustin. Parent du chevalier de l'île noire, Mador le Noir, il avait été en faveur à la cour du roi Urien. Il était en outre « grand et corsu », avec de bien grands yeux « en la tête ». Nous voici reportés aux temps ténébreux d'Uter et d'Urien !

> Mais la *terriene chevalerie* avoit il toute laisie grant pieche avoit (S.III 41; M.VII 88).

L'opposition reste implicite, mais à propos d'un preux qui s'est rendu en un ermitage et a fondé un couvent, il ne fait guère de doute qu'une autre voie est requise pour le Royaume des Cieux. Le moment est bien choisi pour évoquer de nouveau le lignage que Dieu a élu afin de voir ses grandes merveilles, tandis que le saint homme reparaît en pleine cour d'Arthur à Londres, le jour de l'Epiphanie, pour fustiger, à la surprise générale et en contraste avec l'éblouissement précédent de Claudas, la paresse et la honte du grand roi (S.III 44-77; M.VII 95-101):

> Et si ne saves... le grant preu qui puet venir de ma parole (*ibid.*, S. 46 et M. 98).

Sans doute la clameur s'élève-t-elle au nom du droit féodal et des relations d'homme à homme: la faute d'Arthur est d'avoir abandonné un vassal en péril, mais cette carence a une résonance toute spirituelle, si on s'avise que le malheur a ainsi frappé la lignée de David, à travers la mère et l'enfant[8].

La première occurrence du couple antithétique survient à l'occasion du grand « chastoiement » de Lancelot par la Dame du Lac, à la veille de son entrée en chevalerie (S.III 112-118; M.VII 244-258). Pareil discours digne de la Veuve Dame tient du paradoxe: la voix de sainte Eglise se fait entendre par la bouche d'une enchanteresse, autre signe d'une division qui installe le héros à la frontière des aventures contrastées de Guenièvre et de Galaad, ou encore à celle de ses propres noms, de lui ignorés: Lancelot-Galaad. Comme pour Perceval, la portée spirituelle de l'idéal du *miles Christi* que réaliseront Perlesvaus et Galaad va rester lettre morte. Doit-on s'en étonner quand « la senefiance » des armes du chevalier ne s'enlève que sur fond de larmes versées par une fée maternelle, et que le « fils de roi », maintenu dans l'ignorance de qui fut son père, entend les cris souffrants de sa sainte Mère l'Eglise? Que la féerie se fasse le truchement de la sainteté pour que celle-ci baigne à son tour dans une ferveur tout ecclésiale laisse à Lancelot la chance du péché, mais à Galaad le poids de la pureté. Le sermon de la fée n'en a pas moins proposé au jeune homme la voie militante qu'illustreront Perlesvaus et Galaad: elle invoque le peuple d'Israël et ceux qui combattaient au service de Dieu, por sa loi essauchier et acroistre (*ibid.* S. 116; M. 255),

expression typique du *Haut Livre du Graal* ! Elle évoque Judas et Simon Maccabée et Jean de Hyrcanie, fils du second, parangons des hommes de guerre[9], et, aussitôt après, Joseph d'Arimathie, « li gentiex chevaliers qui Jhesu Crist despendi de la sainte crois a ses deus mains et coucha dedens le sepulcre » (S. 117; M. 256) et son fils Galaad, le haut roi de Hosselice, soit, de part et d'autre du Christ, la fin historique de l'*Ancien Testament* et les débuts de l'ère chrétienne en Bretagne.

Tel est le contexte propre à l'éloge de la chevalerie, celle des « vrais chevaliers courtois et des vrais preudommes » (*ibid.*), au bien desquels le peuple doit veiller matériellement, et l'Eglise, spirituellement :

> Et autresi com li pueples le maintient *terrienement* et li porcache* che dont il a mestier*, autresi le doit sainte Eglize maintenir *espiritueument,* et porcachier la vie qui ja ne prendra fin (115, l. 34-36).

Les deux notions, remarquons-le, sont ici complémentaires, en accord avec l'harmonieuse confusion de la féerie et de l'Eglise et avec l'unité non encore dissociée des noms du héros.

En ce même tome III, cependant, retentissent les premières discordances, au moment même où, pour la première fois, sont formulés exactement les termes bientôt antagonistes de « terrien » et de « celestiel ». La scène vaut qu'on s'y arrête. La situation d'ensemble est d'ailleurs complexe.

L'aventure de la Douloureuse Garde s'est terminée et le nom de Lancelot du Lac a pour la première fois retenti à la cour d'Arthur (S.III 197; M.VII 428). Deux songes inquiétants ont, d'autre part, épouvanté le roi : il se voyait perdre les cheveux et la barbe (S. 199; M. 434). Puis, dans un épisode condensant différents passages de la *Charrette* de Chrétien, Lancelot, en extase devant la reine, manque de se noyer, après que son guide lui a lancé :

> Deable d'enfer vous font dame regarder (S. 201; M. 438).

Enfin, Galehaut vient de lancer son défi au roi, menaçant d'envahir sa terre et de ravir sa femme s'il refuse de tenir désormais son royaume de lui[10] : une première rencontre a lieu, où le roi, face au redoutable prétendant, aligne, pour sa honte, trop peu de combattants et où Galehaut se jure de gagner à son camp, la fois suivante, le mystérieux chevalier rouge (Lancelot) qui a surpassé les autres. Resserrons encore ces données : Arthur en péril, sous le coup de funestes présages et en butte aux menées d'un géant ; Guenièvre, objet d'un culte qui prélude à la faute ; Lancelot, entre deux camps, vêtu aux couleurs vermeilles de la fée qui le garde en sa prison (la dame de Malehaut). L'orgueil attentatoire du Géant, les sortilèges d'amour de la Fée composent le climat troublé au sein duquel le Fin Amant, mystérieusement tombé en leur pouvoir, s'apprête, avant de disparaître pour longtemps du récit, à rencontrer enfin sa Dame. Loomis associait avec raison la dame de Malehaut à Galehaut, en interprétant son nom comme celui de la femme de Malehaut-Galehaut, *alias* Melwas-Meleagant (*Arthurian Tradition,* 256-257). Mais sitôt qu'est en jeu la souveraineté d'Arthur, roi et mari, la menace extérieure rencontre un écho intérieur : le roi est pris en faute, à l'heure où le monde, proche et lointain, se ligue contre lui. Il se découvre coupable, sur le point d'être victime. Malgré qu'il en ait, ses actes entrent bizarrement en sympathie avec les agissements qui lui sont hostiles. Il paraît être ainsi la plaque sensible des maléfices à l'œuvre dans son univers ou le révélateur d'un défaut primordial dont celui-ci est atteint.

Bref, un émule de frère Adragain, un « prud'homme plein de grand savoir » (S.III 215), se dresse maintenant pour humilier publiquement le roi et l'inviter à pénitence, tout en lui donnant une leçon de politique : Arthur a failli à sa mission, faute d'avoir fait droit au pauvre et pour avoir oublié Largesse. Il est donc, entre les pécheurs, le plus vil de tous, puisqu'il tenait de Dieu « la terriene seignorie » (216). La distinction entre les deux ordres se précise donc, au moment où va être consommé leur divorce, comme si la terre devenait dès lors le lieu où tout honneur se perd. Mais écoutons ces prophéties d'une « mort Artu » :

> Car toute honor terriene avés ja approchie de perdre (215; M. VIII 13).

> Et par che vendras tu a destruement, car Diex destruira les pecheors et dont destruira il toi (216).

Sans doute n'est-ce qu'un avertissement et s'il suit cet enseignement, le roi peut remédier au mal. Mais le saint homme dénonce deux autres péchés, l'un, plus ancien, l'autre, originel et, de ce fait, sans appel. Le premier touche au sort de Lancelot, envers qui, étrange retournement, le roi est gravement coupable :

> Es tu confés du grant pechié que tu as del roi Ban de Benoïc qui mors fu en ton service et de sa feme qui a esté deseritée puis la mort de son signor (217; M. VIII 16) ?

Charger le roi est-ce disculper le héros à l'avenir ? Mais le problème n'est pas moral, il est métaphysique : une culpabilité ineffaçable est projetée sur la personne royale, pour qu'elle l'incarne absolument, sans qu'on ait plus à s'apitoyer ou à s'indigner, c.à.d. à incriminer l'individu, là où le destin est en cause. Claudas fut le fauteur de guerre, mais Arthur, le seigneur fautif. Il assume ainsi, au-delà de la vengeance et du châtiment, la permanence indélébile d'un péché qui entache, plus mystérieusement, la petite enfance du héros. Cela ne suffit pas. Il semble qu'il faille porter le fer plus avant, à même la plaie de la naissance :

> Car je sai assez miex qui tu es que tu ne ses meïsmes. Et neporquant tu ses bien que tu ne fus engendrés ne nés par assamblement de loial mariage, mais en si grant pechié com est avoltires* (S.III 216).

Cette remarque, lancée, en passant, par le maître au roi, contient en puissance l'ultime catastrophe. Conformément à notre hypothèse, il faut en effet que le péché parental du côté d'Arthur corresponde à quelque trouble équivalent dans le lignage de Lancelot. Rien au tome III ne semble ternir l'image du roi Ban. Pourtant le mystérieux Hestor[11] tient une large place dans la quête du héros parti en Sorelois ; il est, en revanche, absent de la quasi-totalité du tome IV, où Lancelot apprend pourtant en Gorre, dans l'épisode du Cimetière, qu'il doit son échec au péché de son père (M.II 37). D'où ce cri bouleversant, qui manque, entre autres faiblesses, dans la version courte :

Ha, pere bials, por quoi pechas (M.II 42)?

Tout s'éclaire au tome V, quand peu après la conception de Galaad, Lancelot parvient au château des Marais où le roi Ban avait jadis, à l'occasion des fêtes du couronnement du jeune Arthur, engendré Hestor (S.V 117; M.IV 223). Si la luxure de l'amant de Guenièvre tue en « Lancelot » le nom de « Galaad », l'affaire remonte plus haut, à son propre père et même au père de son père, puisque Lancelot I mourut, en ses chastes inclinations, de la main d'un jaloux (S.V 246; M.V 125). Elle retentit, d'autre part, sur son propre fils, et nous avons noté que le secret d'Hestor se révèle dans les parages du château où fut engendré Galaad.

Dans l'aventure de l'écu fendu, la vérité du héros s'est donc scindée entre le péché de son père et la venue de l'enfant sauveur. Mais justement si paraît Galaad, Mordred incarne, au même moment, sa vivante antithèse. Ce dernier, simplement mentionné au t.III (315-316), mais dans un contexte étrangement calqué sur l'aventure du Graal et du Chevalier Malade (ici Agravain !), occupe au t.V une place toujours plus en vue, au point même de sembler, un temps, le proche compagnon d'armes du héros dans l'histoire capitale d'Helyas le Noir, le gardien de la Fontaine (S.V 265-285; M.V 169-224). Or cet ensemble est encadré par la nouvelle rapportée à Lancelot de la naissance de son fils Galaad, l'élu du Graal (S.V 251; M.V 139) et par la prédiction de la mort d'Arthur, de la main de Mordred, c.à.d. celui qui était son fils par la femme du roi Loth d'Orcanie (S.V 284-285; M.V 223-224)! Ajoutons que Lancelot restera seul à savoir ce dernier point, grâce au « bref » du saint vieillard frappé à mort par Mordred. La mention d'un « bref » semble bien faite pour remettre en mémoire celui de Petrus, dans le *Roman de l'Estoire dou Graal* (v. 3108 ss.). On se souvient que Petrus partait avec le message vers l'Occident, en terre « sauvage », précisément « es vaus d'Avaron » (v. 3221). Mais Avalon est le pays de la fée de *Lanval,* « la riche île » de la merveilleuse amie du Noir Chevalier de la Tombe, dans la *Seconde Continuation* (Roach IV, v. 25128-25149), l'île de Morgain la fée, « où les dames conversent » (*Mort Artu* § 50) et où sa nef transporte, pour le dernier voyage, le roi Arthur (*ibid.* § 193). De celui-ci, elle est, en effet, par sa mère, la sœur (M.I 300); on la distingue mal, en outre, de la femme du roi Loth d'Orcanie, père de Gauvain: une de ses sœurs? elle-même? Le flou est, en l'occasion, significatif (cf. S.II 128, l.25): il convient aux eaux troubles de l'inceste fraternel. A cet égard, la blancheur de Galaad est en raison inverse de la noirceur morale de Mordred, mais aussi bien prend un relief nouveau le songe qui terrifia le roi, la nuit même où fut conçu Mordred, et qu'il voulut représenter en l'église Saint-Etienne de Camaalot, pour en garder mémoire:

> Li fu avis en songe que de lui issoit* uns serpens qui li argoit* toute sa terre et li ochioit touz sez hommes, et quant il avoit son pule* ocis et sa terre gastee, si li coroit sus, mais il se desfendi si qu'il ocioit le serpent, et neporquant il estoit si fort envenimés del serpent qu'il li en convenroit morir (S.V 284; M.V 221).

Le péché sexuel se visualise dans le corps monstrueux du serpent et rejaillit en malédiction sur le royaume qui devient *terre gaste*. L'auteur de *Perlesvaus,* rappelons-le, a pareillement lié au drame d'un fils d'Arthur, Lohot, l'irruption dévastatrice d'un Chevalier au Dragon Ardent (Nitze I 237).

Ce rêve n'est pas sans antécédents : s'il annonce maintenant l'imminence du désastre final, d'autres l'ont préparé.Ceux de Galehaut, d'abord, en remontant dans le récit (M.I 7, 45, 54-57) : la mort du géant est figurée à travers tout un bestiaire, conforme aux prophéties de Merlin. Le merveilleux Dragon dont le vol fait trembler le Royaume Aventureux, c.à.d. Logres, est Galehaut ; le léopard qui l'arrête et qu'il aime est Lancelot ; mais deux bêtes fabuleuses surgissent encore, chacune d'une chambre :

> Si venoit hors de la chambre la roïne un serpent, le greignor don je onques euisse oï parler... et espandoit feu et flambe (M.I 7).

Ce serpent « au chief d'or », qui ôte au Dragon la moitié de sa vie en attirant à soi le léopard, sur tous autres « gracieux et désiré », est justement la reine Guenièvre, fatale à Galehaut. Par le serpent, le destin de Lancelot et celui d'Arthur viennent à se recouper en une même luxure, et ce, mortellement, s'il est vrai d'autre part que la vision de Gauvain, plus tard, à Corbenic (M.II 380, 388) les montre eux-mêmes cruellement aux prises sous l'aspect du léopard et du serpent ! Mais d'une autre chambre, celle « al roi mehengnié de la Gaste Forest Aventureuse en la fin del roialme de Lisces, vendra la merveilleuse beste » (M.I, 54). Suit la description fabuleuse de l'Elu — un lion, une vierge, de l'acier — que l'auteur de *Perlesvaus,* pour sa part, condense de manière saisissante (Nitze I, l. 910-912)[12].

En bref, le songe de Galehaut, commenté par Me Hélie d'après Merlin, résume toutes les oppositions du livre : l'une en miroir, rivale et amoureuse tout ensemble, entre Galehaut et Lancelot — celle de l'*alter ego* ; l'autre, jalouse et complice, entre Galehaut et Guenièvre, pour la possession de l'objet du désir — ce gracieux léopard ; puis, selon un axe différent, où l'Autre est en jeu, non plus le même, entre la chambre de la reine et celle du Roi *Mehaigné,* c.à.d. entre la Reine et le Graal, le Serpent et le Lion ; et, pour finir, entre le père et le fils, qu'il s'agisse du « léopard orgueilleux » et du « lion redouté », le premier « faible par les reins », le second, au nombril et aux reins de « pucele virge enterrine », ou d'Arthur face au venimeux serpent et du Serpent Roi face au léopard ! Or justement, le premier rêve d'Arthur, dont est parti notre commentaire et pour lequel le roi, comme plus tard Galehaut, a convoqué les plus savants de ses clercs (S.III 199-200 ; M.VII 434-437), donne l'occasion au saint homme qui a censuré le roi avec une telle sévérité d'élucider le symbole du lion apporté en réponse. Les premiers interprètes laissaient espérer au roi, pour restaurer son « honor terriene », le secours du « lion evage », du « mire sans medecine » par « le conseil de la fleur ». Ce lion dans l'eau paraît bien déconcertant de prime abord ! L'esprit des exégètes, explique simplement le bon maître, était peut-être trop enfoncé dans la matière. Leurs yeux, voilés de péchés, n'ont pu distinguer le lion qui représente Dieu de l'eau qui désigne le siècle. Au lieu de voir Dieu « la sus el chiel », ils ont vu le lion « en l'iaue » (S.III 221). Les domaines respectifs se présentent maintenant comme inconciliables : celui qui vit « loial, chaste, charitable, pitoyable et religieux » selon les commandements de Dieu,

> n'est mie *terriens mais celestiens,* car se *li cors* est *el siecle, li cuers* est *el chiel* par boine pensee. Mais la terre n'est mie tele, ains est fausse* et enterremens a homme qui vit encontre raison,

c.à.d. dans le péché: orgueil, cruauté, félonie, avarice, convoitise et luxure (S.III 221). Leur clergie n'était que terrienne, ils eurent la vue, non la connaissance du lion qui est «celestiens chose» (M. VIII 24).

Il nous faut insister, car pour remonter à la théorie de F. Lot, lui-même, hélas, allergique à ces allégories jugées abstruses (Lot 97), nous devons prendre à contre-courant l'opinion générale des critiques, y compris — c'est à notre corps défendant — celle de J. Frappier, notre maître (cf. sa thèse, 67). Le symbole du «lion dans l'eau» ne manque pas de pertinence: si le «lyons est Jhesus qui de la Vierge nasqui», Galaad est la figure du Christ, tel «le lion engendré en la bele fille le roy de la Terre Foraine» (S.V 106; M.IV 202), mais Lancelot qui s'appelait du même nom en baptême est peut-être cet irrecevable «lion evage», puisqu'il se laissera surprendre au Pont sous Eve en Gorre (M.II 69) et qu'il fut nourri, de l'enfance à l'âge d'homme, sous le voile d'un lac, par Niniane, la fée des eaux. Ce mélange contre nature est du même ordre que le sermon impeccable prononcé par une enchanteresse avec laquelle Guenièvre aura partie liée: l'écu fendu (S.III), le départ en Gorre (S.IV), la messagère en Gaule (S.V), ou encore ces échanges d'anneaux entre Lancelot, la Dame du Lac, Morgain et Guenièvre au long de l'histoire! L'anneau d'or magique, en premier, qui découvre les enchantements, fut remis par la Dame du Lac à son protégé, la veille de son adoubement (S.III 123; M.VII 270); la reine pourtant le porte par la suite (S.V 66-67; M.IV 125) avant de le rendre à son amant (S.V 194; M.V 4). Le ms. Rawlinson, f° 61c, précise même que la fée le remit à Guenièvre quand le jeune homme fut chevalier nouveau. Entre-temps (S.IV), a circulé un autre anneau, peut-être le même, par une ruse de Morgain. L'affaire est peu claire et les deux versions, longue et courte, ne concordent pas (cp. S.IV 124, l. 15 ss.; M.I 316 § 7 et 348 § 1-2). Il s'agit aussi d'un petit anneau (mais avec une émeraude), capable de défaire les charmes. Morgain le soustrait à son prisonnier endormi, l'échange contre un semblable, inopérant, afin d'en faire injure publique à la reine (M.I 352) — d'où la froideur cruelle de celle-ci en Gorre, face à son amant, quand elle le somme de distinguer le vrai du faux (M.II 74). En d'autres termes, par un jeu d'anneaux, Guenièvre se partage entre la bonté secourable de Niniane et la perfidie débauchée de Morgain, comme son amant entre Galaad le pur et Lancelot l'impur. La reine est à la fois Guenièvre et la Fausse Guenièvre venue de Carmelide, c.à.d. du pays de Guiamor, l'amant de Morgain (M.I 301), ou encore, selon un passage admirable (M.V 3), la source de toute prouesse, l'aiguillon à se dépasser, et la raison finale de toute honte, la traverse en chemin pour une chute plus dure. Qu'elle et lui participent également de deux ordres entre lesquels ils s'avèrent irrémédiablement scindés, et d'autant plus que s'étreignent leurs corps, inscrit au plus vif de leur chair l'angoisse proprement humaine d'une déchirure irréductible. Il est d'ailleurs remarquable que la peinture du serpent dans l'église Saint-Etienne prophétise la catastrophe que déclenchera, dans la *Mort Artu,* la vue des fresques amoureuses autrefois composées par Lancelot dans la prison de Morgain (S.V 218, notamment l. 28-30; M.V 53-54). «Terrien» ne se dit plus d'un degré dans la voie du salut, mais d'un regret, du fond de la perdition.

Lorsque, en effet, Bohort apprend d'un ermite qui servit son père ce qu'un «moult viel homme qui estoit clers et philosophes moult sages et savoit moult dez choses qui estoient a avenir» (autrement dit, Merlin! S.V 143; M.IV 274) avait prédit au roi Ban dans la forêt où Lancelot allait être baptisé, la promesse prend après coup un goût amer:

> De ceste petite creature, venra encore si grans biens que de sa proece et de sa valor sera toute terriene chevalerie essauchie et enluminee.

Que vaut une lumière qui pâlit auprès de celle du Graal ? Et comment entendre autrement que d'un effort vain l'annonce par Guenièvre de la quête du saint Graal ?

> Car vos avez *perdu* a mener a chief ce dont toute *terriene* chevalerie se travelle (S.V 193 ; *variante Rawlinson,* 61 b : *sera* travaillie, M.V 2).

> Quant vous en aves perdu a achiever les *hautes* aventures du saint Graal, *por* quoi la Table Roonde fu establie (*ibid.* ; en italique d'après Rawlinson).

Vers la fin du tome IV, dans une partie qu'il faut rattacher au volume suivant, Gauvain admis à Corbenic mais laissé au seuil de la chambre où s'accomplit la liturgie du Graal reçoit, à bout de souffrances, la grâce, bientôt suivie d'humiliation, d'entrevoir ce tout autre dont se décomplète notre monde, mais pour lui faire écran : Gauvain

> ne cuide pas que ce soient *terrienes* choses *mes celestiels* et sans faille si estoient eles. Et il oevre les iex, mais il ne voit rien entor lui et lors set il bien que ce ne sont mie choses terrienes qu'il a oïes, puisqu'il ne les puet veoir (M.II 384).

> Et lors commencent totes les vois a chanter ensemble si dolcement que cuers mortels ne le porroit penser ne langue terriene dire, et totes disoient a une vois : Beneois soit li pieres des ciels (*ibid.*).

On doit entendre ces lignes en écho aux vers fameux du *Chevalier au lion,* où le chant des oiseaux préludait à « la joie merveilleuse » auprès de la Dame de la Fontaine. Mais sitôt que la blancheur corporelle de la Fée Amante le cède au rayonnement du Père qui est aux cieux et que le corps secret s'ouvre au nom sacré, la chevalerie n'est plus que terrienne. La dialectique n'est plus permise quand est requise la conversion. Le *Livre de Lancelot* forme un tout indissociable, conçu et rédigé par un même auteur dans un même esprit, selon le rythme que lui imprime la scansion du salut. De même que le serpent du cauchemar arthurien répond sur la fin au lion de la promesse sainte du début, toute une rhétorique de la « fleur » met en parallèle les extrêmes du récit.

Car le saint homme, toujours, qui éclaire Arthur sur ses songes, lui explique quelle est la fleur dont il doit espérer le conseil :

> Chele flors est flors deseure toutes les autres flors ; de chele flor nasqui li fruis par qui toute gent sont soustenu (S.III 222 ; M. VIII 27).

Ce fruit s'illustre de la multiplication des pains, de la manne au désert, de la Grâce dont vécut Joseph d'Arimathie,

> quant il s'en venoit de la terre de promission, en cest estraigne pais (*ibid.*),

donc aux trois temps, du Père : l'*Ancien Testament,* du Fils : le *Nouveau Testament,* et du Saint Esprit : l'« Evangile Eternel » ou l'Evangile du Graal, l'ensemble se rejouant dans la célébration quotidienne du sacrifice de la messe. Ce fruit est Jésus-Christ ; la fleur,

> ch'est sa douce meire, la glorieuse virgene, dont il nasqui contre acostumance de nature, chele dame est a droit apelee *flors,* car nule feme ne porta onques enfant devant lui ne apres que par carnel assamblement ne fust anchois *desfloree* (*ibid.*).

Anaphore, *annominatio,* jeu de mots développent, selon la rhétorique des clercs, cet hymne à la fleur des fleurs, à la fleur vraiment fleur, qui l'est restée là où toutes les autres se perdent, c.à.d. « au concevoir et à l'enfanter ». La même ferveur stylistique reparaît au tome V, à la conception de Galaad, avec d'autant plus de virtuosité que le cas est épineux : pour recevoir « le fruit »

> dont tout li païs devoit revenir en sa premiere biauté qui par le dolerous cop de l'espee avoit esté dessertés et escilliés, si comme li contes a devisé en l'ystoire del saint Graal (S.V 110 ; M.IV 210 ; *variante Rawlinson* : si com il devise apertement en la Queste del Graal),

la virginité de la porteuse du Graal, fille du Roi Pêcheur, fut corrompue. Relevons, au passage, la technique chère à l'auteur, déchirant soudain le voile d'un passé mythique pour quelque fulgurante notation qui cependant s'autorise de la tradition textuelle : au t.III, le départ de Joseph en Occident, conforme à Robert de Boron ; ici l'événement du Coup Douloureux, repris de la *Première Continuation* (Roach I 367, v. 13504 ss.), où on distingue deux coups, l'un par la Lance (de Longin), rédempteur grâce au Sang, l'autre par l'Epée, destructeur du royaume de Logres. Ce sont les fragments d'un puzzle dont l'auteur, à dessein, parsème, en des endroits précis, son propre texte. Chrétien n'avait pas procédé autrement dans le discours de la Veuve Dame. Nulle interpolation donc, c'est l'auteur qui extrapole par ces brusques aperçus d'un temps antérieur, dont le récit ravive, à tel moment privilégié de son cours, l'éclat oublié. Ces blocs épars au gré de la narration donnent au texte la dimension propre de l'Inconscient.

Mais qu'advient-il de « la fleur » ?

> Pour la flor de virginité qui illuec fu corrompue, fu restoree une autre fleur, dont grans biens vint al païs, car de la douchour qui de la flour issi, fu toute la terre raemplie, ensi comme l'estoire del saint Graal le nous a devisé et fait entendant (*Rawlinson* : le nous fait entendant), que de ceste fleur perdue fu restorés Galaad li virgenes, li bons chevaliers, cil qui lez aventures del saint Graal mist a fin et s'assist el siege perilleus de la Table Roonde ou onques chevaliers ne s'assist qu'il n'i fust mors ou mahaigniés (S.V 111 ; M.IV 210-211).

Suit la phrase déjà citée sur le nom de Galaad perdu en Lancelot. En conclusion :

> Et ensi fu recovree *fleur pour fleur,* quar en sa nascence fu *fleurs de puselage* estainte et cils qui puis fu *flors et mireors* de toute chevalerie fu restorés par le commun assamblement (*ibid.*).

A la faveur d'un glissement au sens moral, mais sans rien perdre de l'intégrité corporelle, Galaad le fruit, tel le Christ, est encore la fleur, pareil à la Vierge, de par sa pureté, mais aussi à la Table Ronde qui est elle-même

> flor de toute la terriene chevalerie (S.III 30; M.VII 62),

ou à Lancelot,

> flors de la terriene chevalerie (M.II 107),

dont il doit être l'accomplissement de par sa naissance, sa prouesse et sa bonté. Le double sens de fleur conjoint ainsi à la splendeur morale de l'homme d'armes la transparence physique de la jeune fille vierge et auréole de féminité l'idéal du vainqueur. A ce titre, l'histoire de Galaad, redoublant celle du Christ, survient au troisième temps où paraît la Colombe, symbole le plus pur de l'objet du désir. Aussi bien l'auteur l'introduit-il dans la vision de Corbenic permise à Gauvain, en prélude au « riche vaissel » fait « en semblance de calice » que porte la très belle fille du Roi Pêcheur:

> Endementiers qu'*il parloient issi, se regarde* mesire Gauvain et voit par mi une verriere *un blanc colon* qui aportoit en sa boche un encenser d'or trop riche (M.II 376; S.IV 343).

Mais le malin génie qui préside à l'entreprise romanesque, tel le miroir magique au palais de Clinschor dans *Parzival,* se plaît à doubler de reflets enchantés les figures immaculées de l'histoire sainte. Ainsi de Marie, rapprochée non seulement de la fille du Roi Pêcheur, mais de celle du roi Brangorre, riche de toutes les séductions de la Fée Amante. En celle-ci, Bohort engendre malgré lui Helain le Blanc — doublet évident de Galaad, l'un promis à l'empire de Constantinople, l'autre, sans doute, à une royauté célestielle, « vers les parties de Jérusalem » où le conduit plus tard la *Queste del saint Graal* (Pauphilet 84,l. 14)[13]. Or, nous dit-on à propos de la demoiselle,

> onques mes ne fu nee si bele riens fors solement la fille al Roi Pescheor (M.II 187).

Mais la version courte donne une variante précieuse:

> fors solement la Virge Marie (S.IV 265, l. 10),

et, plus loin, dans la cérémonie du Graal, la porteuse est décrite comme la plus belle femme jamais vue,

> fors solement la Virge Mere qui porta Jhesu Crist dedens son ventre (M.II 377).

En outre, à l'occasion de cette conception d'Helain le Blanc, il est encore question des « flors de virginité... espandues entr'els » (*ibid.* 197), et l'auteur débat gravement, c.à.d. théologiquement, du problème du « fruit »: la vigne ne doit à l'ouvrier que la façon; il en va de même quand les amants s'assemblent: ils y mettent la façon, Dieu seul le fruit, lequel forme le « soreplus » (*ibid.* 198). Ce vocable qui désignait dans la tradition le mystère d'amour, au seuil duquel en restent l'auteur et le public, renvoie désormais, au-delà des amants, au mystère de la vie. Le diable pourtant s'en réjouit (*ibid.*) : sans doute la façon est-elle sienne et on se rappelle d'autant plus volontiers Merlin que la Dame du Lac, objet de ses amours, nous disait-on au tout début du t.III, est évoquée aussitôt après ! Dieu et Diable, Vierge et Fée Amante, Niniane et Merlin, tout est rassemblé en un seul instant, celui où Bohort, du côté de chez Brangorre, préfigure Lancelot près de Corbenic !

Mais l'auteur ne se contente jamais d'un seul jeu d'opposition : si la Vierge est la fleur des fleurs, que dire de la reine Guenièvre ? elle est la Rose ! La mystique amoureuse bouleverse le tome V (222-223), comme la mystique religieuse le tome III (222-223), ce qui prouve à quel point l'auteur, du début à la fin, ne renonce ni à l'une ni à l'autre ! D'un côté un saint homme, morigénant Arthur en pleine cour, de l'autre un amant prisonnier de Morgain parmi un verger de roses. Ou plutôt, tant est belle la conjointure, la sainte élucidation de l'ermite sur le lion et la fleur (S.III) renvoie d'une part à la conception de Galaad à Corbenic, de l'autre à la merveille de la Rose au Jardin Enchanté (S.V). Cette dernière scène combine l'épisode de La *Charrette,* où l'amant rompt les barreaux de fer pour rejoindre sa Dame (cp. S.V 223 l. 33 ; M.V 62), la semblance amoureuse des gouttes de sang, dans le *Conte du Graal* (cp. *ibid.* 222, l. 26-28), la Salle aux Images du *Tristan* et, à notre avis, la découverte éblouie de la Rose dans le roman de Guillaume de Lorris qui l'aurait suggéré : le « miroir périlleux » de Narcisse s'est changé en la forêt périlleuse de Morgain. « L'entrée de mai », la masse florale d'où se détache « *la* rose » (la voici reconnue à peine introduite), son épanouissement et sa valeur symbolique (la baisant, l'amant croit le faire de sa Dame) présupposent, semble-t-il, la première partie du *Roman de la Rose.* Qu'on en juge !

> Quant li solaus qui tot aguiete
> Ses rais en la fontaine giete... (Lecoy, v. 1541-1542).
>
> El miroër entre mil choses
> Choisi *rosiers chargiez de roses*
> Qui estoient en un destor*
> D'une haie *bien clos* entor
> Et lors m'en prist *si grant envie*
> Que ne lessasse por Pavie
> Ne por Paris que je n'alasse...
> Quant *cele rage* m'ot si pris
> Dont maint autre ont esté sorpris
> Vers les rosiers tantost *me trés** (v. 1613-1623).
>
> Ele fu, Diex la beneïe !
> *Asez plus bele espanie**
> Qu'el n'iere* avant et *plus vermeille*
> Dont m'esbahis de la mervoille (v. 3353-3356).

Tous les mots ici soulignés ont leur correspondant dans le *Livre de Lancelot* :

> Et li arbre estoient foilli et *carchiet* de flors* et la rose espanissoit chascun jour devant la fenestre

(il s'agit là aussi d'un regard surpris).

> Sa face que ele avoit clere et vermelle.
>
> Et ce fut la cose qui le dut avoir mis *hors du sens.*
>
> *Li solaus* fu espandus parmi le jarding.
>
> *Une rose novelement espanie* qui estoit bien cent tans plus bele que toutes les autres.
>
> Lors li souvint...

(suit l'impulsion de saisir la fleur et se porter au-devant d'elle).

Enfin, l'auteur présente en deux fois la scène comme chez Guillaume de Lorris[14]. Si cette relation entre leurs œuvres se confirmait dans le sens indiqué, l'amour de Lancelot se détacherait sur le fond somptueusement onirique d'un Art d'aimer dont les commandements, rassemblés dans la Somme courtoise de la Rose, feraient ainsi pendant à ceux de Notre Seigneur, magnifiés à Corbenic.

L'anonyme du *Lancelot* est un maître de l'écriture, qui fait jaillir le sens de la rencontre renouvelée de tous les champs culturels et du jeu réciproque de leurs textes. Sa chronique fond dans le cours inlassable de sa prose, geste et roman, sermon et conte, doctrine et errance, noms et symboles, Révélations et scénarios, angoisses et chevauchées, âmes et monstres, désastres et extases. La couleur en est, selon, féerique ou biblique, psychologique ou mythique, courtoise ou féodale, raffinée ou sévère. Mais l'ensemble nous rive à ce qui frappe sourdement aux portes du langage et se nomme destin. Y contribuent certainement, à l'intérieur du récit, les intrusions d'un passé oublié dans l'histoire présente, en proie à quelque imminence mortelle, mais aussi les renvois précis, à travers le texte, d'une scène à l'autre: la Rose non loin du Graal, au t.V, figurait, dès le t.III, dans le contexte plutôt anodin d'un message confié par Galehaut à Lyonel pour Guenièvre:

> Si demanderas madame de Malohaut et si li diras que ele te fache parler *a la flor de toutes les dames qui sont...* car tu iras *devant la rose de toutes les dames du monde* (S.III 357; M. VIII 323-324).

L'entremise de la Dame de Malehaut est-elle là par hasard? Lancelot fut retenu en sa prison comme il doit l'être deux fois encore en celle de Morgain, au Val des Faux Amants et au Jardin de la Rose. Cette dernière fait d'elle-même le rapprochement au t. IV:

> Il covient a dire ki vos amés par amors, si avrai trait* de vos ce ke la dame de Maloaut n'em pot traire, (M.I 315).

En outre, la mention de la rose intervient ici au moment où sur la route de Gauvain parti en quête se pressent les ermitages: «l'ermitage du Carrefour», «l'Ermitage Caché» et «l'ermitage de la Croix» où fut dressée la première croix connue en Grande Bretagne (S.III 358), dont l'histoire est peut-être celle de la Croix Noire de Joseph d'Arimathie (M.II 320 ss.). Ainsi la Rose voisine-t-elle encore avec la Croix et l'emmêlement des aventures à la fin du t. III ne présente à la lumière lointaine de la suite rien d'inextricable ni de gratuit : Hestor et le seigneur des Marais ; le château de Leverzep, Gauvain et la fille cadette du roi de Norgales ; Agravain le chevalier malade, la fille aînée de celui-ci et le duc de « Cambeninc », toutes les énigmes accumulées dans ces parages de la Rose et de la Croix prendront dans la dernière phase du récit une nouvelle tournure : le péché du roi Ban ; la demoiselle de Leverzep (S.V 70, l. 38 ; M.IV 133) juste avant l'empoisonnement de Lancelot à la Fontaine ; la fille du Roi Pêcheur et le château de « Corbenic ».

Marie est donc la fleur des fleurs, puisque Vierge, et Guenièvre, la fleur des dames, puisque Rose. Le symbole s'est partagé entre une blancheur immaculée et la vermeille couleur de la jouissance. Galaad est célébré par l'auteur, dans l'épisode de Corbenic, comme « flors et mireors de toute chevalerie », et Lancelot, par la Dame du Lac devant la reine, dans l'épisode de la folie, comme « le seignor et la flor de tot cest monde » (S.III 418, l. 36). Objet d'amour, son image aussi se féminise étrangement, mais ce qui prend avec Galaad un sens plus pur : « nombril de virge enterrine » et « parole de dame pensive », se charge, avec Lancelot, d'un trouble plus sensuel. Du moins les comparaisons sont-elles ambiguës et le propos d'en plaisanter serait une manière d'aveu. Il s'agit, en un mot, de la véritable passion amoureuse que Galehaut voue à Lancelot, d'autant plus amoureuse justement qu'elle exclut toute voie sexuelle mais vise l'âme et vibre comme au-devant d'une force invincible qui émane de l'être tout entier de l'aimé.

Car Lancelot, comme Lanzelet, grandi parmi les fées et les étendues marines ou lacustres, paraît aux yeux des hommes marqué d'un signe d'exception : « Cœur sans frein », selon le mot de Galehaut ! Sa première description manifeste aussitôt cette puissance d'excès :

> Mais quant il fu iriés, *a chertes* che sambloit carbon espris* et estoit avis que parmi le pomel*, des iex li sailloient goutes de sanc toutes vermeilles et fronchoit del neis en sa grant ire autresi com uns chevaus et estregnoit* les dens ensemble, si que il croissoient* moult durement, et iert avis que *l'alaine qui de sa bouche issoit* fust toute vermelle, et lors parloit si fierement que *che sambloit estre une buisine**, et quanqu'il tenoit as dens et as mains tout depechoit* (S.III 34 ; M.VII 72).

Ce héros est capable de fureur, au sens mythique où l'entend G. Dumézil dans *Horace et les Curiaces* (Gallimard, NRF, 1942), de la frénésie transfigurante qui saisit Cûchulainn au combat dans la *Tâin bô Cualngé (la Razzia des bœufs de Cualngé)* ou dans le *Festin de Bricriu.* En son visage se mêlent les trois couleurs, « vermeil, blanchor, brunor », dont chatoient les cheveux du guerrier celte (cf. *Revue Celtique,* t. XXX, 1909, p. 156-157). Pareillement, sa beauté provoque, irrésistible, l'envie des fées. *Furor* et *Eros* ont partie liée. Déjà la Dame du Lac ne pouvait se retenir d'étreindre et baiser sans compter l'enfant qu'elle ravissait à sa mère :

> et ele n'avoit mie tort, car che estoit li plus biaus enfes de tout le monde (S.III 14 ; M.VII 27).

On se souvient de son émoi et de ses larmes, plus tard, quand le bel adolescent, vainqueur du cerf, revient de la chasse en homme que son destin appelle déjà ailleurs (S.III 111-112). Puis c'est au tour de la Dame de Malehaut d'éprouver le brusque désir de voler un baiser au bel endormi, revenu en sa geôle, le corps marqué de terribles combats (*ibid.* 225) ! Voici encore l'amie d'un chevalier au pavillon, qui devient soudain pensive au cours du repas :

> Cele qui Lancelot esgarde ne se puet saoler* de lui veoir ; kar tant li samble bials qu'ele ne prisa onques mes bialté d'ome envers cesti* : si l'esgarde si viselment* que tot en laisse le mengier n'a autre chose n'entent fors a lui remirer... Et en cel pensé li descent el cuer une si grant amor qu'ele aime Lancelot outre ce que feme n'ama mes home (M.II, 225).

Elle reparaît plus loin, ravalée par la jalousie de son mari au rang de chambrière (S.V 16-17 ; M.IV 26-28). Une même fascination se reproduit peu après, suivie cette fois de malheur pour le héros : près d'une fontaine, deux demoiselles, pour un déjeuner sur l'herbe ; une coupe d'or, Lancelot assoiffé par la chaleur... Mais deux couleuvres hideuses surgissent de la source empoisonnée. Il se meurt par le venin comme l'instant d'avant la pucelle défaillait d'amour :

> Et il ot eu chaut. Si fu *vermaus a demesure.*
> Et fu de toutes biautés si plains que nus n'en puet estre mieuls garnis. Et pour la grant biauté qui en lui estoit, le commencha a regarder l'une dez damoiseles... Et ele regarde Lancelot ades* tant comme elle manga et *vit sa bouche vermeille comme une cerise* ; si en a tele envie que elle ne set qu'ele en puist faire... Elle regarde ses iex qui li resamblent deus cleres esmeraudes et voit son front bel et sa cheveleure crespe* et sore* dont li chevel li samblent d'or (S.V 71 ; M.IV 134).

La même dominance du rouge convient à la fureur et à l'amour. Se rappeler aussi que chez Wauchier, la colère de Perceval, « plus vermoil d'un charbon » (Roach IV, v. 24443), n'était pas sans effet sur une demoiselle du château des Pucelles. Le héros irradie la toute-puissance, objet infiniment cher aux fées désireuses de le posséder. Autour de Lancelot qui dort à l'ombre d'un pommier, dans la douceur du vent, se forme le cercle des Trois Fées, celles qui sans doute président aux destinées, à la naissance, « les trois dames » qui sont aussi « les trois vieilles » : l'énigmatique reine de Sorestan, Morgain la fée et Sibylle l'enchanteresse, telles les trois parentes retrouvées par Gauvain au Palais des Merveilles dans le *Conte du Graal.*

> La royne dist a ses compaignes que : vous onques mais ne veistes nulle si bele cose... Moult se devroit priser la dame qui de tel homme avroit la seingnorie* et pleust ore a Dieu qu'il m'aimast ore... (S.V 91 ; M.IV, 174).

Elles cherchent, à l'envi, sa faveur, et s'il les méprise pour « sa dame la reine qui est fontaine de toute beauté », elles ne l'en ont pas moins précisément enfermé au château de la Charrette !

Ces descriptions, comme ces scènes, trahissent en Lancelot une ascendance mythique, tandis que sa descendance se reconnaît en Galaad toute biblique. Le secret de son nom nous reporte également en amont ou en aval : Cûchulainn ou Jésus, l'un et l'autre capables de Transfiguration. Les traits du héros celtique restent sensibles dans sa fulgurance vermeille ; il est non moins étrange qu'à la veille d'engendrer un fils, il soit en proie à des amours mélusiniennes et que parvenu, plus tard, à la tombe de son aïeul, s'offre à lui l'épreuve de la Fontaine en ébullition : autrefois, en effet, après le meurtre du roi Lancelot,

> l'eve de la fontainne qui devant estoit froide, commança a boulir a granz ondes (M.V 126 ; cp. S.V 246, l. 34),

mais comme « le feu de luxure » brûle encore en son petit-fils, la chaleur de la fontaine ne s'éteint pas, même après qu'il a su l'endurer pour en sortir la vénérable tête vermeille (S.V 245 et 248 ; M.V 120 et 130). Ces deux épisodes évoquent conjointement les métamorphoses des fées d'Irlande (cp. la *Conception de Cûchulainn*) et les cuves d'eau Cûchulainn (dans la *Tâin bô Cualngé*). L'ombre du mythe s'étend ainsi sur Lancelot, comme la clarté de la Révélation émane de Galaad. Ce roman, redisons-le, est, en son fond, l'élucidation d'un nom propre. C'est pourquoi le lapsus de la version courte, qui met en nom de baptême au héros « Galahos », est un trait de génie. L'étroite amitié qui attache à Lancelot le Seigneur des Lointaines Iles apparente sa figure à celle d'un géant : n'est-il pas l'*alter ego* de celui dont il incarne la démesure en ces tournois de trois jours qui font de lui, comme l'autre l'avait rêvé de soi, le vainqueur aux dépens de la Table Ronde (S.III 248 ou S.V 187 ; M.IV 391) ? dont il dédouble le cœur, s'il est vrai qu'ils forment, de l'aveu de Galehaut, « deux cœurs... si pareils que a paines peust l'en l'un deviser de l'autre » (M.I 7) ? dont il prend la couche, puisqu'il s'endort... selon le désir de l'autre, en son lit vraiment royal, digne de celui que Chrétien décrivait au château de la Lance enflammée (S.III 246 - 247) ? dont il porte les armes, au point même de passer pour lui aux yeux des autres (en serait-il soudain grandi ?) :

> Quant tous les gens le roi Artu furent assamblees, lors vint assambler li boins chevaliers armés des armes Galahot ; si quida chascuns qui le veoit que che fust Galahos et disoient tout : Vees Galahot ! Vees Galahot ! (S.III 248 ; M. VIII 83) ?

dont enfin et surtout il doit partager la tombe, celle-là même où il découvrit la vérité de son nom dès l'aventure de la Douloureuse Garde (S.III 152; M.VII 332) et où il ensevelit, sur l'ordre de sa Dame du Lac, le corps de son ami :

> Ele velt... que vos ostés le cors Galehout de çaiens* et le fetes porter en litiere en la Dolerose Garde et iluec* soit mis en la tombe meismes ou vos trovastes vostre non escrit ; et ele le velt ensi, por ce qu'ele set bien que en cel lieu sera vostre cors enterrez (M.II 214 ; cf. *Mort Artu,* § 203) ?

Auparavant d'ailleurs, à l'heure où Galehaut approche de sa mort, Lyonel a cru reconnaître sur une fausse tombe de Lancelot l'écu de ce dernier : d'or à bande d'azur (M.I 375). Or Galehaut venait de se battre pour emporter le véritable écu : d'argent à bande vermeille (*ibid.* 361) c.à.d. celui de la Douloureuse Garde (S.III 147; M.VII 320) ; mais autrefois, à l'Ile perdue, Lancelot avait porté contre Gauvain l'écu de Galehaut : d'or à couronnes d'azur (S.III 402 ; M. VIII 425) !

Ainsi Galehaut et Lancelot se confondent-ils en orgueil comme en amour, en semblance comme en destin. L'amour qui les unit va donc du même au même et comme toute relation narcissique porte le soleil noir de la mélancolie. On sait que Me Helie en fournit la description clinique :

> Et cele maladie si a non li mals d'amors (M.I 40-41).

C'est en quoi l'expression ambiguë que l'auteur a choisie à dessein pour dépeindre la passion de Galehaut prend sa pleine portée : elle confère à Lancelot un statut tout à fait particulier. Le géant salue d'abord en lui, comme plus tard la Dame du Lac devant Guenièvre,

> la flors des chevaliers de tout le monde (S.III 246; M. VIII 79).

En outre, le héros, dès la première bataille, lui était apparu dans les armes vermeilles dont l'avait revêtu la Dame de Malehaut (S.III 215), autrement dit paré des couleurs indissociables de la féerie d'amour et de la puissance meurtrière. Si, la seconde fois, Lancelot se montre en noir, il faut y pressentir la tragédie mortelle de Galehaut. Un aveu de ce dernier permet d'en mesurer la profondeur : « le fils à la belle géante » a renoncé à la possession du monde, à la couronne des couronnes, en un mot à l'empire, parce que la personne du « bon chevalier » lui semblait plus précieuse encore à obtenir. N'est-il pas le joyau même de toute chevalerie, l'homme au monde que l'on désire le plus (a)voir ?

> Plus vous ai je amé que *terriene* honor (S.III 250).

Ce cri terrible résonne pour la mort, puisque ce rejet absolu du monde qu'eût exigé justement une conversion proprement « célestielle » a brûlé du feu impur de toutes les puissances du mythe, de ses orages comme de ses soleils maudits. Lancelot est comme Galaad la fleur et l'objet désiré, mais dans sa version damnée et non pas rédimée, idolâtre et non liturgique.

Le langage de la *Fin'Amors* ressert subtilement en l'occasion : Lancelot n'est-il pas devenu pour son ami ce que la reine est à ses propres yeux, « la riens que il plus aime » ?

> Et Galahos le court prendre entre ses bras, si li baise le bouce et les iex et le conforte moult durement et li dist : Biaus dous amis... (S.III 252).

Ce sont les gestes mêmes qui furent naguère ceux de la fée du lac (cp. S.III 40; M.VII 86) et les mots fatidiques que prononça, sans y prendre garde, la reine Guenièvre (cp. S.III 131, l. 15 et 261, l. 31). Voir encore, de façon plus enjouée, mais non moins parlante, cette montée des enchères à l'endroit du héros parmi les devisants de la Table Ronde. C'est une manière de « gabs », comme plus tard à la Table des douze pairs chez la fille du roi Brangorre : pour l'avoir à moi, dit Gauvain,

> je voldroie orendroit* estre la plus bele damoisele del mont, saine et haitie* par covent que il m'amast sor toute rien toute sa vie et la moie (S.III, 253; M. VIII 94).

Et Guenièvre de rire, en ajoutant qu'elle ne saurait dire mieux ! Le même Gauvain avertit plus loin Arthur :

> Sire vous aves perdu Lancelot, se vous n'en prendés garde, car Galahot l'enmenra au plus tost qu'il porra, car il est plus jalous de lui que nuls chevaliers de jovene dame (S.III 427 ; M. VIII 482).

Ces équivoques comme ces échanges dans les représentations sexuelles désignent en Lancelot un personnage sacré qui excède ce monde, au même titre que Galaad, mais différemment de lui et comme en marge de la conception chrétienne. Sans doute participe-t-il de Dieu par son fils et du diable par sa luxure, mais il puise sa force à d'autres sources et son amour demeure sans tache. Il appartient à un entre-monde, tel le cerf du *roman d'Auberon,* auquel Judas demande s'il est cerf ou *maufés* (démon) et qui répond : « Je suis *faés* » (v. 562-563). Sa rougeur merveilleuse comme son souffle formidable (la « buisine » !) relèvent d'une autre phallophanie que celle, plus aérienne, de la Colombe, mais sa vérité humaine est proprement de vivre le désastre de pareille splendeur — ce que décalque d'ailleurs, « historiquement », la catastrophe arthurienne.

S'il est vrai que Lancelot s'appelle Galaad, il joue et perd son nom, à son insu, en Guenièvre, le premier temps placé sous le signe de Galehaut, le géant venu des Iles lointaines ravager Logres, le second sous celui de Galaad l'élu, annoncé tel le Sauveur qui désenchantera le royaume aventureux. Mais la grandeur de l'œuvre est qu'il l'apprenne, à la tombe de Symeu (S.IV 176-177; M.II 36, 42), c.à.d. qu'il se sache exclu du Graal à l'instant où lui est révélé le nom de Galaad ; puis qu'il en ressente symboliquement l'atteinte en son corps et en sa beauté : tel Tristan dont la chair n'a cessé d'être rongée par le venin — de Morholt, du Dragon, de la lèpre simulée et de la lance mortelle —, il est à son tour défiguré par le poison de la Fontaine aux Serpents, le corps soudain difforme et le visage enflé. Il doit à cette chaleur qui le tue la perte complète de sa superbe chevelure comme des ongles des mains et pieds. Or il fait don à Guenièvre de ses boucles d'or tombées, dans un coffret d'ivoire que la reine accueille à l'égal de reliques (S.V 77, l. 31, 39 ; M.IV 146), puis il assume devant elle sa « mescheance », avec la noblesse d'une prise de conscience qui ne concède pourtant nul regret : eussé-je été, sans vous, ce que je suis ? Failli, hélas ! déplore-t-elle, voyant son avenir fermé. Accompli, plutôt, corrige-t-il, eu égard au passé (S.V 193). En quoi d'ailleurs la magnanimité de Galehaut lui avait montré la voie : le géant « baoit a tot le monde conquerre » (M.I 2), « a conquere la seignorie de tot le monde » (*ibid.* 9), de même que Lancelot semblait devoir ignorer toute limite, au point d'arracher un jour à une demoiselle de Morgain ébahie par tant d'exploits, ce cri :

> En non Dieu, vos ne fustes onques hom — Que sui je donc damoisele ? fet il — Quoi ? fet ele, *vos estes fantosme.* Et il s'en *rist* (M.I 328-329).

Ce rire a la superbe d'un fils des dieux. Il vient d'un cœur qui sans cesse « bee a monter et aler outre » (M.I 12). Pourquoi donc s'étonner qu'Arthur et les siens, à son retour de Gorre, « le reçoivent a si grant joie comme ce fust Diex meismes » (M.II 254) ? Mais le héros sans pareil doit pourtant connaître l'humiliation de renoncer et de passer en second.

La cassure décisive de son orgueil se produit devant la tombe de Symeu : face au cri atroce qui jaillit de la hideuse voûte où est enfermée la tombe en flammes, Lancelot reste interdit, devient pensif puis soupire :

> Ha, Diex, com grant damage (M.II 35) !

en maudissant l'heure de sa naissance. Pourquoi ? l'interroge la voix. Le chevalier pleure, de « deuil et honte » :

> Certes... jel dis por ce que je ai le siecle trop vilement traï et deceu*, kar il me tienent al meillor des buens chevaliers : *or sai je bien que je nel sui mie,* kar il n'est pas buens chevaliers qui poor a (*ibid.* 35).

Or Galehaut, remis en présence du somptueux décor naguère dressé par son orgueil, ce château de l'Orgueilleuse Garde qu'il tient pour son lieu d'élection, comme l'est, semble-t-il, la Douloureuse Garde pour Lancelot, laisse échapper cette parole amère, juste avant que la forteresse ne s'effondre dans un fracas de tonnerre en signe de son destin :

> Nus grans bobans* n'est si tost montés qu'altresi tost ne soit jus chaois* ; kar je baoie a fere trop grant desmesure et trop grant orgueil *dont il est remés* molt grant partie* (M.I 9).

Que lui importe pourtant, puisqu'il a échangé sa honte contre l'amour de Lancelot ? Il lui a sacrifié la royauté rêvée sur 150 rois, soit le nombre même des chevaliers de la Table Ronde, comme Lancelot le fera de celle du Graal pour Guenièvre. Subtil transfert de la toute-puissance souhaitée à la beauté de l'objet d'amour, qui, de la sorte, s'équivalent. Aussi bien Galehaut en meurt-il : non de sa couronne brisée, mais de la perte de l'aimé. Il s'est incorporé à travers Lancelot ce dont il s'est, ailleurs, détaché comme d'un bien extérieur. Mais il n'a fait ainsi sienne que sa mort, puisqu'un tel amour lui était, d'entrée de jeu, funeste, soumis en outre à de constantes alarmes, en un mot, marqué de désespoir. Ce géant mélancolique est une figure suicidaire (cf. M.I 388), d'où émane une séduction incontestablement romantique. De la cruauté de Lancelot qui s'était confié au seul Gauvain, lui monta au cœur une « noire dolors » (l'humeur noire de la mélancolie), qui ne devait plus le quitter (M.I 347) ; de la plaie qu'il reçut pour conquérir l'écu de l'ami qu'il croyait mort, une infection fatale gagna tout son corps : « si li porri la chars » (M.I 389), comme bien plus tard Lancelot, à la Fontaine, mais différemment !

S'ils vivent tous deux une égale faillite de leurs rêves d'orgueil, l'un succombe réellement à une mort que l'autre traverse symboliquement. La tragédie de Galehaut libère, dirait-on, le roman d'une hypothèque narcissique. Galehaut cède à la mélancolie (et n'échappe qu'*in extremis* à la damnation éternelle) tandis que Lancelot, par le deuil de l'idéal brisé, s'accomplit autrement. L'amour se maintient plus pur au cœur de la catastrophe. Quand la reine qui lui avait confié :

> Ne soiez mie mauvés ne esbahiz por moi, quar je sui celle que se je cuidasse que vous por moi enpoirissiez*, qui james ne vous ameroit (S.V, 183 ; M.IV 380)

apprend, peu après, qu'il a dû, lui, le maître sans rival aux Echecs, perdre l'aventure suprême du Graal (les deux symboles de l'Echiquier magique et du précieux Calice délimitant ainsi le « terrien » et le « célestiel »), elle s'écrie :

> Si poés ore bien dire que *chiere avés achatee m'amour,* quant vous pour moi aves perdu ce dont vous ne porres jamais recouvrer (S.V 193 ; M.V 2).

Contrairement à Galehaut, ce prix si cher payé n'est pas de mort [15] ; si pourtant il éloigne de la Vie éternelle, il est plus simplement la condition d'une vie humaine, comme si vivre emportait la destruction nécessaire d'une merveilleuse figure de toute-puissance. Telle est encore la beauté du geste par lequel l'amant à l'agonie transmet ses cheveux à celle dont la réponse doit le sauver ; c'est lui faire don du sacrifice et lui dire, comme Tristan à la seconde Yseut hantée par la première :

> En vus ma mort, en vus ma vie
> (vers de Thomas que restitue Gottfried).

Mais Tristan court à la mort, quand Lancelot, pourrait-on dire, assiste à sa mort, tout comme plus tard à la Table Ronde il est assis à la droite du Siège terrible dévolu à ce Galaad dont il porte le nom, mais qui n'est plus lui. Il faut, à cet égard, comprendre les raisons qui ont conduit l'auteur, en dépit de la tradition héritée de Robert de Boron, mais par une finesse de la *conjointure,* à repousser le plus possible la mention de cette épreuve. Non pas d'ailleurs qu'il ne l'ait signalée dès le tout début (S.III 29; M.VII 59), mais il devait la taire, sans quoi son héros, tel Perceval dans Didot-*Perceval,* l'aurait dans sa démesure initiale inévitablement tentée. Il s'en explique rétrospectivement, par personnage interposé, quand, sur la fin du livre, le neveu de Claudas, Brumant l'Orgueilleux, dénonce la gloire usurpée d'un héros qui jamais n'osa s'asseoir en ce lieu vide :

> Car delés* le siege ou il siet est li siege perilleus, qui est esproeve et connissance del mellor chevalier du monde. Si est li sieges tous wis* que nus n'i siet. Et puis qu'il est delés Lancelot, et il le voit tous dis wit, s'il eust cuer ne hardement, il s'i asseist et feist connoistre a tous qui en sont en doutance que il fust li mieldres chevaliers du monde (S.V 321 ; M.VI 25).

Ainsi Lancelot s'est-il trouvé, des années durant, à la cour d'Arthur, en présence constante de sa honte. Ce héros vit avec la conscience de sa faillite en tant que héros. Un Perceval ne l'eût pas supporté, si on en croit la scène de la hideuse messagère dans le *Conte du Graal.* Mais ce retrait de la position héroïque fait la richesse nouvelle du personnage. Car il ne perd rien de sa grandeur, même s'il n'est plus l'unique. Alors que Brumant est foudroyé et que le prodige des flammes inquiète les présents

> Quar moult avoient grant paour qu'il ne venist sor Lancelot : si li distrent qu'il se remuast ou il ardroit (M.VI 24 ; cf. S.V 320),

il n'en paraît pas autrement troublé et le laconisme de sa réponse manifeste d'autant mieux sa force d'âme :

> Et il dist qu'il ne s'en removeroit ja, puis qu'il estoit a table assis (S.V, 320).

Héros sans faiblesse ni vaine parole, l'assomption de sa «mescheance» le met d'emblée à part des autres et lui octroie comme un supplément de conscience. Après que Mordred a tué de rage le vieux religieux lui annonçant que serait par lui détruite «la grant hautesce de la Table Roonde» (S.V 284; M.V, 220), Lancelot est seul à lire les révélations du «bref» et à savoir qui est le véritable père de son compagnon; quel est donc le péché fatal au monde arthurien (l'inceste, ici voilé, entre Arthur et «la femme le roy Loth d'Orcanie»); quelle est enfin la merveille du soleil, liée au châtiment de Mordred(S.V 285; M.V 223). Revenu peu après à Camaalot, les fresques de l'église Saint-Etienne retiennent son attention, et son regard qui tour à tour s'attarde sur Mordred, sur le serpent et sur le roi, se charge de toute l'intensité de l'impuissance (S.V 319; M.VI 20-21). Ce héros surhumain incarne ainsi au plus haut point la condition humaine: transporté d'extase («l'ébahi» d'amour), capable de fureur («l'ire» flamboyante du mythe), éclaté dans la folie (la démence de l'homme sauvage), il est, plus profondément, le spectateur tacite dont les yeux se sont ouverts au désastre de sa gloire comme à la ruine de son monde. Prisonnier des trois vieilles au château de la Charrette, ces mots révélateurs lui échappent:

> Par la rien que vous plus amés, dites moi, s'enquiert une demoiselle, qui vous estes et comment vous avez non. — Sachiés, répond-il par force, que jou sui li plus maleüreus chevaliers qui onques portast armes, ne *ma mescheance* ne commence mie chi premerainement, mais dez lors que je gisoie en mon berch*, car jou perdi en une matinee mon pere qui moult estoit preudoms et vaillans chevaliers et fui desherités de toute ma terre, dont je eusse a grant plenté* se elle m'eust esté loiaument gardée. Si puis bien dire que jou ai a non *Lancelot del Lac li mescheans* (S.V 94; M.IV 179-180).

Le destin dont ce nom porte la marque a donc été scellé par la mort de son père et Lancelot demeure comme Tristan, à la différence de Lanzelet ou d'Erec, un héros à jamais banni de la couronne et de la terre, mais aussi de la femme, promises à celui auquel échoit un jour la succession du père.

Toutes les fois où il maudit, tel Œdipe, l'heure de sa naissance, font date dans le récit: à la tombe de Symeu, notamment (M.II 35), puis devant celle de Galehaut (*ibid.* 213); au tome V de Sommer, il y revient avec plus d'insistance: dans la prison des trois fées (cf. *supra*), au fond du puits où il pourrit, pour avoir tué, à l'encontre du droit, le duc Callés (S.V 156, l. 24, 157 l. 5 et l. 19-20; M.IV 301-304), au sortir de la Forêt Périlleuse, coupable là encore de la mort d'un roi (*ibid.* 251, l. 9-10; M.V 138), peu avant de rentrer à la cour, dans la version longue, pour avoir derechef abattu quatre compagnons de la Table Ronde (dont Gauvain):

> Lors giete son escu a terre et s'en vait parmi la forest, si grant aleure com se la mort de chaçast, plorant et dolousant* et fesant le greignor duel dou monde et *maudit l'eure que il fu nez,* car il est li plus mescheanz et li plus maleürez qui onques fust (M.V 292; cf. S.V 310, l. 15-16).

Par deux fois enfin et comme encadrant tout cet ensemble, la malédiction est allée jusqu'à la folie: dans la scène du cauchemar envoyé par Morgain (M.I 369) et par suite des menées de la vieille Brisane (S.V 380, l. 27-41; M.VI 176-177), en raison, dans les deux cas, d'une fausseté dont fut entaché son amour. Maudit, il l'est donc par la mort d'un père et pour l'amour d'un géant, l'une l'exilant d'une royauté dont l'autre symbolise l'orgueil ; il l'est encore par le péché paternel qui a terni en lui le nom de Galaad, et par le sien propre, comme en témoigne alors qu'il succombe aux Vieilles enjôleuses ou qu'il retourne ses armes contre la Table Ronde, contre la juste cause d'un père (le duc Callés) et contre « un roi ». Il semble bien dans ces conditions qu'il faille lire dans l'histoire apparente des autres l'histoire latente, c.à.d. inconsciente, du héros : Galehaut, Galaad, Mordred, autant de figures secrètes de la vérité de Lancelot. Celui-ci se définit en fonction de Galehaut, d'une part, de Galaad et Mordred conjointement, de l'autre. Si le premier emporte dans la tombe la part tout ensemble surhumaine et renoncée du héros, les seconds incarnent selon l'antithèse du Sauveur et du diable la possibilité perdue comme la réalité maudite de sa destinée ; leur propre histoire prolonge et déplace la sienne. Ainsi voit-on Bohort glisser en confidence à son cousin au sujet de son fils :

> Vus en devez avoir grant joïe, car cil enfés* achevera les aventures del seint Graal [ou vos avez failli. Si vos en est grant honor avenue, quant de vos est issue la chevalerie et la flor] (S.V 334, l. 11-12, complété d'après Rawlinson, 117 b : M.VI 59).

Et si Mordred est l'instrument de la mort d'Arthur et de la destruction de la Table Ronde, comme le prophétise la fresque au serpent de l'église Saint-Etienne, ne faut-il pas déjà reconnaître au principe de la catastrophe à venir, une autre peinture murale, laissée par les soins de Morgain comme en pâture à la jalousie royale, où l'amant devenu artiste avait représenté « toutes les œuvres de lui et de la royne » (S.V 218; M.V 53) ? Galehaut est son passé, Galaad, son irréel et Mordred, au futur, ce trop proche qu'il hait (est). Le premier est figure d'Orgueil, le second, fleur de Virginité, le dernier, feu de Luxure. Les armes de Lancelot en ont porté les diverses couleurs : le géant fut saisi à la vue du « chevalier as armes vermeilles » qui vainquit le tournoi entre Arthur et lui (S.III 273, l. 10-11 ; S.V 218, l. 38) ; mais auparavant, à la Douloureuse Garde, un tout jeune chevalier avait signé l'exploit par lequel on garderait de lui mémoire comme de « cil qui ot les armes blanches le jor que li chastials fu conquis » (M.II 217). Restent les armes noires de la dernière partie, où se prépare la mort d'Arthur : il en était déjà vêtu au second tournoi de Galehaut (S.III 231, l. 23) ; elles étaient encore celles que lui proposait Griffon du Mau Pas, aux approches du dernier cycle des aventures (M.II 226-227 et 306) ; celles, toujours, que la Vieille à la couronne d'or, la « Demoiselle de grand âge », lui avait, semble-t-il, apprêtées (cp. S.V 67, l. 19 et 87, l. 34; M.IV 126 et 165) ; celles, enfin, qu'il choisit de se donner, à la fin, pour se vêtir de deuil au cœur de l'Ile de Joie (S.V 405, l. 39; M.VI 233).

Trois visages donc, et trois vêtements. Mais s'ils sont tous lui par quelque côté, il n'est en définitive aucun d'eux, et son trait distinctif reste cette pièce honorable de son écu : la barre (de gueules) qui le traverse. Ainsi Galehaut se méprend-il un jour :

> Lors cuide il bien que ce soit l'escu Lancelot, kar il ne portoit gaires *escu sanz bende* (M.I 375).

Aussi bien les écus merveilleux grâce auxquels fut conquise la Douloureuse Garde étaient d'argent à bande vermeille (S.III 147; M.VII 320).

Au royaume de l'indistinct

Notre enquête sur la *conjointure* du livre s'est jusqu'ici attachée au seul nom propre pour tracer le chemin qui, dans le temps, conduit de « Lancelot-Galaad » à son éclatement entre un père et son fils, selon un schéma eschatologique (terre et ciel, fleur et fruit), et aboutit à la vérité intérieure de « Lancelot le Mescheant ». Comme l'indiquait le symbole de l'écu disjoint, la partie s'est jouée dans le secret de certaines nuits d'amour. Mais l'agencement de celles-ci est également complexe et s'organise dans l'espace, non plus dans le temps.

Aussi bien, disions-nous, le pays de Galaad forme frontière avec les Araméens. Le récit médiéval semble, quant à lui, constamment se dédoubler, comme s'il se déroulait simultanément en région *faée* et en région pieuse, la première d'ailleurs n'étant pas sans roi vénérable, ni la seconde sans belle pucelle. Mais, en outre, ce double plan s'étage dans le temps, se reproduisant, au sein d'une chronologie plus vaste, à des époques différentes dont l'histoire présentement narrée ne forme que l'une : il y eut les temps de Joseph d'Arimathie, ceux des guerres entre Uter et Urien, ceux d'Arthur. La lecture est donc sans cesse troublée par ces renvois du même d'un lieu à l'autre et d'un temps à l'autre, mais rien n'est jamais laissé au hasard.

Dégageons d'abord l'articulation majeure, la plus simple, celle des liaisons charnelles. Leur figure complète est d'un chiasme ou, si l'on préfère, leur rime est embrassée, eu égard aux lieux de leur événement : aux deux bouts, l'union des amants s'accomplit ou se rate à l'ombre de la cour arthurienne. Dans les deux cas, de coupables manœuvres accompagnent le fait. A la fin du t. III de Sommer (410-411), les amours d'Arthur et de la sorcière Camille favorisent, à l'insu du roi, une autre équipée nocturne, en pendant à la sienne : Galehaut et Lancelot rejoignent leurs amies comme Arthur et Guerrehés les leurs. Suit une période difficile pour la Table Ronde, privée de chefs, tandis que le héros sombre dans la folie furieuse et doit sa guérison au retour de la Dame du Lac, au talisman de l'écu naguère fendu et à la vertu de l'onguent. A la fin du t. V (379-380), après la guerre de Gaule, comme, précédemment, après celle d'Ecosse contre les Saxons, un autre rendez-vous est préparé, mais les amants sont abusés par les soins de Brisane, la vieille maîtresse de la fille du Roi Pêcheur, et Lancelot étreint cette dernière, croyant tenir la reine dont la fureur s'abat bientôt sur lui. De nouveau la folie, puis la guérison, cette fois grâce à la fille du Roi Pêcheur et à la force du saint Graal. Ainsi l'aventure globale se présente en un superbe diptyque, entre la fée Niniane et la Demoiselle du Graal. Les derniers moments du récit n'ont rien de confus ni de hâtif ; ils servent à l'équilibre de l'ensemble et achèvent un cycle : au terme, en effet, Galaad doit se présenter à la cour d'Arthur à la Pentecôte, à Camaalot, comme jadis son père, pour la fête de saint Jean. Les deux fois, une scène préliminaire a pris place dans la forêt voisine où s'était enfoncé le roi, parti de bon matin,

> Car il voloit aler en bois archoier* (S.III 119 ; M.VII 261) ;
>
> li roys Artus cachoit en la forest (S.V 409 ; M.VI 244).

Si la Dame du Lac avait autrefois présenté au roi le jeune Lancelot, c'est au tour d'un ermite de lui annoncer la venue de Galaad. Pour parfaire l'édifice et voir comment sont, au terme, rassemblés les symboles et les gestes marquants du t. III, il suffit d'opposer encore l'Ile de Joie où s'est retiré Lancelot, en compagnie de la fille du Roi Pêcheur et d'un groupe de vingt demoiselles (S.V 403; M.VII 231), et l'Ile Perdue, sur la Severn, où Galehaut avait soustrait son ami aux regards de ce monde (S.III 399): ici comme là, le héros ressent le même regret des joutes et des chevaleries. Quant à l'Ecu, celui de la Dame du Lac offrait la particularité des armes parlantes, car les figures naturelles qui le meublent représentent la « saisine » des amants par le baiser (S.III 305); celui que Lancelot commande dans l'Ile de Joie offre la peinture d'une autre « senefiance » entre les amants: celle de « merci » (S.V 403; M.VI 233). Il est, en outre, plus noir que mûre, portant figures d'argent. Or, au t. III, celui du Chevalier de la Fontaine du Pin, *alias* Hestor, était noir à menues gouttes d'argent (S.III 278). Hestor est, comme son frère, malade d'amour (M. VIII 148, 161) :

> Li noirs senefie duel et les gouttes d'argent senefient larmes (S.III 284).

Lancelot porte de même le deuil d'amour en l'Ile de Joie et son écu est aussi pendu à un pin. Ces concordances attestent trop bien une intention d'auteur, pour qu'on doute encore qu'une même main ait écrit cet ample livre et qu'il ait été achevé aussi artistement qu'il fut commencé [16].

Au centre maintenant, encadrées par ces extrêmes, s'opposent également, mais loin de la cour arthurienne, deux autres scènes nocturnes: la première, au royaume de Gorre chez Baudemagu, avec Guenièvre (M.II 74-75; S.IV 209-210), la seconde au royaume de la Terre Foraine, chez Pellés, avec la belle Demoiselle du Graal (S.V 109-111; M.IV 206-213). La femme d'Arthur et la fille du Roi Pêcheur, la Joie et la « déception », la vraie et la fausse Guenièvre, chacun des deux événements se répète, mais en ordre inversé: cour d'Arthur, Gorre, Corbenic, cour d'Arthur. Autre croisement: la Joie auprès de la « vraie » couvre quelque beau diable, tandis que la ruse, au profit de la fausse, s'avère bénie de Dieu. Le vrai était impur, mais pur, le mensonge! Aurait-on rêvé? Le premier est trahison, sous l'égide merveilleuse de Galehaut le géant, le second est promesse féconde, par l'entremise de Brisane, la vieille. De même que le héros est éclaté entre « Lancelot » et « Galaad », de même Guenièvre, entre la reine couronnée et la porteuse du Graal. La mise en regard du récit par rapport à soi joue donc à la fois dans le temps et dans l'espace, en ce dernier cas doublement, puisque la cour s'oppose au monde étranger où s'équivalent Gorre et Corbenic. Cette géographie imaginaire hante tout au long le récit, mais reste brouillée par suite d'une nouvelle complication structurale: l'aventure de Lancelot et de Guenièvre est non seulement partagée entre l'avant et l'après, le proche et le lointain, la Joie d'amour et la Grâce divine, mais elle est encore supportée par d'autres personnages qui semblent la réplique du héros et lui sont d'ailleurs apparentés. Or ce jeu multiplié d'échos impose d'autres noms, d'autres pays, d'autres scènes qui égarent le lecteur dans la forêt, par trop diverse, des quêtes (des « Quarante », des « Dix », des « Quinze »).

Le cas d'Hestor des Marais, le demi-frère de Lancelot, a déjà été signalé, à propos de l'écu noir. Mais l'auteur va plus loin et en tire prétexte pour évoquer la servitude d'amour, tout en accumulant les motifs propres aux aventures au pays de la fée: la Fontaine du Pin et la riante vallée (S.III 277, l. 35-36); l'Ecu pendu aux branches (*ibid.* 278, l. 4-5), véritable défi aux passantes et provocation à la joute; la Demoiselle du Pavillon, la richesse de sa couche, le miroir et le peigne d'ivoire (*ibid.* 281) ; la présence d'un nain hostile, aux gestes infamants : Hestor souffre ses coups, comme, dans la *Charrette,* Lancelot s'était soumis à lui ; il blesse le cheval de Gauvain, comme il avait, dans *Erec,* cinglé le visage du héros (*ibid.* 280-281) ; l'ensemble complété par les sarcasmes dont est abreuvé le futur vainqueur de l'aventure, ici Gauvain, à l'instar de ce qu'il endurait en compagnie de la Demoiselle Maudisante chez Chrétien (*ibid.* 285, l. 7 et *passim*). Ainsi sont rassemblées des suggestions venues des quatre romans arthuriens de Chrétien et des continuateurs. En outre, le comportement du chevalier épris d'amour est calqué à la fois sur la conduite extravagante de Lancelot dans la *Charrette* et du Beau Mauvais dans la *Seconde Continuation* ; il en reçoit le double éclairage d'une exaltation, au service de la Dame, et d'une aliénation, au pouvoir trompeur de la fée. L'auteur maintient toujours la dualité et cette mise en suspens du jugement permet à la narration de suivre son cours romanesque. Hestor pleure et rit, mêle la joie au deuil : c'est là, confesse Gauvain, une bien grande merveille (S.III 278, l. 27-28) [17], mais il est tombé, impuissant, sous la coupe d'une demoiselle qui tient en main le jeu : son amour possessif pousse à la *recreance* son chevalier ; nièce du nain, on la répute pour la « plus felenesse » des femmes (*ibid.* 302, l. 30). Le mot est de Gueniѐvre, priée, pour l'occasion, d'intervenir ! Sans doute parvient-elle à libérer Hestor de ce joug tyrannique et à l'engager dans l'entreprise d'une quête, celle de Gauvain, qui le rendra digne de la Table Ronde, mais elle a recouru à une ruse qui lui vaut, par ricochet, la même appréciation :

> A lasse ! com m'a decheüe* chele qui tout dechoit (*ibid.* 303 ; M. VIII 202) ;

surtout la scène est aussitôt suivie par l'épisode de l'Ecu Fendu. Ainsi la reine a-t-elle défait au nom de l'honneur ce qu'elle va refaire pour son compte. La Demoiselle au nain paraît bien n'être dès lors qu'une figure de Morgain : la haine de celle-ci pour la reine s'explique de même en raison d'amours contrariées. La sœur d'Arthur aimait un chevalier de Carmelide, Guiamor, le neveu de Guenièvre. Pour prévenir le scandale d'une pareille liaison brûlante de luxure, la reine contraignit Guiamor à renier son amie (M.I 300-301). La Carmelide est le pays d'où vient Guenièvre et le nom, sous cette forme préférable au « Tarmelide » de la version longue, est peut-être imprégné des charmes des enchanteresses : l'*Index* de Sommer donne aussi « Charmelide » et, pour l'anglais, « Carmelike ». Quoi qu'il en soit, la fausse Guenièvre lui donne son actualité : elle s'y entend à surprendre le roi « par medecines et par caraies » (M.I 123) ; fille d'un adultère entre Léodagan, père de Guenièvre, et la femme de son sénéchal, sur le modèle évident des amours illicites d'Uterpandragon et d'Ygerne, femme du duc de Tintagel, rien, physiquement, ne la distingue de la reine dont, au reste, elle porte le nom et a partagé l'enfance :

> Et ele avoit non Genievre autresi ; si estoient ansdeus* si d'une samblance que la ou eles furent norries*, connoissoit l'en a paine l'une de l'autre (M.I 95).

Il y a deux Guenièvre comme il y a deux Yseut. Autant dire qu'il n'y en a jamais eu qu'une, mais sous un jour différent. La substitution supposée pendant la nuit de noces comme la tentative du meurtre sur celle qui en sait trop démarquent certainement l'histoire des amants de Cornouailles. Or la reine reconnaît elle-même dans une confidence à Galehaut, en guise de repentir, que l'affaire n'a éclaté qu'en raison de son propre péché. Non qu'elle ne soit assurément « Guenièvre », bien plutôt qu'elle ne le soit que trop ! Le mensonge de la fausse Guenièvre offre à lire la coupable vérité de l'authentique Guenièvre. Autrement dit : la fausse est revenue pour seulement incarner le mensonge de la vraie !

> Je sui departie* del roi mon seignor, par mon meffet, je le connois bien : non pas por ce que je ne soie sa feme esposee et roine coronee et sacree ausi com il fu, et sui fille al roi Leodagan de Tarmelide, mais *li pechiés* m'a neü* de ce que je me cochai o* autre qu'a mon seignor (M.I 152).

L'histoire d'Hestor des Marais, frère de Lancelot, par le péché de son père, et de la nièce du nain présente donc la version ensorcelée des amours placées sous le signe de Morgain. Identique à celle de Guiamor et de la « sœur » d'Arthur (par le péché d'Uter), elle présage la mainmise de la funeste fée sur le parfait amant. Mais puisque, au travers de la Carmelide, Guenièvre et Morgain se rejoignent en luxure, il faut interpréter la prison maléfique comme la projection d'une malédiction tout intérieure. Si Guenièvre est par quelque côté la fausse Guenièvre, alors son *fin amant* doit un jour ou l'autre tomber à cause d'elle au pouvoir de Morgain ! Mais aussi bien lui échapper, puisque la reine n'est pas toute dans la fausseté et qu'en elle et par elle a brillé, incomparable, la fleur de toute chevalerie en ce monde. C'est pourquoi lorsque la demoiselle au nain est déclarée, à l'instar de Morgain, la plus « felenesse » qui soit, survient la porteuse de l'Ecu, au nom de la Dame du Lac, c.à.d. de « la plus sage pucele qui orendroit vive et la plus bele » (S.III 304). Partagée entre la vraie et la fausse, Guenièvre l'est donc aussi entre Niniane et Morgain.

Tout comme Merlin, faut-il s'empresser d'ajouter ! Détail d'importance, si on se rappelle que son entremise favorisa la trahison d'Uter, d'où naquit Arthur, que, d'autre part, les amours coupables du roi de Carmelide, père de Guenièvre, vraie et fausse, celles du roi de Benoyc, père d'Hestor et Lancelot, celles, pires encore, d'Arthur, père de Mordred (et de Lohot), se ressentent d'un tel exemple, par contagion dirait-on, et qu'enfin gravite autour du roi Ban un curieux personnage, un très vieux clerc fort savant, ou jeune au contraire, mais tout autant magicien, qui pourrait bien être le protéiforme Merlin. Ce dernier trouverait, semble-t-il, à s'employer spécialement à l'occasion des naissances en digne fils du diable[18] ! Bohort apprend en effet d'un ermite qui y avait assisté quel fut le baptême de son cousin :

> Et li roys Bans... commanda a moi et a.X. autres chevaliers que nous le portissiemes baptisier en une forest qui estoit prés de Trebes, chiés un hermite qui moult estoit preudoms. Et quant nous venismes la, si trovames avec l'ermite.I. moult viel homme qui estoit clers et philosophes moult sages et savoit moult dez choses qui estoient a avenir (S.V 143 ; M.IV 274).

Suit une prophétie sur l'enfant destiné à être le plus beau fleuron de la chevalerie terrienne. Aucun doute ne peut subsister sur l'identité du vieillard. Or l'épisode est lui-même encadré par l'entrée de Lancelot dans la Forêt Perdue dont la voie est « sans retor » (S.V 122-124 et 148-153; M.IV 230 ss. et 286 ss.). Ce lieu où le héros va, lui promet-on, à sa mort, prend figure de paradis courtois, au cœur d'une prairie tendue de pavillons, parmi les caroles et les chansons autour de quatre pins, au plus profond de l'oubli qui gagne aussitôt, tel un Léthé, l'esprit et la mémoire. Mais voici plus étrange : le vieillard saluant dans le nouveau venu le héros qui met fin à cet enchantement est apparemment identique au jeune et savant enchanteur qui parvenu jadis au même endroit en compagnie du vieux roi Ban — son frère ! — s'était épris de la trop belle pucelle assise au milieu sur un trône d'ivoire, et avait éternisé cet instant de joie en échange des faveurs de la demoiselle et dans l'attente d'un chevalier dont la beauté lèverait ce charme de la beauté (S.V 149-150 et cp. 149, l. 17-18 et 150, l. 35). Qu'il s'agisse de Merlin quoiqu'on taise son nom, les preuves s'en accumulent : une tour domine la prairie, où mangent et se reposent, avec leurs amies, les bienheureux danseurs. Or Lancelot avait naguère, peu avant son combat à la cour de Baudemagu avec Argodras, le Chevalier Vermeil, appris l'existence d'une tour au sein de la forêt, où

> sont les greignors merveilles del monde fors celes del Graal (M.II 237 ; cp.S.III 275,l.37 ; V 123,150,309 ; M. VIII 143 ; IV 234, 289 ; V 289),

et que lui seul peut désenchanter. Cette tour est appelée « la Tor Merlin » ! Comme quoi l'auteur ne perd jamais le fil des histoires qu'il annonce, même si elles reviennent masquées ! Quoi qu'en aient pensé certains, le *Livre de Lancelot* est un, de conception et de facture. Il est, de plus, question d'un échiquier magique que le clerc offrit un jour à sa demoiselle, alors morose (S. V 151). La source en est la *Seconde Continuation* : on y lit, d'une part, que la Demoiselle de l'Echiquier reçut le jeu en présent de « Morgant la fee » dont elle fut la suivante après avoir grandi au château du roi Brandigan (Roach IV v. 28010-28069) et que Merlin, d'autre part, façonna le pilier magique du Mont Douloureux auquel seul le meilleur chevalier du monde pourrait, sans risquer la folie, attacher son cheval. Il établit aussi non loin de là le manoir où il jouit des amours d'une belle pucelle, dont la fille a fait à Perceval ce récit (*ibid.* 31835-31909). Dans le roman en prose, le roi Ban a déposé sur le trône d'ivoire sa couronne d'or en la destinant au héros à venir qui serait le « meillor chevalier del monde et le plus bel » (S.V 151). L'auteur a donc combiné les deux épisodes de Wauchier. Au reste, les amours du devin et de la demoiselle évoquent la liaison de Merlin et de Morgain déjà mentionnée dans l'aventure du Val sans Retour (M.I 301).

On touche là à un nœud du récit, d'égale importance au secret du Graal et entouré, à dessein, d'obscurité. Il est remarquable que soient entrelacés cet épisode et ceux du péché du roi Ban avec la mère d'Hestor des Marais (S.V 117; M.IV 223), puis de la prophétie du vieillard au baptême de Lancelot dans la forêt près de Trèbes (S.V 143; M.IV 274), car l'ensemble entre aussitôt en parallèle avec les événements et les commentaires qui servent d'ouverture au roman : tandis que brûle la ville de Trèbes et que l'enfant au berceau est transporté par les marais et la forêt, le vieux roi, son père, confesse à Dieu avant de mourir ses péchés « espoentables » et prie pour sa femme, issue du lignage de David auquel Dieu fit la grâce de contempler ses plus saints mystères, ses « granz repostailles ». Survient une demoiselle *faée,* l'enchanteresse du Lac qui ravit l'enfant à sa mère, la Reine aux Grandes Douleurs, et l'emporte au sein des eaux. Suit l'histoire de la naissance de Merlin, le fils du diable, « l'enfant sans père », placé sous le signe de luxure [19] et versé en « perverse science », ainsi que de son amour malheureux pour Niniane. En bref, au t. V, l'enfant d'un vieux roi est promis, dans la forêt, à la gloire ; la fille du château des Marais est mère d'Hestor ; (Merlin) a su gagner les faveurs de (Morgain). Au t. III, la scène d'enfance est frappée d'un désastre ; la fée du Lac remplace la sainte mère de Lancelot ;

Niniane s'est jouée du diable amoureux. Là, un père compromis dans le péché ; ici, un fils qui a changé de mère — à moins que ce ne soit elle qui ait changé... Dans tous les cas, Merlin amoureux d'une fée, et les mêmes mots redisent sa passion pour l'une et pour l'autre, comme le profit que toutes deux surent en tirer : Morgain

> si s'acointa de Merlin qui l'ama plus que nule rien, si li aprist tant de caraies* et d'enchantemens com ele sot puis et demora avec lui grant piece* (M.I 301).

> Chele (Niniane) commencha Merlins a amer et moult venoit sovent la ou ele estoit par nuit et par jour... et ele li dist que ele feroit quankes* il vaudroit, mais que* li ensegnast une partie de son grant sens, et chil qui l'amoit comme cors morteus* puet chose amer, li otroia* a aprendre quanques ele deviseroit* de bouche (S.III 21 ; M.VII 42).

Merlin, nous explique-t-on à propos de sa passion pour Niniane, aimait à vivre au plus profond des plus vieilles forêts. Or l'endroit où il projeta la carole enchantée et vécut des amours partagées s'appelle la Forêt Perdue, « une forest vielle et anciene » (S.V 120 et 122; M.IV 230 et 232). Cette éternité de joie auprès de la demoiselle du trône fait pendant au sommeil éternel où Niniane enferma l'amant diabolique qu'elle n'avait cessé d'abuser chaque nuit (S.III 21; M.VII 43), et le lieu où la fée « enserra » l'enchanteur est également une forêt, « la périlleuse forest de Darnantes qui marchist a la meir de Cornouaille et cel roiaume de Soreillois » (*ibid.*). Au t. V précisément, après les aventures dans la Forêt Perdue, à savoir la Tour Merlin (S.V 123 et 150; M.IV 234 et 289), mais aussi la Prison de Morgain (S.V 214-215; M.V 46-47) et le Tertre de Terrican de « la Forest Desvoiable » (S.V 205; M.V 26), Lancelot affronte les merveilles d'une autre forêt, dite la Forêt Périlleuse (S.V 229, l. 22, 235, l. 27, 243, l. 7; M.V 76, 93, 114), à savoir la Tombe de son aïeul, le Tertre Dévéé (interdit) et le Cortège du Blanc Cerf. Merlin comme Lancelot se partagent ainsi entre Forêt Perdue et Forêt Périlleuse comme entre Morgain et Niniane.

Mais où localiser ces forêts ? En Cornouailles justement ! La Forêt Perdue est proche du château de Tintagel (S.V 214, l. 14; M.V 45) et la Forêt Périlleuse est celle de Camparcorentin (*ibid.* 225, l. 2), dont le nom est aussi celui du roi de Cornouailles (*ibid.* 173, l. 25). Elles se présentent sur la voie qui remonte vers le royaume de Gorre et vers celui de la Terre Foraine (Corbenic) : ainsi le château du Trépas où se donnent rendez-vous les quêteurs est sis à l'entrée de la terre au Géant par-devers Gorre (*ibid.* 210, l. 22-23; M.V 38) et Lancelot vainqueur de Terrican se dirige vers la Terre Foraine (*ibid.* 208, l. 34; M.V 35). Il était d'ailleurs accompagné, à l'entrée de la Forêt Perdue, par un messager venu de chez le roi Pellés (*ibid.* 122; M.IV 233). La géographie du *Lancelot*, pour imaginaire qu'elle soit en partie, n'est nullement confuse : il suffit de ne pas confondre les forêts de Cornouailles à l'instant évoquées et celles, plus au nord, mais encore proches, de la Terre Foraine, de Gorre et de Norgales, vers où il faut situer le château des Marais (conception d'Hestor) et celui de Corbenic (conception de Galaad). Il y a Brocéliande (Brecheliant, Brequehan) au-delà de la Severn, sise entre le royaume de Norgales et le duché de Cambenync (quasi-homonyme de Corbenyc, cf. S.III 308, l. 6-8), et il y a Darnantes entre Cornouailles et Sorelois. De ce dernier, on le sait, Galehaut est roi, comme de la Terre Foraine Pellés l'aïeul maternel de Galaad. Sorelois ou Galles du Sud est séparé aussi par la

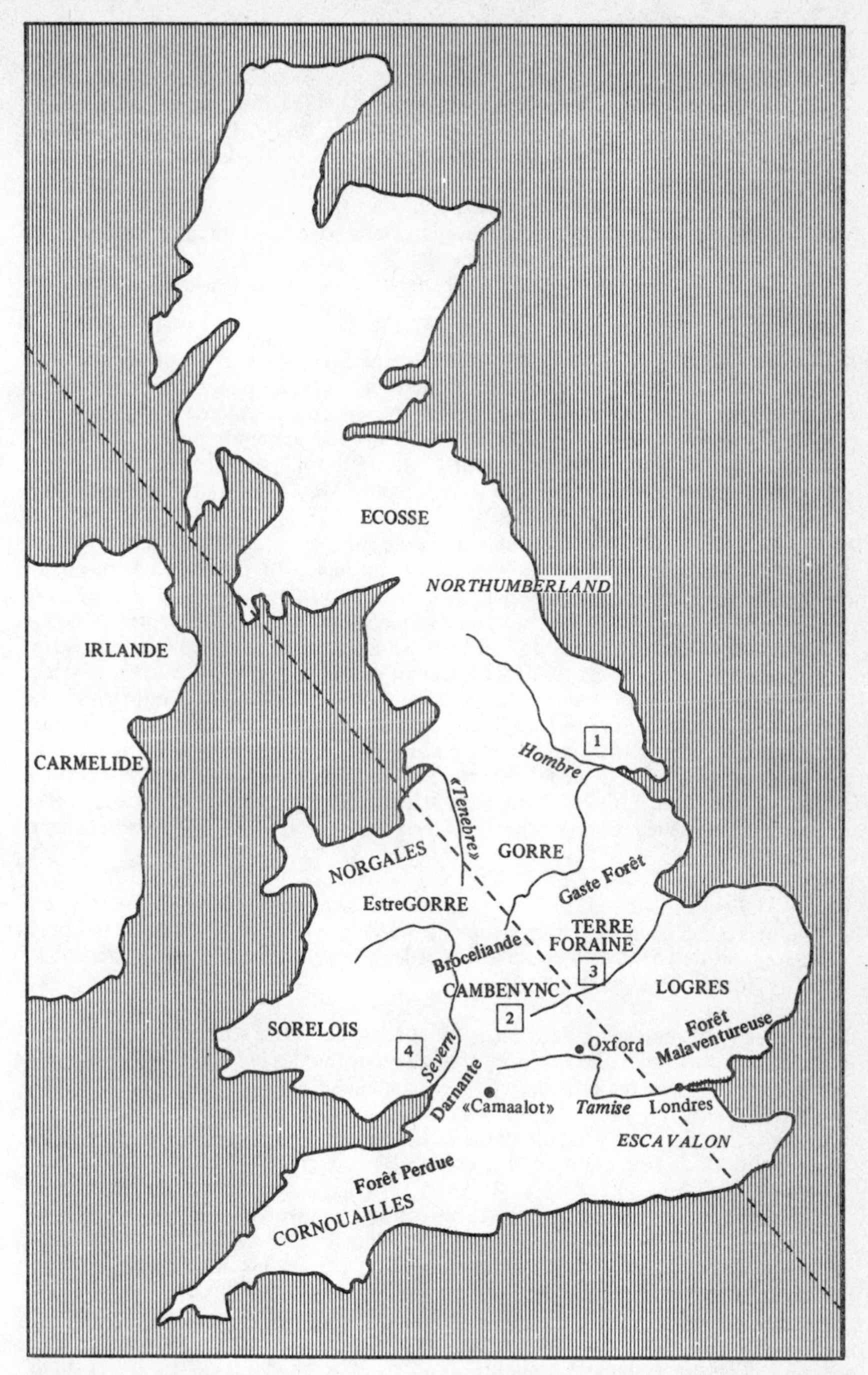

châteaux : 1 Douloureuse Garde ; 2 La Charrette ; 3 Corbenic ; 4 Orgueilleuse Garde.
N.B. : La ligne de partage met en parallèle Gorre et Estregorre, Terre Foraine et Cambenync, Logres et Cornouailles, les châteaux de Corbenic et de la Charrette, ceux de Lancelot (1) et de Galehaut (4).

Severn de Norgales (S.III 361, l. 19-20) : plus précisément Sorelois est « en la fin de Norgales devers solel couchant » (*ibid.* l. 12-13) et peut être également dit « entre Gale et les estranges illes » (S.III 269, l. 14), desquelles a surgi le « fils à la belle géante ». C'est fort exact. Gauvain, traversant Norgales en direction de la Severn pour gagner Sorelois parvient justement en la forêt aux multiples merveilles de « Bresquelande » et participe au conflit entre le duc de Cambenync et le roi de Norgales. Il faut donc la considérer comme homologue de, sinon identique à, la « Gaste Forest Aventureuse » du Roi *Mehaigné* « en la fin del Roialme de Lisces » (c.à.d. de Galles), d'où viendra « la merveilleuse beste », c.à.d. Galaad (M.I 54)[20].

Les partitions du livre exigent, on le voit, un examen minutieux : on oscille entre Niniane (S.III, 1re partie) et Morgain (S.IV, 1re partie), entre la Forêt Périlleuse au temps du roi Lancelot et la Forêt Perdue au temps du roi Ban (S.V, 1re partie), et selon une autre distribution, entre ce couple de forêts (avec la Tombe Vermeille et la Tour Merlin) pour l'histoire des amours, et le couple des châteaux (Corbenic et Marais) pour l'histoire des naissances. Chaque groupement a un sens et la reine Guenièvre, comme Merlin, est partie prenante des deux.

L'aventure de la Tour Merlin se rattache étroitement en effet à la sienne propre : le chœur des jeunes filles menant leur carole n'a-t-il pas entonné une chanson qui fut composée en l'honneur de la reine (S.V 123, l. 39 et 149, l. 32; M.IV 235 et 288) ? Le voyage du roi Ban en ce pays a lui-même été entrepris à l'occasion des noces d'Arthur et de Guenièvre (*ibid.*). Le précieux échiquier est enfin transmis par Lancelot à sa dame à Camaalot, mais ce présent cause à la reine quelque désagrément puisqu'elle est mise, devant la cour et le roi qui s'en rient, échec et mat ! Tout autre était le don de l'Ecu Fendu que lui envoyait la Dame du Lac en promesse d'une joie secrète. De fait, l'aventure révèle combien profonde est la complicité de la reine et de la fée. Niniane couvre d'une ombre protectrice l'amour adultère. Plus même, il semble que Guenièvre ait reçu d'elle comme une délégation, ce qui trouble la *Fin'Amors* d'un émoi discrètement maternel :

> Et si vous mande que vos gardés cest escu por amor de li* et d'autrui que vous plus amés et si vous mande qu'ele est la pucele du monde qui plus seit de vos pensés et plus s'i acorde, *que* ele aime chose que vous amés* (S.III 304 ; M. VIII 205).

Au reste, ce message a paru aux yeux mêmes de son expéditrice assez ambigu pour qu'elle veuille plus tard s'en expliquer devant la reine. La voici de nouveau à la cour du roi, majestueuse et vêtue de neige :

> Une damoisele moult grans qui moult estoit bele, s'estoit vestue d'un drap de soie blanc comme nois (S.III 416 ; M. VIII 457),

telle que le roi ébloui l'avait naguère entrevue, au sortir de la forêt, précédée d'un merveilleux cortège, « tous vêtus de blanches robes » — apanage des fées non moins que, par la suite, des moines (S.III 121; M.VII 265). L'enfant de roi au nom inconnu qu'elle amenait devant Arthur échappait déjà à ce dernier, puisque la fée l'avait, contre la coutume, préalablement doté pour son adoubement d'armes et de robes blanches qu'Arthur eût autrement fournies. Celui qu'elle retrouve dans la chambre de la reine et qu'elle appelle par son nom d'enfance, « le beau trouvé » (S.III 417, l. 19 et 22, l. 9; M.VII 43), est un forcené, enlaidi de rage, sur lequel se penchent ainsi, une première fois, trois Dames, celle du Lac, celle de Malehaut et la reine, tandis que l'enchanteresse Camille détient les guerriers en sa prison, Arthur et Galehaut compris. Dirons-nous avec la malignité d'un Panurge qu'au chevet du fou déjà les Mères veillent ? Niniane et Guenièvre ont en commun de chérir un même objet :

> Car je amoie ce que vous amiés, et saciés que je ne l'aim fors por pitié de noureture *et por s'amor* vous aim je* (S.III 418; M. VIII 461),

précise la fée, moins à titre d'excuse qu'en manière de confidence. Mais en avouant d'autre part un ami qu'elle aime d'amour, elle entend dire à la reine qu'elles sont deux à être menées par « la force d'amour », et justifier d'expérience la leçon proposée : s'abandonner à folie est raison si la folie d'amour est, du même coup, passion de la gloire.

> Mais moult a grant raison de sa folie, que raison i troeve et honor (*ibid.*),

argumente-t-elle, en un « chastoiement » d'amour digne de l'institution morale et religieuse du futur chevalier quelques années plus tôt. Elle avait d'ailleurs mandé à son protégé de ne jamais mettre son cœur en amour qui le fasse « aperechier », au lieu d'« amender » (S.III 161; M.VII 349). La *Fin'Amors* équilibre la force de l'interdit par la démesure de l'idéal. A fol amour, surcroît d'honneur ! Comme s'il fallait aux pieds de la Dame s'élever au-dessus des rois.

Mais l'exaltation côtoie l'abîme, ou encore, selon les symboles de la dernière partie, « le puits profond, hideux et noir » succède au trône d'ivoire et sa riche couronne d'or (S.V 149, l. 2 et 155, l. 40; M.IV 286 et 300). Il faut dire que le héros en est ici venu au point de rencontrer quelque marque tangible que lui destine en legs un père et qu'il rejette soudain horrifié, comme s'il ne pouvait souffrir les insignes de la royauté, couronne ou trône

> ou il ne devoit seoir, che li est avis, pour ce que siege de roy senefie (S.V, 149).

On sait la répugnance de Lancelot à venger dans l'immédiat la mort de son père et l'indignité qui le frappa lui-même, ainsi qu'à reconquérir la terre dont Claudas le déshérita. Qu'est-ce donc qui le retient, tel Hamlet devant Claudius ? Il ajourne *sine die* le projet, quand Galehaut lui en rappelle le blâme (M.I 75); il n'y participe pour finir qu'en raison de l'affront infligé par Claudas à la reine, et encore ne vient-il en Gaule qu'*in extremis* ! Quelque chose semble donc l'arrêter, quand il doit s'engager sur la voie où l'attendent la mort et la succession du père. S'il est, d'ailleurs, aussitôt après jeté dans un cruel cachot, la faute en est à la guerre impie qu'il soutint contre le duc Callés au profit des fils de ce dernier, à l'instigation de « la vieille demoiselle au Cercle d'or », dite encore la Demoiselle de Grand Age, à qui le liait une promesse antérieure (cf. S.V 158, l. 7; M.IV 307). Il fut ainsi le bras des parricides, tandis qu'il affrontait, en présage à un malheur plus terrible encore, les trois frères de Gauvain alliés au vieux prud'homme.

L'opposition entre les scènes de l'Ecu Fendu (S.III) et de l'Echiquier magique (S.V), s'approfondit donc. De l'une à l'autre ont été inversés les signes de leurs représentations. Avec la Dame du Lac, qui prévaut dans la première partie, le récit semble baigné de féerie maternelle, et le héros, quoi qu'on puisse pressentir d'une plus intime fêlure, a pris son envol vers un destin de gloire : objet de quêtes répétées, désiré par un roi et une cour de légende, il acquiert l'honneur de siéger à la Table Ronde, après avoir sauvé le royaume menacé et être apparu en pleine mêlée tel le « rois coronés de tot le monde » (S.III 422, l. 15). Ainsi se réalisent les prédictions conjointes de la soudure amoureuse de l'Ecu et de l'entrée héroïque parmi les pairs de la Table Ronde. La Tour Merlin dresse au contraire face au héros comme un fantôme du père. Le vieillard qui l'accueille le salue du nom de « Beau Fils » (S.V 149, l. 17). S'il porte, cette fois, couronne et s'assoit sur le siège d'un roi, il en récuse aussitôt le geste et la signification, comme saisi d'une terreur sacrée. Le temps est maintenant venu pour lui de regretter

> ses mescheances dont il en avoit trop souvent (S.V 94 ; M.IV 179) ;

> si qu'il est nus tamps qu'il ne soit enprisonés (*ibid.*) !

Autour de lui maintenant s'affairent « trois dames » qu'il appelle « les Vieilles », dégradation de la merveille : une reine, de Sorestan, une fée, Morgain, une enchanteresse, Sibylle. La représentation maternelle a donc versé dans la hideur, alors que le message envoyé à la Dame du Lac par Guenièvre aux abois va rester sans effet et que le *fin amant* est transporté par les vieilles au château de la Charrette, pour le rappeler à l'infamie dont il y fut marqué (S.V 92; M.IV 177). Un lapsus de certains copistes nous vaut au passage, pour le nom de la Dame du Lac, au lieu de Niniane, Helaine (S.V 65, note; M.IV 122), par confusion révélatrice avec la Reine aux grandes Douleurs, la mère de Lancelot, issue du saint lignage, ou avec Hélène sans pair du château de Gazewilte en la Marche aventureuse de Norgales.

Une nouvelle surprise nous attend ici dans la mise en regard des extrêmes du récit : on a déjà parlé d'un anneau d'or à la pierre magique reçu en présent de la Dame du Lac, tour à tour porté par Lancelot (au Val sans Retour, puis au t. V 194; M.V 4) et par Guenièvre (en Gorre, puis au t. V 66; M.IV 125) et dont Morgain possède la contrefaçon :

> Ele avoit un autre anel ki avoit esté a la roine, si n'ert* nule chose el monde dont il ne samblast celui que Lancelos avoit, fors tant que il n'avoit nule force vers enchantement (M.I 349).

Il est renvoyé par la fée maligne à la reine, à la confusion de celle-ci (M.I 352-353), puis comparé au faux que Lancelot portait à son insu dans le conte de la Charrette (M.II 74). Or le roi Ban, le jour où il trahit sur ses vieux ans son épouse de sainte lignée, remit à la fille du seigneur des Marais, mère d'Hestor,

> un anel d'or a un saffir ou il avoit entaillie deus serpentiaus,

en tous points semblable à celui que possédait Hélène, et, d'ailleurs, à lui offert par celle-ci. A l'occasion d'un voyage les deux femmes se rencontrèrent et purent comparer leurs anneaux (S.V 119-120; M.IV 227-228). L'homologie des deux situations permet de conclure que la fille des Marais est à Hélène femme du roi Ban comme Morgain à Guenièvre, amante de Lancelot. Pour la seconde fois, grâce à cette corrélation, est impliquée la représentation maternelle, mais dans un contexte de prison et de luxure, non plus de protection et d'héroïsme.

A partir de là, de nouvelles connexions se présentent et la moisson s'avère des plus riches. Un des charmes du vieux roman tient sûrement aux recroisements qui s'imposent à sa relecture. Soit d'abord le château des Marais : il en a déjà été question mais autrement au t. III. Il semble que l'auteur ait voulu ces quasi-ressemblances qui laissent toujours subsister un doute, selon une technique du déjà vu dont l'impression resterait floue. La Tour Merlin en est un exemple, les aventures d'Hestor en sont un autre. Au sein d'une intrigue complexe se présentent les deux situations typiques, où la traversée du miroir aventureux entraîne le chevalier errant, à savoir l'imputation de viol (à travers l'histoire de l'amie de Guinas de Blakestan [Blanc Etang ?] calquée sur celle de Perceval : au pavillon et devant sa cousine, cf. S.III 323 , et modèle de celles à venir de Guerrehés, cf. S.V 28-29, et de Lancelot, *ibid.* 96, 304), et, entremêlée, celle de meurtre (la bière chevaleresse, le deuil, le mort dont les plaies resaignent, cf. S.III 353 et 356, l. 5, frère, en l'occasion, du chevalier que blessa Guinas mais que vengea Hestor, cf. *ibid.* 388, l. 1-3). Curieusement, l'errance d'Hestor, impliqué à des titres divers dans ces drames, débouche par deux fois sur un château environné de marais : l'un s'appelle le château de l'Etroite Marche, entre Norgales et Cambenync (S.III 334, l. 25-36)[21], et la fille fort belle du vieux seigneur que menace un cruel sénéchal, Marganor (Margon ? Mangon ? cf. Loomis, *AT* 247), a jeté son dévolu sur le héros, en usant des finesses d'une Blanchefleur (S.III 350, l. 32 ss.) ou des expédients propres aux fées que l'on néglige, l'anneau magique nommément (*ibid.* 351, l. 37-39). L'autre château appartient précisément au « Seignor des Marés » (*ibid.* 387, l. 41) qui retient prisonnier Hestor accusé du meurtre d'un de ses fils, mais dont la nièce amène le héros à déliver une sœur à elle, du nom d'Hélène sans pair (*ibid.* 391, l. 9-11). Autrement dit le nom d'Hélène est associé au château des Marais dont le seigneur est son oncle, comme on apprend plus tard qu'à la mort d'Uter, en la vieillesse du roi Ban, la fille du seigneur des Marais, « la plus belle de tout ce pays », avait conçu Hestor (S.V 117; M.IV 223). S'agit-il du même château ? Il est remarquable qu'à l'entrée Lancelot, tout à son penser d'amour, subit une charge qui le fait choir en pleine eau, dans la risée générale (S.V 113; M.IV 214). Après quoi il lui faut bien attendre auprès d'une fontaine voisine. Or une fontaine, « la plus merveilleuse qui soit en toute la Grant Bertaigne », était aussi localisée non loin du château des Marais où Hestor avait été traîtreusement conduit par un nain. (S.III 355, l. 55 ss.). Ce château est-il, d'autre part, distinct de celui de l'Etroite Marche, où Hestor avait affaire à une demoiselle entreprenante ? Sans doute, mais Hélène sans pair, nous dit-on, vit dans le château de Gazewilte, lequel est, lui aussi, situé en la Marche de Norgales : on est en présence, dans les deux cas, d'un « château de la Marche ». Ajoutons que la première fois où fut évoquée Hélène sans pair remonte au début du roman, au titre d'une comparaison avec la reine Guenièvre qu'elle égale en beauté (S.III 29; M.VII 59) et dans un contexte que domine la figure pathétique de la Reine aux Grandes Douleurs, Hélène de Benoïc !

Ainsi le récit glisse-t-il perpétuellement de l'une à l'autre, de la mère à la reine, au travers d'Hélène. L'aventure d'Hestor semble même étroitement participer de celle de Lancelot : il est lui aussi « des chevaliers la roine Genievre » (S.III 328, l. 7) ; il entre dans l'errance « pensif » comme celui qui n'est pas sans amie (*ibid.* 321, l. 36-38) ; surtout, il prie Hélène de le toucher, avant le combat, de sa main nue, afin de se faire un talisman de sa beauté (*ibid.* 391, l. 42). Or Lancelot avait été naguère pareillement transporté d'aise, quand il sentit la main de Guenièvre touchier la soie toute nue (S.III 131, l. 18; M.VII 286).

L'aventure d'Hestor et d'Hélène sans pair, nièce du seigneur des Marais (S.III) peut donc être tenue pour le double féerique de celle de Lancelot et de Guenièvre, tandis que l'ancien péché du roi Ban avec la fille du seigneur des Marais (S.V) se rejoue obscurément à travers les amours mélusiniennes de Lancelot et de la pucelle de la Fontaine[22]. Après le château des Marais, la Fontaine aux Serpents définit une nouvelle série de relations: Lancelot, humilié à l'entrée du château, s'assoit auprès d'une fontaine; or il y retrouve précisément, en mauvaise posture,

> la damoisele qui l'avoit gari de l'envenimement qu'il avoit pris l'autre jour a la fontaine (S.V 113; M.IV 215),

et dont l'amour avait su l'attendrir en sorte qu'il

> n'amoit nulle femme plus de li*, fors seulement la royne Genievre (*ibid.*).

On se rappelle l'épisode: deux hideuses couleuvres avaient surgi de la fontaine où le héros, mené par la vieille, s'était désaltéré grâce à la coupe d'or de la merveilleuse jeune fille (S.V 71-72; M.IV 134-136). Mais justement, dans le saphir de l'anneau d'or que la mère d'Hestor tenait du roi Ban, similaire à celui que portait au doigt la reine Hélène de Benoïc, étaient taillés «deus serpentiaus» (S.V 119, l. 40; M.IV 227). On peut, de là, regarder dans deux directions, vers le Val sans Retour et vers Corbenic. Car l'émeraude du petit anneau qui fut donné par Guenièvre à Lancelot et dont le double est aux mains de Morgain porte aussi

> deus figures diverses que nus ne savoit a dire qu'eles senefioient, kar l'en nes pooit veoir se a grant paine non (M.I 349; S.IV 124: «deus images»).

Conclurons-nous, avec Rabelais, que ce qui avoisine de trop près la mère est de l'ordre de l'indistinct («Amaurote»)? Mais Lancelot est, à cette occasion, l'objet d'une entreprise de séduction dont Morgain a chargé l'une de ses demoiselles et celle-ci, nous dit-on,

> chante lais bretons et autres notes plaisans et envoisies (M.I 317).

Or, au château du Graal, quand, bien plus tard, Bohort est admis à en voir pour partie les merveilles nocturnes, apparaît un merveilleux harpiste qui note «le lai du Pleur» et que tourmentent cruellement deux couleuvres enlacées à son cou (S.V 300; M.V 265). Un même complexe réunit ainsi, par un infernal entrelacs, la Fontaine aux Merveilles et le Palais Aventureux, de part et d'autre du château des Marais où fut consommé l'adultère entre le père de Lancelot et la mère d'Hestor, et le tout entre en rapport avec l'aventure d'Hestor chez Hélène sans pair et celle de Lancelot dans le Val de Morgain, elles-mêmes fonction d'une relation privilégiée, *via* la Dame du Lac, avec la reine Guenièvre!

Aussi bien est-ce en Gorre que Lancelot pénètre dans le Saint Cimetière où est, pour la première fois, annoncée «la haute Queste del Graal», perdue pour lui par le péché de son père avant même que d'être (M.II 42). La nature de l'épreuve comme la disposition de la scène sont ici révélatrices : elles sont doubles en effet. Deux tombes, deux dalles funèbres à soulever,

> l'une en haut, en mi lieu d'un trop bel prael, et l'autre estoit desos terre, en une cave molt parfonde (*ibid.* 31).

La première, destinée au héros qui doit libérer les prisonniers du Royaume sans Retour, autre nom du royaume de Gorre en écho au Val sans Retour de Morgain, est celle de l'ancêtre du saint lignage, Galaad, fils de Joseph d'Arimathie et premier roi de Galles. Mais la seconde, réservée à l'élu du Siège Périlleux qui résoudra les enchantements du Royaume Aventureux, autrement dit de Logres ou Grande Bretagne, est la tombe ardente où continue d'être tourmenté pour son péché Symeu père de Moyse. C'est par sa voix que Lancelot apprend à la fois que son père fut adultère et que sa mère est encore en vie. Deux représentations entrent ici en concurrence : l'une, sainte et salvatrice, liée au nom de Galaad, l'autre de péché et de damnation qui s'attache à Lancelot en tant que se répète à travers lui la faute paternelle. Mais par un chassé-croisé, Lancelot accomplit l'aventure de « Galaad » et Galaad réussira là où échoue Lancelot :

> To ce avés vos perdu *par le pechié de vostre pere,* kar il mesprist une sole fois, *vers ma cosine, vostre mere* (M.II 37).

Cette indication de parenté, glissée en passant, est grosse de conséquences, car on pouvait s'interroger sur l'ascendance d'Hélène de Benoïc : d'une part, elle relevait de la « haute lignée le roi David » (S.III 13 et 88; M.VII 23 et 192), de l'autre elle était dite, assez énigmatiquement, appartenir au haut lignage établi par Dieu « el regne aventureus » pour la gloire de son nom (S.III 13 et 42; M.VII 24 et 89). Il ne peut s'agir que des descendants de Joseph d'Arimathie (cp. S.III 140; M.VII 306). Ainsi seraient réunis en Hélène l'*Ancien* et le *Nouveau Testament,* de David au Christ et du Christ à Joseph et Galaad. Le présent passage en apporte confirmation puisque Symeu est le neveu de Joseph (M.II 36) et le cousin germain du roi Galaad. Il faut donc rétablir ainsi l'arbre généalogique :

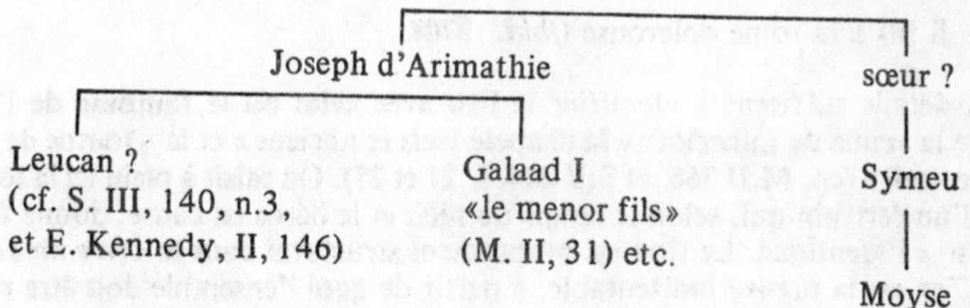

Si Hélène est cousine de Symeu, par-delà la différence des générations, elle est donc, sans qu'on précise par quelle voie, du lignage de Joseph. Mais un certain trouble gagne l'esprit si on s'avise que l'aïeul auquel le héros doit le surnom de Lancelot imposé par son père (M.II 36) et dont il retrouve la tombe près de la Fontaine Bouillonnante (S.V 244 ss.; M.V 117 ss.), est lui aussi issu de la lignée de Joseph d'Arimathie[23] ! Sa voix se fait également entendre en rêve à son petit-fils :

> Jo sui li rois Lancelot qui fui rois et sires de la Blanche Terre qui marchist al roiaume de la Terre Foreine et sui tes aiox et pur amur de moi te apela

> tis peres Lancelot, et si as tu non en bautesme Galaad (S.V 243, n.2; M.V 115 : « et por honor t'apela li rois Bans mes filz Lancelot »),

et un ermite explique plus loin :

> Il est voirs [que vostre] ayel qui ci gist issi de la lingnie Joseph d'Arimacie (M.V 123 ; S.V 246).

Comme en Gorre donc, une voix interpelle le héros au seuil de l'aventure et lui révèle le secret de son double nom. Il lui faut de même lever la pierre tombale, et s'il réussit, ce n'est encore qu'imparfaitement : quoique l'aïeul, tête et corps enfin réunis, ait été enseveli, la fontaine n'a pas pour autant cessé de bouillir, et l'ermite incrimine la luxure du héros. De surcroît, à ce prodige dont Lancelot a, malgré tout, accompli l'aventure, succède la vision miraculeuse du cerf blanc gardé par quatre lions, que poursuit en vain Lancelot et qui attend le seul Galaad.

D'où tout un jeu de correspondances entre Gorre et la Forêt Périlleuse, théâtre de la présente aventure : la tombe du roi Galaad, le saint homme, était pour Lancelot, et celle de Symeu, témoin de sa luxure, pour Galaad ; la tombe du roi Lancelot est pour son petit-fils, mais la Fontaine en ébullition, pour l'élu du Graal, et, si l'ensemble concerne Lancelot, l'aventure du blanc cerf est pour un autre. Ce n'est pas tout, puisque à la tombe ardente de Symeu en Gorre répond la tombe ardente du Cimetière où pénètrent un jour Gauvain et Hestor (cp. M.II 34, § 35 et 367, § 26). L'aventure que tente inutilement Gauvain ne doit cesser, prévient-on, qu'à la venue du

> chaitis chevaliers qui par sa maleureuse luxure a perdu a achever les merveilloses aventures del Graal, celes ou il ne porra jamés recovrer (M.II, 367),

c'est-à-dire :

> li fils a la roine dolerouse (*ibid.* 370).

Deux détails suffisent à identifier le lieu avec celui où le fantôme de l'aïeul espère la venue de Lancelot : « la chapele viels et anciene » et la « tombe de marbre vermeil » (cp. M.II 366 et S.V 244, l. 21 et 23). On saisit à plein ici la technique d'un écrivain qui, selon le temps du récit et le héros en cause, donne figure diverse à l'identique. Le flou est proprement structural dans le *Livre de Lancelot.* C'en est la preuve indiscutable, à partir de quoi l'ensemble doit être réévalué. Mais ce trait de génie, qui fait paraître naïves les audaces les plus modernes, a coûté cher à son auteur, en désorientant pour longtemps les érudits ! Seul l'avait compris l'auteur de *Perlesvaus,* expert en *muances,* qui nous ouvrit les yeux. Mais dans la quête menée par Gauvain, la tombe ardente précède juste son aventure à Corbenic où il découvre d'abord une demoiselle souffrant le martyre dans une cuve de marbre où elle plonge à mi-corps. L'eau y est, en effet, si brûlante que pour y avoir trempé la main Gauvain crut l'avoir perdue pour de bon (M.II 373-374) ! Lancelot agit de même pour sortir de la fontaine la tête de son aïeul, mais, quoique l'eau lui brûle aussi la main, il vient à bout de l'épreuve (S.V 245; M.V 120).

Essayons de résumer : à partir des deux serpents de l'anneau d'une mère (d'Hestor, de Lancelot), on glisse, dans l'espace aventureux, de la Fontaine aux serpents où pourrit Lancelot au spectacle des couleuvres à Corbenic. Mais par le péché du père, le roi Ban, on remonte dans le temps d'une tombe à l'autre, jusqu'à l'époque de Lancelot I, et à cette occasion on découvre qu'Hélène, la mère douloureuse, et Lancelot, l'aïeul tragique, se rejoignent dans le même lignage sacré de Joseph d'Arimathie. La « malheureuse luxure » du héros a donc une histoire qui date de loin, de père en fils sur deux générations. Elle acquiert ainsi une profondeur dont les aventures d'Hestor détiennent le secret inexpiable (comme Feirefis pour Parzival), et ne se réduit pas comme à son dernier mot au seul adultère avec la reine Guenièvre. Le nom de « Lancelot » recouvre ainsi des amours maudites, même si elles se parent de merveilles en Gorre ou s'honorent de chevalerie en Logres. Mais pour le savoir, il faut s'égarer au pays enchanté, puis retrouver un monde hanté. Quel forfait le héros a-t-il ainsi exhumé de l'histoire antérieure ?

Rien n'est simple, là non plus, car le passé est tout autant transposé et travesti que le présent, et l'événement est, à son tour, pris dans un nouveau réseau de relations éparses au sein du livre. Notons d'abord une dissymétrie temporelle entre les noms du héros : Galaad nous reporte loin en arrière, quatre siècles plus tôt, au temps de Joseph d'Arimathie, tandis que le roi Lancelot doit être contemporain du père de Pellés, le Roi Pêcheur, autrement dit du Roi *Mehaigné* qui languit dans l'attente du Bon Chevalier, comme l'ombre de l'aïeul espérait de son petit-fils que la paix lui fût rendue. Comment lui vint, s'enquiert Bohort, pareille blessure ?

> Ce fu *par le forfait qu'il fist* quand il traist* l'espee du fuerre* qui ne devoit estre traite devant que cils [l'an otast] qui les aventures del saint Graal doit achiever (S.V 303 ; M.V 273).

Lancelot avait dans les mêmes termes interrogé l'ermite au cimetière :

> Sire je savroie volentiers l'estoire de mon aiel, se vos le saviez, et qui l'ocist ainsi et *por quel forfait,* car c'est une chose que je desir moult a savoir (M.V 123).

Deux moments ont donc fait date : le Graal d'abord fut apporté en Grande Bretagne par Joseph, dont le fils, Galaad, conquit à la loi chrétienne le pays de Galles (M.II 31 et 36) ; puis survinrent, conjointement à notre avis, le meurtre du roi Lancelot, père du roi Ban, et la blessure ensorcelée du Roi *Mehaigné,* père du roi Pellés. Si Galaad devint roi de Galles, Lancelot, dont le père n'était que duc, fut élu roi de la Terre Blanche et y fit semblablement régner la loi chrétienne après en avoir chassé les mécréants et les Sarrasins (M.V 123). Curieusement la Terre Blanche est limitrophe de la Terre Foraine comme l'est, au reste, le royaume de Gorre, suivant l'incessante oscillation entre couleur de féerie et odeur de sainteté. Précisons encore qu'il existe à l'entrée de Gorre un Blanc Chastel dont Gallidés, le seigneur, en guerre avec ses nièces, est combattu par Bohort (M.II 136). Toute Blanche Terre promet une Blanchefleur comme un rêve d'amour (cp. la Dame de la Blanche Tour ou du Blanc Chastel, cousine germaine du duc de Clarence, « le petit chevalier » dont le père aima si fort la Dame de Corbalain (*sic*), sa tante, M.I 182). En être roi veut dire en subir le sortilège. Le drame de Lancelot I est celui d'un amour et de la tragique méprise qui s'ensuivit. Mais qu'il soit innocent aggrave plutôt son cas. Cet amour du roi pour la femme d'un sien cousin, le duc de la Blanche Garde, est en effet trop chaste pour n'être pas plus profondément impur. Si le cœur de la dame est en la Sainte Trinité, le diable rôde alentour, fût-ce à travers des commérages. Il faut lire ici la version longue, riche en détails significatifs (M.V 122-125). Le diptyque du Ciel et de l'Enfer est conforme à la tradition de Merlin, et au début du livre ce n'est pas par hasard que le récit glisse d'Hélène de Benoïc à Niniane la fée, à travers l'histoire de Merlin, passant ainsi du saint lignage de David à l'œuvre du diable! La haire que vêt « tous les jours » la pieuse dame, la bonté qui émane d'une si religieuse figure rappellent la « haire aspre » que portait « à toute heure » Hélène, la reine voilée (S.III 106; M.VII 233) et l'excellence de sa sainte vie. Toutes deux si jeunes et si belles... Ainsi se confondent les visages de la mère et de la Dame de la Blanche Garde. Si le roi Lancelot l'aime d'amour aussi pur qu'était sans équivoque la trop vive affection de la fée du Lac pour le « beau trouvé » ou le « beau fils », il ne peut se passer d'elle un seul instant, et l'on en jase:

> Ceste vie mainnent longuement tant que les genz qui estoient fox* et plains de mal esperit noterent ceste chose en mal et distrent, en qui la langue del diable parole, que li rois amoit folement la dame et encontre Deu et encontre sainte eglyse (M.V 124).

Aussitôt revient à l'esprit l'histoire de la trahison que trama Merlin au service des amours d'Uterpandragon et d'Ygerne, la femme d'un duc également, à Tintagel (M.I 300). Hélène et Merlin, la Blanche Garde et Tintagel, dans l'histoire parentale se recroisent les images de la mère et de l'adultère, tandis que les combinaisons généalogiques mettent en parallèle l'aïeul et le petit-fils: si Lancelot I sort de l'illustre lignée de Joseph, il faut que ce soit par l'ascendance maternelle, puisque son père était seulement duc. En adoptant, par exemple, les éclaircissements de la *Queste del Saint Graal,* devrait-on supposer au roi Lambar, père du Roi *Mehaigné,* une sœur qu'aurait épousée Jonaan, père du roi Lancelot (*Queste* 136, l. 10)? Mais la *Queste* suit, même pour le passé, d'autres voies, et l'utiliser embrouillerait plutôt. C'est en tout cas par Hélène de Benoïc, sa mère, que Lancelot descend du saint lignage de David. La liaison de l'aïeul avec la Dame de la Blanche Garde, comparable à celle de Lancelot avec la femme d'Arthur, baignerait dans le même halo de mystère dont s'entoure saintement la figure prestigieuse d'une mère.

Mais on n'oublie pas non plus l'étrange indistinction des lignages maternel et paternel qui, quelque part, se rejoignent, ni le fait qu'Hélène est la cousine de Symeu de la Tombe Ardente. Toujours se présente une version diabolique de l'histoire sainte: il faut la lire autre part. Deux épisodes antérieurs entrent ainsi en correspondance avec le conte du roi Lancelot: il s'agit des aventures du duc de Clarence et de Lancelot en quête de Gauvain dans la Forêt Malaventureuse, en bordure de la Tamise,

> molt renomee par totes terres por les merveilles qui i avenoient (M.I, 176).

Chacune des trois parties du livre que distingue l'édition de Sommer privilégie ainsi une forêt fabuleuse où se multiplient les merveilles: la forêt de Brocéliande où on pénètre par le carrefour des Sept Voies, théâtre des aventures d'Hestor et de Gauvain (S.III) ; la Forêt Malaventureuse, qui réunit la Tour de Caradoc et le Val sans Retour de Morgain (S.IV; M.I) ; la Forêt Perdue ou Desvoiable, combinant le Tertre de Terrican, frère de Caradoc, et le Verger de Morgain (S.V; M.IV). Ce sont là trois séries de quêtes. Géographiquement, les aventures ont tour à tour pris place en Norgales près de la Severn (S.III), en Logres près de la Tamise (S.IV) et en Cornouailles (S.V). Chaque progrès dans l'analyse vérifie la solidité d'une construction d'ensemble agencée dans le moindre détail. L'histoire du roi Lancelot comporte, entre autres, deux particularités sur lesquelles le récit a déjà attiré l'attention : la tête du vieillard doit être retirée du fond de la fontaine, et son corps, réuni ensuite à celui de sa femme, la reine Marthe, dans la même sépulture ; d'autre part, le château du mari jaloux a été, à l'instant du meurtre, envahi de ténèbres en signe de la colère de Dieu. La version courte est ici désastreuse et il faut se reporter aux notes en bas de page de Sommer ou au manuscrit Rawlinson choisi par A. Micha pour l'*Agravain* :

> Les tenebres sont conmanciees en vostre chastel si granz que nus hom n'i voit goute, et vindrent orandroit* a ore de midi (M.V 126).

Elles durent encore, précise-t-on, en attendant le Bon Chevalier qui doit mener à bonne fin les hautes aventures du saint Graal (M.V 127). Or, au cours de sa traversée de la Forêt Malaventureuse, dans la partie que remplit l'aventure du Val sans Retour, Lancelot affronte, juste avant, l'épreuve d'Escalon le Ténébreux et, peu après, celle de la rivière aux deux morts. D'un côté, un château enténébré depuis dix-sept ans, obscur en plein jour ; de l'autre, deux corps réunis au fond de l'eau d'où il faut les retirer. L'analogie avec la tombe de l'aïeul est évidente, d'autant plus que la première scène a pour décor la noirceur d'un château et la clarté d'un cimetière, et la seconde, un paysage tout « agasti ».

Mais quelle est l'origine de pareils maléfices ? A Escalon, situé dans la terre « la plus plentivose (plantureuse) qui soit en tote Bretaigne », il advint, la nuit du Vendredi Saint (« la premiere nuit des tenebres » dans la Semaine Sainte), que le seigneur du château posséda charnellement, dans l'église même, la demoiselle jalousement gardée qu'il aimait. Ils furent au matin retrouvés « morts, l'un sur l'autre », et depuis lors les cadavres des morts s'entassent en cet endroit (M.I 231-232). Le lieu exhale une froidure et une puanteur qui présagent l'Enfer. Le héros doit accomplir d'abord l'aventure de ce moûtier, s'il veut abattre les mauvaises coutumes de la Douloureuse Tour, objet principal de toute l'entreprise. Pour en triompher, il endure une grêle de coups, frappés par des mains invisibles (cf. M.I 261, 263). On se souvient que Gauvain, parvenu bien plus tard, avec Hestor, devant la Tombe Ardente d'un cimetière près d'une vieille chapelle, « en une gastes landes », voit fondre sur lui des épées qui d'elles-mêmes se dressent sur les tombes (M.II 366-369). Entre ces deux moments est intervenue la première annonce du Graal, dans le conte de la Charrette (M.II 41-42), et Gauvain assiste, aussitôt après l'aventure du Cimetière, à la première liturgie sacrée à Corbenic (M.II 371 ss.). En revanche, quand Lancelot réussit l'épreuve d'Escalon, tout sourit encore au fabuleux héros, à la veille de la mort de Galehaut et de la révélation de Symeu au Saint Cimetière. Aussi bien ses exploits dans la Forêt Malaventureuse sont placés sous le seul signe d'Amour : le Val sans Retour de Morgain s'appelle le Val aux Faux Amants et le héros trouve à Escalon la force de repartir malgré la pluie de coups,

> kar Amors le releve (M.I 263).

Les histoires de l'aïeul et du petit-fils se recoupent donc, entre chasteté et luxure, suivant un même fil amoureux. A la Blanche Garde, les amants se gardaient en la Sainte Trinité ; à Escalon, ils succombaient au péché de chair, la nuit du Vendredi Saint. Quand Lancelot a, devant la tombe, révélation du passé, il apprend, peu après, la naissance de Galaad (S.V 251; M.V 139) ; quand il rend la joie au château d'Escalon, il n'est encore d'autre royauté que d'Amour. Quant aux morts de la rivière, l'aventure s'en présente, par antithèse, au temps de Pentecôte, « a si haute semaine », après que Lancelot a assisté à une messe du Saint Esprit (M.I 326). C'est encore une histoire d'amour, mais les amants étaient, cette fois, purs de toute faute et le mari jaloux a tué par trahison, à l'instar du duc de la Blanche Garde, celui dont il a jeté le corps à la rivière. Le risque encouru pour tirer le mort de l'eau n'est toutefois pas de s'échauder, mais, par contraste, de se noyer. Bon nombre d'épisodes reprennent, ailleurs, ce motif de la noyade (S.III 203, M.VII 444; M.I 289, II 312 et 350; S.V 113, M.IV 214). Dans la version de Sommer, il est précisé que Lancelot doit s'immerger :

> si que tous fu enclos dedens (S.IV 128).

Ainsi s'explique mieux l'effroi sacré qui saisit à cette vue la demoiselle de Morgain :

> En non Dieu, vos ne fustes onques hom. — Que sui je donc, damoisele ? fet il — Quoi ? fet ele, vos estes fantosme ! Et il s'en rist (M.I 328).

L'effarement de l'une comme le rire de l'autre témoignent qu'on s'est peut-être aventuré au-delà de ce qu'il est permis à un homme de savoir. Une faute sexuelle, qui remonte des diverses strates du passé, hante avec insistance le présent des aventures, oscillant du péché d'un seigneur sacrilège à l'innocence dans l'adultère, dont relève également l'histoire de Lancelot I, par son climat de piété et sa tragique équivoque[24].

Notre lecteur s'en est aperçu : il est impossible d'avancer en droite ligne dans le commentaire du *Livre de Lancelot,* si du moins on ne veut pas le trahir. Pour qu'apparaissent la signification et la nécessité de ses détours, il faut que la découverte en suive le tortueux chemin. Une vérité trop forte s'y présente comme chiffrée, au travers d'incessants échanges, brouillages et déplacements. Mais l'ampleur du chiffrage donne seule la mesure de la force ici à l'œuvre. Comptent avant tout l'entrelacs et son parcours, chargé de désirs en impasse, non pas le terme qui, sitôt saisi, fuirait, décevant. Ce que Montaigne a déjà dit. Quand la vie amoureuse de Lancelot se divise entre la cour d'Arthur et celle de Pellés, entre la reine couronnée et la pucelle du Graal, et que le premier terme balance, à son tour, entre Morgain et Niniane, hideur et blancheur, maléfice et féerie, serpents et coupe d'or, vieilles perfides et loyales demoiselles, les aventures qui se rattachent au personnage d'Hestor et pareillement se dédoublent, captent en leur miroir le secret qui se voile en celles de son demi-frère : elles font briller le nom d'Hélène et sa merveille ; elles remettent en mémoire l'histoire de Ban et son péché. Dès lors le double jeu d'amours merveilleuses et maudites se détache sur un fond familial de piété et de tragédie.

Mais ce n'est là qu'un versant : il existe aussi des amours merveilleuses et bénies, quoiqu'elles aient, bizarrement, une contrepartie incestueuse et destructrice. Hestor, « Helène », les Marais peuvent être mis en parallèle avec Lancelot,

Guenièvre, la Fontaine aux Serpents. Mais Bohort qui surgit au lendemain des aventures en Gorre après être, lui aussi, monté dans la charrette, et qui bientôt a affaire à la fille du roi Brangorre, présente la version féerique de la sainte union de Lancelot et de la fille du roi Pellés, qui fait elle-même suite à la passion de la merveilleuse pucelle de la Fontaine aux Serpents. Les aventures amoureuses du t. IV (2e moitié) et du t. V (1re moitié) se disposent en rime croisée : Gorre, « Brangorre », Fontaine, Corbenic, c.à.d. alternativement folies d'amour et amours fécondes. On sait, en effet, que Lancelot et sa Dame, Lancelot et la pucelle ont, dans chaque cas, inventé un amour d'exception, aux limites d'un désir impossible, dans l'absolue servitude d'une part, l'absolue chasteté de l'autre :

> Quar vous me porrois amer comme pucele et li* comme dame,

commente la demoiselle éprise du héros (S.V 84; M.IV 158). En retour, la fille du roi Brangorre est explicitement rapprochée de celle du roi Pellés :

> Et dient que onques mes ne fu nee si bele riens fors solement la fille al Roi Pescheor (M.II 187).

Elle conçoit Helain le Blanc destiné à la royauté mondaine, comme la seconde concevra Galaad, promis à la royauté spirituelle. Mais on peut aussi grouper les quatre épisodes en suites de deux, version féerique : « Gorre », puis version biblique : « serpents ». La série des amours interdites : Dame, Pucelle, et celle des amours fécondes : filles de roi, ne cessent en effet de se correspondre terme à terme, comme le prouve déjà la confusion d'Amide et de Guenièvre aux yeux de Lancelot. L'enfant incarne la merveille dont la joie amoureuse a offert, comme par grâce, l'entrevision. Mais en lui se signifie la volonté de Dieu, tandis qu'en elle est côtoyé l'abîme d'enfer. Entre la pucelle de la Fontaine et la fille du Roi Pêcheur apparaissent plusieurs points communs : la présence de la vieille, que ce soit la Demoiselle de Grand Age ou Brisane, la « dame de si grant aage qu'elle pooit bien avoir cent ans » ; le « boire » empoisonné, sous le coup de la chaleur : coupe d'eau puisée à la fontaine, ou de vin « qui plus estoit clers que fontaine » ; le thème de la virginité :

> Il est voirs (dit la jeune fille de la Fontaine) que jou vous aim en tel maniere que femme n'ama onques homme. Car amor d'omme et de femme vient par carnel atouchement dont il convient que virginités soit corrompue. Mez de nostre amor ne sera ja elle corrompue (S.V 83; M.IV 157).

A quoi fait écho à Corbenic le passage déjà cité sur « la flor de virginité » (S.V 111; M.IV 210). Nous avons signalé l'intervention de Guenièvre auprès de la demoiselle de la Fontaine (cf. les reliques des cheveux et l'autorisation). Autre lien, avec Corbenic cette fois : la reine qui partageait sa chambre avec une cousine germaine, du nom d'Elizabeth, a rêvé qu'en la chambre royale Lancelot était couché avec la plus belle des demoiselles, préfiguration exacte de la dernière scène d'amour et de folie (S.V 63-64; M.IV 118-122). Enfin, comme Guenièvre aux abois décide d'appeler à l'aide la Dame du Lac et de lui envoyer justement Elizabeth, sa confidente, épisode qui prépare, à travers l'outrage de Claudas à la reine, l'expédition militaire en Gaule, certains manuscrits, tels

Royal 19C XIII, 20C VI, 19B VII et 20B VIII, commettent le lapsus d'appeler Niniane Hélène (S.V 65, n.4; M.IV 122) ! Toutes les figures féminines sont ainsi rassemblées autour de l'épisode de la Fontaine.

Mais l'histoire de Bohort chez Brangorre est aussi riche en connexions semblables. A vrai dire ce personnage joue un rôle essentiel dans la liaison des aventures : sa première apparition, sur la charrette du nain, répète le geste d'amour fou par lequel Lancelot a signé son entrée en Gorre, à la recherche de Guenièvre ; sa nuit avec la fille du roi préfigure celle du héros à Corbenic. A travers lui, se rejoignent les deux épisodes clefs des errances de Lancelot. Mais ses aventures servent encore de point de rencontre à toutes les autres. Soulignons d'abord le parallèle entre Hestor et Bohort : tous deux se sont illustrés en abattant des compagnons de la Table Ronde, tandis que Gauvain s'est tenu en retrait ; leur départ de la cour en quête d'un chevalier absent (Gauvain, Lancelot) reste entaché d'ombre, par soumission à la demoiselle au nain ou par manque d'initiative. Motifs identiques de la demoiselle assiégée que persécute un séchéchal (Marganor, à l'Etroite Marche ; celui de Gallidès à Honguefort), ou des deux sœurs dont l'une appelle le héros au secours de l'autre (nièce des Marais et Hélène sans pair ; demoiselle de Honguefort et « Amide », sa sœur, de même nom que la fille du Roi Pêcheur). Mais surtout les aventures d'Hestor avec la demoiselle de l'Etroite Marche et de Bohort avec la fille du roi Brangorre sont d'autant mieux contrastées, l'un résistant, l'autre succombant, qu'elles présentent plusieurs point communs : un père qui, dans les deux cas, offre en prix sa fille et se heurte au même refus du chevalier,

> Que je ne puis feme prendre tant que jou aie ma queste achievée (S.III, 351) ;
>
> Je sui en une queste : se je ne puis prendre feme devant que je l'aie achevée (M.II 188) ;

un nom de lieu identique : « Castel de l'Estroite Marche » pour l'un, « Chastel de la Marche » pour l'autre ; l'anneau magique enfin, qui versera toujours plus d'amour au cœur d'Hestor, ou qui enflamme sur l'heure celui, si chaste, de Bohort. D'autres ramifications sont encore visibles : voici les tables mises par les prés et les pavillons tendus autour d'un pin, et dans ce décor, parmi les caroles, Bohort, rouge de honte, s'assoit sur « la chaiere d'or » destinée au vainqueur. L'ensemble regarde vers les danses et le trône de l'épisode, déjà analysé, de la Tour Merlin. Puis, de même que pour Lancelot la Fontaine aux Serpents précède la réception à Corbenic, avant d'être accueilli chez Brangorre, Bohort rencontre l'énigmatique demoiselle bandée de fer. L'aventure ne se laisse pas aisément déchiffrer, car elle se tient au carrefour de plusieurs autres. Disons seulement pour quelle raison la demoiselle fut ainsi mise à la torture : elle avait, pour détruire les ennemis qui l'assiégeaient, « envenimé », par temps de grande sécheresse, la fontaine qui leur restait :

> Et ensi le fis, kar je porchaçai plaine fiole del plus fort venim del monde, si l'espandi dedens la fontaine a tel eur c'onques hom puis n'en but qui n'en moreust (M.II 173).

Force des herbes, force des pierres, le venin, l'anneau, c'est, au dire même de l'auteur, le signe des fées et des histoires bretonnes (S.III 19; M.VII 38).

L'image féminine est ainsi empreinte d'un pouvoir étrangement inquiétant, à la mesure même de la séduction qu'elle exerce. Or la reine Guenièvre ne laisse pas de participer de ce monde dont sa figure est pourtant distincte : à la fille de Brangorre est liée la prestigieuse Table aux Douze Pairs ; n'en est-il pas de même de la fille de Léodagan de Carmelide, suivant l'épisode de la fausse Guenièvre ? Ce roi offrit en effet en cadeau de mariage à Arthur la Table Ronde aux cent cinquante chevaliers :

L'onor que vos preïstes en li en mariage, c'est la Table Reonde (M.I 26).

La coutume de la Table aux Douze Pairs veut que son vainqueur ait droit à la fille du roi. Ce parallèle ne suffit pas et les aventures de la pucelle et de la reine se nouent à travers les folles promesses, les « gabs », dont rivalisent les chevaliers pour les beaux yeux de la demoiselle, car Bohort, interrogé en dernier, jure à notre surprise de n'avoir de cesse qu'il n'ait, pour l'amour de la jeune fille, enlevé Guenièvre à la garde de quatre chevaliers (M.II 192). C'est recommencer l'orgueilleuse entreprise de Méléagant. Après avoir été le Chevalier de la Charrette, Bohort devient le ravisseur de la reine ! Il amorce, ce faisant, l'ultime série des aventures (M.II 268 ss.). Il n'existe donc pas, dans ce roman, d'épisode indépendant ou gratuit. Tous convergent, quoique diversement répartis, vers un petit nombre de scènes ou de situations fondamentales qui satisfont à une distribution minimale du récit, elle-même profondément problématique. Pourquoi, autrement, la Dame du Lac serait-elle de nouveau évoquée, à l'occasion des amours de Bohort, alors même qu'elle n'y joue d'autre rôle que de s'en montrer incrédule ? Bohort, croyait-elle savoir, devait à jamais rester vierge ! L'auteur y glisse peut-être certaine touche d'ironie : même une fée omnisciente en perd son latin, pour peu que Dieu s'en mêle (M.II 198) ! Mais outre ce trait de malice, il semble bien qu'on veuille, un bref instant, rapprocher les visages de la fille du roi, de Guenièvre et de Niniane, comme plus tard le rêve de la reine, le message à la fée et le subterfuge de la fille de Pellés sont tissés ensemble. C'est du grand art, et même sa perfection.

D'autant plus que l'histoire de Bohort, riche en suggestions à venir, n'est pas sans précédent : si elle réunit en elle l'enlèvement en Gorre et la fontaine empoisonnée d'une part, le complexe de Corbenic d'autre part, et que ce soit, dans le premier cas, en accord avec celle d'Hestor (la prison d'Hélène sans pair et la fontaine merveilleuse près du château des Marais), on souhaiterait, pour la symétrie, quelque préfiguration du second. Or, au t. III, la quête de Gauvain par Hestor est entrelacée avec celle de Lancelot par Gauvain, laquelle mérite maintenant notre attention.

Un nouveau parallèle s'esquisse : au début de son errance, Gauvain est, en effet, sous le coup d'une double humiliation, puisque parjure, au dire du roi, faute d'avoir trouvé le « Chevalier Vermeil », et « recreant » aux yeux d'un nain, son guide, qui l'accable de sarcasmes. De même Bohort, oublieux de bien faire selon Lancelot, ou Hestor, interdit de prouesse par la nièce du même nain. Il soutient la cause de la Dame de Roestoc contre le terrible Segurade, comme Hestor, la fille de l'Etroite Marche contre Marganor, ou Bohort, la demoiselle de Honguefort contre Gallidés. Ce qui suit reprend le scénario des deux sœurs dont la forme ne cesse donc de varier : grâce à la nièce du seigneur des Marais, Hestor découvre la beauté sans pareille d'Hélène ; la demoiselle de Honguefort prétendrait volontiers, quant à elle, à l'amour de Bohort que lui amène « Amide » ;

Gauvain apprend de la fille aînée du roi de Norgales la passion que lui a vouée la cadette. Relevons ces noms: Hélène, Amide, la fille de Belinant (« Beli », c.à.d. selon Loomis « Pellés » aussi bien), la série parle d'elle-même. Mais dans la quête de Gauvain, chaque sœur devient le centre d'un épisode propre, dans le but de mettre en regard l'aventure, prochaine, du héros avec celle, passée, d'un sien frère, Agravain nommément, et de la doter ainsi d'un éclairage mystérieux. La fonction d'introduire le chevalier auprès de la plus belle est dès lors attribuée dans chaque cas à une demoiselle secondaire, porteuse d'une épée (S.III 310, l. 23) ou assise à la clarté de la lune (*ibid.* 365, l. 3), l'objet et le décor prenant valeur de ce qui va suivre. La première aventure apporte à Gauvain une blessure à la cuisse, par l'épée justement, et la seconde, la plénitude d'une joie charnelle, au cœur de la nuit complice. Une mutilation d'une part, une offre sexuelle de l'autre. Disjoints dans le récit, les deux événements n'en restent pas moins liés par ce glissement narratif de l'aînée à la cadette des filles du roi de Norgales. Bien plus, leur mise en rapport se réfléchit dans le spectacle que le miroir aventureux présente à Gauvain la première fois : la demoiselle à l'épée l'a conduit, en effet, auprès du couple énigmatique que forment une ravissante « demoisele de la caiere » qui trône ainsi au milieu d'une chambre, et, allongé dans une autre salle, un grand chevalier malade et gangrené (*ibid.* 312-313). Il s'agit de l'aînée des sœurs, qui met Gauvain au défi de la gagner, et d'Agravain, le frère de ce dernier, qui peut seulement guérir par l'onction du sang des deux meilleurs chevaliers du monde. Sur leur réciproque amour, se greffent deux scénarios distincts : dans l'un, Agravain a enlevé la jeune fille au roi, son père, à la suite de quoi le duc de Cambenync lui a donné en fief le château que lui disputait le roi de Norgales (*ibid.* 316-317 et 360). Dans l'autre, il subit la vindicte de deux demoiselles, pour avoir brisé le bras de l'ami de l'une et voulu forcer dans les buissons l'honneur de la seconde dont il avait déjà découvert la cuisse (*ibid.* 318-319). L'affaire est d'importance si on se rappelle l'aventure de l'Ecu Fendu : la messagère de la Dame du Lac, qui l'apportait à la cour, pendu à son cou, comme la demoiselle venue chercher Gauvain le fait de l'épée, (cp. 304, l. 3 et 310, l. 23), arrivait en effet accompagnée d'un chevalier dont Gauvain cette fois avait brisé le bras, au cours d'une joute semblable (de par le motif de l'écu suspendu et de la rangée de lances) à celle qui précédemment opposa Hestor et les amis de Gauvain (cp. 278 et 319). C'est à Hestor d'ailleurs que Gauvain fait remettre par le même chevalier blessé l'épée de la demoiselle après s'être lui-même ouvert la cuisse avec la sienne propre (cp. 306, l. 5 ; 317, l. 41 318, l. 9 et 320, l. 26). [Cf. respectivement M.VIII 218, 341 ; 224 ; 231-233, 330 ; 236-237.]

Nous ne faisons grâce au lecteur d'aucun détail, parce qu'il n'en est pas de superflu ni d'insignifiant, même si le vertige gagne : Lancelot transmet plus tard à Bohort l'épée de Galehaut qu'il faillit, de désespoir, retourner contre lui-même, sur la tombe de l'ami mort (M.II 213 et 218), avant d'interrompre, à sa vue, le duel fratricide qui doit l'opposer au même Bohort au Tertre Défendu, dans le même décor de la rangée de lances et de l'écu (ou du cor) suspendu à l'arbre, voire en présence du nain (S.V 237 et 239; M.V 99-100 et 104). Or l'épée remise à Hestor par Gauvain, dotée du pouvoir d'empirer un chevalier éprouvé mais d'amender un chevalier nouveau, lui venait de la fille cadette de Norgales, tandis que l'aînée lui tendait pour qu'il se blessât à la cuisse sa propre épée dont elle s'était emparée, et l'épée de Lancelot que reçoit Bohort fut donnée au premier par Galehaut

le jour que il conquist les trois chevaliers de Carmelide,

c.à.d. en fin de l'épisode de la fausse Guenièvre (M.I 135)[25], tandis que celle de son adoubement lui avait été envoyée à sa demande par la reine Guenièvre (S.III 137, l. 7) ! Les transmissions d'épées valent bien, on le voit, celles des anneaux, doublant ainsi dans la violence du sang épanché, homicide, fratricide ou suicidaire, le secret d'une plus intime complicité sexuelle.

Retenons ce point pour la suite et revenons aux demoiselles hostiles à Agravain : elles l'ont, toutes deux, surpris endormi de fatigue après la chasse, à l'ombre d'un sycomore, par temps de grande chaleur. Véritables fées, elles usent d'un coussin magique (comme Brangain ?) pour prolonger son sommeil, et d'un onguent empoisonné afin de pourrir ses membres, bras et jambe (S.III 316-317). Il y a plus atroce encore, puisque la très belle demoiselle qu'il avait désiré violenter exhibe soudain, comme par métamorphose, une cuisse hideuse de gale et de lèpre (*ibid.* 319). L'histoire d'Agravain combine donc la représentation merveilleuse de la Demoiselle au trône, qu'on retrouve avec Bohort chez Brangorre et avec Lancelot à la Tour Merlin, et celle, maléfique, de la Fontaine aux Serpents, le corps enflé pourrissant sous l'action du poison. Si l'aventure d'Hestor, frère de Lancelot, anticipe, par la prison d'Hélène sans pair, celle de Gorre où Guenièvre est captive, celle du frère de Gauvain regarde déjà du côté de Corbenic, à travers Cambenync et la fille du roi de Norgales : *la disposition des tomes IV et V de Sommer est déjà en puissance dans les quêtes emboîtées d'Hestor et de Gauvain.* Si, d'autre part, chez Brangorre, Bohort répète Hestor, par le « château de la Marche », et préfigure Lancelot, par l'enfant, sa précédente aventure à Honguefort, sur le modèle d'Hestor à l'Etroite Marche, est précisément suivie par deux épisodes qui rappellent celui d'Agravain : la demoiselle aux chairs pourries et sa fontaine contaminée, puis le grand chevalier gisant dans une chambre, la main transpercée sous l'effet d'une contrainte magique. Or la première est victime d'une guerre entre son père et le frère du roi de Norgales (M.II 172-175), le second attend sa délivrance du meilleur chevalier du monde, ce qui provoque une querelle entre Bohort et un chevalier qui n'est autre qu'Agravain l'Orgueilleux (*ibid.* 177-182)[26] !

On peut, à ce propos, se demander si la tradition manuscrite qui divise le conte en « branches » d'après les figures marquantes du récit : Galehaut, Méléagant, Agravain, n'a pas fait ainsi la preuve de sa perspicacité (cf. A. Micha, *Romania* 84, p. 497), car à chacun d'eux — tous, du reste, remarquables par leur taille —, s'attache, si on excepte les extrêmes du récit situés en la Marche de Gaule, un aspect particulier de l'histoire : au premier, l'entrée glorieuse de Lancelot à la Table Ronde ; au second, le rapt infamant de la reine ; au dernier, les présages funestes de la mort d'Arthur. Ce point est capital, puisque Agravain joue un rôle dans les trois parties du livre et qu'il devient ainsi un rouage essentiel du mécanisme fatal qui doit un jour déclencher la guerre entre les lignages de Gauvain et de Lancelot. Au t. III, en effet, alors qu'il gît malade aux confins de Norgales et Cambenync, en pressentiment, dirait-on, des secrets de Corbenic, seul peut le guérir le sang des deux meilleurs chevaliers qui soient, nommément Gauvain pour sa jambe et Lancelot pour son bras. Mais au t. IV (M.II), face à la même situation d'un gisant et de sa blessure enchantée, la question de savoir quel est de Gauvain ou de Lancelot le meilleur se règle par les armes entre Bohort et Agravain. Au t. V, enfin, le fossé se creuse entre les deux familles, en raison, d'abord, du forfait de Guerrehés qui déshonore une jeune dame, dans la scène scabreuse, désormais familière, du pavillon en forêt, tue son mari puis ses quatre frères, avant d'apprendre qu'elle est fille de roi et de reine et que Lancelot, Bohort, Lyonel sont ses cousins « presque germains » (S.V 29-33; M.IV 51-58) ; c'est ensuite la guerre, déjà évoquée, du duc Callés où Lancelot défait en combat Agravain, Guerrehés et Gaheriet. Il fait taire son nom pour éviter entre eux l'irréparable,

> car il m'en harroient par aventure (S.V 87 ; M.IV 164),

de même qu'Agravain, naguère, cachait à Bohort sa parenté avec Gauvain,

> por ce qu'il n'i eust honte (M.II 182).

Qui ne sent pourtant le conflit inévitable ? Plus tard, revêtu des armes de Keu, Lancelot abat d'une seule lance, à son insu, puis à son désespoir, quatre compagnons de la Table Ronde dont Gauvain (S.V 310; M.V 292). Malgré l'amour de ce dernier pour le héros, l'entente de la Table Ronde n'est-elle pas, sous ces coups répétés, près de se détériorer ? Jadis, au tournoi de Galehaut et d'Arthur, quoiqu'il eût pu finir à la confusion de celui-ci, l'honneur restait sauf et Gauvain blessé, mais admiratif, n'avait pas combattu. Avec la fausse Guenièvre, des fêlures se dessinent, à travers l'hésitation de la cour à choisir entre Lancelot et Gauvain un nouveau roi, ou les insultes du héros furieux à l'adresse de Keu. Mais au t. V, le tournoi de Camaalot se déroule dans une atmosphère nettement hostile et pénétrée d'envie. Le tournoi de Péningue, où Lancelot met à mal les compagnons de la quête, n'est peut-être pas fait pour arranger les choses.

Que faut-il d'autre pourtant pour que la catastrophe arrive et que Lancelot en ait

> le hayne de tout le parenté Gauvain (S.V 319 : M.VI 20) ?

Les deux personnages d'Agravain et de Mordred en détiennent la clef : la « mortel hayne » de la Table Ronde à l'encontre de Lancelot se donna libre cours, commente l'auteur, le jour où

> li mesfais de lui et de la royne fu provés quant il furent trové ensamble *nu a nu par Agravain* (S.V 192; M.IV 399 : « Agravain qui espïez les avoit »).

Le tournoi de Péningue, d'autre part, le *quiproquo* des armes de Keu interviennent entre deux révélations de « la mort le roi Artu », qui accusent Mordred (S.V 284-285, 319 et 333 ; M.V 220-223, M.VI 20 et 60). Or, à la fin du t. IV (M.II 411-419), où s'amorce le dernier cycle des aventures du *Livre de Lancelot,* sous le signe de la Vieille, de Corbenic et de la quête conduite par Gauvain et ses frères, un portrait de ceux-ci est jugé utile pour introduire Mordred auquel est aussitôt liée l'annonce de la bataille tragique de Salesbières. Puis l'auteur enchaîne l'une à l'autre les aventures de Mordred et d'Agravain, le premier séduisant une demoiselle dans un pavillon en forêt, près d'une fontaine, après avoir eu affaire à un nain et à son maître, le second, engagé tour à tour dans une lutte à mort avec deux frères qui gardent la Colline des Infortunés (« li Tertres as Caitis ») et dont l'un est couché malade. Ce diptyque se redouble ensuite dans la violence sexuelle dont est coupable Guerrehés et l'impiété d'une guerre dirigée contre le duc Callés. Mais la contiguïté narrative de Mordred et d'Agravain rappelle qu'ils étaient justement associés, au t. III, dans l'histoire du roi de Norgales, de ses filles et de la guerre du duc de Cambenync !

Après avoir découvert la demoiselle sur le trône et le grand chevalier étendu de maladie, puis consenti à la blessure qu'exige le rituel de guérison, Gauvain voit en effet entrer « uns vallés, jones enfés », très beau et menant grand deuil (S.III 315, l. 14). C'est Mordred, que son frère Agravain, le gisant, interpelle peu après avec brutalité :

> fiex a putain, bastars ? (*ibid.* l. 36 ; M. VIII 228).

Sa présence, d'apparence gratuite, prouve en fait que l'auteur a, d'entrée de jeu, non seulement conçu l'histoire profondément scindée d'un héros qui fut Lancelot, au lieu d'être selon son destin Galaad, mais encore une partition narrative des plus troublantes entre une figure de rédemption et une autre de damnation, entre la Grâce de Corbenic et « la Mort du roi Arthur », entre Galaad et Mordred. Car l'épisode du malade de Cambenync est à l'évidence mis en parallèle avec celui du *Mehaigné* de Corbenic. On trouve ainsi aux deux bouts de la chaîne aventureuse l'enfant incestueux et l'enfant miraculeux, le « fils à putain » et le fils de la Vierge, et, par-delà Arthur et Lancelot, le péché des pères qui pesa sur eux : Uter Pandragon et Ban de Benoyc. Ce que démontrent encore, pour peu qu'on les rapproche, les deux temps de l'aventure de Gauvain en Norgales : sa bonne fortune auprès de la fille cadette de Belinant préface, en plein péril cette fois[27] (comme à Escavalon dans le *Conte du Graal*), la série des délices nocturnes goûtées avec la fille de Brangorre ou avec celle de Pellés. Comme la sœur du Petit Chevalier, chez Wauchier, la jeune fille a voué son pucelage au seul Gauvain (S.III 317, l. 29). Il y manque pourtant la promesse d'enfant qui eût apparenté l'épisode à celui de la fille de Bran de Lis dans la *Première Continuation*. Le petit anneau de la demoiselle (*ibid.* 383, l. 21) évoquerait plutôt la ruse amoureuse à l'endroit d'Hestor au château de l'Etroite Marche ; d'ailleurs Gauvain, entré d'abord au service d'une suivante de la jeune fille, doit soutenir le droit d'un vieux prud'homme contre le redoutable sénéchal du duc de Cambenync, tel Hestor face à Marganor. Comme celui-ci se nomme Gloadain (*ibid.* 376, l. 19), à rapprocher de Gleodalen, le roi nain d'*Erec* (cf. Loomis, *AT*, p. 141), qu'on a déjà rencontré le nain Groadain dans l'épisode de la Dame de Roestoc et du sénéchal Ségurade (*ibid.* 288, l. 13) et qu'enfin le héros, peu avant ce dur combat, a été hébergé dans la tente merveilleuse dressée en son honneur dans la forêt, sur l'ordre de la demoiselle inconnue éprise de lui (*ibid.* 366), l'ensemble tire plutôt du côté d'Hestor et de la fée au nain, dont le schéma narratif est ainsi reproduit. De surcroît, l'auteur a tenu à ce que l'histoire de Gauvain répète celle d'Agravain : n'a-t-il pas, lui aussi, cherché à forcer la demoiselle de compagnie (*ibid.* 365) et honni en sa fille le roi de Norgales, son pire ennemi désormais ? Cette version funeste des amours n'en prépare pas moins les maléfices de la Fontaine ou le péché des Marais qui sont l'envers des grâces de Corbenic, et on peut relever le curieux avertissement que le sénéchal avait lancé à Gauvain :

> Saches que tu te combas por la plus desloiale rien qui onques nasqui de feme (*ibid.* 371 ; M. VIII 355),

tandis qu'à côté de cette demoiselle qui l'emmène, en surgit une autre, messagère de Niniane, Saraïde nommément, jadis blessée au visage pour sauver Lyonel chez Claudas (*ibid.* 374). L'auteur veille donc toujours à présenter dans son récit le même groupement. Si l'aventure globale de Gauvain se résume aux appels du malade ensorcelé et à ceux d'une fée au nain, à la blessure sexuelle et à la violence meurtrière, la mise en regard de Mordred au premier temps et de la fille de Belinant au second offre la doublure maudite de « Corbenic ».

Ce parallèle entre l'enfant incestueux d'Arthur et de Morgain, sa demi-sœur, la femme du roi Lot, et l'enfant christique de Lancelot de Benoyc et d'Amide de « Corbenyc »[28] explique pourquoi Mordred apparaît toujours parmi les merveilles. L'épisode du blessé de Cambenync n'en est pas, en effet, le seul exemple : dans le dernier groupe d'aventures, les compagnons de la quête retrouvent Mordred prisonnier au château de la Blanche Epine (S.V 196; M.V 9). Le nom déjà éveille l'attention, si on songe à la Dame du Blanc Chastel ou de la Blanche Tour dans l'histoire du géant Caradoc ou à la sainte du château de la Blanche Garde, dans celle du roi Lancelot. Sans doute ne s'agit-il, en l'occasion, que d'une empoignade militaire, mais la mise à feu du château prête à une évocation discrètement fabuleuse :

> Si furent lez beles richesces qui laiens estoient toutes tornees a noient (S.V 198 ; M.V 13).

Or, quand Gauvain de retour narre devant la cour ses propres aventures, il fait aussi état d'un emprisonnement de Mordred (S.V 332-333 ; M.VI 54-55), mais son frère semble s'y être complu, puisqu'il fallut l'en arracher. C'était en l'Ile des Merveilles dont le maître se dénomme « la chevalier des Iles Perdues » et où vit « la Demoiselle de la Tour ». Là, Gauvain a trouvé « le lit Merlin » où se coucher équivaut à perdre raison, puis tant de demoiselles qu'il faut le voir pour y croire et, enfin, la somme des enchantements et merveilles de ce monde ! Cette aventure, purement allusive, les condense, à vrai dire, toutes : Mordred, comme Lanzelet, a été transporté dans l'île paradisiaque, séjour enchanteur des fées, suivant la tradition du *Kaer Siddi* ou *Kaer wydyr* gallois ; le « sire des merveilles » et des îles perdues remet en mémoire l'Ile Perdue où Galehaut, « li plus merveillos hom », « le sire des estraignes illes », a gardé Lancelot prisonnier d'amour. Le lit de Merlin, source de démence au cœur de toute merveille, offre une autre version du Pilier du Mont Douloureux dans la *Seconde Continuation,* et succède, dans le *Livre de Lancelot,* à la Tour Merlin, riche des « greignors merveilles del monde, fors celes del Graal » (cf. M.II 237). Non loin de celle-ci se trouve « le Blanc Chastel » (*ibid.*), de même que le château de la mère d'Hestor avoisine la Forêt Perdue de la même Tour Merlin (S.V 112-124 ; M.IV 214-236). La conjointure est proprement hallucinante, car le tout se recroise avec l'histoire déjà mentionnée de la Dame de la Blanche Tour ou du Blanc Chastel, cousine germaine de Galescalain, le duc de Clarence, lui-même cousin germain de Gauvain et frère de Dodinel le Sauvage ! Le duc est fils de roi, né en Escavalon, et s'apprête à tenter l'épreuve du château « d'Escalon le Ténébreux » ; la dame a pour mère la Dame de Corbalain (ou Corbenic selon un des manuscrits de Sommer, IV 90, n.4) et on révèle que s'aimèrent vivement l'oncle de l'une et la tante de l'autre. Serait-on là au nœud généalogique des multiples énigmes ? Le Lit Merlin dessinerait-il en creux les « secrees choses » du Graal ? Lui correspond en tout cas à Corbenic le plus riche lit du monde, le « Lit Aventureux » où se couche Gauvain au péril de sa vie (M.II 379). La colombe du Graal au sein de la virginale verrière s'envolerait-elle ainsi sur fond du grand sommeil où a sombré Merlin au pouvoir de Niniane ? Sur ce, le rédacteur de l'histoire transmise par le ms. 754 s'est pris à rêver, fût-ce en pure perte, du jour où le devin serait délivré par

> Perlesvax... qui vit la grant merveille del Graal, apres la mort de Lancelot (S.III 21, n.7, et Kennedy II 84-85).

Saluons ici, sans plus disputer de Perceval ou de Galaad, la géniale intuition de cet au-delà mortel où le Voyant des mystères du Graal aurait enfin rejoint « l'Enchanteur pourrissant ».

Mais il importe avant qu'aient été associés Merlin et Mordred, la faute d'Uterpandragon et celle d'Arthur, comme l'ont été, par le même Merlin, le baptême de Lancelot et le péché du roi Ban. Nul hasard donc si, peu après que Bohort a entendu à Corbenic « la vérité de l'enfant » promis au Siège Périlleux et au saint Graal (S.V 297; M.V 256), on apprend que le même jour peut-être, Yvain avait laissé Mordred au « Chastel Merlin » (S.V 309; M.V 289) ! Suit la funeste joute entre Lancelot masqué sous les armes de Keu et quatre chevaliers de la Table Ronde. Si on remonte un peu plus haut dans le récit, Lancelot a, lui aussi, trouvé Mordred en prison, chez le père des Chevaliers Noirs, Helyas et Briadam, de la Fontaine aux Sycomores ; ils s'engagent tous deux dans la Forêt Périlleuse, à la poursuite du merveilleux cortège du Cerf gardé par six lions. Mais l'aventure, leur dit un ermite, en est réservée au Bon Chevalier et c'est un tout autre secret que leur livre la Forêt, soit l'annonce de la mort du roi Arthur (S.V 277-285; M.V 204-224). Le clivage du monde entre Pellés et Arthur est désormais une évidence. Galaad porte en puissance « la Queste du Saint Graal » (S.V 303, l. 24; M.V 273) comme Mordred, « la Mort le roi Artu », mais tous deux sont également présents dès le t. III dans le nom riche de promesses qui fut donné en baptême à Lancelot et dans l'horreur lourde de conflits dont s'entoure l'aventure d'Agravain. Dans son récit de l'Ile des Merveilles, Gauvain évoque enfin « l'Epee Aventureuse » que nul ne saurait empoigner et dont lui-même doit un jour mourir par la faute de Mordred. Or on sait que le *Merlin* de Robert de Boron s'achève, par les soins de l'enchanteur, sur l'épreuve, réservée à Arthur, de l'épée enfoncée jusqu'à la garde dans un bloc de marbre, et que la *Queste* s'ouvre par celle, destinée à Galaad, du marbre vermeil surgi de l'eau, avec une épée précieuse et dangereuse fichée au cœur.

Le péché des pères

La « conjointure » s'éclaire-t-elle à travers ces dédoublements incessants ? Comme l'histoire du *fin amant* se scinde entre le péché lointain des pères et la venue prochaine d'un fils sauveur, et que Lancelot meurt à Galehaut pour naître à Galaad, les amours avec la reine se partagent entre une représentation maternelle, secourable (Hélène, Niniane) ou dangereuse (la Vieille, Morgain) et une représentation virginale dont le fruit est béni (fille de Pellés, Galaad ; fille de Brangorre, Helain) ou maudit (demoiselle de la fontaine, de la tente et du nain, Mordred ; demoiselle des Marais, Hestor). Cette disposition est structurale. Elle ne rend pas compte de l'agencement concret du récit : l'aventure amoureuse est successivement placée sous le signe de l'Ecu Fendu (S.III), du talisman de l'anneau (S.IV) et de l'Echiquier magique (S.V). D'abord prévaut la Dame du Lac, des enfances à la folie furieuse ; puis est mise en question Guenièvre et en jeu de Table Ronde, à travers la Fausse Guenièvre et l'enlèvement de la reine ; les « vieilles », enfin, manigancent les aventures, entraînant le héros dans une guerre injuste ou dans une faute contre Amour, jusqu'à un dernier accès de folie. Morgain est, quant à elle, présente aux trois temps : ouvertement, aux

t. IV et V, dans les épisodes du Val sans Retour, puis de la Salle aux Images; indirectement, au t. III, par le truchement de la Dame de Malehaut. Le rapprochement s'impose, en effet, de l'aveu même de Morgain, quand, à son tour, elle s'assujettit Lancelot :

> Il vos covient a dire ki vos amés par amors, si avrai trait de vos ce ke la dame de Maloaut n'em pot traire (M.I 315).

Le propos est répété un peu plus loin :

> Dont ne vos tint la dame de Maloaut un an et demi en sa prison (M.I, 367) ?

Cette tripartition se réfléchit encore dans les lieux de l'aventure : Brocéliande et Norgales, Forêt Malaventureuse et Logres, Forêt Perdue et Cornouailles. Le héros a été par trois fois saisi de démence, par la faute des enchanteresses Camille, Morgain et Brisane. La seconde fois est néanmoins complexe, car le songe de la trahison de Guenièvre que lui insuffle Morgain et qui désormais l'enferme, loin de la reine et de la cour dans une errance de cauchemar, richement armé par la fée comme jadis à Malehaut, ne suffit pas à son déclenchement : s'y ajoutent le désespoir d'avoir faibli dans un tournoi devant Yvain et Gauvain comme en présage à son déclin, et le désarroi d'avoir perdu en Sorelois, Galehaut absent, l'ultime réconfort (M.I 384-388).

Que Galehaut en meure à son tour, les yeux rivés sur l'écu de son ami, comme jadis Lancelot fou hésitait entre la vie et la mort à la vue de l'écu *faé* de ses amours, attire maintenant l'attention sur un autre dispositif, dont l'auteur double du côté des géants, le premier, lié aux enchanteresses. Un léger décalage entre les deux rend sensible, dans la partie médiane (S.IV; M.I et II), leur entrelacement. A deux reprises, en effet, est compromise l'image de la reine, à travers l'irruption de la Fausse Guenièvre et celle de Méléagant. Le départ en Sorelois et celui en Gorre s'équilibrent en antithèse : là, le roi confie Guenièvre, telle une sœur, à Galehaut ; la reine prend conscience de son péché et dégage elle-même le sens de son infortune :

> Li pechiés m'a neü* de ce que je me cochai o* autre qu'a mon seignor (M.I 152),

en marquant avec force que le bien selon le monde, « la cortoisie », ne l'est pas selon Dieu ; elle interdit donc « le sorplus » à son amant. Ici, l'orgueilleux prince de Gorre enlève de force la reine au roi, tandis que Baudemagu veille sur l'honneur de Guenièvre. Le héros connaît, cette fois, auprès de l'amie, la joie parfaite et la trahison de la reine va être proclamée par Méléagant : le sang sur les draps, « femme et diable » confondus (M.II 76-77), puis par un malveillant,

> quant ele el lieu* le roi Artu, qui est li plus preudom del monde, mist cochier autre chevalier (M.II 113).

Ainsi la Dame idéalisée est-elle dénoncée comme la plus déloyale de toutes les femmes, la répétition aggravant l'accusation. Or, par deux fois aussi, est portée à la connaissance de Lancelot la mort de Galehaut, dans le conte de la Charrette d'abord — mais la joie alors goûtée ferme le cœur au deuil (M.II 76), et dans ce qu'on appelle, faute de mieux, la suite de la Charrette — mais par contrecoup, le héros tait au roi Baudemagu la mort de son fils (M.II 246). La douleur de Lancelot l'eût alors poussé au suicide sans l'une des demoiselles du Lac (*ibid.* 211-218, 252-254). La beauté de la *conjointure* s'allie ici à la plus profonde vérité, car le temps de retard dans la réaction au malheur est dans le droit fil de la destinée de Perceval, face à sa cousine puis à la hideuse messagère : ne pas entendre ne veut pas dire, bien au contraire, que rien n'en ait été, ailleurs, enregistré. Comment le récit nous ouvrirait-il mieux, du même coup, aux résonances de l'Inconscient ? La mort de Galehaut,qui traverse en éclair la Joie de Gorre, est soudain figée dans le même réseau d'oubli où nous entraîne chez Freud, à la place du père mort, le *Herr* sous-jacent au nom du Maître d'Orvieto. Les noms de Guenièvre et de Galehaut, l'un terni de péché, l'autre envahi de ténèbres, s'impliquent et s'excluent mutuellement, comme si chacun n'émergeait que de l'effacement de l'autre. A la jonction où s'achève, de Carmelide en Gorre, la mise en cause de la reine et où se prépare, d'une cour de Baudemagu à l'autre, la mise au tombeau du géant, leurs deux figures ont été, la même nuit, associées, mais inégalement partagées.

Dans l'économie générale du livre, à Guenièvre se rattachent les trois nuits amoureuses et les trois folies de Lancelot. De quelles représentations est, quant à lui, porteur Galehaut ? De la mort, avant tout, et de son épouvante, comme en témoigne la conjuration de Me Hélie :

> Car nule riens n'est si espoentable comme la mors (M.I 61),

et aussi de la question de l'identité. Car le corps du géant est transporté en litière à la Douloureuse Garde et enseveli dans la tombe même où Lancelot a jadis eu révélation écrite de son nom et où il doit être lui-même, au terme, enterré (M.II 214). Autrement dit, à côté des fontaines et des serpents, des prisons et des alcôves, où les fées égarent la raison et les sens, il faut encore découvrir, à travers les géants soudain surgis, la série des tombes et des mises à mort, des litières aux blessés enchantés et des guerres sans merci. On aura remarqué que nous y introduisaient déjà les épisodes d'Agravain, entre Cambenync et Norgales, ou de la guerre du duc Callés, à laquelle est mêlé le lignage de Gauvain. Précisons encore que Lancelot trouve la tombe de Galehaut dans une chapelle mortuaire en forêt de « Sarpenic », à l'entrée de Gorre : ne sommes-nous pas alors en Terre Foraine, près de Corbenic et du saint Cimetière ? Il fait ensuite transférer son corps dans le château qui fut le théâtre de sa naissante prouesse et dont il a su lever les noirs enchantements. Grâce à quoi on peut relier entre elles les aventures des tombes. On en compte trois, comme il existe trois folies dans le récit, et dans chaque cas il faut changer le mort de sépulture : c'est d'abord « le cimetière merveilleux » de la Douloureuse Garde (S.III 152; M.VII 331), située sur le Hombre ; puis le « saint cimetière » où reposent les cercueils de Symeu et de Galaad, ce dernier devant faire retour en Galles. Quand Lancelot en voit les tombes,

> si li membre* de la Dolerose Garde (M.II 33).

C'est enfin, en deux temps, le « gaste cimetière » (S.V 193, l. 4;cf. M.V 2), avec la vieille chapelle et la tombe de marbre vermeil, ardente aux yeux de Gauvain (M.II 367), sanglante à ceux de Lancelot (S.V 245; M.V 119-120) ; là aussi, doit être déplacé le corps de l'aïeul. Comme au début, le héros a trouvé des « lettres écrites », décrivant l'aventure réservée au « bon chevalier » ; il a soulevé la pierre tombale et rencontré finalement le nom de « Lancelot ».

Ou la folie ou la mort, avons-nous mis en titre, selon que s'absente Guenièvre ou Galehaut. On peut encore, à travers lui, opposer aux délices nocturnes des amants comblés les ténébreuses souffrances des nuits de Corbenic[29]. Si Galehaut doit, en effet, à Lancelot sa tombe, il lui a fait jadis l'insigne honneur de l'héberger en sa chambre et de lui offrir la couche royale qui en domine trois autres (S.III 246, l. 36 ss.). Le motif du plus riche lit du monde est ici repris de l'épisode de la Lance Enflammée dans le *Chevalier de la Charrette,* ce qui, d'autre part, renvoie au Lit Aventureux de Corbenic où s'installe Gauvain avant d'être transpercé d'une lance en feu (M.II 379). Mais Galehaut a ravi au roi le bon chevalier comme Guenièvre l'accueille, plus tard, dans le secret de sa chambre. Ainsi se correspondent les séries concurrentes. En regard des folies, les tombes ; en écho aux voluptés interdites, les affres de Corbenic : « le chevalier du lit », Agravain malade (S.III 316, l. 10-11) ; Gauvain tout en plaies et soudain paralysé (S.IV 346; M.II 379 et 384) ; Bohort, enfin, figé au même lit, pour un même tourment :

> Il remest* el lit si malades que uns autres en quidast* bien morir (S.V, 298 ; M.V 260).

Tel se découvre l'autre versant des aventures, qu'éclaire la majesté du roi Arthur, quand l'ombre de Guenièvre envahit le premier. On est en droit d'attendre les mêmes jeux d'oppositions, oscillant entre le sacré et l'enchanté (Terre Foraine et Gorre), l'hospitalité et l'hostilité (qu'un roi désire le héros ou qu'un géant le défie), l'honneur et le péché (fils de roi, régicide), mais avec l'introduction d'un nouveau registre, proprement historique, qui le dispute au fabuleux. Avec Claudas, en effet, le récit prend tournure féodale et guerrière, quand Niniane l'orientait vers l'amour et l'aventure. Le *Livre de Lancelot* est autant une chronique qu'un conte et le mélange des genres transporte au pays des merveilles la geste d'une lignée.

Le rôle central attribué au roi Arthur dans ce nouveau réseau de correspondances est d'abord mis en relief par la place qu'occupe dans le récit des aventures la réunion des grandes cours, et par la tâche, alors fixée aux clercs, d'enregistrer les prouesses des chevaliers errants. Il en résulte, à l'occasion, une récapitulation des épisodes qui dégage l'unité de certains ensembles. Nous les avons déjà dessinés, mais sans leur donner de frontières nettes. Le découpage qu'établissent les cours arthuriennes permet ici d'affiner l'analyse. La triple figure ci-dessus étudiée sous des formes diverses (scènes, motifs, personnages) n'implique pas nécessairement une tripartition narrative, telle que la suggère un peu hâtivement l'édition de Sommer (III, IV, V). Elle définit plus sûrement une structure de crise, une césure par rapport à laquelle le récit bascule. Cette question a d'ailleurs été déjà débattue à propos des romans de Chrétien ou du schéma rédempteur de Robert de Boron : en trois temps deux mouvements, telle serait la formule du récit ! Les « écritures » arthuriennes consacrées aux faits de Lancelot recoupent les suggestions qui nous venaient, avec Galaad, des Saintes Ecritures. La perdition du premier nom et la révélation du second coïncident en effet avec la bipartition dont nous empruntons les titres au manuscrit cyclique de Bonn : après la *Marche de Gaule,* à quoi fera pendant, à l'autre bout, la guerre de Gaule, commence *Galehot,* dont le relais est pris, en deux parties, par la *Queste*

Lancelot (S.IV 222-V; cf. A. Micha, *Romania* 84, 1963, p. 38). C'est là une division intelligente et, dans le choix de ses termes, exacte. Elle est, en effet, conforme à la façon dont le livre se définit lui-même et se représente à soi. On sait le retournement qui s'est produit, à la suite des audaces de Robert de Boron, dans la position de l'écrivain : il se veut le copiste anonyme de son propre livre, lequel lui préexiste sans plus venir de lui ; l'écriture se conçoit comme antérieure à elle-même, dès lors fille de sa propre fiction, laquelle, loin de rien lui devoir, la réduit au contraire au rang de simple copie. L'activité d'écrire s'enregistre elle-même dans le passé de sa fable, dont elle est le témoin, par miracle échappé à son désastre. Pour un peu, elle s'inventerait mutilée ou déjà brouillée, anticipant ainsi les trop réels aléas de sa transmission manuscrite ! L'auteur aurait-il lui-même délibérément troublé le cours de sa propre écriture ? Il est, bien sûr, interdit de le penser, même si ce diable de Merlin nous a un instant inspiré une si folle idée ! Mais s'il n'est plus responsable de son œuvre, c'est une manière de dire que ce qui s'y lit est de portée plus qu'humaine. La vérité n'est pas le simple fruit de ce qui s'imagine, le surplus de sens ajouté à la lettre ; elle a partie liée avec de plus lointains mystères. L'œuvre est déjà hantée avant même que d'être. Si elle sonne juste, elle vient d'ailleurs que de soi. D'où le scénario du chevalier errant, relatant en pleine cour l'inouï de sa vie dans l'inconnu :

> Ensi comme Lancelot disoit sez aventures, furent elles *mises en escrit*. Et pour ce que si fait* estoient greignor* que nus de ceuls de laiens, *lez fist li roys mettre par lui seul**. Si que *des faiz Lancelot* trova l'en *un grant livre en l'aumaire* le roy Artu,* après ce qu'il fu navrés a mort en la bataille de Salesbieres, si comme *cils contes* le devisera cha avant (S.V 191 ; M.IV, 396-397).

Ce passage fait écho à d'autres, mais surtout à la cour somptueuse tenue par Arthur à la Roche aux Saxons, quand le héros entre avec Galehaut et Hestor dans la compagnie de la Table Ronde :

> Et furent mandé li clerc qui metoient en escript lez proeches des compaignons le roy Artu,

Arodion de Cologne, Tardamide de Vergiaus, Thomas de Tolède, Sapiens de Baudas.

> Cil quatre metoient en escript tout chou que li compaignon le roy Artu faisoient d'armes ne ja lor grant feit ne fussent autrement seu* (S.III, 429; M. VIII 488).

Tolède, Cologne, temples de sapience, la première au carrefour des cultures, essaimant par l'Europe ses traductions du grec et de l'arabe ; la seconde, au cœur de la piété, ville aux cent églises où l'on vénérait les reliques des Rois Mages. Ceux qui écrivent sont encore dépositaires d'un savoir sacré qui les tourne vers les vérités divines ou les verse dans les sciences occultes : Arthur interroge ses plus savants clercs sur la « senefiance » de ses songes (S.III 200, l. 2) et Galehaut les consulte plus tard sur son étrange maladie (M.I 17 et 38). On relève alors les noms de Boniface le Romain, Helyas de Hongrie, Petrone d'Oxford, Agarnice de Cologne, d'Helye de Toulouse enfin [30]. Il est remarquable que Petrone, le premier, dit-on, à tenir une école à Oxford, ait mis par écrit les *Prophéties* de Merlin (M.I 46). Ce dernier préside donc à la future naissance de l'Université ! le « Gué des bœufs » aurait reçu son nom de lui. Quant à maître Helye, qui cite « les Escriptures » mais invoque aussi bien l'autorité de Merlin, il détient dans « un petit livret »

> li sens et la merveille de tos les grans conjuremens qui soient par force de paroles (M.I 67).

Or ce « petit livre », auquel eurent naguère recours en son absence les autres clercs pour élucider les songes d'Arthur, est aussi déposé dans le trésor des archives royales dans une « aumaire », à l'instar du « grant livre » des aventures de Lancelot. Curieusement, si Gauvain à Corbenic

> a perdu le pooir de tos les menbres et la vertu del cors (M.II 384),

le clerc qui ouvrit la bibliothèque sans disposer d'une force suffisante pour soutenir celle du livre,

> si perdi, la ou il le lisoit, les iex* et le sens et le pooir de tos ses menbres (M.I 67).

Ce rapprochement égale comme chez Robert de Boron les « secrées choses » du Graal et les « grands secrets écrits », le saint Graal et le « petit livre » (cp. *le Roman de l'Estoire dou Graal,* v. 926-936).

Ces clercs de grande sagesse ont donné à leur matière forme d'arborescence : les « prouesses » accomplies loin de la cour sont désignées d'après le nom de leur héros propre, Gauvain, Hestor, Lancelot etc. ; chaque « conte » devient alors la « branche » d'un autre et on remonte de proche en proche au tronc commun. Ainsi :

> chascuns de ces vint chevaliers a son conte tout entier qui sont branques de monseignor Gauvain, car chou est li chiés* et a chestui les covient en la fin tous ahurter* por che que il issent* tuit de cestui(S.III 276 ; M.VIII 144).

Ce qui ne veut pas dire pour autant que le récit nous en soit fait, mais l'œuvre en acquiert une virtualité infinie. Le schéma ne coïncide donc pas avec la forme réelle du livre mais signale les dépendances qui placent sous un même chef les diverses histoires : Hestor en quête de Gauvain est branche de celui-ci, lequel rassemble les quêtes de Lancelot et relève du conte de Lancelot,

> et li contes Lancelot fu branche del Graal si com il y fu ajoustés (S.III, 429 ; M. VIII 489).

Les célèbres variantes, indiquées en note par Sommer, introduisent un terme de plus dans le schéma : « Lancelot » fait retour à « Perceval »,

> chiés en la fin de toz les contes as autres chevaliers et tuit sont branches de lui por ce qu'il acheva la grant queste et li contes de Perceval meismes est une branche del haut conte del Graal qui est chiez de tout les contes. Car pour le Graal se traveillent tuit li bon chevaliers dont l'an parole* de celui tans (BN 751, f° 144 c ; voir E. Kennedy II 377).

Peut-être n'y a-t-il rien là qui contredise le récit tel qu'il est parvenu ! D'une part, la variante précise que « Perceval » n'est pas le récit ultime, mais bien « le Graal » ; de l'autre, l'auteur de *Lancelot* réservait, à l'évidence, un rôle clef au Gallois, puisque sa venue finale renouvelle celle du jeune Lancelot et qu'il formule le premier le désir de « voir apertement » le Graal (S.V 393; M.VI 206). Quoi qu'il en soit, la conception d'ensemble oppose un *Lancelot,* achevé par l'auteur, et un *Graal,* annoncé sous les titres de « grand conte du Graal » (M.II 32), ou « queste del Graal » (*ibid.* 198). Depuis longtemps d'ailleurs, par l'une de ces petites phrases chères à l'auteur, Gauvain avait procédé à la même mise en place des aventures, en appelant ses pairs à rechercher le Chevalier aux Armes Vermeilles, vainqueur de la mêlée d'Arthur et de Galehaut :

> Signor chevalier qui ore voldra entrer *en la plus haute queste qui onques fust aprés celi del Graal,* si viegne* après moi, que hui est appareilliés* tout le pris et toute l'onor del monde a chelui qui Diex fera aventureus* *de la haute trouveure* et por noiant* se vantera jamais d'onor conquerre qui chele laisse (S.III 226).

La mention du Graal a pu déconcerter à cet endroit [31], mais elle est confirmée par l'édition critique d'A. Zimmermann pour cette section (*Marburger Beiträge,* 1917, t. 19, p. 76). L'important est que Lancelot soit un aussi précieux objet de quête que le Graal et qu'il mériterait d'être, à l'instar de Galehaut, qualifié de « merveilleux ». Cette représentation par « branches » met en valeur l'arbre, et rien ne convient mieux à un récit qu'obsède le péché de l'origine et dont l'audace va, selon l'expression de Pauphilet (*Etudes,* p. 145), jusqu'à « changer le fleuron terminal de l'Arbre de Jessé » : Galaad conçu, non loin du Graal, par un couple comparé à Adam et Eve ! Comme le Mont Galaad est, d'après Gillebert, la tête de l'Eglise : « Hic mons Ecclesiae caput est » (*Patrol. latine* CLXXXIV, 129), le conte du Graal est « chef de tous les contes », et, par le truchement des savantes écritures déposées en « l'armoire » d'Arthur, le « Graal », où reconduisent comme à leur tige toutes les branches, se confond avec l'arbre généalogique du Christ, dont les vitraux de Saint-Denis, de Chartres et de la Sainte-Chapelle ont éclairé le songe fabuleux [32]. Aussi bien le passage qui promet une histoire d'Helain le Blanc dans « la Queste del Graal » anticipe sur les temps par cette métaphore : Dieu

> i mist si haut fruit que de deus si jovenes hantes* ne descendi d'icel tens *nul arbre plus puissant* (M.II 198).

Mais l'auteur n'a pu mener lui-même à terme cette convergence de tous les contes. En l'état, « le grand livre des faits de Lancelot » reste le centre organisateur ; il s'y rattache les diverses figures de « la Quête de Lancelot », laquelle finit par envahir tout le récit après la Charrette et ses suites, et

> *li livres* Tardamides de Vergials, qui plus parole *des proesces Galehout* que nus des autres (M.I 1).

Il est donc permis de tirer parti de ces indications pour diviser l'ensemble, suivant le ms. de Bonn, entre *Galehot* et la *Queste Lancelot* : la ligne de démarcation est tracée par la mort de Galehaut et la croyance générale en celle de Lancelot, consécutive à sa disparition (cf. M.II 85).

Le récit comporte d'autre part cinq grandes mises par écrit des aventures, à la cour d'Arthur. La première près de la Roche aux Saxons, à Arestuel en Ecosse, sert à introduire les grands clercs et le système des « branches » (S.III 429) ; les deux suivantes, à Escavalon (S.IV 227; M.II 111) et à Camaalot (S.IV 296; M.II 255), sont brièvement mentionnées et concluent les aventures en Gorre et les suites de la Charrette ; les deux dernières, à Camaalot, donnent, au contraire, lieu à un utile résumé des événements, grâce aux récits parallèles de Lancelot et de Gauvain (S.V 190 - 192; M.IV 394 - 398 et S.V 332 - 335, malheureusement abrégé : voir la version longue dans M.VI 50 - 58). Comment les divers « contes » s'inscrivent-ils dans ce cadre qu'il faut encore compléter par d'autres réunions arthuriennes ? La majesté d'Arthur a brillé, avons-nous dit, dès le tout début, en antithèse à Claudas, en contrepoint aussi de la beauté de Guenièvre, occasion d'évoquer abruptement, pour le désarroi des copistes [33], les noms fabuleux de Gazevilte et d'Hélène sans pair, de Pellés et d'Amide (S.III 28 - 33; M.VII 58 - 69), et la première inscription s'est miraculeusement produite aux yeux d'Evaine, la sœur d'Helaine, au sortir d'un songe :

> Quant ele s'esveilla, si se dolut* moult de l'ire qu'ele avoit eue en s'avision, et ele esgarda *en sa destre main,* si i treuve *en escrit trois nons,* Lyonel et Bohort et Lancelot (S.III 107 ; M.VII 235).

Que l'on retienne ce prodige ! car sur la fin de l'histoire Lancelot en est témoin d'un autre, similaire, à la vue des « lettres qui estoient escrites novelement » sur le Siège Périlleux (S.V 319; M.VI 21), tandis que plus loin, la parole rendue à la jeune fille muette et la désignation de Perceval au siège de droite « delez le Siege Perilleux » sont l'ultime aventure mise par écrit dans ce livre, à la cour d'Arthur, à Carduel en Galles (S.V 385 - 386; M.VI 192). On trouve ici rassemblés les motifs des lettres miraculeuses, de l'arrivée à la cour d'un bel enfant arraché à la douleur d'une mère (la Veuve Dame, telle, jadis, la Dame du Lac), de son accession à l'honneur de la Table Ronde et de l'enregistrement de l'aventure. Il s'y ajoute celui des songes d'Arthur représentés dans l'église de Camaalot (S.V 319; M.VI 20) et celui de la quête du héros disparu (S.V 386; M.VI 193). Dans l'intervalle a pris place la guerre de Gaule et la revanche contre Claudas. A l'inverse de ce resserrement (on y joindrait encore l'Enchanteresse, l'Ile et l'Ecu), l'histoire initiale, ouverte par « la Marche de Gaule », comprend un vaste réseau d'aventures entre la venue du valet en armes blanches à Camaalot, où l'éblouit sa première vision de la reine, et son insertion parmi les chevaliers de la Table Ronde, après consommation de l'adultère avec Guenièvre (ici encore : l'Ile, l'Enchanteresse, l'Ecu). Soit, d'une part, deux cours à Camaalot, capitale des merveilles :

> L'en parole des merveilles de Camaalot qui moult en i avienent (S.III, 207 ; M.VII 451),

l'une, au départ des aventures (S.III 124 ss.; M.VII 271 ss.), l'autre, pour une seconde extase en présence de la reine et à l'occasion des songes du roi Arthur (S.III 199 ss.; M.VII 441 ss.) ; et, d'autre part, deux nouvelles cours, à Carduel, dominées par le motif du « penser » royal et la mise en branle de la quête, celle des Quarante (S.III 226), puis celle des Vingt (*ibid.* 275). Mais la cinquième et dernière, à Arestuel en Ecosse, celle de la Table Ronde et des écritures (*ibid.* 429), ne clôt pas le cycle, puisque Lancelot repart en Sorelois où Galehaut avait su, une première fois, l'entraîner, en une «prison» qui acquiert déjà, selon le mot de J. Frappier, «une résonance quasi proustienne» (*RPh.* 17, 1964, p. 549). La suite équilibre donc la première série d'aventures, dont la séparent les quêtes imbriquées de Gauvain et d'Hestor et l'entrée triomphale, quoique fort perturbée, de Lancelot à la Table Ronde. Les histoires entrelacées de Galehaut et de la fausse Guenièvre correspondent à celles de Galehaut et de la Dame de Malehaut, ce qui justifie, une fois de plus, l'intuition de Loomis identifiant «Malehaut» non pas au titre d'un lieu mais comme le nom véritable de «Galehaut», c.à.d. Melwas le seigneur de l'Ile de Voirre, *alias* Méléagant de Gorre (*AT* 256-257)!

La conjointure en est, d'un coup, illuminée: Méléagant, le double mortel de Lancelot, de grande taille également, lui ravit Guenièvre, quand Galehaut, son double amoureux, l'avait uni à elle. Mais si l'auteur a glissé à la forme *Gale*haut, c'est qu'il avait *Gal*aad en tête! Un pur jeu de signifiants règle l'ordonnance du plus imposant ensemble romanesque jamais conçu; en voici le tracé: à travers Hélène et «Corbenic», de Lancelot à «Galaad», entre «Galehaut» et Méléagant! Le seul «livre de Galehaut» doit en outre sa cohésion à une aventure qui en fixe le cadre et que la cour d'Arthur, le roi au premier chef, jugeait inacceptable: formant contraste, en effet, avec la féerique blancheur de Niniane, puis avec la merveilleuse beauté de Guenièvre, un «chevalier malade» mené en litière se fait porter dans la maison du roi et

> coucier en la plus bele couce et en la plus riche qu'il i choisist* (S.III 120; M.VII 264).

De la chambre du blessé s'exhale une immonde odeur, dans l'attente d'un homme qui serait assez fou pour lui ôter l'épée du crâne et, du corps, les lances brisées, contre le serment de le venger de tous ceux qui diraient lui préférer son agresseur. Pareil engagement heurte la raison arthurienne. La demande est outrageuse et Arthur retirerait son amour à quiconque des siens s'y prêterait! Les premiers actes de Lancelot auront été, à divers titres, autant d'offenses à la personne du souverain: nouveau chevalier, il doit ce qui l'habille à la seule fée du Lac et reçoit l'épée de la main de la reine, non d'Arthur; il délivre enfin, malgré le roi, le chevalier «enferré». Les conséquences s'en font sentir plus loin à un moment décisif: alors que Gauvain révèle à la cour le nom de Lancelot (S.III 196-197; M.VII 428), celui-ci est contraint par son serment de tuer un chevalier qui tient le rôle de l'Hôte Hospitalier et il prend, à cette fin, le parti de le noyer (S.III 197-199; M.VII 429-434)! Or il échappe de peu au même sort par suite d'une nouvelle extase à la vue de la reine (S.III 203; M.VII 444). Après quoi, il tombe au pouvoir de la Dame de Malehaut pour avoir tué le fils de son sénéchal, qui était aussi le neveu du mystérieux adversaire du chevalier malade (S.III 208-209; M.VII 453-454). Qu'on prenne patience! Ce nœud est d'importance comparable à celui de la Fontaine et des Marais, et l'auteur de *Perlesvaus* ne s'y est pas trompé en faisant justement porter son remaniement sur le seigneur des Marais et sur Melian du Gaste Manoir. Le récit semble d'abord et pour longtemps oublier l'affaire, quoique la quête de Gauvain le conduise aussi auprès d'un «chevalier malade» aux plaies empuanties, étendu sur une riche couche, dût-il s'agir, en l'espèce, de son frère Agravain! Le fil n'en est repris qu'après l'épisode de la Fausse Guenièvre et au cœur de celui de la Douloureuse Tour (S.IV 93 ss.; M.I 193 ss.). Apparaît, de nouveau, un

> chevalier navré qui gisoit en la litière.

Il s'agit de Drian du « Gai Chastel » sur la Tamise[34], frère de Melian, le chevalier que Lancelot avait « déferré » à Camaalot (M.I 197). On apprend d'affilée que Caradoc le Grand, le seigneur de la Douloureuse Tour, auteur du rapt de Gauvain dans la Forêt Malaventureuse, a infligé cette blessure à Drian pour se venger de Melian qui avait tué son frère après avoir subi lui-même les coups funestes de ce dernier. L'aventure de la Douloureuse Tour accomplit donc celle du « chevalier malade » qui ouvrait pour Lancelot la série de ses errances et qui était entrelacée avec celle de la Douloureuse Garde, autre nom, apprend-on plus tard (S.V 218, l. 36), de la Douloureuse Tour ! Or, est-il précisé sans autrement insister, Caradoc est d'une telle stature qu'il dépasse même Galehaut le fils de la Géante (M.I 198). Quant à Lancelot, il endura pendant un an et demi à cause de Melian la prison de la Dame de Malehaut (*ibid.* 197), ce qui, en dépit de son prochain succès au Val sans Retour, présage une autre infortune, infligée par Morgain (*ibid.* 304). Les liens de parenté prennent maintenant leur plein sens : le sénéchal de Malehaut dont le fils était le neveu du mort est donc, comme Caradoc, le frère de celui-ci. Au vrai, il est le doublet de Caradoc comme la Dame de Malehaut l'est de Morgain ! D'ailleurs, au cours des épreuves du Val sans Retour[35], Lancelot, après avoir éliminé deux chevaliers aux haches « grandes et merveilleuses », poursuit et décapite un troisième, remarquable de beauté et de taille, « li coars chevaliers » neveu de Caradoc, donc fils du mort (*ibid.* 303). Si on identifie Caradoc au sénéchal de Malehaut, Lancelot a tué le fils de chacun des deux frères. Ceux-ci ont, d'autre part, pour mère une terrible vieille,

> la plus desloials riens qui onques fust.

Les analogies forment ici un réseau plus complexe. La Dame de Malehaut comme Morgain retiennent un chevalier aimé dans une prison enchantée et transparente : geôle de verre pour Lancelot, val clos d'un mur d'air pour l'ami de Morgain. Mais celle-ci, comme la vieille, dispose d'un noir cachot où abîmer l'ennemi détesté : Lancelot, ôté de sa litière, se réveille dans la « chartre ennuiose », le « lieu parfont et noir », « noir et hidus » (M.I 313), comme Gauvain, « pris el lit », est porté « en une chartre noire et parfonde et plaine de tote vermine » (*ibid.* 205). Morgain « la déesse » tient à la fois de l'amoureuse de Malehaut et de la sorcière, mère de Caradoc. Ce double visage nous est déjà familier, qu'il s'agisse, dans Didot-*Perceval* (l. 1374-1377), de l'amie du Chevalier de la Tombe, tour à tour fée de merveilleuse beauté et vieille « felenesse » (sœur, en outre, de la Fée de l'Echiquier), ou des deux dames qui accueillent Gauvain chez Bercilak de Hautdesert, dans *Sir Gawain and the Green Knight,* l'une plus ravissante que Guenièvre, l'autre fabuleusement vieille et maîtresse des lieux, « Morgne la Faye », « the Goddess » (v. 2446-2452). Les bandes de soie qui enveloppent sa gorge et sa face ne découvrent que des yeux, un nez, des lèvres flétris à l'extrême : « sellyly blered » (v. 963). Cette dualité éclaire encore le couple que forment la très belle fille du Roi Pêcheur et Brisane, une

> dame de si grant aage que elle pooit bien avoir cent ans (S.V 107 ; M.IV, 204).

Ces multiples liens permettent de grouper deux à deux quatre séquences narratives : (1) la Douloureuse Garde (avec Brandus des Iles) et la Dame de Nohaut (cf. S.III 182-183; M.VII 396-398) ; (2) Galehaut et la Dame de Malehaut ; (3) Galehaut et la Fausse Guenièvre (Iles de mer et Carmelide) ; (4) la Douloureuse

Tour (avec Caradoc) et Morgain. Nous appellerons (A) : (1) et (2), C : (3) et (4), (B) comprenant, dans l'intervalle, les quêtes de Gauvain et d'Hestor. Au dernier temps, tous les fils se rejoignent, Caradoc et Malehaut, au nom de la même *faide,* la Douloureuse Garde et la Douloureuse Tour, au titre des mauvaises coutumes : Lancelot en conquiert en effet d'égale façon les Enchantements, s'enfonçant sous terre pour chercher « la cles des enchantemens » (S.III 191; M.VII 415) et ouvrir « le coffre périlleux » ; accomplissant plus tard « l'aventure du coffre » (Drian le Gai), pour traverser ensuite l'obscure allée aux dragons du Val,

> car ce est (lui assure une demoiselle) la cles de toutes autres aventures (S.IV 119, l. 33, manque dans la version longue).

L'intrusion de Galehaut au lendemain de la Douloureuse Garde (S.III 201) coïncide avec la révélation du nom de Lancelot à la cour d'Arthur (*ibid.* 197), puis reste liée au mystère du Chevalier Vermeil. Celle de la Fausse Guenièvre, avant le Val des Faux Amants, concrétise le péché de la reine et jette le trouble sur son identité. L'histoire du chevalier malade, au départ du cycle aventureux, se clôt par la mort de Caradoc, tandis que Galehaut trouve dans le chagrin de son cœur la raison de la sienne. Si Gauvain a su, la première fois, ramener Lancelot à la cour royale, il se heurte maintenant à son refus (M.I 386). Au vrai, le héros n'a cessé, dans le second volet de ses aventures, de rejeter la cour d'Arthur, que la faute en soit au roi (cf. la réconciliation avant la cour de Londres, M.I 173 - 175) ou à la reine (cf. la ruse de Morgain, *ibid.* 371 - 372). La véritable coupure du roman intervient donc au moment de la seconde folie de Lancelot, alors que reparaît la Dame du Lac pour le conduire, derechef, près de Camaalot, à la veille des événements qui composent « li contes de la Charete » (M.II 1 - 2).

Mais existe-t-il pour la suite un principe organisateur comparable à l'aventure du Chevalier Malade ? L'auteur donne très rarement un titre aux sections de son récit, qu'il désigne alors du mot « conte », réservant celui de « livre » à l'activité des clercs d'Arthur : au commencement « li contes de la roine as grans dolors » (S.III 15; M.VII 29), puis « li contes de la Charete », pour souligner ainsi la relance narrative, « li grans contes... del Graal » étant conjointement annoncé (M.II 32). « La Charrette » pourrait, dans ces conditions, servir de fil conducteur. De fait, le motif, introduit avec Lancelot, se répète avec Bohort, dont c'est la première apparition à la cour d'Arthur, vêtu d'armes blanches comme son cousin jadis (M.II 87), pareillement conduit par « la Demoisele du Lac qui Lancelot norri et lui et Lionel » (*ibid.* 94). Il est, deux fois encore, question du « chastel de la Charrete qui siet a l'antree de Gorre », quand « les trois dames » ou les trois vieilles, Sorestan, Morgain, Sibylle, y transportent Lancelot prisonnier de leur fatal amour (S.V 92 - 94; M.IV 173 - 178) et qu'un tournoi y est entrepris entre le roi de Norgales et le roi Baudemagu — où l'on retrouve le motif de la secourable geôlière et le personnage de la sœur de Méléagant (S.V 95 - 102; M.IV 185 ss.). A Corbenic, d'autre part, Gauvain monté dans la charrette est chassé par une vieille (M.II 385) et Lancelot est promis à la même honte par la rumeur populaire (S.V 105; M.IV 201). La Charrette se rattache donc d'une part à Méléagant, de l'autre à « la vieille », comme à Gorre et à Corbenic, et, dans l'économie générale, la figure du premier fait pendant à celle de Galehaut, comme il revient à la seconde de mener désormais la danse, en contrepoint de l'attraction qu'a exercée sur le cycle précédent la blessure de Melian, le

Chevalier Malade. La *conjointure* se prête ainsi à un tableau contrasté, sous le signe de *l'étranger blessé* qui fait retour dans le monde arthurien ou celui de *la vieille femme* qui en éloigne toujours plus. Le parallélisme est, du reste, strict : Galehaut emmène Lancelot en Sorelois et Caradoc enlève Gauvain dans la Forêt Malaventureuse ; Méléagant ravit Guenièvre en Gorre et la Vieille au Cercle d'or entraîne Lancelot à sa suite, dans la forêt de Camaalot.

Soit deux nouvelles séquences, chacune étant redoublée : dans la première, (D), (1) Lancelot rejoint Guenièvre en Gorre et affronte, à la cour de Baudemagu puis d'Arthur, Méléagant ; (2) Bohort rencontre la fille du roi Brangorre, et Lancelot, derechef appelé en Gorre, combat le Chevalier Vermeil, Argodras le Roux, cousin de Méléagant. Chaque partie est suivie d'une mise par écrit arthurienne, brièvement évoquée, à Escavalon (M.II 111), à Camaalot (*ibid.* 255). La deuxième séquence, (E), comprend (1) la venue de Gauvain à Corbenic, puis « la guerre aux enfants au duc Callés » (en Estregorre ?) ; (2) Lancelot à Corbenic, puis l'épisode de la Tour Merlin, soit la couronne du père refusée par le fils. Elle fait aussi l'objet d'une mise par écrit (la quatrième), à Camaalot, cette fois, plus circonstanciée (S.V 190-192; M.IV 394-398), et les aventures en sont réglées par les manœuvres répétées d'inquiétantes vieilles dames. La première, la Demoiselle de Grand Age, dite « au Cercle d'or », intervient, à dessein, au milieu d'un emmêlement de prime abord déconcertant de tous les fils narratifs (M.II 228). Il semble que l'auteur choisisse, pour mieux souligner les divisions de son récit, d'en entrelacer au contraire les figures : ainsi de Galaad, Guenièvre et Galehaut entre le Saint Cimetière et la chambre d'amour en Gorre. Le procédé en est repris dans les *Suites de la Charrette,* entre le moment où la mort de Galehaut terrasse enfin Lancelot (M.II 211 ss.) et l'arrivée du héros à la cour de Baudemagu en réponse au défi du Chevalier Vermeil (*ibid.* 241 ss.). Ce mortel corps à corps avec le cousin de Méléagant est lui-même suivi d'un retour à la Douloureuse Garde (*ibid.* 252) et précédé d'un groupe complexe formé par l'annonce de la Tour Merlin (237), l'hospitalité d'un vieil homme (avec Banin, le filleul de Ban, dans le rôle du gisant navré, 238-239), puis d'une « dame de grand âge », soit, en clair, « les merveilles de Merlin » (237) et « les merveilles du Graal » (240) encadrant l'espoir que Lancelot libère les siens du joug de Claudas (239) ! Or, en chemin, dans la Forêt des Trois Périls, le héros traverse une série d'aventures signifiantes : près d'une eau profonde sont tendus trois pavillons et l'amie du maître des lieux s'enflamme soudain d'amour à la vue de Lancelot (224-225). Le personnage reparaît plus loin dans les aventures de Guerrehés (S.V 16-17; M.IV 26-27)[36] et présage la demoiselle de la Fontaine aux Serpents (S.V 71; M.IV 134). Survient un chevalier vermeil qui enlève le jeune frère de l'hôte « par les épaules », « sur l'arçon de la selle », exactement comme Caradoc s'est saisi de Gauvain (M.I 178) ou Galehaut de Lyonel (M.I 215), ou, plus tard, Terrican du même et d'Hestor (S.V 89-90; M.IV 168-171). Son nom, paradoxal pour un chevalier rouge, est Arramant (< *Atramentum,* l'encre !). Il se révèle, au terme d'un duel avec Lancelot, être le cousin de Melian le Gai, l'homme que le héros

> désir plus a veoir que estrange chevalier qui el monde soit (M.II 234) !

Entre le rapt et les retrouvailles, un chevalier noir a prêté ses propres armes à Lancelot démuni (226) et une vieille l'a remis sur la voie (228) : tous deux déclenchent plus loin l'ultime série aventureuse (272 et 306), alors que Bohort engagé au service de la fille de Brangorre renouvelle sur la personne de la reine l'orgueilleuse tentative de Méléagant !

La *conjointure* fait aussitôt sens : la voie qui conduit du géant Caradoc à l'amour de Melian, à l'enseigne des armes vermeilles qui attendent en Gorre l'amant et l'homicide (d'un côté, avec Galehaut, Arthur et le Gai Chastel ; de l'autre, avec « Galaad », Baudemagu et le Saint Cimetière), passe par les périls autrement funestes des armes noires et de la compagnie déloyale d'une vieille. Celle-ci est survenue aux alentours de la Saint-Jean, comme la fée Niniane avait choisi ce jour pour l'adoubement de son fils adoptif. Mais à quel prix « s'acquitter » envers la vieille, selon le mot de Lancelot (S.V 87, l. 6; M.IV 163) ? Il a dû, armé par les soins de celle-ci, prendre le parti impie des fils en guerre contre le duc Callés, leur père, et perdre, entre-temps, à la Fontaine aux Serpents, sa merveilleuse chevelure. Les faits parlent d'eux-mêmes ! Mais en a-t-on fini avec la sinistre dame, une fois admis que Brisane et Amide redoublent à Corbenic la Vieille et sa Mélusine ? Il faut encore compter avec une dernière séquence narrative, (F), que la précédente préparait avec l'enlèvement de Lyonel et d'Hestor par Terrican, forçant Lancelot à repartir, et l'histoire du géant Mauduit, où est impliqué Yvain. Elle se clôt aussi par une récapitulation écrite à Camaalot, la cinquième au total (S.V 332; M.VI 50). De nouveau entrent en action les terribles vieilles ! Celle qui monte un pauvre roussin d'abord, battant son nain devant Yvain et requérant celui-ci de la baiser une fois sur ses lèvres hideuses et flétries (S.V 127; M.IV 244) : eût-il fallu en espérer la même métamorphose que dans le *Conte de la bourgeoise de Bath* de Chaucer ? Nous voici, du même coup, renvoyés à *Sir Gawain and the Green Knight*[37] ! Yvain recule, préférant, en échange, abattre un écu pendu à un arbre, près de deux pavillons. Ce conseil déloyal de la vieille déchaîne aussitôt sur le pays le fléau d'un géant emprisonné, vestige de ces temps d'horreur où, sous le règne d'Uterpandragon, les géants gâtaient le pays et que le roi Arthur avait su bannir (S.V 131-132; M.IV 251-254). Le forfait d'Yvain équivaut donc à un « péché mortel ». L'entrée de la Terre aux Géants est sise, ne l'oublions pas, par-devers Gorre. Plus profondément s'enfonce l'errance aventureuse, plus effroyable s'en annonce la conséquence. La paix arthurienne, conquise sur les monstres, chancelle, de nouveau, sous la menace de leur retour. L'*Agravain,* le plus riche moment, à nos yeux, d'un ensemble gigantesque, rend à la merveille sa couleur proprement fantastique. Mauduit, tel Galehaut, est fils d'une géante qui le tenait, enfant, entre ses bras, sous le couvert d'une roche. Il porte en lui le crime, meurtrier de son parâtre et de sa mère. Mais son écu est blanc goutté de noir, par symétrie inverse avec celui d'Hestor, noir goutté d'argent. Au pouvoir d'une femme aimée, il attend, comme ce dernier, sa délivrance, de l'Ecu suspendu. Entre Galehaut et Hestor, Mauduit est revenu hanter l'histoire de Lancelot. Il possède enfin le château du *Tertre,* dont le nom sert au décor des formidables combats qui émaillent la dernière partie : Tertre de Sornehan, Tertre de Terrican, Tertre *Devéé.* Quand Bohort, muni de l'épée de Lancelot-Galehaut, met fin à sa terreur, le géant l'a combattu en armes vermeilles (S.V 201; M.V 20). Nous garderons à l'esprit que cet horizon d'effroi s'est brusquement entrouvert par l'entremise d'une vieille.

C'est au tour de Lancelot, vainqueur de Terrican, le géant aux armes noires, geôlier des meilleurs chevaliers arthuriens, d'être, en chemin vers la Terre Foraine, arrêté au seuil d'un château par un « vilain grand et hideux » (M.V 42; S.V 212), portier de l'Autre Monde, semblable à celui de la *Mule sans frein,* et d'en recevoir les clefs des mains d'« une trop vieille dame », après avoir tué « deux géants merveilleux » (S.V 213; M.V 43). Le château dont il s'est rendu maître et où refleurit la joie a pour nom Tintagel (Tinaguel) ! Une vieille femme continue donc de hanter la séquence (F) comme ce fut le cas en (E), après l'apparition du personnage en (D). Mais la vieille aux deux géants de Cornouailles rappelle aussi la mère de Caradoc et de son frère, dans la Forêt Malaventureuse. De fait, (F) répète (C), de façon redoublée :

> Terriquan de la Forest Desvoiable... fu freres Carados de la Dolerouse Tour (S.V 205 ; M.V 26).

D'autre part, Lancelot retombe dans la prison de Morgain : épisode de la Salle aux Images. La juxtaposition de Terrican et de Morgain renouvelle donc le couple qu'elle formait avec Caradoc. Il n'y manque pas même, du côté de l'Ile Etrange — ou plutôt d'Estrangot (Estregorre !) —, la figure essentielle d'un chevalier blessé sur une litière, doublé, dans son château, d'un autre chevalier malade, le premier blessé à la cuisse par la flèche enchantée d'une baigneuse de la forêt de Cornouailles (mais, au début de l'histoire, n'appelait-on pas lac de Diane celui de Niniane ?), le second n'étant autre que le roi Baudemagu (S.V 224-228; M.V 65-73). Puis, en contrepoint de la Douloureuse Garde et de la tombe où Lancelot découvrit son nom, succèdent à l'épisode du Tertre *Devéé* (doublet du Tertre de Terrican pour un duel fratricide avec Bohort) les révélations à la tombe du roi Lancelot. Comme la répétition et sa variation sont de règle dans le cours des aventures[38], la lutte avec le Chevalier Noir qu'illustre l'épisode de Terrican recommence avec un dernier adversaire qui les résume tous, Helyas le Noir (S.V 251-255 et 263-268; M.V 140-148 et 169-180). Celui-ci est encore appelé le Chevalier de la Fontaine, en raison même du site qu'il défend : une source, au pied de deux sycomores, s'écoulant par un conduit d'argent. C'était aussi le cas de Terrican (cp. S.V 89, 205, 252; M.IV 169, M.V 27, 142). Le premier vivait d'ailleurs dans la Forêt *Desvoiable*, et le second, dans la Forêt Périlleuse. Par la suite un chevalier plus formidable encore, embrassant le héros par les flancs, l'emporte, comme Terrican le fit de Lyonel et d'Hestor (S.V 265; M.V 173). Ajoutons qu'Helyas a surgi dans le fracas de la foudre, comme naguère Mauduit le géant (cp. S.V 135 et 253) ou encore Terrican (88, l. 20), et qu'un « cor d'olifant » pareil à celui du Tertre *Devéé* a résonné avant sa venue (cp. 237). En outre, la fuite vers le palais, le combat sur les marches, l'enlèvement par un colosse, la fosse profonde sont autant de réminiscences de Caradoc (cp. M.I 343 et M.V 173). Mais le héros a eu cette fois affaire à un géant, Broadés, et à ses deux fils, Helyas et Briadan, soit à une triade qui lui est aussi hostile qu'était favorable celle de Trahan et de ses fils Drian et Melian. Ainsi le Chevalier Noir réunit-il en soi le chevalier blessé et le géant ravisseur ! Le rédacteur du ms. 337 avait déjà, il est vrai, imaginé que l'épée par laquelle seul Caradoc devait mourir, lui venait de Drian et que la demoiselle aimée par le géant était l'amie de Melian (f° 188, cf. S.IV 136 n.3). Ce détail prouve assez à quel point tous ceux qui partageaient alors l'activité d'écrire, où l'invention est aussi bien copie, savaient se lire entre eux ! Pour l'équilibre des parties, on remarque enfin qu'à la Salle aux Images de Morgain, si lourde de menaces pour l'avenir arthurien, répond la prison de Mordred, dans le jardin de Broadés, suivie, peu après, par la prédiction d'un meurtre réciproque entre père et fils.

Or, avant même d'affronter Helyas le Noir, entre l'aventure de la tombe de son aïeul et la nouvelle de la naissance de son fils, mais de part et d'autre d'un entrelacement des aventures en Forêt Périlleuse et des grandes manœuvres de Claudas, Lancelot se rend coupable de la mort d'un riche roi puissant dont douze demoiselles pleurent la perte irrémédiable :

> Et Lancelos dist: Diex, comme il m'est mal avenu! quant par ma main est cils roys mors. Certes miex me venist* que jou ne fuisse onques nés... J'amaisse miex que jou n'eusse feru cop de glaive en cest an (M.V 138: cop de lance de ça un an que je eusse occis un roi de ma main). Si ne serait jamaiz liés* devant que jou sace qui il est (S.V 251).

Que le héros se maudisse pour le meurtre d'un roi inscrit la tragédie au cœur même du conte. Qu'un ermite ensuite le rassure, en dénonçant en ce roi un être démoniaque, n'en atténue pas pour autant l'horreur: ce déloyal avait pendu son père à un chêne et avait changé de nature et de nom en prenant la couronne. Ainsi Merlan le Simple[39] devint-il Merlan le Diable (S.V 280; M.V 212)! Or l'épisode suivant découvre à Lancelot quel destin est promis à Mordred et Arthur. Quant à ce diable dont le nom consonne avec celui de Merlin, il régnait sur une terre appelée la Marche d'Ecosse, soit justement le pays où un diable approcha jadis la mère de Merlin (S.III 20; M.VII 39), dont la chanson des noces de Guenièvre, à la Tour Merlin dans la Forêt Perdue, avait bizarrement gardé la langue («en écossais», S.V 123; M.IV 235) et où vécut au temps de Joseph d'Arimathie un roi converti, Heliezer (ou Helyes), le saint homme (S.V 232-235; M.V 82-92, cp. M.II 322)[40]. Ce curieux passage est resté incompris des critiques qui l'ont jugé interpolé. Il est pourtant indispensable au parallélisme des temps évangéliques (Joseph en Brocéliande, les rois païens) et de ceux des pères (Uter, Urien, le Roi *Mehaigné,* Ban), puis des fils (Arthur, Baudemagu, Pellés, Lancelot). Il n'est pas non plus sans précédent: Galehaut, malade, demeurait en «l'Aumône Notre-Dame» (M.I 374), comme Lyonel, blessé, est laissé en l'abbaye de la Petite Aumône. Mais l'essentiel n'est pas dans l'anecdote. Plus étranges en effet semblent les rapprochements entre «la Marche d'Ecosse» et «la Terre Foraine» (S.V 233; M.V 86) ou avec le duc de la Blanche Lande (selon certains mss., S.V 233 n.5 et M.V 87); plus riches de résonances, les soupçons sur l'enfant (légitime héritier ou bâtard conçu dans l'adultère?), la fosse aux lions et la droiture reconnue à l'animal (le lion avère le fils), le nom écrit sur le front de l'enfant, la sainte femme de mère, «dame des dames et reine des reines terriennes», vêtue de la haire (S.V 234; M.V 89)! L'épisode appartient enfin à la série de ceux qui réservent au «livre» où seront contées «les grandes aventures du saint Graal» (S.V 234; M.V 90 var.) certaines aventures privilégiées, telles, ici même, la Nef aux grandes merveilles, porteuse d'un écrit (le «bref»), plus loin, le Cortège du Blanc Cerf, ou, auparavant, l'Epée brisée d'Eliezer[41].

Ainsi oscille-t-on, au cours de cette séquence (F), entre un secret diabolique de la naissance que compense la sainteté d'une mère et un meurtre effroyable perpétré sur la personne d'un roi ou d'un père. D'un côté, le fils de la Géante ou le lion de la Vierge, de l'autre le Géant mis à mort ou le Gisant infirme. Sur une plus large échelle, enfin, on constate qu'au tournoi de Péningue, comme jadis lors de l'assemblée d'Arthur et de Galehaut, le héros paraît en armes vermeilles, avec Mordred en blanc, face à Hestor et Bohort en noir tels Helyas et Briadan, et qu'il se tourne contre Galehodin, le neveu de Galehaut (S.V 286; M.V 224-225 et 188). Les fins des séquences (A) et (F) sont donc comparables, mais entrent aussi bien en rapport avec les différents tournois qui ont pris place en chaque partie des séquences (D) et (E): à Pomeglai, puis au château de la Marche; entre les deux rois de Gorre et de Norgales, puis à Camaalot. Au total, les six grandes séquences narratives se groupent de deux manières: linéairement, (A), (B), (C) s'opposent à (D), (E), (F) comme le cycle de Galehaut à celui de la

Charrette, le retour de l'étranger à l'éloignement du familier, ou le legs du destin aux sorts de la Vieille; verticalement, (A), (C), (F) à (B), (D), (E), comme les tentations et les menaces aux péchés et aux liturgies, le Géant et Morgain au Graal et à Merlin, ou les ombres meurtrières aux étreintes fécondes. La géographie venant ici à l'appui : le Hombre (et Northumberland), la Tamise, la Cornouailles, dans un cas; Norgales, Gorre et la Terre Foraine, dans l'autre. Un jeu de reflets s'installe, en outre, entre les deux colonnes : rapt de Gauvain ou de Guenièvre, tombes des Lancelot ou mise au tombeau de Galehaut. On peut encore croiser les séries linéaires : (A) et (D), Guenièvre en prison à la Douloureuse Garde puis en Gorre ; (B) et (E), soit Cambenync et Corbenic ; (C) et (F), Caradoc et Terrican son frère, etc. (Voir le tableau en fin de chapitre, n. 41 bis.)

Le lecteur poursuivra de lui-même. Le Génie des écritures médiévales se plaît malignement à tous les jeux de l'ingéniosité, et la beauté de la *conjointure* n'est pas restée lettre morte, sauf, hélas ! pour nos entendements obscurcis... Mais il est sûr que plus on s'enfonce dans la forêt des aventures, plus affleurent les figures contrastées et antagoniques du patriarche infirme et de l'antique sorcière[42], du prud'homme et de la vieille, du père des deux chevaliers blessés et de la mère des deux géants, l'un au Gai (Gaste) Chastel, l'autre à Tintagel, entre Logres et Cornouailles, mais aussi bien Galles et Irlande, soit Perceval et Tristan ! Si la Vieille au Cercle d'or pousse le héros à l'homicide dans la guerre des fils contre un père, on doit se rappeler quelle était, à son apparition, sa parure :

> en son chief un chapel de roses, kar c'estoit entor la Saint-Johan (M.II, 228).

Le rite païen perce, toujours vivace, sous la fête chrétienne[43]. Mais, surtout, Lancelot portait lui-même jadis, en présence d'une Niniane amoureusement maternelle,

> un capelet de roses vermeilles resplendissans en son chief (S.III 86; M.VII 188).

Or les roses envahissent aussi le verger où plus tard Morgain retient le héros captif. Ce qui se produit aussitôt après la mort des géants au château de la vieille, alors qu'autrefois, chez Niniane, le vieux Léonce de Paerne devait révéler de quelle illustre lignée descendent les fils du roi Bohort, son cousin germain. Mais cet entrelacs de roses remonte encore plus haut dans le récit. La grande cour que Claudas avait convoquée, à l'instar d'Arthur, venait d'être troublée par une merveilleuse aventure : une des demoiselles du Lac, Saraïde (plus tard blessée au visage), accompagnée de deux lévriers, avait humilié publiquement le roi, tout comme frère Adragain avait, saisi d'une sainte colère, blâmé Arthur lui-même. Or Saraïde est la nièce du rendu (S.III 48; M.VII 102) ! A l'arrivée de Lyonel et de Bohort, cette demoiselle du Lac vint poser sur leur tête

> un trop bel capel de flors, novel et soeif flerant*,

dont la vertu déchaîne aussitôt sous leur crâne une folie de meurtre :

> Lors est si entalentés* de folie faire et li uns et li autres que s'il n'en eussent mais eu talent*, si le pristrent il ilueques* par le forche de l'erbe qui estoit es capiax que il avoient (S.III 54-55; M.VII 116-117).

Lyonel éclabousse Claudas du vin de la riche coupe royale, lui ensanglante le visage en le frappant du rebord de celle-ci, jette au sol et foule d'un pied rageur sceptre, épée et couronne du roi ! A l'origine de l'attentat contre Claudas comme de la mort de Callés, dans un même climat de guerres et d'héritages disputés, on retrouve donc le pouvoir enchanté d'un « chapelet » de roses.

La Demoiselle de Grand Age, couronnée d'or ou de roses, fait, d'autre part, transition entre la Dame du Lac et Morgain la fée. La féerie maternelle (Niniane) a contredit l'autorité haïe d'un roi (Claudas) ; la ténébreuse puissance d'une vieille précipite dans le parricide ; la mauvaise sœur d'Arthur troublera la paix de son royaume : guerres de Gaule (Trebes), d'Estregorre (duc Callés), de Logres (Salesbieres). Au cœur du roman, enfin : le père des chevaliers alités, Drian et Melian, et la mère de Caradoc le géant et de son frère. Les explications de Melian en rapprochent, d'elles-mêmes, les figures (M.I 199). La mère maléfique, la redoutable « sortisseresse », n'est cependant pas tirée de sa pénombre. D'autres récits seraient, à cet égard, plus éclairants, tels *Wigalois* de Wirnt von Grafenberg, où une femme monstrueuse, *diu starke Ruel,* se saisit du fils de Gauvain et l'emporte sous le bras vers sa caverne (cf. trad. J.W. Thomas, p. 60 et 174-175 ; voir aussi *Diu Krône* de Heinrich von dem Türlin, v. 9129-9532), ou les *Merveilles de Rigomer,* roman par trop négligé, où « la laide vieille desfaee » héberge un Lancelot glacé d'effroi (v. 3461-3618), ou enfin *Jaufre,* avec la vieille femme, mère de deux géants (v.5190-5660). Le seigneur du Gai Chastel reste également un personnage lointain : il était « de molt grant aage », et dans sa joyeuse jeunesse,

> Tos jors amoit par amors (M.I 195).

L'ermite Trevrizent révèle de même à Parzival qu'autrefois le cri de guerre d'Anfortas était *Amor* (livre IX). Subrepticement est ainsi suggérée, sans être formulée, l'antithèse entre le château qui fut *gai* et celui qui est devenu *gaste,* car l'évocation suivante de Trahan se confond avec celle du roi *mehaigné* : après le maléfice du « coffre », fomenté par la vieille, le château est plongé dans une immense douleur,

> mais noiens fu de totes les dolors avers celi* que mesire mes peres ot, et si en cheï* en une *enfermeté* trop merveillose, kar il en devint muet et sort* et *si en perdi le pooir de tos les membres* que onques puis n'issi* fors de son lit (M.I 199).

« Mesire mes peres » : la noblesse et le respect de l'expression mettent soudain en évidence, dans l'au-delà de l'aventure, l'appel sacré resté en elle comme en souffrance. Au moment même où Gauvain a lui aussi perdu « le pooir de tos les menbres », les voix célestes qui accompagnent la liturgie du Graal s'unissent dans une même et ineffable action de grâces :

> Beneois soit li pieres des ciels (M.II 384).

Rien ne se conjoint, dans ce récit, qui n'ait été préalablement dispersé dans le temps de son histoire et l'espace de ses errances. Une même scène, indéchiffrable, ressentie après coup comme primitive, est incessamment fragmentée et métamorphosée, mais les éclats divers captent chacun quelque reflet d'avant le désastre et s'éclairent obscurément dans l'attente de leur improbable reconstruction. Jamais un texte n'a donné à ce point au lecteur qui consent à s'y perdre le sentiment d'une force mystérieuse capable d'insuffler vie à l'inertie de mots qui seraient autrement lettre morte et d'en rassembler les « membra disjecta », sans jamais cesser d'être elle-même en retrait, c.à.d. absente, jusqu'à l'angoisse, de ce qu'elle anime, magiquement. Aussi le critique ne peut-il se satisfaire de simplement reconnaître, en filigrane de l'histoire, les fantômes du père et d'une mère, car l'essentiel serait plutôt dans les figures de leur méconnaissance, par où saisir la visée ou la faille que ces termes supportent. L'ambivalence est précieuse dans un récit qui brouille malignement les cartes du bien et du mal : à côté de la vieille de la Douloureuse Tour, persécutrice du prud'homme du Gai Chastel, une autre enchanteresse, Brisane, conseille le Roi Pêcheur, pour le salut du Roi *Mehaigné.* Mais qu'un chevalier, tel Gauvain, échoue à Corbenic, on verra « la vieille » resurgir avec le fouet et la charrette (M.II 385) ! Si d'autre part Lancelot allège de ses douleurs le père de Melian le Gai, en contrepartie ou préfiguration de l'aventure du « riche Roi Pêcheur », il se découvre, plus tard, coupable de la mort d'un « riche roi puissant », Merlan le diable ! Cet épisode est à son tour rattaché au Graal puisque douze demoiselles offrent aussitôt le spectacle de leur deuil, comme elles sont douze à Corbenic en prières et en pleurs sous les yeux de Bohort (cp. S.V 250 et 301; M.V 136 et 269)[44].

La simple suite des noms ci-dessus mentionnés suffit au commentaire : la mère de Caradoc, l'entremetteuse de Galaad, Melian le Gai, Merlan le diable ; la Tour Douloureuse, le château de Corbenic ; le Gai (Gaste) Chastel, la Tour de Merlin.

Mais un certain objet symbolise différemment l'enjeu de ces aventures : au château du Roi *Mehaigné,* le *saint Graal*, le « riche vaissel », « fes en semblance de calice » (M.II 377), a la double et miraculeuse vertu de nourrir et de guérir. Il est l'abondance de vie et la victoire sur la mort. A l'inverse, l'Epée *faée* de la Douloureuse Tour s'identifie au destin mortel du géant qui la porte et ne saurait succomber que par elle (M.II 340). Le Graal est la Grâce divine, et l'Epée *faée,* le mauvais sort. L'un fut confié par Dieu au saint lignage dont descend Hélène, la mère de Lancelot, mais dont l'amour de Guenièvre rend celui-ci indigne, et resplendit entre les mains d'une vierge merveilleuse de beauté ; l'autre venait d'une mère, jeteuse de sorts, à destination d'un fils qui l'a remise à la femme aimée, signant par là son arrêt de mort :

> Ha ! Diex, or est ma mors venue ! Traï m'a ce que plus amoie (M.I 342).

Lancelot qui la reçoit de la demoiselle de la Tour en décapite le géant tombé dans la fosse. Mais le jeu incessant des renvois nous reporte aussitôt au palais aventureux de Corbenic : une autre épée, enchantée elle aussi, a laissé sa blessure dans la chair du Roi *Mehaigné,* le père du roi Pellés. Voici le texte du manuscrit de Yale, celui de Sommer étant par trop défectueux :

> Et li rois li demanda : Sire, por Dieu, veistes vos anuit* mon pere el palais aventureus ? — Certes, sire, fait Bohors, je nel connois pas — Sire, fait li rois, ce est li rois mahaigniés, que l'en apela le roi pescheor, qui fu li mieudres* chevaliers qui fust a nostre tans — Et coment, fait Bohort, fu ce qu'il fu mahaigniés ? — Sire, par la force qu'il fist au traire l'espee du fuerre* qui ne devoit mie estre traite* devant que cil l'en otast qui les aventures du saint Graal doit achiever. Por ce qu'il le traist sor le deffens* qui mis i estoit, *si fu feru de l'espee meismes* parmi les quisses, si qu'il en fu mahaigniés et n'avra garison devant que li bons venra qui *de goutes du*

> *sanc de la lance* li oindera ses plaies — Sire, fait Bohors, *je nel vi pas,* mais por Dieu, de la lance dont voz me dites, me dites verité, car *je vi tout apertement que goutes de sanc en issoient* (f° 137 c; voir aussi M.V 272-273).

Il n'est pas indifférent qu'une clarté ait aveuglé Bohort à l'instant même du mystère et qu'il n'ait vu le roi ni sa blessure. Il semble bien que l'*Epée* soit cause de la mutilation sexuelle (« parmi les deus cuisses », S.V 303, l. 17), mais que la *Lance,* dite, selon les manuscrits, « vengeresse » ou « virginesse », et dont Bohort pense que « ce estoit sainte cose » (S.V 301, l. 23), ait pouvoir de guérison. Serait-ce la Lance de Longin ? Il est permis de le supposer puisqu'on promet de dire

> qui l'aporta en cest païs et dont ele vint (M.V 268; S.V 301, l. 30),

formule qui convient d'ordinaire à la *translatio* sacrée de Palestine en Grande Bretagne. Elle surgit d'ailleurs de la même chambre d'où, la veille, « li sains graaus » était apparu. La Lance s'oppose-t-elle donc à l'Epée ? Ce n'est pas si simple, l'auteur ayant choisi, par rapport à ses devanciers, de maintenir les deux armes dans une même ambivalence. La comparaison entre les épisodes le montre. A Corbenic d'abord, la Lance Ardente a frappé Bohort, naguère Gauvain, sur le Lit Aventureux, avant que ne se présente la vision de la Lance qui saigne. Cette opposition répète celle qui distinguait déjà l'épisode du Cimetière, selon Gauvain : la Tombe Ardente, et selon Lancelot : la Tombe qui saigne. Si d'autre part, l'Epée inflige, aux cuisses, une plaie inguérissable, Gauvain, lui, s'était de sa propre arme ouvert la cuisse pour guérir de son sang la jambe pourrissante d'Agravain. De surcroît, il rencontre, plus tard, en voie vers Corbenic, un « chevalier aux deux épées », comme il l'était lui-même au sortir de Cambenync, portant, outre la sienne, celle de la cadette de Norgales : il s'agit d'Elyezer, le fils du Riche Roi Pêcheur, et l'Epée qu'il expose renvoie à la fois au passé où elle fut brisée dans la cuisse de Joseph d'Arimathie et à l'avenir où l'élu du Graal doit la ressouder. Entre le crime et la paix désirée, de la pointe de l'épée dégagée du fourreau tombent aussi des gouttes de sang (M.II 327, 332, 338). Même contraste donc entre le motif du Coup Félon et celui du sang miraculeux. Lance et Epée seraient alors sur le même plan. A Corbenic pourtant, l'auteur réserve la guérison à la vertu de la Lance et la blessure à l'action de l'Epée. Il couple ainsi la Lance et le Graal, au même titre, sans doute, de reliques de la Passion, véritablement thaumaturges et régénératrices. Certes, la Lance et l'Epée sont toutes deux responsables d'un Coup Douloureux, mais l'une, au temps de l'Evangile, l'autre, dans les temps fabuleux ou mythiques du Royaume Aventureux. La Lance signifie la blessure sacrificielle et le Graal symbolise une puissance spirituelle de vie. Mais les semblances saintes ont toujours leurs contreparties féeriques, soit, en regard de la *Lance,* l'*Epée,* et pour le *Graal,* quoique plus discrètement, la *Coupe d'or* de la Fontaine aux Fées ou le *Cor d'ivoire* en l'Ile de Joie. Il devient donc possible de combiner, au château du Roi Pêcheur, l'Epée du Coup Douloureux et la Lance elle-même Douloureuse, comme de situer dans les parages de Corbenic le Cor du paradis d'amour. L'aventure de Lancelot à Corbenic, ainsi déplacée, se représente pourtant à travers celles contrastées de Gauvain voué à la charrette et de Bohort préfigurant Galaad. Toutes deux brillent en vrais joyaux de la *conjointure* : pour la seconde, couleuvres et harpe d'Orphée, ronde des douze fées en semblance de Pesme Aventure, aveuglante clarté jaillie du mystère du Coup Douloureux ; la première est deux fois partagée, comme en chiasme, entre un « Cortège du Graal » mué en prière recueillie et traversé du miracle virginal de la Colombe, et le Lit à la Lance enflammée du *Chevalier de la Charrette,* puis entre un bestiaire des songes, renouvelé du Palais des Merveilles chez Chrétien, et une joie céleste après lutte avec un roi, en écho à la Fontaine d'Esclados le Roux. Soit les quatre grandes scènes de Chrétien de Troyes en une seule !

Le récit a, de surcroît, réuni, dès la première aventure du chevalier malade à la litière, les tronçons de lances parmi le corps et l'épée enfoncée dans la tête. A quoi s'opposent, dans l'épisode de Caradoc, la rencontre avec le géant et l'Epée de la décapitation. En voici la version de Corbenic : Bohort « enferré » par la Lance, le roi infirme victime de l'Epée, d'un côté ; Galaad conçu par la Vierge du Graal, de l'autre. On remarque enfin que la tradition du Coup Félon oscille entre deux possibilités, déjà recensées à propos de *Perlesvaus* : l'Ennemi ne peut être détruit que par son arme retournée contre lui ; le roi blessé ne peut être guéri que par le retour en sa plaie, ou le rite sanglant, de l'arme première. Il reste que chaque aventure comporte une face fermée : celle des *tombes* qui n'enserrent jamais que le vide du père dans le silence de sa parole, et un soubassement infernal : celui des *caves* et des fosses au sein le plus noir de la terre. Résumons brièvement ce parcours d'angoisse et d'horreur : à la Douloureuse Garde, les tombes du Cimetière, puis la cave au puits hideux et au coffre périlleux (qui s'interprète à l'aide de l'aventure du coffre où la mère de Caradoc a couché Drian) ; au Saint Cimetière, sur le chemin de Gorre, la tombe de Galaad, en haut, celle de Symeu, dans les profondeurs. Dans les deux souterrains ont retenti des voix atroces. La première aventure n'accomplit pas le meurtre, pourtant exigé, de Brandus des Iles — à quoi satisferait, en retour, la mort de Caradoc ; la seconde n'apporte pas la délivrance à l'âme de Symeu — ce qui en rejette l'espoir sur un autre sauveur. A l'autre bout enfin, on trouve, au seuil de l'aventure de Corbenic et du Lit Aventureux, la demoiselle dans la cuve de marbre emplie d'eau brûlante puis, auprès de la tombe de marbre rouge, la Fontaine Bouillonnante. Notons ici que l'épée meurtrière a fait voler le chef de l'aïeul de Lancelot, et qu'entre la Forêt Périlleuse et le Palais Aventureux un autre parallèle s'établit : Epée de la décollation, Tombe qui saigne en mémoire de la mort, Epée de la blessure, Lance qui saigne en attente de la Vie.

Décapitation, infirmité, ces deux représentations accompagnent la question des armes et sont réparties entre les géants et les rois. Faut-il s'étonner si Arthur centre cette nouvelle constellation ? Deux simples phrases suffisent à réévaluer l'ensemble du point de vue d'un roi sans lequel n'existeraient ni l'honneur ni la chevalerie, comme Claudas se l'entend rappeler au tout début, en des termes qui pourraient bien avoir valeur d'avertissement sinon de pressentiment :

> Car se chis seus hons* estoit *mors,* je ne voi qui jamais maintenist chevalerie, ne tenist gentilleche la ou ele est. Et moult seroit miex que vous qui n'estes c'uns seus hons fussies ariere boutés* de vostre malvaise enprise que *tous li mons fust tornés a poverté et a dolor, car bien seroit mors et desiretés* tous li mondes s'il* estoit desiretés,* qu'il* bee tout le monde a maintenir (S.III 31 ; M.VII 64).

Formules clefs, qui mettent d'emblée sur un même plan l'aventure fabuleuse du *Gaste* Pays et l'histoire légendaire de la catastrophe arthurienne, comme si l'irruption des merveilles et leur résolution formaient la scène où d'avance se jouait la réalité du destin arthurien. Les trente-trois ans de merveilles (S.III 269, n.7 et Kennedy I 357 l. 9) ouvrent dans l'histoire des hommes et dans la vie individuelle d'un héros représentatif la même parenthèse, révélatrice des tragédies enfouies et des attentes impossibles, que l'Incarnation de Dieu. Simplement, l'épanchement des fantasmes a pris le relais de la Révélation surnaturelle. Toute qualification d'Arthur, même minime, acquiert donc un poids exceptionnel. Or le trait dominant est le vif amour qu'il porte à un héros qui ne l'a pourtant jamais épargné (ni lui ni sa cour):

> kar il amoit tos jors Lancelot de greignor* amor que nus* feïst, fors Galehout...

Et d'ajouter:

> kar il n'est, fet il, nus forfés en cest siecles, se il le me faisoit, por quoi je le haïsse mie (M.I 171).

La raison s'en éclaire dans l'*Agravain,* en pleine affaire du duc Callés, à un moment où le récit revient sur la réaction d'Arthur à la nouvelle de la perte de Lancelot:

> Li roys Artus remest* mas* et pensis de la novele qu'il avoient oï dire de Lancelot, car bien quidoit* qu'il fust ocis par la novele que la royne li avoit dite. Si en pleure et en fait moult grant doel, *autresi comme s'il fust ses peres* (S.V 59; M.IV 110).

D'Arthur à Lancelot, le lien qui vaut pardon est ressenti comme de père à fils. Mais il y a plus surprenant: dans les dernières pages, alors que Lancelot se décide enfin à la guerre contre Claudas, mais seulement à cause de l'affront que celui-ci a infligé à Guenièvre, le roi Arthur, apercevant Gauvain qui revient vainqueur d'une joute, pique des deux à sa rencontre,

> *si lo prent parmi les flancs et lo leve a force des arçons devant li sor lo cou de son chevau,* si l'enporte voiant tuz ceaus qui i estoient... Et Lancelot qui l'a veu s'en esmerveille et dit a la roine lez cui* il chevauchoit: Dame, jo ne quidoie pas que li rois poist* ço fere — Sire, fet ele, sachoiz que *ço a esté li plus mervillex hum del secle* (S.V 326; M.VI 32).

En clair, Arthur enlève Gauvain comme le fit Caradoc (les mots sont identiques: cp. M.I 178) et mérite d'être, comme Galehaut, qualifié de «merveilleux» (cf. M.I 17). Il entre ainsi en rapport avec toutes les figures «paternelles» disséminées dans le livre. Il est le Droit — en dette à l'égard du roi Ban mais en renfort contre Claudas l'usurpateur[45]; il est la Merveille, à l'instar de Galehaut et de Caradoc, sans oublier qu'il fut, à la Douloureuse Garde, échangé contre Brandus des Iles; il est encore l'Honneur du monde, «le plus preudomme» qui soit, à l'égal du roi Baudemagu (cp. M.I 81 et II 76), mais aussi bien son péché: alité et malade pour une enchanteresse de Carmelide, tel Anfortas le roi du Graal au service d'Orgeluse (*Parzival,* L. XII)[46], tel Agravain à Cambenync victime de la demoiselle «lépreuse» (S.III 319). Il est, enfin, marqué par la tragédie: né d'un adultère et d'un abus royal, dont l'histoire du roi Lancelot à la Blanche Garde offre le reflet inversé, et promis à la mort par la main d'un fils, comme dans « la guerre des enfants au duc Callés ».

Un simple tableau permet de comparer les places d'Arthur et de Guenièvre dans le système complet de leurs relations :

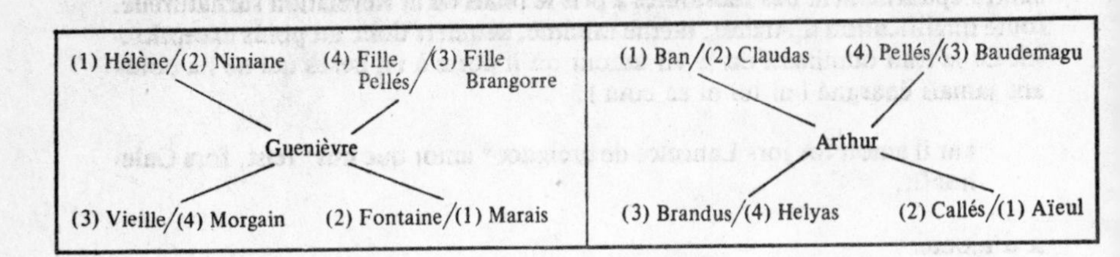

(Les chiffres notent les équivalences ; les séries, paire et impaire, se correspondent.)

Le réseau du roi montre comment aux guerres, (1) et (2), s'opposent les Enchantements, (3) et (4). Un parallèle s'établit entre les merveilles de la Douloureuse Garde ou de la Douloureuse Tour et celles de Gorre ou de Corbenic, du côté du Hombre et de la Tamise dans le premier cas, de la Severn, dans l'autre. Mais le roi Baudemagu est, à l'égal de Niniane pour la série féminine, une figure prévalente. N'est-il pas désigné par Galehaut pour la régence de ses vastes terres ? N'a-t-il pas retenu à sa cour la reine Guenièvre, après son enlèvement ? Galehaut et Guenièvre, les personnes les plus chères au cœur de Lancelot, ont ainsi des attaches avec ce noble roi. En outre, son pouvoir s'étend étrangement sur la Terre Foraine qu'il a conquise et sur les exilés de Logres qu'il retient prisonniers dans ce pays intermédiaire. En suite de quoi il est aisé de montrer que le couple formé par le roi *Beli*nant de Norgales et *Bau*demagu de Gorre redouble celui de Pellés de la Terre Foraine et d'Arthur de Logres, entre lesquels se joue le sort d'un seul et même « royaume périlleux aventureux ». Ainsi s'explique que la tombe du roi Galaad soit en Terre Foraine mais que son corps revienne au pays de Galles dont il fut le premier maître. Si d'autre part les événements de la Petite Bretagne sont calqués sur ceux de la Grande, le conflit entre Claudas de la Terre Déserte, soutenu par le roi de Gaule et Ban de Benoyc, vassal de Hoël de Bretagne, varie le scénario par un simple échange des souverains. On note, en effet, qu'Uterpandragon a détruit jadis la Terre Déserte comme celle de Gorre, avant que Claudas n'ait sa revanche avec la mort du roi Ban, à l'instar du roi Urien avec les exilés de la Terre Foraine. Claudas serait-il le maître, à l'inverse de Pellés, et Ban, le vaincu, à l'encontre d'un Bau(demagu) glorieux ?

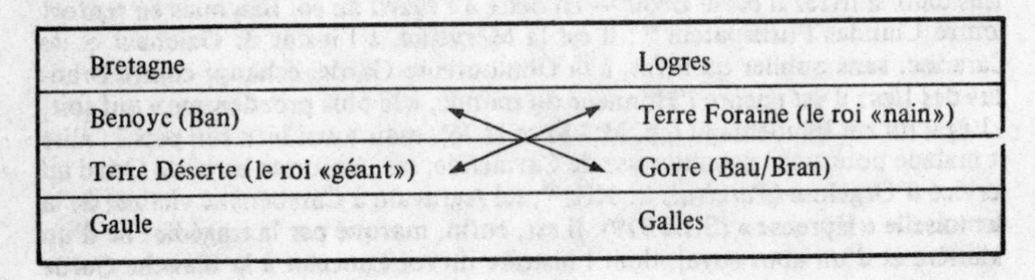

Ainsi l'histoire de Gauvain et du Chevalier Vert, sous-jacente à celle de Lancelot et de Claudas, le géant à la hache, s'opposerait à celle de Gauvain et du Petit Chevalier que l'on suppose aux noms de Beli(nant) et de Pellés (nain de la Charrette et nain du Graal), avec, à l'arrière-plan, Ban de Benoyc et Bran le Béni. Qu'on relise sous ce jour l'impeccable chapitre consacré par Loomis dans son *Arthurian Tradition* à « The Shameful Cart and the Perilous Bed » (204-214) !

Le roi Baudemagu a donc partie liée à la fois avec Pellés et avec Arthur. De retour en Gorre, Lancelot découvre dans un pavillon à l'aigle d'or, tendu dans la prairie, le roi « assis en un faudestuel d'ivoire », et, devant lui, un harpiste qui joue le lai d'Orphée (M.II 241-242). La scène, modifiée, se répète dans la Forêt Perdue, à la Tour Merlin : pavillons et prairie, mais surtout la « caiere d'yvoire » et la couronne d'or qui désigne cette place comme celle même du roi Ban, à son fils réservée (S.V 123 et 149; M.IV 234 et 286). A Corbenic également, sous les yeux de Bohort : un harpiste surgit, qui s'assoit sur « une caiere d'or » et joue le Lai du Pleur, lequel relate un débat entre Joseph d'Arimathie et Orphée l'enchanteur (S.V 300; M.V 266). A travers Gorre et son roi, le Graal et Merlin entrent en consonance, soit encore le saint lignage d'Hélène et une plus trouble filiation. Enfin, dans la dernière partie des aventures, non loin de « l'Ille Estrange » ou « Estrangot », corruption probable d'Estregorre, où le roi Va*gor* retient captif Lyonel « féru parmi la cuisse d'un dard envenimé » et chargé, pour motif amoureux, du crime de trahison, Lancelot retrouve Baudemagu si malade qu'il ne peut même s'asseoir. La scène reste tout entière hantée par la tradition du château du Graal : la grande salle du palais principal, à une heure avancée de la nuit et à la lueur des cierges et des torches ; la blessure à la cuisse de l'hôte (le chevalier à la litière précédemment rencontré et qui souffre d'une flèche tirée par une des baigneuses de la Fontaine) ; l'épreuve offerte au meilleur chevalier du monde (que l'hôte refuse ici à Lancelot, quoiqu'il s'y soit proposé) ; le dédoublement, enfin, entre l'hôte blessé et, dans une autre chambre, le vieux roi malade (Baudemagu !). En outre, à l'intérieur même du *Livre de Lancelot,* le chevalier à la litière rappelle l'aventure de Melian le Gai, et la tour forte, belle et très haute, semble à l'image de la fameuse Tour Merlin (S.V 224-227; M.V 65-72). De nouveau, grâce à Baudemagu, des liens se nouent entre le passé d'une faute sexuelle, réversible sur le héros (à travers Lyonel), et l'attente d'une délivrance (ou, à défaut, d'une autre naissance). D'une part, Baudemagu s'identifie à l'énigmatique Roi du Graal, de l'autre, il supporte la représentation du péché charnel, que l'honneur d'Arthur ait été, en Gorre, souillé par le sang de Lancelot sur la couche de la reine, ou qu'une fée des sources ait, telle une Diane du Lac, châtié l'intrus. Le copiste du manuscrit de Sommer n'emploie d'ailleurs pas, contrairement à son moderne éditeur, la forme « *Bau*demagu » mais bien celle de « *Ban*demagu » (cf. S.IV 38 et S.V 95, n.3). Il faut entendre, en effet, dans le nom du roi de Gorre, celui du père de Lancelot, et se rappeler sa faute au château des Marais, dont il a légué le poids à son fils. Tel est bien le drame du roman arthurien depuis que Perceval s'est interdit la parole face au Cortège de la Lance et du Graal : rien ne se transmet plus de père en fils sinon le seul péché (*Hamlet,* déjà !), sans qu'on puisse jamais restaurer sur le trône d'ivoire, avec sa couronne d'or, celui dont la figure enfin reconnue rendrait, dans le pardon, la paix. Jamais Lancelot ne consent à assumer l'héritage de sa royauté, ajournant sans fin son retour en Gaule et se déchargeant sur d'autres d'une couronne qui décidément lui pèse. Tuer Claudas serait-il de si terrible conséquence qu'il faille, pour se décider à la guerre, un affront à la reine ? C'est dire à quel point celle-ci détient pour le héros les clefs de sa vie antérieure. Claudas comme Brandus des Iles disparaissent sans mourir. Quelque chose demeure en reste avec leur fuite, ou en défaut, par le refus de la royauté. Comment dès lors éteindre la dette ? Il n'est plus qu'un espoir, tout entier reporté sur la venue, eschatologique, du Pur qui accomplira les merveilles et les aventures.

Or la figure du roi Baudemagu, si l'on se tourne maintenant du côté du roi Arthur, ramène justement à ce qui fut l'origine des aventures et qui ouvrit cette parenthèse de 33 ans en guise de « roman » au cœur de la « chronique ». Cette dimension historique s'étaye, à notre surprise, sur une chronologie rigoureuse, dates à l'appui, des événements du récit. La première mention de la durée des aventures au royaume de Logres intervient à l'occasion du premier voyage en Sorelois (S.III 269, l. 37) : au temps des prophéties de Merlin, cette terre appartenait au roi Lohot, dont le fils, Gloier, fut plus tard conquis par Galehaut. Pour la protéger par-devers Logres, Lohot fit construire sur la Severn deux ponts qui devinrent, sitôt que les aventures commencèrent, les seules voies d'accès possibles. De fait, Gauvain, en quête de Lancelot, franchit « le felon trespas de la cauchie », celui qu'on nomme le Pont Norgalois, l'autre étant le Pont Irois (S.III 395). Mais la situation est identique quand il s'agit de pénétrer dans le royaume de Gorre. Les ponts s'appellent alors le Pont Perdu ou l'*Eve Dolerouse* et le Pont Périlleux (noter la symétrie avec les forêts) ou de l'Epée (M.II 19 et 53). Leur origine est expliquée dans l'épisode antérieur de la Fausse Guenièvre, lorsque Galehaut, sur la foi d'un respectable vieillard, le duc des Cloies ou de Gloies (bien proche de Gloier, avouons-le !), confie la régence à Baudemagu de Gorre (M.I 79-82). Suit un retour en arrière, à l'époque où Uterpandragon, le père d'Arthur, faisait la guerre au roi Urien, l'oncle de Baudemagu. Uter avait dévasté la terre de Gorre qu'Urien ensuite reconquit. A la mort de son oncle, Baudemagu fit d'abord bâtir deux ponts par-devers la Bretagne pour retenir après passage les gens d'Arthur et repeupler ainsi son propre royaume. L'objectif atteint, il les fit remplacer par deux ponts « merveilleux », ce qui coïncida avec le commencement des aventures :

> cele malvaise costume i fu mise dés le premier an que les aventures commencierent (M.I 83)[47],

ainsi qu'avec, semble-t-il, les débuts du règne d'Arthur (*ibid.* 85). En revanche, quand apparaît Bohort sur la charrette à la cour d'Arthur, la Dame du Lac adresse au roi cette prophétie :

> Saches que ta cors aproche de delivrer, si prendront fin les aventures,

et ajoute cette précision concernant Bohort (nous sommes à la mi-août) :

> Il est jovenes enfés de XXI an et fu chevaliers novials a Pentecoste (M.II, 92-93).

Si les mots ont un sens, il faut conclure que nous ne sommes plus très éloignés du terme des 33 ans. A partir de là, calculons !

Il existe, en effet, au moins une date pour laquelle nous adoptons la version de Sommer : la folle tentative de Brumant au Siège Périlleux se produit à Camaalot le jour de la Pentecôte en l'an 435 après l'Incarnation de Notre-Seigneur (S.V 318, l. 32). D'après la version longue, moins sûre pour les chiffres précis, mais plus riche en données relatives, Arthur, coiffant sa couronne pour cette fête

> fu de moult grant biauté et bien ressambloit preudomme (S.V 313, l. 38) et estoit de tel aage qu'il ne pooit mie avoir plus de L anz (M.VI 5-6).

Il est donc né en 385 et s'il monte sur le trône, conformément à la tradition, à quinze ans, son règne débute en 400. Lors de la cour précédente à Camaalot, Baudemagu était admis à la Table Ronde :

> Il est encore en son meillour eage, comme cil qui n'a mie encore plus de XLVI ans (S.V 195 ; M.V 5-6).

Or, entre les deux grandes mises par écrit de Camaalot (S.V 190 et 332; M.IV 396 et M.VI 53), il ne s'écoule que deux ans (voir Lot 17-57). La date de naissance de Baudemagu, âgé de 48 ou 49 ans en 435, serait donc voisine, à un ou deux ans près, de celle d'Arthur. La Demoiselle du Lac, en amenant Bohort, laissait bientôt prévoir le fin des aventures. Il faut, après sa venue, compter environ deux ans avant l'enlèvement manqué de la reine par Bohort (cf. Lot 41-42). La suite, avant la conception de Galaad, ne couvre qu'une vingtaine de jours. Deux mois plus tard, nous sommes à Camaalot pour la cour de l'année 433. Niniane n'avait donc fait son annonce guère plus de deux ans avant. Si les aventures ont commencé avec l'avènement d'Arthur, le cycle des 33 ans se clôt exactement sur la conception de Galaad. Du moins serait-ce là le projet de l'auteur de *Lancelot* : le royaume de Logres fut une terre de merveilles, du couronnement d'Arthur à l'Incarnation de Galaad. Le Tertre de Terrican en apporte confirmation : la version longue du Royal 20 D IV, signalée en note par Sommer (V 90, l. 11), précise que « el XXXIIII ans apriés » le couronnement d'Arthur (au lieu de « el vinte troisime an », en fait : 33 ans), le géant avait conquis tous les chevaliers dont la liste peut être lue. Peu avant, Lancelot, qui a perdu sa belle chevelure, est décrit comme un homme qui « ne puet pas avoir plus haut de XXV. ans » (S.V 87; M.IV 165). Lot a montré que « dix années exactement se sont écoulées depuis que Lancelot a été fait chevalier à Camaalot » (Lot 42), la Saint-Jean fixant aussi la date de son empoisonnement à la Fontaine. Mais il en résulte, si on rapproche ces deux données, que Lancelot fut adoubé à l'âge de quinze ans, comme d'ailleurs Perceval (S.V 383; M.VI 183) et Galaad (*ibid.* 408, n.6 : Sommer a corrigé son propre manuscrit ! Voir aussi M.VI 243). Les « dix-huit ans » indiqués (S.III 111; M.VII 243) sont une erreur, même si elle se répète. Lancelot est né en 408, adoubé en 423, à l'agonie en 433, date de la conception de Galaad, lequel a dix ans en 444 et paraît à la cour en 449. Reste le cas de Lyonel et de Bohort : un an d'écart entre eux (cf. S.III 16; M.VII 32). Tous deux sont adoubés à une Pentecôte en des occasions significatives, en pleine aventure de Caradoc, puis de Méléagant. Lyonel, soulevé à bras-le-corps par Galehaut, mérite alors d'être par lui traité de « cœur sans frein ». Le jour de son adoubement, il a combattu et tué le « lion coroné de Libe » ; Bohort, lui, monté sur la charrette, abat les chevaliers de la Table Ronde. Ces groupements ont un sens : Lyonel, le lion couronné, Galehaut, d'une part ; Bohort, la charrette d'infamie, Niniane, de l'autre. En 431, date de son arrivée, Bohort a vingt et un ans : il est donc né en 410. Lyonel est né en 409. Il est, en 430, lui aussi adoubé à l'âge de vingt et un ans. 410 est encore la date de la mort des rois Ban et Bohort, puisque le second fils de celui-ci avait alors neuf mois. L'événement se produit donc alors que Lancelot a deux ans, ce qui correspond à l'âge de Perceval chez Chrétien, à la mort de son père (*Le Conte du Graal,* v. 458) et de Lanzelet chez Ulrich (cf. v. 97). A quinze ans également, celui-ci a souhaité prendre congé de l'ondine (cf. v. 300). C'est enfin à l'âge de deux ans que le fils d'Elyezer, au temps de Joseph d'Arimathie, fut jeté dans la fosse aux lions (S.V 233; M.V 88). Après « deux ans et plus », soit en 412-413 (S.III 27; M.VII 56 et Bräuner, *Marburger* II 45), ce qui correspond aussi aux trois ans passés chez la fée du Lac pour Lancelot, chez la femme adultère de Pharien pour ses cousins, Claudas décide d'aller épier la gloire d'Arthur. Or, disent les manuscrits de Sommer,

> il n'avoit encore gaires que il avoit esté rois. Si avoit pris la roine Genievre n'avoit pas plus de VII mois et demi (S.III 28; M.VII 59).

Cette version est incohérente, puisque, déjà, cinq ans plus tôt, dans le récit, il était fait allusion, dans les mêmes termes, au mariage d'Arthur (S.III 4; M.VII 3). A quoi bon d'ailleurs des « mois *et demi* » ? Le ms. BN 110 offre un meilleur texte :

> passé VIII ans qu'il avoit pris la roïne,

soit en 404 ou 405. Supposons qu'elle ait eu, alors, quinze ans : l'amour du héros s'adresse à une femme de dix-huit ans son aînée. Le roi Ban s'est, semble-t-il, par trois fois déplacé en Grande Bretagne : lors du couronnement d'Arthur — là se placeraient son péché avec la fille des Marais et la conception d'Hestor (S.V 117; M.IV 223) ; puis des noces royales — c'est l'épisode de la Forêt Perdue, de la carole et de la couronne, en compagnie de « Merlin » (S.V 149; M.IV 288) ; enfin, deux ans après la naissance de son fils, qu'il avait fait baptiser en présence de « Merlin » (S.V 143; M.IV 274), pour réclamer secours contre Claudas. Tous les faits concordent, sauf dans le cas d'Hestor qui serait de huit ans l'aîné de son demi-frère, alors qu'il ressort d'autres passages que le roi Ban, vierge et chaste à cinquante ans, âge de son mariage, a connu seulement après la fille des Marais (cf. M.II 37). Faut-il penser que huit ans passèrent auprès d'Hélène sans d'autre enfant qu'illégitime ? Dans ce cas, 400, date du couronnement d'Arthur, serait également celle du péché charnel de Ban (lui-même né vers 350), ce qui conviendrait assez bien à la naissance des aventures ! Car le roi Ban n'est que l'autre visage du roi du Graal. Qu'on se rappelle la Terre Blanche du roi Lancelot, voisine de la Terre Foraine ! Chez Wolfram, l'amour d'Anfortas pour Orgueluse fut cause de sa blessure. L'intervalle des huit ans peut, d'autre part, s'autoriser d'un illustre précédent historique : Aliénor d'Aquitaine, mariée depuis sept ans avec Louis le Jeune, dut aux prières de St Bernard de mettre enfin au monde un enfant, l'année suivante. Mais on retiendra surtout la naissance de Jean-Baptiste, le tard venu (Luc, I 5-66). Au reste, Arthur n'a-t-il pas aussi engendré un fils, Lohot, en la belle Lisanor, avant d'épouser Guenièvre (S.III 159; M.VII 347) ?

Derniers recoupements : quand Lancelot a dix ans (S.III 35; M.VII 75), Hélène a pris le voile depuis sept ans (S.III 40; M.VII 86). Les dates de 408 et de 410 s'en trouvent confirmées. Enfin, le grand malheur des ténèbres d'Escalon durait, comme l'apprend le duc de Clarence, depuis dix-sept ans (M.I 231-232) ; c'est aussi le cas du Val sans Retour (M.I 277) et de la prison amoureuse de Keu d'Estraus (*ibid.* 311 : dix ans de Table Ronde plus sept ans avec son amie). Or

Lancelot y parvient sept ans après son adoubement, soit en 430: tout aurait commencé en 413, alors que Claudas rejoignait Logres et que débute le récit des enfances en forêt du héros. Si, pour conclure, Claudin le bâtard de Claudas n'a pas vingt-six ans en 435 (S.V 331; M.VI 48), on retombe une fois de plus sur 410, date de la mort de Ban: c'est à dessein que les combats de Gaule mettent violemment aux prises Hestor et Claudin (S.V 364-365; M.VI 95-100), quand jadis Dorin mourait de la main d'un Lyonel si semblable à Lancelot. Une conclusion se dégage de cette revue des dates: d'Arthur à Baudemagu, de Claudas au roi Ban, le temps des aventures et des merveilles semble compris entre le péché des pères, à l'ombre du couronnement d'Arthur, et l'attente du fils sauveur, dans la lumière du Graal. Le récit est scandé par l'arrivée constante de chevaliers nouveaux, habillés de blanc au long de leur première année d'armes: Lancelot à quinze ans, Lyonel et Bohort à vingt et un, Perceval et Galaad à quinze. L'enquête sur Perceval s'avère aussi fructueuse: Agloval retrouve son jeune frère après deux années d'errance en quête de Lancelot, soit, si on ajoute un an que dure la guerre de Gaule, en 438. Perceval est donc né en 423, l'année où fut adoubé Lancelot! Quant à Mordred, il a vingt ans l'année où Lancelot va être empoisonné et Galaad, conçu. Sa date de naissance, donc: 413, qui coïncide avec les ténèbres d'Escalon et les maléfices de Morgain! D'où tout un cycle des naissances, soudain illuminé: 413, Mordred, fils incestueux de Morgain; 423, Perceval, fils de la Veuve Dame; 433, Galaad, fils de la fille du Roi Pêcheur. Lancelot est Perceval, entre Mordred et Galaad, inceste et virginité, Merlin et Christ.

Il vaut d'ailleurs la peine de s'interroger sur les diverses constellations familiales et de comparer leurs figures. L'aïeul de Lancelot et le Roi *Mehaigné* ont eu chacun deux fils: Ban et Bohort, Pellés et Helain le Gros (cf. S.III 117; M.VII 256); du moins faut-il le supposer, pour la famille du Graal, puisqu'il existe une nièce du roi Pellés. Or, dans la tradition issue de Robert (Didot-*Perceval* et *Perlesvaus*), le père de Perceval s'appelle Alain le Gros, et il semble permis d'identifier la sœur de Perceval en quête d'Agloval (S.V 28; M.IV 48) avec « la nièce du roi Pellés », nouvelle vestale du Graal depuis la conception de Galaad (S.V 141; M.IV 270-271). Comme le Roi Pêcheur a deux enfants, Eliezer, le chevalier aux deux épées, et Amide-Heliabel, la porteuse du Graal, le schéma complet s'établit comme suit:

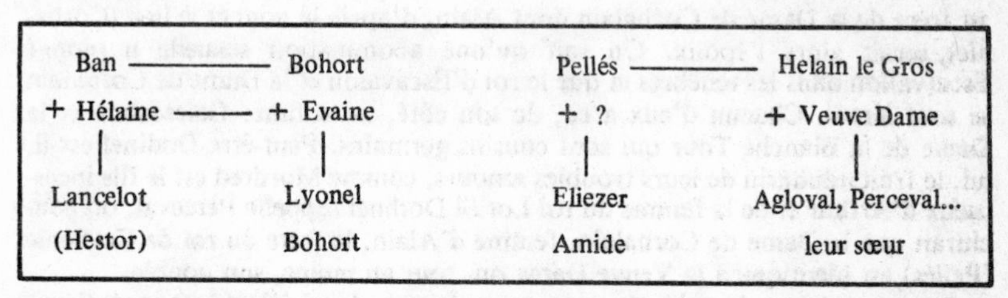

Perceval se rattacherait au Graal par Helain son père, mais Lancelot par Helaine, sa mère, descendante du haut lignage choisi par Dieu pour voir ses grands secrets. La Veuve Dame a préservé son fils du monde des armes jusqu'à l'âge de quinze ans, comme le fut Lancelot chez la fée du Lac. A la Table Ronde enfin, Perceval est appelé par la pucelle muette, la fileuse de soie du Destin, à s'asseoir à la droite du Siège Périlleux, c.à.d. à la place même de Lancelot, le siège de gauche étant occupé par Bohort. Les histoires de Lancelot et de Perceval peuvent ainsi s'échanger et se redoublent pour se reprendre dans un nouveau jeu de reflets de texte à texte, de l'œuvre antérieure à la présente, projetée dans la suivante.

Mais chaque famille a aussi son lot d'obscurités. Le péché des pères grève l'avenir de leurs fils : Ban et la fille des Marais, Uter et Ygerne sont, en un sens, raison des aventures de Lancelot et de la fille du Roi Pêcheur ou d'Arthur et de sa demi-sœur Morgain. D'autre part, le lignage de Lancelot comporte de mystérieuses tantes, puisque Hestor justement porte secours à Angale de Raguidel dont la mère était sœur germaine de Ban de Benoyc et qui, violée par un chevalier roux (cp. *Perlesvaus*), fut jetée sous terre avec deux lions (comme le fils d'Helyezer ? ou en rappel de la cave de la Douloureuse Garde ?) (M.II 397 - 400). Plus tard, Guerrehés déshonore également, après avoir tué le mari et les quatre frères, une jeune femme qui réussit pourtant à prendre le voile (comme Hélène de Benoyc ?) et se révèle la cousine « presque germaine » de Lancelot (S.V 33; M.IV 58). On supposera donc une sœur « presque germaine » au roi Ban, c.à.d. une demi-sœur, exactement comme sont frères Hestor et Lancelot. Morgain est aussi la demi-sœur d'Arthur et elle est mère, par le roi Lot, de quatre fils, dont Gauvain. Mais puisque les lignages de Benoyc et de la Terre Foraine apparemment se correspondent, l'existence d'une ou deux sœurs de Pellés serait probable : comment interpréter autrement le nom de la dame dite de Corbalain ou de Corbenic ? Sans doute rien n'est explicite, mais c'est de règle quand on s'avise de troubler l'eau dormante des origines. La Dame de Corbalain est la mère de la Dame de la Blanche Tour, dont le nom a déjà la saveur défendue des fruits de féerie. Comme celle-ci est cousine germaine du duc de Clarence, le Petit Chevalier (cp. la *Seconde Continuation* !), que celui-ci s'appelle Galescalain (« Galesche », Gallois + Alain !), que l'oncle de l'une et la tante de l'autre furent liés d'une vive affection et que tous deux enfin furent élevés en Escavalon, nous sentons bien que tous les fils du péché se nouent ici inextricablement. D'autant que le frère de Galescalain, Dodinel le Sauvage a toutes chances d'être un doublet de Perceval le Gallois (M.I 176, 182). Faut-il incriminer les insaisissables métamorphoses de Morgain ?

Partant du fait que Galescalain et Gauvain sont par le roi Lot cousins germains, précision absente dans le cas de Dodinel, pourtant frère du premier, nous hasardons cette hypothèse : le roi d'Escavalon a épousé une sœur du roi Lot ; il est frère de la Dame de Corbalain dont Alain, d'après le nom et le lieu (Corbenic), serait alors l'époux. On sait qu'une abomination sexuelle a plongé Esca(va)lon dans les ténèbres et que le roi d'Escavalon et la Dame de Corbalain se sont aimés. Chacun d'eux a eu, de son côté, un enfant : Galescalain et la Dame de la Blanche Tour qui sont cousins germains. Peut-être Dodinel est-il, lui, le fruit adultérin de leurs troubles amours, comme Mordred est le fils incestueux d'Arthur et de la femme du roi Lot. Si Dodinel rappelle Perceval, on conclurait que la Dame de Corbalain, femme d'Alain, le frère du roi de Corbenic (Pellés), est identique à la Veuve Dame ou, tout au moins, son double.

Dans ce schéma, la conjecture porte sur le pire : le péché d'Arthur révélerait celui des rois d'Avalon et de Benoyc. Hestor et Lancelot seraient frères comme Dodinel et Galescalain ; Perceval et Dodinel, comme Gauvain et Mordred !

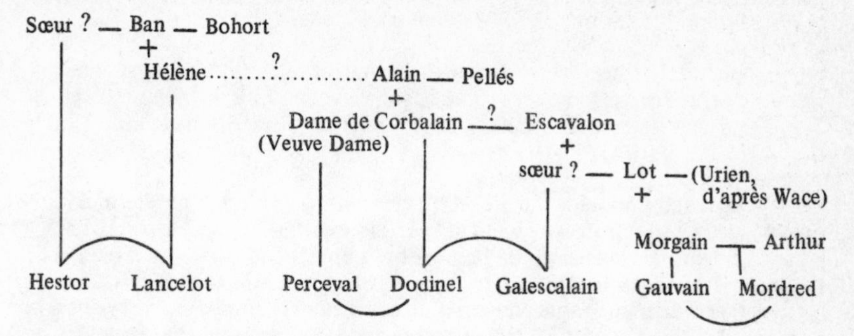

A l'horizontale : frère et sœur ; à la verticale : mari et femme.

L'histoire d'Alain et de la Veuve Dame, simplement allusive et maintenue dans l'ambiguïté (est-ce le premier, comme chez Robert, ou la seconde, comme chez Chrétien, qui descend du saint lignage ?), a donc été reportée sur celle de Ban et d'Hélène (tous deux rattachés à Joseph d'Arimathie !). Une ombre impure s'attache toujours aux pas de la Sainte Famille et s'incarne en d'autres enfants : Hestor, Dodinel, Mordred. Si, par le jeu des anneaux, la fille des Marais est à Hélène comme Morgain à Guenièvre, Ban aurait, comme Arthur, approché, sans le savoir, sa demi-sœur (tel aussi le roi d'Avalon, « l'oncle », si cher à la Dame de Corbenic, « la tante »), et cet inceste entre le père et sa sœur féerique ne pèse sur la destinée du fils héritier qu'au titre d'une projection de sa propre enfance rêvée au pays des fées [48]. Le terrible secret d'Arthur ne prend vraiment sens [49] que dans la double perspective de Ban et de Lancelot, selon une analogie elle-même masquée. Le frère « incestueux », Hestor, n'est pas par hasard requis d'amour au château des Marais qui fut celui de sa mère ; quant au fils de Lancelot, une aveuglante lumière recèle, à la faveur de subtils échanges entre la Pucelle aux Serpents et la Pucelle du Graal, l'épouvante enchantée d'un autre inceste, quant à lui proprement irreprésentable. Il y a peut-être quelque raison à ce que le livre soit près de s'achever à l'instant où le Graal sauve miraculeusement Hestor et Perceval qui déjà s'entre-tuaient. (Esc)Avalon détiendrait alors le secret de Corbenic, comme Chrétien déjà le suggérait en évoquant ce nom à l'orée des aventures de Perceval pour y reconduire Gauvain dans le cadre des siennes propres. Au cœur du *Livre de Lancelot,* sont ainsi mises en regard la Tour de Caradoc et les ténèbres d'Escalon, d'une part, la Tour de Méléagant et les « repostailles » de Corbenic, de l'autre.

Mais sans poursuivre davantage ces enquêtes policières dont E. Poe a dit, une fois pour toutes, la vanité, arrêtons-nous, pour finir, sur le regard d'un héros qui a vécu la merveille et entrevu le pire. Les trois Femmes du Destin se sont penchées sur sa folie dans cette Marche d'Ecosse si chargée de souvenirs pieux et de diableries, et, de nouveau, au château de la Charrette, à l'entrée de Gorre, métamorphosées en vieilles hideuses. A son premier réveil, sous le regard de Guenièvre, il s'ouvre, semble-t-il, à une autre présence, celle de la Mort dont l'effroi s'est apaisé dans la vision d'amour. Approcher la mort avec les yeux de l'amour s'accompagne de l'offrande de cet abandon. Voici les paroles les plus belles de notre littérature, que nous dédions à Clelia Conti :

> « Biax dols amis, vees mę ci. » — Et tantost œuvre il les iex, si le reconnoist, et dist : « dame, or viegne quant ele voldra puis que vous estes chi. » Et toutes les dames se merveillent de coi il dist. Et il dist de la mort (S.III, 416 ; M. VIII 456).

« Elle », sans autre nom, où vacille, entre vie et mort, ce reste d'une éternité fugitive. Mais la seconde fois, quand il se croit « enfantômé », les belles dames parées tendent, sur le chemin de la mort qu'il appelle, le visage sinistre de leur vieillesse. Les rêves indistincts (« l'essaim blanc » lumineusement sororal et maternel) le cèdent aux fantasmagories du cauchemar, l'émoi de la merveille à la mémoire des *mescheances.* La troisième rencontre, avons-nous dit, est le fait de Perceval, au voisinage du Siège Périlleux, quand la jeune fille muette, l'ouvrière merveilleuse des fils de soie, rejoint, par-delà les siècles, la pâleur de Cordelia dont Freud eut l'intuition. Le « berceau » que Lancelot évoque en maudissant sa vie et dont le récit a fait deux fois mention (S.III 7, M.VII 10; S.V 94, M.IV 180) est, à n'en pas douter, celui des Fées à la naissance, mais cet instant fut vécu, le héros le sait et le dit, comme la tragédie d'un père :

> Ma mescheance ne commence mie chi premerainement, mais dez lors que je gisoie en mon berch*. Car jou perdi en une matinee mon pere qui moult estoit preudoms et vaillans chevaliers et fui* desherités de toute ma terre (S.V 94).

Au versant de folie où mort et amour échangent constamment leurs reflets dans le miroir du lac de la fée Niniane, ou leurs échos dans l'Ile de Joie de la Pucelle du Graal, répond un versant de la mort seule, dans l'épouvante ou dans la piété, qu'il s'agisse des conjurations de Me Helie ou des devoirs rendus à la tombe du roi Lancelot. Deux phrases suffisent à opposer les deux moments :

> Kar nule riens n'est si *espoentable* comme la mors (M.I 61),

avertit Me Helie.

> Quant Lanceloz voit les deus cors qui encor sont autresi bel com il onques furent plus, si se pense que *a ce estuet* revenir toute terrienne leesce**; si a moult grant *paor* de soi et moult grant *pitié* de çaux que il voit iluec* gesir (M.V 122).

> Mes pur ço qu'il set ben que a ço covendra tut revertir, si se reconforte (S.V 245, n.2).

Les fantômes des chapelles, les cadavres des tombes ont ici remplacé la prison des vergers et l'obscurité des fosses. Le héros ne croupit plus dans des puits où grouillent les serpents, mais devient à son tour « un chevalier de la litière », traversé de la blessure des armes. Si le dédoublement est le premier principe de cette écriture romanesque, la réversibilité la caractérise aussi bien : Lancelot est affronté à l'évidence de sa mort devant sa propre tombe à la Douloureuse Garde et alité d'impuissance dans les souffrances de la chair (cf. S.III 175 ss.; M.VII 381). Amour et Armes chez Chrétien, Muances et Cercueils dans *Perlesvaus,* Féerie et Ténèbres dans le *Livre de Lancelot.*

Une double réticence définit le héros : Lancelot résiste aussi vivement à dire son nom qu'à révéler son amour, silence qui n'a d'égal que l'absence d'un héros toujours disparu. Le fait est souligné dans la même série d'aventures, quand, à la poursuite de Caradoc, il se nomme lui-même à Melian le Gai :

> Et sachiés bien, fet-il, que vos estes li premiers chevaliers ki* je le deïsse onques (M.I 201),

puis lorsque Morgain s'emploie à lui extorquer

> ce ke la dame de Maloaut n'em pot traire (M.I 315).

Entre-temps il a traversé des épreuves où se dessine la fantasmatique du roman : entré au Val de Morgain qui est « la clef de toutes autres aventures », il parvient à un grand feu ardent au-dessus duquel se tiennent, sur un escalier de pierre taillée, des chevaliers armés « d'une hache grande et merveilleuse » (M.I 291) : à ce signe on repère l'aventure archaïque qui hante toutes les autres et qui mettra aux prises Gauvain et le Chevalier Vert. La Chapelle de Me Helie n'est peut-être que la transposition de ce drame primordial : la chapelle est tournoyante comme le château de la *Mule sans frein,* et l'épée suspendue, menaçante, comme dans le *Chevalier à l'épée* (M.I 69-70). Or le scénario qui réunit le géant à la hache et la dangereuse séductrice a comme envers celui du roi « méhaigné » par le coup félon, dont la fille est tour à tour la vierge du Graal et la mère du Sauveur. Retenons donc l'étonnement du héros :

> Quant Lancelos vit le feu, si se merveilla molt que ce puet senefier (M.I, 291),

pour l'opposer à la familiarité qui fait de lui, quelques pages plus loin, le complice de l'eau : comme il poursuit, armé lui-même de la hache, le défenseur des lieux et que ce dernier lui échappe en se lançant à travers l'eau, tumultueuse et profonde, il rétorque à la demoiselle qui près de lui s'inquiète :

> Damoisele, fet il, puis k'il i est passés, dont n'avroie je honte, se je ne passoie aprés ? Et *autretant d'avantage cuit je* avoir en eve com il i a, kar je i fui norris.* Et il se lance en l'eve tos armés, la hache en la main (M.I 295).

L'eau lui est aussi proche que le feu, inconnu ! L'ensemble unissant dans l'inquiétante étrangeté d'un retour du plus intime, la Fée du Lac et le Géant à la hache, Niniane et Claudas, redoublant Hélène et Ban. Mais, comme l'a dit ce héros coutumier de « hautes paroles » à propos des ténèbres d'Escalon :

> Damoisele, fet Lancelos, *li preudome enquierent la verité des merveilles qui les espoentent* (M.I 259)[50].

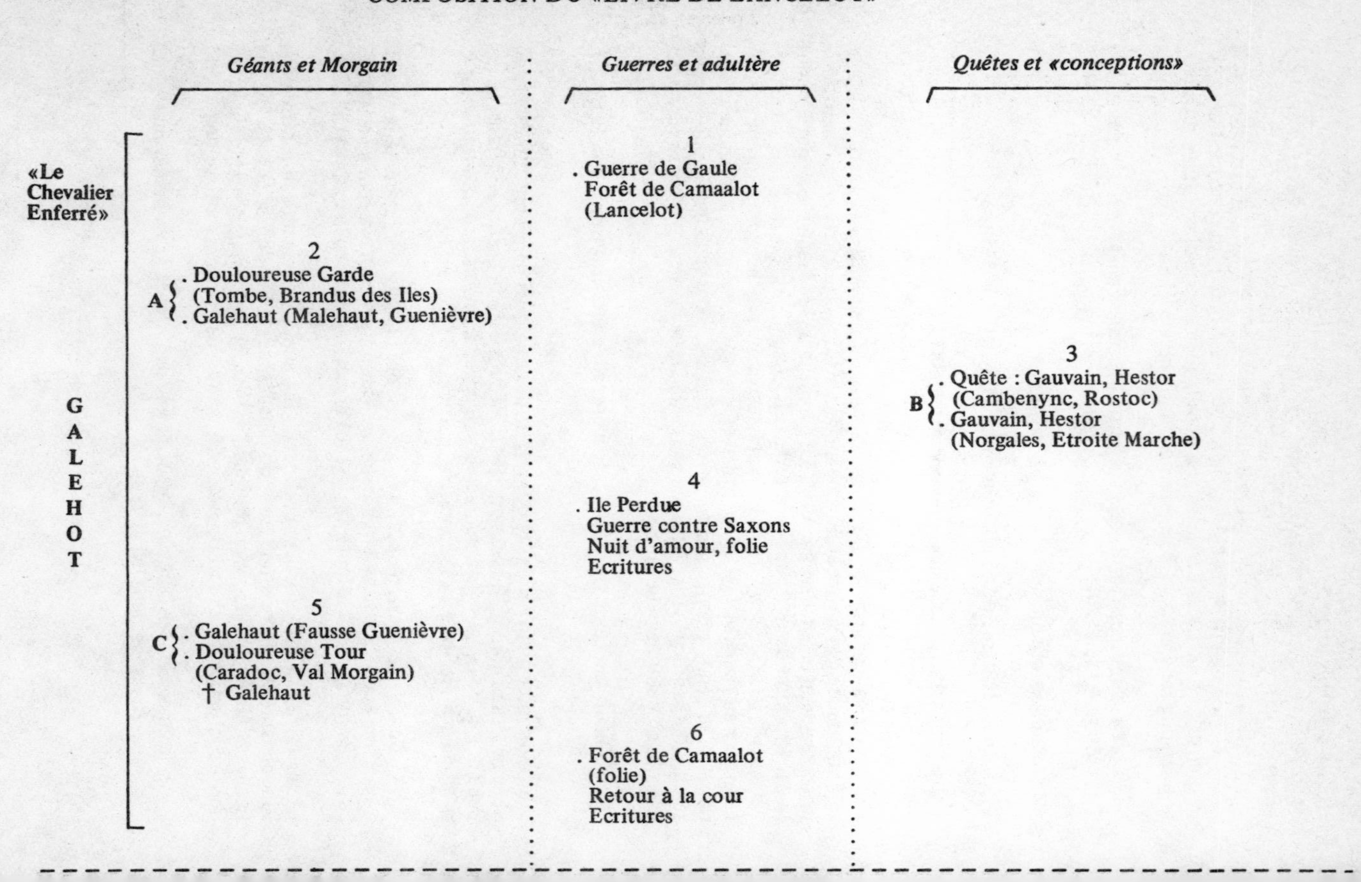

COMPOSITION DU «LIVRE DE LANCELOT»
Géants et Morgain
Guerres et adultère
Quêtes et «conceptions»
«Le Chevalier Enferré»
GALEHOT
1
. Guerre de Gaule
Forêt de Camaalot
(Lancelot)
2
A
. Douloureuse Garde
(Tombe, Brandus des Iles)
. Galehaut (Malehaut, Guenièvre)
3
B
. Quête : Gauvain, Hestor
(Cambenync, Rostoc)
. Gauvain, Hestor
(Norgales, Etroite Marche)
4
. Ile Perdue
Guerre contre Saxons
Nuit d'amour, folie
Ecritures
5
C
. Galehaut (Fausse Guenièvre)
. Douloureuse Tour
(Caradoc, Val Morgain)
† Galehaut
6
. Forêt de Camaalot
(folie)
Retour à la cour
Ecritures

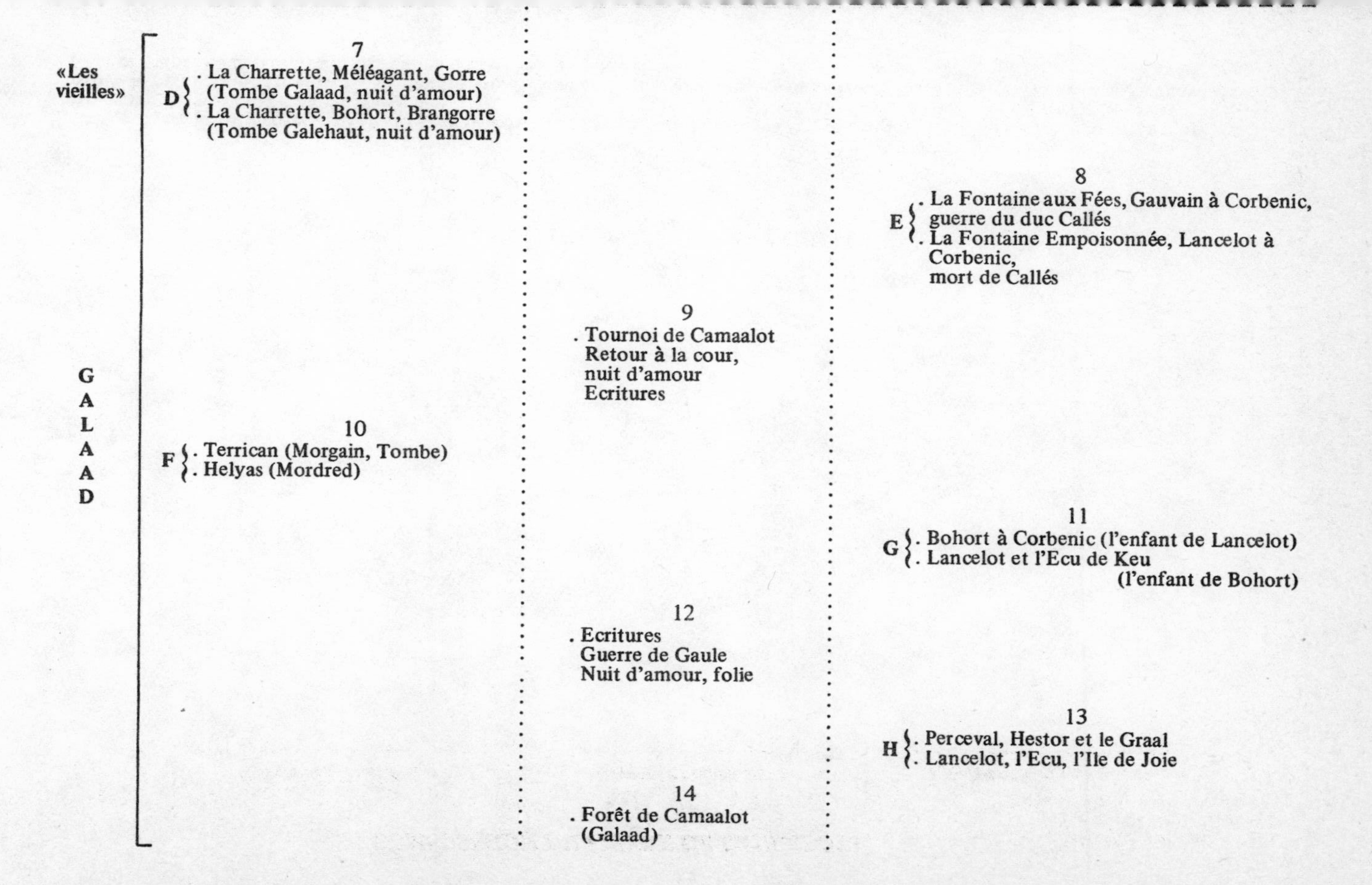
«Les vieilles»
GALAAD
7
D . La Charrette, Méléagant, Gorre (Tombe Galaad, nuit d'amour)
. La Charrette, Bohort, Brangorre (Tombe Galehaut, nuit d'amour)
8
E . La Fontaine aux Fées, Gauvain à Corbenic, guerre du duc Callés
. La Fontaine Empoisonnée, Lancelot à Corbenic, mort de Callés
9
. Tournoi de Camaalot
Retour à la cour, nuit d'amour
Ecritures
10
F . Terrican (Morgain, Tombe)
. Helyas (Mordred)
11
G . Bohort à Corbenic (l'enfant de Lancelot)
. Lancelot et l'Ecu de Keu (l'enfant de Bohort)
12
. Ecritures
Guerre de Gaule
Nuit d'amour, folie
13
H . Perceval, Hestor et le Graal
. Lancelot, l'Ecu, l'Ile de Joie
14
. Forêt de Camaalot (Galaad)

L'ARBRE GENEALOGIQUE DE GALAAD
D'APRES
«LANCELOT» ET LA «QUESTE»

Hélène descend du lignage de David (M. VII, 23), mais est appelée la cousine de Symeu (M. II, 37) et appartient au lignage des rois du Royaume Aventureux, gardiens du Graal (M. VII, 24-25).
Noter le parallélisme troublant : les deux sœurs Hélène et Evaine épousent les deux frères Ban et Bohort, tandis que la Veuve Dame et La Recluse (tante de Perceval) viennent en regard d'Hélain et de Pellés.

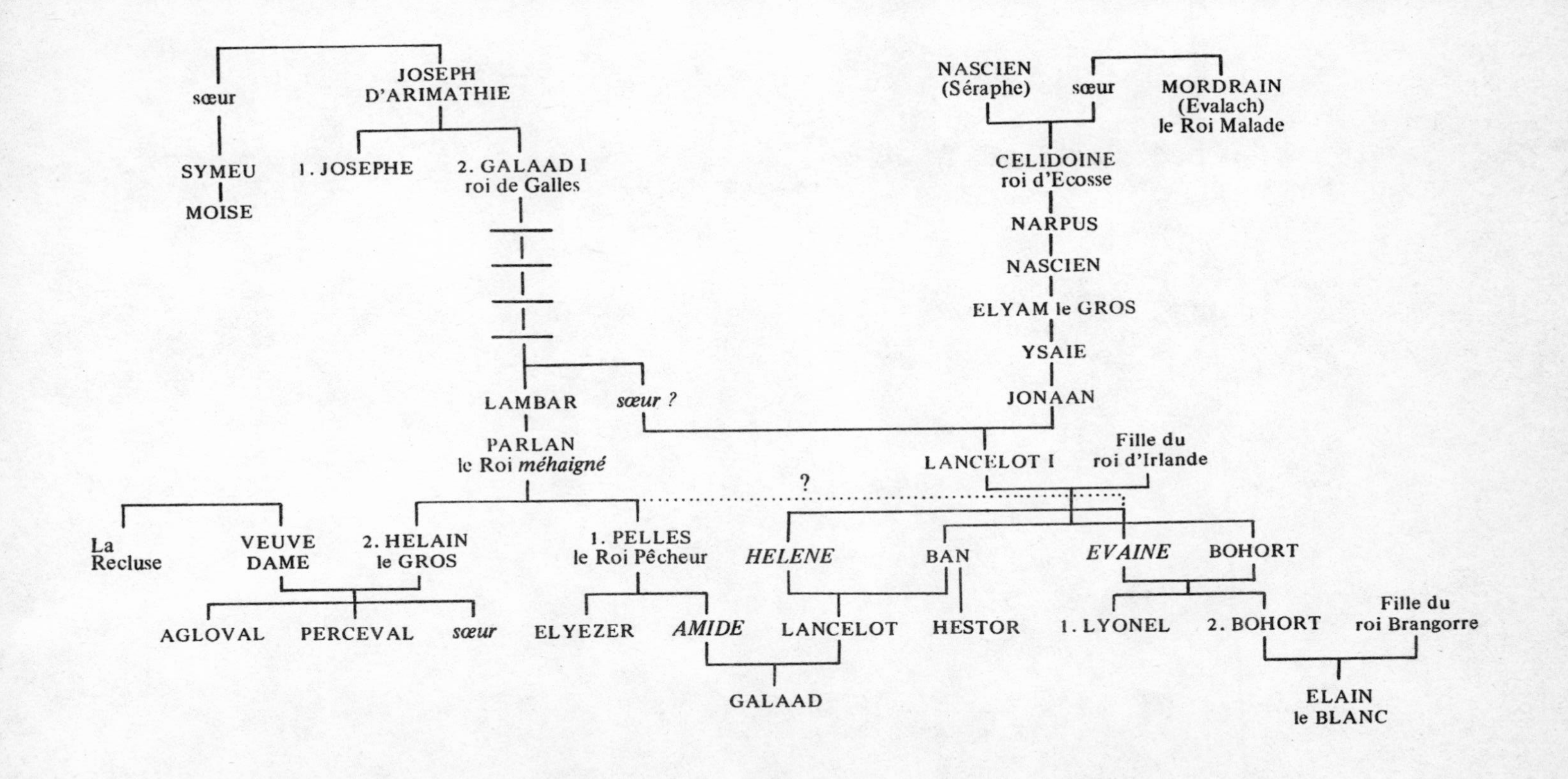

JOSEPH D'ARIMATHIE
sœur
SYMEU
MOISE
1. JOSEPHE
2. GALAAD I roi de Galles
LAMBAR
sœur ?
PARLAN le Roi méhaigné
La Recluse
VEUVE DAME
2. HELAIN le GROS
1. PELLES le Roi Pêcheur
AGLOVAL
PERCEVAL
sœur
ELYEZER
AMIDE
NASCIEN (Séraphe)
sœur
MORDRAIN (Evalach) le Roi Malade
CELIDOINE roi d'Ecosse
NARPUS
NASCIEN
ELYAM le GROS
YSAIE
JONAAN
LANCELOT I
Fille du roi d'Irlande
?
HELENE
BAN
EVAINE
BOHORT
LANCELOT
HESTOR
1. LYONEL
2. BOHORT
Fille du roi Brangorre
GALAAD
ELAIN le BLANC

« La mer amère »

fiction, en guise de conclusion

La charge de merveilles est, en chaque récit, trop forte pour que notre thèse n'éclate à son tour en fictions. Deux formules se combinent, des noms propres et quelques jeux de mots pour créer le roman. En voici l'alchimie.

On hésite d'abord, avant de résolument les mêler, entre le motif du Fils de la Sœur (avec l'épanchement d'une mystérieuse blessure) et celui de la Femme de l'Oncle (ou le va-et-vient entre deux femmes) : Perceval ou Tristan ? Au terme : Lancelot ; mais, peut-être, au départ, comme Jessie L. Weston savamment l'imaginait : le seul Gauvain, Cûchulainn, fils de Lug et de Macha peut-être, regarde d'une part vers Curoi son hôte et Blathnat (ou Arawn et Modron, dans la version galloise), de l'autre vers le roi d'Ulster, Conchobar, son oncle (ou Bran et Beli dans l'hypothèse galloise). Il faut un lieu où accomplir les meurtres et projeter les rêves, un autre où s'exposer à la vérité et recevoir les révélations du passé. Le fils de Ban li Beneïs et d'Helaine a, quand il s'appelle Lanzelet (fils de « Pant de Genewis » et « Clarine »), le roi Arthur pour oncle maternel ; mais aussi bien le Roi Pêcheur, quand il s'agit de Parzival (fils de Gahmuret et Herzeloyde). Similairement, Gauvain a pour parents le roi Lot et Morcades (Morgain), la sœur d'Arthur.

L'aventure se joue d'abord ailleurs, contre Iwerêt pour la belle Iblis, contre les Chevaliers Rouges pour une Blanchefleur, ou encore du côté d'(Esc)Avalon. Tristan aussi a son Morolt et son Irlande, comme Lancelot, Méléagant au royaume de Gorre. Mais ces derniers retrouvent à la cour de leur oncle, Marc ou Arthur, la femme dont tous les rêves varient l'unique et première figure : Yseut, la « blonde » irlandaise, Guenièvre la blanche, aux charmes de Carmelide, indécise entre Viviane, « la blanche » (*Bébinn*) et Niniane « qui sonne autant en franchois com s'ele disoit *noiant ne ferai* ». A la cour du Roi Pêcheur, ou au château de Bran de Lis, Perceval et Gauvain découvrent, l'un, le Graal qui resplendit entre les mains de la fille du Roi, l'autre, son fils échappé à celles de la Pucelle de Lis. Tristan et Lancelot ont leurs tombes, Perceval et Gauvain, leurs plaies.

Mais que Lancelot ait les enfances de Perceval et les errances de Gauvain, en sus des désastres de Tristan, un récit formidable se met alors en branle. Tout commença le jour où, sur la nef en mer d'Irlande, l'équivoque jaillit des cœurs épris à la pensée surprise : « la mer » est ma souffrance, murmurait Yseut. Etait-ce lame amère, l'âme amoureuse, la mer de tout amour ou la Mère *faée* de l'Irlande ? « Gouffres amers » que hantent, chez Baudelaire, les « vastes oiseaux des mers », l'albatros roi « infirme » et « boitant » ! Enforesté, Perceval n'avait, lui, d'autre repère que de son nom, perdu ou percé outre, dans le secret d'un val où il invoquait Damedieu le roi de gloire, le souverain père.

La religion était prête à épouser le mythe, à moins qu'elle ne l'eût fomenté :

Marie est dite mer amere
Fille Dieu est, si est sa mere
(*Roman de l'Estoire dou Graal,* v. 43-44).

Ainsi Robert de Boron répète-t-il, après les Pères de l'Eglise, l'*amarum mare* de l'onomastique sacrée, pour Marie aux douleurs pleurant son Fils en croix. Mais sur le chemin du « saint vessel » qui « agrée » et dispense sa « grâce », méritant ainsi, selon Merlin, de s'appeler Graal, l'auteur de la *Seconde Continuation* n'a pas hésité à écrire, au moment où la sœur du Petit Chevalier s'abandonne à Gauvain, qu'il n'a pas ouï dire

Que fust maugré* la damoiselle
Qu'elle perdi non de pucelle,
*Ainz** *le graa* et molt li sist*
(Roach, IV, v. 29865-29867).

Que penser d'ailleurs du nom breton de Graelent dans le lai anonyme : « *Graa-lent* Mor » (Tobin, 121, v. 732) ? « Mor » comme « gist *mors* li rois Brange-*mors* » (Roach I, v. 15267)...

De fleur à fleur, une autre correspondance s'esquisse, de la blancheur sensuelle du lis à la douceur bénie de la Rose que porte, selon Robert, Marie, comme le fruit de ses entrailles. Un autre romancier fera bientôt éclore de cette Rose un nouvel hymne d'amour dont l'auteur de *Lancelot* oppose le symbole, dans le verger de Morgain, au Graal de Corbenic.

Là nous attend la dernière homonymie, puisque au château du Riche Roi Pêcheur est reçu le *Corpus Domini,* ce corps béni dont les tombes ailleurs enferment le cadavre, voire à la cour même du roi hospitalier, et que, dans ses parages, comme dans ceux de Brandigan, l'Ile de Joie, le Verger enchanté ou le château de Raguidel ont invité l'étranger à se saisir du *Cor d'ivoire* pour qu'il entrevoie, au-delà du fracas des Armes Vermeilles, le corps de la fée aussi blanche que neige.

Elle, que hante la merveille au cœur de la réticence, pour des semblances renouvelées, et qui, pareillement porteuse du Graal ou de l'Enfant, apparaît inondée de leur pure lumière, enlumine à son tour de féerie le mystère de l'Incarnation, participant à la fois de la Vierge Marie et de la Pucelle de Lis, fille de Bran et mère du Bel Inconnu. L'enfant fait ainsi Présence vraiment Réelle de ce dont nulle parole n'aura vu le jour.

Quant à la destruction de Trebes, dont le nom condense Thèbes et Troie en une seule « terre gaste », elle a, pour longtemps, laissé vacante avec le trône et l'héritage, la place du père : nulle Rome n'en sera donc jamais fondée, nulle lignée n'est plus promise à l'empire du monde. A moins qu'Helain le Blanc, peut-être, ne réveille à Constantinople l'écho de César-Auguste. Mais l'arbre de Jessé fleurit mystiquement en Galaad et rejette dans l'oubli l'ombre d'Anchise et le rameau d'or requis pour l'Achéron. Seule insiste en ce monde la tombe emplie des voix de l'épouvante, mais, au-delà, déchirée de silence. *Mehr Licht !*

Postface

La Reine, le Graal : dans la pensée de Parzival les deux s'unissent et leurs effets, en douleur ou en joie, se redoublent (Wolfram, *Parzival,* st.296 et 737).

Gawan l'amoureux trouve sur le corps d'une femme «l'herbe» qui allège toute peine : «certain endroit sombre parmi des blancheurs» (643). Parzival, lui, aurait dû, sans son faux pas *(lapsit !)*, guérir d'une question la blessure d'Anfortas, le roi mutilé aux parties viriles (480) pour l'amour d'une femme... la future épouse de Gawan !

Où donc «conduit l'amour», ô Condwiramur ? En pareil lieu survient «une chose *(Ding)* appelée Graal», l'objet de Paradis, Bien suprême : «den *Wunsch* von Pardîs» (235). C'est aussi le mot clef de la *Science des Rêves.* Là converge tout *désir.* Mais Parzival ignore qu'il doit son échec à un double péché : la mort de sa mère et le meurtre d'un oncle (500). Tout ne peut se dire : la généalogie a ses secrets et ses monstres, Malcréature, par exemple, «ce descendant des herbes» mangées par les filles d'Adam et «ce parent des astres» qu'Adam savait lire. Il vient des Indes dont Feirefis le nègre-pie, frère de Parzival, épousa la reine (521)...

Le tout s'ordonne : le nom du Graal fut d'abord lu dans les astres ; la pierre fabuleuse *(lapis)* était tombée du ciel ; le nom des élus s'y inscrit en toutes lettres ; l'aventure, nous dit-on enfin, a laissé trace dans des écrits arabes à Tolède où Kyot le *baptisé* a pu lire ce qu'avait consigné de ces mystères le fils d'une *juive* et d'un *païen,* nommé «Flegetanis» (arabe *: Felek-Thani,* «altera sphaera», *alias* Mercure ou Hermès !) (454).

Le Graal intervient donc au titre de signifiant (les astres), d'objet (la pierre), d'écrit (le livre), et Wolfram, vers 1210, semble avoir puisé aux sources de la Kabbale.

13 novembre 1980.

Notes de l'introduction

P. 11

1. *Dhvanyàloka,* édition critique et trad. de K. Krishnamoorthy, Karnatak University, Dharwar, 1974, p. 8-9, I,4.

P. 12

2. Dans l'essai IX, comme il revendique de « tout dire » de ses humeurs et de soi, en ces mémoires, dans la hantise de se voir, autrement, comme son ami, défiguré, « déchiré en mille contraires visages », l'édition de 1588 ajoutait :

Je scay bien que je ne lairray apres moy aucun respondant si affectionné de bien loing et entendu en mon faict comme j'ay esté au sien. Il n'y a personne à qui je vousisse pleinement compromettre de ma peinture : luy seul jouyssoit de ma vraye image, et l'emporta. C'est pourquoy je me deschiffre moy-mesme si curieusement (éd. P. Villey, p. 983 et note).

P. 16

3. D'où peut naître l'angoisse, comme pour ce « nénuphar » qui sert à Boris Vian, dans *l'Écume des jours,* à nommer une maladie mortelle (cf. O. Mannoni, *Clefs pour l'Imaginaire,* Paris, Ed. du Seuil, 1969, p. 101, à qui nous empruntons l'exemple).

P. 17

4. Lire le très bel article de D. Bougnoux, « L'éclat du Signe », dans *Littérature,* 14, mai 1974, p. 83-93.

5. Cette trame mobilise le regard comme seul apte à répondre à ce qui, dans la parole, est l'autre de la parole, mais elle récuse sa traduction plastique : visible, elle n'est pas « visualisable ». La tentative d'*Un coup de dés* n'offre à voir que le fait même de voir ; elle manifeste la présence du regard dans toute séduction de la lettre ; les blancs, les marges, les diverses portées ne sont pas l'« image » des doutes ou des attentes d'une Pensée aux prises avec le mystère des Lettres, mais le support exhibé comme tel, quand se dessine « ce pli de sombre dentelle » : faisant le vide de la lettre sur la page qui se rappelle, blanche, l'acte d'écrire se pense lui-même (« cet emploi à nu de la pensée », p. 455), sans que par là soit reflété (même si l'illusion est donnée de mimer un rythme) ce qui se laisse *imaginer* de lui sur une autre scène : astres et abîmes.

Objection donc ici à P. Francastel (*la Figure et le Lieu,* Paris, 1967, p. 172), mais aussi à J.-F. Lyotard (*Discours, Figure,* Paris, 1971, p. 68), en dépit de la lettre de Mallarmé à Gide citée par Valéry (*Variété II,* Paris, Gallimard, 1930, p. 200-201) : la typographie, quoi qu'on dise, ne donne rien à voir (nul « objet », fût-il invisible ou perdu) sinon ceci qu'il y a du « à voir » (et là prend aussitôt *effet* la figuration imaginaire). J.-F. Lyotard a été attentif au seul déplacement, non au redoublement.

6. L'espace perspectif, en ce qu'il offre à voir (cf. la « veduta ») ne masquerait-il pas le vœu secret de faire oublier le regard de l'Icône ?

P. 18

7. G. Deleuze a distingué les deux temps, dans *Nietzsche et la philosophie,* Paris, 1967, 2e éd., p. 29-31 et 36-39.

P. 19.

8. Cf., pour la peinture, le commentaire de *la Vierge et l'Enfant* de Giovanni Bellini, 1501, Milan, et de la *Tempête* de Giorgione, 1505-1508, Venise, par P. Francastel, *op. cit.,* p. 298 et 330. A noter que «l'écriture» ne ressortit pas seulement au montage perspectif mais à la juxtaposition de systèmes figuratifs distincts. Sur le «point de vue», cf. G. Deleuze, *Proust et les Signes,* Paris, 2e éd. augmentée, 1970, p. 53-54, 117-118, 164-165 : ce concept n'est pas psychologique, car il maintient la distinction de l'essence et du sujet :

Le point de vue ne se confond pas avec celui qui s'y place, la qualité interne ne se confond pas avec le sujet qu'elle individualise (p. 54).

9. En contrepoint duquel viendrait le célèbre

Colourless green ideas sleep furiously

dont partit N. Chomsky (*Syntactic Structures,* trad. fr., Paris, Ed. du Seuil, 1969, p. 17).

10. Cf. Freud, *Au-delà du principe de plaisir:* la contrainte de répétition (Wiederholungzwang). Mallarmé, en ce texte étonnant, d'avant Freud, aurait donc ouvert la voie à l'actuel «Rück zu Freud»!

* Tire, extrait.

P. 20

11. Cp. «une voix prononçant les mots sur un ton descendant» et «le geste d'une caresse qui descend sur quelque chose».

PREMIERE PARTIE

Notes du chapitre I

P. 25

* Béez (désirez).

P. 26

1. Sans doute faut-il voir dans ce nom d'Iblis l'anagramme de Sibil(e), comme le propose R. S. Loomis, du fait qu'on associait les légendes de la fée Morgain et de la Sibylle (cf. Webster (ed), *Lanzelet,* New York, 1951, p. 194, n. 128). Mais on ne peut négliger non plus le fait que, dans les sources arabes de la tradition manichéenne, le nom de la Ténèbre était, par corruption du grec *diabolos,* «Iblis»! (Cf. H. Jonas, *La Religion gnostique,* Paris, 1978, p. 278.)

* Et lui demandai son amour.

P. 27

* Il ne se souciait plus - son seigneur allait renonçant à... - que vous deviez vous approcher d'elle.

P. 28

* Dans la joie il n'y a rien sinon du bien - je demande - je ne convoite - j'en veux savoir toute la fin - je ne dois - vous m'aurez délivré - vienne.

P. 29

2. Voir aussi R. S. Loomis et J. S. Lindsay, « The magic horn and cup in Celtic and Grail tradition » in *Romanische Forschungen,* 45, 1, 1931, p. 66-94.

* A qui on en fait le service.

P. 30

* D'elle - parce que - le meilleur.

P. 32.

3. Sur cet *I-voire,* lire notre article dans le sillage de R. Dragonetti : « La lettre tue : cryptographie du Graal », *Cahiers de Civilisation médiévale,* 1983.

P. 34

* La jeune fille.

P. 35

4. Se reporter à l'édition récente par B. Cerquiglini de ce roman de Perceval, d'après le manuscrit de Modène, *Robert de Boron, le Roman du Graal,* Paris, « 10/18 », 1981, p. 250-251.

P. 36

* Je ne sais si elle était.

P. 37

* Mieux - épanouie.

P. 39

5. Sur la forme exacte de la tradition, la discussion entre les érudits reste ouverte. On lira avec profit de E. S. Greenhill, « The Child in the Tree, a study of the Cosmological Tree in Christian Tradition » in *Traditio,* 10, 1954, p. 323-371, et de E. C. Quin, *The Quest of Seth for the Oil of Life,* University of Chicago Press, 1962. En réalité, l'Arbre de la Croix vient du *lignum scientiae boni et mali,* mais, rédempteur, il est le bois de la Vie (cf. Pauphilet (ed.), *La Queste del Saint Graal,* p. 214) semblable dès lors au *lignum vitae* du centre de l'Eden, dont le fruit assurait l'immortalité et dont l'« huile » avait été en vain requise par Seth pour guérir Adam, son père, à l'agonie. L'homme d'avant la chute était cet arbre, comme l'est aussi le Christ. Arbre cosmologique aussi bien, il sert d'échelle entre terre et ciel (Ygdrasil). En la Croix se rejoignent les deux arbres, bien distincts, du péché originel et de la vie éternelle.

P. 41

* Etait restée.

P. 42.

6. Lire à ce sujet, dans une œuvre tardive, *la Suite romanesque du Merlin,* dite Huth-*Merlin,* qui codifie avec rigueur les données antérieures, le récit du début des aventures qui survinrent à la cour d'Arthur (*Merlin,* Ed. Paris/Ulrich, t. II, p. 76-96 ; trad. E. Baumgartner, « Stock Plus », 1980, p. 285 : c'est l'histoire du Blanc Cerf et du braque).

* Et donne bien plus qu'à l'ordinaire - avant que - à la vue de tous - jusqu'à ce jour.

P. 43

* Emmener un seul pas, sans défi de votre part.

P. 44

* Un mal.

P. 45

* Maintenant - je ne veux.

P. 46

* Tout autre chose - car - pris - je ne sais où.

P. 47

7. Voir, sur le personnage de Gauvain dans la *Première Continuation,* l'article de J. Frappier, *Romance Philology,* 11, 4, 1958, p. 331-344.

* Lui restent sur le cœur.

P. 48

* Coûte (occasion de dépense).

P. 52

* Devra avoir une amie - audacieux - la gloire - prouver par la raison des armes - depuis longtemps - je ne m'imaginais pas - aurait pu.

P. 53

* Néanmoins - ce qu'on eût voulu - amène.

P. 55

* Se sépare - ne cesse de suivre - peu de temps.

P. 56

* L'ouvroir, la chambre de travail.

P. 57

8. Le miracle tient aussi au mirage que la magie d'un miroir substitue à l'image attendue. « Quid non audet amor? » peut-on lire à l'entrée de la tente merveilleuse offerte à Lanzelet et à Iblis. A l'intérieur, ils découvrent un miroir. Or, comme ils regardent, « lui ne vit que l'image de sa dame et... la noble Iblis se trouva dans le même cas. Elle vit non son reflet, mais celui de son ami. Sachez que, même s'il s'était trouvé à mille lieues de là, elle n'aurait vu que l'image de celui-ci » (*Lanzelet,* trad. R. Pérennec, p. 83, v. 4912-4926). Le thème du miroir d'amour peut donc ainsi se formuler : que je regarde l'autre, et je me vois (la mort de Narcisse) ; que je me regarde, et je le vois (le miroir enchanté).

* Faite pour être regardée - car on aurait pu - en elle - des profondeurs.

P. 58

* Vous entendrez - plaisir - eut - près de - dessous.

P. 59

* Mon plaisir - récréation - consolation - je n'aime rien autant qu'elle.

P. 60

* Parfaite - qui fait tes délices.

P. 61

* Bien vite d'aucuns diraient.

P. 62

* A la regarder - car - si jamais je la connus.

P. 64

* Dans l'embarras - il resta.

P. 65

* Tandis que - fouillant - escabeaux - qu'ait jamais vue créature terrestre - craint - es-tu - en mon pouvoir.

P. 66

* Nous tend un piège - vivre à son aise - qu'on le cherche - niaise.

P. 67

* Il n'est personne - craint.

P. 68

* Où il sera - venez donc par ici - peur.

P. 69

* Ne vous quitte d'un pas - mon cœur - je ne le trouve.

P. 71

* Malheureuse que je fus - il entendit - c'est ma volonté - pourquoi.

P. 72

* Ceux - moins - avait plus de valeur - il appert - aucune excuse à faire valoir - aussi longtemps qu'il - pourvu que - et le tienne pour cher - au plus tôt.

P. 73

* Oublieux - vit dans le souci.

P. 74

9. «Pour le commentaire d'*Erec et Enide*», in *Marche Romane,* t. XX, 4, 1970, p. 12-16.

* Erec voit bien que sa femme se montre loyale - mais il ne désire pas lui faire du mal - car - sur toute chose - et lui, elle.

P. 75

* Mais - l'affaire qui me presse - il me faut - il me reste encore assez de jour - voyez donc - dans le rang - veillez à ce que - reconnaisse.

P. 76

* Blason, signe de reconnaissance - tant de coups - il avait eu - la peinture - tombée.

P. 77

* Privée, retirée - deux lits - va - à côté - il lui tarde - de ses yeux - celle.

P. 78

* Sous une bonne étoile - celle à qui - une forêt - pardonne - cessera - la serrure - et pourtant.

P. 79

* J'ai rappelé - empoisonnée.

P. 80

* Son réconfort - mais ce n'est pas une raison pour croire - plus que - deuil - perdre la raison.

P. 82

* Viendra bientôt - je le pense - que Dieu...

P. 83

* Il lui tarde - d'où vient que.

P. 84

* La folie de mon cœur - là-bas - veut - avait sans retour remis son cœur à l'Amour - il ne lui souvient - car.

Notes du chapitre II

P. 85

1. Le parallèle avec un épisode du *Protheselaus* de Hue de Rotelande (c. 1182-1185) apporte un éclairage neuf. On gagnerait à relire le *Conte du Graal* à la lumière d'œuvres contemporaines, comme *Eracle* de Gautier d'Arras (c. 1177-1181) ou *Ipomedon* du même Hugues de Rutland (c. 1189-1190). Voir C. Luttrell, *The Creation of the First Arthurian Romance,* Londres, 1974, et notre chapitre sur « La mise en roman aux XIIe et XIIIe siècles », dans le *Précis de littérature française du Moyen Age,* édité par D. Poirion, Paris PUF, 1983, p. 214-235. L'histoire de *Dolopathos (sive opusculum de rege et septem sapientibus)* de Jean de Haute-Seille (c. 1190-1200) serait tout autant révélatrice.

P. 86

* A juste titre - sien - qu'il lui donne de voir - ravir - la raison.

P. 87

* Ses yeux - trous.

P. 89

* Avec certitude - et qu'il est son frère - après que.

P. 90

2. « Qui avoit colpée la teste », v. 3441. Relire ici R. Dragonetti sur « la coupe du roi » : nous y adjoignons le témoignage de Rabelais, dans le *Tiers Livre* (prologue), s'amusant à une contrepèterie sur « la couppe guorgée » !

P. 91

3. Les correspondances thématiques et verbales sont nombreuses. L'étude en a été entreprise par P. Le Rider *(op. cit.)* et A. Saly (dans *Senefiance,* n° 2, 1976, p. 353-361, et *Mélanges J. Rychner,* 1978, p. 469-481).

* Je crois - pour avoir mordu à - arrive malheur.

P. 92

4. Cest aussi le sort réservé dans le roman de *Robert le Diable* (c. 1190-1200) à ce fils du diable, en pénitence.

P. 93

* Votre valeur illumine mon cœur - aussitôt - là, dans cette salle.

P. 94

5. La thèse de R. Dragonetti sur la lettre I sortirait renforcée si justement le personnage d'Ionez était reconnu dans la scène du bas à gauche de l'enluminure initiale reproduite sur la couverture de son livre.

P. 97

6. Si le même schéma s'appliquait à Perceval, il serait, dans le fantasme, fils d'un inceste entre le roi du Graal et sa sœur (à l'instar de saint Grégoire, Dieu, diable, père ou frère s'équivalant ici) et, en réalité, fils de Gauvain (venu des Iles de mer) et d'une fée, tel le Bel Inconnu (Guinglain ou Wigalois). C'est pourquoi Loomis supposait une double tradition paternelle (de vengeance et de maléfice, *faide* et terre *gaste)* concernant Bran. Chrétien aurait ainsi écrit la double histoire du fils (Perceval) et du père (Gauvain) appelés à se rencontrer, voire les armes à la main, comme le héros « Sans Pair » et Milun, son père, dans le *lai* de Marie.

7. A. W. Thompson relève l'embarras de la composition dans son étude, *The Elucidation, a Prologue to the Conte du Graal,* New York, 1931, p. 53-54 : la relation du Riche Pêcheur aux pucelles manque de clarté ; l'auteur parvient mal à unir le thème du Graal et le conte de fées.

P. 98

8. Ne faudrait-il pas lire « erroient » ? Cp. v. 198-201 : « les puis *de coi... / Cil oirrent* tout comunaument. »

* Alors vous m'entendrez - sans plus attendre - la vérité sur le service assuré par les puits - pour quoi on en faisait le service - sans rien en laisser - deuil.

P. 99

9. Quitte à ce que l'auteur, conscient de ses faiblesses d'homme, se contente d'un rôle de greffier modeste, consignant la voix du maître...

* Enlever - il y eut - cet homme-là - interroger.

P. 100

* Etaient.

P. 101

10. Cf. P. de Man, *The Rhetoric of Temporality,* in Singleton (ed), *Interpretation,* Baltimore, 1969, p. 173-209.

11. Cf. *Anthropologie structurale,* II, Plon, 1973, chap. I, p. 31-35.

P.102

* D'où - ce que - à qui.

P. 105

12. Les troubadours n'ont-ils pas réservé à la Dame le *senhal* de « Bon Voisin » ?

DEUXIÈME PARTIE

Notes du chapitre III

P. 109

* Avant que - à sa ruine.

P. 111

* D'abord - afin qu'on ne vous appelle - mienne - sien - d'elle.

P. 112

1. Cf. J. Le Goff et P. Vidal-Naquet, « Lévi-Strauss en Brocéliande », in *Critique,* 325, juin 1974, p. 541-571.

P. 113

2. A propos du cortège du Graal, P. Imbs en a déjà relevé la signification non pas « essentiellement eucharistique mais *pénitentielle* et orientée vers le culte de la *Passion* » ; cet accent propre à la religion de Chrétien s'accorde avec « la note tragique sous-jacente à tout le roman ». (« L'élément religieux dans le *Conte du Graal* de Chrétien de Troyes », in *les Romans du Graal dans la littérature des XIIe et XIIIe siècles,* Paris, 1956, p. 47, n. 7 et 8).

* Beaucoup de - les plus grands - peur - ne les - il lui défendit.

P. 114

* Il ne lui souvient - qu'il ne le mette en oubli.

P. 117

* Ceux-là même - s'entraiment - car.

P. 121

* Cependant - ne donne pas libre cours à - de peur que - mais - écoute.

P. 122

3. Comme Orphée dans cette mythologie du miel et des abeilles qu'a reconstruite Marcel Détienne à partir du texte de Virgile, Erec vit dans un excès coupable le rapport conjugal. Au regard d'Aristée, le maître des abeilles, porteur de la fonction civilisatrice, Orphée occupe une position symétriquement inverse de celle du sauvage Orion (cf. M. Détienne, « Orphée au miel », in *Faire de l'histoire,* t. II, Gallimard, 1974).

P. 124

4. Sur tous ces points, cf. J. Frappier, « Le Graal et l'hostie », dans *les Romans du Graal,* Paris, 1956, p. 63-81 ; P. Imbs, « Perceval et le Graal chez Chrétien de Troyes », *Bulletin de la Société Académique du Bas-Rhin,* t. LXXII-LXXIV, 1950-1952, p. 38-79. Voir *Chanson d'Antioche* (c. 1130), éd. S. Duparc-Quior, Paris, Geuthner, 1977, v. 6110 ; *Fierabras* (c. 1170), v. 948 et 1209. Le mot grec *paropsis* apparaît, en fait, dans Mtt, 23, 26, mais c'est en 26, 23 qu'il est question du plat de la Cène.

5. « Les légendes hagiographiques et la légende du Graal », dans *les Romans du Graal,* p. 233-245.

6. Ed. Nitze, Paris, Champion, 1927 (CFMA). Comprenons : « le texte en français » de l'*Estoire dou Graal.* Sur l'*Estoire,* voir A. Micha, « Sens et structure de l'*Estoire dou Graal* de Robert de Boron », *Romania,* 89, 1968, p. 457-480.

P. 125

7. N'est-elle pas en outre qualifiée par son éclat : « onques plus clere ne vit nus » (*Première Continuation,* ASP, v. 7164 ; cf. L. v. 7192), « la *nue* espee *blanche* » (*Deuxième Continuation,* v. 32418) ? La substitution de l'Epée à la Lance apparaît dans le fait que la *Première Continuation* oppose désormais au jaillissement rédempteur du Précieux Sang, donc au coup bénéfique de celle-ci, le « maus caus », le Coup Félon porté par celle-là (cf. L., v. 7435-7482),

Par quoi cis renes (ce royaume) est gastés (L, v. 7356).

* Celle-là même.

P. 126

* Sang - (le Riche Roi Pêcheur) - dans la forêt.

P. 127

* La hampe - craindrait - je ne puis vous en dire plus - bouche.

P. 128

8. Le résumé de l'épisode que donne l'édition de W. Roach, p. XXVI, est ambigu : l'ermite aurait refusé d'en dire plus quand Perceval l'interroge sur le Graal, la Lance et l'Epée. En fait, la réplique du prud'homme : « Et je n'en quier parler or plus a ceste foiz » (v. 24030-24031), signifie qu'il renonce devant la détermination de l'autre (v. 24029) à le sermonner davantage.

* Sans devoir en frémir - lui fait la leçon, en le priant...

P. 129

9. Là, tandis que la scène à trois reprises se vide et s'emplit de monde par enchantement et que se succèdent, chacun effaçant l'autre, d'étranges spectacles, Gauvain, saisi d'effroi, découvre d'abord la bière, avec le cadavre et le tronçon de l'épée, puis assiste au service païen du Graal, perçoit enfin la Lance dans l'« orcel » (vase, bénitier). Deux traits constants pourtant parmi ces glissements : la présence du corps et la terreur du héros (Roach, III, L, v. 7153-7347).

* Il est sorti de son bon sens - dans cette direction - à toute allure - à la façon d'un homme - encre.

P. 132

* Se logea - Platon n'en sut pas tant ! - disposa - sanctifiée - pris chair.

P. 133

* Voulut - relever - plaisir charnel - avec soi - glorifiée - qu'il se garde ! - sot - trompé - deuil.

P. 134

* Il conviendra - le fils de Bron - et quel héritier - duper et avilir - plaisir.

P. 135

* Croix - au bois de laquelle - voulut - redire - même si - aussitôt que - il s'avisa - petites tuniques - mirent - réceptacle - mon aïeule - fut enceinte.

P. 136

* En ayant changé d'aspect.

P. 137

* Tout ce que.

P. 138

10. La partie du *Brut* de Wace consacrée à Arthur connaît deux « Heleinne », l'une mère de Constantin, l'autre nièce de Hoël, héroïne malheureuse de l'épisode de la lutte contre le géant (Klincksieck, éd. Arnold et Pelan, 1962, v. 2743).

11. Cf. la discussion de W. Roach, p. 41, n. 2.

12. D, l. 177-178, rappelle les vers 6403-6408 du *Conte du Graal*.

* Connût - obliquer - il est attesté que.

P. 139

* Sale - j'ai - qu'il ne plaisait plus aux autres comme eux-mêmes se plaisaient entre eux - se mettre parfois à l'écart - mordant.

P. 140

* Malheur - souillés - c'était - dans le - le lieu.

P. 141

* Nul - tu y sois - jeta un cri - le monde - sur plus d'une lieue.

P. 142

13. D'où l'on voit dans l'*Evangile de Nicodème* les fils ressuscités de Siméon, que Joseph, Nicodème et Cayphe conjurent de dire la vérité, révéler, *mais par écrit* seulement, une partie des « secrez Deu » (des secrets de Dieu) (Paris et Bos, v. 2021), soit, en l'espèce, la descente aux Enfers (cf. version de Chrétien, v. 1389-2090, et André de Coutances, v. 943-944. « S'il te plaist, qu'il nos leise *escrire/* Ce que *de boche* n'oson dire »).

* Raconte-lui - compatissantes - excepté - sans y manquer - il les lui remit par écrit - révélation.

P. 143

14. Cf. d'ailleurs *Merlin,* Paris, I, 33, l. 8-9 : « Je ne puis dire...les privees paroles de Joseph et de Jesucrist. »

15. Voir sur cette question notre élaboration ultérieure : « La lettre tue, cryptographie du Graal », in *Cahiers de Civilisation médiévale,* 1983.

16. Levons un coin du voile :
1) La Pierre qui se fend au pied de la Croix (v. 560) annonce le Siège Périlleux et renvoie au péché originel à travers la légende de l'arbre de la Croix dont le bois est celui même où Eve mangea la pomme (v. 2196).
2) Le « bref » de Petrus est réservé au futur fils d'Alain : on sait depuis *Eracle* (v. 230) et en attendant Mordred dans *Lancelot* (Micha, V, p. 222-223) qu'un « bref » attaché à une naissance cache un obscur péché ou... une intervention divine !
3) Le « lieu vide » à la Table du Graal est celui de Judas, réservé à Perceval, puis à Joseph : or la légende de Judas, meurtrier de son père et époux de sa mère, répète l'histoire d'Œdipe. Il fut d'ailleurs sauvé des eaux comme Moïse, et un certain Moysés, chez Robert, veut essayer la place vide ! (Voir A. d'Ancona, *La Leggenda di Vergogna,* Bologne, Romagnoli, 1869, p. 75-100.)
4) L'eau du Jourdain et du lavement des pieds (baptême et confession) purifie de la luxure (v. 171), conséquence du péché originel (v. 122). En ancien français, l'eau se dit aussi l'*eve* ! L'eau des larmes de Marie-Madeleine lave les pieds de Jésus (v. 244), mais, si Judas trahit, c'est faute d'avoir prélevé son dû sur le baume que la pécheresse a répandu...

* Rapporter - même si - il lui remit - tout rassemblé (encre et parchemin).

P. 144

* Il vit Jésus-Christ - à aucun prix - sous ses ordres - aimiez.

P.145

* Parlé - je croyais - depuis ce jour - à bas de - secrètement - au grand jour - le signe visible - auront.

P. 146

17. Exemplaire en revanche la méditation d'E. Levinas, qui, dans le langage, interroge le dire précédant tout dit et y découvre la passivité plus profonde du sujet, lequel est trace ou témoignage de l'infini : « Que signifie la signification ? Elle signifie un ordre » (conférence donnée à Yale, novembre 1973).

* Aimé - on en fit l'expérience - il y avait dans la maison - et le - emmené de là - l'idée lui plut - il appelle Joseph et le lui donne - à l'aide de - essuyé - tout autour largement.

P. 147

* D'où - votre nom - sinon de vous - il te donna mon corps - ni en ma possession - oui, je le suis - bons.

P. 148

* Vu - ce sera - l'élévation au trône - surnom - appelé.

P. 149

* Et celui qui doit y prendre place devra d'abord occuper le lieu...

P. 150

* Garantis - bientôt - l'enfant.

P. 151

18. C'est en quoi d'ailleurs les figures par elles-mêmes symboliques du Lion et du Léopard chez Chrétien préparent les « senefiances » de Robert : à travers un jeu de reflets et de substitutions, donc par l'effet même du récit qui les institue comme signes, elles s'imposent, à partir d'un drame originel et déroutant, comme l'impératif d'une vie nouvelle et comme objet d'Amour.

C'est aussi en quoi l'œuvre de Robert double les romans antérieurs d'une « senefiance » dont la lumière, fondée par son récit, se substituerait aux menaces ou aux blessures énigmatiques de la « matière de Bretagne ».

* Voix - à savoir que cette place garderait le souvenir de celle de Judas.

P. 152

19. A-t-on remarqué l'homonymie entre *Eve* notre mère luxurieuse et l'*eve,* c'est-à-dire l'eau en ancien français ? Le récit y puise sa vie secrète : le baptême dans le Jourdain, le lavement des pieds, les larmes de Marie-Madeleine aux pieds du Seigneur, le geste symbolique de Pilate et encore la blessure au flanc du Christ d'où coulèrent le sang... et l'eau. Mais ici l'auteur se fait discret : il ne mentionnne pas la Lance et ne connaît que l'eau qui servit à nettoyer les cinq plaies. Précisément ! Le sang se remit à couler et Joseph s'empressa de le recueillir dans le Veissel de la Cène !

* Au nom de - cherches-en - fais préparer - je mangeai - avec le pain - table - qui sera posée dessus.

P. 153

20. La *senefiance* est répétition, la *semblance,* reflet ; l'une est affaire de dire, l'autre de voir. La première est portée par une voix, la seconde offerte en miroir. A la *senefiance* qu'il faut entendre et éprouver dans ce qu'elle assigne répond une *semblance* qui touche au corps, emporte un visage et s'ouvre au regard : la « semblance de Jésus », la sainte Face, est transmise par Véronique, ou plutôt « Verrine » (v. 1535), c'est-à-dire la verrière (cf. *Cligès,* v. 717) que le rayon traverse sans brisure, à l'instar de l'Esprit-Saint en la Vierge Marie. Semblance assurément digne de celle du sang sur la neige dans le *Conte du Graal* !

N'oublions pas la contrepartie démoniaque : les « semblances » des mauvais anges en l'air (v. 2121) qui induisent les hommes aux péchés que les démons terrestres consignent par « écrit » (v. 2115) !

L'écrit garde le secret (cf. n. 13 et 16), la semblance livre la merveille, la senefiance emporte le mystère.

21. Il en va d'ailleurs ainsi des exemples propres au *Merlin* : l'élection par l'épée rappelle aux hommes l'origine divine de la justice ; le surnom d'Uter garde la mémoire de la mort de Pandragon et témoigne à travers celle-ci de l'intervention divine dans l'histoire de la Bretagne, à Salesbières (Salisbury).

* Nous indiquer quelqu'un - qui a une chose à lui - aussitôt - le linge - visage - je n'ai entendu parler.

P.154

28. Nous adoptons, suivant A. Micha (dans *les Romans du Graal,* p. 122, n. 9) la leçon des mss. Didot, Huth, BN 1469, au lieu de « ta mort » du *Joseph* en vers.

* N'y sera fait (sans que...).

P. 155

* Joseph fut rempli... - tarder - à le voir - plaisir - bien visible.

P. 156

* Avec lui - en vérité - qui est maître - nul ne peut la lui ôter.

P. 157

23. Le texte en vers présente le doublet « Hebron/Bron ». Or l'*Elucidarium* d'Honorius, ce catéchisme dialogué (début XIIe siècle) dont Robert est nourri, rappelle que l'homme fut créé à Hébron avant d'être placé dans le paradis terrestre (Ed. Y. Lefèvre, Paris, De Boccard, 1954, p. 117). « Bron », c'est donc à la fois Adam, grâce au toponyme, et l'énigmatique Bran de la tradition galloise (cf. H. Newstead, *Bran the Blessed,* New York, 1939). Mieux : le nom même de notre auteur préside à ce jeu de lettres : « Robert de B(o)ron » ! A preuve les v. 3461 et 3465, sous la forme BERON/hEBRON.

Reste le cas d'« Enygeus », sœur de Joseph et femme de Bron (voir P. Imbs, BBSIA, 6, 1954). Ici encore un doublet : « Enyseus ». On y entend le nom d'« Yseut ». Or c'est précisément à Tintagel que dans *Merlin* le roi Uter, homologue pour la Table Ronde du Roi Pêcheur pour la Table du Graal, commet l'adultère avec la duchesse « Ygerne ». Et si ce dernier nom donnait la clef de celui d'« Enygeus » : YGErNE/ENYGEus ?

* Prendront - tu regarderas - qui, dans ta foi, ne feront qu'une - arranger - estropiés.

P. 158

24. Qui accomplit la fonction royale se retranche. Jésus se dit Roi : il doit mourir. Vespasien l'empereur est d'abord pourri par la lèpre. Arthur est impuissant devant sa honte et semble pris de langueur.

* Vieil.

P. 160

25. Cf., par exemple, *Merlin,* I, 49, l. 23-24 : « si lour content la merveille dou vilain », c'est-à-dire l'étonnante faculté de l'enfant-devin.

* Qu'il se hâte de partir - ainsi resta-t-il à leur demande - ange - il les lui remit.

P. 161

* Rapportés.

P. 162

26. Cp. la prose : « Lors aprent J. C. tes paroles à Joseph que je ne vous os dire ne retraire, ne ne poroie se je le voloie faire se je n'avoie le haut livre u eles sont escrites, et çou est li creans del grant sacre del Graal. Et je proi a tous cels qui oront cest conte ne m'en enquierent plus por Diu de ci endroit, car jou en poroie bien mentir » (éd. Cerquiglini, coll. « 10/18 », 1981, p. 30-31).

* Rapporter - même si.

P. 163

* En ce point - instruit, averti - qui ne pense - ou (se demande) ce que - séparation (ajournement).

P. 164

* La voix.

P. 165

27. Rappelons que Merlin emploie à propos de sa propre mère l'expression de « vaissiel » (Paris, I, 31, l. 3).

* Vraie - depuis ce temps-là jusqu'au nôtre - grâce à Dieu - faite sur le modèle de - instaura - sépara.

P. 166

28. Le ms. E offre une version bien plus profane (l. 323-325), mais W. Roach a montré (p. 113 *sq*) qu'il suppose lui-même un nouveau remanieur, soucieux d'harmoniser le mélange discordant de Robert et d'épisodes empruntés à Wauchier que forme le Didot-*Perceval*. A vrai dire, nous ne croyons plus beaucoup à ces schémas. La mise en prose du *Joseph* de Robert fait déjà disparaître son nom (voir le ms. de Modène, éd. Cerquiglini), comme si pareil récit ne pouvait ni ne devait plus avoir d'autre origine que surnaturelle (voir notre article sur « Le mystère de l'origine et le roman en prose » dans *Perspectives médiévales*, 3, 1977, p. 65-69). L'anonyme de la prose aurait alors, sur les traces de Robert mais en utilisant Wace, Chrétien et Wauchier, poursuivi et achevé un cycle cohérent. Il ne faut pas sous-estimer le roman en prose de *Perceval* comme si l'apport originel de Robert s'y était perdu. Son mérite est égal à celui de *Merlin* et ses réarrangements valent invention : combinant Chrétien et Wauchier, il les réoriente suivant les voies de la « senefiance » propres aux récits en vers de Robert de Boron.

P. 167

29. Ce vide qui fonctionne d'un point de vue structural comme « insistance » du roman précédent au départ du suivant est cependant occupé dans ce dernier par la naissance de Merlin d'une part, la naissance et l'enfance du fils d'Alain d'autre part (cf. *infra*, citation du ms. BN fr. 747), à l'image d'ailleurs de ce qui fut, dans l'*Estoire*, la naissance du Fils de Dieu !

P. 168

30. Dans l'interpolation des vers 7483-7708 de la *Première Continuation* (ms. L), soumise à une influence de Robert de Boron, la terre promise par Dieu à Joseph s'appelle l'« Isle Blanche » (v. 7627).

* Là-bas, sur terre.

P. 170

31. Aux deux peut-être ! La faute de Perceval en réactiverait une autre, antérieure, et daterait ainsi un commencement dont l'origine, elle, remonterait aux conditions qui présidèrent à sa naissance.

* Tomberont.

P. 171

32. Pour être exact, ici aussi, le compte est de trois, car Uter a dû concéder une tentative à ses barons (cf. Sommer, II, p. 56, l. 19-58, l. 11). Le passage manque à sa place dans l'édition de G. Paris (I, p. 98, l. 26), comme le prouve une allusion ultérieure (p. 107, l. 10).

P. 172

33. A noter d'ailleurs que, dans le ms. D (l. 198-199), Arthur, loin de s'attrister du départ de ses gens comme en E (l. 228), se félicite de voir enfin s'entamer le processus ultime annoncé par Merlin : « Quant li rois Artus l'entendi, si en ot grant joie que la prophecie que Merlins li ot dite (cf. App. A, ms. D, l. 498) sera achevee. » La cour d'Arthur a donc bien été le théâtre de deux révélations, qui se répètent (l'une à la fin du *Merlin*, l'autre au début de la « quête »), et l'événement peut être sujet à deux interprétations : il est souhaité selon la « senefiance » (version de Robert) ; il est funeste à la cour, puisque divergent désormais la voie mystique et la voie mondaine (version ultérieure qu'implique logiquement la première).

34. Ce qui montre comment travaillaient les écrivains : Robert reprend Chrétien qu'il vise sans le dire (comme Chrétien dans *Cligès*, mais en le disant, le *Tristan*) ; inspire secrè-

tement* Wauchier qui puise ouvertement chez Chrétien et à d'autres sources, galloises, avant de servir à son tour à refaire Robert d'après Chrétien ! (*Cf. le Sang dans le Graal ; l'arrivée de Perceval, près du manoir maternel, chez un ermite qui est le frère *de son père* (Roach, IV, v. 23921) ; l'existence d'une sœur ? ; la « senefiance » spirituelle.)

* Saignaient - il lui souvint de - coula - frappé - aussitôt.

P. 173

35. On sait qu'Ygerne avait eu de son mari, le duc de Tintagel, une fille donnée en mariage au roi Lot, et sœur d'Arthur. Mais, dans le *Merlin,* Mordred n'est que le neveu de celui-ci (cf. Paris, I, p. 120, et Cerquiglini, p. 176).

P. 174

36. Dans une note, D. Poirion souligne à quel point « l'entreprise est audacieuse de raconter une nouvelle Histoire Sainte, un nouvel Evangile ! D'autres ont osé porter (Joachim de Fiore) l'entreprise sur le terrain théologique et non plus littéraire. Robert de Boron n'a-t-il pas traité la matière de Bretagne comme le christianisme a traité l'Ancien Testament ? Le sort de son "Moyse" serait un indice de ce procédé :

(Ancien Testament) ——→ Nouveau Testament
Matière de Bretagne
\+
Evangiles Apocryphes
(Nicodème)
} → Evangile du Graal

Nous en trouvons confirmation dans la *Queste del Saint Graal* et la « senefiance » typologique de Galaad : ce dernier est à la Table Ronde et au vieux Mordrain, le roi gisant, ce que le Christ fut, *après sa mort,* au Cénacle des Apôtres (c'est le troisième temps, celui de la Grâce et du Feu de l'Esprit) et, *à sa naissance,* au vieillard Syméon (la présentation au Temple). Mordrain, figure de l'homme déchu, résume en lui tout l'Ancien Testament (et son attente, depuis la première alliance avec Abraham jusqu'à la nouvelle alliance scellée avec le sang du Christ), mais aussi bien tout le mythe du Graal (en tant que roi « mehaigné » et en tant que son nom appelle celui de « Mordred » !). Cf. QSG, éd. Pauphilet, p. 74 et 83, et P. Matarasso, *The Redemption of chivalry,* Genève, Droz, 1977, p. 35.

Notes du chapitre IV

P. 177

1. Ces catégories furent, avec celle du Réel, introduites en 1956 par J. Lacan.

P. 178

2. On sait comment Jeanne d'Arc fut pour l'*Histoire de France* de Michelet l'illumination centrale. Celle du *Peuple.* Mais avec quelle ferveur Lénine n'a-t-il pas commenté la lettre fameuse de Marx à Kugelmann sur la Commune de Paris, dont la puissance prophétique ne s'est jamais démentie dans la tradition du matérialisme historique ! Cf. « Préface à la traduction russe des lettres de K. Marx à Kugelmann », dans Lénine, *La Commune de Paris,* Ed. en langues étrangères, Moscou, s.d. p. 5 - 10.

3. Rappelons que les traductions du *Livre des Rois* sont parmi les premiers monuments de la prose romane. Sans doute Robert retrouve-t-il, par-delà Chrétien, Geoffrey et Wace (le roman en prose de *Perceval* comprend une « mort Artu »), mais l'histoire débute en Terre sainte, avec la Passion et Joseph, non plus en Asie mineure, avec la guerre de Troie et Enée (*Brut* faisant suite à *Eneas*).

4. Cf. *Parzival,* livre III (trad. Tonnelat, I, p. 124) : Sigune au héros : « Tu es Perceval. Ton nom veut dire : celui qui passe au travers. »

* Enlevait - la plus grande.

P. 179

* Qui s'y serait employée - car - mais.

P. 180

* A personne - ni je n'en eus envie.

P. 181

5. R. S. Loomis en a conclu que Bran était le père de Perceval (comme le suggère entre autres que « Pant de Genewis » le fût de Lanzelet) et que le *Conte du Graal* mêlait deux traditions le concernant, l'une, de sa mort à venger, l'autre, de sa mutilation à désenchanter. Chrétien a sans doute joué des possibilités fantasmatiques d'un dédoublement. On pourrait dans ce brouillage de la parenté s'aiguiller comme J. Roubaud (*Change,* 16-17, 1973) vers quelque inceste originel entre frère et sœur, et le colophon du ms. Br. de *Perlesvaus* présente, à ce propos, une surprenante confusion : « Explicit le romanz de Palesvaus le fuiz au roi pescheeur » (Nitze, I, p. 409) ! Le seule possibilité de tels glissements ne manque pas d'être troublante. Il reste cependant qu'il faille distinguer deux fonctions, l'une, de la paternité, dont subsiste le défaut, l'autre, de la culpabilité, puisque l'oncle maternel rappelle à la faute (voir *supra,* chap. II, n. 6).

6. Dans *la Queste del Saint Graal,* à la famille du Graal issue cette fois directement de Joseph d'Arimathie (branche cadette) répond le lignage d'origine païenne (Nascien et Mordrain) auquel appartient Lancelot. Galaad, fils de Lancelot et de la fille du Roi Pêcheur (Pellés), relève donc à la fois du *Graal* et du *Lac* (Lancelot du *Lac,* et le grand *lac,* source des neuf fleùves, rêvé par le roi Mordrain, *alias...* « Ewalac » : Eva + lac !). Cf. éd. Pauphilet, p. 135.

P. 182

7. Curieusement, dans *Wigalois* qui peut être un jalon sur la voie qui mène à *Perlesvaus,* le redoutable magicien que doit pour finir combattre le héros s'appelle Roaz de *Glois* et l'entrée de Glois est interdite par le tournoiement d'une roue : cp. dans *Perlesvaus* et la *Mule sans frein* le motif du château tournoyant. D'autre part, « Glois » brillant dans la nuit tel un miroir et rayonnant de l'éclat des pierres précieuses à l'intérieur évoque irrésistiblement la ville de Kerglou dont parle l'*Historia* de Geoffrey de Monmouth, c'est-à-dire Gloucester ou Kaer « Gloyw », que Loomis interprétait comme la Forteresse brillante ou transparente (cf. *Arthurian Tradition,* p. 455). Soit, pour résumer, d'une part *Glais*/Glast/Glastonbury (Isle of *Glass*) et, de l'autre, *Glois*/Gloyw/Gloucester !

* Qui est sise.

P. 184

8. Sur la source biblique de *Perlesvaus,* se reporter à T. Kelly, *le Haut livre du Graal : Perlesvaus,* Genève, Droz, 1974. Mais un détail éclaire l'intention symbolique : la demoiselle porte le bras en écharpe, comme si était morte la main qui fit jadis à Perceval le service du Graal (cf. l. 1404). Or, au début du XIIIe siècle, sculpteurs et verriers représentaient ainsi la sage-femme qui était accourue auprès de Marie, selon le *Pseudo-Matthieu,* et avait perdu la main pour avoir douté de sa virginité. Mais sa foi en l'enfant sauveur qu'elle toucha lui en rendit l'usage (exemples dans E. Mâle, *L'Art religieux du XIIIe siècle en France,* L. IV, chap. III). La Rédemption reste donc en attente dans cet épisode de *Perlesvaus* qui rappelle la faute.

P. 186

9. T. Kelly (p. 111) rapproche de ce « pertuis » et de sa puanteur le puits de l'Abîme — *puteus Abyssi,* de l'*Apocalypse,* 9, 1-2, dont la ténèbre répandue, ajoutons-le, se retrouve dans l'épisode du Siège Périlleux au début du Didot-*Perceval,* et tire aussi bien son origine du tertre périlleux où Pryderi s'assoit, provoquant la désolation de la terre de « Dyved » *(Gaste)* dans *Manawydan* (Loth, I, 154 *sq.*). Il ne faut donc pas opposer les « sources », biblique ou celtique, mais se pénétrer, selon le génie propre des écrivains du XIIIe siècle, de leur constante osmose.

P. 188

10. « Marin » fait difficulté, mais n'habite-t-il pas une eau « royale » dont le cours n'est l'affluent de nul autre et ne se perd qu'en la mer (l. 1223) ? Si la nef fait le roi *Pêcheur,* pourquoi ne fait-elle pas le « mari » (c'est-à-dire le jaloux) tout aussi bien *Marin* ? N'oublions pas en outre le rôle joué dans le récit par les randonnées maritimes : la « galie » du Roi du Chastel Mortel, puis de Perlesvaus parmi les îles de mer ; le chaland nocturne ; le Seigneur de la Galie ; Gohart de la Baleine ; la navigation mystique !

P. 190

11. Nulle discordance, en revanche, entre le récit et sa glose dans *la Queste del Saint Graal :* d'une part, l'auteur abstrait de la tradition un certain nombre de figures typiques qui en perdant leur singularité ont simple consistance d'ombres (ex. : « le chevalier en litière », « le château des Pucelles », « la Demoiselle de la Tente », « le Tournoi ») ; de l'autre, il retient la charge poétique de certaines représentations clefs (le *Vermeil :* Rose, Feu, Sang ; l'*Or* des cheveux ou de la couronne ; l'*Amer* avec ses harmoniques : la mer, Eve, l'eau, la Nef !). La récriture symbolique de toute la matière de Bretagne devient alors possible. Il subsiste certes un legs résiduel (Coup Félon, Fontaine Ardente, Tombe Ancestrale), mais il est expédié, ou bien redéployé typologiquement. Dans la *Queste* triomphe vraiment « la *devine* escriture dou Saint Graal » (Micha, V, p. 270) : *divine,* sans doute, mais l'équivoque rappelle la part que joua Merlin, ce diable de *devin !*

P. 191

12. Entre l'effroi glacé de Diane et la fureur vermeille de Curoi se partagent Grecs et Celtes : la mue d'Acteon ou celle du Chevalier au lion ! Mais Boccace livre peut-être la clef : une chasse infernale (en écho à la *Maisnie Hellequin*) prolonge, dans le *Décameron* V, 8, l'épouvante et les délices du Cœur Mangé (dont les nouvelles, IV, 1 et 9, reprennent la tradition) : en proie à la meute, une femme (coupable, ici, d'orgueil, mais, chez Passavanti, d'adultère) ; pour la curée, son cœur... L'auteur de *Perlesvaus* aurait procédé de même, en ayant fondu dans sa Bête mystique le scénario maudit du Chasseur Jaloux et de la Fée Amante (l'Orgueilleux de la Lande ; Marin) et le mystère orphique d'une Eucharistie amoureuse.

* Le bas de la lance, sa « prise ».

P. 192

13. Notons que, dans *Wigalois,* la bête merveilleuse que suit le héros s'avère, après sa métamorphose, être non pas la blonde fiancée comme dans *le Bel Inconnu,* mais le père de celle-ci, l'ancien roi du pays victime d'une trahison. L'étrange identification de *Perlesvaus* a donc aussi un répondant dans la fable arthurienne. D'autant que la bête qui était le père « portait des tresses comme une femme » (voir *Wigalois,* trad. anglaise par J. W. Thomas, University of Nebraska Press, Lincoln et Londres, 1977, p. 155).

* Poteau.

P. 194

* Retarda.

P. 197

14. L'ermite dont le récit fait suite à celui de Cahus s'appelle Calixte. On sait qu'était attribué au pape Calixte II *le Livre de saint Jacques* (sur les miracles de l'apôtre et les routes vers Compostelle). Or, dans l'histoire de l'hôtelier de Toulouse qu'on peut y lire (cf. *Légende dorée,* Garnier-Flammarion, I, p. 476-477), un pèlerin pleure la mort d'un fils accusé d'avoir *volé une précieuse coupe,* puis le retrouve miraculeusement en vie. On pense à Cahus ! Comme les moines de Cluny furent les grands organisateurs du pèlerinage de Compostelle et les auteurs probables du *Livre de saint Jacques,* le rapprochement prouverait que l'esprit de Cluny préside à la composition de *Perlesvaus.*

15. « Eucharistic Tradition in the Perlesvaus », *ZfRPh,* LIX (I), janvier 1939, p. 51.

Relevons à notre usage, de cette dissertation, les raisons alléguées par Radbert en cas de miracle : « Aut propter dubios aut certe propter ardentius amantes Christum » (*De corpore et sanguine Domini,* c. 831, chap. XIV, § 1, P.L. CXX, p. 1316), et l'histoire qu'il rapporte du prêtre Plecgils, au moment de la transformation de l'hostie : « Tunc sacerdos coelesti munere fretus, quod mirum dictu est, ulnis trementibus puerum accepit, *et pectus proprium Christi pectori junxit, deinde profusus in amplexum, dat oscula Deo, et suis labiis pressit pia labia Christi.* Quibus ita exactis, praeclara Dei Filii membra restituit in vertice altaris » (chap. XIV, § 5, P.L. CXX, p. 1319-1320).

P. 198

16. Même raisonnement pour l'autre terme de la relation : le passage du Graal chez Chrétien appelle le héros à voir enfin clair en soi et à se savoir pécheur (sexuellement coupable, d'après la blessure même du Roi Pêcheur), quand le service du Graal chez le Continuateur fait miroiter le mythe propre à l'*Elucidation* d'une abondance originelle (perdue à la suite d'une violence sexuelle). Ajoutons, quitte à tout brouiller, mais dans le respect des textes, que la dualité mort-vie ne recouvre pas exactement celle de la *Charrette* et du *Conte du Graal,* car elle se rejoue en chacune de ces deux œuvres, la Tombe de Lancelot (côté sujet) n'allant pas sans la Joie auprès de la Reine (côté objet), ni la merveille du Graal sans un Autre, mort. Soit le tableau :

	sujet/mort	objet/vie
Charrette	Tombe	Joie
Conte du Graal	Meurtre	Graal

17. Voir également Cligès dans *les Merveilles de Rigomer,* Dresde, éd. W. Fœrster, I, 1908, v. 9136-9490, résumé par Loomis (*Arthurian Tradition,* p. 233) en renfort à l'hypothèse de Webster : l'adversaire du héros l'attend, apparemment sans vie, dans le sarcophage qu'il lui destine.

* Au milieu - étoffe de soie (grecque) - coins.

P. 200

18. Cf. la tradition irlandaise de la *Luin* de Celtchar : T. P. Cross et C. H. Slover, *Ancient Irish Tales,* New York, 1936, p. 230, et A. C. L. Brown, « The Bleeding Lance » PMLA, 25, 1910, p. 1-59. Le motif se retrouve également dans *Wigalois,* à l'occasion du combat avec le Centaure (*op. cit.,* p. 182).

* N'eût été apaisé de brûler.

P. 201

19. Voir *supra,* chap. II, n. 6, et notre article, « La lettre tue : cryptographie du Graal ». Cette répartition veut dire que *le père* mort exige que lui soit rendu ce qui lui revient, mais qu'il faut en lire le secret de « l'autre côté », dans le mystère qui entoure l'oncle *maternel* (« l'autre père » du héros).

P. 202

20. La tête humaine sur un grand plat apparaît en effet dans *Peredur* (Loth, II, 119) et dans la légende du palais sous l'eau que rapporte au XIVe siècle le *Reductorium Morale* de Pierre Bercheur, remarqué par J. Weston, *The Legend of Gawain* (p. 74), et cité par H. Newstead, *Bran the Blessed* (p. 76). Mais il faut surtout relire l'aventure de Protheselaüs au Gué Défendu, puis au château du Blond Chevalier, dans le roman de Hugues de Rutland (éd. F. Kluckow, v. 4522-5012) : la tête sanglante sur le plat est présentée par l'hôte jaloux à sa femme (sur les lèvres de qui erre un léger sourire) sous les yeux du héros qui assiste en fait à ce qui aurait pu être son sort. Ainsi sont combinés les motifs de l'orgueilleux jaloux, de l'hospitalité redoutable, du festin énigmatique et même, du « cœur

mangé ». La lumière du Graal est seulement venue repousser dans l'ombre de plus horribles soupçons !

21. Cp. à ce propos pour Calixte la version du ms. Br : il fut *XL ans* meurtrier et pillard dans la forêt. L'Ermite de la Sainte Chapelle évoque lui aussi à l'intention d'Arthur une durée de quarante ans (l. 359).

P. 203

22. Dans la vie d'Hugues de Lincoln, le Christ apparaît entre ses mains au moment de l'Elévation « sub specie infantis parvuli », ainsi décrit : « divino quodam nitore atque candore super aestimationem hominis nimium decorus » (cité par W. Roach, *Dissert.*, p. 50). *Muance* d'autre part traduit le *mutare* qu'on trouve dans la vie de saint Grégoire à propos de l'épisode de la femme incrédule (cité par W. Roach, p. 17).

* Ouvertement - sinon celui.

P. 204

23. La puissance mauvaise inhérente à la Lance, sa quasi-personnification (pleurant le sang) allaient déjà dans ce sens chez Chrétien.

24. Quoique la féerie ait aussi ses extases, comme la sainteté ses terreurs !

* Coulait.

P. 205

* Je veux - il voulut - toute pareille à - la sienne.

P. 206

* Et n'aurait pas plu autant - recept (abri fortifié) - afin que - qu'on se tourmente.

P. 209

* Aussi longtemps que - dans le cœur.

P. 210

25. Le « Cor béni » ou *corne* d'abondance de Bran, que le plat nourricier du Graal égale en fonction, parmi les treize Trésors de Bretagne (Loth, *Mabinogion,* I, p. 305, n. 2 ; p. 306, n. 1), aboutit au Corps béni du Christ (l'Hostie) par le biais du *corps* du Roi Pêcheur mort ou de la quête de sa *Cour* fabuleuse ou de la Joie qui y renaîtra grâce au *Cor* d'ivoire. En ancien français, un seul et même mot : *cors.* La graphie peut s'en mêler, *c* et *t* se confondant, pour donner, avec le *Tor,* le culte du Taureau ou de sa corne ! cf. Loomis, *Arthurian Tradition,* p. 50, 171-175, 387-388.

P. 211

26. La Reine *ou* le Graal, Lancelot *ou* Perlesvaus, mais encore Lancelot *et* la Terre *Gaste,* Perlesvaus *et* l'Or de Féerie !

P. 214

27. Autre interférence : l'adversaire acharné de la Veuve Dame s'appelle « li Sires des Marés » (ou Morés) ; mais l'usurpateur du château de Gladoain, devenu « Sire de la Roche », porte ainsi le même nom que Brien des Iles, maître du château de la Dure Roche (l. 7639) et ennemi mortel de Lancelot.

P. 215

* A elle - laisse - bientôt - son plus grand - enlevé - l'être au monde - voir.

P. 216

* Tous - car elle possède tout ce dont une femme peut s'honorer - en son cœur - il lui souvient - tombée.

P. 217

* Je subirai comme Dieu voudra, le jour du Nouvel An, l'épreuve de mon destin (trad. Pons) - ceci est la bande de blâme que je porte à mon cou.

P. 218

* Hébergement - nous n'avons pas eu nos aises - tout ce que - à cet endroit.

P. 219

* De celui-ci - lui ou un autre - à Lancelot.

P. 220

* Dans le corps - Méliant de son côté se précipite sur - sa lance - tombe - jamais personne - mais.

P. 221

28. Gladoain, donc, tient dans *Perlesvaus* le rôle de Galehot dans le *Lancelot en prose*. S'il s'oppose, en fonction, à Meliant (Meleagant), il ne faut pas oublier non plus que Galehot est attaché à la « Dame de Malehot », que Loomis interprète comme « la femme de Malehot »-Meleagant-Melwas (*Arthurian Tradition,* p. 256), et que l'étrange confusion entre l'ennemi juré de Lancelot et son ami unique s'explique peut-être, toujours selon Loomis (p. 257), par l'interférence du nom de l'ami dévoué de Lancelot : *Galoain,* c'est-à-dire Gauvain (cf. *Erec et Enide*), lequel, ajoutons-le, est devenu dans *la Mort le roi Artu,* par la révélation de l'adultère du héros, son irréconciliable ennemi.

* De longtemps - si cela tient à lui - pour qu'on ne la lui ravisse.

P. 222

29. Le motif, cependant, est déjà présent dans *Wigalois* (*op. cit.,* p. 151 et 157) : le père de la bien-aimée, dépossédé de son royaume à la suite d'une trahison qui lui coûta la vie, porte curieusement tout le poids de la faute puisqu'on le voit changé en bête merveilleuse en train d'attendre sa délivrance dans le Château en Flammes comme dans un purgatoire terrestre. En fait, la scène tend au héros comme un miroir où se projette un rêve coupable et ignoré, de nature incestueuse.

Wigalois étant le roman du « Bel Inconnu », Guinglain, le fils de Gauvain, et Gauvain, d'autre part, ayant comme aventure distinctive celle de l'étrange hospitalité (cf. *Sir Gawain*), ne peut-on penser que les deux épisodes de la *Ville Ardente* et de la *Cité Gaste* dans *Perlesvaus* rassemblent en Lancelot les histoires redoublées du fils et du père ?

P. 223

* Besoin - bientôt - et mon autre frère.

P. 224

30. De même, selon que le Roi Pêcheur est nommément Pellés ou secrètement Bran, la porteuse du Graal est Morgain ou la « Souveraineté d'Irlande », celle-ci tour à tour merveilleuse de beauté et hideuse messagère, comme la vieille qui dans la tradition narrative du Mariage de Gauvain révèle au héros le secret de ce que veut une femme : la Souveraineté. Le Moyen Age donc, avant G. Bataille... Citons Chaucer dans *The Wife of Bath's tale :*

> Wommen desiren to have *sovereynetee*
> As wel over hir housbond as hir love,
> And for to been in maistrie hym above (v. 1038 - 1040).

La reine avait, en effet, laissé la vie sauve au chevalier qui viola une pucelle, à une condition :

I grante thee lyf, if thou kanst tellen me
What thyng is it that wommen moost desiren.
Be war, and keep thy nekke boon from iren (v. 904-906).

The works of G. Chaucer, F. N. Robinson (ed.), Cambridge, Massachussets, 1957, p. 85.

P. 227

* Têtes - adorer - de l'autre côté des trois ouvertures - tout à mon usage (sous ma main) - je vous contemplerais à satiété.

P. 228

31. Voir « The Esplumoir Merlin », *Speculum,* XXI, 1946, p. 173-193. *Messios* est l'hébreu que traduit le grec *Christos,* l'oint.

* Connais - ne se montre pas.

P. 230

32. Cf. Nitze, II, p. 327, note à l. 7300 ; *Enfances Gauvain,* éd. P. Meyer, *Romania,* 39, 1910, p. 1-32 ; J. D. Bruce, *Historia Meriadoci and De Ortu Walwanii,* Göttingen et Baltimore, 1913, qui cite, p. LXXVI, Otto Rank, *Das Inzest - motiv in Dichtung und Sage,* Leipzig et Vienne, 1912 ; voir aussi notre communication, « Le motif des Enfances, le mystère de l'origine et le roman en prose », in *Perspectives médiévales,* 3, novembre 1977.

P. 231.

33. Ainsi faut-il comprendre sans doute l'épisode du manoir aux voleurs et d'une autre Demoiselle au Nain, fort belle (l. 3594-3623, 4556-4678 et 4798-4901) : Lancelot la tue malgré lui, après qu'elle s'est jetée sur lui l'épée à la main (après la Dame de la Fontaine chez Marin, meurt, une seconde fois, une Fée au Nain), et fait don de son trésor et de son manoir aux pauvres sœurs du seigneur du Gaste Chastel. Pour accroître la confusion, les parents de la demoiselle, précédemment tués, étaient quatre, comme les quatre parents de la Fée Amante, la Demoiselle au Nain, la Fée Morgain (l. 2543-2546 et l. 3842-3844) !

P. 232

34. La « guisarme » du jeu (game) proposé à Gauvain par le Chevalier Vert,

That dar stifly *strike a stroke for another* (v. 287),

dans *Gawain and the Green Knight* (cf. v. 283 et 288), et la « jusarme trenchant » du « vilain trestot herupé », dans *la Mule sans frein,* pour le même « jeu parti » (v. 506, 565, 575).

P. 233

35. Cp. *Première Continuation :*

Un poi de sa main i toucha...
Sali li troz et li fers fors (mss. TVD, v. 14947-14950),

et Perlesvaus :

Tantost con il i atoucha, si le traist fors (l. 7440).

De même, l. 8220.

P. 234

36. Cp. l. 6615-6616 : « Les samblanches des îles se *muoient* por les diverses aventures... », et l. 7225-7226, au château des Ames (ou de Joie, ou d'Eden), où « li Graaux s'aparut... Li rois Artu vit *totes les muances* ».

* Craquer - la grande salle.

P. 235

37. On notera que Marin tue la Dame de la Fontaine d'un coup de lance au « recet » de Gomoret, et Lancelot, la Demoiselle au Nain au « recet » des voleurs.
38. Mettre ici en regard le secret du Verre Rubis dans l'hypnose aux éclats souterrains du film de W. Herzog, « Cœur de Verre ».

* Qualités.

P. 236

* Sera - refusée - il oublie tout ce qui n'est pas Dieu - il oublie tout ce qui n'est pas cette douleur - le reprie - ce sera sans retour - mais garde les yeux levés.

P. 239

39. Autre exemple de la puissance visionnaire de l'auteur : Gurgaran détient l'épée qui décolla celui qui baptisa le Christ, et la Reine, la couronne qui fut celle, d'épines, de la Passion.

P. 240

* Visage (droit dans les yeux) - peu s'en faut qu'elle ne se jette sur lui - elle ne satisferait jamais son désir - car.

P. 241

40. A relever un épisode intéressant du *Roman de la Violette* (SATF, v. 4632-5062), qui combine le mythe du Pays Gaste et la figure d'Harpin de la Montagne, repris de Chrétien mais dans la tradition de *Perlesvaus :* une terre plantureuse, « gastée » par un géant anthropophage et nommée depuis le « Chastel des Iles Pertes ». L'histoire du Graal est indissociable de celle du Géant. Ce dernier s'appelle ici Brudaligan. Faut-il entendre, d'après *Perlesvaus* (Brudan/Brundan), « Brun le Géant » (cf. *Brun de la Montagne*) ? Brun et Bran sont souvent rapprochés dans les *Continuations* (cf. Brun de Branlant) et dans *Perlesvaus* (Brun Brandalis, oncle de Galobrun, lui-même petit-neveu de Ban de Benoyc !). Tandis que Gauvain affronte le Géant de la Montagne, le nom de Gurgaran peut être, d'autre part, comparé à celui d'une très vieille divinité des montagnes, Gargan (le bouvier gargan ; le Géant du Mont-Saint-Michel ; le géant aux barbes, tel un ours, chez Wace ; Gargantua enfin).
41. Le Tor ou le Cor, selon les mss. : la Corne du Taureau, donc, et non « *la* Tor de Cuivre ». Nous nous rangeons ici aux observations de M. Williams : « The Episode of the Copper Tower in the *Perlesvaus* », *Mélanges R. Lejeune,* Gembloux, 1969, II, p. 1159-1162.
42. Cf. Arbois de Jubainville, *L'Epopée celtique en Irlande,* Paris, 1892, t. I, p. 135-143 (*le Festin de Bricriu,* épisode XI, § 79-90). Voir Loomis, *Arthurian Tradition,* p. 204-210 ; Jessie L. Weston, « A hitherto unconsidered aspect of the Round Table », in *Melanges M. Wilmotte,* Paris, Champion, 1910, II, p. 883-894 (le Château Tournant comme mythe solaire) ; sur *pecol,* voir J. Frappier, in *Romanica et occidentalia,* éd. M. Lazar, Jérusalem, 1963, p. 206-210.

* Vigoureux.

P. 243

* Il me dispute.

P. 244

* Nul homme - avec - soif - si perdu que soit l'endroit.

P. 245

* Avait coutume - le meilleur.

P. 246

* Regard - chandelles.

P. 247

43. Autre conjointure : cette construction sur quatre colonnes de marbre annonce celle du Tor de Cuivre sur quatre colonnes de cuivre (l. 5924), le tout sur le modèle de la tombe de l'émir dans le *Roman d'Alexandre* (cf. note de Nitze, II, p. 315). Or le chevalier du Tonnel de Verre évoque l'aventure d'Alexandre descendu sous la mer dans « un tonel de voirre » (Nitze, II, p. 155, n. 97). Ainsi sont liés, par le biais d'un recours au *Roman d'Alexandre,* la tombe ancestrale du lignage paternel, le Tor de Cuivre et l'habitacle de verre de l'Ile aux quatre sonneurs.

* Et, jeune homme, je vengerais - enleva.

P. 249

44. On serait tenté de rapprocher avec la « chaîne homérique » évoquée par Rabelais *(Tiers Livre,* III), d'après Homère (*Iliade,* VIII, 19 : sur fond d'abîmes et de ténèbres, en signe de la toute-puissance de Zeus), réinterprété lui-même par Platon (*Théétète,* 153*c-d* : la fameuse chaîne d'or signifiant le soleil par qui tout existe et se maintient). Une « senefiance » allégorique restée obscure pourrait fort bien doubler un motif de la « matière de Bretagne ».

P. 250

45. A ce titre, le savoir encore refusé à Perlesvaus (l. 9576) pourrait bien ressortir à la gnose, nommément au *Chant de la Perle* dans les Actes de l'Apôtre Thomas. D'une part, en effet, dans cet apocryphe d'origine syriaque, le Prince quitte sa patrie de lumière pour rapporter d'Egypte la Perle « qui se trouve au milieu de la mer encerclée du serpent à la bruyante haleine », et on songe à *Peredur* et à la pierre, gardée dans la queue du serpent, qui dispense tout l'or qu'on désire (d'autant plus que la femme merveilleuse vient ici de l'Inde et que l'apostolat de Thomas se passe aux Indes). De l'autre, quand il revient d'exil à la lumière, il retrouve sa « robe de gloire » : « Je la voyais en face de moi, elle m'apparut semblable à moi, comme l'image de moi dans un miroir : je la voyais tout entière en moi, et tout entier je me voyais en elle » (cf. H. Jonas, *La Religion gnostique,* trad. fr., Paris, Flammarion, 1978, p. 156). Est-ce à la même vérité que serait convié Perlesvaus ? Mais alors son nom aurait un autre secret, celui de la *Perle* (*Perle*svaus), dont on sait, par les *Lapidaires,* qu'elle naît « en Inde et en Bretagne » (la Grande) de la rosée du ciel reçue par les « conques » (voir *les Lapidaires français,* éd. Pannier, « Bibl. Hautes Etudes », 52, Paris, 1882, p. 65 et 182). Or la rosée qui tombe du ciel rappelle aussi la Toison de Gédéon qui fut regardée aux approches du XIIIe siècle comme une image de Marie : c'était donc une figure typologique de la conception virginale. Perlesvaus, tel le Christ : serait-ce le voile de poésie dont se couvrirait une « senefiance » gnostique ?

46. Il est d'ailleurs remarquable que dans *Wigalois* (*op. cit.*, p. 155) la métamorphose de la bête merveilleuse en un homme *de grande beauté* (le roi du pays maléficié) a lieu devant le château de Korntin *aux murs de cristal* (cf. l'Ile de Verre et le royaume de Gorre), dans un pré ombragé par un arbre superbe et enclos par *des murs d'air* qui interdisent au héros de l'approcher, tandis qu'il le voit et que l'autre lui parle.

47. Ce nom étrange pourrait fort bien recouvrir celui de *Gargan* (Gurgunt) fils de *Belen* (Belinus, l'Apollon celtique). On sait, en effet, comment Merlin, dans *les Grandes et Inestimables Chroniques du grant et énorme géant Gargantua* (RER, 8, 1910, p. 61-62), créa, des ossements de deux *baleines* mêlés au sang de Lancelot et aux ongles de Guenièvre, les parents de *Gargantua.* Ceux-ci, dans leur voyage d'est en ouest, déposèrent en mer les deux rochers du Mont Saint-Michel (ex-mont Gargan) et de Tombelaine (Tombe Belen). La reconstruction d'H. Dontenville (*La Mythologie française,* Paris, 1950) serait ainsi confirmée, grâce à *Perlesvaus,* où la quête du Graal passe par le royaume de *Gurgaran* et dont l'*imram* à l'Ile de Verre (au « Siège Périlleux ») se poursuit au château de la *Balainne.* Mais on ne doit pas négliger non plus la tradition biblique et hagiographique : le monstre

marin de la Genèse, 1, 21 ; la baleine de Jonas ; le grand poisson de mer du *Voyage de saint Brendan* (cf. le poème anglo-normand de Benedeit, v. 469-478). Ce dernier rapprochement s'impose d'autant plus que l'on peut comparer le vol du candélabre dans l'épisode initial de Cahus avec celui du hanap d'or par l'un des moines de saint Brendan (v. 309 *sq.*). De Cahus à Calobrus, le récit de *Perlesvaus* serait ainsi compris entre deux références au fameux voyage du saint en Paradis.

48. L'histoire de Calobrus, de ses fers et de la Clef engloutie répète celle, fameuse, de Grégoire, le bon pécheur — variante médiévale du mythe d'Œdipe (voir *la Vie de saint Grégoire,* éd. V. Luzarche, Tours, 1857, et *Gregorius,* de Hartmann d'Aue : *l'Elu* de Thomas Mann). Ce très beau chevalier emprisonné fait à l'évidence pendant à l'inconnu figé dans sa tour de verre (ou d'ivoire ! cf. ms *Br*).

Ajoutons que dans l'édition de 1516 le château de la Baleine devient le château de « Babiloine » : belle antithèse avec « Sarraz », la nouvelle Jérusalem de la *Queste del Saint Graal !*

TROISIEME PARTIE

P. 256

1. Cf. *Cléomadès,* v. 9826 : le héros se fait appeler le « mescheans d'amour » (éd. A. Henry, *Les Œuvres d'Adenet le Roi,* t. V, *Cléomadès,* Bruxelles, 1971.

Notes du chapitre V

P. 257

1. Tout en renvoyant aux deux éditions de la *Charrette,* de W. Foerster (F) et de M. Roques (R), j'adopte la première (*Der Karrenritter,* Halle, Niemeyer, 1899) que J. Frappier dans sa traduction (Paris, Champion, 2ᵉ éd., 1969) a, en bien des passages, préférée à la leçon de Guiot (Paris, Champion, 1963). Cf. J. Frappier : « Remarques sur le texte du *Chevalier de la charrette* », in *Mélanges offerts à C. Rostaing,* Liège, 1974, p. 317-331, notamment, p. 318.

Le *Conte du Graal* est cité ici d'après l'édition de W. Roach, *le Roman de Perceval,* Genève, Droz, TLF, n° 71, 1959.

P. 258

* Je prends congé.

P. 259

* Envie - il lui faut - s'il ne peut y remédier - mais - (les captifs) - venir en aide.

P. 260

2. Cf. Eilhart von Oberge, *Tristrant,* éd. F. Lichtenstein, Strasbourg, 1877, v. 2226-2253 (v. 2239 : « Je serais moi-même trop jeune pour prendre femme si tôt ».

3. Béroul, *le Roman de Tristan,* Paris, Champion, 4ᵉ éd., 1957, v. 1214 (cp. v. 1149-1150), et cf. *le Bel Inconnu,* Paris, Champion, 1967, v. 3127 *sq.* : la « guivre » (la vouivre) est une reine ensorcelée du pays de Galles. Son nom : Blonde Esmeree (v. 3669).

4. Guillaume, dépossédé par un milan de l'aumônière qui contenait l'anneau d'Aelis, se lamente :

De son anel que j'ai perdu.
Ele m'avoit son cuer rendu
Au doner*, ma dame, m'amie ;

Or me dira je ne fui mie*
De la cortoisie Tristran
Qui en ot. .I. gardé maint an*
Por l'amor la roïne Ysout
(Jean Renart, *L'Escoufle,* Paris, Droz, 1974, v. 4613-4619).

* En me le donnant - Que je n'ai pas été de... - Qui en avait gardé un plusieurs années.

P. 261

* L'entendit - à son monter en selle - il avait rejoint.

P. 262

* Il avait perdu tout ce qui fait notre loi - écouté en cours - bienvenu - fais le signe de croix - afin que malheur - vil - origine.

P. 263

5. Cf. C. Foulon, « Les deux humiliations de Lancelot », in BBSIA, n° 8, 1956, p. 85

* Dis-moi donc - comme si elle gisait - qu'elle en revienne jamais - nul étranger - pour son malheur - redouta - aussitôt - il aura à le regretter.

P. 265

* Plaisir - décrire.

P. 266

* Excepté le plaisir qu'on prend avec... - aussitôt.

P. 267

* Il n'eut que mépris pour - elle eût bien convenu à l'usage d'un roi.

P.268

* Au milieu de - déguerpit - mais - prairie - s'était assis.

P. 269

* Un bon moment - sur quoi - restaient penchés - cesse - attentif - plut - voulut - en bas.

P. 270

* Il se retourne - soyez calme ! - n'allez vous aviser de - folie - haïssez.

P. 271

* Hésitation - crainte - tout ce que.

P. 272

* Celui (Lancelot) sur lequel - et qui l'éleva.

P.274

6. Cf. Roques, v. 644-646 : « Et lors li redemande cil... ». Ici encore est préférable la leçon du ms. T que suit Foerster. Le Chevalier de la charrette ne partage pas sa quête. Seul Gauvain dit « nous », ou du moins une voix qui le comprend et qui, pour le public, semble plus indéterminée.

* Son - sans dévier - et il a tant fait que... - tomba - d'une seule envolée.

P. 275

* Disgrâce - trop longtemps - tous.

P. 276

* Il n'aurait rien fait - (qui) n'eût été, à ses yeux - déshonneur - ait - voici venu l'homme de vos mesures ! - tais-toi ! - son aune (si vantée) - dévastées.

P. 277

* Donne - jeunes gens - il leur enlève (tout espoir de mariage) - qui plaît.

P. 278

* En faveur d'elle - faire grâce - car (l'autre lui a...) - par tout ce que - mal lui en prit de - l'arracher à ses pensées - le charretier.

P. 279

7. A l'opposé, Perceval : du péché à l'Amour, par la chasteté et la vie éternelle... Lancelot, par la mort, touche au réel ; Perceval, par l'Amour, au symbolique ; Gauvain, par la merveille, à l'imaginaire.

8. Cf. J. Frappier, « Le motif du "don contraignant" dans la littérature du Moyen Age », dans *Amour Courtois et Table Ronde,* Genève, Droz, 1973, p. 237, n. 23. Sur le premier point, cf. *supra,* chap. I. Voir aussi P. Ménard, « Le don en blanc qui lie le donateur : réflexions sur un motif de conte » dans *An Arthurian Tapestry* (*Essays in memory of L. Thorpe,* K. Varty (ed.), University of Glasgow, 1981, p. 37-53).

* A cette condition - ce qui était convenu - pas la moindre petite chose.

P. 281

	Cp. *Graal,*	*Charrette,*	
9.	v. 2988, 3032-3033	F., v. 980, 986 ;	R., v. 970-976
	v. 3066-3068	F., v. 988-990 ;	R., v. 978-980
	v. 3083-3084	F., v. 985, 991-992 ;	R., v. 975, 981-982
10.	Cp. *Graal,*	*Charrette,*	
	v. 3073-3074	F., v. 1022 ;	R., v. 1012
	v. 3254 *sq.*	F., v. 994 *sq.* ;	R., v. 984 *sq.*

Voir en outre, dans les *Continuations,* la venue de Gauvain au château désert d'une demoiselle, jadis forcée par Greoreas (Roach, II, E, v. 3044-3630), puis de Bran de Lis (Roach, I, T, v. 9564-9802), du Graal, enfin (Roach, I, T, v. 13141-13512) ; celle de Guerrehés à celui du Petit Chevalier (Roach, I, T, v. 14433-14602) ; celle de Perceval chez la Demoiselle de l'Echiquier et au château des Pucelles (Roach, IV, v. 20099-20303 et 24222-24731). Dans tous les cas sont combinés les trois motifs de la solitude (que la salle soit d'abord vide ou que le héros soit laissé seul), de la somptuosité (de la salle ou du festin) et de l'épreuve rituelle.

	Cp. *Graal,*	*Charrette,*	
11.	v. 3187-3189,		
	3213-3229	F., v. 1024-1028 ;	R., v. 1014-1018
	v. 3241-3242	F., v. 1060-1073 ;	R., v. 1050-1063
	v. 3344	F., v. 1102 ;	R., v. 1090.

* Juste sous ses yeux - en travers du lit - touche à elle - à l'aide ! - toi qui es mon hôte.

P. 282

* Il n'en sera pourtant pas jaloux - avec honneur.

P. 283

12. Faudrait-il ici tirer parti, d'après l'épisode de Mabonagrain prisonnier du Verger Enchanté dans *Erec et Enide,* de l'histoire de Mabon, amant et fils de la fée Morgain, que l'on retrouve dans *Lanzelet* sous le nom de Mabuz, le maître de Schatel le Mort, étrange château où le preux perd toute force et se transforme en « chevalier couard » ? Mabuz est le fils de la reine de Meydelant, de l'île aux fées (autre figure de Morgain, et mère nourrice de Lanzelet). Ajoutons que, dans le *Lancelot en prose* (Micha, I, p. 270-300), Lancelot

défait, au Val sans Retour, les sortilèges de Morgain la luxurieuse. Mais la fille du roi Pellés, la porteuse du Graal, maîtresse de Lancelot par ruse et mère de Galaad (cf. Micha, IV, p. 173-180; 201-213; VI, p. 171-177, 219 *sq.*), recouvre encore une image de Morgain! Que conclure? Au fond du royaume de Gorre, l'ombre de Morgain s'est-elle aussi étendue sur Guenièvre pour que le *fin amant* apprît à reconnaître auprès de sa Dame, et expier en Elle, l'impossible désir? Cf. Loomis, p. 88-91; 163-165; 175-184, et d'autre part p. 143, n. 43; 144-145 et 193.

* Vite - avec moi - comme convenu - sous tes propres yeux.

P. 284

13. Le récit suivi par Eilhart témoigne d'un remaniement aussi profond de la « version commune » que celui, plus tardif, de Béroul: aucun n'a craint d'innover pour la partie intermédiaire qui sépare le retour de Morrois du départ pour Carhaix en Petite Bretagne (cf. Béroul, v. 3076 et *Folie de Berne* 238, 241, 118-122, 127). Entre les « points de passage obligés » de « l'estoire » (selon l'expression de J.-C. Payen), toute latitude est permise au génie des remanieurs.

* Il se garde de - sur le dos - tel un frère convers - auquel - adore - reliques - il s'est agenouillé.

P. 285

* Les démons - cette nuit - Keu a trahi - avait en lui confiance - cocu.

P. 286

* Il lui fallut - toutefois - le pacte est plus fort que lui - il convient qu'il aille.

P. 287

* Je lui refusai - comme une insensée - en cruelle - par jeu - vraiment - nié - voici - déconcerté - je n'ose.

P. 288

* Elle montre un visage sombre - je le sais bien.

P. 289

* Etanche - il ne montre rien - fleuve.

P. 290

14. Relevons, au passage, dans la série des *adunata* par lesquels se formule la peur des compagnons, l'assimilation de la traversée à l'impossible retour dans le ventre de la mère pour une nouvelle naissance (F., v. 3070-3071; R., v. 3056-3057).

P. 291

* Contente - elle ne l'aurait voulu - grâce lui soit rendue!

P. 292

* Il n'y a personne - à qui - et qu'il est tout sien - il fait même visage.

P. 293

* Elle sera tue - car - haute - délectable.

P. 294

* L'importune - trouve plaisir et passe-temps.

P. 295

* Etait... - ...resté - un peu moins.

P. 296

* Tout contre sa poitrine - à côté d'elle - attiré.

P. 297

* Serrer - tirailler - hors de leur place.

P. 298

15. F.D. Kelly a, ainsi, choisi de regrouper en un seul ensemble les épisodes où apparaît la même demoiselle, soit du vers 931 au vers 2011 de l'édition Roques, avec une subdivision (v. 1280) : la nuit dans son manoir ; la quête en sa compagnie. Mais les schémas narratifs formels que F. K. croit reconnaître à l'appui de son analyse ne parviennent pas à intégrer la disposition complexe des répétitions, des ruptures et des symboles, qui joue à la façon d'une écriture musicale sur plusieurs portées et transforme chaque roman de Chrétien en une polyphonie. Cf. F. K., *Sens and Conjointure in the « Chevalier de la charrette »*, Paris/La Haye, 1966, p. 166-203.

* Sujet de chagrin.

P. 299

* Pour la première fois - que j'eusse estimé auprès de celui-ci - veut - jamais.

P. 300

* Vous ne m'auriez laissée - sans opposition - raillerie - à la lui dénier - entend - pousser l'honneur - au point de lui donner - mais plutôt.

P. 301

* Sera - facilement - la mienne.

P. 302

* Redoutait - meilleur - s'il cherche l'honneur - moi aussi ! - cent fois plus - taureau.

P. 303

* Fâcheusement - de bois.

P. 304

16. Hypothèses : on a dit plus haut que Perceval est à son père comme le Bel Inconnu à Gauvain. Pour Loomis (*AT*, p. 192-193), Galaad est à Lancelot ce que Gauvain est à Lot. D'où la séquence cachée sous les reports et à travers les échanges : (Lance) Lot ⟶ Gauvain ⟶ Perceval ! Ceci en toute fiction !

* A l'amble - mule - manteau ôté - cheveux flottants - coups - parfaite.

P. 305

* Un peu âgé - grisonnant.

P. 306

* Comme sienne - voilà qui va mal - mon fils - un enfant.

P. 307

* Un homme bon - sermonne - je croyais - avec rage - la paille fut rompue - d'un esprit fin et aiguisé - loyauté.

P. 308

17. On lira avec profit le bel article d'A. Planche, « La dame au sycomore », dans les *Mélanges J. Lods*, Paris, ENSJF, 1978, p. 495-516. Derrière Abel, Caïn, bien sûr !

* Rendu son bon sens - à plus tard - guette - à cette heure.

P. 309

18. On serait tenté de suivre une indication de Loomis concernant le nom de Baudemagu, lequel réunirait ceux de deux frères, rois de l'Autre Monde, *Bran,* le riche pêcheur, et *Mangon,* le roi féroce du *Chastel Mortel* (dans *Perlesvaus*). Cf. Loomis, p. 244-250. L'ambivalence de la figure paternelle serait ainsi reconnue : le père aimé (le roi souffrant) et le père cruel (qui tire jouissance de toutes les pucelles, cf. *l'Elucidation*).

* De telle prestance - mesurée - de sitôt - à celui que - sur l'heure.

P. 310

19. Et si plus tard Galaad fait pâlir Lancelot pour que triomphe la « senefiance » dans la *Queste del Saint Graal,* le *Tristan en prose* enchérit sur le *Lancelot* (Tristan, plus fort encore que Lancelot !), pour que le cri de la Bête Glatissante déchire les béatitudes du Graal ! Voir à ce sujet la thèse de A. Labia, *De Galehot à Palamède* (étude des rapports du *Lancelot* et du *Tristan en prose.*)

* Les intérêts avec le prêt.

P. 311

* Ne se couche qui ne l'a mérité - seul, par lui-même - surtout.

P. 313

20. C'est encore à la tombe que, dans d'autres récits, le héros doit arracher la « fausse morte », des mains d'un être formidable, non sans que cet état ait été, pour son amie, entaché ou environné de honte (cf. *Amadas et Ydoine,* v. 5415-6638 ; *l'Atre périlleux,* v. 1131-1443, et aussi *Cligès,* v. 5097-6258, respectivement Paris, Champion, CFMA 51, 1926 ; 76, 1936 ; 84, 1957).

* Peint - ni moi ni personne.

P. 314

21. Cet éclat souverain est l'interdit même avec lequel se confond la figure du Père : si le Lit défendu évoque la Reine désirée, la Tombe promise concerne peut-être la mort du Roi. Double usurpation qui se paie pour l'insensé par une mutilation et par la mort. Voir la thèse prochaine de V. Guerin : la « mort le roi Artu » obsède, par son absence même, la *Charrette* et le *Conte du Graal.*

P. 315

* Les prisonniers - libérés - qui est sise - me tient enfermé.

P. 316

22. Le flamboiement solaire et le royaume des morts se rejoignent dans la mythologie celtique. Mabonagrain, le géant aux armes vermeilles, que Loomis a rapproché de Mabuz de Schatel le Mort *(Lanzelet),* d'Oriles *(Livre d'Artus)* ou de l'« Orguelleus Faé » *(Atre périlleus),* de l'Orgueilleux de Limours *(Erec),* autant de personnifications de la mort, a pour prototype Mabon, dont Modron est la mère (Modron dérive de Matrona), et sa maîtresse, dans ce Val sans Retour qu'est le Verger entouré d'air, a elle-même les traits de Morgain. Ajoutons encore le Chevalier Rouge de la Lande Rouge (Malory, *Morte darthur,* livre VII). D'autre part, Guivret, le chevalier nain, doué d'une force prodigieuse et dont le cheval fait, de ses sabots, jaillir le feu, remonte au Roi Nain, le roi des morts (cf. Map, *De Nugis curialium*), Beli, d'où sont venus Bilis et Pellés (l'oncle de Perceval, dont le père serait Bran), et avec qui Modron entretient un lien de parenté (Morgain, fille ou sœur de Pelles ?). Sur tous ces points et pour les références, cf. Loomis, p. 91, 165-166, 175-177.

Or Lancelot aurait aussi une origine solaire s'il descend du dieu irlandais Lug, et comme celui-ci a engendré, en secret, Cuchulainn, Lancelot a eu un fils, Galaad, de la fille de Pellés, la porteuse du Graal, elle-même dérivant de Morgain. Cf. Loomis, p. 187-191.

* Il suit.

P. 317

* Comme je suis à la dérive ! - aide - celui que d'ordinaire vous aimiez tant.

P. 320

* Les inscriptions - ce qu'elles disent - et de cette grande-là - expliquez-moi.

Notes du chapitre VI

P. 324

1. Ainsi faut-il désigner la partie propre du « Lancelot », dite « Lancelot en prose », à l'intérieur du *Lancelot-Graal*. Le « Livre de Lancelot » fait ainsi écho au livre dicté à Blaise par Merlin et nommé par lui le « Livre du Graal » (éd. G. Paris et Ulrich, I, p. 48) ou encore à *Perlesvaus*, « le haut livre du Graal ». Indépendamment des rubriques ou *explicits* variés des manuscrits, « livre », « roman », « conte » (voir A. Micha, *Les Manuscrits du Lancelot en prose*, Romania 85, 1964, p. 495-498), ce titre s'autorise d'un passage du tome V de Sommer :

> Si que dez fais Lancelot trova l'en un grant livre en l'aumaire (bibliothèque) le roy Artu (p. 191, l. 29-33),

P. 326

2. Il s'agit de l'enluminure de la page en × de la Crucifixion selon Mt 27, 38, au f° 124 R du *Livre de Kells*. Cf. *Finnegans Wake*, Londres, Faber, 1975, p. 122-123. A noter que plus loin, p. 185-186, entre le paragraphe latin consacré au « primum opifex, *altus prosator* » et celui du « Kruis-Kroon-Kraal », Joyce glisse du « pious Eneas » au Fils de l'Homme : « This Esuan menschavik and the first till last alshemist wrote over every square inch of the only foolscap available, his own body. » Texte prodigieux, où l'écrit qui se qualifie fort bien d'une « quantity of obscene matter », paie sa dette au feu prométhéen, à la geste troyenne et au sang christique, avec, à l'arrière-plan, l'histoire de Brute et le chaudron magique, selon ce mélange alchimique qui verse l'« acide gallique » sur le minerai irlandais (ir...on !) pour produire, sans doute, du cœur du sacrifice, l'encre indélébile du parchemin de l'histoire (cf. *Encaustum sibi fecit indelibile*). Joyce rencontre ici la méditation des mystiques anglais des XIVe et XVe siècles, Richard Rolle ou Charlotte d'Evelyn, qui avaient strictement identifié la Passion et l'Ecriture :

> He wrot his body wiþ harde nailes
> To writon vs in bok þat nevere failes.
> Boþe wiþynne and ek wiþ-oute
> Þat bok was writon wiþ nailes stoute.
> (*Meditations on the life and the Passion of Christ*, v. 883-886).

Ainsi se compose, monstrueuse, la scène de l'écriture, médiévalement joycienne : surface sacrificielle du corps-parchemin et en(tre)lacements malins de coupables tracés.

Annonçant la Quête du Graal, l'auteur de *Lancelot* promet une description encore plus fabuleuse de la Table du Graal, « Si come la devine escriture dou Saint Graal le devisera, quant il en sera leu et tans » (M.V, 270) : écriture *divine*, comme reçue de la main de Dieu, mais aussi bien *devineresse*, par l'entremise du fils du diable, Merlin le *devin* !

P. 327

* Entière.

P. 329

* Trompe - chairs - se séparent.

P. 330

* Plénière.

P. 331

* Chair - raffermie - service rendu.

P. 332

3. La forme Sorelice (M.II, 31, § 28) est concurrencée par Hosselice (S.III, 117, H. Bubinger dans *Marburger Beiträge* VIII, 84 et *Queste,* Pauphilet, 264), mais elle se rapproche de Sorelois, le royaume de Galehaut, ou encore Sorgales, Galles du Sud, opposé à Norgales. Loomis (*Arthurian Tradition,* 453) égale en effet Sorelois à Sorgales puisque cette terre est séparée de Logres par la Severn, exactement comme la « Kambria » chez Giraud de Cambrai. Le royaume de Galles se confond d'ailleurs, semble-t-il, avec le « royaume de Lisces », aux confins duquel est située la *Gaste* Forêt Aventureuse du Roi *Méhaigné* (voir M.I, 54). Cf. pour les variantes l'édition de E. Kennedy, II, 134.

P. 334

4. Cp. Gn 28, 22 et 31, 49 : la pierre localise en effet la présence divine ; elle est la maison de Dieu, et encore la guette, *Miçpa,* entre les hommes. A. Pauphilet (*Etudes sur la Queste,* 137) cite Isidore de Séville, Strabon (« Testis est lapis eminens in similitudinem Christi », dans *P.L.* CXIII, 159) et Bede le Vénérable, qui assimile le Mont Galaad au Christ : « Congruum et ipsum nomen montis, quod dicitur acervus testimonii. Acervus quippe testimonii Dominus est, quia in ipso colligitur atque adunatur omnium multitudo sanctorum, lapidum videlicet vivorum, qui testimonio fidei probati sunt. » (*P.L.* XCI, 1130).

P. 335

5. Ce nom d'Amide fait difficulté. On peut songer à Enide (cf. Loomis, *AT,* 101), mais il faut supposer une réfection à partir d'« amie », qui est le mot choisi pour désigner les fées des amours merveilleuses. Hypothèse renforcée par le nom de la sœur de la demoiselle de Honguefort, secourue par Bohort au début de ses aventures (M.II, 133 *sq.*). Le sénéchal félon l'interpelle ainsi dans la version longue : « Hé, *Amide,* Amide, par mon chief, par devers vos est la guerre finée ! » (*ibid,* 139). Or la version courte interprète : « Ha, *amie,* par devers vous est la guerre finée » (S.IV, 240). Cette hésitation de la tradition manuscrite éclairerait la formation du nom, *Amide* condensant *Enide* et *amie,* comme *Galaad, Gales* et *Graal.* On relève, du reste, dans l'*Index* de Sommer, les variantes *Anite, Enite ;* cf. E. Kennedy, II, 89. Voir aussi D. Bruce, « The composition of the old French prose Lancelot » dans *Romanic Review* IX, 3, juillet - septembre 1918, p. 259 et la note 48. C'est la poétique des noms croisés !

Quant au vrai nom de la fille du Roi Pêcheur, on doit préférer à Elizabeth « Heliabel », où s'unissent Hélie et Abel !

P. 336

6. Voir *Perceval,* dans notre livre *Blanchefleur et le Saint Homme,* Paris, Ed. du Seuil, 1979, p. 13 - 46.

7. Ou plutôt en « Perlesvaus », donné par les mss BN 121, 339, 341, 344, 751, 754, 768, Rennes et Thompson, « Galaad » étant assuré par le groupe rigoureux Bonn, BN 110, 111 ainsi que par BN 773 et Add. 10293 de Sommer. « Perceval » n'apparaît que dans les mss tardifs fin XIVe ou XVe siècle : BN 96, 98, 753, 16999, Ars. 3479 et BN 118, Londres Roy. 20 D III et Madrid, à l'exception d'Oxford Rawl. Q b 6 (début XIVe), Ashmole (XIII-XIVe siècles) et surtout Londres Royal 19 C XIII, lequel corrige « Parcevau » par « Galaad » (cf. note Sommer III, 29). Nous remercions vivement A. Micha à qui nous devons le relevé des variantes. Comme lui, (*Romania* 85, 1964, 297 - 298), nous nous rallions à l'opi-

nion de J. Frappier sur la bonne version (Galaad), en y ajoutant l'hypothèse suivante : s'il est vrai que les mss anciens (XIIIe siècle) portent « Perlesvaus » (344, 768) et même, forme encore plus notable, « Pellesvaus » (754, 339), les copistes et remanieurs n'auraient-ils pas alors été influencés par un livre écrit aussitôt après celui de *Lancelot,* en concurrence avec lui : *Perlesvaus* ? On sait que la branche I de ce dernier sert même à introduire la *Queste* dans BN 120 et Ars. 3480. Bruce avait fort bien vu le problème (cf. *RR* 9, 1918, p. 258).

En bref, si la forme ancienne avait été « Perceval », on aurait pu douter de la *lectio* « Galaad ». « Perlesvaus » la confirme au contraire ! Certains jugent, il est vrai, *Perlesvaus* antérieur à *Lancelot :* c'est compter sans les nombreux épisodes de celui-là, visiblement récrits d'après ce dernier, y compris l'*Agravain.*

Deux indices suffiront : Meliant et Hestor des Marais. Au premier est attachée l'aventure du chevalier « enferré » que délivre Lancelot (M.I, 197), au second, la faute cachée de Ban de Benoyc (M.IV, 223). L'auteur de *Perlesvaus* retourne ces données en un sens hostile pour en recharger la culpabilité : Meliant, le fils du mort dont les plaies saignent, est l'ennemi mortel de Lancelot ; le seigneur des Marais devient le persécuteur de la Veuve Dame. En suite de quoi, le récit s'avance masqué, prenant aussitôt valeur obsédante. Ce réarrangement peut s'interpréter de la part de l'auteur comme un refoulement plus profond, qui d'autant mieux travaille son texte.

E. Kennedy penche aussi pour l'antériorité du roman (« non cyclique ») de *Lancelot* sur *Perlesvaus* (*op. cit.* II, p. 43-44). Mais rien n'exclut que ce texte court ait été abrégé pour s'ajuster précisément à *Perlesvaus,* comme le suggèrent les formes « Perlesvaus » et « Perles de Listenois » ! Auquel cas l'ordre serait le suivant : 1. la version cyclique de *Lancelot,* 2. *Perlesvaus,* 3. La version non cyclique de *Lancelot* (ms. BN fr. 768).

P. 337

8. Signalons au passage ce qu'en tire l'auteur de *Perlesvaus* (branche I) : « la chapelle de saint Augustin », dont le choix ainsi s'éclaire, et l'humiliation d'Arthur, car le « délai » général à bien faire fait écho aux paroles d'Adragain : « s'il a ceste chose mise en delai » (S.III, 45 ; M.VII, 95). Un exemple entre mille.

P. 338

9. Voir le *roman d'Auberon,* prologue de *Huon de Bordeaux* (éd. J. Subrénat, Droz, 1973) : « Judas le guerrier » (v. 149), aux prises avec un roi cruel au nom révélateur de *Bandifort,* dont il épouse la fille « Brunehaus *li fee* » (v. 2058). De cette étrange famille sortira le petit roi de féerie, Aubéron, fils de Morgain et de Jules César (lui-même fils de Brunehaut), dont la naissance fait pendant à celle du Christ :

Ne jamais jour plus biax ne naistera
Fors cils sans plus qui le mont salvera (v. 1405-1406).

En bref, Aubéron + Jésus = Galaad !

10. Qu'on joigne à cette entrée fracassante la contestation de la Table Ronde selon l'histoire de la Fausse Guenièvre, l'on aura l'épisode de Madaglan d'Oriande dans *Perlesvaus.* Un mot sur l'origine de la Table Ronde et les prétendues contradictions du *Livre de Lancelot* : En S. V, 130 ; M. IV, 248, un ex-chevalier du temps d'Uterpandragon, devenu ermite, évoque devant Yvain dont il connut bien le père, ce qu'était autrefois la coutume de la Table Ronde. Pourtant, en S. IV ; M. I, 25, on nous dit que la Table Ronde est venue de Carmelide en dot du mariage de Guenièvre. Alors, Uter ou Leodagan ? L'auteur ne s'en explique pas, mais la solution n'est pas difficile et le continuateur du *Merlin* l'expose en clair (voir S. II, 92) : la Table Ronde s'exila en Carmelide quand la mort d'Uter livra son royaume à la destruction et à la félonie. Ce retrait n'a-t-il pas été imaginé sur le modèle de ce qu'il advint de la compagnie du Graal en Occident ?

* Et lui procure - besoin.

P. 339

11. Une simple note sur son nom : Hector dans la version courte, Hestor dans la longue. Cf. Loomis, *AT,* 424 n. : Estor s'est développé à partir de Tor, le fils du roi Arés, en

écho à *estor,* « la bataille, la mêlée ». Bohort dériverait de même de Gohort (cp. Gornemant de Gohort et le roi Gohort), sous l'influence de *Bohors,* « joute à la lance » (cp. Enide + « amie » = Amide). Si on ajoute Lyonel dont le nom s'explique par une tache vermeille sur la poitrine, en forme de lion (S.III, 271), on constate que les proches de Lancelot sont qualifiés par la puissance et les armes. « Hector » pouvait d'autre part rappeler dans le *Roman de Troie* (v. 8023-8033) les amours de Morgain et du Troyen (par confusion aussi entre Hector et le chevalier arthurien Estor !). Ce n'est pas la seule fois que l'auteur mêlerait l'antique au celtique : cf. le lac de Diane/Niniane (S.III, 8 ; M.VII, 11) ou le geste de Lyonel à la naissance, en train d'étouffer cette semblance du lion, tel Hercule, au berceau, les serpents. Certains mss font le rapprochement avec Yvain (S.III, 271 n ; M. VIII, 132).

* Adultère.

P. 340

* Sortait - brûlait - peuple.

P. 341

12. La controverse bat ici son plein. Quoique *Lancelot* soit antérieur, il s'agirait, selon Bruce (*RR* 9, 1918, 267) d'une interpolation d'après *Perlesvaus* (Nitze II, 236), pour lequel, notons-le, le ms. de Berne présente une variante : « cors d'oliphant », qui correspond mot à mot au texte du *Lancelot.* Nous préférons renverser l'ordre d'influence. L'auteur de *Perlesvaus* ne devrait-il pas d'ailleurs à ce détail l'idée de l'« Ile des Olifanz », détruite justement par le Chevalier au Dragon (l. 5695) ? Ce serait bien dans son style. Au reste, toutes les hypothèses sur les interpolations de nature religieuse dans *Lancelot,* d'après la *Queste, Perlesvaus* ou l'*Estoire,* tiennent au même refus de reconnaître la plénitude d'une vision biblique dès le tome III. « Biblique », faut-il dire, et non pas « mystique », trop marqué par la Queste. Dans *Lancelot,* l'extase reste le fait du *fin amant,* mais le « nom et la semence », pour parler comme Rabelais, sortent droit des *Ecritures.*

* Fosse.

P. 345

13. Cp. M.II, 197-198 : « si com l'estoire de sa vie le devise et ça avant meismes en la Queste du Graal en parole cis livres ». On mesure à cette annonce l'étroite soudure de la *Queste* et du *Lancelot,* mais aussi l'écart entre le texte à nous parvenu et l'histoire promise : la *Queste* ne dit mot du destin du fils de Bohort (sauf une allusion, p. 166, l. 25), transformant de ce fait en antagonisme le parallélisme terre-ciel que *Perlesvaus,* pour sa part, respecte. Faut-il conclure que le texte final fut substitué à une « quête du Graal » de notre auteur ou bien que celui-ci dut laisser à un autre la tâche de poursuivre, comme Chrétien à Godefroi de Lagny ? Quoi qu'il en soit, l'auteur de *Perlesvaus* conserva la dualité narrative mais revint à Perceval (d'où le contrecoup dans la tradition ms. du *Lancelot*) ; celui de la *Quête* garda Galaad mais rejeta le double plan.

* Pendant que - tourne ses regards.

P. 346

* Détour, recoin - je m'approchai - épanouie - était - chargés.

P. 347

14. L'historien de la littérature devrait alors réviser ses dates et présenter la suite : *R. Rose I, Livre de Lancelot* (S.III, IV, V), *Perlesvaus,* à l'inverse de l'ordre jusqu'ici admis. Auquel cas le *terminus a quo* de *Lancelot* ne pourrait être antérieur à 1225 où il faudrait remonter la date de G. de Lorris (« *plus* de 40 ans », écrit, en 1268 au plus tôt, Jean de Meung), le *terminus ante quem* restant fixé par Manessier qui connaît *Perlesvaus* et dédie sa continuation à Jeanne de Flandre entre 1233-1237 (dates de sa seconde régence). Soit : *Lancelot* 1225-1230 ? *Perlesvaus* 1230 ? *Queste* 1231 ? puis Manessier (1233...) et Gerbert. Il faut enfin tenir pour achevés vers 1235 : *Mort Artu, Suite Merlin* et

Estoire. Disons pour être complet que la fameuse allusion d'Hélinand s'applique selon nous moins à *Perlesvaus* (en dépit de l'ange) qu'à Robert de Boron : le Graal qui *agrée*, le sang recueilli à *la déposition*, la *paropsis*, la difficulté à réunir *toute* l'histoire, en sont autant de preuves. D'ailleurs 1204, si on s'y tient, convient tout à fait au *Joseph*.

En bref, en compterait trois vagues successives dans le roman breton :

1170-1185 : Thomas et Chrétien de Troyes

1195-1210 : *Lanzelet*, 1er Continuateur, Robert ; puis Wolfram, Wauchier, *Perceval en prose* (Didot).

1225-1240 : le cycle du *Lancelot-Graal*.

* Tiré.

P. 348

* Assurément - pommettes - serrait - grinçaient - trompette - mettait en pièces.

P. 349

* Rassasier - comparée à celle-ci - manifestement - tout le temps - bouclée - d'un blond roux - qui l'aurait pour seigneur.

P. 350

* D'ici - là.

P. 351

* A l'instant - pleine de vie.

P. 353

* Trompé - présomption - à bas tombé - a été remise - deveniez pire.

P. 354

15. J. Roubaud a remarquablement montré le sens du parallèle amoureux entre Galehaut et Guenièvre : l'*Amors* courtois doit l'emporter sur l'*Eros* mélancolique (conférences en Sorbonne et au Cercle Polivanov, en 1978 et 1979). Le rapport du *Fin Amant* à sa Dame condamne à mort celui du héros à son double. A ce titre, de Galehaut à Guenièvre la figure du couple est vouée à la même brisure que l'amour idyllique des enfants, tels Aucassin et Nicolette ou Floire et Blancheflor parvenus à l'âge d'homme (Voir notre *Blanchefleur et le Saint Homme)*. Ajoutons que Lancelot n'est pas le seul à rencontrer en Galehaut « son double hoffmannien » — « kar vos fustes filx de roi et je sui filx d'un povre prince », dit le géant (M.I, 74) : la Fausse Guenièvre, une magicienne qui partagea l'enfance de la reine, l'est aussi bien pour celle-ci (M.I, 95).

* A côté de - vide.

P. 355

Berceau - grande abondance - se lamentant.

P. 356

* Cet enfant.

P. 357

* Chasser à l'arc.

P. 358

16. C'est aussi le sentiment d'A. Micha dont la longue familiarité avec *Lancelot* nous vaut un précieux appui, et dont la générosité ne s'est jamais démentie à nous faire part de son expérience de la tradition manuscrite. Nous pensons que trois à cinq ans ont dû suffire à la rédaction. Rappelons en effet l'aveu d'Hélie de Boron en épilogue à son « grand livre », le *Bret* (*Tristan* en prose) : « Aprés le grant travail que j'ai eu de cestui livre, en tout

cui ai demoré au mien escient *cinc ans* tous entiers et plus» (autres mss.: «un an tout entier»). Cf. E. Löseth, p. 403.

P. 359

17. Disons au passage que l'auteur de *Perlesvaus* s'en est souvenu dans l'épisode de la Croix, tour à tour adorée et battue. On reconnaît là l'audace dont il est coutumier: d'un prodige d'amour, faire un symbole de la Foi! Plus tard (c. 1260), dans le *Roman de Laurin,* ce sera «la Chantepleure» (éd. L. Thorpe, Cambridge, 1960, l. 14666), terme repris par Rutebeuf dans la *Complainte de Constantinople* en 1261.

* Trompée - toutes deux - élevées.

P. 360

18. Tout héros a deux pères, et le désir de la mère en détient le secret. Arthur et Héraklès (Jésus, tout aussi bien) ont même histoire, à ceci près que l'art de Merlin le désigne plus que le roi lui-même au titre de père de l'enfant. Aussi le revendique-t-il pour l'emporter dès sa naissance (comme le magicien Angus mac Oc se charge de Diarmaid dans *Diarmaid et Grainné*). Le diable a présidé à la conception d'Arthur, et ce dernier affrontera un jour un Géant velu, *l'ours* de son rêve (cf. Wace et Thomas d'Angleterre).

* Séparée - nui - avec.

P. 361

19. C'est la version donnée par la majorité des manuscrits, contre celle qu'ont retenue BN 110, Bonn, BN 111 et 113, conformément au *Merlin* de Robert de Boron. Quelle est la rédaction originale? Nous avouons notre faiblesse pour celle éditée par Sommer, parce que le contraste entre la sage et courtoise Niniane et le «dechevans et deloiaus» Merlin y est plus vif; que la suite du récit place résolument Merlin du côté de la luxure et du péché paternel (la Tour Merlin s'oppose à Corbenic); que la surimpression du mythe de Psyché (variante hystérique: surtout ne pas le voir!) à la légende du Fils du Diable est digne de la confusion du lac de Diane avec celui des fées; que, enfin, certaine élucidation du sexe des Anges (si beaux qu'à se voir ils s'échauffèrent...) est de belle théologie! Cf. éd. Micha VII, 39 *sq.*, et Appendice, 459 *sq.*

P. 362

* Charmes - longtemps - tout ce que - pourvu que - un mortel - il consentit - demanderait.

P. 364

20. Complétons la carte par la Carmelide dont Bertolaï le vieux, le conseiller de la fausse Guenièvre, est salué comme le plus vaillant qui soit «en totes les isles de mer» (M.I, 23). Or, le roi Arthur se rend à «Bredigant qui est en la Marche d'Irlande et de Tarmelide» (M.I, 31). Quoiqu'il ne soit pas alors question d'un voyage par me., Arthur y fait pourtant allusion plus tard, afin de le déconseiller à sa concubine malade (M.I, 161). Il faut donc coupler la Carmelide avec l'Irlande, comme Sorelois avec la mer de Cornouailles, et Norgales avec Cambenync. Reste à situer Gorre: cette terre formidable, ceinte d'eau et de marais, est limitrophe du royaume de Norgales dont la sépare le fleuve «Tenebre» (M.I, 82). Devers Logres (ou Bretagne), elle est close par deux eaux profondes qui enserrent elles-mêmes la Terre Foraine (M.II, 25). C'est de là que le corps de Galaad I doit être transporté en Galles (M.II, 32). Il existe enfin une terre d'Estregorre qui a pour frontières Norgales et Cambenync (S.III, 176, 1.7-8). Au total, à l'extrême ouest, les îles de mer (Irlande et Carmelide); à l'ouest, Sorelois, compris par la Severn, avec, au sud, la Cornouailles, au nord, Galles, à l'est, Logres. Dans une aire délimitée par Sorelois, Norgales et Logres prennent alors place, du côté des premiers, Estregorre et Broceliande, puis Cambenync, et du côté de Logres vers Norgales, la Terre Foraine, la Gaste Forêt et Gorre. Il est clair qu'un même dispositif a été redoublé, l'un vers Sorelois (S.III), l'autre vers Logres (S.IV), avec Norgales en commun: Broceliande/Gaste Forêt, Estre-gorre/Gorre, Cambenync/Corbenic.

Signalons enfin que Camaalot où Lancelot, conduit par Niniane dans la forêt, fut adoubé, est près de Gorre (M.II, 85) et que si la fée l'y ramène, au départ du conte de la Charrette, elle l'a d'abord trouvé fou, gisant dans la forêt de Tintagel (M.II, 1-2). Camaalot est au cœur d'un complexe formé par la Cornouailles, Logres, la Terre Foraine et Gorre.

* D'elle - car.

P. 365

* Pour l'amour de lui.

P. 366

* N'était.

P. 367

21. Noter à la porte du château désert le Vilain à la Hache (S.III, 335, l. 9-11 ; M.VIII, 274) : souvenir de Curoi ? Parent lointain du Chevalier Vert de Gauvain ou du Vilain de la *Mule sans frein* ?

P. 368

22. Un des plus beaux épisodes du *Lancelot.* Pour l'interpréter, on se souviendra de l'histoire de Maeldin et de la fontaine empoisonnée, dans la *Vita Merlini* de Geoffroy de Monmouth (éd. E. Faral, *La Légende arthurienne,* Paris, Champion, 1929, p. 349-350), et on lira l'article fondamental de C. Thomasset, « La femme au Moyen Age : immunité-impunité », *Ornicar ?,* n°s 22-23, 1981, p. 223-238.

* Plus qu'elle.

P. 369

23. Voir en fin de chapitre l'arbre généalogique de Galaad d'après le *Livre de Lancelot* et la *Queste del Saint Graal.*

On pense au lignage de la Vierge et à l'arbre de Jessé. Voir E. Mâle, *L'Art religieux du* XIIIe *siècle en France,* Paris, A. Colin, 1948, liv. IV, chap. I : « Les ancêtres du Christ sont aussi les ancêtres de la Vierge, bien que la généalogie de saint Matthieu aboutisse à Joseph et non à Marie ; mais le Moyen Age admettait que cette généalogie était à la fois celle de Joseph et celle de la Vierge. Guillaume Durand nous l'explique : les hommes de la famille de David ne pouvaient se marier hors de cette famille royale, de sorte que l'épouse avait les mêmes ancêtres que l'époux. » (cf. G. Durand, *Rationale divinòrum officiorum,* Lyon, 1672, liv. VI, chap. XVII). Quant à la descendance de Joseph d'Arimathie, le *Livre de Lancelot* mentionne seulement le cadet, Galaad de Sorelice. Il est donc probable que Josephé, introduit par la *Queste,* soit le fils aîné (*QSG,* 32). Leucan est présenté comme le neveu de Joseph. Son nom évoque celui de Leucius/Leucins, l'un des frères ressuscités du vieux Siméon, qui, selon l'*Evangile de Nicodème,* révèlent par écrit ce que fut la Descente du Christ aux Enfers (ed. A. Ford, Genève, Droz, 1973, p. 52).

P. 371

* Tira - fourreau.

P. 372

* Déloyaux.

P. 373

* Au moment même.

P. 374

24. Les épisodes du Val de Morgain et de la rivière aux deux morts sont tirés de *Prothéselaus,* de Hugues de Rutland (autre roman méconnu !). Le contexte en est révélateur. Le

héros, avant d'épouser la reine Médée (jadis aimée de son propre père à lui !) traverse coup sur coup dans la terre *gaste* de Lombardie d'étranges aventures : le Gué Défendu, contre le Chevalier *Faé,* en l'honneur de la Pucelle Sauvage (vaincu, on en revient lépreux, sans d'autre remède que le sang du *Faé* lui-même), v. 3867-4521 ; puis l'hospitalité du *Bloi* Chevalier (Blond), précédée de la découverte du corps décapité au fond de l'eau et du combat contre l'orgueilleux, et comprenant le spectacle du trône d'ivoire laissé vide, des sévices subis par la jeune femme, et de la tête sanglante servie sur un plat (la demoiselle lui sourit tristement ! A rapprocher du « Cœur mangé »), v. 4522-5012. Après quoi, en Bourgogne, le héros tombe aux mains de la Pucelle de l'Ile, dans le Val de Moriane, v. 5947 *sq.*

En clair, le récit offre une version profane du Château du Graal (avec, d'un côté, l'onction du sang guérisseur, de l'autre, le spectacle de la tête sur le plat, propre à *Peredur*), elle-même incluse dans le scénario diversifié du *Gué Périlleux* puis de l'*Hôte* jaloux de sa femme (soit la tradition qui va du récit gallois de *Pwyll* au poème en moyen anglais de *Gawain and the Green Knight*), le tout précédant la *prison amoureuse* dans l'île féerique de Morgain.

Ces connexions confirment la justesse des vues de Loomis dans son chapitre « The Ford Perilous and Guiromelant » (*Arthurian Tradition,* p. 447-459).

Ile de Verre, Château du Graal, Gué Périlleux: chaque terme ne prend sens que des deux autres. Soit dans *Lancelot:* le Val de Morgue, le malade de Cambenync (Agravain), la Douloureuse Tour (Caradoc).

Notons encore que, dans *Protheselaus,* la forme du subjonctif présent troisième personne du singulier de mourir est... « morge » (ed. F. Kluckow, Göttingen, 1924, v. 1759), et, pour conclure, que, dans *Lancelot,* l'épisode de la tombe de l'aïeul (M.V, 117-131) comprend, d'une part, le corps décapité dans la tombe qui saigne, de l'autre, la tête auguste (blanche et vermeille) au fond de l'eau de la Fontaine Ardente !

P. 375

* Elle.

P. 379

25. Version préférable à celle de Sommer, selon laquelle Gauvain remet Escalibor au héros (S.IV, 61). Voir E. Kennedy, II, 335.

26. Le schéma qui alterne Hélène (Marais)/Fille Norgales//Guenièvre (Gorre)/Fille Brangorre//Fontaine aux Serpents/Fille Pellés est donc constamment traversé de rappels réciproques qui échangent les histoires entre elles.

P. 381

27. Signalons au passage la bizarre procédure, digne de *Nosferatu* ou du *Bal des Vampires,* qu'adopte le père en colère pour surprendre le coupable endormi : d'un coup de maillet sur l'épieu appuyé contre le cœur, lui faire rendre l'âme (S.III, 384, l. 8-11 ; M. VIII, 383)...

Ajoutons encore, à propos de cinéma, que nul mieux que John Boorman dans *Excalibur* n'a saisi la pleine signification de Mordred : il suffisait d'identifier le roi Arthur au Roi Pêcheur, et de supprimer le personnage de Galaad !

P. 382

28. Qui ne s'est laissé abuser par l'insidieux lapsus de Sommer, appelant soudain, dans les marges de la fin du tome V (399, 401 ; cf. aussi, 297 n.2), la fille du roi Pellés, Helaine ? Serait-ce dû à l'ancienne traduction anglaise : « Helayn withouten Pere, doughter of Kynge Pelles » (cf. *Index* 33, n.1) ?

P. 384

* Nui - avec - à la place du.

P. 385

* Il lui souvient.

P. 386

29. Aux lits des amants s'opposent les lits de douleur, comme les tombes (des pères) aux fosses hideuses (des vieilles).

* Resta - aurait cru.

P. 387

30. La papauté « crée » en 1229 l'université de Toulouse pour la reconquête catholique du pays cathare. Serait-ce une indication plus précise pour dater le *Livre de Lancelot:* 1228-1230? Sur le savoir de Me Helye, d'autre part, remarquons avec J. Roubaud, qu'il diagnostique les maladies de l'âme en clinicien médiéval, et avec D. Poirion, que sa technique conjuratoire relève de l'art de géomancie (voir Thérèse Charmasson, *Les Premiers Traités latins de géomancie, CCM* 82, XXI, 1978, p. 121-136).

* Ses exploits - plus grands - séparément - la bibliothèque - connus.

P. 388

* La vue - l'aboutissement - en arriver - sortent - on parle.

P. 389

31. Pour Miss Kennedy, l'emploi du passé à cette occasion s'interpréterait dans *Lancelot* comme un renvoi aux récits de Chrétien et de Robert, et prouverait que, dans sa forme première, le roman concernait exclusivement Lancelot et s'arrêtait à la mort de Galehaut, sans préparer la voie d'une Quête du Graal (cf. *op. cit.*, II, p. 38 et 90). Mais n'est-ce pas plutôt le romancier qui, par l'entremise de son personnage, se place ici soudain hors du temps de sa propre histoire, pour la saisir « sub specie eternitatis »? (Cf. M. VIII, 36.)

32. Pourquoi Jessé est-il représenté endormi, demandait E. Mâle (*Art Religieux,* liv. IV, I, 6, n.132)? Peut-être, dans l'imagination des artistes médiévaux, les versets d'Isaïe (11,1-2,10) et la généalogie du Christ selon saint Matthieu se sont-ils combinés à la scène de Booz endormi (cf. *Livre de Ruth,* 4, 17). V. Hugo, génial, en fait une certitude:

> Et ce songe était tel que Booz vit un chêne
> Qui, sorti de son ventre, allait jusqu'au ciel bleu;
> Une race y montait comme une longue chaîne;
> Un roi chantait en bas, en haut mourait un Dieu.

Il n'est d'ailleurs pas indifférent pour l'histoire de Galaad que l'aïeule de David ait été Ruth la Moabite, l'étrangère.

* Qu'il vienne - procuré - à qui Dieu donnera la chance - pour rien - entes.

P. 390

33. L'un d'eux (BN 339) forge même, par un *witz* vraiment inspiré, « le royaume Pellesperillox »! A quand une thèse sur les bévues des scribes?

* Elle fut affligée.

P. 391

* Distingua.

P. 392

34. Faut-il, d'après *Perlesvaus,* en rétablir le nom comme étant le « Gaste Chastel »? De fait, si la Douloureuse Garde est devenue la Joyeuse Garde (S.III, 192; M.VII, 419), le Gai Chastel, qui « avoit esté un des plus envoisiés del monde » (M.I, 195), a connu sous le coup des blessures enchantées un deuil assimilable au motif de la Terre Gaste. Comme, après son succès, Lancelot croit entrer dans un château « embrasé », tant il voit de chandelles et de cierges allumés (mais n'est-ce pas aussi le cas de « l'Orgueilleuse Garde », incendiée, jour et nuit, de sa gloire? cf. M.I, 10), on tient là le motif dont l'auteur de *Per-*

lesvaus a génialement inversé le sens dans l'épisode de la Ville Ardente (*P.* l. 3505 *sq.*), en rappel, peut-être, de la chute de Trèbes (mais aussi bien de Troie!), livrée aux flammes sous les yeux du roi Ban, dans *Lancelot!* Un dernier point : le père d'Alain (duquel Perlesvaus est fils) s'appelle Gais li Gros (*P.* l. 42). Ce nom engage Nitze dans une discussion érudite, sans doute juste pour le doublet *Glais* et le qualificatif *Gros.* Mais n'est-il pas révélateur que, dans *Lancelot,* Melian soit appelé le Gai, d'après le Gai Chastel de son père? Cf. aussi *supra* chap. IV, n.7.

35. Ici se pressent en foule les motifs que retravaille l'auteur de *Perlesvaus:* « le grand feu ardent », le « couard chevalier », la demoiselle à l'épée brandie, « la teste en la destre main ».

P. 394

36. Il faudrait, sur ce point, revoir la note au § 38, p. 225 de l'édition d'A. Micha (t. II). Chose faite au t. IX, notes complémentaires p. 330!

P. 395

37. Quatre motifs fondamentaux, organiquement liés, ressortissent à la tradition celtique: (1) « The Chase of the White Stag », (2) « The Transformed Hag » (voir R. Bromwich, *Etudes Celtiques* IX, 1961, 439-474), (3) « The Beheading Game », (4) « The Dolorous Stroke ». (1) et (3) sont provocations à l'aventure, (2) et (4), objets de quête. (1) et (2) répondent à l'appel de la Fée Amante, (3) et (4) à la demande de l'Hôte royal. (1) et (3) sont couplés par l'aventure de Gauvain à Escavalon dans le *Conte du Graal,* (2) et (4) par celle de Perceval,entre l'Echiquier et le Graal,dans Didot-*Perceval,*et le tout est rassemblé par Païen de Maisières dans *la Mule sans frein.*

P. 396

38. A. Witte avait bien senti à propos du *Tristan* l'importance du procédé, et son article reste remarquable (« Der Aufbau der ältesten Tristandichtungen », *Z.f.d.A.*, 70, 1933, 161-195), mais la critique en faisait alors le principe d'une genèse selon une diachronie fictive des sources, non d'une écriture, dans la synchronie d'une œuvre.

P. 397

39. « Le Simple »: comme Daguenet le Fol, Dodinel le Sauvage, ou Perceval le Nice? Quant à « Lanvalés », le nom du fils d'Heliezer, croiserait-il à dessein les noms de « Lanval » l'ami de la fée d'Avalon (« Launval », anagramme d'Avalon, selon M. Koubichkine, *Le Moyen Age,* 1972, 3-4, p. 481) et du « valet », *Lan*(celot ou Perce)*val,* apparu à la cour d'Arthur?

40. La Roche aux Saxons de l'enchanteresse Camille est aussi en Ecosse (S.III, 406). Or, la Quête des Dix passe par « le chastel as Saisnes » (M.II, 325) et l'histoire de Joseph d'Arimathie se partage entre Brocéliande et l'Ecosse. A son époque, l'enchanteur s'appelait Orphée, qui fonda en la Marche d'Ecosse le Château des Enchantements (M.V, 266; S.V, 300). En Ecosse enfin, raconte Me Helie, vécut une dame qui mena folle vie, puis suivit l'exemple d'un saint ermite avant de sombrer derechef dans le péché : « Si se mist li deables en li. » (M.I, 62.)

41. L'aventure de la Nef merveilleuse dans la *Queste del Saint Graal* reprend sur deux points la Petite Aumône: les « lettres » ou le « bref », au bord de la nef (cp. M. V, 90; *QSG,* 201), les retrouvailles du père et du fils (M. V, 85; *QSG,* 250, l. 22-23). D'une part Lanvalés et Elyezer, de l'autre Galaad et Lancelot: c'est la version sainte et rédimée de l'histoire diabolique de la naissance (cf. la fosse aux lions de Daniel, le fumier de Job, l'arbre d'Adam et Eve)! Ainsi la Grâce divine efface-t-elle la tare originelle.

L'histoire de la Nef dans la *Queste* reprend la légende de l'Arbre de Seth des traditions juive et apocryphe, le cortège du Blanc Cerf rappelle la vision du tétramorphe d'Ezéchiel (I, 5), tandis que la mystique de la « chaiere » ou du trône céleste a peut-être un rapport avec le mystère du Char et de la Présence (ou vision de la Gloire de Dieu) dans le mysticisme juif de la Merkabah.

Tel serait l'arrière-plan eschatologique et apocalyptique du Graal. Il faudrait y ajouter l'histoire de la pierre-œil, récit talmudique à la base du *Voyage d'Alexandre au Paradis,* auquel on doit la conception du Graal comme pierre, dans *Parzival* et, indirectement, dans *Peredur,* deux œuvres ésotériques.

* Il me fût mieux venu - joyeux.

P. 398

41 bis. Plus exactement on regrouperait (A), (C), (D), (F) d'une part, et de l'autre (B), (E) ainsi que deux séquences plus courtes en fin de récit, (G) et (H), avec la venue de Bohort à Corbénic, puis la vie de Lancelot en l'Ile de Joie. Soit d'un côté: les Géants, Morgain, la reine; de l'autre, le secret des naissances et les paysages du Graal.

42. Nous montrerons un jour ce que doit Rabelais au *Livre de Lancelot* (Marotus du Lac !) : généalogie des géants et « vieilles sempiternelles », Pantagruel et Panurge, enflures gigantales et gueules « baées », « entommeures » et souffles divins / du vin (« billevesées »).

43. On lira sur ce sujet capital l'article remarquable de Ph. Walter: « Le solstice de Tristan » (*Travaux de linguistique et de littérature de l'université de Strasbourg,* XX, 2, Strasbourg, Klincksieck, 1982, p. 7-20), et on suivra ses recherches sur le « calendrier secret » du *Tristan* de Béroul.

* Fleurant bon - désireux - envie - là.

P. 399

* N'étaient rien, comparées à celle... - tomba - sourd - il sortit.

P. 400

44. Un précieux parallèle: avant d'être honoré chez Brangorre, à la Table des douze pairs promis aux douze demoiselles, Bohort, au service de la Dame de Honguefort, regrette, en triomphant de Gallidés, d'avoir envoyé le sénéchal de celui-ci à la mort :

> Si sache ele bien que je volsisse miels estre ferus d'une espee parmi les deus cuises que je l'euïsse envoié à la mort (M.II, 161).

Or, au cours du combat sur « le tertre », à proximité de la Tour, le Chevalier du Tertre (*alias* Bohort) avait dû céder son épée, au risque de périr, à une demoiselle sous un pin qui n'était autre que Saraïde, la suivante de Niniane. Mais, quand, plus tard, Lancelot affronte Bohort pour Guenièvre, une vieille intervient, le sommant de tenir parole, puis Griffon, le Chevalier Noir, lui reprend ses armes. Résumons : le sénéchal persécuteur et le héros fautif, la Tour et le Tertre, le « Lac » et le Pin, la Fée et la Vieille, l'Epée du Graal et le tournoi de Brangorre, « Amide » et « Helene » etc. Quelle *conjointure* !

* Cette nuit - le meilleur - fourreau - tirée - contre la défense.

P. 402

* Ce seul homme - écarté - déshérité - (Arthur) - (Arthur).

P. 403

45. Rappelons, à propos de Claudas, les identifications proposées par Loomis (*AT,* 282) entre Claudas, Esclados et le Chevalier Vert à partir de Curoi. Claudas a la taille d'un géant et affectionne la hache. L'attentat de Lyonel, personnage comparé à Lancelot en démesure et en violence, a le sens d'un parricide. Lancelot ne brise-t-il pas d'ailleurs son arc sur le tête de son maître, chez la Dame du Lac, et à cause d'un lévrier ?

46. Arthur est terrassé au cours d'une chasse au sanglier (M.I, 155). Le motif est d'importance ! Tristan, dans la traduction norroise de frère Robert, prétexte la levée d'un énorme sanglier pour justifier ses absences auprès de la seconde Yseut et pénétrer chez Moldagog le géant (la Salle aux Images). Mariadoc, le sénéchal de Marc, avait naguère rêvé de la terrible bête, lacérant de ses crocs le roi endormi (trad. Schach, p. 117 et 80). Lancelot, enfin, dans sa frénésie, poursuit, non loin de Corbenic, le porc sauvage qui lui inflige une plaie profonde dans la cuisse (S. V, 397-398 ; M. VI, 216-217). On sait que le sanglier magique, dans *Diarmaid et Grainné,* cause la mort de Diarmaid, dont il était l'un

des tabous (voir aussi le lai de *Guingamor*) ; or, si la *geis* (injonction) de Grainné polarisait la destinée du héros autour de la femme interdite, l'histoire du sanglier (métamorphose du demi-frère mort de Diarmaid) se rattache à la question du père. Précisons : au meurtre du père, comme l'atteste l'histoire de Raymondin et d'Aymeri, son oncle, dans *Mélusine* de Jean d'Arras. Ce que nous fit redécouvrir Minnelli dans l'admirable film *Home from the Hill* (1960).

* Plus grand - nul - resta - abattu - pensait - près de qui - aurait pu.

P. 406

47. Il faut selon nous arrêter ici la phrase, et, pour le mot suivant, préférer la version de Sommer (IV 40, l. 4) : « *Car* li peres au roy Artu » etc. La version longue : « *Quant* li pere le roi Artu... » est en contradiction avec la suite (M.I, 85). Un peu avant, d'ailleurs, à propos de la conjuration de Me Helie, le texte de Sommer était également plus clair (voir M.I, 70, note au § 62).

P. 411

48. Car il faut reporter sur Lancelot ce qu'on devine d'Hestor. « Elaine » et « Evaine » ne sont-elles pas, suivant une tradition familière, les sœurs des fils du Roi *Mehaigné,* Pellés et « Helain » ? Le secret ne tient-il pas à ce qui rattache Elainne au lignage du Graal ? Nous avons ailleurs montré, à partir d'*Ipomedon* de Hugues de Rutland, sur quelle équivalence entre Capaneus, Perceval et Mordred se fonde l'inceste (cf. D. Poirion éd., *Précis de littérature française du Moyen Age,* Paris, PUF, 1983, p. 230).

49. Le « bref » dans la main du saint homme rappelle le « bref » de Petrus chez Robert de Boron. D'où vient pareil motif ? De la missive exhibée par « Pierre » l'Ermite pendant la première Croisade ? De la lettre venue du ciel dans *la Vie de saint Gilles* (éd. G. Paris et A. Bos, SATF, 1881, v. 2909 *sq.*) ? Comme nous en faisait confidence R. Dragonetti, Gille, le saint dont le nom vaut « ruse », est le dépositaire d'un épouvantable péché de Charlemagne — ce qui, toujours selon R.D., rendrait toute sa portée à l'allusion sibylline des v. 2096-2098 de *la Chanson de Roland.* Joignons-y, pour notre part, la lettre céleste qui intime pénitence à Robert, le fils du diable (*Robert le Diable,* SATF, v. 796-819). Mais il est encore un autre mystère chez Robert de Boron : le siège vide de Moyse à la place de Judas, et la légende médiévale de Judas, coulée dans le moule œdipien, vaut bien le secret de saint Gille ! D'où la Tombe de Symeu, dans une scène vraiment digne de Cazotte ! Mais laissons ces horreurs à leur ombre, et bornons-nous à constater que l'Invention de la Croix est due à la sainte mère de Constantin... Hélène, grâce aux indications d'un juif... Judas (le futur Cyriaque). Voir *Eracle* de Gautier d'Arras, héros dont la naissance tient à la fois de Tydorel, de Robert le Diable et de Jean-Baptiste. Eracle est « devin », Tydorel revient au « lac », un « cerf », fugace dans *Robert le Diable,* hante *Tyolet.*

P. 412

* Berceau - je fus - doit - joie - là.

P. 413

50. Cette vérité qui emporte la question de qui je suis reste enveloppée dans celle de savoir d'où je viens. Comme l'a dit Macrobe, dans son *Commentaire sur le Songe de Scipion* (I, 9, 1-3), se connaître soi-même, selon la devise de Delphes, n'est que reconnaître son premier commencement et origine. Galaad meurt quand il est invité à regarder enfin à l'intérieur du Graal, « dedenz le saint Vessel », tandis qu'un homme mystérieux célèbre la messe de la glorieuse Mère de Dieu : « Ici voi ge l'acomençaille des granz hardemenz et l'achoison des proeces ; ici voi ge les merveilles de totes autres merveilles ! » (*QSG,* 278). Mais il avait aussi auparavant honoré son père : « Et je le doi bien fere, car vos estes comencement de moi. » (*QSG,* 250). Or, dans un autre contexte, celui des « écritures », l'expression s'appliquait déjà à Lancelot : « (le roi) requiert a Lancelot qu'il die premiers, por ce qu'il avoit esté achoisons et commancemenz de la queste ». (M. VI, 50), mais également à la Table Ronde, quand on reçoit l'honneur d'y servir le premier mets, « por che que

commenchemens estoit de connoissance et acommenchement de compaignie ». (M. VII, 239). Liturgie et généalogie, côté Graal ou côté Table Ronde, présentent les deux faces du mystère de l'origine.

* A qui - je pense.

Le tome VIII du Micha ayant paru pendant la composition de cet ouvrage, nous donnons ci-dessous une petite table des concordances avec le tome III du Sommer :

S. III 215 - M. VIII 12	S. III 335 - M. VIII 274
S. III 226 - M. VIII 36	S. III 350 - M. VIII 308
S. III 231 - M. VIII 46	S. III 351 - M. VIII 309-310
S. III 246-247 - M. VIII 78-81	S. III 353 - M. VIII 315
S. III 250 - M. VIII 88	S. III 355 - M. VIII 318
S. III 252 - M. VIII 91	S. III 356 - M. VIII 320
S. III 269 - M. VIII 128-129	S. III 358 - M. VIII 326
S. III 273 - M. VIII 137	S. III 361 - M. VIII 332
S. III 277 - M. VIII 147	S. III 366 - M. VIII 344
S. III 278 - M. VIII 149	S. III 376 - M. VIII 365
S. III 288 - M. VIII 169	S. III 383 - M. VIII 381
S. III 302 - M. VIII 201	S. III 384 - M. VIII 383
S. III 304-305 - M. VIII 204-207	S. III 387 - M. VIII 392
S. III 308 - M. VIII 213	S. III 391 - M. VIII 400-401
S. III 312-313 - M. VIII 224	S. III 395 - M. VIII 409-410
S. III 315-316-317 - M. VIII 228-234	S. III 399 - M. VIII 418
S. III 319 - M. VIII 237	S. III 411-414 - M. VIII 444-452
S. III 321 - M. VIII 242-243	S. III 417 - M. VIII 458
S. III 323 - M. VIII 246	S. III 422 - M. VIII 470
S. III 328 - M. VIII 258	S. III 429 - M. VIII 488-489
S. III 334 - M. VIII 273	S. V 102 - M. IV 195

BIBLIOGRAPHIE

I - BIBLIOGRAPHIES

Bulletin bibliographique de la société internationale arthurienne (B.B.-S.I.A.), Paris. Depuis 1949. 34 vol. à ce jour. Voir 1, 1949, 4 ; 30, 1978, 347 et 31, 1979, 356.

Klapp, O., *Bibliographie der Französischen Literaturwissenschaft,* Klostermann, Frankfurt/M. Depuis 1956 (section 2 de chaque volume).

Publications of the Modern Language Association of America (P.M.L.A.), New York. Voir la partie bibliographique et, pour les années 1922-1935, les deux vol. de J.J. Parry, *Arthurian Bibliography, 1931-1936.*

II - HISTOIRES LITTERAIRES

Bruce, J.D., *The Evolution of Arthurian Romance,* Göttingen-Baltimore, Hesperia, 1928, 2 vol.

Jauss, H.R. et Köhler, E., ed., *Grundriss der romanischen Literaturen des Mittelalters,* Heidelberg, C. Winter, 1978, t. IV.

Loomis, R.S., ed., *Arthurian Literature in the Middle Ages,* Oxford Univ. Press, 1959.

Poirion, D., éd., *Précis de littérature française du Moyen Age,* Paris, P.U.F., 1983.

III - TEXTES ET TRADUCTIONS

A - Récits celtiques et ballades populaires

Child, F.J., *The English and Scottish popular Ballads,* New York, Dover Publications, 1965 (rééd.), 5 vol.

Cross, T.P. et Slover, C.N., *Ancient Irish Tales,* New York, 1969 (rééd. avec mise à jour bibl. par C.W. Dunn).

Kinsella, T., *The Tain,* Oxford Univ. Press, 1969 (réimpr. 1977).

Loth, J., *Les Mabinogion,* Paris, Les Presses d'Aujourd'hui, 1979 (rééd.).

B - La «geste» des Bretons

Arnold, I., *Wace, Le Roman de Brut,* Paris, Didot, S.A.T.F., 1938-1940, 2 vol. Voir aussi l'édition de la partie arthurienne, Paris, Klincksieck, 1962.
Clarke, B., *Geoffrey of Monmouth, Life of Merlin,* Cardiff, Univ. of Wales Press, 1973 (éd. et trad.).
Faral, E., *La Légende arthurienne. Etudes et documents,* Paris, «Bibl. Ecole des Hautes Etudes», fasc. 255-257, 1929, 3 vol.
Thorpe, L., *Geoffrey of Monmouth, The History of the Kings of Britain,* Penguin Classics, 1966.

C - Chrétien de Troyes et ses continuateurs

Roach, W., *The Continuations of the Old French Perceval,* Philadelphia, «The American Philosophical Society», 1965 et 1970 (réimpr.), 1971, 4 vol. et un glossaire (L. Foulet).
Roques, M., Micha, A., Lecoy, F.; *Les Romans de Chrétien de Troyes d'après la copie de Guiot,* Paris, Champion, C.F.M.A. nos 80, 1952 ; 84, 1957 ; 86, 1958 ; 89, 1960 ; 100 et 103, 1973 et 1975. Voir trad. correspondantes chez le même éditeur. Autres éd. du *Conte du Graal* : A. Hilka, Halle, Niemeyer, 1932, et W. Roach, Genève, Droz, T.L.F. 71, 1959. Consulter enfin l'anthologie thématique du *Conte du Graal,* par J. Ribard, Paris, Hatier, 1976.
Thompson, A.W., *The Elucidation,* New York, 1931.
Tonnelat, E., *Wolfram d'Eschenbach Parzival,* Paris, Aubier, 1976 (rééd.) 2 vol.
Wolfgang, L.D., *Bliocadran,* Tübingen, Niemeyer, «Beihefte zur Z.r.P.» 150, 1976.

D - «Livre du Graal» et «Livre de Lancelot»

Cerquiglini, B., *Robert de Boron, Le Roman du Graal (ms. de Modène),* Paris, 10/18, «Bibliothèque médiévale», 1981.
Frappier, J., *La Mort le roi Artu,* Paris, Droz, T.L.F. 58, 1956 (rééd.).
Kennedy, E., *Lancelot do Lac, the non-cyclic old French prose Romance,* Oxford, Clarendon, 1980, 2 vol.
Micha, A., *Robert de Boron, Merlin,* Genève, Droz, T.L.F. 281, 1979 (voir trad. dans *Merlin le prophète,* Paris, Stock Plus, 1980, p. 13-187).
Micha, A., *Lancelot,* Genève, Droz, T.L.F. 247 et 249, 1978 ; 262 et 278, 1979 ; 283, 286 et 288, 1980 ; 307, 1982.
Nitze, W.A., *Robert de Boron, Le Roman de l'Estoire dou Graal,* Paris, Champion, C.F.M.A. 57, 1927.
Nitze, W.A., et Jenkins, T.A., *Le Haut Livre du Graal : Perlesvaus,* Chicago, Univ. of Chicago Press, 1932-1937, 2 vol.
Pauphilet, A., *La Queste del saint Graal,* Paris, Champion, C.F.M.A. 33, 1949 (trad. E. Baumgartner, même éditeur, 1979).
Roach, W., *The Didot-Perceval,* Philadelphia, Univ. of Pennsylvania Press, 1941.
Voir aussi dans R. Lavaud et R. Nelli, *Les Troubadours,* Desclée de Brouwer, «Bibliothèque européenne», 1960, t. I, *le Roman de Jaufre,* tributaire, selon nous, du *Livre de Lancelot.*

E - Les récits de Tristan, du Bel Inconnu et de Gauvain

Buschinger, D., *Eilhart d'Oberg, Tristrant,* Göppingen, Kümmerle, G.A.G. 202, 1976 (éd. et trad.).
Buschinger, D., *Gottfried de Strasbourg, Tristan und Isolde,* G.A.G. 207, 1980 (trad.).
Foerster, W., *Li Chevaliers as deus espees,* Halle, Niemeyer, 1877.
Friedwagner, M., *La Vengeance de Raguidel,* Halle, Niemeyer, 1909.
Holden, A.J., *Hue de Rotelande, Ipomedon,* Paris, Klincksieck, B.F.R. 17, 1979.
Johnston, R.C. et Owen, D.D.R., *Two old French Gauvain Romances,* New York, Barnes and Noble, 1972.
Payen, J.C., *Tristan et Yseut* (Béroul, Thomas, Folies), Paris, Garnier, 1974 (éd. et trad.).
Pons, E., *Sire Gauvain et le Chevalier Vert,* Paris, Aubier, B.P.G. 9, 1946 (éd. et trad.).
Rychner, J., *Les Lais de Marie de France,* Paris, Champion, C.F.M.A. 93, 1966 (trad. P. Jonin, même éditeur, 1972).
Schach, P., *The Saga of Tristram and Isönd,* Lincoln, Univ. of Nebraska Press, 1973.
Thomas, J.W., *Wirnt von Gravenberg, Wigalois,* Lincoln, Univ. of Nebraska Press, 1977.
Tobin, P.M., O'Hara, *Les Lais anonymes des XIIe et XIIIe siècles,* Genève, Droz, P.R.F. 143, 1976 (voir trad. dans *Le Cœur mangé,* Paris, Stock Plus, 1979).
Webster, K.G.T. (revd. Loomis), *Ulrich von Zatzikhoven, Lanzelet,* New York, Records of Civilization, Sources and Studies 47, 1951.
Williams, G.P., *Renaut de Beaujeu, le Bel Inconnu,* Paris, Champion, C.F.-M.A. 38, 1929.
A signaler enfin un autre roman de Hue de Rotelande qui éclaire bien des aspects du *Livre de Lancelot* :
Kluchow, F., *Hue de Rotelande, Protheselaus,* Göttingen, Niemeyer, Gesellschaft für Romanische Literatur 45, 1924.

F - Hagiographie et théologie

Ancona, A. d', *La Leggenda di Vergogna e la Leggenda di Giuda,* Bologne, Romagnoli, «Scelta di curiosita litterarie...» 99, 1869.
Lefèvre, Y., *L'Elucidarium et les Lucidaires,* Paris, de Boccard, 1954.
Migne, J.P., *Dictionnaire des apocryphes, Encyclopédie théologique,* t. 23-24, 1856 (extraits par C. Mopsik, *Les Evangiles de l'ombre,* Paris, Lieu commun, 1983).
Short, I., Merrilees, B., ed., *Benedeit, The Anglo-Norman Voyage of saint Brendan,* Manchester Univ. Press, 1979.
Sol, H.B., éd., *La Vie du pape saint Grégoire. Huit Versions françaises médiévales de la légende du Bon Pécheur,* Amsterdam, Rodopi, 1977.

IV - ETUDES CRITIQUES ET HISTORIQUES

Agamben, G., *Stanze. La Parola e il Fantasma nella cultura occidentale,* Turin, Einaudi, 1977 (trad. fr., éd. Bourgois, 1982).

Barron, W.R.J., *Trawthe and Treason. The Sin of Gawain reconsidered,* Manchester Univ. Press, 1980.

Bezzola, R., *Les Origines et la Formation de la littérature courtoise en Occident (500-1200),* Paris, Champion, 1944-1963, 5 vol.

Bloch, H., *Medieval French Literature and Law,* Berkeley, Univ. of California Press, 1977.

Boulgakov, S., «Le Saint Graal. Essai d'une exégèse dogmatique de Jean 19, 34», dans *Pout* n° 32, Paris, février 1932, et dans *Contacts* n° 91, 1975, p. 281-318.

Bromwich, R., «Celtic dynastic themes and the Breton Lays», *Etudes celtiques* 9, 1961, p. 439-474.

Brugger, E., «Der schöne Feigling in der arturischen Literatur», *Zeitsch. f. rom. Phil.* 61, Tübingen, 1941, p. 1-44.

Brugger, E., *The Illuminated Tree in two Arthurian Romances,* New York, Publications of the Institute of French Studies, 1929.

Cerquiglini, B., *La Parole médiévale,* Paris, Minuit, 1981.

Cosquin, E., *Etudes folkloriques. Recherches sur les migrations des contes populaires et leur point de départ,* Paris, Champion, 1922.

Damon, P., «The Metamorphoses of Helen», *Romance Philology* 19, 2, H.R. Patch Memorial, Berkeley, 1965, p. 194-211.

Dragonetti, R., *La Vie de la lettre au Moyen Age. Le Conte du Graal,* Paris, Seuil, «Connexions du champ freudien», 1980.

Duby, G., *Hommes et Structures du Moyen Age,* Paris-La Haye, Mouton, 1973.

Duby, G., et Le Goff, J., éd., *Famille et Parenté dans l'Occident médiéval,* Ecole française de Rome, Palais Farnèse, Collection 30, 1977.

Dumézil, G., *Le Festin d'immortalité,* Paris, Geuthner, 1924.

Dumézil, G., *Horace et les Curiaces,* Paris, Gallimard, 1942.

Faugère, A., *Les Origines orientales du Graal chez Wolfram von Eschenbach,* Göppingen, Kümmerle, G.A.G. 264, 1979.

Frappier, J., *Chrétien de Troyes et le mythe du Graal,* Paris, S.E.D.E.S., 1972.

Frappier, J., *Amour courtois et Table Ronde,* Genève, Droz, P.R.F. 126, 1973.

Frappier, J., *Autour du Graal,* Genève, Droz, P.R.F. 147, 1977.

Gallais, P., *Perceval et l'Initiation,* Paris, Ed. du Sirac, 1972.

Gilson, E., «La mystique de la Grâce dans la Queste del Saint Graal», *Les Idées et les Lettres,* Paris, Vrin, 1955, p. 59-91.

Grisward, J., «Le Motif de l'épée jetée au lac : la mort d'Arthur et la mort de Batradz», *Romania* 90, 1969, p. 289-340 ; 473-514.

Grisward, J., *Archéologie de l'épopée médiévale,* Paris, Payot, 1981.

Guiette, R., *Forme et Senefiance,* Genève, Droz, P.R.F. 148, 1978.

Haidu, P., *Lion-Queue-coupée. L'Ecart symbolique chez Chrétien de Troyes,* Genève, Droz, H.I.C.L. 123, 1972.

Jauss, H.R., *Alterität und Modernität der Mittelalterlichen Literatur,* Munich, Fink, 1977.

Kahane, H. et R., Pietrangeli, A., *The Krater and the Grail : Hermetic Sources of the «Parzival»,* Urbana, Univ. of Illinois Press, 1965.

Köhler, E., *L'Aventure chevaleresque. Idéal et Réalité dans le roman courtois,* Paris, Gallimard, 1974.

Lazar, M., *Amour courtois et Fin'Amors dans la littérature du XIIe siècle,* Paris, Klincksieck, 1964.

Le Goff, J. et Le Roy Ladurie, E., «Mélusine maternelle et défricheuse», *Pour un autre Moyen Age,* Paris, Gallimard, 1977.

Le Goff, J. et Vidal-Naquet, P., «Lévi-Strauss en Brocéliande», *Critique* 325, juin 1974, p. 541-571.
Le Rider, P., *Le Chevalier dans le Conte du Graal,* Paris, S.E.D.E.S., 1978.
Leupin, A., *Le Graal et la Littérature,* Lausanne, L'Age d'Homme, 1982.
Lévi-Strauss, C., *Anthropologie structurale,* II, Paris, Plon, 1973, p. 11-44.
Lévi-Strauss, C., «De Chrétien de Troyes à Richard Wagner», *Programme du festival de Bayreuth,* 1975, dans *Le Regard éloigné,* Paris, Plon, 1983, p. 301-324.
Loomis, R.S., *Arthurian Tradition and Chrétien de Troyes,* New York, Columbia Univ. Press, 1949.
Loomis, R.S., *Wales and the Arthurian Legend,* Cardiff, Univ. of Wales Press, 1956.
Markale, J., *Merlin l'enchanteur,* Paris, Retz, 1981.
Markale, J., *Le Graal,* Paris, Retz, 1982.
Marx, J., *La Légende arthurienne et le Graal,* Paris, P.U.F., 1952.
Ménard, P., «Les fous dans la société médiévale. Le témoignage de la littérature au XIIe et au XIIIe siècle», *Romania* 98, 1977, p. 433-459.
Ménard, P., *Les Lais de Marie de France,* Paris, P.U.F., 1979.
Metlitzki, D., *The Matter of Araby in Medieval England,* New Haven - London, Yale Univ. Press, 1977.
Micha, A., *De la chanson de geste au roman,* Genève, Droz, P.R.F. 139, 1976.
Micha, A., *Etude sur le «Merlin» de Robert de Boron,* Genève, Droz, P.R.F., 1980.
Ollier, M.L., «Le roman courtois, manifestation du dire créateur», G. Falconer et H. Mitterand éd., *La Lecture socio-critique du texte romanesque,* Toronto, S. Stevens, Hakkert and C^o, 1975, p. 175-188.
Olschki, L., «Il Castello del Re Pescatore e i suoi misteri nel *Conte del Graal* di Chrétien de Troyes», dans *Atti dell'Accademia Nazionale dei Lincei* X, 3, 1961, p. 101-159.
O'Sharkey, E.M., «The Influence of the teachings of Joachim of Fiore on some XIIIth c. French Grail Romances», *Trivium,* 2, 1967, p. 47-58.
Poirion, D., «De l'Enéide à l'Eneas : mythologie et moralisation», *Cahiers de civilisation médiévale* XIX, 1976, p. 213-229.
Poirion, D., «Edyppus et l'énigme du roman médiéval», *L'Enfant au Moyen Age. Littérature et Civilisation,* Aix-en-Provence, C.U.E.R.M.A., «Senefiance» 9, 1980, p. 287-298.
Pollmann, L., *Die Liebe in der hochmittelalterlichen Literatur Frankreichs,* Frankfurt, Clostermann, 1966.
Quinn, E.C., *The Quest of Seth for the Oil of Life,* Chicago Univ. Press, 1962 (2e éd. 1969).
Quinn, E.C., *The Penitence of Adam,* University, Mississippi, Romance Monographs Inc., 1980.
Rees, A. et Rees, B., *Celtic Heritage,* London, Thames and Hudson, 1961 (rééd. 1978).
Roach, W., «Eucharistic Tradition in the Perlevaus», *Zeitsch. f. Rom. Phil.* 59, 1, 1939, p. 10-56.
Roloff, V., *Reden und Schweigen,* Munich, Fink, M.R.A. 34, 1973.
Roubaud, J., *Graal-fictions,* Paris, Gallimard, 1978.
Saly, A., «Observations sur le lai de Guigemar», *Mélanges C. Foulon,* Rennes, Univ. de Haute Bretagne, 1980, t. I, p. 329-339.
Sébillot, P., *Le Folklore de France,* Paris, Maisonneuve et Larose, 1968 (réimpr.).
Seznec, J., *La Survivance des dieux antiques,* Paris, Flammarion, 1980.

Vance, E., «Augustine's confessions and the poetics of the Law», *Modern Language Notes* 93, 1978, p. 618-634.
Vinaver, E., *A la recherche d'une poétique médiévale,* Paris, Nizet, 1970.
Weinraub, E.T., *Chretien's Jewish Grail,* chapel Hill, Univ. of North Carolina Press, 1976.
Weston, J., *The Legend of Sir Gawain,* London, Grimm Library 7, 1897.
Weston, J., *The Legend of Sir Perceval,* Genève, Slatkine, 1977 (réimpr.).
Weston, J., *From Ritual to Romance,* Cambridge, 1920 (rééd. Anchor Books, 1957).
Wetherbee, W., *Platonism and Poetry in the XIIth c.,* Princeton Univ. Press, 1972.
Wolfzettel, F., «Le rôle du père dans le procès d'arthurisation du sujet d'Erec/Gereint», *Marche Romane* 25, 1-2, 1975, p. 95-104.
Zumthor, P., *Langue, Texte, Enigme,* Paris, Seuil, 1975.

Se reporter enfin aux recueils collectifs suivants :
Lumière du Graal, Paris, Les Cahiers du Sud, 1951.
Les Romans du Graal dans la littérature des XIIe et XIIIe siècles, Paris, C.N.R.S., 1956.
Chanson de geste und höfischer Roman, Heidelberg, Winter, *Studia Romanica* 4, 1963.
Voyage, Quête, Pèlerinage, Aix-en-Provence, C.U.E.R.M.A., *Senefiance* 2, 1976.
Medieval Literature and Contemporary Theory, New Literary History 10, 1979.
Intertextualités médiévales, Littérature 41, février 1981.
Le Moyen Age maintenant, Europe 654, octobre 1983.

INDEX
DES ŒUVRES MEDIEVALES

Sommaire analytique

IMP. SEPC À SAINT-AMAND (CHER)
D.L. FÉVRIER 1984. Nº 6551 (037)